প্রথম আলো

প্রথম আলো

প্রথম পর্ব

সুনীল গঙ্গোপাধ্যায়

জ্যোৎস্না পাবলিশার্স

ঢাকা

প্রথম আলো

প্রথম পর্ব

সুনীল গঙ্গোপাধ্যায়

প্রকাশক

স্বপন দত্ত

জ্যোৎস্না পাবলিশার্স

১২/১৩, প্যারী দাস রোড

ঢাকা-১১০০

স্বত্ব

প্রকাশক

প্রকাশকাল

প্রথম বাংলাদেশ সংস্করণ

ঢাকা মেলা-২০০৩

দ্বিতীয় সংস্করণ-মে-২০১১

তৃতীয় সংস্করণ ঃ মে-২০১৪

চতুর্থ মুদ্রণ- সেপ্টেম্বর ২০২৩

প্রচ্ছদ

মোবারক হোসেন লিটন

বর্ণবিন্যাস

আঁখি কম্পিউটার

গেন্ডারিয়া, ঢাকা-১২০৪

মুদ্রণ

আল্-কাদের অফসেট প্রিন্টার্স

৫৭, ঋষিকেশ দাস রোড

ঢাকা-১১০০

মূল্য ঃ চারশত পঞ্চাশ টাকা মাত্র

ISBN 984 8139 60 5

PRATAM ALO (part 1) : A Novel by Sunil Gangopadhya
Published by Swapan Datta. Jyotsna Publishers.
2/3, Pyaridas Road. Dhaka-1100.
E-mail jyotsna_publishers@yahoo.com
Price : Tk. Four hundred Fifty only. £-7.00 (U.K), $-12.00 (U.S.A)

রবীন্দ্রনাথের প্রেরণাদাত্রী
কাদম্বরী দেবীর স্মৃতির উদ্দেশ্যে

সু নী ল গ ঙ্গো পা ধ্যা য়

ফ্ল্যাট নং এ ২/৯ • ২৪ ম্যান্ডেভিল্ গার্ডেনস্ • কলকাতা ৭০০ ০১৯ • ফোন ৪৪০ ৭৩০২

আমার উপন্যাস 'সেই সময়', 'পূর্ব-পশ্চিম' এবং 'প্রথম-আলো', এই তিনটি গ্রন্থের বাংলাদেশ সংস্করণ প্রকাশের জন্য জ্যোৎস্না পাবলিশার্স-এর স্বপন কুমার দত্তকে অনুমতি দেওয়া হলো। এই সংস্করণগুলি ভারতে বিক্রয় করা যাবে না।

সুনীল গঙ্গোপাধ্যায়
৯-৯-৯৯

প্রথম আলো

আজকের দিনটি বড় মনোরম । শুভ্র রোদ্দুরে একটুও জ্বালা নেই, স্নিগ্ধ বাতাস বইছে মৃদু মন্দ, পটভূমিকার পাহাড়শ্রেণী স্পষ্ট দৃশ্যমান। গত কয়েকদিন ছিল একটানা বৃষ্টি, কাল সন্ধ্যায় যেন সমস্ত মেঘ নিঃশেষ হয়েছে, তাই আকাশ স্বেদহীন নীলাভ। অরণ্যের প্রতিটি বৃক্ষ ও লতাপাতাই স্নানসিক্ত, ফুটে উঠেছে যার যার নিজস্ব বর্ণ, প্রকৃতির মধ্যে ধ্বনিত হচ্ছে আনন্দের কলস্বর। আজ এক সার্থক উৎসবের দিন।

পাহাড় থেকে নেমে, অরণ্য ভেদ করে দলে দলে মানুষ চলেছে রাজধানীর দিকে। যেন অনেক নদীর ধারা কিন্তু একটির সঙ্গে আর একটি মিশে যাচ্ছে না। কোনও দলেই শিশু কিংবা বৃদ্ধ-বৃদ্ধা প্রায় নেই, চলেছে সমর্থ শরীরের নারী ও পুরুষেরা, পায়ে হেঁটে যেতে হবে অনেক দূর। বিশেষ পোশাক পরে এসেছে সকলেই, এমনকি যারা অন্য দিন তেমন পোশাকের ধার ধারে না তারাও কিছু-না কিছু পরিধান করেছে। নারী ও পুরুষদের আবরণের প্রভেদ বিশেষ নেই, কটিবস্ত্র মাত্র সম্বল, নারীদের রয়েছে নানারকম আভরণ, কেশদাম কুসুম সজ্জিত, গলায় গুঞ্জাফুলের মালা, নানারকম হাড়ের টুকরো ও কুঁচ ফলের হার, বিশেষ বিশেষ পুরুষদের মাথায় পালকের মুকুট।

যেন পাহাড় থেকে ঢল নেমেছে। অরণ্য থেকে বেরিয়ে আসছে আরণ্যকরা। অমরপুর, বিলোনিয়ার দিক থেকে আসছে রিয়াংদের দল। প্রায় দুশো জনের এই দলটি বেশ সুশৃঙ্খল, প্রায় সকলেই চলেছে পায়ে হেঁটে, মাঝখানে রয়েছেন এক অশ্বরোহী । অনুচ্চ এক টাট্টু ঘোড়া, তাতে উপবিষ্ট প্রৌঢ় মানুষটিও ছোটখাটো, বোঝা যায় ইনিই দলপতি, ইনি রিয়াংদের রাই। রাইকে বিশেষ সম্মান জানাবার জন্য একজন এঁর মাথায় ছাতা ধরে আছে, সামনে পেছনে চলেছে দু'জন বাদ্যকর, একজন বাজাচ্ছে ঢোল, অন্য জন বাঁশি। অন্যদের উর্ধাঙ্গ নগ্ন হলেও রাই-এর কাঁধে রয়েছে একটি চাদর। এর চক্ষু দুটি ঢুলু ঢুলু, গত রাত্রির মাদকতা এখনও কাটেনি, তবু মাঝে মাঝে সচেতন হয়ে পেছন ফিরে তীক্ষ্ণ দৃষ্টিতে দেখে নিচ্ছেন দলটিকে। শুধু তীক্ষ্ণতা নয়, রাই-এর পরেই পদমর্যাদায় যাঁর স্থান তাঁর নাম রাইকাচক, বয়েসে প্রৌঢ়ত্বের সীমানায় পৌঁছলেও তাঁর বেশ বলিষ্ঠ শরীরের গড়ন, কালো পাথরের মতন বুক, হাতে একটি বর্শা। রাইকাচক পায়ে হেঁটে আসছেন, তবে কোথাও একটু থামলেই তাঁর দুটি অনুচর সঙ্গে সঙ্গে প্রায় ঝাঁপিয়ে পড়ে তাঁর দু'পায়ের গুল্ফ মার্জনা করে দিচ্ছে। মিছিলের একেবারে শেষ দিকে অল্প বয়েসীরা লাফিয়ে লাফিয়ে গাইছে একটা কৌতুকের গান, যুবতীরা গলা মেলাচ্ছে তাদের সঙ্গে, হঠাৎ হঠাৎ হাসিতে নুয়ে যাচ্ছে তাদের শরীর। ঘন্টার পর ঘন্টা পদযাত্রাতেও তাদের চোখে মুখে কোনও ক্লান্তির চিহ্ন নেই।

কৈলাশহর, সাবরুম, উদয়পুরের দিক থেকে আসছে বিভিন্ন চাকমাদের দল। এদের দলে কলকোলাহল কম, এরা নীরবে পথ চলা পছন্দ করে। তবে কোথাও ফুলের ঝাড় দেখলেই এদের মেয়েরা ছুটে যায়, আবার হাঁটতে হাঁটতেই তারা ফুলের মালা গাঁথে। এরা বৌদ্ধ।

ধর্মনগর, কমলপুরের দিক থেকে আসছে লুসাই আর কুকি সম্প্রদায়। লুসাই আর কুকিদের মধ্যে সম্প্রদায়গত তেমন তফাত নেই কিন্তু আচার-ব্যবহারে লুসাইরা খানিকটা স্বতন্ত্র হয়ে গেছে। লুসাইদের মধ্যে কিছু লোক খ্রিস্টান হয়েছে সম্প্রতি, কেউ কেউ লেখাপড়া শিখছে। কোপন স্বভাব ও নির্মম লুসাইরা খ্রিস্টানধর্মের প্রেমের বাণী গ্রহণ করে এখনও

বৈপরীত্যের বিভ্রান্তি কাটিয়ে উঠতে পারেনি। লুসাই অর্থাৎ লু-চাই অর্থাৎ নৃমুণ্ডশিকারী। এই তো কিছুকাল আগেও মৃত দলপতির পারলৌকিক কাজের জন্য তারা মহা উৎসাহে বাঙালি ও মনিপুরিদের মুণ্ডু কেটে আনত। এখন পাদ্রিরা তাদের শেখাচ্ছেন, প্রতিবেশীদের ভালোবাসো। অন্য কুকিদের সঙ্গে এদের ব্যবধান বোঝা যায় পরিধেয় বস্ত্রে। কুকিরা ঊর্ধ্বাঙ্গ ঢাকার ধার ধারে না, লুসাই রমণীরা নিজের হাতে বোনা এক খণ্ড বস্ত্রে বক্ষ বেঁধে রেখেছে। সেই বস্ত্রখণ্ড বন মোরগের ঝুঁটির মতন তীব্র লাল। দু-একটি ছোকরা আবার পাদ্রিদের দেওয়া পাতলুনও পরেছে।

আসছে জামাতিয়া, হালাম, নোয়াতিয়া, মগ, মুণ্ডা, ভিল, গারো, খাসিয়া, ওরাং এবং আরও অনেক উপজাতির মানুষ। পাহাড়-জঙ্গলের নিজস্ব ডেরা ছেড়ে বেরিয়ে এসে তারা সকলেই চলেছে এক দিকে। এদের মধ্যে হালাম ও জামাতিয়াদের দলে নারীর সংখ্যা কম, পুরুষরা সবাই সশস্ত্র, গান গাওয়ার বদলে এরা মাঝে মাঝে দেয় রণহুংকার। তবে অন্য সম্প্রদায়ের পাশাপাশি চলে এসেও আজ কেউ বিবাদ করবে না। আজ উৎসবের দিন।

এবং আসছে ত্রিপুরিরা, সব দিক থেকে। এদের সংখ্যাই বেশি। ত্রিপুরিদের অনেকেরই ঘোড়া আছে, নারীদের শরীর আবৃত দু-টুকরো কাপড়ে, এরাও গান ভালোবাসে। ত্রিপুরিদের দলে রয়েছে কয়েকটা হাতি, মাহুত ছাড়া সেই হাতিগুলির পিঠে কেউ আরোহণ করেনি। এইসব হাতি রাজার জন্য উপহার। অন্য উপজাতীয়রাও কিছু কিছু উপহার নিয়ে চলেছে, কোনও দলে রয়েছে উৎকৃষ্ট তুলো ভর্তি পুঁটুলি, ঝোরা ভর্তি জমপুই পাহাড়ের কমলালেবু, গুচ্ছ গুচ্ছ আনারস, সদ্য আহরিত চাষের ফসল, একটি-দুটি হরিণশিশু। আজ বিজয়া দশমী, আজ রাজবাড়িতে মহাভোজ।

বিভিন্ন এলাকা থেকে এইসব মানুষ চলেছে রাজধানীর দিকে, কোনও কোনও দল যাত্রা শুরু করেছে দুদিন-তিনদিন আগে, বিজয়া দশমীর সন্ধের মধ্যে পৌঁছে যাবে। রাজার নিমন্ত্রণ, আজ সবাই রাজবাড়ির অতিথি।

ত্রিপুরার রাজপ্রাসাদের অলিন্দে পারিষদ পরিবৃত হয়ে দাঁড়িয়ে আছেন চন্দ্র বংশীয় মহারাজ বীরচন্দ্র মাণিক্য। ইংরেজ-শাসিত ভারতের মধ্যেও তিনি এক স্বাধীন নরপতি। কিংবদন্তী অনুসারে তিনি মহাভারতের যযাতির বংশধর। ভোগ-বাসনায় অতৃপ্ত মহারাজ যযাতি তাঁর পুত্রদের কাছ থেকে যৌবন ধার চেয়েছিলেন। যে-কজন পুত্র তাঁদের পিতার এই উৎকট খেয়াল চরিতার্থ করতে অস্বীকার করে, তাঁদের নির্বাসনে পাঠিয়েছিলেন ক্রুদ্ধ যযাতি। সেই নির্বাসিত পুত্রদের একজন ছিলেন দ্রুহ্যু, তিনি আর্যাবর্ত ত্যাগ করে বহু দূর চলে এসে উত্তর-পূর্ব ভারতের সীমানায় কিরাত রাজ্যের স্থানীয় রাজাকে পরাজিত করে স্থাপন করে নতুন রাজ্য ত্রিপুরা। সেই কাহিনী অনুসারে অবিচ্ছিন্ন চন্দ্র বংশীয় শাসনের একশো পঁচাত্তরতম উত্তরাধিকারী এই মহারাজ বীরচন্দ্র মাণিক্য।

হয়তো এই সবই গল্পকথা। উত্তর ভারতীয় আর্যদের সঙ্গে বর্তমান কয়েক পুরুষের রাজাদের আকৃতির মিল নেই। বরং স্থানীয় আদিবাসীদের সঙ্গে সাদৃশ্য স্পষ্ট। ইদানীং এই বংশের রাজারা মণিপুর থেকে রূপসী রমণীদের রাজপরিবারের বধূ করে আনছেন, সেই সংমিশ্রণে পরবর্তী বংশধরদের অবয়বে মঙ্গোলীয় ছাপ পড়েছে।

মহারাজ বীরচন্দ্র মাণিক্য মাঝারি উচ্চতার একজন বলিষ্ঠকায় পুরুষ। প্রবল ব্যক্তিত্বসম্পন্ন মুখমণ্ডলে প্রথমেই চোখে পড়ে নাকের নীচের অতি পুরুষ্টু গোঁফ। এই গোঁফের বৈশিষ্ট্য এই যে, ওষ্ঠের দু'দিকে দৃঢ়ভাবে ফুলে থাকলেও নাকের ঠিক নীচের অংশটি মুণ্ডিত। মহারাজ বয়েসের বিচারে পৌঢ়ত্বে পৌঁছলেও তাঁর অঙ্গ সঞ্চালন যুবকোচিত। কিছুক্ষণ আগেই তিনি দীর্ঘপথ অশ্বচালনা করে রাজধানীতে ফিরেছেন। বংশের প্রথা অনুযায়ী তিনি নবমীর রাত্রিতে উদয়পুরে ত্রিপুরাসুন্দরী মন্দিরে পূজা দিতে গিয়েছিলেন। মহাভোজের সময় উপস্থিত থাকতেই হবে বলে তিনি ব্যস্তসমস্ত হয়ে ফিরেছেন।

এখন অপরাহ্ন কিন্তু সূর্যদেব পশ্চিম গগনে পুরোপুরি ঢলে যাননি। বিকেলের পরিপূর্ণ আলোয় চতুর্দিক উজ্জ্বল। রাজপ্রাসাদের সামনে বিসর্জনের বাজনা শুরু হয়ে গেছে। দুর্গাপ্রতিমা নিরঞ্জনের শোভাযাত্রায় অবশ্য মহারাজ স্বয়ং যাবেন না, মঙ্গলঘট বহন করে নিয়ে যাবেন তাঁর জ্যেষ্ঠপুত্র, ভবিষ্যৎ যুবরাজ রাধাকিশোর।

এ রাজ্যের প্রজারা সবাই আদিবাসী, বহু উপজাতিতে বিভক্ত, তাদের ভাষা ও বিভিন্ন। দূরত্ব ও দুর্গমতার কারণে আর্য সভ্যতা এখানে তেমন আধিপত্য বিস্তার করতে পারেনি। বৌদ্ধধর্ম, হিন্দুধর্ম, ইসলাম, সম্প্রতি খ্রিস্ট ধর্মও উপজাতিগুলির মধ্যে প্রভাব ছড়িয়েছে বটে, অনেক দীক্ষিতও হয়েছে, তবু এরা এদের নিজস্ব ভাষা ও আচার-আচরণ পরিত্যাগ করেনি। রাজবংশ অবশ্য নিজেদের আর্য হিন্দুদের উত্তরাধিকার প্রমান করার জন্য সদা ব্যস্ত। রাজা বীরচন্দ্র মানিক্যের প্রিয় ভাষা বাংলা, অনেক দিন ধরেই এ রাজ্যের সরকারি ভাষাও বাংলা। হালে কিছু কিছু রাজকর্মচারি দু'পাতা ইংরিজি শিখে দরবারের কাজে ইংরেজি প্রচলনের চেষ্টা করেছিল, মহারাজ ধমক দিয়ে তাদের নিবৃত্ত করেছেন। সিপাহি বিদ্রোহের পর ইংলণ্ডের মহারানীর শাসন প্রবর্তিত হয়েছে প্রায় সম্পূর্ণ ভারতে, কিন্তু ত্রিপুরা রাজ্য যেমন কখনও মোগল শাসনাধীনে যায়নি, তেমনি পুরোপুরি ব্রিটিশ রাজত্বেরও অঙ্গীভূত হয়নি। মহারাজ ইংরেজের সংস্পর্শ থেকে যতদূর সম্ভব মুক্ত থাকতে চান।

অবশ্য একটি বিলিতি দ্রব্যের প্রতি মহারাজের খুব আসক্তি। ক্যামেরা ! তিরিশ-চল্লিশ বছর আগে কেউ এই বস্তুটির নামও শোনেনি, ছবি তোলার ব্যাপারটা এখনও অবিশ্বাস্য মনে হয়ে। শৌখিন মহারাজ ইংল্যাণ্ড ও ফরাসি দেশ থেকে বহু মূল্য ক্যামেরা আনিয়েছেন, অন্ধকার কক্ষে ছবি পরিস্ফুটনের কাজ নিজের হাতে করতেও শিখেছেন।

রাজপুত্র ও মহারানীদের ছবি তুলে তাক লাগিয়ে দিয়েছেন তিনি, কিন্তু প্রজাদের ছবি তোলার অনেক ঝঞ্ঝাট আছে। কয়েক বছর আগে মহারাজ শিকার করতে গিয়েছিলেন সোনামুড়ায়, সঙ্গে নিয়ে গিয়েছিলেন ক্যামেরার লটবহর । সেখানে একটি কুকি যুবককে দেখে তাঁর মনে হয়েছিল, মনুষ্য জাতির মধ্যেই এমন শরীরের গড়ন বিরল। যেন এক ভ্রমরকৃষ্ণবর্ণ দেবতা। তার আকৃতিই শুধু নিখুঁত নয়, বিস্ময়কর তার মুখের সারল্য। মহারাজের সামনেও তার দৃষ্টিতে কোনও শঙ্কা, কুণ্ঠা বা দীনতা নেই, যেন এই পৃথিবীটাকেই সে সদ্য দেখছে। মহারাজের ইচ্ছা হয়েছিল এই ছেলেটির ছবি তুলে বিশিষ্ট ব্যক্তিদের দেখাবেন।

ছবি তুলতে সময় লাগে। তিন পায়া স্ট্যাণ্ডের ওপর বসাতে হয় মস্ত বড় প্লেট ক্যামেরা, ভিউ ফাইণ্ডারে যাতে আলো না পড়ে। সেই জন্য একটি বড় কালো রঙের সিল্কের চাদরের তলায় ক্যামেরা ও ক্যামেরাম্যান ঢাকা পড়ে যায়। তারপর লেন্সের ফোকাস করতে হয় ঠিকমতন। কুকি যুবকটিকে দাঁড় করানো হল একটি কাঁঠাল গাছের তলায়, পেছন দিকে লালসাই পাহাড়। মহারাজ কালো চাদরের তলায় অদৃশ্য হয়ে গেলেন, তাঁর সঙ্গী মহিম ঠাকুর, হায়দার খাঁ, নিসার হোসেন ও আরও কয়েকজন যুবকটিকে বলতে লাগলেন, এই, একটুও নড়বি না। নিঃশ্বাস বন্ধ করে থাক, চোখের পলক ফেলবিনা, তোর ছবি সাহেবরা দেখবে!

মহারাজ ফোকাস ঠিক করতে পারছেন না, মিনিটের পর মিনিট কেটে যাচ্ছে, পারিষদরা অনবরত সাবধানবাণী উচ্চারণ করে যাচ্ছে ছেলেটিকে, সে কী বুঝল কে জানে, হঠাৎ চোখ উল্টে ঝুপ করে মাটিতে পড়ে গেল। অমন একটা জোয়ান ছেলে, সদ্য বলি দেওয়া ছাগের মতন দাপাতে লাগল হাত-পা ছড়িয়ে, গ্যাঁজলা বেরুতে থাকল তার মুখ থেকে। একটু দূরে ভিড় করে দাঁড়িয়ে ছিল অনেকে, তারা এবার আতঙ্কে চিৎকার করে উঠল। তখুনি রটে গেল যে মহারাজ একটা অদ্ভুত কালো বাক্সে ওই কুকি যুবকের আত্মা বন্দী করে ফেলেছেন।

এই রটনা অনেকটা বিশ্বাসযোগ্যতাও পেয়ে গেল একটা বিশেষ কারণে। অন্যান্য উপজাতীয়দের তুলনায় কুকিদের তেজ বেশি, তারা রাজশক্তির বিরুদ্ধে বিদ্রোহ করেছে

কয়েকবার। ওই যুবকটি আবার লাল চোকলার কনিষ্ঠ পুত্র। সেই লাল চোকলা, কুকিদের দুর্ধর্ষ দলপতি, অনেক বছর আগে যিনি মণিপুরিদের গ্রাম কোচাবাড়ি আক্রমণ করেছিলেন। তাঁর পিতা লারু'র সমাধিতে কয়েকটি টাটকা নরমুণ্ড নিবেদন করার জন্যই ছিল লাল চোকলার এই অভিযান। গভীর অরণ্যে এরকম কোনও ঘটনা ঘটলে তার তরঙ্গ রাজপ্রাসাদ পর্যন্ত পৌঁছায় না, কিন্তু মণিপুরিদের ওপর এই আক্রমণে রাজপরিবারেও দারুন বিক্ষোভের সৃষ্টি হয়েছিল। মনিপুরের কন্যারা এই বংশের রানী হয়ে আসে। শ্বশুরবাড়ির লোকজনদের প্রতি সকলেরই পক্ষপাতিত্ব থাকে, তাই বেশ কিছু মণিপুরি ত্রিপুরায় এসে বসতি স্থাপন করেছে এবং রাজদরবারে উচ্চপদ পেয়েছে। কুকি দলপতি লাল চোকলাকে শায়েস্তা করার জন্য মণিপুরিরা ক্ষেপে উঠল, শেষ পর্যন্ত ইংরেজ সৈন্যদের সাহায্য নিয়ে বন্দী করা হল লাল চোকলাকে, তাঁর দণ্ড হল যাবজ্জীবন নির্বাসন।

মহারাজ বীরচন্দ্র মাণিক্য ওই কুকি যুবকটির পরিচয় জানতেন না। লাল চোকলা রাজপরিবারের শত্রু, তাঁর কনিষ্ঠ পুত্র বীরুর আত্মা মহারাজ একটা কালো বাক্সের মধ্যে টেনে নিয়েছেন, এই প্রচার ছড়িয়ে গেল আগুনের মতন। আর একটা কুকি-বিদ্রোহের উপক্রম। মহারাজ হতভম্ভ হয়ে গেলেন, অনেক চেষ্টা করেও তাঁর আসল উদ্দেশ্য বোঝাতে পারলেন না। সোনামুড়ায় চিকিৎসারও কোনও ব্যবস্থা নেই। রোগ-ব্যাধি হলে এখানকার মানুষ দুধ-পুষ্করিণীর জল খায়। খুব কাছেই, মাত্র পাঁচ-ছ' মাইল দূরে কুমিল্লা শহর। মহারাজ জানতেন যে সেখানে একজন ধন্বন্তরীর মতন কবিরাজ আছেন। নিজের হাতির হাওদায় বীরু চোকলাকে তুলে নিয়ে তিনি দ্রুত চলে গেলেন কুমিল্লা। সৌভাগ্যের বিষয় একদিনের মধ্যেই ছেলেটি সুস্থ হয়ে উঠল।

এরপর থেকে মহারাজ তাঁর প্রজাদের ছবি তোলার আর কোনও চেষ্টাই করেননি।

ছবি কাকে বলে তা এখানকার মানুষ জানবে কী করে, অনেকে যে নিজের মুখখানাই স্পষ্ট করে কখনও দেখেনি। এই পৃথিবীতে মানুষ হয়ে জন্মাল, একটা গোটা জীবন কাটিয়ে আবার মাটিতে মিশে গেল, নিজের মুখখানা ঠিকমতন চিনলই না। প্রতিদিনের আহার্য যেখানে অনিশ্চিত, শরীর ঢাকার জন্য এক টুকরো বস্ত্র মাত্র সম্বল, সেইসব অরণ্য-কুটিরে দর্পণের বিলাসিতার প্রশ্নই নেই। মেয়েরা মুখ দেখে স্থির জলে। জলাশয়ের জল তেমন পরিচ্ছন্ন হয় না, নদীর জল চঞ্চল, তাই মাটির পাত্রে জল ধরে রাখা হয়, দু'-তিন দিন থিতিয়ে ওপরের জল পরিস্কার হলে দুপুরের রোদে মেয়েরা সেই জলের দিকে মুগ্ধদৃষ্টিতে চেয়ে থাকে। নারী জাতি রূপ-সচেতন। পুরুষদের মধ্যে এরকম রীতি নেই। কিছু কিছু ব্যবহার মেয়েদের মানায়, পুরুষদের পক্ষে তা অনুকরণ করতে যাওয়া মানহানিকর। কোনও কৌতুহলী কিশোর কখনও বাড়িতে এরকম মাটির পাত্রে ধরা জলের সামনে মুখ নিয়ে এলে তার পিতা তাকে প্রচণ্ড শাসন করেন। মাটিতে তার মুখ ঘষে দেন। সেইসব কিশোর-যুবকেরা কখনও কোনও ঝর্ণায় কিংবা দিঘিতে উবু হয়ে চুমুক দিয়ে জল খেতে গিয়ে দেখতে পায় একটি মুখের ছায়া। সবিস্ময়ে ভাবে, এই কি আমি?

প্রজারা জানতে পারবে না, মহারাজ বীরচন্দ্র মাণিক্য প্রাসাদের অলিন্দ থেকে আজ ছবি তুলবেন। আজ তাঁর রাজ্যের সমস্ত অঞ্চল থেকে সমস্ত উপজাতীয় প্রজারা আসবে, আজই সুবর্ণ সুযোগ। ব্যাভেরিয়া থেকে সদ্য নতুন একটি ক্যামেরা আনিয়েছেন, তাতে নাকি দূর থেকে স্পষ্ট ছবি তোলা যায়, আজ সেই ক্যামেরারও পরীক্ষা হবে।

কয়েকটি দল এসে গেছে এরই মধ্যে। সামনের বিশাল চত্বরে প্রত্যেকটি উপজাতীয়দের জন্য নির্দিষ্ট করা আছে স্থান। এক একটি মিছিল এসে অলিন্দের নীচে দাঁড়িয়ে মহারাজের নামে জয়ধ্বনি দিয়ে চলে যাচ্ছে নিজেদের জায়গায়। এ সময় স্বয়ং মহারাজের দর্শন দেবার প্রথা নেই,প্রজারা আনুগত্য জানাচ্ছে রাজপ্রাসাদকে। সূর্যাস্তের পর যখন দশমীর চাঁদ উঠবে,

তখন চন্দ্রবংশীয় এই রাজা গিয়ে দাঁড়াবে সব প্রজাদের মাঝখানে একটি অনুচ্চ বেদীতে, বিভিন্ন দলপতি এসে উপহার দ্রব্য এনে রাখবে তাঁর সামনে। আজকের দিনে নজরানা দেওয়া বাধ্যতামূলক নয়। রাজকোষ থেকেই এত বিশাল ভোজের ব্যবস্থা, কিন্তু এই সরল আদিবাসীরা যতই দরিদ্র হোক, রাজদর্শনে আসার সময় কিছু-না-কিছু ভেট আনবেই । এই পর্ব শেষ হবার পর মহারাজ প্রজাদের সঙ্গে অন্ন গ্রহণ করবেন মাটিতে এক পঙক্তিতে বসে।

এই প্রথা চলে আসছে অনেক দিন ধরে। বিজয়া দশমীর দিনে হাসাম ভোজন। কেউ কেউ একটু শুদ্ধ করে বলে অসম ভোজন। এতগুলি উপজাতির মধ্যে রয়েছে অনেক রকম ভেদাভেদ। প্রায় সকলেই অতি দরিদ্র ও অর্ধ নগ্ন, তবু এর মধ্যে কেউ কেউ অন্যদের তুলনায় নিজেদের মনে করে উঁচু জাত। এক উপজাতির সঙ্গে অন্য উপজাতির বিবাহ সম্পর্ক হয় না। মাত্র কিছুদিন আগেই চাকমাদের এক তরুণী একটি হালাম তরুণকে পছন্দ করে তার গলায় মালা দিয়েছিল বলে চাকমারা ক্রুদ্ধ হয়ে দল বেঁধে তাড়া করে দু'জনকেই ধরে ফেলে এবং হত্যা করে তদ্দণ্ডেই। হালাম সম্প্রদায় অনেকের চোখে ঘৃণ্য, কারণ তারা দাসশ্রেণীর, তাদের স্বাধীন জীবিকা নেই। আবার হারামরা গর্ব করে বলে বিজয়া দশমীর এই হাসাম ভোজ আসলে হালাম ভোজ। এক সময় ত্রিপুরারাজের সৈন্যবাহিনীতে হালামরাই ছিল প্রধান, তারা দাস নয়, তারা যোদ্ধা হিসেবে মহারাজার সেবা করত, সেই জন্যই আগের কালের মহারাজারা বছরে একদিন সৈন্যবাহিনীর সঙ্গে একাসনে ভোজন করতেন। সে যাই হোক, আগেকার দিনে যে-নিয়মই থাকুক, মহারাজ বীরচন্দ্র মাণিক্য এই একটি দিন সকল উপজাতীয়দের এক জায়গায় মেলাতে চান এবং সকলের মাঝখানে আহার করতে বসে বুঝিয়ে দিতে চান যে তাঁর চক্ষে প্রজাদের মধ্যে কোনও জাতিবৈষম্য নেই।

সামনের চত্বরের এক পাশে হোগলার ছাউনি দিয়ে বাঁধা হয়েছে আটচালা। সেখানে দশটি উনুনে প্রকাণ্ড হাঁড়িতে রান্না চড়েছে। খিচুড়ি আর পায়সান্ন, এই দুটি মাত্র পদ, সবাই পেট চুক্তি খাবে, সকলের খাওয়া শেষ হতে হতে রাত ভোর হয়ে যাবে। একেক জন সন্ধেবেলা খেতে বসে ভোর হবার আগে ওঠেই না। রাজার আদেশ আছে। যে যতবার যতখানি চাইবে তাকে তত দিতেই হবে। কেউ কেউ যেন সারা বছরের ক্ষুধা এই একদিনে মিটিয়ে নিতে চায়। সকালবেলা দেখা যায় উচ্ছিষ্ট পাতের সামনেই অনেকে ঘুমে ঢলে পড়ে আছে ।

কালো চাদরে শরীর ঢেকে ছবি তুলছেন মহারাজ। কাছাকাছি যে কয়েকজন দাঁড়িয়ে আছেন, তাদের একজনের নাম শশিভূষণ সিংহ । ত্রিপুরার রাজকার্যে এবং শিক্ষা ব্যবস্থায় আধুনিকতা প্রবর্তনের জন্য মহারাজ কলকাতা থেকে কয়েকজন বিশিষ্ট শিক্ষিত ব্যক্তিদের আনিয়েছেন, তাঁদের মধ্যে শশিভূষণ সবচেয়ে উচ্চ শিক্ষিত। ইনি বি এ পাস ও ব্রাহ্ম, কিছুদিন দেবেন ঠাকুরের তত্ত্ববোধিনী পত্রিকার সঙ্গে যুক্ত ছিলেন। ইনি রাজকুমারদের গৃহশিক্ষক। শশিভূষণ মাঝে মাঝে মহারাজের সামনেও এমন কথা উচ্চারণ করেন যা শুনে অন্যদের প্লীহা পর্যন্ত চমকিত হয়, কিন্তু এঁর সম্পর্কে মহারাজের একটা প্রশ্রয়ের ভাব আছে।

শশিভূষণ গৌরবর্ণ, সুপুরুষ, তীক্ষ্ণ নাশা। পোশাকের ব্যাপারে অত্যন্ত শৌখিন, চুনট করা ধুতিও বেনিয়ান সব সময় শুভ্রবর্ণ, মাথায় বাবরি চুল, চোখে সোনালি ফ্রেমের চশমা। হাতে একটা দূরবীন নিয়ে শশিভূষণ চত্বরের জনসমাগম দেখতে দেখতে পাশের এক ব্যক্তির কাঁধে হাত রাখলেন। এঁর নাম যদুনাথ ভট্টাচার্য, বিষ্ণুপুর ঘরানার একজন বিশিষ্ট সঙ্গীতজ্ঞ, মহারাজের দরবারের নবরত্ন সভার অন্যতম। শশিভূষণ এঁকে বললেন, ভট্ট মশাই, অনেকদিন তো এ দেশে রইলেন, ট্রাইবগুলিকে পৃথক পৃথক ভাবে চিনতে পারেন? বলুন দেখি, নোয়াতিয়া আর ওরাংদের মধ্যে পার্থক্য কী?

যদুনাথ নিরীহ ধরনের মানুষ, গানবাজনা ছাড়া অন্য কিছু বিশেষ বোঝেন না। তিনি বললেন, আমার চোখে তো সকলে একই রকম লাগে!

শশিভূষণ বললেন, ভালো করে দেখুন, মনোযোগ দিয়ে দেখুন।

যদুনাথ বললেন, শুধু যে দেখি পিল পিল করে মানুষের মাথা। ব্যাটাছেলে মেয়েছেলেরও তফাত করা যায় না।

শশিভূষণ নিজের দূরবীনটি যদুনাথের চোখের সামনে ধরে বললেন, এই বার ভালো করে দেখুন।

কিন্তু দূরবীন ব্যবহার করা যাদের অভ্যেস নেই তাদের পক্ষে দৃষ্টি-সংযোগ সহজ নয়। যদুনাথ বিব্রতভাবে বললেন, এ যে দেখি আকাশ! এবার ? এখনও আকাশ! না, না, দেখতে পাচ্ছি, অনেকগুলি গাছ। বাঃ, গাছগুলি কত নিকটে এসে গেছে !

যদুনাথের কাছ থেকে দূরবীন সরিয়ে শশিভূষণ আবার নিজে দেখতে দেখতে বললেন, কেউ তেল চকচকে কালো, কেউ খসখসে কালো। কারুর গায়ের রং মাটির মতন। ওরাং রমণীদের রিয়া (বক্ষবন্ধনী) আর লুসাইদের রিয়া এক নয়। কুকিদের চলার মধ্যে একটা তেজের ভাব, প্রত্যেকের হাতে অস্ত্র.....

বলতে বলতে অকস্মাৎ থেমে গেলেন শশিভূষণ। কিছুটা ঝুঁকে একদিকে ভালো করে নিরীক্ষণ করে অস্ফুট স্বরে বললেন, আশ্চর্য, আশ্চর্য।

বিকেলের আলো মরে আসছে, এর পর আর ভালো ছবি আসবে না, মহারাজ মাথার ওপর থেকে কালো কাপড় সরিয়ে সোজা হয়ে দাঁড়ালেন। গোঁফে বাঁ হাতের তর্জনী বুলিয়ে জিজ্ঞেস করলেন, সিংহমশাই, আশ্চর্যের কী দেখলে?

শশিভূষণ বললেন, মহারাজ, একপাল মেষের মধ্যে একটি ব্যাঘ্র শাবক দেখলে আপনি অবাক হবেন না? আমি যে তাই দেখছি!

মহারাজ ভুরু তুলে বললেন, সত্যি নাকি? ব্যাঘ্র শাবক?

শশিভূষণ বললেন, আপনি নিজে দেখুন, ওই যে লুসাইরা এসে সমবেত হচ্ছে, তাদের পশ্চাৎ দিকে।

শশিভূষণ নিজের দূরবীনটি মহারাজের দিকে এগিয়ে দিতেই পাশ থেকে দু' তিনজন শশব্যস্ত হয়ে বলে উঠল, করেন কী, করেন কী! মহারাজ স্মিত হাস্যে শুধু একটা হাত তুললেন। অপরের ব্যবহৃত কোনও জিনিস যে মহারাজ স্পর্শ করেন না, তা এই বাঙালিবাবুটি জানেন না।

একজন ভৃত্য দৌড়ে গিয়ে মহারাজের নিজস্ব দূরবীন নিয়ে এল।

মহারাজ সেটি চক্ষে সংস্থাপন করে লুসাইদের দলটি ভালোভাবে পর্যবেক্ষণ করলেন। তারপর বললেন, হু, একটি গৌরবর্ণ ছোকরাকে দেখা যাচ্ছে বটে। ওকে আপনার ব্যাঘ্র শাবক মনে হল কেন?

শশিভূষণ বললেন, শুধু গাত্রবর্ণ গৌর নয়, চুলের রং দেখুন। খাঁটি ইংরেজের সন্তান মনে হয়। ও কেন এসেছে?

মহারাজ দূরবীন থেকে চোখ না সরিয়েই বললেন, কোনও পাদ্রির বাচ্চা হতে পারে। সিংহমশাই, আমি আমার প্রজাদের মেষের পাল মনে করি না। একটা ফ্যাকাসে রঙের ছোঁড়াকে দেখে তুমি এত বিচলিত হচ্ছ কেন?

শশিভূষণ বললেন, ওটা একটা উপমা মাত্র। অন্যভাবেও বলা যেতে পারে। ফুলের বাগানে একটি বিষাক্ত সাপ। মহারাজ, আপনার রাজ্যে পাদ্রিরা ধর্মপ্রচার শুরু করেছে জানি। কিন্তু আপনি কি তাদের এই ভোজে আমন্ত্রণ জানিয়েছেন? মহারাজ, আমি পাদ্রিদের ভালো চিনি, আমার বাড়ি কৃষ্ণনগর, সেখানে দেখেছি, কলকাতাতেও দেখেছি, তারা গির্জার এলাকায় নিরীহ মানুষদের ডেকে নিয়ে যায়। এমনভাবে রাজার আলয়ে দূত পাঠায় না।

মহারাজ সেই গৌরাঙ্গ ছেলেটিকে আবার ভালো করে দেখলেন। তাঁর ভুরু কুঁচকে গেল। শশিভূষনের কথায় তিনি গুরুত্ব দিয়ে থাকেন। তিনি হরিহর নামে এক পার্শ্বচরকে বললেন, খবর নাও!

মহারাজ সেখানে আর বেশিক্ষণ রইলেন না। এক ভৃত্য এসে জানাল যে মহারানী তাঁর জন্য অপেক্ষা করছেন।

আজকের দিনে মহারাজকে অঙ্গবস্ত্র পরিয়ে দেবার ভার নেন স্বয়ং মহাদেবী ভানুমতী। সারাদিন ধরে তিনি নিজের হাতে ফুলের মালা গেঁথেছেন, শ্বেত ও রক্তচন্দন প্রস্তুত করেছেন। মহারাজ বীরচন্দ্র মাণিক্য মনেপ্রাণে বৈষ্ণব, প্রজাদের সঙ্গে এই মহাদেবী ভানুমতী মহারাজকে পট্টবস্ত্রে সাজাতে লাগলেন, আর মহারাজ গুনগুন করে গান ধরলেন, পঙ্‌ক্তি ভোজনের দিনে তিনি রাজবেশ ধারণ করেন না, মাথায় মুকুটও পরেন না। 'যদি গোকুলচন্দ ব্রজে না এল—'। মহারাজ সঙ্গীতপ্রিয়, তাঁর গলাটিও সাধা।

মহারাজের পত্নী ও উপপত্নীর সংখ্যা মোট কতজন, তা তিনি নিজেও সঠিক জানেন না। রাজনৈতিক কারণে বিভিন্ন প্রতিবেশী রাজাদের সঙ্গে বৈবাহিক সম্পর্ক স্থাপন করতে হয়, আসাম ও মণিপুরের অনেকগুলি অঙ্গ রাজ্যের কন্যারাই তাঁর মহিষী। এ ছাড়াও বিভিন্ন উপজাতীয় দলপতিরা তাঁকে মাঝে মাঝে এক একটি কন্যারত্ন উপঢৌকন দেয়, তারা রাজবাড়িতে স্থান পায়, তাদের বলা হয় কাছুয়া, তাদের কেউ কেউ ক্বচিৎ মহারাজের নেকনজরে পড়ে। রীতিমতন বিবাহ অনুষ্ঠান না হলে এইসব কাছুয়া পত্নীরা ঈশ্বরী বা মহাদেবী হতে পারে না।

মহাদেবী ভানুমতী এ রাজ্যের পাটরানী। ভানুমতী মহারাজের প্রায় সমবয়েসী, তাঁদের বিবাহের সময় দু'জনেই ছিলেন বালক-বালিকা। অর্ধাঙ্গিনী হবার আগে ভানুমতী ছিলেন বীরচন্দ্রের খেলার সঙ্গিনী। সেই সম্পর্কটা এখনও রয়ে গেছে। ভানুমতীর তুলনায় অন্য কয়েকটি তরুণী ও রূপসী রানী রয়েছে, মহারাজ প্রায়ই তাদের কোনও একজনের মহলে রাত্রিবাস করতে যান বটে, কিন্তু ভানুমতীর কাছে এমনকি দিনের বেলাতেও যখন তখন আসেন রঙ্গকৌতুক করার জন্য। নিরালা প্রকোষ্ঠে ভানুমতী বীরচন্দ্রকে সব সময় মহারাজ হিসেবে শ্রদ্ধা প্রদর্শন করেন না, বরং কখনও কখনও শাণিত বিদ্রুপ ঝলসে ওঠে তাঁর কণ্ঠে। একদিন ভানুমতী অভিমানের অশ্রুবর্ষণ করতে করতে পালঙ্কের চার পাশে ছুটছিলেন আর মহারাজ বীরচন্দ্র হাত জোড় করে, গান গাইতে গাইতে তার মান ভাঙাতে চেষ্টা করছিলেন, আড়াল থেকে কয়েকজন দাসী এই দৃশ্য দেখে ফেলে বিস্ময়ে অজ্ঞান হয়ে যাবার উপক্রম। মহাপ্রতাপশালী এবং প্রয়োজনে অতি নির্মম এই রাজা বীরচন্দ্র এক এক সময় এমন ছেলেমানুষও হয়ে যেতে পারেন।

মহারানী ভানুমতী সুস্বাস্থ্যবতী, বয়েসের বলিরেখা পড়েনি শরীরে, মুখে রয়েছে তেজের আভা, মণিপুরিদের তুলনায় চক্ষু দুটি টানা টানা। প্রৌঢ়ত্বে পৌঁছে গেলেও তাঁর কণ্ঠস্বরে বালিকার চাপল্য।

বীরচন্দ্রের কপালে চন্দনের ফোঁটা দিতে দিতে ভানুমতী মৃদু স্বরে বললেন, আজ আমিও আপনার সঙ্গে যাব!

গান না থামিয়ে বীরচন্দ্র চোখের ইঙ্গিতে জিজ্ঞেস করলেন, কোথায় ?

ভানুমতী বললেন, হাসাম ভোজে আমি আপনার পাশে গিয়ে বসব।

বীরচন্দ্র চমকিত হয়ে মুখটা একটু সরিয়ে নিলেন, ভানুমতীর দিকে এক দৃষ্টিতে তাকিয়ে থেকে বললেন, আজ আবার পাগলামি চেপেছে!

ভানুমতী বললেন, এতে পাগলামির কী আছে ? মহারাজের পাশে মহারানী থাকতে পারে না ?

ভানুমতীর থুতনি ধরে আদর করে বীরচন্দ্র বললেন, তোর আর বয়েস বাড়ল না, ভানু! এ বংশের কোনও মহারানী কি কখনও লোক সমক্ষে যায় ? তোর সাজানো শেষ হল? আর দেরি করা যাবে না, বেলা পড়ে এসেছে।

ভানুমতী ধারালোভাবে হেসে বললেন, হ্যাঁ, একদিন অন্তত রাজার পাশে পাশে মহারানী সবার চোখের সামনে দিয়ে যায় । যায় না? রাজা অবশ্য দেখতে পান না কিন্তু হাজার হাজার প্রজা দেখে। সেই একটা দিন ছাড়া.... কেন, কেন, আজকের আনন্দের দিনে আমি তোমার সঙ্গে বেরুতে পারব না?

কথা ঘোরাবার জন্য বীরচন্দ্র বললেন, কই রে, নিমচাটা দে রে পাগলী! এবার যাই!

ভানুমতী বললেন, এখনও সাজানো শেষ হয়নি। চুপটি করে বসুন।

বীরচন্দ্রের মুখমণ্ডল আবার চন্দনচর্চিত করতে করতে ভানুমতী ফিসফিস করে বললেন, আজ যদি আমায় নিয়ে না যাও, আমি সেদিনও তোমার পাশে পাশে গিয়ে চিতায় চড়ব না!

বীরচন্দ্র একটু অন্যমনস্ক হয়ে গেলেন। যেন তিনি তাকালেন নিজের শরীরের অভ্যন্তরে, অনুভব করলেন প্রতিটি অঙ্গপ্রত্যঙ্গ। একটা দীর্ঘশ্বাস ফেলে বললেন, ভানু, তুই আজকের দিনে আমার মৃত্যুর কথা বললি?

ভানুমতী সঙ্গে সঙ্গে উত্তর দিলেন, না, মোটেই তা বলিনি। তোমার সঙ্গে আমি চিতায় চড়ব না, তার আগে আমিই মরে যাব। মরবই!

মহারাজ মৃদু হেসে ভ্রুভঙ্গ করে বললেন, সে কী? সতী হলে কত পুণ্য অর্জন করবি, তা জানিস না? ধন্যমাণিক্যের পাটরানী কমলার নামে ঘরে ঘরে পুজো হয়। তুই আমার পাটরানী, আমার সঙ্গে সহমরণে যাবার সৌভাগ্য একমাত্র তোরই আছে, আর কোনও রানী পাবে না!

ভানুমতী বললেন, চাই না আমার ওই সৌভাগ্য। আমি আগে মরবই মরব। ওই হারামজাদি, প্যাঁচামুখী, খেঁদি, ছোট জাতের মেয়ে রাজেশ্বরীটা, ওই শাকচুন্নী, ওই বেজন্মা, ভাতারখাগী, ওই রাজেশ্বরী তোমার চিতায় জ্বলে পুড়ে মরুক, মরুক, আমি স্বর্গ থেকে দেখব।

বীরচন্দ্র এবার হা-হা শব্দে ঘর ফাটিয়ে হাসলেন।

সপত্নীদের মধ্যে রেষারেষি, ঈর্ষা ও ক্রোধের সম্পর্ক থাকা স্বাভাবিক, বীরচন্দ্র তা জানেন। এক রানী অন্য রানীকে বিষ খাইয়ে মেরে ফেলেছে, এমন ঘটনাও এই প্রাসাদে ঘটেছে। কিন্তু কোনও রানীই অন্য কোনও রানীর বিরুদ্ধে বিদ্বেষপূর্ণ কথা মহারাজের সামনে উচ্চারণ করার সাহস পায় না। বীরচন্দ্রের পিতা কৃষ্ণকিশোর মাণিক্য একবার এক কটুভাষী রানীকে নির্বাসনদণ্ড দিয়েছিলেন। মহারাজ বীরচন্দ্রও রানীদের বিবাদের মধ্যে একেবারেই মাথা গলান না, তাঁর সামনে ওই প্রসঙ্গ উপস্থান করাও নিষিদ্ধ। কিন্তু ভানুমতীর কথা স্বতন্ত্র, ভানুমতী যে তাঁর বাল্যসখী। তাঁকে শাসন করা যায় না।

বীরচন্দ্র হাসতে হাসতে বললেন, ভাতারখাগী! হারামজাদি! কী সব ভাষা! লোকে কি ভাবে জানিস, রাজবাড়ির মধ্যে সবাই খুব শুদ্ধ ভাষায় কথা বলে! খারাপ কথা মুখেই আনে না। তোকে নিয়ে আর পারি না ভানু! তুই জানিস, আর কোনও রানী যদি আমার সামনে এই রকম কথা বলত, তা হলে আমি এই মুহূর্তে কচাত করে তার মুণ্ডুটা কেটে ফেলতাম!

ভানুমতী ঘরের কোণ থেকে দ্রুত একটা তলোয়ার নিয়ে এলেন। মণিমাণিক্য খচিত খাপ, এই তলোয়ারটির নাম নিমচা। বীরচন্দ্রের পূর্বপুরুষ মহারাজ গোবিন্দমাণিক্যকে দিল্লীশ্বর শাহজানের পুত্র সুলতান সুজা এটা উপহার দিয়েছিলেন বলে কথিত। উৎসবের দিনে শুধু পট্টবস্ত্র ও উত্তরীয় ধারণ করলেও মহারাজদের এই তরবারিটা সঙ্গে নিতে হয়।

ভানুমতী তলোয়ার কোষমুক্ত করে বললেন, মারুন, আমাকে এখনই বধ করুন। তা হলে সকল জ্বালা জুড়োয়। আজই আপনি রাধুকে যুবরাজ বলে ঘোষণা করবেন, তাই না?

বীরচন্দ্রের মুখমণ্ডল থেকে কৌতুক মুছে গিয়ে বিরক্তির ছায়া পড়ল। কোনও কিছুই কি গোপন রাখায় উপায় নেই? তাঁর দ্বিতীয় পত্নী রাজেশ্বরীর জ্যেষ্ঠপুত্র রাধাকিশোরকে যে যৌবরাজ্য পদে বসাবার ঘোষণা করা হবে আজ, তা মাত্র দু'জন জানে। রাজেশ্বরীও এখনও জানেন না। ভানুমতীর কানে এল কী করে?

বীরচন্দ্র গম্ভীরভাবে বললেন, তোমার ছেলেটিও বড় ঠাকুর হবে। তোমাকে খুশী করার জন্য আমি যে নিয়ম ভেঙেছি।

ভানুমতী বললেন, চাই না, চাই না,! সমরকে আমি কলকাতায় পাঠিয়ে দেব!

খুট করে একটি শব্দ হতেই দু'জনে দরজার দিকে ফিরে তাকালেন।

কক্ষের মধ্যে ঢুকে এসেছে একটি কিশোরী। তার সারা শরীরে যেন ঝনঝন করে ঘন্টা বাজিয়ে যৌবন তার আগমন বার্তা জানাচ্ছে। তার দৃষ্টিতে এখনও বালিকাসুলভ সরল লাবণ্য। নিম্নাঙ্গে একটা হলুদ রঙের পাছাড়া, কচি কলাপাতা রঙের রিয়া দিয়ে বক্ষ বন্ধন করা।

মেয়েটিকে দেখে মহারাজ আবার বিস্ময়ের সঙ্গে ভানুমতীর দিকে তাকালেন। কোনও দাসী তো এসময় হঠাৎ এসে পড়তে সাহস পাবে না। এ মেয়েটি কে?

ভানুমতীও রেগে উঠলেন না। তাঁর দু'চোখে উদগত অশ্রু। তবু কোনও রকমে সামলে নিয়ে তিনি প্রশ্রয়ের সুরে বললেন, কী রে, খুমন?

মেয়েটি মহারাজকে কয়েক পলক দেখল। ভয় পায়নি সে, কোনও পাহাড়ের পদপ্রান্তে এসে শিখরের দিকে তাকালে ঠিক ভয় করে না, একটা কিছু গভীর অনুভূতি হয়, সেই রকমভাবে একটুক্ষণ স্তব্ধ হয়ে রইল মেয়েটি। তারপর মহারানীকে জিজ্ঞেস করল, বিলোনি আর ফুলকু বলছে ছাদে যেতে। আর মেজোরানীমা বললেন, না যাবি না। তা হলে কী করব?

ভানুমতী ধরা গলায় বললেন, আয়, ভেতরে আয়! মহারাজকে প্রণাম কর।

মেয়েটি এসে প্রথমে মহারাজের কাছে হাঁটু গেড়ে বসল। দু'হাত যুক্ত করে, কপাল ঠেকাল মাটিতে। তারপর সম্পূর্ণ শুয়ে পড়ে মাথা ও হাত রাখল মহারাজের দুই পায়ে।

মহারাজ আশীর্বাদের ভঙ্গিতে এক হাত তুলে খানিকটা অসহিষ্ণু কণ্ঠে বললেন, এই ছেমরিটা কে?

মেয়েটি নিজেই মাথা তুলে বলল, আমি খুমন থরোলৈমা!

ভানুমতী বললেন, ও তো আমার বোনের মেয়ে। তুমি ওকে চেন না? বাচ্চা বয়েসে কিছুদিন আমার কাছে এসে ছিল, তুমি তখন কোলে নিয়ে অনেক আদর করতে। এখন আবার এক বছর হল ওকে প্রাসাদে এনে রেখেছি।

মেয়েটিকে আগে দেখেছেন কি না তা মনে করতে পারলেন না বীরচন্দ্র। কিন্তু তাঁর বিস্ময় ক্রমেই বাড়ছে। ভানুমতী আজ খুবই মান-অভিমানের মধ্যে রয়েছেন, রাজার কাছে অনেক অভিযোগ জানাচ্ছিলেন, এর মধ্যে একটি মেয়ে এসে পড়ল, তাকে বাইরে চলে যেতে বলাই তো স্বাভাবিক ছিল, বোনের মেয়ে হোক আর নিজের সন্তানই হোক! অথচ ভানুমতী সামান্য বিরক্তিও প্রকাশ করেননি।

বীরচন্দ্রের অবশ্য তাতে সুবিধেই হল। ভানুমতীর অনুযোগে তিনি অস্বস্তিকর অবস্থার মধ্যে পড়েছিলেন। তিনি তাঁর অভিজ্ঞ চোখে কিশোরীটির আপাদমস্তক যাচাই করলেন। এর শরীরের গড়নে ছন্দ আছে, চোখে আছে দ্যুতি। এর নীরব ভঙ্গিও যেন কিছু কথা বলে। দু'এক বছরের মধ্যেই এই কিশোরী একটি রমণীরত্ন হয়ে উঠবে । পুরুষদের জয় করার জন্য এরকম রমণীদের কোনও চেষ্টা করতে হয় না, পুরুষরাই সহজে আকৃষ্ট হয়।

ভানুমতী বললেন। আমি ওর বাংলা নাম রেখেছি মনোমোহিনী। মনো, এখন থেকে তুই ওই নাম বলবি।

বীরচন্দ্র বললেন, বাংলা নাম রেখেছ, শাড়ি পরাওনি কেন?

ভানুমতী বললেন, হ্যাঁ, শাড়ি পরা শেখাতে হবে। এখনও দুরন্ত আছে তো, গায়ে আঁচল রাখতে পারে না।

বীরচন্দ্র এবার থরোলৈমা ওরফে মনোমোহিনীকে বললেন, ছাদে যাবি না কেন? যে-ই নিষেধ করুক, বলবি আমি অনুমতি দিয়েছে। ভানুমতি বললেন, যা, তুই ফুলকুদের সঙ্গে ছাদে গিয়ে দেখ। বাছা, মেয়ে হয়ে জন্মেছিস, বাইরে তো বেরুতে পারবি না। ছাদ থেকেই দেখতে হবে। বিয়ে হয়ে গেলে তাও পারবি না।

মনোমোহিনী এবার হাত জোড় করে মহারাজকে অভিবাদন জানিয়েই হরিণীর মতন ছুটে বেরিয়ে গেল।

বীরচন্দ্র জিজ্ঞেস করলেন, ওকে তোর কাছে রেখেছিস, ওর মা কোথায়?

ভানুমতী বললেন , আ-হা আপনার কিছুই মনে থাকে না। আমার বোন দু'বছর আগে আগুনে পুড়ে মরল না?

—সতী হয়েছে ?

—ওই একই হল। পুড়ে মরা মানে পুড়ে মরা।

—মেয়েটা সোমত্থ হয়েছে। তোর কাছে আছে যখন, ওর বিয়ের ব্যবস্থা তো তোর করতে হবে।

—তাই নাকি? শুনি, শুনি সর্বশ্রেষ্ঠ পাত্রটি কে?

—মহারাজ বীরচন্দ্র মাণিক্য!

বীরচন্দ্র এবার ভানুমতীর নাকটি টিপে দিয়ে বললেন, কত উদ্ভট চিন্তাই না আসে তোর মাথায়! আমার আবার বিয়ে করার সময় আছে নাকি?

ভানুমতী বললেন, সত্যি করে বলুন তো, ওকে আপনার পছন্দ হয়নি? সেই জন্যই তো ওকে আমি পাছাড়া পরে আসতে বলেছিলাম। দিব্যি মেয়ে। লক্ষ্মী মেয়ে। আমি ওকে আপনার হাতে তুলে দেব, আপনি ওকে নিয়ে আনন্দ করুন। ওই গতরখাগী, আবাগীর বেটী রাজেশ্বরীর কাছে আপনাকে আর যেতে হবে না!

বীরচন্দ্র এবার সস্নেহে ভানুমতীকে আলিঙ্গন করে নরম স্বরে বললেন, ওসব কথা আজ আর বলিসনি, ভানু। তুই তো জানিস, আমি তোকেই সবচেয়ে ভালোবাসি।

স্বামীর বুকে মাথা রাখার দুর্লভ সুযোগ পেয়েও ভানুমতী কাতর কণ্ঠে বললেন, ভালোবাসা না ছাই! আমি বুড়ি হয়ে গেছি, আমাকে আর ধরবে না তা জানি, তবু আপনার পায়ে পড়ি, আজ আমাকে আপনার সঙ্গে নিয়ে চলুন। এই বন্ধ ঘরে থাকতে আমার ভালো লাগে না। আজ প্রজাদের মাঝখানে আপনার পাশে গিয়ে বসতে চাই।

বীরচন্দ্র বললেন, বারবার কেন এই কথা বলছিস, জানিস তো এটা সম্ভব নয়। এই বংশের রীতি নেই।

ভানুমতী বললেন, আমি যে পাটরানী, প্রজারা তা কেউ জানে না। রাধুকে তুমি যুবরাজ করবে, রাজেশ্বরী হবে রাজার মা, আমাকে তখন সবাই দাসী-বাঁদীর মতন হেলা-তুচ্ছ করবে। আমাকে রাজপ্রাসাদ থেকে তাড়িয়ে দেবে।

বীরচন্দ্র অস্থিরভাবে বললেন, আবার ওই সব পাগলামির কথা! তোকে হেলা-তুচ্ছ করবে। এমন সাহস কার আছে? সবাই জানে, এই প্রাসাদের গণ্ডা গণ্ডা রানী থাকলেও মহাদেবী একজনই। তার নাম ভানুমতী। স্বয়ং মহারাজকেও প্রায়ই তার কাছে হাত পাততে হয়। ভালো কথা। রাজকোষ প্রায় শূন্য, শিগগিরই তোর কাছে আমাকে আবার লাখ খানেক টাকা ধার চাইতে হবে।

ভানুমতী আরও কিছু বলতে যাচ্ছিলেন, তাঁকে বাধা দিয়ে বীরচন্দ্র বললেন , আর সময় নেই রে । সময় নেই। সবাই অপেক্ষা করছে। শোন, আজ ভোজ পর্ব সেরে আমি তোর

কাছেই ফিরে আসব। সারা রাত থাকব তোর সঙ্গে, অনেক কথা আছে। নতুন যে গান বেঁধেছি, তাও তোকেই প্রথম শোনাব।

ভানুমতী এবার খানিকটা সরে গিয়ে গাঢ় চোখে তাকিয়ে বললেন, ঠিক ফিরে আসবেন আমার কাছে?

বীরচন্দ্র বললেন, ঘরে ধুনো-গুগ্‌গুল দিয়ে রাখিস। আজ তোর শয্যায় এক সঙ্গে ঘুমোব। কথা দিলাম।

ভানুমতী বললেন, তিন সত্যি করুন!

বীরচন্দ্র বললেন, হ্যাঁ হ্যাঁ, হ্যাঁ!

মহারানীর মহল থেকে বেরিয়ে এসে, কালো ও সাদা পাথরের চৌখুপ্পি করা লম্বা বারান্দা পেরিয়ে এসে বীরচন্দ্র আর একটি কক্ষে এলেন। এখন দু'জন ভৃত্য তাঁকে জুতো পরাবার জন্য প্রস্তুত হয়ে আছে। তারা বিভিন্ন ধরনের জুতো পরাতে লাগল, মহারাজা অপছন্দ করে মাথা নাড়তে লাগলেন।

তিনি ভেতরে ভেতরে বেশ বিচলিত হয়ে পড়েছেন। আজকের দিনটি যেমন আনন্দের, তেমন সংকটেরও বটে। প্রজাবৃন্দের সামনে তিনি যুবরাজের নাম ঘোষণা করবেন। ভানুমতী এতে আঘাত পাবেন অবশ্যই, তা ছাড়া বীরচন্দ্র জানেন, এই প্রাসাদের কিছু কিছু আত্মীয় পরিজন ও মন্ত্রণাদাতাদেরও এতে সমর্থন নেই। ভানুমতীর পক্ষে আছেন অনেকে। ভানুমতীর নিজস্ব ধনসম্পদ যথেষ্ট, বিশাল গড় ও আগরতলা পরগনা ভানুমতীর খাসতালুক, সেখানকার অনেক কর্মচারি তাঁর বাধ্য। এরা সবাই মিলে যুবরাজের বিরুদ্ধে এখনই কোন ষড়যন্ত্র শুরু করবে না তো! তবে একটা ব্যাপারে বীরচন্দ্রের দৃঢ় বিশ্বাস আছে, তিনি যতদিন জীবিত আছেন, ভানুমতী কোনওক্রমেই তাঁর বিরুদ্ধাচরণ করবেন না। এই বয়েসে আর ঠিক প্রেম না থাকলেও দু'জনের মধ্যে স্নেহ-মমতা-বন্ধুত্বের সম্পর্ক খুবই সুদৃঢ়।

অতি অল্প বয়সে এই প্রাসাদে রানী হয়ে এসেছেন ভানুমতী, তিনি যে যোগ্যতম মহাদেবী তাতেও কোনও সন্দেহ নেই, অন্দরমহলের সকলেই তাঁকে সমীহ করে। কিন্তু একটা ব্যাপারে ভানুমতী তাঁর সপত্নী রাজেশ্বরীর কাজে হেরে গেছেন। বহুদিন পর্যন্ত ভানুমতীর কোনও পুত্রসন্তান হয়নি। এমনকি ধরেই নেওয়া হয়েছিল যে ভানুমতী বাঁজা। পুত্রার্থে ক্রিয়তে ভার্যা। যে স্ত্রী স্বামীর বংশে কোনও পুত্রসন্তান উপহার দিতে পারে না, সে তো অচল পয়সার মতন পরিত্যাজ্য। সাধারণ ঘরে ঘরেই এই নিয়ম, আর রাজ পরিবারে পুত্রহীনা রানী তো রক্ষিতার সমতুল্য। মহারাজ বীরচন্দ্র নিতান্ত স্নেহবশতই ভানুমতীকে বাতিল করে দেননি।

শেষ পর্যন্ত ভানুমতী একটি পুত্রের জন্ম দিয়ে নারীত্বের চরম পরীক্ষায় উত্তীর্ণ হয়েছেন বটে, কিন্তু ততদিনে রাজেশ্বরীর তিনটি পুত্র জন্মে গেছে। তার ফলে উত্তরাধিকারের প্রশ্ন নিয়ে দেখা দিল বিপত্তি। যুবরাজ হবেন কে, পাটরানীর সন্তান, না রাজার জ্যেষ্ঠ সন্তান? বড় কূট এই প্রশ্ন! এই বংশে প্রাসাদ-ষড়যন্ত্র লেগেই আছে, সিংহাসনের অধিকার নিয়ে মারামারি-কাটাকাটি ও আদালতের মামলা হয়েছে অনেকবার। স্বয়ং বীরচন্দ্রকেও অনেক দুর্ভোগ সহ্য করতে হয়েছে। বীরচন্দ্র সিংহাসনে বসেছিলেন তাঁর বড় ভাই ঈশানচন্দ্রের সহসা মৃত্যুর পর। তার ফলে ঈশানচন্দ্রের পুত্ররা এবং বীরচন্দ্রের অন্য ভাইরা নিজেদের দাবি উত্থাপন করে চক্রান্তে মেতে ওঠে। সুযোগ সন্ধানীরা বিভিন্ন পথ অবলম্বন করে উস্কানি দেয়। চট্টগ্রামের কমিশনার, বাংলার লেফটেনান্ট গর্ভনরকে পর্যন্ত মধ্যস্থতা করতে হয়েছিল। সিংহাসন আঁকড়ে থেকে বীরচন্দ্র দাবিদারদের প্রতি নির্মম হতে বাধ্য হয়েছিলেন, পতের কাঁটা নির্মূল করতে তিনি দ্বিধা করেননি।

আবার যাতে সেই রকম পারিবারিক বিদ্রোহ না ঘটে সেই জন্য বীরচন্দ্র আগেই মনঃস্থির করে রাজেশ্বরীর গর্ভজাত তাঁর প্রথম সন্তান রাধাকিশোরকে তাঁর উত্তরাধিকারী হিসেবে নির্বাচন করেছেন । বীরচন্দ্র জানেন, ভানুমতীর প্রতি পক্ষপাতিত্ব দেখিয়ে তিনি ভানুমতীর

সন্তান সমরেন্দ্রচন্দ্রকে যৌবরাজ্য দিলে শত্রু-সংখ্যা বৃদ্ধি পাবে তো বটেই, আদালতের বিচারেও চতুর্থ রাজকুমার সমরেন্দ্রচন্দ্রের দাবি টিকবে না। ইংরেজের আদালতে জ্যেষ্ঠ সন্তানকেই মর্যাদা দেয়। তবু তো খানিকটা রীতিবিরোধী হয়ে তিনি সমরেন্দ্রচন্দ্রকে বড় ঠাকুরের পদ দিতে চাইছেন, এ রাজ্যে যুবরাজের পরেই বড় ঠাকুরের প্রাধান্য! ভানুমতী তাতেও খুশি নন, অথচ দ্বিতীয় পুত্র দেবেন্দ্রকেও বঞ্চিত করা হল!

অন্যান্য জুতোগুলি বাতিল করে বীরচন্দ্র সাদাসিধে এক জোড়া খড়ম পায়ে দিলেন। তারপর সেই কক্ষ থেকে নিষ্ক্রান্ত হয়ে একবার চিন্তা করলেন, রাজেশ্বরীর সঙ্গে দেখা করে যাবেন কিনা। ভানুমতীর চর আছে সর্বত্র , ভানুমতী ঠিক জেনে যাবেন সে কথা। থাক তা হলে।

বীরচন্দ্র সঙ্গে সঙ্গে এটাও ঠিক করলেন, আজ রাতে আর ভানুমতীর কাছে ফিরে আসা হবে না। ও কথা তিনি বলে ফেলেছেন ঝোঁকের মাথায়। ভোজ পর্বের পর আজ গান বাজনার ব্যবস্থা আছে। বীণা বাদক নিসার হোসেন, রবাব বাদক কাসেম আলি খাঁ, পাখোয়াজ বাদক পঞ্চানন মিত্রকে খবর দেওয়া আছে, তাঁরা আসর সাজিয়ে বসবেন, গায়ক যদু ভট্ট মশাই তো রয়েছেনই। কত রাত হবে তার ঠিক নেই। ভানুমতীর কাছে গেলে শুধু অভিযোগের ঘ্যানঘ্যানানি আর প্যানপ্যানানি শুনতে হবে। তাতে মেজাজ নষ্ট হবে শুধু। নাঃ ফেরা হবে না! ভানুমতীর কাছে তিনি সত্যি করা হয়ে গেল? তাতেও কিছু আসে যায় না। স্ত্রীলোকের কাছে প্রতিশ্রুতির কোনও দাম আছে নাকি? ওরা তো মিথ্যে প্রতিশ্রুতি শুনতেই ভালবাসে। রণে ও রমণে মিথ্যেই বেশি শক্তিশালী। দুটো তিনটে দিন কেটে যাক, এর মধ্যে আর ভানুমতীর কাছ ঘেঁষা হবে না, তারপর ভানুমতীর নিভৃত সংসর্গে আরও কিছু মিথ্যে সোহাগ দিয়ে তাকে ভোলালেই চলবে।

পারিষদরা অপেক্ষা করছে। সিঁড়ি দিয়ে নামতে নামতে মহারাজ বীরচন্দ্র আবার গুনগুন করে গান ধরলেন, কী হেরিলাম রাই কিশোরী মরি, মরি। চন্দ্রকলায় কী বা শোভা.....

॥ ২ ॥

মহারাজ বীরচন্দ্রের এক পাশে হুঁকো-বরদার, অন্য পাশে সুসজ্জিত ও সশস্ত্র কর্নেল সুখদেব ঠাকুর। পেছনে ন'জন পারিষদ। বিভিন্ন উপলক্ষে এই পারিষদদের মুখ বদল হয়। এই পারিষদ নির্বাচনের ব্যাপারে মহারাজ একটি নীরব প্রথা অনুসরণ করেন সব সময়। রাজকর্মচারি, সভাসদ ও প্রাসাদ-বাসিন্দা আত্মীয়-স্বজনের মধ্যে অনেকেই যার যার স্বার্থে মহারাজের কাছাকাছি ঘুর ঘুর করতে চায়, চাটুকারিতায় মহারাজকে খুশি করতে পারলে জীবন-সার্থক বোধ করে। কিন্তু মহারাজ তাঁর মর্জিমতন এক এক সময় এক একটি দল বেছে নেন, যারা কাছাকাছি সমবেত হয় মহারাজ তাদের প্রত্যেকের মুখের দিকে একবার দৃষ্টি ন্যস্ত করেন, এক একজনের সঙ্গে চোখাচোখি হবার পর তাঁর ভুরু কুঁচ'কে যায়, তখন সেই ব্যক্তি পায়ে পায়ে পিছু হটে আড়ালে চলে যেতে বাধ্য। মহারাজ কখন যে কেন কাকে অপছন্দ করেন, তা বোঝা অতি দুষ্কর। একদিন যার প্রতি ভ্রুকুটি করে দূরে পাঠিয়ে দেন, পরদিনই হয়তো সাগ্রহে তাকে কাছে ডেকে নিয়ে বিশ্রম্ভালাপ শুরু করে দেন। রাজা-রাজড়াদের ব্যবহারের ব্যাখ্যা কেউ দাবি করে না।

কর্নেল সুখদেব ঠাকুর মহারাজের পরামর্শদাতা এবং প্রধান দেহরক্ষী, তিনি এবং একান্ত সচিব রাধারমণ ঘোষ তাঁর নিত্য সঙ্গী; গৃহশিক্ষক শশিভূষণ কিন্তু কখনও স্বেচ্ছায় রাজ সন্নিধানে আসার চেষ্টা করেন না। মহারাজ নিজেই কৌতুকের সঙ্গে লক্ষ করেছেন যে,ওই মানুষটিকে না ডাকলে কখনও দেখা পাওয়া যায় না। ছবি তোলার ব্যাপারে মহারাজ প্রায়ই ওঁর কাছ থেকে সাহায্য নেন। আগে বীরচন্দ্র দাগেরোটাইপ ছবি তুলতেন, সেই সঙ্গে কলোডিয়ান ওয়েট প্লেট ফটোগ্রাফিরও চর্চা করেছেন। সিলভার নাইট্রেট-এ ডোবানো কাচের প্লেট সঙ্গে সঙ্গে ক্যামেরায় ভরে ছবি তোলার ঝঞ্ঝাট অনেক। শশিভূষণই তাঁকে ড্রাই প্লেটের সন্ধান দিয়েছেন। কিন্তু শশিভূষণ মহারাজের কাছ থেকে কখনও অতিরিক্ত পারিতোষিক নিতে চান না। মনে হয় শশিভূষণের অর্থাভাব নেই, হয়তো তাঁর যথেষ্ট পৈতৃক সম্পত্তি আছে, তা হলে কেন তিনি কলকাতার চাকচিক্যময় পরিবেশ ছেড়ে এই জঙ্গলের দেশে শিক্ষকতার কাজ নিয়ে এসেছেন, কে জানে!

গড়গড়ার নলে মৃদু টান দিতে দিতে বীরচন্দ্র কয়েকবার ভ্রূকুঞ্চিত করে কয়েকজন অনুসরণকারীকে বিদায় দিলেন। তারপর প্রাসাদ থেকে বার হবার ঠিক আগে সিংহদ্বারের আড়ালে দাঁড়িয়ে একান্ত সচিবকে জিজ্ঞেস করলেন, ঘোষমশাই, প্রতি বৎসর এই উৎসবের দিনে আমি প্রজাদের পক্ষে মঙ্গলময় কোনও সুবিধার কথা ঘোষণা করি। এ বৎসর কী ঘোষণা করব ঠিক করেছ?

রাধারমণ ঘোষ মধ্যবয়স্ক ও মধ্যম আকৃতির মানুষ। তাঁর বেশবাস অতি সাধারণ, পা দুটি নগ্ন, তাঁকে দেখলে বোঝাই যায় না যে, এ রাজ্যে তিনি এক অতি গুরুত্বপুর্ণ পদাধিকারী। তাঁর নাকটি তীক্ষ্ণ নয় কিন্তু কণ্ঠস্বর আনুনাসিক। তিনি বললেন, হ্যাঁ, মহারাজ। একটি ঘোষণার কথা আমি আগেই চিন্তা করে রেখেছি। সেই ঘোষণায় আপনি শুধু ত্রিপুরা রাজ্যেরই গৌরব বর্ধন করবেন না, সারা ভারতেও আপনার সুনাম ছড়িয়ে পড়বে।

মহারাজ উৎসুকভাবে রাধারমণের দিকে তাকিয়ে রইলেন।

রাধারমণ বললেন, এই বিষয়টি নিয়ে আমি কর্নেল ঠাকুরের সঙ্গেও আলোচনা করেছি। তিনিও আমার সঙ্গে একমত।

কর্নেল সুখদেব ঠাকুর সম্মতিসুচক মাথা নাড়লেন।

বীরচন্দ্র জিজ্ঞেস করলেন, ঘোষণাটি কী?

রাধারমণ বললেন, আপনি এখানেই সকলকে জানিয়ে দিন, আজ থেকে এ রাজ্যে সতীদাহ প্রথা রদ করা হল। এই বর্বর প্রথা হিন্দু সমাজের কলঙ্ক।

বীরচন্দ্র আনত নয়নে চুপ করে রইলেন।

কর্নেল সুখদেব ঠাকুর বললেন, আপনি ক্রীতদাস প্রথা রদ করে দিয়ে অশেষ গৌরবের অধিকারী হয়েছেন। রাজপ্রাসাদের ক্রীতদাসরা মুক্তি পেয়েছে। প্রজারা আপনার নামে ধন্য ধন্য করেছে।

রাধারমণ বললেন, ভূমি সংস্কারের জন্য আপনি যে প্রশংসনীয় উদ্যোগ নিয়েছেন.......

তাঁকে থামিয়ে দিয়ে বীরচন্দ্র বললেন, না, এ ঘোষণা করা যাবে না। এ প্রথা রদ করার সময় এখনও আসেনি। এই প্রথা অতি প্রাচীন ও ধর্মীয়। এ রাজ্যে সতীদের কেউ জোর করে না, তারা স্বেচ্ছায় স্বামী সঙ্গে সহমরণে স্বর্গে যায়। আমার প্রজাদের এই ধর্মীয় বিশ্বাসে আমি আঘাত দিতে পারি না।

রাধরমণ বললেন, মহারাজ, ইংরেজ আসার পর বড়লাট উইলিয়াম বেন্টিঙ্ক সতীদাহ প্রথা বে-আইনি বলে ডিক্রি জারি করেছেন, সেও অনেক দিন হয়ে গেল। সারা ভারত তা মানে। ত্রিপুরা কি পিছিয়ে থাকবে?

বীরচন্দ্র গম্ভীর স্বরে বললেন, ভুলে যেও না, আমার ত্রিপুরা ইংরেজ রাজত্বের মধ্যে পড়ে না। সব ম্লেচ্ছ আইন মানতে আমি রাজি নই।

রাধারমণ বললেন, মহারাজ, সতীদাহ প্রথাকে ধর্ম পালন বলা চলে না। এ হল ধর্মের ব্যাভিচার। আপনি নিশ্চয় রাজা রামমোহনের নাম শুনেছেন?

বীরচন্দ্র এক হাত তুলে বললেন, ওসব তর্কের কথা এখন থাক। যুগ যুগ ধরে চলে আসছে যে প্রথা, তা এক কথায় রদ করা যায় না। অনেক চিন্তাভাবনা করতে হবে। প্রজাদের মনোভাব জানতে হবে। ঘোষমশাই, আমার বাবার আমলে উৎসবের দিনের এই বিশেষ ঘোষণার ব্যাপারটা নিয়ে আগে থেকে অনেক আলাপ-আলোচনা করতে হতো, সুললিত ভাষায় সেটি লেখা হতো, তারপর আমার বাবা তা পাঠ করতেন। আর আমি, প্রজাদের সম্মুখে যাবার ঠিক আগের মুহূর্তে এই থামের আড়ালে দাঁড়িয়ে একটা কিছু ঠিক করে নিতে চাইছি। এভাবে কাজ চলে? আমি অন্যান্য বিষয়ে ব্যাপৃত থাকি, তোমরা আগের থেকে কিছু ঠিক করে রাখতে পারোনি?

রাধারমণ বললেন, একটা বিরাট ঘোষণার কথা তো ঠিক হয়েই আছে। আমি নিজে তার বয়ান প্রস্তুত করেছি, লিপিকরকে দিয়ে রোবকারি করা হয়েছে। কুমার রাধাকিশোর আপনার উত্তরাধিকারী হিসেবে স্বীকৃতি পাবেন আজ।

মহারাজ বীরচন্দ্রের মুখখানি এতক্ষণ ব্যক্তিত্ব ও গাম্ভীর্যে টসটস করছিল, এবার সেই মুখে যেন এসে পড়ল শিশুর চাঞ্চল্য। তিনি হাতের ইঙ্গিতে পেছনের পারিষদদের, এমনকি হুঁকো-বরদারকেও দূরে সরে যেতে বললেন। তারপর খানিকটা ভয়ার্ত ফিসফিস স্বরে বললেন, ওই ঘোষণাটি আমি এ বছর স্থগিত রাখতে চাই। সামনের বারে দেখা যাবে।

রাধরমণ এমন কথা শুনে খুবই বিস্মিত হলেন নিশ্চয়ই, কিন্তু তাঁর মুখে কোনও রেখা ফুটল না। কর্নেল সুখদেব ঠাকুরের সারা মুখখানি চমকিত।

রাধারমণ ধীর কণ্ঠে বললেন, তার ফল ভালো হবে না।

বীরচন্দ্র নিজের কর্মচারির কাছে খানিকটা অনুনয় করে বললেন, কেন, এক বছর দেরি হলে কী এমন ক্ষতি হবে? আমার স্বাস্থ্য ভালো আছে, আমি হঠাৎ করে মরেও যাচ্ছি না।

রাধারমণ বললেন, মহারাজ, আপনি শতায়ু হন, আমরা সকলেই তাই চাই। কিন্তু কুমার রাধাকিশোরের কত বয়েস হল তা আপনি খেয়াল করেছেন কী? তিনি যুবক হয়েছেন অনেক দিন আগে। কুমার ধীর স্থির দায়িত্বশীল। আপনি গান বাজনা, ছবি আঁকা, ফটোগ্রাফি নিয়ে নিরত থাকেন, এখন কুমারের হাতে রাজকার্যের কিছু দায়িত্ব দিলে রাজ্যেরই মঙ্গল হবে।

—দাও না কিছু কিছু দায়িত্ব। খাজনা আদায়ের ভার দাও। ইস্কুলে খোলার ভার দাও।

— তার আগে পদাধিকার দেওয়াটা বিশেষ জরুরি। মহারাজ, আপনি কি যুবরাজ পদ দেবার ব্যাপারে আপনার মন বদল করেছেন?

—না, না, তেমন কথা তো বলিনি। কুমারের যোগ্যতা সম্পর্কে আমার কোনও সন্দেহ নেই। শুধু বলছি, ঘোষণাটা বিলম্বিত হোক।

—তাতে শুধু কুমার নন, আরও অনেকে নিরাশ হবেন। সবাই ধরেই নিয়েছে যে, আজই কুমারের যৌবরাজ্যের ঘোষণা হবে।

—সবাইকে জানিয়ে দিয়েছ বুঝি?

—মাত্র তিনজন ব্যক্তি ছাড়া আর কোনও কাকপক্ষীকেও আমি জানাইনি। তবু লোকে জেনে যায়। গত দু' বছর আপনি এই উৎসবের দিনে এখানে উপস্থিত থাকতে পারেননি, কার্শিয়াঙ ছিলেন। এবার—

—গত বার কার্শিয়াঙ গিয়েছিলাম। তার আগেরবার ঢাকা শহরে যেতে হয়েছিল জরুরি কাজে।

—এবারে বড় আকারে উৎসব হচ্ছে, আপনি স্বয়ং প্রজাদের মাঝখানে গিয়ে দাঁড়াবেন। সকলেরই ধারণা, কুমার রাধাকিশোরকে আপনি এবারেই তাঁর প্রাপ্য সম্মান দেবেন। কুমার রাধাকিশোর আপনার বংশের আরও মুখোজ্জ্বল করবেন, তাতে কোনও সন্দেহ নেই।

—এ বছর যদি ঘোষণা স্থগিত রাখি, তা হলে কুমার কি আমার বিরুদ্ধে বিদ্রোহ করবে নাকি?

—স্বয়ং কুমার তা করবেন না। কুমার অতিশয় নম্র, আপনাকে ভক্তিশ্রদ্ধা করেন। কিন্তু কুমারের অনুরাগীরা হঠাৎ ফুঁসে উঠলে আশ্চর্যের কিছু নেই। কুমার ইতিমধ্যেই খুব জনপ্রিয়।

—হুঁ, কিন্তু ঘোষমশাই, তুমি তো জান যে, মহাদেবী ভানুমতীরও যথেষ্ট লোকবল আছে! তাঁর বাপের বাড়ির লোকজনরা যথেষ্ট শক্তি ধরে। মহাদেবী তাঁর সন্তানের জন্য সিংহাসনের দাবি ছাড়েননি। সমরেন্দ্রর সাঙ্গোপাঙ্গরা যদি মণিপুরিদের উস্কানি দেয়, তা হলে হঠাৎ আগুন জ্বলে উঠতে পারে।

রাধারমণ কর্নেল সুখদেব ঠাকুরের দিকে চেয়ে বললেন, এবার আপনি বলুন, কর্নেল।

কর্নেল ঠাকুর গলা খাঁকারি দিয়ে বললেন, মহারাজ, এই ব্যাপার নিয়ে আমরাও চিন্তা করেছি, খবরাখবর নিয়েছি। কুমার সমরেন্দ্রর পক্ষের লোকদের মধ্যে গুপ্তচর লাগানো হয়েছে। নিশ্চিত করে বলতে পারি, কুমার সমরেন্দ্র কিংবা তাঁর পক্ষের লোকরা সে রকমভাবে তৈরি নয়। তাঁদের মধ্যে ক্ষোভ আছে বটে। বড় রানীর ছেলেই সিংহাসনের ন্যায্য অধিকারী, এ রকম কথা তাঁরা প্রচার করছেন, কিন্তু বিদ্রোহ ঘটাবার মতন সমর্থক তাঁদের নেই।

রাধারমণ বললেন, কুমার রাধাকিশোরকে যুবরাজ হিসেবে ঘোষণা করে তাঁর হাতে পুলিশ বাহিনী দিলে কেউ আর তাঁর বিরুদ্ধতা করতে সাহস পাবে না।

কর্নেল সুখদেব ঠাকুর বললেন, কুমার সমরেন্দ্রর উচ্চাভিলাষ অঙ্কুরেই বিনাশ করা দরকার। নইলে গোলযোগ শুরু হবে, মামলা-মোকদ্দমায় জেরবার হতে হবে, তাতে এ রাজ্যেরই ক্ষতি।

মহরাজ হঠাৎ চোখ পাকিয়ে বিকট মুখভঙ্গি করে দেহরক্ষীকে বললেন, তুই রাধাকিশোরের কাছ থেকে অনেক টাকা খেয়েছিস, তাই না? আমার কাছে তার হয়ে দালালি করছিস! আমি বেঁচে আছি, এর মধ্যেই কালনেমির লঙ্কা ভাগ শুরু হয়ে গেছে। যত্তোসব হারামজাদাদের পাল।

মহারাজ এবার সচিবের দিকে চাইলেন। রাধারমণ সোজাসুজি তাকিয়ে আছেন, এখনও তাঁর মুখ ভাবলেশহীন। তাঁর এরকম ঠাণ্ডা স্বভাবের জন্য মহারাজ তাঁর ওপর কখনও উষ্মা প্রকাশ করতে পারেন না।

এবার তিনি সিংহদ্বারের দিকে পা বাড়ালেন। তাঁর অন্তরে এক ধরনের অসহায়তা ও তজ্জনিত ক্রোধ টগটগ করছিল কিন্তু বাইরে এসে আকাশের দিকে তাকিয়ে হঠাৎই আবার তাঁর মেজাজ প্রশান্ত হল। নির্মল আকাশে ফুটে আছে দশমীর চাঁদ। তার থেকে যেন ফুলের রেণুর মতন ঝরে পড়ছে জ্যোৎস্না। মহারাজের মনে হল, ওই চাঁদ যেন জীবন্ত । পুরাণ কাহিনীতে চন্দ্র দেবতা একজন পুরুষ এবং দুর্বল ক্ষয়রোগী। কিন্তু মহারাজের তা মনে পড়ল না, তিনি দেখলেন এক হাস্যময় নারীর মুখ, যেন স্বর্গলোক থেকে তাঁরই দিকে চেয়ে আছে। এখনই যদি ওই চাঁদের একখানা ফটোগ্রাফ তোলা যায়, তা হলে সেই নারীর মুখ নিশ্চিত ফুটে উঠবে।

মহারাজকে দেখা মাত্র সহস্র কণ্ঠ এক সঙ্গে জয়ধ্বনি দিল। জ্বলে উঠল অনেক রংমশাল। মহারাজ সে সব দিকে মনও দিলেন না, বার বার চাঁদের দিকে দৃষ্টিপাত করতে করতে তিনি সোজা হেঁটে গিয়ে উঠে দাঁড়ালেন মঞ্চে। অজস্র ফুল দিয়ে সাজানো হয়েছে মঞ্চটি, সাতখানা পেট্রোম্যাক্স জ্বালিয়ে স্থানটি দিনের আলোর মতন আলোকিত। জয়ধ্বনির তখনও বিরাম নেই, মহারাজ স্থির হয়ে দাঁড়িয়ে রইলেন, তিনি যেন কিছুই শুনতে পাচ্ছেন না। আর একবার ওপরের দিকে তাকিয়ে তাঁর মনে হল, সহাস্য চাঁদ যেন আকাশ ছেড়ে নেমে এসেছে অনেকখানি নীচে, একটু একটু দুলছে।

এত মানুষের কোলাহল অগ্রাহ্য করে মহারাজ তাঁর সচিবের দিকে ফিরে বললেন, ঘোষমশাই, বলো তো এই পদটি কার রচনা? "ওহে বিনোদ রায় ধীরে যাও হে".....

যখন তখন যে মহারাজের এরকম ভাবান্তর হয় তা রাধারমণ বেশ ভালোই জানেন। ক্ষণমাত্র চিন্তা করে তিনি উত্তর দিলেন, মনে হয় যেন ভারতচন্দ্র।

মহারাজ বললেন, পরের পদটি মনে আছে? বলো—

রাধারমণ বললেন, "অধরে মধুর হাসি বাঁশিটি বাজাও হে....."

মহারাজ শুনে বললেন, হঠাৎ এই পদটি আমার মনে এল কেন? আর একটু বলো—

রাধারমণ বললেন,"নব জলধর তনু শিখিপুচ্ছ শক্রধনু পীতধড়া বিজুলিতে ময়ূরে নাচাও হে....."

মহারাজ সন্তুষ্ট না হয়ে আরও কৌতূহলী হয়ে বললেন, আরও বলো।

রাধারমণ বললেন, সব মনে নেই। দেখি চেষ্টা করে, "নয়ন চকোর মোর দেখিয়া হয়েছে ভোর মুখ সুধাকর-হাসি সুধায় বাঁচাও হে..."

মহারাজ উজ্জ্বল মুখে বললেন, অ্যাই। মুখ সুধাকর! সুধাকর। দেখ দেখ, আকাশ পানে একবার চেয়ে দেখ। শিখিপুচ্ছ তো ময়ূরের পাখা, তাই না? চকোর মানে কী গো?

রাধারমণ বললেন, আজ্ঞে, চকোর হচ্ছে একরকম পাখি, রাত্তিরে ওড়ে।

জয়ধ্বনি শেষ হবার পর বিভিন্ন উপজাতীয় নেতারা নিয়ে আসছে উপহার ও উপঢোকন। জন্তু-জানোয়ারগুলিকে রাজকর্মচারিরা সরিয়ে রাখছে এক পাশে। হাতির বাচ্চা এসেছে এগারোটা, আঠেরোটি হরিণ, দুটি চিতা বাঘের ছানা ও অনেক ময়ূর। শীত শুরু হলেই হাতি বিক্রি হবে কুমিল্লার হাটে। বাঘের বাচ্চা পাঠাতে হবে কলকাতায়, এদিকে বাঘ কেনার খরিদ্দার নেই।

অন্যান্য দ্রব্যগুলি রাখা হচ্ছে মহারাজের পায়ের কাছে। তিনি বিভিন্ন দলপতির সঙ্গে সৌজন্য বিনিময় করছেন দু একটা কথা বলে, কিন্তু বোঝা যায় তাঁর যেন ঠিক মন নেই। উপঢৌকনগুলির দিকে তিনি চেয়েও দেখছেন না। মহারাজ এমনিতে বেশ লোভী ও ভোগী, কিন্তু কখনও কখনও হঠাৎ উদাসী হয়ে যান।

এক একজন দলপতি নেমে যাচ্ছে আর একজন উঠছে, এরই এক ফাঁকে মহারাজ রাধারমণকে জিজ্ঞেস করলেন, চাতক আর চকোর কি একই পাখি ?

রাধারমণ বললেন, না, মহারাজ। চাতক পান করে বৃষ্টির জল। আর চকোর শুধু জ্যোৎস্না পান করেই তৃপ্তি পায়।

মহারাজ বললেন, শুধু জ্যোৎস্না পান করে? বা-বা-বা-বা। আমার রাজ্যে এ পাখি আছে? একবার দেখাতে পারবে?

রাধারমণ বললেন, আমি নিজেও দেখিনি। এখানে ও পাখি পাওয়া যাবে না।

মহারাজ বললেন, কেন পাওয়া যাবে না? আমার রাজ্যে নেই? খোঁজ নিয়েছ কখনও? শুধু মানুষের খোঁজ নিলেই হবে? ত্রিপুরায় কত রকম পাখি আছে তার একটা তালিকা বানাও। আমি কাল-পরশুর মধ্যেই চাই। চকোরও নিশ্চয়ই পাওয়া যাবে।

কর্নেল সুখদেব ঠাকুর বললেন, মহারাজ, আমি যতদূর জানি—

মহারাজ বললেন, চোপ ! তোর কোনও কথা শুনতে চাই না।

রাধারমণ বললেন, মহারাজ উপহার পর্ব শেষ হয়েছে। এবার তা হলে—

মহারাজ সুখদেব ঠাকুরকে বললেন, কী বলবি বলছিলি বল । জলদি বলে ফেল!

সুখদেব ঠাকুর বললেন, আমি যত দূর জানি, চকোর নামে কোনও পাখি বাস্তবে নেই। আছে শুধু কবি কল্পনায়।

মহারাজ দাঁতে দাঁত চেপে বললেন, গাধা। কবিরা চোখে না দেখলে কল্পনা করে কী ভাবে? গ্যাঁজায় দম দিয়ে কল্পনা করে? নিশ্চয়ই এই পাখি কোথাও না কোথাও আছে।

সুখদেবের প্রতি মহারাজের রাগ আরও বেড়ে যাবে এই আশঙ্কা করে রাধারমণ তাড়াতাড়ি বললেন, আপনি ঠিক বলেছেন, মহারাজ। উনি জানেন না। নিশ্চয়ই চকোর পাখি কোথাও না কোথাও আছে। বৃন্দাবনে নিশ্চয়ই দেখা পাওয়া যায়।

মহারাজ বললেন, তবে ? বৃন্দাবনে লোক পাঠিয়ে এক জোড়া ওই পাখি আনাবার ব্যবস্থা করো। আমার ত্রিপুরায় জ্যোৎস্নার অভাব নেই, এখানে ভালোই খেয়ে পরে বাঁচবে। ঘোষমশাই, ভারতচন্দ্রের কাব্যগুলির কোনও কেতাব আছে তোমার কাছে?

রাধারমণ বললেন, আমার কাছে নেই। বাল্যকালে পড়েছি। কলকাতার দোকানে অবশ্যই পাওয়া যায়। বিদ্যাসাগর মশাইয়ের দোকানে ।

মহারাজ বললেন, সবই তোমার কলকেতায়। কেন, আগরতলায় ভালো বইয়ের দোকান খুলতে পার না? কালই দোকান খোলার ব্যবস্থা করো। আর আমাকে খানকতক পদাবলি কাব্য আনিয়ে দিও ।

রাধারমণ বললেন, অবশ্যই দেব, মহারাজ। এবার তা হলে ঘোষণাপত্রটি।

মহারাজ বললেন, আহা, বললাম তো, ওটা আগামী বৎসরের জন্য মুলতুবি রাখো।

রাধারমণ বললেন, সবাই অপেক্ষা করছে, মহারাজ। পলিটিক্যাল এজেন্ট মহোদয়ও এরকম ইচ্ছা প্রকাশ করেছেন। যুবরাজির নিষ্পত্তি না হলে রাজ্যে অশান্তি দেখা দেবে।

মহারাজ কর্নেল সুখদেব ঠাকুরকে বললেন, তুই হাঁ করে দাঁড়িয়ে আছিস কেন? তোকে আমার দরকার নেই, দূর হয়ে যা এখান থেকে। সাতদিন আমার সামনে আসবি না। গাধাস্য গাধা। বৃন্দাবনে চকোর পক্ষী পাওয়া যায়, তাও জানে না।

কর্নেল সুখদেব ঠাকুর যুক্ত হাতে প্রণাম করে বললেন, যথা আজ্ঞা মহারাজ।

কর্নেল সুখদেব ঠাকুর মঞ্চ থেকে নেমে যাবার পর রাধারমণ রৌপ্যদণ্ডে মোড়া ঘোষণা পত্রটি মহারাজের দিকে এগিয়ে দিয়ে বললেন, আপনি এটা পাঠ করুন, মহারাজ।

মহারাজ দেখলেন, যাত্রাপালা দেখার উদগ্রীব ভঙ্গিতে সমস্ত প্রজাবৃন্দ তাকিয়ে আছে এই মঞ্চের দিকে। সবাই নিঃশব্দ। অদূরেই রয়েছে কুমার রাধাকিশোর ও তাঁর দুই ভাই, রাজধানীর ক্ষমতাশালী ঠাকুর সম্প্রদায়ের বেশ কিছু মানুষ রয়েছে রাধাকিশোরের কাছাকাছি ,অর্থাৎ ওরা ওই কুমারের সমর্থক। কিশোর সমরেন্দ্রও দাঁড়িয়ে রয়েছে অন্য দিকে, তাকে ঘিরে রয়েছে মণিপুরিরা। পাহাড় জঙ্গল থেকে এসেছে যে-সমস্ত মানুষ, তারা কে কার সমর্থক কে জানে।

শীতকালের জলাশয়ে স্নান করতে নামার আগে বালকের যেমন অনিচ্ছা থাকে, সেই ভঙ্গিতে মহারাজ বললেন, ঠিক আছে ঘোষমশাই, তুমিই পড়ে শুনিয়ে দাও।

রাধারমণ বললেন, সে কি মহারাজ! এমন একটা গুরুত্বপূর্ণ ঘোষণা প্রজারা আপনার স্বকণ্ঠে শুনতে চায়।

মহারাজ বললেন, ওই একই কথা। তুমি শোনালেও যা, আমি শোনালেও তা।

রাধারমণ তবু বললেন, আমার পাঠ করাটা ভালো দেখায় না। মন্ত্রীমশাই অসুস্থ বলে আসতে পারেননি, তা হলে অন্তত দেওয়ান মশাইকে ডাকা হোক।

মহারাজ এবার দৃঢ় স্বরে বললেন, তুমি পড়তে চাও তো পড়ো,না হলে দরকার নেই। আমার ক্ষুধা লেগেছে, আমি এবার খেতে যাব।

অগত্যা রাধারমণই পাঠ শুরু করলেন।'চন্দ্রবংশীয় ত্রিপুরেশ্বর শ্রী শ্রী শ্রী শ্রী শ্রী বীরচন্দ্র মাণিক্য বাহাদুর মহারাজের আদেশক্রমে.....'

মহারাজ বীরচন্দ্রের বুকের মধ্যে দুরু দুরু শব্দ হতে লাগল। অচিরেই এই সংবাদ অন্তঃপুরে মহারানী ভানুমতীর কাছে পৌঁছে যাবে। ভানুমতী নিশ্চিত ধরে নিয়েছিলেন, যে মহারাজ এত তাড়াতাড়ি চূড়ান্ত সিদ্ধান্ত নেবেন না। কত আঘাত পাবেন তিনি! বাল্যকালের

খেলার সঙ্গিনী ভানুমতী। এই জন্যই ভানুমতী মহারাজের পাশে থাকার জন্য জেদ ধরেছিলেন। ভানুমতীর মুখের দিকে চেয়ে বীরচন্দ্র এমন ঘোষণা কিছুতেই করতে পারতেন না। রাজকার্যে স্নেহ-ভালোবাসার দাম থাকে না। রাধাকিশোরকে ভবিষ্যৎ উত্তরাধিকারী নির্বাচন করা কি ঠিক হল, বয়ঃজ্যেষ্ঠ হলেই যে সিংহাসনের উপযুক্ত হবে তার কি মানে আছে? তিনি নিজেই কি তাঁর দুই দাদা চক্রধ্বজ আর নীলকান্তকে বঞ্চিত করে এ রাজ্যের শাসন ভার নেননি? ভানুমতীকে এখন তিনি কী সান্ত্বনা দেবেন? ভানুমতীকে বিদ্বিষ্ট করে এ রাজ্যে শান্তি রক্ষা করাও কি সম্ভব?

পাশার দান পড়ে গেছে, আর কোনও উপায় নেই। ঘোষণা শেষ হওয়া মাত্রই তুমুল হর্ষধ্বনিতে বাতাস কেঁপে উঠল।

মহারাজের ভ্রুদ্বয় কুঞ্চিত; তিনি এখনও আপত্তিসূচক মাথা নাড়ছেন। এর মধ্যেই তাঁর খেয়াল হল যে প্রজারা তাঁর বিরূপ মুখভঙ্গি বুঝে ফেলতে পারে, তাই তিনি হুঁকো-বরদারকে কাছে ডেকে গড়াগড়ার নল ঠোঁটে লাগিয়ে ধুমপান করতে লাগলেন। এত জয়ধ্বনি শুনতেও তাঁর ভালো লাগছে না। হঠাৎ তাঁর শীতবোধ হল, যেন কেউ কোথাও নেই, আদিম পৃথিবীতে তিনি একা দাঁড়িয়ে আছেন, শব্দতরঙ্গ বাতাসের তরঙ্গে রূপান্তরিত হয়ে তাঁর শরীরে ধাক্কা দিচ্ছে।

মুখ থেকে নল সরিয়ে তিনি অসহায়ভাবে বললেন, ঘোষমশাই, ক্ষুধায় যে আমার পেট জ্বলে যাচ্ছে। আর কতক্ষণ?

এবার আহারে বসার পালা। রাধারমণ সকলকে পথ ছেড়ে দাঁড়াবার জন্য ইঙ্গিত করলেন, মঞ্চ থেকে সদলবলে নেমে এলেন মহারাজ। এক জায়গায় গোল করে অনেকগুলি আসন পাতা হয়েছে, মাঝখানে জ্বলছে গোটা চারেক মশাল। সমস্ত উপজাতীয় নেতারা এখানে মহারাজের সঙ্গে বসবেন। পট্টবসনে সজ্জিত হলেও মহারাজের কোমরে ঝুলছে তাঁর বংশের বিখ্যাত তলোয়ার, সেটার কথা মনে ছিল না, বসতে গিয়ে সেই তলোয়ারের হাতলের খোঁচা লাগল তাঁর কোমরে, যন্ত্রণায় কঁকিয়ে উঠতে গিয়েও কোনও রকমে সামলে নিলেন তিনি।

একজন পরিচারক এসে মহারাজের সামনে একটি বৃহৎ রুপোর থালা পেতে দিতেই মহারাজ রক্তচক্ষে বললেন, এটা আবার কী ? সরিয়ে নিয়ে যা।

এই প্রত্যাখ্যানও অনুষ্ঠানের অঙ্গ। প্রতিবারেই মহারাজকে প্রথমে রুপোর থালা দেওয়া হয়, মহারাজ সরিয়ে নিয়ে যেতে বলেন। এই ক্ষুদ্র দৃশ্যটি আসলে অভিনয়। প্রজারা দেখতে পায় যে, প্রতিদিন রুপোর থালায় অন্নগ্রহণে অভ্যস্ত মহারাজ আজ সকলের সঙ্গে সমান হয়ে কলাপাতায় খিচুড়ি খাবেন। মেজাজ খিঁচড়ে আছে বলে মহারাজ এই অভিনয়ে একটু বাড়াবাড়ি করে ফেললেন, মুখে বারণ করার পরেও তিনি বাঁ হাতে সজোরে ধাক্কা দিলেন পরিচারকটিকে, সে উল্টে পড়ে গেল।

সমস্ত দলপতিদের খাদ্য পরিবেশন করা হয়ে গেলে মহারাজ প্রথম গ্রাস মুখে তুললেন। অন্যান্য বছর তিনি দলপতিদের সঙ্গে গল্পগুজব করেন, আজ তাঁর সেদিকে মন নেই। দু'তিন গ্রাস খেয়ে তিনি থেমে গেলেন। খানিক আগেই তিনি প্রবল ক্ষুধা বোধ করছিলেন, এখন অনুভব করলেন যে, আসলে তাঁর আহারে রুচি নেই। খিচুড়ি তিনি বেশ পছন্দই করেন, রন্ধনও বেশ স্বাদু হয়েছে কিন্তু মহারাজের আহারের ইচ্ছে চলে গেছে। তিনি পাত্র ত্যাগ করে উঠে দাঁড়াতে যাচ্ছিলেন, সচরাচর তিনি সৌজন্যের ধার ধারেন না, কিন্তু আজ একটা বিশেষ দিন। তিনি খাওয়া বন্ধ করতেই অন্য সবাই হাত গুটিয়ে নিয়েছে। এবার মহারাজ কাষ্ঠহাসি দিয়ে বললেন, খাও হে, তোমরা সবাই পেট পুরে খাও। তোফা রান্না হয়েছে।

হুকো-বরদারকে ডেকে তিনি সেই অবস্থাতেই ধুমপান করতে লাগলেন আবার। পাঁচ মিনিটের বেশি মহারাজ ধুমপান ছাড়া থাকতে পারেন না তা সবাই জানে, সুতরাং এটা কারুর অস্বাভাবিক মনে হল না।

আহারপর্ব শেষ হতেই মহারাজ প্রাসাদের দিকে ফিরতে শুরু করলেন। আবার থমকে দাঁড়িয়ে পড়লেন কিছুদূর গিয়েই। সাংঘাতিক ভুল হয়ে যাচ্ছিল। প্রাসাদে তিনি কোন রানীর কক্ষে যাবেন? মহারানী ভানুমতীর কাছে যাওয়ার প্রশ্নই ওঠে না। এ রাতে অন্য রানীর শয্যায় গিয়ে ভানুমতীর দুঃখ আরও বাড়িয়ে দিতেও চান না তিনি।

রাধারমণের দিকে ফিরে বললেন, আমি বাগানঘরে যাব। কাসেম আলি, ভোলা চক্কোত্তি, যদু ভট্ট, নিশার হোসেনদের ডেকে পাঠাও,সারা রাত গান-বাজনা হবে, আর কেউ যেন সেখানে আমাকে বিরক্ত না করে।

॥৩॥

শশিভূষণের পাঠশালাটি বড় বিচিত্র। মাস্টার ঠিক আছে, কিন্তু ছাত্রদের কোনও ঠিক ঠিকানা নেই। প্রতিদিন দোকান খোলার মতন তিনি একটি টেবিলে বইপত্র, দোয়াত-কলম সাজিয়ে বসে থাকেন সকালবেলা, প্রায় দিনই কোনও ছাত্রই আসে না। তিনি রাজকুমারদের শিক্ষক, শুধুমাত্র রাজকুমারগণ ছাড়া অন্য কারুর এ পাঠশালায় প্রবেশ নিষেধ। কিন্তু রাজকুমারদের পড়াশুনোর কোনও গরজ নেই, কেউ তাদের তাড়না করে পাঠায়ও না।

কমলদিঘির ধারে একটি ছোট কিন্তু সুন্দর বাড়ি দেওয়া হয়েছে শশিভূষণকে। তিনি অকৃতদার, দোতলায় একা থাকেন। নীচের তলায় একটি হলঘর, সেখানে টেবিলের চার পাশে গোটা দশেক কৌচ রয়েছে, তা শুন্যই পড়ে থাকে, যদিও রাজপরিবারের কুমারদের সংখ্যা উনিশ। এই সব কুমারদের বয়েসের তারতম্যও বিস্তর। জ্যেষ্ঠ রাজকুমার রাধাকিশোর, সদ্য যিনি যুবরাজ হিসেবে ঘোষিত হয়েছেন, তিনি শশিভূষণের চেয়ে খুব বেশি ছোট নন।

ছাত্র আসে না, তবু প্রতিদিন শশিভূষণকে নিয়ম করে সকাল দশটা থেকে পাঠশালায় বসতে হয়। তার কারণ, এক একদিন মাস্টারমশাইকে অবাক করে দিয়ে স্বয়ং মহারাজ বীরচন্দ্র এসে উপস্থিত হন। মহারাজ যে অতর্কিতে তাঁর সন্তানদের শিক্ষার উন্নতি বিষয়ে খোঁজ নিতে আসেন, তা নয়, তিনি নিজেই আসেন ছাত্র হয়ে। কোনও ইংরিজি শব্দের অর্থ জানতে চান অথবা ঔৎসুক্য প্রকাশ করেন কোনও বাংলা গ্রন্থকার সম্পর্কে। মহারাজ বীরচন্দ্রের তেমন প্রথাগত শিক্ষা নেই, কিন্তু অভিজ্ঞতায় অনেক কিছু শিখেছেন। দু' চারটি ভাঙা ইংরিজি বাক্য বেশ চালিয়ে দিতে পারেন, বাংলা বইও বেশ কিছু পড়া আছে।

রাজকুমারদের গৃহশিক্ষকের বেতন তো ভদ্রগোছের বটেই, পদমর্যাদাও গুরুত্বপূর্ণ। স্বয়ং মহারাজ ছাড়া তিনি আর কারুর অধীনে নন। যে রাধারমণ ঘোষমশাই এখন মহারাজের একান্ত সচিব, যাঁর পরামর্শ ছাড়া মহারাজ এক পাও চলেন না, সেই তিনিও রাজপরিবারের শিক্ষক হিসেবেই প্রথম এসেছিলেন। এখন তাঁর স্থান মন্ত্রীরও ওপরে। রাধারমণের রাজনৈতিক জ্ঞান তীক্ষ্ণ, আবার তিনি বৈষ্ণব সাহিত্যেও সুপণ্ডিত। তাঁর প্রভাবেই মহারাজ বৈষ্ণব পদাবলিতে আসক্ত হয়েছেন। এখন তিনি স্বয়ং কবিতা ও গীত রচনা করেন, যদিও তার বাংলা বানানের বাপ-মা নেই। শশিভূষণ সেই সব বানান শুদ্ধ করে দেন অনেক সময়।

শশিভূষণের রাজনৈতিক উচ্চাভিলাষ নেই, শিক্ষকতা ছেড়ে তিনি রাজকার্যে মাথা গলাতে চান না। ছাত্র নেই অথচ শিক্ষক হিসেবে মাসে মাসে বেতন নিয়ে যাচ্ছেন, এ জন্য তাঁর বিবেকদংশন হয়। এ বিষয়ে তিনি মহারাজের কাছে অনুযোগ করছিলেন, পদত্যাগ করে ফিরে যেতেও চেয়েছিলেন, মহারাজ সেসব কথা হেসে উড়িয়ে দেন।

মহারাজ বলেন, ছাত্র নেই বলে তুমি ব্যস্ত হচ্ছ কেন, মাস্টার! আমিই তো তোমার একজন ছাত্র। আমাকে পড়াবে। রাজকুমারগুলো অকম্মার ঢেঁকি। ও গুলোকে কি গলায় দড়ি বেঁধে টেনে আনা যায়! তুমি বরং পর্বত হও, মাস্টার, পর্বত হও।

এ কথার ঠিক অর্থ বুঝতে না পেরে শশিভূষণ নীরবে তাকিয়ে থাকেন। মহারাজ উচ্চহাস্য করে বলেন, বুঝলে না কথাটা? মহম্মদ যদি পর্বতের কাছে না যান, তা হলে পর্বতই আসবে মহম্মদের কাছে। তাই না? ছোঁড়াগুলো এদিক ওদিক ঘুরে বেড়ায়, তুমি এখানে বসে না থেকে ওদের এক একটাকে ধরবে, তারপর গল্প-গুজব করার ছলে তাদের একটু আধটু সট্‌কে শেখাবে, কোনও শুদ্ধ কথার বানান জিজ্ঞেস করবে। আর কিছু না হোক, তোমার মুখে ওই কলকাত্তাই ভাষা শুনলেও ওদের অনেকটা জ্ঞান হবে।

কথাটা শশিভূষণের মনঃপুত হয় না। ছেলে-ধরার মতন যেখানে সেখানে ছোটাছুটি করে ছাত্র পাকড়াও করার প্রবৃত্তি নেই তাঁর।

শশিভূষণ বলেছিলেন, মহারাজ, আপনি সময় পান না, কিন্তু আপনি যদি রানীদের বলে দেন যে, প্রত্যেকদিন অন্তত দু' ঘন্টার জন্য ছেলেদের পাঠান আমার কাছে।

তাঁকে থামিয়ে দিয়ে মহারাজ বলেছিলেন, রানীরা পাঠাবে? রাজবাড়ির অন্দরমহল সম্পর্কে তোমার কোনও ধারণা নেই বোঝাই যাচ্ছে। রানীদের সঙ্গে তাদের ছেলেদের দেখা হয় ভেবেছ? কক্ষনও না। খোকাগুলো যেই দামড়া হয়, অমনি তারা ছটকে যায়। তারপর ঠাকুরদের সঙ্গে ঘোট পাকাতে শুরু করে। রাজবাড়ির ছেলেদের প্রধান খেলাই হল ষড়যন্ত্র। কে কাকে হঠিয়ে সিংহাসনের দিকে এগোবে। বারো-তেরো বছর বয়েস থেকেই এই খেলা শুরু করে দেয়। রানীরাও তাতেই খুশি।

ছাত্র যে একেবারেই আসে না, তা নয়। কুমার সমরেন্দ্রচন্দ্র আসে মাঝে মাঝে। কিশোর বয়েসী এই রাজকুমার প্রধানা মহিষীর সন্তান এবং মহারাজের বিশেষ প্রিয় তা জানেন শশিভূষণ। সুশ্রী এই কিশোরটি বেশ মেধাসম্পন্ন, এই বয়েসেই তার ফটোগ্রাফির দিকে ঝোঁক, নিজস্ব দুটি ক্যামেরা আছে। লেখাপড়া করার বদলে সে মাস্টার মশাইয়ের কাছে ছবি তোলা বিষয়েই অনেক কিছু জানতে আসে, বিদেশি ক্যামেরা কোম্পানির লিটারেচার এনে অর্থ জানতে চায়। তার বৈমাত্রেয় ভাই উপেন্দ্রও আসে এক একদিন অঙ্কের হিসেব বুঝে নিতে, কার সঙ্গে যেন সে তুলোর ব্যবসা করে । রাজবাড়ির অনেকেই বিভিন্ন ব্যবসার সঙ্গে জড়িত।

উপেন্দ্র যেদিন আসে, তার সঙ্গে থাকে আরও তিন চারজন কুমার, তারা শুধু সঙ্গেই আসে, শশিভূষণের কাছ থেকে কোনওরকম পাঠ নিতে তারা সরাসরি অস্বীকার করে। আবার দৈবাৎ যদি একই দিনে সমরেন্দ্রচন্দ্র ও উপেন্দ্র এসে পড়ে, তখন বোঝা যায় ওদের মধ্যে বাক্যালাপ নেই, দু'জনে ঘাড় গোঁজ করে চেয়ে থাকে দু'দিকে। একদিন শুধু এই দুই ভাই একত্রে গলা মিলিয়ে এক বিষয়ে প্রতিবাদ করেছিল।

এখানকার একটি কিশোরকে শশিভূষণের বিশেষ পছন্দ। চিনেবাদামের মতন গায়ের রং, সুঠাম চেহারা, চক্ষুদুটি যেন কাজল টানা, এই ছেলেটির নাম ভরত। প্রথম প্রথম এসে শশিভূষণ দেখতেন, এই ছেলেটি তাঁর গৃহের কাছাকাছি ঘুরঘুর করে। দীনহীনের মতন বেশবাস দেখে শশিভূষণ ভেবেছিলেন, ছেলেটি বুঝি বাগানের মালি। একদিন তিনি জানলা দিয়ে লক্ষ করলেন, ছেলেটির হাতে একটি বই, সে একটা কাঁঠাল গাছের নীচে দাঁড়িয়ে জোরে জোরে কী যেন পড়ছে।

একটি ছাত্র পাবার সম্ভাবনায় পুলকিত হয়ে শশিভূষণ হাতছানি দিয়ে তাকে কাছে ডাকলেন। ছেলেটি জানলার কাছে এসে দাঁড়াল । শশিভূষণ বললেন, তুমি পড়াশুনো কর? ভেতরে এসো, ভেতরে চলে এসো।

ছেলেটি করুণভাবে বলল, না গো মাস্টারবাবু, বিধান নেই। আমি কুমার নয় গো।

শশিভূষণ তবু জোর করে তাকে কক্ষের মধ্যে আনতে যাচ্ছিলেন, তখন মনে পড়ল, তাঁকে স্পষ্ট বলে দেওয়া হয়েছে যে, রাজকুমার ছাড়া অন্য কারুন এখানে প্রবেশ নিষেধ । সাধারণ ছাত্রদের জন্য আগরতলার নয়া হাভেলিতে একটা ইস্কুল খুলে দেওয়া হয়েছে।

শশিভূষণ নিজেই বাইরে বেরিয়ে এলেন। ছেলেটিকে জিজ্ঞেস করলেন, তোমার হাতে ওটা কী বই, দেখি?

সেখানা হাতে নিয়ে শশিভূষণ চমৎকৃত হলেন। মলিন, ছিন্নদশা সেই বইটি আসলে বঙ্গদর্শন পত্রিকার একটি পুরনো সংখ্যা। সামান্য একটা হেঁটো ধুতি পরা, খালি গায়ের এই কিশোরটি বঙ্গদর্শনের পাঠক? এও কি সম্ভব! রাজকুমারেরা প্রায় কেউই যুক্তাক্ষর ঠিক মতন পড়তে পারে না।

তিনি বললেন, কী হে, এ বই নিয়ে তুমি কী করছ? তুমি অ-আ-ক-খ পড়তে জান?

পত্রিকা রইল শশিভূষণের হাতে, ছেলেটি চক্ষু বুজে মুখস্থ বলতে লাগল, "ভারতবর্ষে তাহাদের ঐশ্বর্য অতুল। অদ্যাপিও তাহার তুল্য বিভব ভারতে কাহারও নাই। এক্ষণে ভারতবর্ষে এমন বণিক কে আছে যে কথায় কথায় কোটি মুদ্রার দর্শনী হুণ্ডীর টাকা নগদ ফেলিয়া দেন? যখন মীরহবিব মুর্শিদাবাদ লুঠ করিয়াছিল, তখন সে জগৎ শেঠের ঘর হইতে দুই কোটি কেবল 'আরকাটি' টাকা লইয়া গিয়াছিল—দেশী টাকার কথায় কাজ কী? সেই দুই কোটি টাকা তাঁহাদিগের তৃণ বলিয়া বোধ হয় নাই—তাঁহারা পূর্ববৎ নবাবকে এক একবারে কোটি মুদ্রা দর্শনী দিতে লাগিলেন..."

শশিভূষণের বিস্ময়ের অবধি রইল না। পদ্যও নয়, বঙ্কিমের চন্দ্রশেখর উপন্যাস থেকে সঠিক মুখস্থ বলছে ছেলেটি। শশিভূষণ এমন কখনও দেখেননি। বইপত্রের অভাব বলে এই একটি পত্রিকাই ছেলেটি বার বার পড়েছে।

বঙ্কিমচন্দ্রের সঙ্গে শশিভূষণের অল্পসল্প পরিচয় আছে। তিনি তৎক্ষণাৎ ঠিক করলেন, বঙ্কিমবাবুকে এই ঘটনাটা চিঠি লিখে জানাবেন। বঙ্কিমবাবু নিশ্চয়ই কল্পনাই করতে পারেন না যে, এই সুদূর পাণ্ডববর্জিত দুর্গম পাহাড়-জঙ্গলের দেশে তাঁর এমন নিবিষ্ট পাঠক আছে, যে দাঁড়ি-কমা সমেত তাঁর ভাষা কণ্ঠস্থ করেছে। এরকম পাঠক পাওয়া যে কোনও লেখকের পক্ষেই ভাগ্যের কথা।

শশিভূষণ জিজ্ঞেস করলেন, তুমি কার কাছে পড়তে শিখলে?

ছেলেটি নতমুখে লাজুক স্বরে বলল, নিজে নিজে শিখেছি। ভালো পারি না। অনেক কথা বুঝি না। 'আরকাটি' টাকা কী মাস্টারবাবু?

শশিভূষণ ঠিক করলেন, রাজকুমার নয় বলে এই কিশোরটি তাঁর পাঠাশালায় প্রবেশের অধিকার পাবে না বটে, কিন্তু বাইরে গাছতলায় বসে একে পড়াতে তো কোনও বাধা নেই।

সত্যিকারের আগ্রহী ছাত্র পেলে সব শিক্ষকই খুশি হন। পর পর কয়েকদিন ছেলেটির সঙ্গে গাছতলায় বসে শশিভূষণ বুঝতে পারলেন, এ ছেলেটি মেধাবী তো বটেই, আগরতলার এই ছোট গণ্ডির বাইরে যে বিপুল বিশ্ব, সে সম্পর্কেও তার অশেষ কৌতূহল। মাত্র দু তিনখানি বই মুখস্থ করে সে বাংলা লেখাপড়া শিখেছে, কিন্তু সেই বইয়েরই কিছু কিছু শব্দের সুত্র ধরে সে ইতিহাসে-ভূগোল সম্পর্কে নানা প্রশ্ন করে।

ছেলেটির সঙ্গে মিশে শশিভূষণ উপলব্ধি করলেন, মানুষের জীবনের গতি-প্রকৃতি কী দুর্বোধ্য। রাজকুমারদের শিক্ষার জন্য সব করা আছে, তবু তাদের পড়াশুনোয় মন নেই,

পাঠশালাটি রোজ খুলে রাখা পরিহাসের মতন মনে হয়। অথচ অজ্ঞাতকুলশীল, অন্নদাস, এক ভৃত্যের আশ্রয়ে থাকা এই ছেলেটির এত জ্ঞানের স্পৃহা হয় কী করে। অনাদৃত, স্নেহমমতা বঞ্চিত, রুদ্ধশ্বাস জীবন থেকে মুক্তির স্বাদ পাবার এই একটিই উপায়। কিন্তু আরও তো কত বালক এরকম জীবন কাটায়, তারা তো বইয়ের পৃষ্ঠায় মুক্তি খোঁজে না। ভরত অবশ্য নিজের সম্পর্কে বলতে চায় না কিছুই। নানা প্রশ্ন করে শশিভূষণ শুধু জেনেছেন যে, রাজবাড়ির পিছনে ভৃত্যমহলে সে থাকে, এক বৃদ্ধ ভৃত্য তাকে খেতে পরতে দেয়, আর বাবা-মা নেই।

গত বছর শীতকালে শশিভূষণ এই ছেলেটিকে শিক্ষাদান শুরু করেছিলেন, তারপর এসে গেল ঝড়-বৃষ্টির দিন। তখন আর গাছতলায় বসা যায় না। এদিকে দিনের পর দিন পাঠাশালা ঘর থাকে শূন্য । এই উৎকট ব্যবস্থা সহ্য করতে না পেরে একদিন শশিভূষণ জোর করে ছেলেটিকে ভেতরে নিয়ে এলেন। এই কয়েক মাসেই সে ইংরেজি বর্ণমালা লিখতে শিখে গেছে। সূর্য-চন্দ্র ও অন্যান্য গ্রহ নক্ষত্রের সঙ্গে পৃথিবীর সম্পর্ক বুঝেছে। শশিভূষণ তাঁকে নিজের সংগ্রহের বইপত্র পড়তে দেন, সে যখন জোরে জোরে কোনও কবিতা পাঠ করে,শশিভূষণ মুগ্ধ হয়ে যান। তাঁর শিক্ষকতার এমন প্রত্যক্ষ সার্থকতার নিদর্শন আর হয় না। এখানকার সকলেরই উচ্চারণে কুমিল্লা অঞ্চলের বাঙাল টান আছে, রাজকুমাররা কেউ তালব্য শ বলতেই পারে না, তারা 'শোভা-কে বলে 'হোবা' কিন্তু এই ছেলেটির উচ্চারণ একেবারে নিখুঁত।

শশিভূষণ তাকে সংস্কৃত ভাষায় দীক্ষা দিলেন। বিদ্যাসাগরমশাই সরল সংস্কৃত ব্যাকরণ প্রকাশ করেছেন, এখন দেবনাগরী না জেনেও সংস্কৃত শিক্ষা শুরু করা যায়।

একদিন শশিভূষণ পাঠাশালায় মন দিয়ে ছেলেটিকে পড়াচ্ছিলেন, এমন সময় দৈবাৎ সেখানে রাজকুমার সমরেন্দ্রচন্দ্র উপস্থিত হল। সমরেন্দ্রর সঙ্গে রয়েছে সুখচন্দ্র,সে তার খুল্লতাত পুত্র, সেই সুবাদে সেও রাজকুমার। সুখচন্দ্র শশিভূষণের প্রিয় ছাত্রটিকে দেখেই বলল, এই ভরত, তুই এখানে কী করছিস? যা, বাইরে যা—

ভরত সঙ্গে সঙ্গে বইখাতা গুছিয়ে উঠে যাচ্ছিল, কিন্তু শশিভূষণ বাধা দিয়ে বললেন, থাক না। ও থাকলে তোমাদের অসুবিধের কী আছে!

একটু পরেই সদলবলে এল উপেন্দ্র। সে আসন গ্রহণ না করেই ভ্রূকুঞ্চিত করে ঘৃণার সঙ্গে বলল, ভরতকে কে এখানে আসতে দিয়েছে! এই ভরত, দূর হয়ে যা। মাস্টারবাবু, ভরত এখানে থাকলে আমি বসব না।

সমরেন্দ্রচন্দ্র উঠে দাঁড়িয়ে রাগত স্বরে বলল, আমি ভরতকে এখানে আসতে বলিনি। ভরত থাকলে আমিও পড়ব না।

শশিভূষণ যথেষ্ট বিরক্ত হলেও শান্তভাবে জিজ্ঞেস করলেন, ও তো তোমাদের কোনও বিঘ্ন সৃষ্টি করেনি। তোমরা এত উত্তেজিত হচ্ছ কেন!

উপেন্দ্র তাচ্ছিল্যের সঙ্গে বলল, কাছুয়ার ছেলে। ও ব্যাটার এত সাহস হল কী করে? আমাদের সামনে ওর বসে থাকার হুকুম নেই।

শশিভূষণ আর কিছু বলার সুযোগ পেলেন না, ভরত এর মধ্যেই এক ছুটে বেরিয়ে গেছে!

কাছুয়ার ছেলে! অর্থাৎ ভরতের মা ছিলেন রাজার রক্ষিতা, কিন্তু রাজার ঔরসে তার জন্ম তো বটে, তা হলে সেও রাজকুমার। বিয়ের মন্ত্র পড়া হয়নি বলেই তার জন্মটা অশুদ্ধ হয়ে গেল! শশিভূষণ শুনেছেন যে, ত্রিপুরায় কাইজাগনানী, হিকানানানী, শান্তিগৃহীতা— ইত্যাদি নানা রকম বিবাহের প্রথা আছে। এর মধ্যে কোনও কোনও বিয়েতে মন্ত্রও লাগে না, মালা বদল করলেই হয়। মহারাজ বীরচন্দ্র ভরতের অকালমৃতা মাকে যখন ধন্য করেছিলেন, তখন কি একদিনও তাঁর গলায় একটা মালাও পরিয়ে দেননি!

অন্য কুমারদের ভরতের প্রতি রাগের কারণও তিনি বুঝলেন। সিংহাসনের দাবিদার বৃদ্ধির প্রশ্ন তো আছেই, তা ছাড়াও যে সব রাজকুমার সিংহাসন পায় না, ক্রম অনুসারে তাদের রাজকোষ থেকে মাসোহারা দেবার ব্যবস্থা হয়। অনেকে মিলে ভাগ বসালে সেই মাসোহারাও যায়। কাছুয়ার সন্তান তাই অপাঙ্‌ক্তেয়।

একটি আকস্মিক মিল খুঁজে পেয়ে শশিভূষণ বেশ কৌতুক বোধ করলেন। শকুন্তলার সঙ্গে রাজা দুষ্মন্তের তো মন্ত্র পড়ে বিবাহ হয়নি, মিলন হয়েছিল গান্ধর্ব মতে। কিন্তু শকুন্তলার সন্তান ভরতকে তো কেউ জারজ বলে না। সেই ভরত প্রেমের সন্তান। এই ভরতই বা রাজকুমারের স্বীকৃতি পাবে না কেন?

পরদিন থেকে ভরত পালিয়ে পালিয়ে বেড়াচ্ছিল, শশিভূষণ তাকে ধরে অনেক বোঝাবার চেষ্টা করলেন। কিন্তু ভরত দারুণ ভিতুর মতন প্রবলভাবে মাথা নাড়ে। তার মর্মান্তিক অভিজ্ঞতা আছে, আরও অল্প বয়েসে সে রাজকুমারদের কাছে অনেক চড়-চাপড় খেয়েছে। তার মায়ের মৃত্যু হয়েছে বহুদিন আগে, মাকে তার মনেই নেই, মহারাজও তাকে চেনেন না। ভৃত্যমহলে ঠাঁই না পেলে তাকে পথের ভিখারি হতে হতো। তার ধারণা, সে এখন পিতৃপরিচয় দিতে গেলে রাজকুমারদের চ্যালা- চামুণ্ডারা তাকে খুনই করে ফেলবে।

শশিভূষণ বললেন ,তুমি স্বয়ং মহারাজকে গিয়ে ধরো। আর কিছু চাইতে হবে না, তুমি শুধু এই পাঠশালায় এসে শিক্ষা নেবার অধিকার চাও। তুমিও রাজকুমার, তোমার সে অধিকার থাকবে না কেন? মহারাজ অনুমতি দিলে আর কেউ তোমাকে ঘাঁটাতে সাহস পাবে না।

এক প্রবল বর্ষার সকালে মহারাজ বীরচন্দ্র এসেছিলেন এই পাঠশালায়। তিনি ইচ্ছে করলেই যখন তখন শশিভূষণকে তলব করতে পারেন, তবু খামখেয়ালি মহারাজ বৃষ্টি ভিজে একা চলে এসেছেন। আগের রাত্রে তিনি একটা গান রচনা করেছেন, সেটা শশিভূষণকে দেখাতে চান। কিছুক্ষণ আলাপ-আলোচনার পর মহারাজ যখন আবার চলে যাচ্ছেন, তখন দ্বারের বাইরে তাঁর পায়ের ওপর হুমড়ি খেয়ে পড়ল ভয়ত।

মহারাজ চমকিত হয়ে বললেন, আরে এটা কে? এটা কে?

শশিভূষণের শেখানো মত ভরত দীন নয়নে চেয়ে বলল, মহারাজ আমি আপনার অধম পুত্র, আমার নাম ভরত। আমি আপনাকে প্রণাম করারও সুযোগ্‌ পাই না, দেওতা।

ভরতের মুখ মহারাজের অপরিচিত। তবু সে তাঁর আত্মজ শুনেও তিনি তেমন অবাক হলেন না। স্মিতমুখে সুদর্শন কিশোরটির দিকে চেয়ে থেকে তিনি জিজ্ঞেস করলেন, তোর মায়ের নাম কী রে?

ভরত যুক্তহাত কপালে ঠেকিয়ে বলল, আমার মা স্বর্গে গেছেন। তার নাম ছিল কিরণবালা, দেওতা।

মহারাজ ঊর্ধ্বনেত্র হয়ে ক্ষণকাল চিন্তা করলেন। এ ছেলেটির মা খুব সম্ভবত আসামের কন্যা। আসামের সন্তানেরা পিতাকে দেবতা বলে সম্বোধন করে। কিরণবালা, কিরণবালা। নামটা একেবারে অপরিচিত নয়, একটা অস্পষ্ট মুখও মনে পড়ছে, কেন মনে পড়ছে অনেককাল আগে হারিয়ে যাওয়া এক নারী, সে রানীও ছিল না, তবু যেন মনে পড়ে, সে হি হি করে খুব হাসত, মনে আছে সেই হাসির জন্যই । হ্যাঁ, সেই কিরণবালা একটি সন্তানের জন্ম দিয়েই মারা গিয়েছিল বটে।

অবৈধ সন্তানদের প্রতিও মহারাজের কিছুটা দুর্বলতা আছে। এরা তাঁর পৌরুষের জীবন্ত প্রমাণ। ভরতের দিকে হাত বাড়িয়ে দিয়ে তিনি বললেন, ওঠ। তুই কী চাস আমার কাছে?

ভরত চুপ করে রইল।

তখন অন্তরাল থেকে বেরিয়ে এসে শশিভূষণ বললেন, মহারাজ, এ ছেলেটি পাঠে বড় মনোযোগী। এর মধ্যেই যথেষ্ট লেখাপড়া শিখেছে। সুযোগ পেলে অনেক উন্নতি করতে পারে।

মহারাজ হেসে বললেন, শালুকের মধ্যে পদ্মফুল নাকি? তা লেখাপড়া শিখতে চায় শিখুক। মাস্টার, যদি পার তো ওকে দু' পাতা ইংরেজি পড়িয়ে দাও। পলিটিক্যাল এজেন্টের সঙ্গে কথাবার্তা বলতে যদি সক্ষম হয়, ওকে আমি চাকরি দিয়ে দেব।

মহারাজের অনুমতি পাবার পর ভরতের অবস্থার অনেক পরিবর্তন ঘটে গেল। পাঠশালায় বসার অধিকার তো সে পেলই, তা ছাড়া ভৃত্যমহল থেকে সরিয়ে এনে তাকে দেওয়া হল সচিব মহোদয়ের বাড়ির একটি ঘর। রাধারমণ ঘোষ এই ছেলেটির কথা জানতে পেরে তাকে এক জোড়া পরিধেয় বস্ত্র কিনে দিলেন এবং মাসিক দশ টাকা বৃত্তিরও ব্যবস্থা হয়ে গেল। বিদ্যোৎসাহী রাধারমণ নিজে একদিন ভরতকে পরীক্ষা করে সন্তুষ্ট হয়ে তাকে উপহার দিলেন দু'খানি বাংলা বই।

ভরত এখন শশিভূষণের পাঠশালার নিয়মিত ছাত্র হলেও সে অন্য রাজকুমারদের সঙ্গে বসতে চায় না। বাল্যকাল থেকেই তার মনে ভয় বাসা বেঁধে আছে। সে উদ্ধত, দুঃশীল রাজকুমারদের মুখোমুখি হতে সাহস পায় না, তাদের এড়িয়ে চলে। শশিভূষণও অন্যদের অনুপস্থিতিতেই ভরতের সঙ্গে সময় কাটাতে আনন্দ পান।

শুধু বিদ্যাদানই নয়, শশিভূষণ ভরতের মনোজগতে যে কী বিপুল পরিবর্তন ঘটিয়ে দিয়েছেন তা তিনি নিজেও জানেন না। হঠাৎ যেন এই পৃথিবীটা দারুণ রোমাঞ্চকর হয়ে উঠেছে তার কাছে। এক এক সময় অকারনেই তার গা ছমছম করে। তার বিশ্বাস ও ধ্যান ধারণায় প্রবল নাড়া লেগেছে। শশিভূষণ তো শুধু বই পড়ান না, আরও অনেক কথা বলেন। এই পৃথিবীর নীচে পাতাল কিংবা নরক নেই, আকাশেও কোথাও নেই স্বর্গ। নরক আর স্বর্গ আছে শুধু মানুষের মনে। মানুষই ইচ্ছে করলে নিজের মনটাকে নরক থেকে স্বর্গে রূপান্তরিত করতে পারে। ভরত জিজ্ঞেস করেছিল, স্বর্গ তা হলে কোথায় ? ঠাকুর-দেবতারা কোথায় থাকেন? তা শুনে শশিভূষণ হেসেছিলেন। যখনই ঠাকুর-দেবতার প্রসঙ্গ ওঠে হেসে ওঠেন শশিভূষণ, শুধু একদিন মা কালীর কথা শুনে রেগে উঠলেন। তারপর উচ্চারণ করলেন একটি সাঙ্ঘাতিক কথা।

এখানকার কালীবাড়িতে এক রাত্রে চোর এসেছিল। সোনার গয়না খুলে নেবার জন্য যেই সে চোর মায়ের মূর্তির গায়ে হাত দিয়েছে অমনি মায়ের চোখ থেকে আগুন জ্বলে উঠল। আর্ত চিৎকার করে সেই চোর ছিটকে গিয়ে পড়ল মন্দিরের বাইরে, ধড়ফড় করতে করতে সেখানেই সে মারা গেল। কয়েকদিন ধরে রাজধানীতে এই কাহিনীই বলাবলি করছে সবাই। কট্টর ব্রাহ্ম শশিভূষণ এই সব গালগল্প সহ্য করতে পারেন না। ভরত মহা উৎসাহে এই ঘটনাটা শশিভূষণকে শোনাতে যেতেই তিনি তীব্র ভর্ৎসনার সুরে বলেছিলেন, ওসব কথা আমার সামনে কক্ষনও উচ্চারণ করবে না। লেখাপড়া শিখছ, নিজে চিন্তা করতে শেখো। মাটির মূর্তির চোখে কখনও আগুন জ্বলতে পারে? পুরুতরা মিথ্যে কথা ছড়িয়েছে।

শুধু এই পর্যন্তই নয়, শশিভূষণ আরও বলেছেন যে কালী, দুর্গা, লক্ষ্মী ,সরস্বতীর মূর্তিগুলি শুধু পুতুল। ঠাকুর-দেবতা বলেই কিছু নেই। এই বিশ্বের স্রষ্টা শুধু ঈশ্বর, তিনি নিরাকার, তাঁর বউ, ছেলে-মেয়ে থাকতে পারে না।

পড়াশুনোর সময় ছাড়া অন্য সময় ভরত কমলদিঘির ধারে ঝোপঝাড়ের মধ্যে একা একা শুয়ে বসে থাকে। তার কোনও বন্ধু নেই। ভৃত্যমহলে তবু আগে দু' চারজনের সঙ্গে তার ভাব ছিল, এখন আধা-রাজকুমার পদে উন্নীত হওয়ায় তারা আর তার সঙ্গে কথা বলতে চায় না, পুরো-রাজকুমাররাও তার সঙ্গে মেশে না। ঝোপের মধ্যে শুয়ে ভরত এক দৃষ্টিতে চেয়ে থাকে

আকাশের দিকে। এতদিন জানত যে, আকাশের ওই নীল যবনিকার ওপরে আছে স্বর্গ, সেখানে কোথাও রয়েছে তার দুঃখিনী মা । কিন্তু মাস্টারমশাই বলেছেন, স্বর্গ বলেই কিছু নেই, তা হলে মা কোথায়? মা কালী বলেও কেউ নেই ? মাস্টারমশাই অত বিদ্বান, তিনি কি মিথ্যে কথা বলবেন? অথচ, মা কালী নেই, একথা ভাবলেই ভয় হয়। যেন অলক্ষ্যে কোথাও থেকে মা কালী ভরতকে দেখছেন, তিনি যদি রাগ করেন...। কোথায় থাকেন নিরাকার ঈশ্বর? কোনও দিন চোখে দেখা না গেলে মানুষ তাঁকে ডাকে কেন?

হঠাৎ কার পায়ের আওয়াজ পেয়ে চমকে পেছলে তাকাল ভরত। তার বুক ধক ধক করছে। মাস্টারমশাইয়ের কথা শুনেও তার বিশ্বাস কিংবা আতঙ্ক যায়নি। এবার বুঝি সত্যিই মা কালী আসছেন তাকে শাস্তি দিতে। সে দেখতে পেল একটি কিশোরীকে । তাতেও তার শঙ্কা গেল না, কারণ সে জানে যে ঠাকুর দেবতারা ইচ্ছে করলেই নানা রকম রূপ ধরতে পারেন। আর একটু কাছে আসার পর দেখা গেল বারো-তেরো বছরের একটি মেয়ে, কোনও রকমে গায়ে একটা শাড়ি জড়িয়ে আছে, আলুথালু, চোখ দুটিতে ঝিকঝিক দ্যুতি, ওষ্ঠে ভিজে ভিজে হাসি মাখানো।

বিস্ফারিত নয়নে চেয়ে রইল ভরত। মেয়েটি কাছে এসে বলল, অ্যাই , তুই কে রে? এখানে কী করছিস?

ভরত কোনও উত্তর দিতে পারল না। দেবী না মানবী, এখনও সে যেন ঠিক বুঝতে পারছে না। এখন দ্বিপ্রহর, চতুর্দিক সুনসান। রাজবাড়ির এলাকার বাইরে কেউ হুট করে আসতে পারে না, রাজবাড়ির কোনও কিশোরীর এরকম প্রকাশ্যে বাইরে আসার প্রশ্নই ওঠে না।

উত্তর না পেয়ে মেয়েটি আবার বলল, ও বুঝেছি। তুই সেই নতুন রাজকুমার হয়েছিস, তাই না? আগে দাসীর ছেলে ছিলি। হি-হি-হি-হি। লব কাত্তিক। রাজকুমার হয়েছিস তো চুল আঁচড়াসনি কেন?

ভরত এবার আড়ষ্ট গলায় জিজ্ঞেস করল, তুমি কে?

কিশোরী অনেকখানি জিভ বার করে বলল, তোর ইয়ে। তুই আমাকে চিনিস না? আমি খুমন। না,না, আমার আর একটা ভালো নাম আছে। মনোমোহিনী । তুই গাছে উঠে জামরুল পাড়তে পারিস?

মহাদেবী ভানুমতীর ভগিনী-কন্যা মনোমোহিনীকে আগে দেখেনি ভরত। রানীদের মহলে সে যায়নি কোনওদিন। প্রাসাদের বাইরে ঘোরাফেরা করা নারীদের নিষিদ্ধ কিন্তু মনোমোহিনী মণিপুরের কন্যা। মণিপুরের মেয়েরা পুরুষদের মতনই স্বাধীনতা পায়, প্রকাশ্য রাস্তায় পুরুষদের সঙ্গে কথা বলাতেও কোনও বাধা নেই। বরং পুরুষদের সঙ্গে রঙ্গ রসিকতা করার জন্য মণিপুরের কন্যারা বিখ্যাত। আগরতলায় এসে এত নিষেধের ঘেরাটোপের মধ্যে পড়ে মনোমোহিনী ছটফট করে। কখনও সখনও সে বেরিয়ে পড়ে খাঁচা খোলা পাখির মতন। মুক্ত বাতাসে তার শরীরে তরঙ্গ জাগে।

কাছেই একটা বড় জামরুল গাছ। ফুল ঝরে সবে মাত্র গুটি এসেছে, ফল এখনও খাওয়ার উপযোগী হয়নি। মনোমোহিনী সেই গাছতলায় দাঁড়িয়ে বলল, এই লব কাত্তিক, আমায় ক'টা জামরুল পেড়ে দে না।

ভরত দু' দিকে মাথা নেড়ে বলল, আমি গাছে উঠতে পারি না।

মনোমোহিনী চোখ ঘুরিয়ে বলল, তা হলে তুই কী পারিস? পাখি শিকার করতে জানিস?

ভরত এবারও দু'দিকে মাথা দোলাল। সে বুঝতে পেরেছে যে, এ মেয়ে মানবীই বটে, তবু এর সংসর্গ তার পক্ষে বিপজ্জনক। এমন নির্জন দুপুরে বাগানের মধ্যে কোনও বালিকার সঙ্গে কথা বলার তো রীতি নেই। কেউ যদি দেখে ফেলে, তবে তাকেই দোষ দেবে।

মনোমোহিনী বলল, আয়, গাছে চড়া শিখবি? আমি শিখিয়ে দেব।

ভরত চঞ্চলভাবে তার দিকে চেয়ে রইল।

শাড়িটা ভালো করে জড়িয়ে গাছকোমর করে বেঁধে নিল মনোমোহিনী। একটা পা হাঁটু পর্যন্ত উন্মুক্ত রইল, সেদিকে তার খেয়াল নেই, পিঠ একেবারে নগ্ন। সে বেশ সাবলীলভাবে জামরুল গাছ বেয়ে উঠতে লাগল, খানিকটা উঠে বলল, এবার আয়, আমার হাত ধর....

নির্নিমেষে সে দিকে চেয়ে রইল ভরত। যেন একটা ঢেউয়ে ভেসে যাচ্ছে বাস্তবতা। সে যেন এখানে আর উপস্থিত নেই, সে দেখতে পাচ্ছে বইয়ের পৃষ্ঠার কোনও কাহিনী। এই মনোমোহিনী যেন বঙ্কিমচন্দ্রের উপন্যাসের কোনও নারী। শৈবলিনী? কিন্তু সে তো প্রতাপ নয়, সে ভরত, তার বুকের মধ্যে দুম দুম শব্দ হচ্ছে, জ্বালা করছে তার কান দুটি। এই দৃশ্যটিতে সে অনুপযুক্ত।

সে উঠে অন্য দিকে হাঁটতে শুরু করল।

মনোমোহিনী নির্দ্বিধায় চেঁচিয়ে উঠল, এই, এই, কোথায় যাচ্ছিস? এই লব কাত্তিক, পালাচ্ছিস কেন? আয়, শিগশিগ আয়, নইলে আমি নেমে গিয়ে তোর কাছা খুলে দেব।

এবারে জোরে ছুট দিয়ে জঙ্গলের মধ্যে লুকিয়ে গেল ভরত।

॥ ৪ ॥

গায়ক বাজনদাররা ঘুমে ঢুলে পড়েছেন, শ্রোতা আছেন জেগে। এসরাজি আর তবলিয়ারা ক্লান্ত, কিন্তু শ্রোতাটির ক্লান্তি নেই। রাত্রি ভোর হয়ে এসেছে, পুব দিগন্ত রাঙা, ছোট ছোট পাখিরা বেঁচে আছি, বেঁচে আছি রবে বিস্ময়ের কিচির মিচির শুরু করেছে। মহারাজ বীরচন্দ্র বলে উঠলেন, এ কী, খাঁ সাব, লয় খামতি হচ্ছে কেন?

ওস্তাদ নিসার হোসেন বীণা যন্ত্রটি মেঝেতে নামিয়ে রেখে সেলাম জানিয়ে বললেন, মাফি মাঙছি, মহারাজ, আঁখ বুজে বুজে আসছে আমার।

মহারাজ বীরচন্দ্রের অসাধারণ জীবনীশক্তি, টানা দু'তিন দিন ও রাত একটুও না ঘুমিয়ে তিনি তাজা থাকতে পারেন। গান বাজনা শোনার নেশা যখন তাঁর জাগে, তখন একটানা সুর চলতেই থাকবে, ওস্তাদদের তিনি থামতে দিতে চান না। শেষ পর্যন্ত তাঁরা হার মেনে যান। বীরচন্দ্রের এই জেগে থাকার ক্ষমতার একটি কারণ, তিনি মদ্যপান করেন না। সঙ্গীত-শিল্পীদের প্রায় সকলেরই পান-অভ্যেস আছে, সঙ্গীতের আসরে স্বয়ং মহারাজ হাতে গেলাস ধরেন না বলে অন্য কেউ তাঁর সামনে সুরাপান করতে সাহস পান না, কিন্তু সবাই মাঝে মাঝে উঠে গিয়ে আড়ালে কয়েক চুমুক দিয়ে আসেন। ক্রমে চুমুক ঘন ঘন হয় ও মাত্রা বাড়ে। মহারাজ তা বুঝেও না জানার ভান করেন, হাসেন মিটি মিটি, ওস্তাদের নেশা যত গাঢ় হয়, তিনি তাঁদের বেশি তারিফ করে আরও গাইতে বা বাজাতে বলেন। সুরার নেশায় প্রথম দিকে চাঙ্গা হয় সবাই, কয়েক ঘণ্টা পরে শিথিল হয়ে আসে স্নায়ু। মহারাজের নেশা ধুমপান, তিনি যখন যেদিকে মুখ ফেরান হুঁকো-বরদার তৎক্ষণাৎ সেইদিকে নলটি বাড়িয়ে দেয়, তামাকের ধোঁয়ায় তাঁর চোখ থেকে ঘুম পালিয়ে যায়।

প্রভাতের রাগ-রাগিণী আর শোনা হল না, শিল্পীরা সবাই ঢলে পড়েছে।

বীরচন্দ্র মজলিস কক্ষ থেকে বাইয়ে বেরিয়ে এলেন, পূর্ব দিকের অলিন্দে দাঁড়িয়ে প্রণাম করলেন জবাকুসুমসঙ্কাশ সূর্যকে। মন্ত্র উচ্চারণ করলেন না, গুনগুনিয়ে একটা গান ধরলেন

ভৈরবী রাগিণীতে। তিনি সারা রাত জেগে আছেন, রাজপ্রাসাদে মহারানী ভানুমতীও জেগে ছিলেন তাঁর অপেক্ষায়। সে কথা মনে পড়তেই বীরচন্দ্রের গান থেমে গেল। তিনি অলিন্দের রেলিং ধরে ঝুঁকে রক্ষীদের উদ্দেশে বললেন,ওরে কে আছিস, দেউড়ি বন্ধ করে রাখবি, কেউ যেন ভেতরে না আসে, আজ সারা দিন আমার সঙ্গে কারুর দেখা হবে না।

বীরচন্দ্র জানেন, তেজস্বিনী ভানুমতীই নীরবে সহ্য করবেন না, একটু পর থেকেই ঘন ঘন দূত পাঠাবেন। এ রাজ্যে একমাত্র রানী ভানুমতীই এত্তেলা দিতে পারেন মহারাজকে।

প্রাসাদ থেকে খানিকটা দূরে এই বাগানবাড়িটি মহারাজের বিশেষ প্রিয়। মাঝে মাঝে দরবারে না গিয়েও তিনি দিনের পর দিন এখানে কাটান। গান-বাজনা শোনা ,ছবি আঁকা, ফটোগ্রাফি পরিস্ফুটন এবং নিজের লেখালেখির কাজ, সবই এ বাড়িতে। যখন তিনি নিজের কোনও শখে নিমগ্ন থাকেন, তখন দু'তিনজন ঘনিষ্ঠ বয়স্য মাত্র থাকে তাঁর কাছাকাছি, এ ছাড়া শত জরুরি কাজ থাকলেও কেউ তাঁর সঙ্গে সে সময় দেখা করতে পারে না। লোকের মুখে মুখে এই বাগান বাড়িটির নাম 'মানা-ঘর'। এই নামকরণের অবশ্য আর একটি কারণও আছে।

দোতলার কয়েকখানি ঘরে যে কত রকম জিনিস ছড়িয়ে আছে, তার ইয়ত্তা নেই। সাজিয়ে গুছিয়ে রাখা যায় না, কারণ কোনও জিনিসেই মহারাজ অন্য কারুকে হাত দিতে দেন না। একটি ঘরে রয়েছে গান-বাজনার যন্ত্রপাতি, রুপোর বাঁয়া-তবলা, সোনার কাজ করা পাখোয়াজ, আলমারিতে প্রচুর কাচের গেলাসের সঙ্গে সোনা-রুপোর প্লেট, এক দেওয়ালের পাশে একটি টেলিস্কোপ। অন্য একটি ঘরের দেওয়ালে নানা রকম বন্দুক ও তলোয়ার, একটি সম্পূর্ণ হাতির দাঁতের চেয়ার, একটা পুরনো মেহগেনির টেবিলের ওপর রাখা একটি সদ্য নতুন মাইক্রোস্কোপ, মেঝেতে ছড়ানো কয়েকটি অপেরা গ্লাস, দামি দামি কার্পেট এখানে সেখানে গুটিয়ে রাখা, বারান্দায় পড়ে আছে একটি পিয়ানো, কয়েকটি ঝাড় লণ্ঠন খুলে একদিন পরিষ্কার করা হয়েছিল, আর ওপরে লাগানো হয়নি, কোথাও ইজেলে একটা ক্যানভাস চড়ানো, তার তলায় প্রচুর রঙের কৌটো, একটা নড়বড় টুলের ওপর বসানো আছে একটি অত্যাধুনিক সুইস ঘড়ি।

এই মানা-ঘরের পেছন দিকে ঘন অরণ্য। পাখিদের জীবনযাত্রা শুরু হয়ে গেছে পুরোপুরি, কয়েকটা ধূসর রঙের খরগোশ জঙ্গল থেকে বেরিয়ে এদিকে চলে আসে, এক একদিন সকালে চিত্রল হরিণের পালও দেখা যায়। বীরচন্দ্র কিছুক্ষণ চুপ করে চেয়ে রইলেন জঙ্গলের দিকে, তিনি গাছপালার শোভা দেখছেন না, বিশেষ কিছুই দেখছেন না, চেয়ে আছেন শুধু।

কাল রাতে যারা ভোজ খেতে এসেছিল, এখন তারা ফিরতে শুরু করেছে। বিভিন্ন দল যাবে বিভিন্ন দিকে, কোনও দলের দু'একজনকে খুঁজে পাওয়া যাচ্ছে না, এক এক জায়গায় শুরু হয়েছে কোলাহল। কিন্তু সেই সব আওয়াজ এই বাগানবাড়ি পর্যন্ত পৌঁছোয় না।

বীরচন্দ্র এক জায়গায় ঠায় দাঁড়িয়ে রইলেন প্রায় আধঘণ্টা, তারপর দু' হাত তুলে আড়মোড়া ভেঙে বললেন, আঃ!

ঠিক যেন প্রতিধ্বনির মতন একটু দূরে সেই রকম আঃ শব্দ শোনা গেল। বীরচন্দ্র চমকিত হয়ে ঘুরে দাঁড়ালেন।

বারান্দার এক কোণে আপাদমস্তক চাদর মুড়ি দিয়ে শুয়েছিল এক ব্যক্তি। এতক্ষণ মনে হচ্ছিল একটা কাপড়ের পুঁটুলি। সেই লোকটিও উঠে বসে আলস্য কাটাচ্ছে। হাড়-পাঁজরা সর্বস্ব লম্বা-সিড়িঙ্গে চেহারা, খাড়া নাক, মাথায় কোঁকড়া বাবরি চুল, এই লোকটির নাম পঞ্চানন্দ। সে হাত তুলে মুখের সামনে তুড়ি দিতে দিতে বলল, হরি হে, দীনবন্ধু, পার করো এই ভবসিন্ধু!

পঞ্চানন্দকে বারান্দায় এমনভাবে রাত্রি যাপন করতে দেখে মহারাজ বিস্মিত হলেন না। পঞ্চানন্দের পক্ষে সবই সম্ভব। রাত্রিবেলা গানের আসরে তাকে দেখা গিয়েছিল বটে, কিন্তু বেশিক্ষণ এক জায়গায় বসে থাকার ধৈর্য তার নেই। নেশার পরিমাণটি তার কিঞ্চি বেশিই হয়েছিল মনে হয়। শুধু জলপথেই নয়, স্থলপথেও নানান নেশায় সে আসক্ত। পঞ্চানন্দের ব্যবহার অনেকের কাছেই বেয়াদপি মনে হতে পারে, কিন্তু এই লোকটির প্রতি মহারাজের বেশ প্রশ্রয়ের ভাব আছে। সাধারণ পাঁচপেঁচি ধরনের গেরস্থ মানুষদের তুলনায় বিচিত্র প্রকৃতির ব্যক্তিই মহারাজকে আকর্ষণ করে বেশি।

মহারাজ সহাস্যে বললেন, কী হে, ভবসিন্ধু পার হবার জন্য এত ব্যস্ততা কিসের?

তড়াক করে লাফ দিয়ে উঠে দাঁড়িয়ে পঞ্চানন্দ, মহারাজের প্রতি কুর্নিশের ভঙ্গি করে বলল,ব্যস্ত হব না? ভবসিন্ধুর ওপারেই তো স্বর্গ, সেখানে অপ্সরা-কিন্নরীরা ফুরফুরিয়ে ঘুরে বেড়াচ্ছে , মিনি মাগনায় সোমরস, খালি খাও দাও আর ফুর্তি করো। শুধুমুধু আর এখানে পড়ে থেকে কী লাভ?

মহারাজ বললেন, এখানেও তোমার ওসব ফুর্তির খুব অভাব হয় বলে তো শুনিনি !

মুখ বিকৃত করে পঞ্চানন্দ বলল, মধুর অভাবে গুড়, বুঝলেন মহারাজ ,এখানে সব এখো গুড়!

মহারাজ বললেন , গুড়ের কথা জানি না, শুনতে পাই তুমি ঋণ করে প্রচুর ঘি খাচ্ছো?

সঙ্গে সঙ্গে মুখের রেখা বদলে গেল, এবারে পঞ্চানন্দ এক গাল হেসে বলল, ঋণ করা টাকায় ঘি খাওয়ার স্বাদই আলাদা। সে সুখ আপনি কখনও পাবেন না মহারাজ!

মহারাজ বললেন, আমার এ রাজ্যে ঋণ করলে কিন্তু শোধ দিতে হয়। নইলে যদি বিপদে পড়, আমি বাঁচাতে যাব না!

পঞ্চানন্দ বলল, বাঘ কি আর গায়ের চাকা বদলাতে পারে? গোটা জীবনটাই আমার চলছে বাটপাড়ি করে। দিব্যি চলেও যাচ্ছে।

পঞ্চানন্দ খাঁটি কলকাতার মানুষ। বছর কয়েক আগে হঠাৎ ত্রিপুরায় এসে উপস্থিত, কেউ তাকে আমন্ত্রণ করেনি, তবু সে এখানে বিদ্যি মৌরসিপাট্টা গেড়ে বসেছে, রাজ দরবারেও প্রবেশ অধিকার পেয়েছে। লোকে বলে, কলকাতায় বহু লোককে প্রতারিত করে, বহু টাকা ঋণ নিয়ে সে পালিয়ে এসেছে এখানে। স্বাধীন ত্রিপুরায় ব্রিটিশ আইন খাটে না, তার মহাজনরা এখানে টাকা উদ্ধার করতে পারবে না। পঞ্চানন্দের সঙ্গে একটি সুন্দরী স্ত্রীলোকও আছে, অনেকের মনে সে একজন পরস্ত্রী, তাকে নিয়ে এখানে ভেগে এসে সে ইংরেজের আইন ফাঁকি দিয়েছে।

মহারাজ বীরচন্দ্র অবশ্য এসব নিয়ে মাথা ঘামান না। লোকটির বুদ্ধির প্রাখর্য আছে, কথাবার্তা চিত্তাকর্ষক, সেই জন্যই মহারাজ পঞ্চানন্দকে পছন্দ করেন। কিছু কিছু রাজকার্যেও তার পরামর্শ কাজে লাগে।

পঞ্চানন্দ জিজ্ঞেস করল, মহারাজের চা-পান হয়ে গেছে? এঃ হে, বড় দেরি হয়ে গেল!

বীরচন্দ্র বললেন, আমার হয়ে গেলেও ক্ষতি কী? তুমি চাইলে কি আবার দেবে না? সব ভৃত্যরাই তো দেখি তোমার খুব বশ!

পঞ্চানন্দ বলল, সে চা আর আপনার চা? আপনার দাস-দাসীদের কারসাজি জানেন না? আপনার জন্য অতি উত্তম দামি চা। আর আমরা চাইলে অতি নিরেশ কালিকুষ্ঠি ট্যাসটেসে চা। সেইজন্যই তো বলছিলুম, আপনার সঙ্গে খেলে ভালো জিনিসটার সোয়াদ নিতে পারি!

মহারাজ বললেন, পলিটিক্যাল এজেন্ট সাহেবের সাকরেদ উমাকান্তবাবু যে আমার প্যালেসের চায়ের খুব সুখ্যেত করেন।

পঞ্চানন্দ চোখ মুখ ঘুরিয়ে যাত্রা দলের সঙের ভঙ্গিতে বলল, কিসের সঙ্গে কিসের তুলনা দিলেন, মহারাজ! চাঁদে আর গোদা বাঁদরের পোঁদে? উমাবাবু যে মইয়ে চড়ছেন! তাঁকে তো এখন মুখ-মিষ্টি থাকতেই হবে। সেই কলসিটির কথা শোনেন নি, যার ভেতরে বিষ, কানার কাছে পায়েস মাখানো?

মহারাজ বললেন, তা শুনেছি। কিন্তু মইয়ে চড়ছেন মানে কী?

পঞ্চানন্দ বলল, সোসিয়াল ল্যাডার ক্লাইমব্ করছেন। এই আমি বলে রাখলুম, পাঁচু মিত্তিরের কথা মনে রাখবেন, ওই পেটমোটা উমাকান্ত একদিন আপনার ঘাড়ে চাপবে।

মহারাজ একটুক্ষণের জন্য অন্যমনস্ক হয়ে গোঁফে তা দিতে লাগলেন। ইংরেজ সরকারের পলিটিক্যাল এজেন্ট এবং তাঁর দেশীয় সহকারি উমাকান্ত কিছুদিন যাবৎ জ্বালাতন শুরু করেছেন নানান ছুতোয় । স্বাধীন ত্রিপুরায় অধিপতি হিসেবে তিনি ইংরেজ সরকারের নির্দেশ মানতে বাধ্য নন, আবার ইংরেজদের সঙ্গে শত্রুতাও করা চলে না। তাহলে তাঁর অবস্থাও আওধের নবাব ওয়াজির আলি শাহ'র মতন হয়ে যেতে কতক্ষণ। গায়ের জোরে ইংরেজরা যা ইচ্ছে তাই করতে পারে।

যাক, সক্কালবেলাতেই এসব কটু কথা চিন্তা করে লাভ নেই।

মহারাজ ভৃত্যদের উদ্দেশে হাঁক দিয়ে চায়ের কথা বলে দিলেন। তারপর ভেতরের একটি ঘরে ঢুকে বসলেন মহার্ঘ হাতির দাঁতের কেদারাটিতে। পঞ্চানন্দ হাঁটু গেড়ে বসল মেঝেতে জাজিমের ওপর।

মহারাজ জিজ্ঞেস করলেন, উমাকান্তের ওপর তোমার খুবই রাগ দেখছি। কলকেতায় তোমার প্রতিবেশি ছিল নাকি?

পঞ্চানন্দ বলল, না, না, আমি অনেকদিন কলকাতা ছাড়া। মাঝখানে বেশ কয়েক বছর কাটিয়েছি ফরাসডাঙায় । আসল কথা জানেন কি, মহারাজ, ইংরেজদের তবু সহ্য করা যায়, কিন্তু ইংরেজের তল্পিদার কিছু কিছু দিশি বাবুদের ঢলানেপনা অসহ্য। ওদের চাটুকারিতার শেষ নেই। ইংরেজদের পক্ষে ওকালতি করে ওরা স্বদেশীয় একটা রাজ্যের ক্ষতি করতে চায় কোন আক্কেলে?

মহারাজ বললেন, কিছু মনে করো না পঞ্চানন্দ, আমার আদিবাসী প্রজাদের মধ্যে যতটা আত্মসম্মান জ্ঞান আছে,তোমাদের অনেক বাঙালিবাবুদের তা নেই। কুকি, লুসাই, ত্রিপুরা জাতের লোকেরা সাহেব দেখলেও মাথা নিচু করে না, কিন্তু বাঙালিবাবুরা ঘাড় হেঁট করে হাত কচলায় আর হেঁ হেঁ করে।

পঞ্চানন্দ বলল, তা যথার্থ বলেছেন। তবে ব্যতিক্রম আছে।

মহারাজ বললেন, ব্যতিক্রম আছে বই কি! যেমন আমার সচিব ঘোষমশাই।

পঞ্চানন্দ নিজের বুক চাপড়ে বলল, আর একটি ব্যতিক্রম এই আমি! এক ব্যাটা লালমুখো টুপিওয়ালাকেও সোনা বলে পিতল বেচে চুপ্‌কি দিয়েছি।

মহারাজ বললেন, তুমি খুশি হবে শুনে যে, একদিন উমাকান্ত বেশ জব্দ হয়েছে। দরবারে আমার সঙ্গে সাক্ষাৎ করতে চেয়েছিল। আমার সেক্রেটারি বলল, ঠিক আছে, আসতে পারো। কিন্তু খালি পায়ে আসতে হবে। প্রথমে তো সে হ্যাট ম্যাট করে উঠল, বলল, অ্যাঁ, আমি ইংরেজ সরকারের কর্মচারি, পলিটিক্যাল এজেন্টের প্রতিনিধি! আমি যাব খালি পায়ে? ঘোষমশাই বলল, ইংরেজের কর্মচারি বলেই তো এক স্বাধীন হিন্দু রাজার দরবারে খালি পায়ে যেতে বাধ্য! তখন আর মুখে বাক্য নেই!

পঞ্চানন্দ বলল, বা, বা, বা, বেশ হয়েছে। বেশ হয়েছে! হামাগুড়ি দেওয়ালেন না কেন? ইংরেজগুলো যখন আসে, তখন কী করে? জুতো খোলে?

মহারাজ বললেন, খালি পায়ে কি সাহেব লোক এক পাও হাঁটতে পারে? ওদের সঙ্গে আমি দরবারে দেখা করি না। প্রাইভেট অডিয়েন্স হয়। সেখানে জুতো খোলার প্রশ্ন নেই।

পঞ্চানন্দ বলল, ঘোষমশাইয়ের এলেম আছে তো! উমাকান্তকে খালি পায়ে হাঁটিয়েছে। মাইকেল মধুসূদনের মতন সেও নাকি ইংরেজিতে স্বপ্ন দেখে। বুট জুতো পরে বাহ্যে যায়। ধরাকে সরা জ্ঞান করে। হে-হে-হে-হে! আমি থাকলে বলতুম, মহারাজের দরবারে নাকে খৎ দিতে হয়!

মহারাজও হাসলেন। গোঁফে হাত বুলিয়ে আবার বললেন, তুমি ওকে ভালোই চেনো দেখছি। তোমার সঙ্গে কখনও সাক্ষাৎ বিরোধ হয়েছে নাকি?

পঞ্চানন্দ বলল, তেমন কিছু না। একবার মাত্র পনেরোটি টাকা হাওলাত চেয়েছিলুম, তাও ওই চশমখোরটা দেয়নি।

মহারাজ বললেন, হুঁ, টাকা ধার না দেওয়াটা খুবই অন্যায়। কিন্তু দেখো বাপু, আমার কাছে আবার ধারটার চেয়ে বসো না!

দু'জন ভৃত্য বড় একটা কাঠের পরাতে টি পট ও পেয়ালা-পিরিচ দিয়ে গেল। কোনও রকম খাদ্যদ্রব্য নেই, একটি রুপোর জাগ-ভর্তি বেলের পানার শরবত রয়েছে। চায়ের আগে তিনি প্রতিদিন প্রায় দু' গেলাস ওই শরবত পান করেন। পঞ্চানন্দ অবশ্য বেলের পানা ছুঁল না, তার মতে এতে নিরিমিষ্যি গন্ধ আছে।

চায়ের পেয়ালা হাতে নিয়ে মহারাজ জিজ্ঞেস করলেন, তুমি কি এখন বাড়ি যাবে নাকি হে?

পঞ্চানন্দ একটা ছোট্ট হাই গোপন করে বলল, কাল যদু ভট্ট মশাইয়ের আধখানা গান শুনতে শুনতে নিদ এসে গেল। আমার খুব জোরে জোরে নাসিকা গর্জন হয় বলে ঘর ছেড়ে চলে এসেছিলুম বারান্দায়। 'ফিরায়ে দিতে এলে শেষে সঁপিলে নিজেরে'....আহা বন্দেশটি খাসা, শেষটুকুন না শুনে আজ আর যাচ্ছিনে।

মহারাজ বললেন, দরবারি কানাড়া, এই ফটফটে দিনের আলোয় তো সে গান শোনা যাবে না। রাত পর্যন্ত এখানেই থেকে যাবে? বাড়িতে একাকিনী বিরহিনী তোমার পথ চেয়ে আছে না?

পঞ্চানন্দ ঠোঁটের এক কোণে হেসে বলল, মাঝে মাঝে বিরহিনীকে অপেক্ষায় অপেক্ষায় উতলা করে রাখলে রসটা মজে ভালো।

মহারাজ ভুরু তুলে বললেন, বটে!

তারপর উঠে দাঁড়িয়ে বললেন, আমি প্রাতঃকৃত্য সারতে যাব। তুমি যদি থেকেই যাও পঞ্চানন্দ, তা হলে এক কাজ করো। ছবির ঘরে গিয়ে রং গুলে রাখো। আজ পেইন্টিং করার সাধ হচ্ছে।

পঞ্চানন্দ বলল, আমাকেও প্রকৃতির ডাকে সাড়া দিতে যেতে হবে একবার। তবে রাজকীয় প্রাতঃকৃত্যে অনেক সময় লাগে, আমাদের মতন চুনোপুঁটির পাঁচ মিনিটেই হয়ে যায়।

ফটোগ্রাফির মতন চিত্র অঙ্কনেও মহারাজ বীরচন্দ্রের বেশ দক্ষতা আছে। রং-তুলি সব আসে কলকাতা থেকে। তিনি স্বয়ং কলকাতায় গিয়ে সাহেবপাড়ার নিলাম ঘর থেকে বিলাতি চিত্র কিনে আনেন। ক্যামেরার ব্যবহার বিষয়ে তিনি যেমন কুমারদের গৃহশিক্ষক শশিভূষণের কাছ থেকে পরামর্শ গ্রহণ করেন, সেই রকম তেল-জল রঙে ছবি আঁকার সময় তিনি পঞ্চানন্দের সাহায্য পান। চপলমতি পঞ্চানন্দ যেন খেলাচ্ছলে অতি দ্রুত ফুটিয়ে তুলতে পারে মানুষ ও পশুপক্ষীর নিখুঁত রেখাচিত্র। মহারাজের তা দেখে মনে হয়, এ যেন ঈশ্বরদত্ত ক্ষমতা। একজন মানুষকে দেখে হুবহু তার অবয়ব কাগজে তুলতে ক'জন পারে? বাক্য-ছলনায় মানুষকে ভুলিয়ে ভালিয়ে ঋণ গ্রহণ করার বদলে চিত্র অঙ্কন করে পঞ্চানন্দ অনায়াসে জীবিকা নির্বাহ করতে পারত। পিতা-মাতা কিংবা নিজেদের প্রতিকৃতি আঁকবার জন্য

বড়মানুষেরা কত পয়সা খরচ করে। কিন্তু পঞ্চানন্দের সেদিকে কোনও মন নেই। সাধারণ কাগজের ওপর সে ইচ্ছে হলে ছবি আঁকে, সেগুলিকে ফেলে-ছড়িয়ে দেয়। বেশি মানুষকে নিজের অঙ্কনকৃতিত্ব দেখিয়ে তারিফ নেবার কোনও বাসনাও তার নেই। সে রকম প্রসঙ্গ উঠলেই সে ওষ্ঠ উল্টে বলে , না, না, এ সব দেখাবার মতন কিছু নয়। তারপরই খ্যাস খ্যাস করে ছিঁড়ে ফেলে সদ্য আঁকা কোনও ছবি!

মহারাজ বীরচন্দ্রও অবশ্য নিজের আঁকা ছবি কিংবা ক্যানভাসের বড় পেইন্টিংও অন্যদের দেখাবার ব্যাপারে কুণ্ঠিত। তাঁর রং-তুলি চালনা বিশুদ্ধ শখের ব্যাপার। নিষ্কলঙ্ক পটে একটি চিত্র ফুটিয়ে তোলার আনন্দেই তিনি মশগুল। আস্তে আস্তে একটা ছবি তৈরি হওয়ার বিস্ময়টাই তিনি উপভোগ করেন। কখনও তাঁর এই বাগানবাড়িতে যদি সাহেব সুবোরা কিংবা বিশিষ্ট ব্যক্তিরা আসে, তখন মহারাজের নির্দেশে ক্যানভাসগুলো সরিয়ে রাখা হয়, তিনি বাইরের লোকদের তাঁর শিল্পকীর্তি দেখাতে চান না।

বীরচন্দ্রের ছবির রেখা পঞ্চানন্দের মতন সাবলীল নয়। তাঁর পেইন্টিং উচ্চাঙ্গের শিল্প হিসেবে বাহবা পাবে না। কিন্তু নিজের আনন্দের জন্য যদি কেউ অপটু হাতেও ছবি আঁকে, তাতেই বা দোষ কী! যার কণ্ঠস্বর সুরেলা নয়, সে কি নিজের আনন্দের জন্যও গান গাইবে না? সব খেলায় সবাই জয়ী হয় না। কিন্তু হেরোরা যদি খেলতে না চায়, তাহলে তো কোনও খেলাই হবে না। মহারাজ তাঁর অন্য গুণপনাও জাহির করতে চান না পাঁচজনের কাছে। তিনি কবিতা রচনা করেন, কিন্তু সাহিত্য জগতে প্রতিষ্ঠা পাবার কোনও বাসনা নেই তাঁর, শুধু ঘনিষ্ঠ দু'পাঁচ জনই সেই কবিতা পাঠ করে। তাঁর কণ্ঠস্বর প্রকৃত গায়কের মতন, কিন্তু অন্তরঙ্গদের কাছেও তিনি দু'এক পদ গান গেয়ে থেমে যান। একমাত্র মহারানী ভানুমতীকে তাঁর কক্ষের নিভৃতে কখনও সখনও পুরো গান শুনিয়েছেন।

স্নান সেরে ছবির ঘরে এসে বীরচন্দ্র দেখলেন পঞ্চানন্দ অনেক প্রকার রং তৈরি করে রেখেছে। ক্যানভাসে অসমাপ্ত একটি ছবি, প্রায় মাসখানেক আগে মহারাজ এই ছবিটি প্রায় শেষ করে এনেছিলেন, তারপর ব্যস্ত হয়ে পড়েন অন্য কাজে। একটি ল্যান্ডস্কেপ, এই বাড়ির পেছন দিকের জঙ্গলের দৃশ্য। পঞ্চানন্দ একটি তুলি হাতে নিয়ে সেই ছবির দিকে এক দৃষ্টিতে চেয়ে আছে, যেন সে এখনই এক পোঁচ রং দেবে।

মহারাজ একটা কৃত্রিম হুংকার দিয়ে বললেন, ওহে, তুমি আমার ছবির ওপর খোদকারি করছ নাকি?

পঞ্চানন্দ পেছন ফিরে জিভ কেটে বলল, সে কি, মহারাজ! আমার চোদ্দপুরুষে কেউ এমন বেয়াদপি করেনি। খোদার ওপরে খোদকারি করব, আমার সাধ্য কী! তবে ইচ্ছে একটু হয়েছিল, তা ঠিকই!

মহারাজ প্রশ্ন করলেন, কী ইচ্ছে হয়েছিল!

পঞ্চানন্দ বলল, থাক। সে এমন কিছু না।

—এ চিত্রখানা কেমন হয়েছে, ঠিক করে বল তো!

—ভয়ে বলব, না নির্ভয়ে বলব?

—তুমি আবার মনের কথা বলতে ভয় পাও কবে?

—এটা একটা কথার লব্‌জ। রাজা-মহারাজাদের সামনে এমন বলতে হয়। রূপকথায় পড়েছি। তা হলে আপনি আমাকে অভয় দিচ্ছেন?

—বিলক্ষণ! মন খোলসা করে বলো!

—মহারাজ, মহাকবি কালিদাসের নাম শুনেছেন?

—তা শুনব না ? তুমি আমাকে এমন গণ্ডমুর্খ ভাব?

—আজ্ঞে না। আপনি সুপণ্ডিত। কালিদাসের 'অভিজ্ঞান শকুন্তলম' নামে একটি দৃশ্যনাট্য আছে, পড়েছেন নিশ্চয়?

—তা পড়িনি। আমি সংস্কৃত জানি না।

—আপনাকে জানতে হবে কেন? রাজাদের সহস্র কান, সহস্র বাহু। রাজারা যুদ্ধ জয় করেন অন্যের বাহুবলে। অন্যের জ্ঞান আহরণ করেন কানে শুনে। আপনার দরবারে নবরত্ন সভা সাজিয়ে রেখেছেন, বেতনভোগী সংস্কৃতজ্ঞ পণ্ডিত নেই? তারা আপনাকে শোনায়নি?

—আ মোলো যা। জিজ্ঞেস করছি ছবির কথা, তুমি টেনে আনলে সমস্কৃত টমস্কৃত।

—বলছি এই জন্য যে, ভূ-ভারতে আপনিই প্রথম নৃপতি নন, যিনি ছবি আঁকেন। রাজা দুষ্মন্তও ছবি আঁকতেন। শকুন্তলার আলেখ্য এঁকে সেদিকে মুগ্ধ দৃষ্টিতে তাকিয়ে থাকতেন। দুষ্মন্তের ছবির জ্ঞান তেমন ভালো ছিল না। রাজা দুষ্মন্তের ছবি সম্পর্কে কালিদাস যে সমালোচনা করেছিলেন, আমিও সে কথাই বলতে চাই।

—অর্থাৎ?

—ছবিতে বড় বেশি বেশি জিনিস এসে গেছে। এত গাছ কেন? একটুও ফাঁক নেই। মাঝখানে যে হরিণটাকে এঁকেছেন, গাদাগাদি গাছের চাপে সে বেচারার যেন দমবন্ধ অবস্থা। ছবিতে শুধু বিষয় আঁকলেই চলে না। ছবিতে শূন্যতারও বিশেষ মূল্য আছে।

—পেছনের ভারাণ্ডায় গিয়ে দেখ গে, জঙ্গলটা এরকমই দেখায়।

—ছবি আঁকার সময় শুধু খালি চোখে দেখলেই চলে না, মনশ্চক্ষেও দেখতে হয়। জঙ্গল তো অনেকখানি, মন ঠিক ছবির উপযোগী স্থানটি বেছে নেয়। আর একটা ব্যাপার দেখুন, মহারাজ। ক্যানভাসের একেবারে ডান দিকে আপনি একটি শিমুল বৃক্ষ এঁকেছেন, তাতে উজ্জ্বল লাল ফুল। ছবিতে আর কোথাও লাল রং নেই। ছবির এক কোণে এরকম গাঢ় রং দিলে সেদিকেই চোখ টেনে নেয়, পুরো ছবিটা মার খায়। বিশেষত লাল রং অতি বিশ্বাসঘাতক। আপনি নিজে দেখুন, প্রথমেই আপনার দৃষ্টি ওই ডান দিকে চলে যাচ্ছে কি না!

—তা ঠিক। এবার বলো তো, হাতে তুলি নিয়ে তুমি কী চিন্তা করছিলে? শীঘ্র বলো, নচেৎ তোমার গর্দান যাবে!

—আমার ইচ্ছা করছিল, মহারাজ, সত্বর ওই লাল ফুলগুলি মুছে দিই!

—একবার লাল রং দিয়ে আঁকা হয়ে গেলে তা কি আর মোছা যায়?

—কেন যাবে না? সেই জন্যই তো সাদা রঙ গুলেছি। একেবারে না মুছে অস্পষ্টও করে দেওয়া যায়!

—পঞ্চানন্দ, তুমি তো পাখোয়াজ চাঁটাও আর তবলা পেটাও, তুমি ছবি সম্পর্কে এত সব কোথা থেকে শিখলে বলো তো? কোনও সাহেবের কাছে পাঠ নিয়েছিলে?

—কস্মিনকালেও না! কোনও ছবি আমার চক্ষুকে পীড়া দেয়, কোনও কোনও ছবিতে শুধু চক্ষু নয়, মনেরও আরাম হয়। সেই ভাবে আমি ছবির ভালো মন্দ বুঝি!

বীরচন্দ্র এবার সাদা রঙের পাত্রে তুলি ডুবিয়ে বললেন, সকলের চক্ষু এরকম হয় না। আরও কিছু আছে, তুমি খোলসা করে বলছ না! আমি এই ছবিটা সংশোধন করছি, তুমি দেখ তো!

কিছুক্ষণ মহারাজ ছবিটি নিয়ে কাজ করলেন। কিন্তু ঠিক তৃপ্তি পাচ্ছেন না, ঠিক যেন মগ্নতা আসছে না। মন চঞ্চল হয়ে আছে। একেবারে মগ্ন না হতে পারলে সুকুমার শিল্প প্রার্থিত রূপ পায় না।

তুলি বোলাতে বোলাতে বীরচন্দ্র জিজ্ঞেস করলেন, পঞ্চানন্দ, তুমি আমার বড় ছেলে রাধাকে ঘনিষ্ঠভাবে চিনেছ?

পঞ্চানন্দ বলল, যুবরাজ রাধাকিশোর? অবশ্যই চিনি। তিনি অনেক গুণে গুণী। মহারাজ, আপনি যোগ্য পুত্রকেই যুবরাজ পদে বরণ করেছেন।

মহারাজ বললেন, আমার মন-রাখা কথা শুনতে চাইনি। তোমার সঠিক বিচার বল!

পঞ্চানন্দ বলল, মহারাজ, আপনি আপনার সন্তানদের কতখানি চেনেন? রাজা-রাজড়ারা নিজের সন্তানদের সঙ্গে সময় কাটান না। বাৎসল্যের মতন দুর্বলতা বোধ হয় তাঁদের থাকতে নেই। যুবরাজ রাধাকিশোর লাজুক প্রকৃতির, একা একা থাকতে ভালোবাসেন, তাঁর বিশেষ বন্ধু নেই, কিন্তু আমি কথা বলে দেখেছি, তাঁর চরিত্রের গভীরতা আছে। তিনি নিজে নিজে অনেক পড়াশুনোও করেছেন।

মহারাজ বললেন, আর কুমার সমরেন্দ্র সম্পর্কে তোমার কী মনে হয়?

পঞ্চানন্দ বলল,রাজকুমারদের নিন্দা করা আমার পক্ষে শোভা পায় না। কুমার সমরেন্দ্রচন্দ্রেরও অনেক গুণ আছে নিঃসন্দেহে।

বলতে বলতে পঞ্চানন্দ হাস্য সংবরণ করতে পারল না।

মহারাজ মুখ ফিরিয়ে জিজ্ঞেস করলেন, হাসলে কেন হে?

পঞ্চানন্দ বলল, এই যুবরাজি নিয়ে আপনার অন্দরমহলে এবার একটা দারুণ কোন্দল হবে। কী করে সেটা সামলান আপনি, সেটাই দেখার বিষয়!

তুলিটা ফেলে দিয়ে মহারাজও হাসলেন। ক্ষণে ক্ষণেই মহারানী ভানুমতীর মুখখানা তাঁর মনে পড়ছে। অন্দরমহলের একটি কক্ষে প্রকৃত যে কী ঘটছে, তা অন্য কেউ ধারণাও করতে পারবে না। অন্য কোনও রানীকে নিয়ে সমস্যা নেই। মহারাণী ভানুমতীর কাছে গেলেই তিনি রাগ, কান্না, অভিমানে হুলুস্থুলু কাণ্ড করবেন, এমনকি মহারাজকে আঁচড়ে-কামড়ে দিতেও দ্বিধা করবেন না। এখন অন্তত দিন সাতেক ভানুমতীর ধারে কাছে যাওয়া নেই!

মহারাজ বললেন, নাঃ, এ ছবিটা আর আমার ভালোই লাগছে না!

পঞ্চানন্দ বলল, ল্যান্ডস্কেপ আমারও তেমন পছন্দ নয়। মানুষের ছবিই আসল ছবি। প্রণয়ের কথা ছাড়া যেমন গান জমে না।

মহারাজ সেখান থেকে সরে গিয়ে অন্য একটি ক্যানভাসের সামনে দাঁড়িয়ে বললেন, মানুষের ছবি আঁকা এত শক্ত কেন বল তো! মুখ তবু আঁকা যায়, কিন্তু ফুল ফিগার দাঁড় করাতে গেলে কিছুতেই সামঞ্জস্য হয় না!

সেই ক্যানভাসে একটি অস্পষ্ট নারীমূর্তি রয়েছে, সে নারী স্খলিতবসনা। শরীর সংস্থান ও অঙ্গ-প্রত্যঙ্গ খুবই দুর্বল। সেদিকে তাকিয়ে মহারাজ জিজ্ঞেস করলেন, সাহেব শিল্পীরা কত হাজারে হাজারে বিবসনা নগ্ন নারীদের আঁকে। এ দেশে কেউ কি পারে?

পঞ্চনন্দ বলল, সাহেবরা হুবহু নর-নারীর শরীর আঁকতে পারে, তার কারণ তারা যে মডেল নেয়।

মহারাজ বললেন, তার মানে?

পঞ্চানন্দ বলল, জীবন্ত কোনও স্ত্রীলোক কিংবা ব্যাটাছেলেকে ঘন্টার পর ঘন্টা চোখের সামনে রেখে শিল্পীরা তাদের অ্যানাটমি নকল করে।

মহারাজ অবিশ্বাসের সুরে বললেন, যাঃ কী যে বল! কোনও ভদ্রঘরের মেয়েছেলে সব কিছু খুলে-টুলে শিল্পীর সামনে দাঁড়াতে রাজি হবে নাকি? রাজ্যের হেজিপেঁজি লোক আঁকা ছবিতে তাদের শরীর দেখবে? ওদের সমাজ এমন উচ্ছন্নে গেলে ওরা এত দেশ জয় করে কীভাবে?

পঞ্চানন্দ বলল, মহারাজ, পশ্চিম দেশে মানুষের নগ্ন শরীর নিয়ে চিত্র অঙ্কন কিংবা মূর্তি গড়া নিন্দনীয় নয়। তাকে ওরা বলে আর্ট। আমাদের এই ভারতেও হিন্দু আমলে উলঙ্গ মূর্তি গড়া হয়েছে, এমন কত শ্লোক লেখা হয়েছে। পশ্চিম দেশে মডেল ব্যবহার করার বেশ চল আছে, তাতে সামাজিক বাধা নেই। তবে হ্যাঁ, আপনি যে বললেন ভদ্রঘরের মেয়েদের কথা, সব সময় ভদ্রঘরের মেয়েরা সবটা খোলাধুলি করতে রাজি হয় না, তখন তারা বাজার থেকে মাগী ভাড়া করে আনে।

মহারাজ দু' চক্ষু বিস্ফারিত করে বললেন, ভাড়া পাওয়া যায়? এমন অদ্ভুত কথা জীবনে শুনিনি। এ কি চড়কের মেলায় হাতি-ঘোড়া ভাড়া করা নাকি?

পঞ্চানন্দ বলল, আমি তো কিছুদিন চন্দননগরে ছিলাম। ফরাসিদের কাছে ওদের ছবি আঁকার কথা শুনেছি। সে দেশ ছবির জন্য খুব সুখ্যাত জানেন তো! প্যারিস নগরীতে দলে দলে যুবকেরা ছবি আঁকা শেখে। আঁকার ইস্কুল আছে। সেখানে বারবণিতা কিংবা কোনও চাকরানিকে রোজ হিসেবে টাকা দেয়, মাস্টারের নির্দেশে সেই মাগীরা কখনও কাপড় খুলে শুয়ে থাকে, কখনও দাঁড়ায়, কখনও দেয়ালে হেলান দেয়, ছাত্ররা একসঙ্গে সেই সব ভঙ্গি আঁকা শেখে। এর মধ্যে দোষের কিছু নেই।

মহারাজ বললেন, ওঃ! এ দেশে তো তা সম্ভব নয়।

পঞ্চানন্দ বলল, কেন সম্ভব নয়?

মহারাজ বললেন, আমি কি বাজার থেকে মেয়েছেলে ধরে আনব নাকি?

পঞ্চানন্দ বলল, আপনি ধরে আনবেন কেন? আপনার মুখের কথা কিংবা একটু ইঙ্গিতই তো যথেষ্ট। রাজপুরীতে কি দাসী-চাকরানির অভাব আছে? মহারাজ, আমি একটি দাসীকে দেখেছি, তার নাম শ্যামা। কী অপূর্ব তার শরীরের গড়ন। নিটোল দুটি বক্ষ যেন কচি বাতাবী লেবু, সিংহিনীর মতন সরু কোমর, তম্বুরার মতন গুরু নিতম্ব, যখন হাঁটে, যেন চলহু কামিনী, গজহু গামিনী। তাকে দেখে আমার অনেকবার মনে হয়েছে—

মহারাজ ধমক দিয়ে বললেন, চোপ ! রাজবাড়ির কোনও দাসীর প্রতি যদি তুমি কুদৃষ্টি দাও, তা হলে তোমার গর্দান যাবে! ঘরে তোমার রূপসী বামা রয়েছে, তবু তুমি অন্য নারীর প্রতি লোভ কর, তুমি তো বড় মন্দ লোক হে!

দু'হাত জোড় করে, ভয়ে কাঁপার ভান নিয়ে পঞ্চানন্দ বলল, মহারাজ, এই নিয়ে দু'বার আপনি আমার গর্দান নেবার কথা বললেন। তবে তো আমার সত্যিই খুব বিপদ। এই গর্দানটা আরও কিছুদিন টিকিয়ে রাখার সাধ আছে আমার। যদি অনুগ্রহ করেন তো, আমি এই মুহূর্তেই ত্রিপুরা ছেড়ে চম্পট দিই! তবে, আর একটু শুধু বলি। লোভের দৃষ্টির প্রশ্ন তো আসে না, শিল্পীকে হ্যাংলা হতে নেই। আমি বলেছিলাম, শ্যামা নামের চাকরানিটিকে ছবি আঁকার মডেল হিসেবে ভালো ব্যবহার করা যায়। আর........ইয়ে.......মহারাজ, ঘরে অর্ধাঙ্গিনী থাকলেও পুরুষমানুষ অন্য রমণীর রূপসুধা পান করতে পারবে না, এমন কথা কোনও শাস্ত্রে লেখা আছে কি? যদি বা থাকে, স্বয়ং মহারাজ কি তা মানেন?

মহারাজ এবার হেসে ফেলে বললেন, ওহে বাগীশ্বর, তোমাকে নিয়ে আর পারা যায় না!

তারপর হাঁক দিয়ে বললেন, ওরে কে আছিস, মহাদেবীর খাসদাসী শ্যামাকে এখানে ডেকে আন তো এখনই!

শ্যামাকে বিশেষ খোঁজখুঁজি করতে হল না। সে এই বাগানবাড়ির সামনেই দু'জন প্রহরীর সঙ্গে ফচকেমি করছিল তখন। রাজার আদেশ নিয়ে এল এক ভৃত্য, সঙ্গে সঙ্গে প্রহরী দু'জন তাকে টানতে টানতে ওপরে নিয়ে পৌঁছে দিল ছবিঘরে।

তারপর সে ঘরের দ্বার বন্ধ হয়ে গেল।

॥ ৫ ॥

মহারানী ভানুমতীও শয্যাগ্রহণ করেননি সারারাত, তবু তাঁর মন বেশ প্রফুল্লই ছিল। সতীনপুত্র রাধাকিশোরকে মহারাজ সত্যি সত্যি যুবরাজ হিসেবে মর্যাদা দিয়েছেন শুনে প্রথমে তিনি বিচলিত হয়ে পড়েছিলেন ঠিকই, কিন্তু নিজস্ব দূতীর মারফত খানিক বাদেই যখন জানলেন যে সে ঘোষণা মহারাজ নিজের মুখে করেননি, অমনি তাঁর মনের ভার কেটে গেলে! ঘোষমশাই তাঁর শত্রুপক্ষ, মনের মধ্যে শতেক প্যাচঁ, কলকাতার বাবুগুলোই এমন হয়। ঘোষমশাই যা ইচ্ছে বলুক, স্বয়ং মহারাজ যখন মুখ খোলেননি, তখন ও ঘোষণার কোনও মূল্য নেই। এ নিশ্চয়ই মহারাজের কৌতুক । তিনি ত্রিপুরা রাজ্যের একচ্ছত্র অধিপতি, তিনি যখন খুশি মত বদল করতে পারেন। রাধাকিশোরকে কুমিল্লার জমিদারি দেওয়া হোক না, তাতে ভানুমতীর আপত্তি নেই, সিংহাসনে বসবে তাঁর পুত্র সমরেন্দ্রচন্দ্র। .

উৎসব শেষে মহারাজ ভানুমতীর কক্ষে রাত্রিযাপন করবেন বলে প্রতিশ্রুতি দিয়ে গিয়েছিলেন, কিন্তু তিনি এলেন না, তাতেও কিছু যায় আসে না। রাত্রে আসেননি, প্রভাতে আসবেন। সারা রাত ধরে কিশোরী মনোমোহিনীর সঙ্গে তাস পেটাপেটি করতে করতে ভানুমতী তাঁর দূতীদের কাছ থেকে প্রহরে প্রহরে খবর পেতে লাগলেন। তিনজন বিশ্বস্ত দাসীকে ছড়িয়ে রেখেছিলেন অন্দরমহলের অন্যত্র, মহারাজ অন্য কোনও রানীর ঘরে যাচ্ছেন কি না তা জানবার জন্য। যদিও ভানুমতীর দৃঢ় বিশ্বাস, তাঁর প্রিয়তম বীরচন্দ্র এমন বিশ্বাসঘাতকতা করতেই পারেন না। তাঁর বিশ্বাসই সত্য হল, এই রাতে আর কোনও রানী মহারাজের সঙ্গ পেয়ে ধন্যা হয়নি। একজন দাসী এ খবরও জানাল যে রাধাকিশোরের মা রাজেশ্বরী খুব সাজগোজ করে বড় আশা নিয়ে অপেক্ষা করছিলেন, ঘন ঘন কপাট খুলে দেখছিলেন বাইরে। রাজেশ্বরীর আশাতেও ছাই পড়েছে, বেশ হয়েছে!

মহারাজ গান-বাজনা শুনতে চলে গেছেন বাগানবাড়িতে, সেটাও স্বস্তির কথা। ওই মানা-ঘরে গোনাগুনতি পুরুষমানুষ ছাড়া কেউ যেতে পারে না, কোনও নারীর যাওয়ার তো প্রশ্নই নেই। এ বিষয়ে মহারাজের কঠোর নিষেধ আছে। ওই বাড়ির ঘরগুলি কেমন, তা ভানুমতী নিজেও দেখেননি। এত যে গান-বাজনা ভালোবাসেন মহারাজ, ও বাড়িতে প্রায়ই আসর বসান, কিন্তু একবার যে সেই একটি বাঈজী আনানো হয়েছিল লক্ষ্ণৌ থেকে, তাকেও মহারাজ মানা-ঘরে নেননি, তার নাচ হয়েছিল এই প্রাসাদ সংলগ্ন নাচঘরে। এবং তাকে মহারাজের পছন্দও হয়নি। পরে মহারাজ হাসতে হাসতে ভানুমতীর কাছে গল্প করেছিলেন, সে বেটীর ঠমক-ঠামকই বেশি, নাচতে ভালো জানে না, তার যতটা চক্ষু ঘোরে ততটা পা সরে না। আরে শরীর ভাঙানোটাই যদি আসল উদ্দেশ্য হয়, তা হলে লক্ষ্ণৌ থেকে এত দূরে আসতে গেলি কেন?

অন্য কোনও নারীর কাছে যাননি মহারাজ, এটাই ভানুমতীর জয়। মাঝে মাঝে চিত্ত উতলা হলেও তিনি আবার নিজেকে বোঝাচ্ছেন যে, আসবেন, মহারাজ ঠিকই আসবেন, গান-বাজনার পর্ব শেষ হোক।

সারা রাত বিনিদ্র অবস্থায় কাটল, তবু দিনের বেলা ঘুমোনোর কোনও প্রশ্ন ওঠে না। তিনি যে-কোনও সময় এসে পড়তে পারেন, সে জন্য প্রস্তুত থাকতে হবে। ঘর যেন

অগোছালো না থাকে, শরীর যেন অবশ না হয়। ভানুমতী স্নান করে শুদ্ধ হলেন, বাসি বস্ত্র ছেড়ে নতুন শাড়ি পরলেন, মাল্য-চন্দনে সাজলেন আবার। তাঁর জীবনীশক্তি যথেষ্ট, তাঁর মুখে কোনও ক্লান্তির ছাপ পড়েনি।

মহারানীর সাজ শেষ হবার পরই এক দাসী তাঁর জন্য সকালের জলখাবার নিয়ে এল। তিনি দাসীকে জিজ্ঞেস করলেন, মানা-ঘরে কী কী খাবার গেছে রে?

বাগানবাড়ির আশেপাশে মহারানীর চর নিযুক্ত আছে। তারা খুঁটিনাটি খবর আনছে ঘন্টায় ঘন্টায়। একজন দাসী বলল, মহারাজ শুধু বেলের পানা ও চা খেয়েছেন, আর কিছু না।

প্রতিদিন সকালে মোহনভোগ ও গাওয়া ঘি-এর লুচি মহারাজের পছন্দসই প্রাতরাশ। তিনি পাউরুটি বা বিস্কুট স্পর্শ করেন না। তাঁর বাল্যকালে কী করে যেন রটে গিয়েছিল যে বিস্কুট তৈরি করার সময় কারিগরেরা যেখানে সেখানে সিক্‌নি ঝাড়ে আর পাউরুটি বানাবার সময় ময়দার তাল দলাইমলাই করা হয় পা দিয়ে।

মহারাজ ছবির ঘরে ব্যস্ত আছেন এবং মোহনভোগ-লুচি ফেরত এসেছে শুনে ভানুমতীও হাতের ইঙ্গিতে সেসব নিয়ে যেতে বললেন। তিনি চা পান করেন না, খেলেন শুধু বেলের পানা। তারপর তিনি দাসীগণসমেত মনোমোহিনীকে বললেন, তোরা শোন, মহারাজ যখন আসবেন, তখনই কিন্তু তোরা সবাই সরে পড়বি। একদম সামনে আসবি না। এ ঘরে কেউ দরজা ধাক্কিয়ে বিরক্ত করবি না। মহারাজ যদি সারা দিন-সারা রাত থাকেন, তাও ডাকবি না। কিছু দরকার লাগলে আমি বেরিয়ে চাইব।

মনোমোহিনী বিস্ময়ের সঙ্গে বলল, সারা দিন, সারা রাত।

ভানুমতী হেসে বললেন, তুই তো জানিস না। মহারাজ একবার আমার ঘরে এলে আর যেতেই চান না। কত কথা জমে থাকে আমাদের। একবার দেওয়ানজি কী একটা কাগজ করাবার জন্য পাঠিয়েছিল, মহারাজ তাও ভাগিয়ে দিলেন।

বেলা বাড়ল, তবু মহারাজের দেখা নেই। শোনা গেল, মহারাজ তখনও কোনও খাবার খাননি, তাঁর ভৃত্য দু'বার খাবার-দাবার ফেরত এনেছে। ভানুমতীও কিছু গ্রহণ করলেন না। শ্যামা দাসী বলল, রানীমা, আপনি তো কাল রাতেও কিছু মুখে দেননি, পিত্তি পড়বে যে!

ভানুমতী হেসে বললেন, ওই তো এক ঘটি বেলের পানা খেয়েছি। তাতেই দেখ না ঢেঁকুর উঠছে। হ্যাঁরে শ্যামা, মহারাজ কি গান-বাজনা শুনছেন ওবাড়িতে? না কারুর সঙ্গে কথা কইছেন?

শ্যামা বলল, ওই দারোয়ান মিন্‌সেগুলো যে কোনও খবরই দিতে চায় না। খালি বলে, কাক-পক্ষীরও ঢোকা বারণ। তবে সারেঙ্গি-তবলার কোনও আওয়াজ নেই।

ভানুমতী বললেন, তবে নিশ্চয়ই রাজকার্যের শলা-পরামর্শ করছেন।

মনোমোহিনী চপলভাবে বলল, মাসি, আমি একছুটে গিয়ে মহারাজকে ডেকে আনব?

ভানুমতী বললেন, পাগল নাকি! তুই বাইরে যাবি কী করে? ওই মানা-ঘরে কোনও মেয়েমানুষ দেখলে মহারাজ একেবারে কেটে ফেলবেন!

মনোমোহিনী দুষ্টুমির হাসি দিল। দুপুরবেলা যখন সবাই ঘুমোয়, তখন সে যে কতবার চুপিচুপি বেরিয়ে জঙ্গলে চলে যায়, তা মাসি জানে না। মাসি যদিও মণিপুরের কন্যা, কিন্তু বহুদিন যাবৎ বন্দিনী থাকতে থাকতে এই দশাটাই তার অভ্যেস হয়ে গেছে। মনোমোহিনী জঙ্গলে জঙ্গলে ঘুরে বেড়ায়, ভরত নামে ছেলেটির সঙ্গে তার প্রায়ই দেখা হয়। কিন্তু ওই ভরত একটা ভিতুর ডিম, কথা বলতেও সাহস পায় না। মনোমোহিনী একদিন একটা গাছে চড়ে মানা-ঘরের দোতলাতেও উঁকি মেরে দেখেছিল। একটা ঘরের দেওয়ালে অনেক ছবি টাঙানো, দেওয়ালের এক কোণে একটা বন্দুক।

মনোমোহিনী বলল, মাসি, মহারাজ তোমার কথা ভুলে যাননি তো?

ভানুমতী বললেন, ভুলতে তো পারেনই। ওঁদের কত কাজে মাথা খাটাতে হয় বল তো! আমরাই কত কথা ভুলে যাই। এই দেখ না, কাল সকালেই আমি টিয়াপাখিগুলোকে ছোলা খাওয়াতে ভুলে গিয়েছিলাম।

কক্ষের অনেকখানিই জুড়ে আছে একটি মেহগনি কাটের পালঙ্ক, তার ওপর উজ্জ্বল হলুদ-কালো ডোরাকাটা একটা সুজনি পাতা। মাঝখানে ঠিক রাজেন্দ্রাণীর মতনই সোজা হয়ে বসে আছেন ভানুমতী, তাঁর পরনের বসনটিও হলুদ। পা দুটি ঢাকা। দুই বাহুতে সোনার বাজু, আঙুলে নানা রঙের পাথরের আংটি । তাঁর কণ্ঠস্বরে কোনও অভিযোগের সুর নেই।

নামে রাজপ্রাসাদ হলেও কক্ষগুলি তেমন বড় নয়। নারীমহলের কক্ষের জানলা অনেক উঁচুতে। ভানুমতীর এই ঘরটি জিনিসপত্রে ঠাসা। ভানুমতীর খুব ঘড়ির শক, অন্তত সাতখানা ঘড়ি রয়েছে দেয়ালে, তার কোনওটায় ঘন্টায় ঘন্টায় কোকিল ডাকে, আর কোনওটায় পুতুল-কামার প্রতি মিনিটে নেহাই ঠোকে।

মেঝেতে মনোমোহিনী ও আরও কয়েকজন আত্মীয়া বসে আছে, দাসীরা আছে দরজার কাছে দাঁড়িয়ে, সবাই উদ্‌গ্রীব, কখন মহারাজ এসে পড়বেন। ভানুমতীর প্রতিক্ষার চাপা ব্যাকুলতা সবার মধ্যে সঞ্চারিত হয়েছে।

একজন আত্মীয়া বলল, মহারাজ যদি ভুলেই বসে থাকেন, তাঁকে একবার মনে করিয়ে দিলে হয় না?

ভানুমতী বললেন, মানা-ঘরে যে কেউ ঢুকতেই পারবে না। মহারাজের সামনে যাবে কি করে?

মনোমোহিনী ফস করে বলে উঠল, ভরতকে পাঠাও না, মাসি, সে তো ব্যাটাছেলে, সে নিশ্চয়ই পারবে।

ভানুমতী জিজ্ঞেস করলেন, সে আবার কে রে?

মনোমোহিনী বলল, সে যে একজন নতুন রাজকুমার হয়েছে গো। কলকাতার মাস্টারের পাঠশালায় পড়ে।

দাসীদের মাধ্যমে রাজপুরীর সব খবরই চালাচালি হয়। সেই সূত্রে ভানুমতী শুনেছেন যে সম্প্রতি এক মৃত কাছুয়ার সন্তান রাজকুমারের পদমর্যাদা পেয়েছেন। ছেলেটির বয়েস বেশি না। কৌতুহলী হয়ে ভানুমতী বললেন, কেউ যা তো, ছোঁড়াটাকে ডেকে নিয়ে আয় একবার দেখি।

মনোমোহিনী লাফ দিয়ে উঠে দাঁড়িয়ে বলল, আমি ডেকে আনছি!

ভানুমতী তাকে নিষেধ করে বললেন, না, না, তুই না, তুই যাবি না!

কিন্তু কার কথা কে শোনে। চঞ্চলা হরিণীর মতন মনোমোহিনী ততক্ষণে দু-তিন লাফে অন্যদের ডিঙিয়ে ঘর থেকে বেরিয়ে গেছে।

পুরনো আমলের রাজপ্রসাদ। বর্তমানে রানী, দাস-দাসী ও আশ্রিতদের সংখ্যা অনেক বৃদ্ধি পেয়েছে, সকলের স্থান সঙ্কুলান হয় না। তাই মূল প্রাসাদের গা ঘেঁষে ডাইনে-বাঁয়ে, পেছনে আরও ছোট ছোট কয়েকটি বাড়ি জোড়া হয়েছে অপরিকল্পিতভাবে । সেই রকমই প্রাসাদ সংলগ্ন একটি ক্ষুদ্র গৃহ মহারাজার সচিব ঘোষ মশাইয়ের জন্য নির্দিষ্ট । তার একতলার একটি ঘর পেয়েছে ভরত। ঘোষ মশাই থাকেন দোতলায়, একতলার ঘরগুলি স্যাঁতসেঁতে, পোকা-মাকড়-সরীসৃপের উপদ্রব আছে, ভরত তবু নিজস্ব একটি ঘর পেয়েই সন্তুষ্ট।

মূল প্রাসাদের পেছনের দ্বার দিয়ে বেরিয়ে একটি ফুলের বাগান পার হয়ে মনোমোহিনী ভরতের ঘরের জানলার কাছে দাঁড়াল। এ ঘরে তেমন রৌদ্র ঢোকে না, কেউ জানলা আড়াল

করলে ভেতরে ছায়া পড়ে। ঘরে শুধু একটি কাঠের চৌকি, ওপরে তোশক নেই, শুধু চাদর ও বালিশ পাতা। এক কোণে একটি কালো রঙের মাটির কুঁজোর গলা একটি পেতলের গেলাস দিয়ে ঢাকা। শুধু এই অস্থাবর সম্পত্তি ছাড়া ভরত এ যাবৎ সংগ্রহ করতে পেরেছে মোট সাতখানি বই, সেগুলি সে তার মাথার বালিশের পাশে রাখে, এবং এ বইগুলিই বার বার পড়ে।

লুঙ্গি পরা, উর্ধ্বাঙ্গে কোনও বসন নেই, খাটের ওপর বসে ভরত একটা বই খুলে মনোযোগী হয়ে আছে। কাল বিজয়া দশমীর রাত গেছে, আজ ভাসান, পাঠশালার ছুটি। অন্যদিন এই সময় ভরত পাঠশালায় শশিভূষণের কাছে গিয়ে পাঠ নেয়। কিন্তু তিনি আজ কোনও কাজে কুমিল্লা শহরে গেছেন।

বইয়ের ওপর ছায়া পড়তে ভরত মুখ তুলে তাকাল।

আবার সেই কিশোরী! ভরতের বুক কাঁপে, রোমাঞ্চে নয়, ভয়ে। মনোমোহিনীকে দেখলেই ভরতের মনে হয়, এ কোনও বিপদ ঘটাতে চায়। অন্য রাজকুমাররা সবাই তাকে বিদ্বেষের চোখে দেখে, তার সামান্য কোনও খুঁত ধরা পড়লে তারা তাকে শাস্তি দিতে ছাড়বে না। এ মেয়েটি কেন বার বার আসে তার কাছে?

মনোমোহিনী চোখ পাকিয়ে বলল, অ্যাই, খুব যে হিজিবিজি পড়ছিস, বল তো, অর্জুনের কটা বউ ছিল?

ভরত এক দৃষ্টিতে চেয়ে রইল। কোনও উত্তর দিল না।

মনোমোহিনী আবার বলল, পারলি না তো! ছাই লেখাপড়া করিস। আচ্ছা এইটা বল, অর্জুনের কোন বউ তীর-ধনুক নিয়ে লড়াই করতে জানে?

ভরত এবারও চুপ করে রইল।

মনোমোহিনী ভেংচি কেটে বলল, তোর নাম কি ভরত, না জড়ভরত রে? ওঠ, উঠে বাইরে আয়!

এবার ভরত জিজ্ঞেস করল, কেন? বাইরে যাব কেন?

মনোমোহিনী বলল, তা হলে আমি ভেতরে গিয়ে তোর ঘাড় ধরে টেনে নিয়ে আসব?

ভরত শান্ত স্বভাবের হলেও তার শরীর দুর্বল নয়। আর মনোমোহিনী ছিপছিপে গড়নের কিশোরী, সে ভরতের ঘাড় ধরে টেনে নিয়ে যাবে, এ কল্পনাও হাস্যকর। তবু সে অনায়াসে এ রকম স্পর্ধার কথা বলতে পারে।

মনোমোহিনী আবার বলল, শিগগির আয়, মহারানী তোকে ডাকছেন। আমার সঙ্গে না গেলে বীরু সর্দার এসে হিড়হিড় করে টেনে নিয়ে যাবে।

ভরত বিশ্বাস-অবিশ্বাসের দোলাচলে রইল। এর মধ্যে সে দেখেছে যে এই কিশোরীটি এ রাজ্যে পাটরানীর স্নেহধন্য। কিন্তু পাটরানী তাকে ডাকবেন কেন? সে আবার কী দোষ করল?

একটু পরেই একজন দাসী এসে যোগ দিল মনোমোহিনীর সঙ্গে। তার কাছেও এই বার্তার স্বীকৃতি পেয়ে ভরতকে তৈরি হতেই হল। মহারানীর সামনে কিছুটা সজ্জিত হয়ে যেতেই হয়। কিন্তু ভরত লুঙ্গি ছাড়বে কী করে, জানলার কাছে দাঁড়িয়ে আছে দুই স্ত্রীলোক। একটা ধুতি নিয়ে সে ভেতরের সিঁড়ির তলায় চলে গেল, তারপর গায়ে দিল একটা পিরান।

সে বেরিয়ে আসতেই মনোমোহিনী তার পিঠে একটা কিল মেরে বলল, দৌড়ে দৌড়ে চল রে, জড়ভরত!

ভানুমতী ভরতকে কয়েকটা প্রশ্ন করেও তার মায়ের কথা মনে করতে পারলেন না। ছেলেটি কথাই বলতে চায় না, এই মহিলা মহলে এসে সে যেন আরও লজ্জায় ঘেমে নেমে উঠেছে। একে দিয়ে কি কোনও কাজ হবে? মানা–ঘরের প্রবেশদ্বারে হুমদো-হুমদো প্রহরীরা দাঁড়িয়ে থাকে, তাদের পেরিয়ে সে যাবে কী করে?

তিনি জিজ্ঞেস করলেন, কী রে, তুই মানা-ঘরে গেছিস কখনও?

ভরত দু দিকে মাথা নাড়ল।

ভানুমতী অন্যদের উদ্দেশে চেয়ে বললেন, তা হলে কী হবে রে? এ তো পারবে না।

মনোমোহিনী আদুরে গলায় বলে উঠল, না, মাসি ওকে পাঠাও! ও কেন পারবে না? ও ব্যাটা ছেলে, দারোয়ানদের ফাঁকি দিয়ে একবার ফুরুত করে ভেতরে ঢুকে যেতে পারবে না?

দুর্বলের ওপর অত্যাচার করে অনেকেই আনন্দ পায়, বালক-বালিকা, কিশোর-কিশোরীরাও তার বাইরে নয়। ভরত প্রহরীদের হাতে ধরা পড়ে কেমন জব্দ হবে, সেটা ভেবেই মনোমোহিনী খলখল করে হেসে উঠল।

ভানুমতী নিজের হাতের একটি আংটি ঘুরিয়ে ঘুরিয়ে বললেন, শোন ছেলে, তুই যদি মানা-ঘরের ভেতরে একবার যেতে পারিস, তা হলে মহারাজকে শুধু বলবি, মহারানী, মহাদেবী তাঁর জন্য দুয়োর খুলে বসে আছেন। শুধু এই খবরটা দিলে তুই এই আংটিটা পাবি।

ভরত আচ্ছা বলে বেরিয়ে গেল। যদিও যেতে তার পা সরছে না। মানা-ঘরের প্রহরীরা বিশেষ রকম ভীমাকৃতি, ওদের কাছে সে ঘেঁষে না কখনও। কিন্তু মহারানীর নির্দেশও অমান্য করতে পারবে না সে। সে আরও আশঙ্কা করল যে, অঘটন-ঘটন -পটীয়সী ওই মেয়েটি নিশ্চয়ই তার ওপর নজর রাখার জন্য পিছু পিছু আসবে। মনোমোহিনী অবশ্য এল না, এমন প্রকাশ্যে বাগানবাড়ি পর্যন্ত যাওয়া তার পক্ষে সম্ভব নয়।

চর এসে খবর দিল প্রহরীরা ভরতকে সিঁড়ির মুখ থেকেই ফিরিয়ে দিয়েছে। ভরত বসে আছে কাছাকাছি এক গাছের নীচে। মহারাজ দৈবাৎ বেরিয়ে এলে সে কথা বলার চেষ্টা করবে।

দাসীদের মধ্যে শ্যামা যেমন চতুর, তেমনই তার চটকদার চেহারা। রাজার বিশ্বস্ত প্রহরীরাও তার সঙ্গে কঠোরভাবে কথা বলে না, দু একজনের সঙ্গে তার গূঢ় সম্পর্কই আছে। ভানুমতী বললেন, শ্যামা, কেউ ভেতরে ঢুকবে না বুঝলাম। যারা পাহারা দিচ্ছে, তাদের দিয়েই খবর পাঠাতে পারিস না? চিতুরাম ও বাড়িতে খাবারদাবার দেয়, তাকে বলবি, যে-কোনও ছুতোয় শুধু মহারাজের কাছে একবার মহারানী কথাটা উচ্চারণ করবে। তা হলেই ওঁর মনে পড়ে যাবে।

শ্যামা সেই দায়িত্ব নিয়ে ছুটে চলে গেল।

এখন দ্বিপ্রহরের আহারের সময়, কিন্তু বাগানবাড়ি থেকে খবর এসেছে, মহারাজ এখনও কিছু খেতে চাননি। ভানুমতী হাসি হাসি মুখে বললেন, তা হলে তো আমিও কিছু খাব না।

অন্যদের খিদে পেয়ে গেছে, মনোমোহিনী এর মধ্যেই টুকিটাকি কিছু খেয়ে এসেছে। প্রত্যেকদিন সে ভানুমতীর সঙ্গে ভাত খায়। ভানুমতীর সংকল্প শুনে অন্য কেউ খেতে গেল না।

একটু পরেই সুসংবাদ এল যে শ্যামা ও বাড়ির ওপরে উঠে গেছে। স্ত্রীলোক হয়েও সে কী করে ঢুকল সেটা বিস্ময়কর হলেও শ্যামার পক্ষে সবই সম্ভব। প্রহরীদের সে পোষা কুকুরের মতন বশ করে ফেলেছে।

কিন্তু শ্যামা ফিরে আসছে না কেন? খানিকবাদে ভানুমতী সত্যিকারের উতলা হয়ে উঠলেন। ওখানে তো তাকে ঘন্টার পর ঘন্টা থাকতে বলা হয়নি। কোনও প্রহরীর সঙ্গে গোপনে আশনাই করছে নাকি? মহারাজের কানে টুক করে কথাটা তুলেই তো সে ফিরে আসবে। শ্যামার কোনও বিপদ হল? মহারাজ বীরচন্দ্র খুব ক্রুদ্ধ হলেও কারুকে চরম শাস্তি দেন না। শ্যামাকে ভানুমতী বিশেষ পছন্দ করেন, তার জন্য দুশ্চিন্তায় ছটফট করতে করতে তিনি বলতে লাগলেন, ওরে দেখ না, শ্যামার কী হল।

তিনজন চর আড়াল থেকে নজর রাখতে রাখল বাগানবাড়ির দিকে। ভরত একটা গাছতলায় নিথর হয়ে বসে আছে। শ্যামার কোনও চিহ্ন নেই। ভরত সাক্ষি আছে, শ্যামা ও বাড়ি থেকে বেরিয়ে আসেনি। প্রহরীরা কিছুই বলতে চায় না।

ভানুমতীর এবার একটি বিশেষ নির্দেশ এল প্রহরী দুজনের কাছে। মহারাজের আদেশ তারা কারুকে ভেতরে ঢুকতে দেবে না সেটা ঠিক কথা। কিন্তু মহারানীর নিজস্ব দাসী শ্যামাকে তারা ভেতরে যেতে দিয়েছে। শ্যামা ও বাড়িতে কোথায় আছে এবং এতক্ষণ কী করছে তা যদি প্রহরীরা মহারানীকে না জানায়, তা হলে প্রহরী দুজনের গ্রামের বাড়িতে আগুন জ্বালিয়ে দেওয়া হবে।

প্রহরীরাও মহারানী ভানুমতীর ক্ষমতা জানে। তাঁর আদেশে শুধু দুটি বাড়ি কেন, পুরো একটা গ্রাম জ্বলে যেতে পারে। তারা ভানুমতীর চরকে জানিয়ে দিল যে, শ্যামা রয়েছে স্বয়ং মহারাজের সন্নিধানে। অনেকক্ষণ। সে কোনও শাস্তিও পায়নি, কেননা তার এবং মহারাজের কথোপকথনও শোনা যাচ্ছে মাঝে মাঝে। প্রহরীরা আরও যা জানাল, তা মহারানীর কানে তোলা যায় না। একজন প্রহরী বন্ধ দরজার চাবির গর্ত দিয়ে দেখেছে যে, শ্যামার অঙ্গে বসন নেই, সে রঙ্গিনীর মতন দাঁড়িয়ে আছে একটি চেয়ারের হাতল ধরে।

শ্যামা এক ঘন্টারও বেশি সময় ধরে মহারাজের সঙ্গে এক কক্ষে রয়েছে শুনেই ক্রোধে জ্বলে উঠলেন ভানুমতী। তিনি তীক্ষ্ণস্বরে চিৎকার করে উঠলেন, শ্যামা, হারামজাদি, তোর এত সাহস! জিভ টেনে ছিঁড়ে দেব! আয়, শিগগির চলে আয়!

যেন শ্যামা শ্রবণ-দূরত্বে আছে, যেন সে মহারানীর হুকুম শুনতে পেয়েই ছুটে চলে আসবে। ভানুমতী আর কোনও যুক্তির কথা শুনতে চাইলেন না, তিনি বার বার শ্যমার নাম ধরে ডাকতে লাগলেন। দাসীরা আবার ছুটে গেল। কিন্তু ঘর-বাড়ি পুড়ে যাবার ভয় থাকলেও কোনও প্রহরীর সাহস নেই মহারাজের কক্ষ থেকে শ্যামাকে ডেকে আনার, তারা দাঁড়িয়ে রইলো বধিরের মতন।

অপরাহ্ণও শেষ হয়ে গেল, আকাশে বর্ণবাহার ছড়িয়ে সূর্যদেব অস্ত গেলেন। পাখিরা কুলায় ফিরল, গাছপালাগুলো ঝাপসা হয়ে গেল, মানুষের জীবনযাপনের শব্দ স্তিমিত হয়ে এল। রাজপুরীর দেউড়ির দু পাশে দাউ দাউ করতে লাগল দুটি মশাল, নির্দিষ্ট দাসীরা প্রতিটি কক্ষে রেড়ির তেলের প্রদীপ জ্বেলে দিতে এল।

মহারানী ভানুমতী এখন অপ্রকৃতিস্থের মতন ছটফট করছেন। পালঙ্ক থেকে নেমে একবার আলুথালু বেশে ছুটে বেড়াচ্ছেন সারা ঘর, কেউ তাঁকে ধরে রাখতে পারছে না। কখনও নিজেই শুয়ে পড়ে দাপাচ্ছেন হাত-পা । অনবরত বলছেন শ্যামা কোথায়, শ্যামা, তাকে ডেকে নিয়ে আয়,সে হতচ্ছাড়ির নাকে দড়ি দিয়ে টেনে নিয়ে আয়, এত বড় সাহস তার, কোথায় সে লুকিয়ে আছে।

মহারাজের নাম আর উচ্চারণ করছেন না তিনি। এক অভিজ্ঞ, কূটনীতিজ্ঞ, প্রণয় নিপুণ পুরুষের প্রতিশ্রুতিতে বিশ্বাস করে বসেছিলেন এই রমণী, সরলা বালিকার মন বিশ্বাস, এখন তাঁর পুঞ্জীভূত অভিমান যেন বিষ হয়ে গেছে, সেই বিষের জ্বালা তাঁর সর্বাঙ্গে। অন্য কেউ কোনও সান্ত্বনা দিতে পারছে না, সবাই নীরব, এমনকি চপল স্বভাব মনোমোহিনী পর্যন্ত আড়ষ্ট হয়ে দাঁড়িয়ে আছে একপাশে।

এক সময় লাফ দিয়ে খাট থেকে নেমে এসে ভানুমতী এক দাসীর টুটি চেপে ধরে ডাকিনীর মতন চক্ষু পাকিয়ে বিকট স্বরে জিজ্ঞেস করলেন, শ্যামা কোথায় আছে বল? তোরা জানিস, আমার কাছে লুকোচ্ছিস।

দাসীটি প্রাণের দায়ে বলল, শ্যামা এখনও মানা-ঘরে রয়েছে। আর কোথাও যায়নি। তিন সত্যি করে বলছি, রানীমা–

ভানুমতীর তার মাথা ধরে প্রবল ঝাঁকুনি দিয়ে বললেন, কেন তাকে ডেকে আনছিস না? যা, যা–

দাসীটি বলল, সে ঘরের দরজা বন্ধ। ভেতর থেকে কুলুপ দেওয়া–

হঠাৎ থেমে গেলেন ভানুমতী, তাঁর হাত অবশ হয়ে গেল, চক্ষু থেকে নিবে গেল তেজ। তিনি নিঃশব্দে দাঁড়িয়ে রইলেন কয়েক মুহূর্তে, যেন একটা কাঠামোবিহীন খড়ের মূর্তি, এখনই খসে পড়বেন ভূমিতে। ফাঁকা গলায় বললেন, তোরা যা, সবাই যা, কেউ থাকিস না, আমি এখন শোব।

একে একে সবাই বেরিয়ে গেল ঘর থেকে। মনোমোহিনী ইতস্তত করছিল, ভানুমতী তাকেও বললেন, চলে যা এখান থেকে।

তারপর দরজা বন্ধ করতে করতে বললেন, আর আমাকে কেউ ডাকবি না। এই দরজা আর খোলা হবে না।

কোনও কোনও সংবাদের প্রচার মাধ্যম লাগে না। কোনও কোনও সংবাদ দেওয়াল কিংবা বন্ধ দরজার বাধাও মানে না। গভীর রাতে মহারাজ বীরচন্দ্র যখন বাগানবাড়ি থেকে ছুটে এলেন প্রাসাদে, ততক্ষণে ভানুমতীর ঘরের দরজা ভাঙা হয়ে গেছে। সারা সন্ধে সেই দরজার বাইরে ভিড় করে দাঁড়ানো নারীরা শুনছিল ভেতরের কাতর শব্দ। শুধু বুকফাটা তীক্ষ্ণ আঃ আঃ ধ্বনি। অন্য মহল থেকে ছুটে এসেছিল রানীরা। শত ডাকাডাকিতেও দরজা খোলেননি ভানুমতী। এক সময় তাঁর সেই আর্তনাদও থেমে গিয়েছিল। তারপর আর কোনও সাড়াশব্দ নেই। তখন কুমার রাধাকিশোরের নির্দেশে দরজা ভেঙে ফেলা হল।

মহারাজ বীরচন্দ্র পালঙ্কের পাশে দাঁড়িয়ে দেখলেন ভানুমতীর বুকের ওপর দু হাত চাপা, চক্ষু দুটি খোলা, প্রাণ বায়ু নির্গত হয়ে গেছে অনেকক্ষণ আগে। সারা ঘরময় ভানুমতীর অলঙ্কার ছড়ানো। কাছে কোনও বিষের পাত্র নেই, শরীরে কোনও অস্ত্রাঘাতের চিহ্ন নেই। রাজবৈদ্য দীর্ঘশ্বাস ফেলে জবাব দিয়েছেন।

বীরচন্দ্র আস্তে আস্তে হাঁটুগেড়ে বসলেন ভূতপুর্ব মহারানীর পায়ের কাছে। ফুঁপিয়ে ওঠার আগে বললেন, ঘরটা ফাঁকা করে দাও, এখন এখানে কেউ থাকবে না।

॥ ৬ ॥

রাজপুরী একেবারে নিস্তব্ধ। বড় একটা বটগাছে অসংখ্য পাখির বাসার মতন এই প্রাসাদেও খোপে খোপে অনেক মানুষ। তবু তারা চলা ফেরার সময় পায়ের আওয়াজ গোপন করতে ব্যস্ত। সবাই কথা বলছে ফিসফিসিয়ে। মহারাজ বীরচন্দ্র গভীর শোকে মগ্ন। শুধু শোকগ্রস্তই নয়, মহারাজ মহাক্রুদ্ধও হয়ে আছেন। সচরাচর খোসমেজাজি ও সুরসিক বীরচন্দ্র এখন যখন-তখন অগ্নিশর্মা হয়ে উঠছেন। কেউ তাঁর সামনে পড়তে সাহস পায় না। এর মধ্যে একজন আলতা-দাসীকে দেখে তিনি সম্পূর্ণ বিনা কারণে গর্জে উঠে বলেছিলেন, এই, তুই এখানে কী করছিস, বেরিয়ে যা, বেরিয়ে যা। জীবনে আর কখনও এই প্রাসাদে ঢুকবি না!

মহারানী ভানুমতীর মৃত্যুতে বীরচন্দ্রের এমন তীব্র প্রতিক্রিয়া তাঁর পারিষদদের অবাক করে দিয়েছে। মহারাজকে চোখের জল ফেলতে কেউ কখনও দেখেনি, মাঝে মাঝে গান-বাজনা শুনতে শুনতে তাঁর চক্ষু সজল হয়ে ওঠে বটে, কিন্তু শোক-তাপ তিনি শান্তভাবে সহ্য করতে জানেন। রাজা-মহারাজাদের সর্বসমক্ষে বেশি আবেগ বা উচ্ছ্বাস দেখাতে নেই। এবারেও মহারাজ অন্যদের সামনে কাঁদেননি, বাগানবাড়ি থেকে দৌড়ে এসে ভানুমতীর শয্যার পাশে বসে পড়ে তিনি ঘর খালি করে দিতে বলেছিলেন, কিন্তু দূর থেকে অনেকে তাঁর

হাহাকার শুনতে পেয়েছে। ভানুমতীর মৃত্যু খুব আকস্মিক, তিনি সুস্বাস্থ্যবতী ছিলেন, রোগ ছিল না কোনও, সেজন্য মহারাজ এত বেশি আঘাত পেয়েছেন, তা অস্বাভাবিক নয়, তবু তাঁর পরের ব্যবহার ব্যাখ্যা করা যায় না। তিনি পালঙ্কে ভানুমতীর মৃতদেহ আঁকড়ে শুয়েছিলেন, রাত্রি-প্রভাতেও সেই শব দাহ করতে দিতে রাজি হননি। শিশুর মতন অবোধ হয়ে গিয়ে তিনি বারবার বলছিলেন, না, না, ভানুকে কেউ আমার কাছ থেকে নিয়ে যেতে পারবে না! সরে যা, তোরা সব সরে যা! আত্মীয়-পরিজন, তাঁর একান্ত সচিব, রাজপুত্রদের অনুরোধেও তিনি কর্ণপাত করেননি। সারা দিনে মহারাজের আলিঙ্গন থেকে সেই মৃতদেহ ছাড়াতে পারেনি কেউ। শেষপর্যন্ত কুমার সমরেন্দ্রচন্দ্র, যুবরাজ রাধাকিশোর মহারাজের পা ধরে মিনতি করতে লাগলেন। মৃত্যুর চব্বিশ ঘন্টার মধ্যে দাহ কার্য সম্পন্ন করতে না পারলে মহা পাপ হয়।

শ্মশানে যাননি মহারাজ। তিনি ভানুমতীর কক্ষেই রয়ে গেলেন। মহারানীর সঙ্গে রাত্রিযাপন করার প্রতিশ্রুতি দিয়েও তিনি আসেননি, এখন তিনি রাতের পর রাত কাটাতে লাগলেন এই শূন্য ঘরে। মাঝে মাঝে তিনি উচ্চঃস্বরে কার সঙ্গে কথা বলেন?

তিনদিন তিনি সেইমহল থেকে বেরুলেন না একবারও, রাজকার্যে তাঁর মতি নেই, জরুরি কোনও দলিলে সই করতেও তিনি রাজি নন। দাস-দাসীরা খাবার সাজিয়ে দিয়ে যায়, তিনি স্পর্শ করেন না কিছুই। অন্য রানীরা এসে সাধ্য সাধনা করেছেন কত, কর্ণপাত করেননি মহারাজ। তাঁর ওপর জোর করার কেউ নেই। বীরচন্দ্রের জননী এখনও জীবিত, কিন্তু তিনি বর্তমানে রয়েছেন উদয়পুরে।

তিনদিন পর মহারাজ সেই কক্ষ থেকে বেরুলেন বটে কিন্তু কথা বলেন না কারুর সঙ্গে। তাঁর হাঁটা-চলা যেন স্বপ্নচালিতের মতন। দৃষ্টিতে কিন্তু ঔদাসীন্য নেই, মুখখানা গনগনে হয়ে আছে রাগে। তিনি নিজের ওপরেই সাঙ্ঘাতিক ক্রুদ্ধ। ভানুমতীকে তিনি কতকাল ধরে চেনেন, ভানুমতীর তেজ, জেদ, চাপল্য, রাগ সবই তিনি জানেন। কিন্তু অভিমানের বশে ভানুমতী যে আত্মঘাতিনী হতে পারেন, তা তিনি স্বপ্নেও ভাবেননি। সচিব, দেওয়ান আর ঠাকুর লোকদের সন্তুষ্ট করার জন্য রাধাকিশোরের নাম তিনি যুবরাজ হিসেবে ঘোষণা করেছিলেন ঠিকই, কিন্তু এ প্রস্তাব তো তিনি আবার ইচ্ছে করলেই বদল করতে পারেন। সমরেন্দ্র তাঁর প্রিয় সন্তান। ভানুমতী এটা না বুঝেই চলে গেল!

ভোজ উৎসবের পরদিন সকালেই সমরেন্দ্র দূরের জঙ্গলে চলে গিয়েছিল শিকার করতে তার মামার বাড়ির আত্মীয়দের সঙ্গে। শিকারের উপলক্ষ শলা-পরামর্শের পক্ষেও আদর্শ। মায়ের মৃত্যুর সংবাদ দিয়ে ফিরিয়ে আনা হয়েছে সমরেন্দ্রকে। পিতার মুখের ওপর সে কোনও কথা বলতে পারে না, কিন্তু বোঝাই যায় যে সে সাঙ্ঘাতিক ক্ষুব্ধ, সে মহারাজের ঘরের দিকে আসছে না একবারও।

বীরচন্দ্র প্রাসাদ থেকে বেরিয়ে উদ্যানে পায়চারি করছেন কখনও কখনও, মাঝে মাঝে কমলদিঘির ধারে একা বসে থাকছেন চুপটি করে। স্কুল পালানো বালকের মতন ছোট ছোট ঢিল ছুঁড়ে দেখছেন তরঙ্গভঙ্গ। গভীর কালো জলে যেন কার চোখের কথা মনে পড়ে। ঘন বৃক্ষরাজির আড়ালে কোনও একটা পাখি এক টানা শিস দিয়ে চলেছে. মহারাজ সে দিকে তাকিয়ে থাকেন, পাখিটাকে দেখা যায় না। ওই শিসের মতনই মহারাজের অবচেতনে কিছু যেন গুঞ্জরিত হচ্ছে, অদেখা-পাখিটার মতন তা ভাষায় রূপ পাচ্ছে না।

এক একবার তিনি উঠে যাচ্ছেন মানা-ঘরে, অসমাপ্ত ছবি আঁকার চেষ্টা করে একটু পরেই ফেলে দিচ্ছেন তুলি। ফটোগ্রাফির ঘরে গিয়ে নাড়াচাড়া করছেন পুরনো প্রিন্ট। গানের ঘরে বাজাতে চেষ্টা করছেন এস্রাজ, কিছুতেই মন লাগছে না। কিছুতেই মনের অবসাদ কাটছে না।

বেশ কয়েকজন মহারাজের কাছাকাছি গিয়ে ধমক খেয়েছে। একান্ত সচিব ঘোষমশাই বুদ্ধিমান মানুষ, তিনি প্রথম কয়েকদিন মহারাজের সঙ্গে কোনও কথাই বলতে যাননি, বয়স্ক মানুষকে সান্ত্বনা দেওয়া যে অতি দুঃসাধ্য তা তিনি জানেন। রাজা-মহারাজারা সহজে কাতর হন না, আর যে রাজার অনেক রানী, তাঁর পক্ষে এক বিগতযৌবনা রানীর মৃত্যুতে এমন ব্যাকুল হয়ে পড়া নিছক শোক হতে পারে না, আরও অন্য কিছু কারণ আছে নিশ্চিত। ঘোষমশাই দূর থেকে কয়েকদিন মহারাজকে লক্ষ করলেন, তারপর যখন দেখলেন রাজকার্য প্রায় অচল হয়ে পড়েছে তখন তিনি অবলম্বন করলেন এক কৌশল।

ছবি-ঘরে একটা তুলি হাতে নিয়ে বিহ্বল হয়ে বসে আছেন বীরচন্দ্র। আজ সকালে ঠিক করেছিলেন, ভানুমতীর একটি চিত্র অঙ্কন করবেন। কিন্তু ইজেলের সামনে দাঁড়াবার পর, কী আশ্চর্য, ভানুমতীর মুখচ্ছবি স্পষ্ট মনে আসছে না। এও কী সম্ভব! ভানুমতীর কথা চিন্তা করে তাঁর নিদ্রাহীন রাত কাটে, অন্ধকারের মধ্যে জ্বল জ্বল করে ভানুমতীর মুখ, আর এখন এই দিবালোকে সেই মুখ আবছা হয়ে গেল কী করে? কেমন যেন জলে-ডোবা মূর্তির মতন?

ভানুমতীর ফটোগ্রাফ তিনি তুলেছেন কয়েকখানা। এখানে হাতের কাছে তার প্রিন্টগুলি নেই, খুঁজতে প্রবৃত্তিও হচ্ছে না, মনশ্চক্ষে দেখতে না পেলে ফটোগ্রাফ দেখে চিত্রাঙ্কনের প্রয়োজন কী? মনের কোন অতলে তলিয়ে যাচ্ছেন মহারানী!

এই সময় মহারাজ যেন কার কণ্ঠস্বর শুনতে পেলেন। কে যেন মন্ত্র উচ্চারণ বা স্তোত্র পাঠ করছে। একটুক্ষণ উৎকর্ণ হয়ে তিনি বুঝলেন, না, সংস্কৃত নয়, বাংলা। জানলা দিয়ে তিনি দেখলেন, প্রশস্ত বারান্দায় ধীর পদে পায়চারি করছেন ঘোষমশাই। পরিষ্কার, ঝঙ্কৃত কণ্ঠে আবৃত্তি করছেন:

“হয় তো জানো না, দেবি, অদৃশ্য বাঁধন দিয়া
নিয়মিত পথে এক ফিরাইছ মোর হিয়া।
গেছি দূরে, গেছি কাছে, সেই আকর্ষণ আছে,
পথভ্রষ্ট হই নাকো, তাহারি অটল বলে!
নইলে হৃদয় মম ছিন্ন ধুমকেতু-সম
দিশাহারা হইত সে অনন্ত আকাশ তলে!.......”

মহারাজ জিজ্ঞেস করলেন, কী পড়ছ, ঘোষমশাই, এ কার কবিতা?

ভানুমতীর মৃত্যুর পর পঞ্চম দিনে এই প্রথম বীরচন্দ্রের কণ্ঠ থেকে একটি স্বাভাবিক বাক্য নির্গত হল।

ঘোষমশাই কাছে এসে মহারাজকে নমস্কার করে বললেন, শশিভূষণের কাছে একটা বই আছে। তাতে এই পঙ্‌ক্তিগুলি পড়ে ভালো গেলে গেল। আমাদের বৈষ্ণব কাব্যে রাধার বিরহ কিংবা শোকের কথা অনেক আছে। কিন্তু পুরুষের শোকের কাব্য বিশেষ চোখে পড়ে না। এই কবির বইটিতে অনেক অংশই পুরুষের আক্ষেপ ও বেদনায় ভরা।

মহারাজ বললেন, কবিটি কে? হেমবাবু কিংবা নবীনবাবু?

ঘোষমশাই বললেন, না, না। এ এক অতি তরুণ কবির রচনা। এর নাম রবি ঠাকুর।

মহারাজ ভ্রুকুঞ্চিত করে বললেন, ঠাকুর? আমাদের ত্রিপুরার ঠাকুর লোকদের কেউ নাকি?

ঘোষমশাই বললেন, না, মহারাজ। ত্রিপুরায় কবি বলতে তো আপনিই একমাত্র। আর মদন মিত্তির আছেন। এই রবি ঠাকুর কলকাতার। এঁর সম্পর্কে আমি বিশেষ কিছু জানি না। শশিভূষণ অনেক খবর রাখে।

মহারাজা বললেন, আহা, ভারি খাসা রচনা! আবার শোনাও তো!

ঘোষমশাই পুনরায় আবৃত্তি করলেন :

"হয়তো জানো না, দেবি, অদৃশ্য বাঁধন দিয়া
নিয়মিত পথে এক ফিরাইছ মোর হিয়া..."

ঘোষমশাই থামতেই মহারাজ অতৃপ্তভাবে বললেন, আহা! এ যে আমারই মনের কথা। আরও শোনাও। আর একটু!

ঘোষমশাই সঙ্কুচিতভাবে বললেন, আর যে মনে নেই। মাত্র দু একবার পড়েছি। শশিভূষণের কাছ থেকে বইখানা আনাব?

শশিভূষণের কাছে খবর যাবে, তারপর বইটি আসবে, এই দেরিটুকুও যেন সহ্য করতে পারবেন না মহারাজ, তাই বললেন, চলো তো, শশিভূষণের কাছে বইটা দেখি গে।

এই কদিন বীরচন্দ্র পোশাক পরিবর্তন করেননি, ধুতি ও বেনিয়ান মলিন হয়ে গেছে, পায়ে খড়ম, গালে খোঁচা খোঁচা দাড়ি, তিনি দ্রুত পদে এগিয়ে চললেন পাঠশালা-বাড়ির দিকে।

আজ সকালেও শশিভূষণ একজন মাত্র ছাত্র নিয়েই ক্লাস চালাচ্ছেন। শ্লেটে ইংরেজি লেখা শিখছে ভরত। এর মধ্যেই সে শুনে শুনে লিখতে শিখেছে অনেকটা । শশিভূষণ ডিকটেশন দিচ্ছেন, Once upon a time, there lived.........

মহারাজ ভেতরে ঢুকে দাঁড়িয়ে পড়লেন। ঘোষমশাই প্রায় দৌড়ে এসে বললেন, ওই যে সেই রবিবাবুর বইটা, বার করো তো, শিগগির, শিগগির—

শশিভূষণ বললেন, বইটা তো আমি ভরতকে পড়তে দিয়েছি। ভরত, কোথায় রেখেছিস রে? তোর ঘরে?

বইখানি ভাগ্যক্রমে ভরতের সঙ্গেই আছে। ছেঁড়া ঝুলি থেকে বইটি বার করে দিয়ে অদৃশ্য হয়ে যাবার ভঙ্গিতে সে দেয়ালের এক কোণে সেঁটে দাঁড়িয়ে রইল।

মহারাজ পাতা খুলেই পড়তে লাগলেন:

"স্নেহের অরুণালোকে খুলিয়া হৃদয় প্রাণ
এ পাড়ে দাঁড়ায়ে, দেবি, গাহিনু যে শেষ গান
তোমারি মনের ছায় সে গান আশ্রয় চায়
একটি নয়নজল তাহারে করিও দান।....."

মুখ তুলে তিনি বললেন, তুমি ঠিক বলেছ, ঘোষমশাই পুরুষের এমন বেদনার গাথা তো আগে এত মর্মন্তুদ করে কেউ লেখেনি। আহা, নিশ্চয় এর বুকেও শোকের শেল বিঁধছে। আমারই মতন এই কবিও বুঝি তার প্রিয়তমা মহিষীকে সদ্য হারিয়েছে!

শশিভূষণ গলা খাঁকারি দিয়ে বললেন,না, মহারাজ—

বীরচন্দ্র বললেন, না মানে?

শশিভূষণ বললেন, এই কবির বয়েস খুবই কম, একুশ-বাইশের বেশি নয়। আমি যতদূর জানি, ইনি বিবাহ করেননি!

বীরচন্দ্র বললেন, কলকাতার বাবুদের বুঝি একুশ-বাইশ বছরে বিবাহ হয় না? কত বয়েস পর্যন্ত তারা আইবুড়ো থাকে?

শশিভূষণ বললেন,তা নয়, ওই বয়েসে অনেকেরই বিবাহ হয় বটে, তবে ইনি তো বড় ঘরের ছেলে, এঁদের বিবাহ খুব ঘটা করে হয়, সংবাদপত্রে সে খবর ছাপা হয়।

—বড় ঘর মানে কোন ঘর?

—জোড়াসাঁকোর ঠাকুর বাড়ি। এই রবিবাবু দেবেন ঠাকুরের কনিষ্ঠ পুত্র।

—দ্বারকানাথ ঠাকুরের বংশ। দ্বারকাবাবুর সঙ্গে আমাদের পরিবারের একবার যোগাযোগ হয়েছিল বলে শুনেছি। দেবেন্দ্রবাবুর নাম শুনেছি বটে, কখনও সাক্ষাৎ হয়নি।

—ওই ঠাকুরবাড়ি থেকে ভারতী নামে একটা মাসিক কাগজ বেরোয়। আপনি বোধ হয় সে পত্রিকাটি দেখেননি, মহারাজ। আমি সেই পত্রিকার গ্রাহক। সে কাগজে প্রত্যেক সংখ্যায় এই ছেলেটির একাধিক লেখা থাকে। নাম ছাপা হয় না অবশ্য, কিন্তু আমি পড়লেই ঠিক চিনতে পারি। কবিতার চেয়েও ইনি গদ্য অধিক ভালো লেখেন। বালক বয়েস থেকেই রবি ঠাকুরের নানান রচনা পত্রপত্রিকায় ছাপা হচ্ছে। ছেলেটির বেশ কলমের জোর আছে। এর মধ্যেই একাধিক গ্রন্থ প্রকাশিত হয়ে গেছে। অবশ্য নিজেরাই পয়সা খরচ করে ছাপায়।

বইখানির প্রথম পৃষ্ঠা খুলে মহারাজ অস্ফুট স্বরে বললেন, একুশ-বাইশ বছরের ছেলে?

বইটির নামপত্রে লেখা: ভগ্নহৃদয়। শ্রী রবীন্দ্রনাথ ঠাকুর প্রণীত। কলিকাতা বাল্মীকি যন্ত্রে.........মুদ্রিত .... । দাম এক টাকা।

উৎসর্গের পৃষ্ঠায় শ্রীমতি হে-র উদ্দেশ্যে লেখা একটি পাঁচ স্তবকের উপহার কবিতা। মহারাজ চোখ তুলে জিজ্ঞেস করলেন, 'শ্রীমতী হে—', এর মানে কী?

ঘোষমশাই বললেন, হেমাঙ্গিনী বা হেমবালা-টালা কেউ হবে।

মহারাজ আবার জিজ্ঞেস করলেন, তবে যে তোমরা বললে এর বিবাহ হয়নি?

ঘোষমশাই বললেন, মা কিংবা দিদি-টিদি কেউ হতে পারে।

মহারাজ এবার খানিকটা ধমকের সুরে বললেন, মা কিংবা দিদি হলে এমন সাঁটে নাম লিখবে কেন?

এ প্রশ্নের কী উত্তর হতে পারে তা শশিভূষণ বা ঘোষমশাই কেউই জানেন না। সুতরাং নীরব রইলেন।

মহারাজ জানতে চাইলেন, এই ছেলেটির আর কী বই আছে?

শশিভূষণ বললেন, আমি 'রুদ্রচণ্ড' নামে একটি নাটিকা পড়েছি। সেখানি তেমন সরেশ হয়নি। তবে, 'ভারতী' পত্রে এর গদ্য রচনাগুলি একেবারে অনবদ্য।

মহারাজ 'ভগ্নহৃদয়' থেকে নিজে কয়েক লাইন পড়লেন। তারপর ঘোষমশাইয়ের দিকে বইটি এগিয়ে দিয়ে বললেন, তুমি পাঠ করে শোনাও। তোমার কণ্ঠস্বর ভালো।

ঘোষমশাই পড়তে লাগলেন :

"আজ সাগরের তীরে দাঁড়ায়ে তোমার কাছে
পরপারে মেঘাচ্ছন্ন অন্ধকার দেশ আছে
দিবস ফুরাবে যবে   সে দেশে যাইতে হবে
এ পারে ফেলিয়া যাব আমার তপন শশী....."

কে বলে কবিতা পাঠের কোনও উপকারিতা নেই? এই কয়েকটি দিন বীরচন্দ্রের মনখানি দুর্ভেদ্য কুয়াশায় ঢাকা পড়েছিল। তাঁর বোধ বুদ্ধি, চিন্তাশক্তি অবশ হয়েছিল, এমনকি দৃষ্টিও ছিল ঝাপসা। কবিতা শুনতে শুনতে সেই কুয়াশার জাল কেটে যেতে লাগল, ফিরে এল অনুভূতির তীক্ষ্ণতা। ভানুমতীর মৃত্যুর পর তিনি তাঁর অভ্যেসমতন গোঁফ চুমড়োতেও ভুলে গিয়েছিলেন। এবার গোঁফে আঙুল বোলাতেই বোঝা গেল তিনি আবার স্বাভাবিক হয়ে আসছেন। ফিরে এল তামাকের নেশা। এমনকি এতদিন পর তিনি খিদে অনুভব করলেন।

কিছুক্ষণ কবিতা পাঠ শ্রবণ করার পর মহারাজ হুঁকো-বরদারের জন্য ছটফট করতে লাগলেন। ঘোষমশাইকে থামিয়ে দিয়ে তিনি বললেন, দাও, বইখানি আমি নিয়ে যাই।

এতক্ষণ পর ভরতের দিকে তাঁর চোখ গেল। ভরত এ ঘর ছেড়ে চলে যায়নি, সে তৃষ্ণার্তের মতন মহারাজ ও অন্য দু'জনের কথোপকথন ও কবিতা পাঠ শুনছিল। মহারাজ জিজ্ঞেস করলেন, কি রে, তুই এ সব পড়িস নাকি?

যে-কাব্য মহারাজের ভালো লেগেছে, সেই কাব্য মহারাজেরও আগে ভরতের মতন এক অকিঞ্চিৎকর মানুষের পক্ষে পড়ে ফেলাটা দোষের কি না তা সে বুঝতে পারল না। কিছু উত্তর দিল না সে, বিবর্ণ হয়ে গেল তার মুখখানি। ।

মহারাজ আর কিছু বললেন না, বেরিয়ে গেলেন দ্রুতপদে।

প্রাসাদে ফিরে মহারাজ স্নান করলেন অনেক সময় নিয়ে। তারপর পরিপূর্ণ আহারে বসলেন। সেই পর্ব শেষ হলে আলবোলার নলে কয়েকবার টান দিতে না দিতেই ঘুমে ঢুলে এল তাঁর চোখ। দিবানিদ্রা দিলেন প্রায় চার ঘন্টা। ঘুমের মধ্যে ভ্রুকুঞ্চন নেই, প্রশান্ত ওষ্ঠের ভঙ্গি। এক অর্বাচীন কবির রচনা তাঁকে সুস্থ করে তুলেছেন।

সন্ধের পর ভানুমতীর কক্ষে প্রদীপের আলোয় তিনি জোরে জোরে পাঠ করতে লাগলেন 'ভগ্ন হৃদয়' । যেন তিনি ভানুমতীকেই শোনাচ্ছেন।

পরদিন থেকে মহারাজ অনেকটা স্বাভাবিকভাবে সরকারি কাজকর্ম শুরু করলেন বটে তবে সবাইকে বুঝিয়ে দিলেন যে তাঁর শোকপর্ব এখনও শেষ হয়নি। প্রথম কয়েকটি দিন তাঁর ভাবাবেগ ছিল যুক্তিহীন রকমের বিহ্বল, তারপর তিনি মহারানীর বিচ্ছেদ শোক পালন করতে লাগলেন রাজকীয় প্রথাবিহিতভাবে। সকালে কিছুক্ষণ তিনি কীর্তন গান শোনেন, তখন তাঁর মুখখানি গম্ভীর থমথমে হয়ে থাকে, চক্ষু বুজে মাথা দোলান শুধু, আগেকার মতন আহা আহা শব্দে তারিফ করেন না। কিংবা নিজে আখর দিয়ে হঠাৎ হঠাৎ গেয়ে ওঠেন না।

ঠিক একঘন্টা কীর্তন শ্রবণের পর তিনি জলপান সেরে নেন, তারপর যান দরবারে। দেওয়ান ও মন্ত্রীদের তিনি প্রয়োজন মতন নির্দেশ দেন দুটি একটি বাক্যে। বোঝা যায় নিছক কর্তব্যের খাতিরেই তিনি সিংহাসনে এসে বসেছেন। কারুর আবেদন শুনতে শুনতে মধ্যপথে উঠে চলে যান অকস্মাৎ।

বিকেলবেলা গান-বাজনার আসর বসে বটে, কিন্তু কালোয়াতি গান কিংবা হালকা রসের গানও নয়। শুধু পদাবলি ও ধর্মসঙ্গীত। পঞ্চানন্দ পাখোয়াজ বাজিয়ে বিরহের পালা ধরে, তার গান শুনলে সকলেরই চোখে জল আসে। এই নেশাখোর, ধড়িবাজ লোকটি গান গাইবার সময় একেবারে রূপান্তরিত হয়ে যায়, তখন তার কণ্ঠ দিয়ে যেন অমৃত ঝরে।

রাত্রে মহারাজের শয্যা নারীবর্জিত। কোনও রানী কিংবা রক্ষিতার কক্ষেই তিনি এর মধ্যে একদিনও পদার্পণ করেননি। এমনকি স্ত্রীলোকদের সেবাও গ্রহণ করছেন না। ভানুমতীর স্মৃতি যে তাঁর হৃদয়ে তীব্রভাবে অঙ্কিত তা তিনি বুঝিয়ে দিচ্ছেন সকলকে।

ছবি আঁকা কিংবা ফটোগ্রাফি চর্চাও এখন সম্পূর্ণ বন্ধ। তবে দিনের কোনও সময়ে কিছুক্ষণের জন্য তিনি কবিতা রচনা করেন। 'ভগ্নহৃদয়' নামে এক তরুণ কবির কাব্যগ্রন্থ তাঁর নিজের কবিত্ব শক্তিকেও উস্কে দিয়েছে। বেশ ঝরঝর করে লিখে যেতে পারছেন পাতার পর পাতা। মহারাজের কবিতা চর্চা অবশ্য কোনও নিভৃত সাধনার ব্যাপার নয়। লেখামাত্রই তিনি কয়েকজনকে শোনাতে চান, সেইজন্য দু-তিনজন অন্তরঙ্গ ব্যক্তি সে সময় তাঁর কাছাকাছি থাকে। দুচার লাইন লিখেই তিনি তাদের শুনিয়ে জিজ্ঞেস করেন, ঠিক হয়েছে? উপমাটি কেমন, জুতসই তো? সেই লাইনগুলি মুখে মুখে ছড়িয়ে যায়। রাজপুরীর সবাই জানে মহারাজ বীরচন্দ্র মাণিক্য তাঁর প্রিয়তমা মহিষী ভানুমতীর স্মৃতি অমর করে রাখছেন কবিতায়।

ভানুমতীর অকাল মৃত্যুতে তাঁর বাপের বাড়ির পক্ষ, রাজধানীর মণিপুরি সম্প্রদায় খুবই ক্ষুব্ধ ও উত্তেজিত হয়ে আছে। নীরোগ মহারানীর এমন আচম্বিতে মৃত্যু বরণ করা খুবই সন্দেহজনক ঠিকই, কিন্তু তাঁর খাদ্যে বিষপ্রয়োগ কিংবা তাঁকে কোনওরকম হত্যার চেষ্টার বিন্দুমাত্র প্রমাণ পাওয়া যায়নি। রাজবৈদ্যরা সবাই একমত হয়ে ঘোষণা করেছে, মহারানী প্রাণত্যাগ করেছেন সন্ন্যাস রোগে। ঘুমের মধ্যে এই রোগে সহসা শ্বাস বন্ধ হয়ে যায়। তবু মহারানীর পুত্র সমরেন্দ্রকে যে দিন যুবরাজ পদ থেকে বঞ্চিত করা হল সেদিনই তাঁর মৃত্যু হল, এ জন্য মহারাজ পরোক্ষে অবশ্যই দায়ী। কিন্তু মহারাজের শোকের বহর দেখে মণিপুরিরা প্রকাশ্যে ক্ষোভ জানাতে পারছে না।

মহারানীর শ্রাদ্ধ হবে মহা আড়ম্বরের সঙ্গে, তার প্রস্তুতি শুরু হয়েছে। শ্রাদ্ধের অনুষ্ঠান হবে দু' জায়গায়, আগরতলায় এবং বৃন্দাবনে। মহারাজ স্বয়ং বৃন্দাবনে যাবার অভিপ্রায়ের কথা জানিয়েছেন। সে জন্য অনেক টাকার প্রয়োজন, অথচ রাজকোষের অবস্থা সুবিধের নয়।

মহারাজ একদিন একান্ত সচিব রাধারমণ ঘোষের সঙ্গে নিভৃত আলোচনায় বসলেন। হিসাব কষে দেখা হয়েছে, সমস্ত অনুষ্ঠান সুষ্ঠুভাবে সম্পন্ন করতে গেলে অন্তত এক লক্ষ টাকার প্রয়োজন। সে টাকা আসবে কোথা থেকে?

ঘোষমশাই একটুক্ষণ চিন্তা করে বললেন, এই কার্তিক মাসে প্রজাদের কাছ থেকে অতিরিক্ত রাজস্ব সংগ্রহের উপায় তো দেখি না। পীড়ন করতে গেলে বিদ্রোহ হবে।

বীরচন্দ্র বললেন, তা আমি বিলক্ষণ জানি। সেইজন্যই প্রজাদের ওপর চাপ দিতে চাই না। তাই তো তোমার কাছে অন্য উপায় জানতে চাইছি।

ঘোষমশাই বললেন, আর এক উপায় আছে কিছু সোনাদানা বিক্রি করা। সম্প্রতি মোহরের দাম উঠেছে আঠেরো টাকা ন আনা। গত সপ্তাহে দর ছিল সাড়ে আঠেরো টাকা। এখন ভালো দাম পাওয়া যাচ্ছে।

মহারাজ ভুরু কুঞ্চিত করে বললেন, সোনা-দানা বিক্রি করতে হবে কলকাতায়। অমনি কলকাতার খবরের কাগজওয়ালারা ঠিক জেনে যাবেন। তোমাদের কলকাতার কাগজগুলো আমার ব্যাপারে সবসময় ছিদ্রান্বেষী। অমৃতবাজার পত্রিকা পলিটিক্যাল এজেন্ট নিয়োগের ব্যাপারে প্রায়ই আমাকে খোঁচা দেয়। সোনা বিক্রির খবর ফাঁস হয়ে গেলে ওরা ধরে নেবে যে আমি দুর্বল হয়ে গেছি। অনেকেই ধরে রেখেছে যে ত্রিপুরার রাজমুকুট আমি ওয়াজিদ আলি শা'র মতন যেকোনও দিন ইংরেজদের হাতে তুলে দেব!

ঘোষমশাই দৃঢ়স্বরে বললেন, তা কোনওদিন হবে না। ত্রিপুরা চিরকাল স্বাধীন থাকবে। তবে ইংরেজ পলিটিক্যাল এজেন্ট এখানকার বিচার ব্যবস্থার রিফর্ম করার জন্য খুব চাপ দিচ্ছে। এর একটা সুরাহা করা দরকার।

মহারাজ বললেন, দাঁড়াও একটু সুস্থির হয়ে নিই, তারপর ও দিকে মন দেব। সোনা বিক্রি এখন হবে না, অন্য পথ বাতলাও।

ঘোষমশাই বললেন, কিছুদিন আগে এক ইংরেজ এ রাজ্যের বালিশিরার পাহাড় ইজারা নিতে চেয়েছিল। এককালীন প্রায় সওয়া লক্ষ টাকা দিতেও তাদের আপত্তি ছিল না। কথাবার্তা কিছুদূর এগিয়ে ছিল, তারপর আপনি আর রাজি হলেন না।

মহারাজ বললেন, হুঁ! রাজি হইনি কেন জান? প্রস্তাবটা ভালোই ছিল, কিন্তু লোকটি যে ইংরেজ। এ রাজ্য আমি বেশি ইংরেজ ঢোকাতে চাই না।

ঘোষমশাই বললেন, মহারাজ ইংরেজদের রোধ করার সাধ্য আমাদের নেই। আসতে চাইলে তারা আসবেই। তবু মন্দের ভালো যে এই লোকটি বেসরকারি ইংরেজ। পাহাড়গুলি এমনিই পড়ে আছে, আমরা কোনও কাজে লাগাতে পারি না। ইংরেজরা সেখানে ধাতু-খনিজের সন্ধান করবে। টাকার অঙ্কটাও বেশ ভালো।

মহারাজ দু-এক মিনিট চুপ করে রইলেন। এ প্রস্তাবটি তাঁর মনঃপূত হয়েছে। সাহেবটিকে একবার না বলে দেওয়া হয়েছে, এখন রাজি হলেও সে আর উৎসাহ দেখাবে কি না তা বাজিয়ে দেখা দরকার। চুক্তিটা সারতে হবে গোপনে, যাতে কেউ না ভাবে দেউলিয়া হয়ে গিয়ে তিনি রাজ্যের কিছু অংশ ইংরেজকে ইজারা দিচ্ছেন।

একটা দীর্ঘশ্বাস ফেলে মহারাজ বললেন, ঘোষমশাই, আমাকে এক কথায় এক লক্ষ টাকা কে ঋণ দিতে পারতো জান? সে নেই, আজ তারই জন্য আমাকে অন্যত্র অর্থ যাচ্ঞা করতে হচ্ছে। নিয়তির কি অদ্ভুত গতি! যাই হোক, তুমি দু-একদিনের মধ্যেই কলকাতায় যেতে পারবে?

ঘোষমশাই বললেন, অবশ্যই পারব মহারাজ।

মহারাজ বললেন, আমার সম্মতিপত্র নিয়ে তুমি নিজে যাও। একেবারে দলিল লিখিয়ে টাকা পাঠাবার ব্যবস্থা করো। এমনভাবে সব কাজটা করবে, যাতে আমার প্রজাদের মধ্যে প্রচার হয় যে তাদের মঙ্গলের জন্যই ইংরেজদের ডাকা হয়েছে।

ঘোষমশাই বললেন, সেটা মিথ্যে প্রচার হবে না। ইংরেজ কোম্পানি এসে এখানে খোঁড়াখুড়ির কর্মকাণ্ড শুরু করলে আমাদের প্রজারা অনেকে কাজ পাবে। তাদের জীবিকার সাশ্রয় হবে।

মহারাজ উঠে দাঁড়ালেন। ঘর থেকে বেরুতে গিয়েও থেমে গেলেন আবার। তাঁর মুখে একটা দ্বিধার ভাব। গোঁফ চোমড়াতে চোমড়াতে তিনি বললেন, তুমি ফিরে এলে........আমি বৃন্দাবন যাব......তারপর আমার আর একটা দায়িত্ব আছে। মহারানী ভানুমতী আমার কাছে সেই সন্ধ্যাবেলা একটা ইচ্ছা প্রকাশ করেছিলেন। তাঁর শেষ ইচ্ছা পালন করতেই হবে আমাকে।

ঘোষমশাইয়ের মুখের রেখা কাঁপল না, কিন্তু অন্তরে কেঁপে উঠলেন। যুবরাজ রাধাকিশোরকে বঞ্চিত করে আবার সমরেন্দ্রচন্দ্রের নাম উত্থাপন করবেন নাকি? এর মধ্যে রাধাকিশোর কিছু কিছু রাজকার্যের ভার নিয়ে যোগ্যতার পরিচয় দিয়েছেন। মহারাজের শোকের সময় তো সব কিছু সামলেছেন তিনিই। এখন হঠাৎ রাধাকিশোরকে সরিয়ে দিলে প্রচণ্ড একটা গণ আন্দোলন হবে। এ রাজ্যের অনেকেই রাধাকিশোরের পক্ষপাতী।

ধীরে ধীরে মস্তক আন্দোলন করে মহারাজ বললেন, তুমি যা ভাবছ, তা নয়, ঘোষমশাই, তা নয়। এখন আমি বিশৃঙ্খলা চাই না। তুমি ঘুরে এসো, তারপর আমি সব কথা খুলে বলব!

কক্ষ থেকে বেরিয়ে যেতে গিয়ে আবার কিছু মনে পড়ায় তিনি থমকে দাঁড়ালেন। ঘোষমশাইয়ের কাঁধে হাত রেখে বললেন, তোমার আর একটি কর্তব্য আছে। কলকাতায় যাচ্ছই যখন, একবার ঠাকুর বাড়িতে ঘুরে এসো আমার প্রতিনিধি হয়ে। দ্বারকানাথ ঠাকুরের নাতি অতি দিব্য কবিতা লিখেছে, তা পাঠ করে আমি বিশেষ শান্তি পেয়েছি। দেশের রাজার উচিত এমন এক প্রতিভাবান কবিকে শিরোপা দেওয়া। ইংরেজ ব্যাটারা তো এই কবিতার মর্ম বুঝবে না, কোনওদিন আমাদের কবিদের সমাদরও করবে না। তুমি খানকতক মোহর আর শাল-দোশালা আমার হয়ে উপহার দিও সেই কবিকে।

॥ ৭ ॥

ঘুমের মধ্যে ভরতের হঠাৎ শ্বাসরোধ হয়ে গেল। ছটফটিয়ে জেগে উঠতেই অন্ধকারের মধ্যে সে অস্পষ্টভাবে দেখল একটা দৈত্য ঝুঁকে আছে তার মুখের কাছে। তার বিশাল থাবায় চেপে ধরেছে তার নাক মুখ।

তা হলে ভরত তুই মরলি। এই তোর শেষ! আতঙ্ক ও যন্ত্রণার মধ্যে এই কথাই মনে এল তার। তার দৃঢ় বিশ্বাস হল, মাস্টারবাবুর কথা শুনে ইদানীং মা কালীর অস্তিত্ব সম্বন্ধে তার মনে যে সন্দেহ জন্মেছিল, সেই পাপেই তাকে মরতে হচ্ছে, স্বয়ং মা কালীই যমদূত পাঠিয়েছেন।

একটি ঘ্যাড়ঘেড়ে কণ্ঠ বলল, চুপ করে থাক ছোঁড়া, একটু শব্দ করলেই অক্কা পাবি।

ভরতের ততক্ষণে অজ্ঞান হয়ে যাবার মতন অবস্থা, চ্যাঁচাবার শক্তিই নেই।

যমদূত একটা গামছা দিয়ে শক্ত করে বাঁধল তার মুখ, তারপর চুল ধরে একটা হ্যাঁচকা টান দিয়ে বলল, চল!

ঘরের বাইরে ওই যমদূতের মতন বেহারার আর একজন লোক দাঁড়িয়ে আছে, তার হাতে একটা বর্শা। নেংটি পরা, খালি গা, মুখ দিয়ে ভকভক করে বেরুচ্ছে ধেনোর গন্ধ।

আকাশ আজ মেঘলা। বাতাসে হিম হিম ভাব। রাজপুরীর দেউড়িতে মশাল জ্বলছে বটে, কিন্তু ঘরগুলি সব অন্ধকার। সবাই ঘুমিয়ে পড়েছে, এখন কত রাত কে জানে। লোকদুটি ভরতকে ঠেলতে ঠেলতে খানিক দূর নিয়ে গেল, তারপর একটা ঘোড়ায় চড়িয়ে দিল। একজন বসল তার সঙ্গে।

ভরত মনে মনে বলল, ও ভরত , তোকে এরা গলা টিপে মারবে না, মা কালীর মন্দিরে নিয়ে গিয়ে বলি দেবে। সেটা এক হিসেবে ভালোই, গলা টিপে মারলে অপঘাতে মৃত্যু, তাতে ভূত হয়। আর মায়ের মন্দিলে বলি দিলে আত্মা তখনই মুক্তি পেয়ে যায়।

ভরতের সাঙ্ঘাতিক ভূতের ভয়, সে নিজেও ভূত হয়ে কারুকে ভয় দেখাতে চায় না।

কয়েকদিন ধরেই ভরত অনুভব করছিল, তার খুব বিপদ ঘনিয়ে আসছে। একটা আশঙ্কা বেড়াজালের মতন ঘিরে ধরছে তাকে। বিপদটা যে এইভাবে আসবে, তা সে ঠিক ভাবেনি। কী কুক্ষণে সে মাস্টারবাবুর নজরে পড়েছিল। লেখাপড়া শিখতে তার ভালো লাগে, কিন্তু ঠাকুর-দেবতা সম্পর্কে এত সব অকথা-কুকথা তিনি বলেন কেন?

একদিন ভরত মাস্টারবাবুকে বলেছিল, স্যার, আমাকে তারকদাদা বলেছে, ঠাকুর-দেবতার নামে দিব্যি কেটে যদি কেউ সে কথা না রাখে, তা হলে তার জিভ খসে পড়ে।

শশিভূষণ অনেকখানি জিভ বার করে বলেছিলেন, দেখ, আমার জিভ আস্তই আছে। শোন ভরত, তোকে একটা মজার গল্প বলি। কলকাতার ভবানীপুরে দুটি ভাই থাকত। ব্রাহ্মণের ছেলে, বড় ভাইটি খুব ভক্তিমান, সকালবেলা গায়ত্রী মন্ত্র জপ না করে সে জল পর্যন্ত খায় না, প্রত্যেকদিন পুজো-আচ্চা করে। অতিশয় সজ্জন আর ধার্মিক। তার ভাইটির স্বভাব-চরিত্র একেবারে বিপরীত। সে খনিজ পদার্থ নিয়ে উচ্চ লেখাপড়ার জন্য বিলেত গিয়েছিল, ফিরে এসেছে একেবারে নাস্তিক হয়ে। গরু-শুয়োর খায়, মদ খায়, রান্না ঘরে জুতো পরে যায়, অনেক রাত পর্যন্ত ইয়ার-বক্সিদের নিয়ে হৈ-হল্লা করে, ঠাকুর-দেবতার প্রতি-ভক্তি শ্রদ্ধার বালাই নেই। তার কথাবর্তা শুনে বড় ভাইটি কানে আঙুল দেয়, কিন্তু তাকে শাসনও করতে পারে না, কারণ সে অর্ধেক সম্পত্তির মালিক। একদিন হয়েছে কি, মাঝরাত্তিরে মা কালী ওই বড় ভাইটিকে স্বপ্নে দেখা দিলেন। রাগে চোখ পাকিয়ে মা কালী বললেন, তোর ওই ছোট ভাইটিকে শিগগির এ বাড়ি থেকে তাড়া। ওকে দূর করে দে। যদি তুই তা না করিস, তা হলে তোর সর্বনাশ হয়ে যাবে। তোকে আমি ওলাউঠায় নির্বংশ করে দেব। বড় ভাইটি হাত জোড় করে বলল, মা, আমি তো কোনও দোষ করিনি, আমায় ভয় দেখাচ্ছ কেন? তুমি ওকে ভয় দেখাও! ওর সর্বনাশ করে দাও! অমনি মা কালীর মুখখানা কাঁচুমাচু হয়ে গেল। তিনি বললেন, ওকে আমি কী করে ভয় দেখাব? ও যে আমাকে মানেই না!

ইস, এই খারাপ গল্পটা মনে পড়ল কেন? মায়ের কাছে বলি হবার আগে মনটাকে শুদ্ধ করে নিতে হবে। মা, তুমি আমাকে চেয়েছ, আমি ধন্য। পরের জন্মে আমি প্রতিদিন তোমার পুজো করব।

এরা কোন মন্দিরে নিয়ে যাচ্ছে! পাশাপাশি দুটি ঘোড়া ছুটছে তো ছুটছেই । অন্ধকার ভেদ করে পথ চিনে যেতে ওদের কোনও অসুবিধেই হয় না। ভরত দেখতে পাচ্ছে না কিছুই। বিশ্ব চরাচর তার চোখে এখন নিকষ কালো।

খুব লাগবে! অবশ্য কয়েক মুহূর্তের তো ব্যাপার। মালু করাতী এক কোপে মোষ বলি দেয়। একদিন পর পর তিনটি মোষের গলা কাটার পর রক্তাক্ত খাঁড়া তুলে, গাঁজা খাওয়া লাল চোখ ঘুরিয়ে ঘুরিয়ে বলেছিল, কেই হাতি মানত করে না? আমি এক কোপে হাতিও..........।

শুকনো পাতার শব্দে বোঝা যায় চারপাশে জঙ্গল। সেই জঙ্গলের গভীরে এসে এক জায়গায় ঘোড়া থামল। ধীরে সুস্থে নামাবার ধৈর্য নেই, সঙ্গীটি মাটিতে ঠেলে ফেলে দিল ভরতকে। তারপর নিজে নেমে ভরতের বুকের ওপর চেপে রাখল একটা পা। অন্যজন ঘোড়া দুটো বেঁধে বিড়ি ধরাল। বিড়ি টানতে টানতে কী যেন গল্প জুড়ে দিল দুজনে।

এখানে মন্দির কোথায়? ভরত ঘাড় ঘোরাতেও পারছে না ভয়ে। যদি মুখে লাথি মারে! বলি হওয়ার আগে আর শুধু শুধু অতিরিক্ত শাস্তি ভোগ করা কেন?

মুখের গামছাটা আলগা হয়ে গেছে, এখন সে ইচ্ছে করলে কথা বলতে পারে, কিন্তু কথা বলার সাহস নেই ভরতের।

একটু পরে ওদের একজন শাবল দিয়ে খুঁড়তে লাগল মাটি।

চিত-শোওয়া অবস্থায় ভরত দেখতে পাচ্ছে আকাশ। এখানে তেমন মেঘ নেই ঝিকমিক করছে কয়েকটা নক্ষত্র। পুণ্যবান মানুষ মরে গেলে আকাশের তারা হয়। চাঁদ নেই এদিকে। না, মাস্টারবাবুর কথা সে মানে না, আকাশেই দেবতারা থাকেন। কোনও দেবতা কি ভরতকে দেখছেন এখন? তার মা? কোনও কাছুয়া রমণীর যোগ্যতা নেই আকাশের তারা হবার, তাদের যে পাপের জীবন। পাপের মধ্যেই ভরতের জন্ম। এবার সে মুক্তি পাবে। মা কালী ভরতকে তাঁর চরণে আশ্রয় দেবেন।

মাস্টারবাবু তাকে মহাভারতের কর্ণের একটা উক্তি শিখিয়েছেন। দৈবায়ত্তং কুলে জন্ম, মদায়ত্তং হি পৌরুষম্! কোথায় তোমার জন্ম হল, তাতে তো তোমার হাত নেই, কিন্তু পৌরুষ নিজে আয়ত্ত করা যায়। মাস্টারবাবু বলেন, পুরুষ হও ভরত। নিজের বুদ্ধিতে সব কিছু বিচার করতে শেখো।

পৌরুষ মানে কী? কর্ণের মতন তীর-ধনুক চালনা শিখতে শুরু করেছিল ভরত। বিরজু সরদার বুড়ো হয়েছে বটে কিন্তু এখনও তার নজর ঠিক আছে। বিরজু বেশ যত্ন করেই শেখাচ্ছিল তাকে, কিন্তু কুমার বীরেন্দ্র একদিন তার ধনুকটা কেড়ে নিয়ে গেল। ভরতের নিজস্ব সম্পত্তি কিছুই নেই, তবু কখনও তার হাতে কোনও জিনিস থাকলেই কুমাররা কেউ না কেউ তা কেড়ে নিতে চায়। এখানে ভরত পৌরুষ দেখাবে কী করে? প্রত্যেক কুমারেরই নিজস্ব দলবল আছে, ভরতের কেউ নেই। সে একা।

একজন লোক মাটি খুঁড়েই চলেছে, অন্যজন তাকে তাড়া দিয়ে বলল, কী রে রাত ভোর করে দিবি নাকি? কতটা হল দেখি।

ভরতের বুকের ওপর থেকে পা সরিয়ে নিয়ে সে গর্তটা দেখতে গেল।

ভরত কোনও কিছু চিন্তা না করেই তড়াক করে উঠে দাঁড়াল, তারপর সোজা দৌড় দিল একটা বুনো শুয়োরের মতন। তাকে ছুটে ওরা ধরতে পারবে না।

সঙ্গে সঙ্গে একজন যমদূত তার দিকে ছুঁড়ল বর্শা। নিখুঁত তার টিপ, সেই বর্শা গেঁথে গেল তার বাম উরুর পেছন দিকে, হুমড়ি খেয়ে পড়ে গেল সে। লোকটি কাছে এসে হাসল। নিজের কৃতিত্বে সে মুগ্ধ। বর্শাটা ছাড়িয়ে নিতে নিতে সে বলল, এ কাঠামো তোর শেষ রে! ভাগবি কোথায়!

একটিমাত্র কাতর শব্দ করেই থেমে গেছে ভরত। শরীরটা খুঁতো হয়ে গেল, আর সে বলির কাজে লাগবে না। অবশ্য গর্ত খোঁড়া দেখেই সে বুঝেছিল, অপঘাতে মৃত্যুই তার ললাটলিখন। এ জন্মটা তো গেলই, পরাজন্মেও কুকুর-বেড়াল হয়ে লাথি-ঝাঁটা খেতে হবে। চোখের সামনে সে যেন শশিভূষণ মাস্টারের মুখখানা দেখতে পেল, তাঁর উদ্দেশে বলল,

পালাবার চেষ্টা তো করেছিলাম, একেবারে নির্জীবের মতন আত্মসমর্পণ করিনি। একেই পৌরুষ বলে বোধ হয়, সব জায়গায় পৌরুষ দেখিয়েও তো কিছু লাভ হয় না!

যমদূতটি চুলের মুঠি ধরে হ্যাঁচড়াতে হ্যাঁচড়াতে তাকে নিয়ে এল গর্তের কাছে। অন্যজনকে বলল,যথেষ্ট হয়েছে, ওতেই হবে। নে, এবার এটাকে ফেল।

গর্তের মধ্যে ভরা হল ভরতকে। গর্ত তেমন গভীর হয়নি, ওরা দুজনে ভরতের কাঁধ ধরে ঠেসে দিতে লাগল, যেমন ভাবে মাপে ছোট কোনও ওয়াড়ের মধ্যে ভরা হয় লম্বা পাশবালিশ, তলার দিকে পা দু' খানা বেঁকে গেল ভরতের ।শুধু কাঁধের ওপর মুণ্ডুটা রইল গর্তের বাইরে। তারপর মাটি ভরাট হল।

এর রকম শাস্তির কথা ভরত শুনেছে। রাজপরিবারের কেউ ক্রুদ্ধ হলে বা কারুর সঙ্গে স্বার্থের সংঘাত লাগলে সেই বেয়াদবকে নির্বাসন দণ্ড দেওয়া হয়। নির্বাসন মানে ত্রিপুরা রাজ্যের সীমানা ছাড়িয়ে দেওয়া নয়, তা হলে সে তো গোপনে আবার ফিরে আসতেই পারে, গভীর জঙ্গলের মধ্যে তাকে এ রকম ভাবে পুঁতে রাখা হয়, তারপর তাকে বাঘ ভাল্লুকে খায় কিংবা এমনিই মরে যায়। এতে শাস্তিদাতার হাতে নরহত্যার পাপ লাগে না।

কিন্তু কী অপরাধ করেছে ভরত? সে তো কারুর বাড়াভাতে ছাই দেয়নি। রাজকুমারেরা কেউ তাকে পছন্দ করে না, অকারণে তাকে উৎপীড়ন করে, তবু ভরত কোনওদিন তাদের মুখের ওপর তেজ দেখায়নি, বিনা প্রতিবাদে সব সহ্য করেছে। শশিভূষণ তা দেখে বিরক্ত হয়েছেন, পাঠশালার বাইরে রাজকুমারদের শাসন করার কোনও অধিকার তাঁর নেই, ভরতকে তিনি বলেছেন, তুই রুখে দাঁড়াস না কেন? মাথা নিচু করে থাকলে মাথা নিচুর দিকেই চলে যায়। তুইও তো মহারাজের সন্তান!

ভরত তার অনুভূতি দিয়েই বুঝেছিল যে এখনও রাজকুমারদের সামনে মাথা তোলার সময় আসেনি। তাকে আরও বড় হতে হবে। তার বয়েস মাত্র ষোল বছর, আর দু তিন বছর পরই যথেষ্ট লেখাপড়া শিখে রাজপ্রাসাদ থেকে দূরে সরে যাবে। তখন সে স্বাধীন হতে পারবে। এর মধ্যে এত কঠিন শাস্তি পাবার মতন কোনও কিছুই তো সে ঘটায়নি। কে নিয়োগ করেছে এই দুই যমদূতকে?

ওরা দুজন দু পা দিয়ে চেপে চেপে শক্ত করতে লাগল মাটি। ভরত জানে, কথা বলার বিপদ আছে। এরা হুকুম তামিল করতে এসেছে, কোনও রকম অনুরোধ-উপরোধে কর্ণপাত করবে না। দয়া-মায়ার প্রশ্ন নেই। এরা মিথ্যে কথা বলতে জানেই না, ফিরে গিয়ে ঠিক যা যা করে এসেছে, সেই বিবরণ দেবে ওদের নিয়োগকারীকে। তবু শেষ মুহূর্তে ভরত আর সামলাতে পারল না, হাউ হাউ করে কেঁদে উঠে বলল, ওগো, কেন আমাকে মারছ? আমি কী দোষ করেছি? আমায় ফেলে যেও না!

লোক দুটি চমকে উঠল। ভরতের আকস্মিক আর্তনাদে খান খান হয়ে গেল নিস্তব্ধতা।

একজন বলল, এই হালা পুঙ্গির পুত কখন বাঁধনটা খুলে ফেলল?

অন্যজন মাটিতে বসে পড়ে প্রথমে ঠাস ঠাস করে দু'খানা চড় কষাল জোরে। তারপর বলল, হাঁ কর হারামজাদা, নইলে এখনি ঘেটি ভেঙ্গে দেব!

মার খাবার ভয়ে ভরত হাঁ করতে বাধ্য হল। লোকটি তার মুখের মধ্যে ভরে দিল গামছার অর্ধেকটা। বাকি অর্ধেক দিয়ে ভালো করে আবার বাঁধল। ভরতের আর কোনও শব্দই বার করার উপায় রইল না।

এরপরেও সেই লোকটি একটি ক্ষুর বার করে চাঁছতে লাগল ভরতের মাথা। তার মাথা ভর্তি চুল ঘাড় পর্যন্ত নামা, এই রকম সময়ে লোকটি কেন তার চুল কাটতে শুরু করল তা বুঝতে পারল না ভরত।

কাজ শেষ করে উঠে দাঁড়াতে দাঁড়াতে লোকটি বলল, কুত্তার আওলাদ, তুই লাইছাবির সাথে আসনাই করতে গিয়েছিলি, তোর মরণ কে ঠেকাবে?

আর কোনও বাক্যব্যয় না করে তারা ঘোড়া ছুটিয়ে চলে গেল।

ঘোড়ার পায়ের শব্দ মিলিয়ে যাবার পর চতুর্দিক যেন আরও বেশি নিঃশব্দ মনে হল। অন্ধকার একেবারে নিশ্চল নয়, মাঝে মাঝে পর্দার মতন যেন দোলে। কাছাকাছি কোনও বড় গাছ নেই, আততায়ীরা জঙ্গলের মধ্যে একটা ফাঁকা জায়গা বেছে নিয়েছে, যাতে হিংস্র কোনও জানোয়ার এসে পড়লে সহজেই দেখতে পায় ভরতের মুণ্ডুটা।

কতক্ষণ লাগবে মরতে? বাঘ ভাল্লুক এসে যদি খেয়ে নেয়, তা হলে তো চুকেই গেল। এই বনে নিশ্চিত বাঘ আছে। নীলধ্বজ নামে মহারাজের এক ভাই অনেক বাঘ শিকার করেছেন। রাজপ্রাসাদের বৈঠকখানা ঘরে ঝোলে কয়েকটা বাঘের চামড়া। এই তো সেদিন বিজয় দশমীর ভোজে উপজাতীয়রা মহারাজকে উপহার দিয়েছে দুটো বাঘের বাচ্চা। কিন্তু এই জঙ্গলে বাঘের হাঁক-ডাক শোনা যাচ্ছে না তো এখনও। কোনও জন্তু-জানোয়ারেরই আওয়াজ নেই। যদি বাঘে না খায় তা হলেও তো মরতেই হবে। শশিভূষণ মাস্টার ভরতকে যিশু খ্রিস্টের জীবন কাহিনী শুনিয়েছেন। একটা ক্রুশে হাত-পা বিঁধিয়ে যিশু খ্রিষ্টকে ঝুলিয়ে রাখা হয়েছিল। সকালে ঝোলানো হল, বিকেলেই তিনি প্রাণত্যাগ করলেন। মাটিতে পুঁতে রাখলে কত সময় লাগতে পারে?

বুক পর্যন্ত শরীরটা অদৃশ্য হয়ে গেছে, মাথাটা কোনওক্রমে নাড়তে পারে ভরত। ঘাড় ঘুরিয়ে ঘুরিয়ে সে দেখতে লাগল বাঁ দিকের অন্ধকার, ডান দিকের অন্ধকার, সামনের অন্ধকার। সব অন্ধকারেরই রূপ এক। শুধু মাথার ওপরে দেখা যায় কয়েকটি তারা।

যত উপায়েই মানুষের কণ্ঠ রুদ্ধ করা হোক, মানুষের মন কিছুতেই নির্বাক হয় না। প্রতিটি জাগ্রত মুহূর্তেই মানুষের মন কিছু না কিছু বলে। আকাশের দিকে তাকিয়ে ভরতের মন বলতে লাগল, টুইংকল টুইংকল লিট্‌ল স্টার, হাউ আই ওয়াণ্ডার হোয়াট ইউ আর, আপ অ্যাবাভ দা ওয়ালর্ড সো হাই, লাইক আ ডায়মন্ড ইন দা স্কাই....হোয়াট ইউ আর, না হু ইউ আর? ডায়মন্ড বানান ডি আই ই এম ও এন ডি, নাকি ডি আই এ.....। ভাবতে ভাবতেই সে নিজেকে বলল, এ কি, আমি মুখস্থ আর বানান নিয়ে এখন ভাবছি কেন? আমি তো মরে যাচ্ছিল। মুখস্থ ভুল হলেই বা কী আসে যায়? মাস্টার মশাই তো আর পড়া ধরবেন না, তিনি জানতেও পারবেন না ভরত কোথায় হারিয়ে গেছে!

লাইছাবির সঙ্গে আসনাই? ঘোষ মশাইয়ের পরিচারক তারকদাদাও একদিন তাকে বলেছিল, ওরে বাবু, লাইছাবির সঙ্গে নটোঘটো করতে যাস না, ওরা পুরুষ মানুষের মাথা আস্ত চিবিয়ে খায়। মণিপুরি কুমারী মেয়েদের বলে লাইছাবি, যেমন ওই মনোমোহিনী। তার সঙ্গে তো ভরত কিছু করেনি, এমনকি তার সঙ্গে ভাব করতেও চায়নি। এত লোক আছে রাজবাড়িতে, গণ্ডায় গণ্ডায় রাজকুমারেরা ঘুরে বেড়ায়, তবু তাদের ছেড়ে মনোমোহিনী শুধু ভরতকেই জ্বালাতেন করে সুখ পায়। ভরতের চাল-চুলো নেই, পারিবারিক সম্পর্কের কোনও জোর নেই, সে যে কোনও উত্তর দিতে পারে না। বাগানে কিংবা কমলদিঘির ধারে নিরালায় কখনও ভরতকে দেখলেই সে ধরে। ভরত পালিয়ে যায়, তবু নিষ্কৃতি নেই। সে ভরতের ঘরের জানলায় গিয়ে দাঁড়ায়। ওঃ কী সাঙঘাতিক মেয়ে, কোনও কথাই তার মুখে আটকায় না। এই বয়েসেই সে কত কিছু শিখেছে, ভরতও জানে না সে সব। মনোমোহিনীর রঙ্গ রস শুনে লজ্জায় কর্ণমূল আরক্ত হয়ে যায় ভরতের। কিন্তু মনোমোহিনীকে সে কী ভাবে নিরস্ত করবে, তাকে তো জানলা থেকে ঠেলে সরানো যায় না।

তবে মনোমোহিনীকে সে কিছুতেই তার ঘরে ঢুকতে দেয়নি। সব সময় দরজায় আগল দিয়ে রাখে। তাতেও অবশ্য বিপদ কাটে না। অনেক দিনের পুরনো কাঠের দরজা, মাঝখানে

বেশ খানিকটা ফাঁক হয়ে গেছে। একটা কোনও শক্ত কঞ্চি সেই ফাঁক দিয়ে ঢুকিয়ে ওপরের দিকে চাড় দিলে খুলে ফেলা যায় সেই আগল। একদিন দুপুর বেলা ভরত ঘুমিয়ে ছিল, ওই দুষ্টবুদ্ধিধারিনী লাইছাবি আগলটা খুলে ফেলেছিল প্রায়। শব্দ পেয়ে ভরত জেগে উঠে দৌড়ে গিয়ে দরজায় পিঠ দিয়ে দাঁড়িয়েছিল, গায়ের জোরে পারেনি মনোমোহিনী, কিন্তু সেই কঞ্চি দিয়ে মনের সুখে ভরতের পিঠে খুঁচিয়ে ছিল আর খিলখিল করে হেসে ছিল। তারপরেও সে আরও কয়েকবার ওই দরজা খোলা ব্যর্থ চেষ্টা করেছে।

এই সব দৃশ্য চোখে পড়েছে দু' একজনের। ভরত জানে, তার দিক থেকে কোনও উৎসাহ না দেখালেও এই সম্পর্কে বিপজ্জনক। লোকে তো দেখছে যে বাগানের মধ্যে একটি কুমারী মেয়ে ভরতের হাত ধরে টানছে। লোকে দেখছে, ভরতের ঘরের জানলার কাছে দাঁড়িয়ে হেসে কুটি কুটি হচ্ছে এক মণিপুরি সুন্দরী। সে আবার মহারাণীর আপন বোনের মেয়ে।

উপায়ান্তর না দেখে সে শশিভূষণ মাস্টারকে তার এই বিপদের কথা জানিয়েছিল। শশিভূষণ ব্যাপারটাকে গুরুত্বই দেননি, হেসে বলেছিলেন, তোমার চেহারা যেমন দিন দিন সুশ্রী হচ্ছে হে, তাতে কুমারী মেয়েদের নজর তো তোমার দিকে পড়বেই। মহারানীর কাছে গিয়ে ওই মেয়ের পাণি প্রার্থনা করো না!

মাত্র গতকালই এই সমস্যার একটা সুষ্ঠু সমাধান হয়েছিল। যথারীতি দুপুরবেলা জানলার কাছে এসে দাঁড়িয়েছিল ওই মেয়ে। হলুদ-লাল মিশ্রিত রঙের একটা পাছাড়া পরা, বক্ষবন্ধনীটি টকটকে রক্ত বর্ণ, মাথার চুলে কাঞ্চন ফুল গোঁজা, গলাতেও গাঁদা ফুলের মালা। জানলার গরাদে বুক চেপে হাত দুটি ভেতরে ঢুকিয়ে সে বলছিল, আয় না রে জড়ভরত, একটিবার কাছে আয়, তোর নাক টিপে দুধ বার করি। তুই দুধু খেতে ভালোবাসিস, তোকে দুধু খাওয়াব—

এইসময় মহারাজ বীরচন্দ্র হন হন করে আসছিলেন সচিব মশাইয়ের কাছে। তাঁর এরকমই স্বভাব, তিনি আজ্ঞাবহ কর্মচারিদের সব সময় ডেকে না পাঠিয়ে নিজেই তাদের কারুর কারুর কাছে উপস্থিত হন। হঠাৎ কোনও কথা মনে পড়লে তাঁর আর তর সয় না। কোনও কারণে বাগানবাড়ির দিক থেকে তিনি আসছিলেন পেছনের পথ ধরে, মনোমোহিনীকে দেখে তিনি থমকে দাঁড়ালেন। মনোমোহিনী মহারাজের উপস্থিতি টের পায়নি, ভরতের সঙ্গে তাঁর চোখাচোখি হল। মনোমোহিনী তখনও কথা বলে যাচ্ছে, ঘরের মধ্যে ভরতের আড়ষ্ট, বিশুষ্ক মুখ। কয়েক মুহূর্ত কোনও কথা না বলে মহারাজ পর্যায়ক্রমে দেখে গেলেন সেই প্রগলভা কিশোরী ও সন্ত্রস্ত কিশোরটিকে। তিনি বহু-অভিজ্ঞ, বুঝে গেলেন সঠিক ব্যাপারটি। মনোমোহিনীকে ধমক দিয়ে বললেন, অ্যাই ছেমরি, তুই এখানে কী করছিস? এই ছেলেটা লেখাপড়া করে, তার ব্যাঘাত ঘটাতে এসেছিস! আর তো কারুর লেখাপড়ার পাট নেই—

তারপর তর্জনী তুলে গরম চোখে বললেন, যা, ভেতরে যা! আর কখনও এখানে আসবি না! কোনওদিন যেন আর না শুনি—

মনোমোহিনী একবার মহারাজের দিকে চোখের ঝিলিক দিয়ে দৌড়ে চলে গেল প্রাসাদের দিকে। মহারাজ কণ্ঠ নামিয়ে ভরতকে বললেন, পড় তুই, মন দিয়ে লেখাপড়া কর—

মহারাজের এই সুবিচারে কৃতজ্ঞতায় একেবারে যেন দ্রব হয়ে গেল ভরত। তখুনি সে ছুটে গিয়ে মহারাজের পায়ে পড়ে পদধূলি নিল।

মহারাজ ভরতের ওপর ক্রুদ্ধ হননি। যাবার সময় তিনি প্রসন্ন দৃষ্টি দিয়েছিলেন। তা হলে ভরতকে এই মৃত্যুদণ্ড দিল কে? অন্য কোনও ঈর্ষাকাতর রাজকুমার? দোষ করল মনোমোহিনী, আর শাস্তি পাবে ভরত! জগতের বুঝি এইটাই নিয়ম? আকাশের দেব-দেবীরা

কি বুঝতে পারছেন না সে নির্দোষ? হে মা কালী, হে ত্রিপুরেশ্বরী আমার দয়া করো, আমায় দয়া করো। আমার মতন একটা সামান্য মানুষ বেঁচে থাকলে জগতের কী ক্ষতি হবে!

মাটির নীচে ভরতের পা দুটি দুমড়ে মুচড়ে আছে, তার এক উরুতে বর্শার ক্ষত, তবু সেসব যন্ত্রণার বোধ তার নেই। আসন্ন মৃত্যু চিন্তায় ওসব তুচ্ছ হয়ে গেছে। আবার মৃত্যু চিন্তাও মুছে যাচ্ছে মাঝে মাঝে। অতিশয় অবান্তর কিছু কথা এসে পড়ে। ওরা তার মাথা ন্যাড়া করে দিয়ে গেল কেন? গর্তে পুঁতে দেওয়ার চেয়ে ওর মাথা ন্যাড়া করাটাই যেন বেশি ধন্ধের। ওরা দু'জন কত টাকা পাবে? কত টাকার বিনিময়ে একজন মানুষকে এমন বিনা দ্বিধায় জ্যান্ত কবর দেওয়া যায়? ভরতের মাসোহারার থেকে সাত টাকা দু'আনা এখনও খরচ হয়নি, তার বালিশের তলায় রয়ে গেছে, কে নেবে সে টাকা? আচ্ছা, মনোমোহিনীই রাগ করে এই শাস্তি দেয়নি তো? মণিপুরিদের অনেক ক্ষমতা, মহারানীর ভাই বীরেন্দ্র সিংহ এ রাজ্যে একজন অতিশয় শক্তিশালী ব্যক্তি, তাঁর হুকুমে অনেকেই ভরতের মতন একটা চুনোপুঁটিকে খুন করতে রাজি হবে।

এ পর্যন্ত জঙ্গলে একটাও শব্দ শোনা যায়নি, কোনও নিশাচর প্রাণীকে দেখা যায়নি কাছাকাছি। বাঘের সাক্ষাৎ সহজে মেলে না, কিন্তু হাতি থাকে যেখানে সেখানে। ত্রিপুরায় প্রচুর হাতি। বাঘ-ভাল্লুকের দরকার নেই, একটা হাতি যদি এখান দিয়ে যেতে যেতে ভরতের মাথার ওপর আস্তে পা রাখে তাতেই তার দফা শেষ। মরার আগে মাথার খুলিটা ফেটে যাবে, তাতে বেশি ব্যথা লাগবে? কেন ওরা মায়ের মন্দিরে তাকে বলি দিল না? এরকম তো হয়।

এই অবস্থাতেও ঘুম আসে মানুষের। মনকে নিবৃত্ত করার জন্যই ঘুমের দরকার ছিল। কিছুক্ষণ ঝিমোবার পর চোখ মেলেই সে দেখল সকাল হয়ে গেছে। ঊষার আবির্ভাব হয়ে গেছে অনেক আগেই, এখন রোদ বেশ চড়া। অরণ্যও এখন জীবন্ত, পাখির কাকলিতে মুখর, প্রায় এক লহমায় মিলিয়ে গেল তিনটি ছুটন্ত হরিণ।

ভরত মনে মনে বলল :

পাখি সব করে রব রাতি পোহাইল
কাননে কুসুমকলি সকলি ফুটিল........

মাস্টারবাবুর কাছে ডিকটেশান নেবার সময় সে কুসুম বানানটি বারবার ভুল করে। এক একটা সোজা বানানও কিছুতেই মনে থাকে না। কুসুমে কেন যেন তালব্য শ মনে হয়। মাস্টারবাবু বলেন, শুম্ভ নিশুম্ভ লেখার সময় তালব্য শ দেবে, কুসুম অতি নরম বস্তু, সে তালেবর হতে চায় না মনে রাখবে।

ধুৎ, এখন কি কবিতা ভাববার সময় নাকি? মরার আগে কেউ কি কবিতার পঙ্‌ক্তি চিন্তা করে? অন্যদের মৃত্যুর আগে কী মনে হয়, তা ভরত জানবেই বা কী করে? নাঃ সে এসব ভাববে না। পড়াশুনো করতে গিয়েই তো তার এই সর্বনাশ হল। যতদিন সে চাকর-বাকরদের মহলে ছিল, ততদিন সে কারুর নজরে পড়েনি। ভরত নামে যে একটা ছেলে আছে, তা ক'জন জানত? ঘোষমশাই যে তার জন্য দশ টাকা মাসোহারার ব্যবস্থা করে দিয়েছেন, তাতেই তো চোখ টাটাচ্ছে অন্য রাজকুমারদের!

তাহলে অন্য কী কথা সে ভাববে? মাকে ডাকতে ইচ্ছে করে। কিন্তু নিজের মাকে যে সে চেনে না, মায়ের মুখখানা কেমন তাও সে জানে না। মায়ের কোনও ছবিও নেই। একেবারেই নিশ্চিহ্ন হয়ে হারিয়ে গেছে তার মা। তার বাবাও তো থেকেও নেই। মহারাজকে সে এখনও বাবা হিসেবে ভাবতে পারে না। যাকে দেখলেই ভয়ে তার শরীর কুঁকড়ে যায়, সে কী করে তার বাবা হবে? আজ অবধি নিজে থেকে কাছে ডেকে তার সঙ্গে একটাও তো কথা বলেননি মহারাজ। আর কেউ নেই। একমাত্র মাস্টারবাবুই তাকে ভালোবেসেছিলেন। কিন্তু তিনিও তো ভরতকে বাঁচাতে পারলেন না।

বেলা গড়িয়ে দুপুর এল, তারপর বিকেল হল, সন্ধ্যা, রাত ও মধ্যরাত। আবার ভোর, আবার সকাল। কোনও ঘটনাই ঘটল না। ভরতের ক্ষুধা বোধ নেই, যন্ত্রণা বোধ নেই, শুধু মাঝে মাঝে ঘুম ও জাগরণ। ভরতের চিন্তা শক্তি এলোমেলো হয়ে যাচ্ছে, নানান মুখ তার মনে পড়ছে, তবে যখনই মনোমোহিনীর মুখখানা ভেসে উঠছে চোখে, সে চিৎকার করে বলতে চাইছে, না, না, না, ওকে দেখতে চাই না, চাই না। যতই সে প্রতিবাদ করছে ততই যেন মনোমোহিনীর মুখচ্ছবি ফিরে আসছে, তখন ভরত বলতে চাইছে কবিতার লাইন, কিন্তু ঠিকঠাক মনে করতে পারছে না, এক কবিতার সঙ্গে অন্য কবিতা মিশে যাচ্ছে বারবার। তার মাথার মধ্যে এখন দুর্বোধ্য কোলাহল।

মুণ্ডিত মস্তকে বড় একটি ব্যাঙের ছাতার মতন মাটির ওপর মুখখানা জাগিয়ে বেঁচে রইল ভরত চারটি রাত ও তিনটি দিন। প্রথম দু'দিন সে মাথা নাড়তে পারছিল, সে ক্ষমতাও কমে এল, ভালো করে সে চোখ খুলে রাখতেও পারছে না।

চতুর্থ দিন দুপুরের দিকে সে প্রথম শুনতে পেল মানুষের কণ্ঠস্বর। বেশ দূরে এবং অস্পষ্ট। এমনও হতে পারে, সেটা ভরতের মনের বিকার। কখনও মনে হচ্ছে, অনেক লোক কথা বলছে এক সঙ্গে, কখনও মনে হচ্ছে কারা যেন গান গাইছে দল বেঁধে। সেই ধ্বনি কাছে এল না, বরং ক্রমেই যেন মৃদু থেকে মৃদুতর হতে লাগল। তা হলে নিশ্চিত শব্দ-মরীচিকা!

উড়ে যাচ্ছে ঝাঁক ঝাঁক পাখি। দুটো খরগোশ ভরতের মুণ্ডুর খুব কাছ থেকে ছুটে গেল। বাতাসও আজ প্রবল। সেই বাতাসে ভেসে আসছে খিচুড়ির গন্ধ। কারা যেন লাইন বেঁধে খেতে বসেছে কোথাও। না, হয়তো এটাও ভরতের মনের ভুল। বুভুক্ষু মানুষ মৃত্যুর আগে এরকম স্বপ্ন দেখে। জঙ্গল ছাড়া তার চোখের সামনে আর কিছু নেই, জনমানবের চিহ্নও সে দেখেনি, কোথায় মানুষ খিচুড়ি খেতে বসেছে? এ জীবনে ভরতের আর খিচড়ি খাওয়া হবে না।

কিছুক্ষণ চোখ বুজে রইল ভরত, আবার চোখ খুলতেই সে এক অপূর্ব দৃশ্য দেখতে পেল। তার সামনে, খুব কাছে দাঁড়িয়ে আছে দুটি শিশু। পাঁচ-ছ বছরের বেশি বয়সের নয়, সম্পূর্ণ নগ্ন, চকচকে কালো রং। তারা এতই সুন্দর দেখতে যে ভরতের মনে হল, দুটি দেবশিশু যেন এই মাত্র নেমে এসেছে স্বর্গ থেকে। এবার ভরত মাথা ঝাঁকুনি দিয়ে ভাববার চেষ্টা করল, এটাও কি সে চোখে ভুল দেখছে! এই জঙ্গলে দুটি এত ছোট বাচ্চা আসবে কী করে? না, সত্যিই তো শিশুদুটি দাঁড়িয়ে আছে, তাদের মুখে ঝকঝকে সাদা দাঁতের হাসি। স্বর্গ থেকেই এসেছে তাহলে? স্বর্গে কি কালো রঙের বাচ্চা থাকে? ঠাকুর দেবতারা সবাই ফর্সা। তা হলে ভরতের মতন কালো মানুষেরা কখনও স্বর্গে যেতে পারে না? ওঃ হো, মা কালী তো ফর্সা নন, শ্রীকৃষ্ণও কালো। তাহলে স্বর্গে কালো মানুষদের স্থান আছে।

শিশু দুটি ভয় পায়নি, ধড়হীন মুণ্ডুটির দিকে চেয়ে আছে এক দৃষ্টিতে। ভরত হাসতে চাইল। কিন্তু মানুষের হাসি ফুটে ওঠে ওষ্ঠাধরে, তার মুখ যে বাঁধা। সে কথা বলতে পারবে না, হাসতেও পারবে না। সে যে বেঁচে আছে তার প্রমাণ দেবার জন্য সে চোখ পিট পিট করতে লাগল।

খিলখিল করে হেসে উঠল বাচ্চা দুটি। তারা পরস্পরের সঙ্গে যে ভাষায় কথা বলল, তা বোধগম্য হল না ভরতের।

সরল নিষ্পাপ দেবশিশুদেরও নিষ্ঠুর হতে বাধা নেই। তারা ধুলোবালি ও ছোট ছোট কাঠের টুকরো ছুঁড়ে মারতে লাগল ভরতের দিকে। ন্যাড়া মাথায় খুব লাগছে তার। বাচ্চা দুটিকে দেখে ভরতের স্তিমিত প্রাণশক্তি আবার খানিকটা চাঙ্গা হয়ে উঠেছে, সে ওই বাচ্চাদের অস্ত্র বর্ষণ এড়াবার জন্য মাথা ঘোরাতে লাগল এদিক ওদিক। বাচ্চারা তাতে আরও মজা পেল, মুণ্ডুকাটা ছাগলের ধড়কে তারা ছটফট করতে দেখেছে, কিন্তু শুধু একটা জীবন্ত মানুষের মুণ্ডু নিয়ে খেলা করার সুযোগ তারা পায়নি কখনও। সে মুণ্ডুটা ধমক দিতেও পারে না।

ধুলোবালির পর তারা খুঁজতে লাগল ছোট ছোট পাথর। বেশ কয়েকটা ভরতের লেগেছে। সে ভাবল, এবার যদি ওরা দু'জনে ধরাধরি করে একটা বড় পাথর তোলে?

বাচ্চাদের কোনও মজাই বেশিক্ষণ স্থায়ী হয় না। হঠাৎ খেলা থামিয়ে তারা ছুট দিল জঙ্গলের দিকে। দারুণ নিরাশ হয়ে গেল ভরত। সে আকুল ভাবে চ্যাচাতে চাইল, ওরে যাসনি, দাঁড়া দাঁড়া! হোক শিশু, তবু তো মানুষের সঙ্গ। অত বাচ্চাদুটি জঙ্গলে এসেছে, কাছাকাছি নিশ্চয়ই বড়োরাও আছে। এক সময় ওদের খুঁজতে বড়োরাও আসত। মারছিল মারুক, আরও মারুক, চলে যাবে কেন?

ওদের থামাতে পারল না ভরত। মুখ বাঁধা বলে সে হাসতেও পারে না কিন্তু কাঁদতে পারে।

শেষ ভরসাও মিলিয়ে গেল দেখে ঝরঝর করে জল পড়তে লাগল তার চোখ দিয়ে। ঝাপসা হয়ে গেল এ জগৎ।

॥ ৮ ॥

আগরতলা থেকে কলকাতা যাত্রা সহজ ব্যাপার নয়। বাষ্পরূপী দৈত্যের শক্তিতে এখন লৌহনির্মিত শকট ছুটে চলে। সিপাহি বিদ্রোহের পর এক স্থান থেকে আর এক স্থানে দ্রুত সৈন্য পাঠাবার সুবিধার জন্য ভারতের নানা অঞ্চলে দ্রুত রেল লাইন পাতা হচ্ছে, সেই রেল সাধারণ যাত্রীদেরও বহন করে। কিন্তু ত্রিপুরা রাজ্য ইংরেজ সাম্রাজ্যের মধ্যে পড়ে না, সেখানে রেল গাড়ি চালাবার গরজ নেই ইংরেজ সরকারের। ত্রিপুরার রাজার সামান্য সাধ্যে এই বিপুল ব্যয়বহুল যানবাহনের ব্যবস্থা করাও সম্ভব নয়। ত্রিপুরার রাজধানী থেকে সবচেয়ে নিকটবর্তী রেল স্টেশন আছে বঙ্গদেশের কুষ্টিয়া শহরে, সেখানে পৌঁছোতেই বেশ কয়েকদিন লেগে যায়।

রাধারমণ ঘোষ মশাই যাত্রা শুরু করলেন হাতির পিঠে। এ যাত্রায় তাঁর সঙ্গী হয়েছেন শশিভূষণ, রাজ-সরকারের খরচে কলকাতায় যাওয়ার এই সুযোগটি তিনি ছাড়তে চাননি, কলকাতায় তাঁর নিজস্ব বিষয়-সম্পত্তি নিয়ে কিছু গোলযোগ তিনি মিটিয়ে আসতে চান। হাওদার ওপরে বসেছেন দু'জন, হাতি চলেছে দুলকি চালে। মাহুত একটা অঙ্কুশ উঁচিয়ে মাঝে মাঝে শব্দ করছে হি রে-রে-রে হি রে-রে-রে.......।

হেমন্তকালের বাতাসে সামান্য শিরশিরানি ভাব এসেছে। আকাশ পরিষ্কার। গাছপালাগুলি পত্র বিমোচনের জন্য তৈরি হচ্ছে, অনেক গাছের পাতায় হলুদাভ ছাপ পড়েছে এর মধ্যেই। অসমতল বনপথ, মাঝে মাঝে গাছের ডাল চাবুকের মতন শপাং শপাং করে লাগে, তাই মাথা বাঁচাবার জন্য সতর্ক থাকতে হয়। কোথাও বা কোনও গাছের গায়ে পছন্দমতন পরগাছা দেখলে হাতিটি শুঁড় দিয়ে তা ছেঁড়ার জন্য থেমে যায়, মাহুত তখন তার মাথায় ডাঙস মারে।

এই যাত্রায় লটবহর থাকে অনেক। রাত্রিযাপনের জন্য তাঁবু রাখতে হয়, এই ক'দিনের প্রয়োজনীয় খাদ্যদ্রব্য বহন করতে হয়। সেইজন্য ছ'জন মালবাহকও সঙ্গে চলেছে পায়ে

হেঁটে, এই মিছিলটির সামনে ও পিছনে রয়েছে দু'জন বন্দুকধারী প্রহরী। এই পথে হিংস্র জন্তু-জানোয়ার ছাড়াও দস্যুর ভয় আছে।

শশিভূষনের সঙ্গে একটি বন্দুক রয়েছে। তিনি যেমন ক্যামেরা চালাতে পারেন, তেমনি বন্দুক চালনাও শিখেছেন। আজ তাঁর পরনে বিলিতি পোশাক, মাথায় শোলার টুপি। বন্দুকটা দু' হাতে ধরে তিনি ঘাড় ঘুরিয়ে ঘুরিয়ে কোনও চকিত বন্যপ্রাণীর সন্ধানে রয়েছেন। ঘোষমশাই ধুতি ও বেনিয়ানের সঙ্গে কাঁধে চাদর দিয়ে বাঙালিবাবু সেজে আছেন, তিনি মাথায় কখনও পাগড়ি বা টুপি ব্যবহার করেন না। চিন্তামগ্ন ভাবে তিনি হুঁকো টানছেন। কলকাতা থেকে মহারাজের জন্য অর্থসংগ্রহের প্রচেষ্টায় তাঁকে সফল হয়ে ফিরতেই হবে। সাহেব কোম্পানিকে পাহাড় ইজারা দেবার প্রস্তাব একবার প্রত্যাখ্যান করা হয়েছিল, এখন আবার উপযাচক হয়ে গেলে তারা কতটা দর কমাবে কে জানে!

শশিভূষণ হঠাৎ হাঁটুতে ভর দিয়ে উঁচু হয়ে মাহুতের পিঠ ছুঁয়ে বললেন; থামো, থামো! তারপর ঘোষমশাইয়ের দিকে ফিরে ওষ্ঠে আঙুল ছুঁইয়ে নিঃশব্দ থাকার ইঙ্গিত করলেন।

ডান দিকে খানিক দূরে ঝোপের আড়ালে দেখা যাচ্ছে লাল রঙের ঝিলিক। অতি উজ্জ্বল লাল, ভোরের সূর্যের মতন লাল। শশিভূষণ সেদিকে বন্দুক তাকে করলেন, রাধারমণ ভেবে পেলেন না এমন লাল রঙের কী প্রাণী হতে পারে। নিশ্চিত কোনও পাখি, অকারণে পাখি হত্যা তাঁর মনঃপূত নয়, তিনি শশিভূষণকে নিবৃত্ত করতে গেলেন, তার আগেই গুড় ম শব্দে গুলি ছুটে গেল।

সঙ্গে সঙ্গে ডানা ঝটপটিয়ে শুন্যে উঠে গেল দুটি বড় আকারের পাখি, তাদের কঁ কঁ কঁ কঁ আওয়াজে বোঝা গেল, সে দুটি বন্য কুক্কুট। বন্দুকে আবার দ্রুত গুলি ভরে ট্রিগার টিপলেন শশিভূষণ। মুরগিকে ঠিক পাখি বলা যায় কিনা এ বিষয়ে সন্দেহ থাকায় রাধারমণ আর আপত্তি করলেন না, ব্যগ্র হয়ে দেখতে লাগলেন ফলাফল। শশিভূষণের নিশানা বেশ ভালো। সেই ঝোপে গোটা পাঁচেক বনমোরগ ঝাঁক বেঁধে ছিল, তার মধ্যে দুটি নিহত হল শশিভূষণের তৎপরতায়। মালবাহকেরা হৈ হৈ করে ছুটে গিয়ে সে দুটিকে কুড়িয়ে নিয়ে এল। দুপুরবেলায় আহারের জন্য যোগ হল একটি উৎকৃষ্ট পদ, বনমোরগের স্বাদ অতি উত্তম।

হিন্দুরা মুরগির মাংস ছোঁয় না, অপবিত্র জ্ঞান করে। এই পাখিদুটি বুনো হলেও মুরগির জাত তো বটে। রাধারমণ ও শশিভূষণ দু' জনেই ইংরেজি শিক্ষিত এবং ইয়াং বেঙ্গলের দলের ধারার অনুগামী। এঁরা গরুর মাংস ভক্ষণ করেও নিজেদের আধুনিকতার প্রমাণ দিতে পিছু-পা নন। ত্রিপুরার রাজারা যদিও মহাভারতীয় ঐতিহ্য টেনে নিজেদের ক্ষত্রিয়ত্ব প্রমাণে উৎসাহী, আসলে তাঁরা ত্রিপুরি উপজাতির বংশধর। বর্তমানে আচার-ব্যবহারে উচ্চ জাতীয় হিন্দু হতে চাইলেও খাদ্য-অভ্যেস বদল করেননি। ত্রিপুরায় মুরগি ভক্ষণের চল আছে।

রাধারমণ শশিভূষণকে যেন নতুন চোখে দেখলেন । শিক্ষকরা সচরাচর নিরীহ সম্প্রদায়ের মানুষ হয়। কোনও শিক্ষকের এরকম বন্দুক চালনার কৃতিত্বের কথা কখনও শোনা যায়নি। এ ছাড়াও শশিভূষণের আরও অনেক গুণপনা আছে।

হাতি আবার চলতে শুরু করলে রাধারমণ হুঁকোতে কয়েকটা টান দেবার পর বললেন, শশী, তোমাকে গোটাকতক কথা জিজ্ঞেস করব? ব্যক্তিগত প্রশ্ন, আশা করি তুমি কিছু মনে করবে না!

শশিভূষণ হুঁকো ব্যবহার করেন না। এখন বন্দুকটা পাশে নামিয়ে রেখে তিনি একটা চুরুট ধরিয়েছেন। কুচবিহারের দা-কাটা তামাকের শস্তা চুরুট নয়, রীতিমতন বিলিতি, অনেক দাম। সাধারণ অবস্থার মানুষের পক্ষে এরকম চুরুটের নেশা করা সাধ্যে কুলোয় না।

শশিভুষণ খানিকটা কৌতুহলের সঙ্গে সম্মতি দিলে রাধারমণ বললেন, তুমি এই ত্রিপুরায় পড়ে আছ কেন? এখানে তোমার কী এমন আকর্ষণ আছে?

শশিভূষণ লঘুভাবে হেসে উত্তর দিলেন, এখানে এসেছি চাকরি করতে। কলকাতায় চাকরি পাইনি, এখানে মহারাজ ভালোই বেতন দিচ্ছেন।

রাধারমণ বলেন, না হে, এটা ঠিক বিশ্বাসযোগ্য হল না। তোমার যা যোগ্যতা, তাতে তুমি বাংলাদেশে ভালোই চাকরি পেতে পারতে। তা ছাড়া, তুমি কত বেতন পাও তা আমি জানি । সে টাকায় তো এত বাবুয়ানি চলে না। তোমার ক্যামেরার শখ, বন্দুকের শখ। এ তো রাজা-রাজড়াদের শখের বস্তু। এই সব শখ তুমি কলকাতায় বসেই অনায়াসে মেটাতে পারতে, তবু এই পাণ্ডব-বর্জিত দেশে থাকতে এলে কেন?

শশিভূষণ বললেন, আমার কিঞ্চিৎ পৈতৃক সম্পত্তি আছে বটে। কিন্তু ঘোষমশাই, আপনি আগে বলুন তো, আপনিই বা ত্রিপুরায় এতদিন পড়ে আছেন কেন? আপনার ইংরেজি জ্ঞান অসাধারণ, আইনের মারপ্যাঁচ বোঝেন ভালো, আপনিও আলবাত বাংলায় ডেপুটিগিরি পেতে পারতেন।

রাধারমণ বললেন, আমার উদ্দেশ্য পরিষ্কার। মাস্টারি কিংবা ডেপুটির চাকুরি নিয়ে আমি জীবন কাটাতে চাইনি। বাংলায় এর বেশি কিছু আমি পেতাম না। ত্রিপুরায় প্রথমে রাজকুমারদের শিক্ষকতার কাজ নিয়ে এসেছিলাম কিছুটা ঝোঁকের মাথায়। এ দেশটি সম্পর্কে তেমন কিছুই জানা ছিল না। ভেবেছিলাম, দু এক বছর থেকে ফিরে যাব। কিন্তু কিছুদিন থাকার পরই বুঝলাম, এখানে উন্নতির অনেক সুযোগ আছে। মহারাজ খামখেয়ালি, অন্যরা শাসনকার্যের বিশেষ কিছু বোঝে না, চতুর্দিকে অরাজক অবস্থা। তখনই আমি ঠিক করলাম, মহারাজের বিশ্বাসভাজন হতে পারলে অনেক ক্ষমতা আমি হাতের মুঠোয় নিতে পারব। তা আমি পেরেছি, মহারাজ এখন অনেকখানি আমার ওপরে নির্ভরশীল । এই ক্ষমতা কি আমি বাংলায় কোনও চাকরিতে পেতাম?

একটু থেমে তিনি আবার বললেন, শশী, প্রথমে আমার মনে হয়েছিল, তুমিও ওই একই মতলবে এসেছ। কিন্তু ত্রিপুরার রাজনীতিতে তোমার কোনও ঝোঁক দেখি না। তুমি যদি ক্ষমতার উচ্চ শিখরে উঠতে চাইতে, তা হলে প্রথমেই আমার বিরুদ্ধে ষড়যন্ত্রে মেতে উঠতে। বাঙালিদের এটাই স্বভাব। বাঙালিই বাঙালির শত্রু। তোমার পেছনে আমি চর লাগিয়েছিলাম, কিন্তু কোনও ষড়যন্ত্রের প্রমাণ পাইনি। সকলের ধারণা, যে পাঠশালায় প্রায় দিনই কোনও ছাত্র থাকে না, তুমি সেই পাঠশালার গুরুগিরি করেই খুশি। এত সহজ ব্যাখ্যা আমার কাছে বিশ্বাসযোগ্য মনে হয় না।

শশিভূষণ এবার আরও জোরে হেসে উঠে বললেন, তবে এমন হতে পারে আমি ব্রিটিশের স্পাই।

রাধারমণ বললেন, মহারাজের ঘণিষ্ঠদের মধ্যে কেউ একজন যে ব্রিটিশের স্পাই সে বিষয়ে আমি নিশ্চিত। কিন্তু তুমি তা নও। তোমার ওপর নজর রাখা আছে বললাম যে। তোমার সম্পর্কে খোঁজখবর নিয়ে জেনেছি, বিবাহের অল্পদিনের মধ্যে পত্নী বিয়োগ হওয়ায় তুমি আর সংসার করনি। ভবানীপুরে তোমাদের বেশ বড় বাড়ি আছে, তোমার দুই দাদা তোমাকে কলকাতায় ফিরিয়ে নেবার জন্য ব্যস্ত। কিছু অভিমান-টভিমানের ব্যাপার আছে নাকি হে?

আস্তে আস্তে মাথা নেড়ে শশিভূষন বললেন, হ্যাঁ আছে!

রাধামরণ বললেন, থাক, তা হলে আর কিছু শুনতে চাই না। অভিমান হল হৃদয়ের অতি গোপন প্রকোষ্ঠের ব্যাপার। যে-কেউ সেখানে হাত ছোঁয়াতে পারে না।

শশিভূষণ বললেন, এ অভিমান তেমন নয়। বলা যায়। ঘোষমশাই, আপনাকে ছাড়া কারুকে একথা বলিনি। একটু ধৈর্য ধরে শুনতে হবে। মুর্শিদাবাদে কান্দি অঞ্চলে আমার পিতার কিঞ্চিৎ জমিদারি ছিল। আমার বড় দাদা বিমলভূষণই তা দেখাশোনা করতেন, আমি

বিষয়কর্ম ঠিক বুঝি না, আমি সেখানে যেতাম পাখি শিকার করতে। ভারি সুন্দর একটি বাড়ি ছিল আমাদের একটা ছোট নদী যেন বাড়িটিকে ঘিরে বয়ে চলেছে, বাড়ির তিন দিকেই সেই নদী, খুব মজার না? নদীর উপরে জঙ্গল, যতদূর দেখা যায় শুধু জঙ্গল, বাচ্চা বয়েসেই আমি একা একা গেছি সেই জঙ্গলে। ওই বাড়িটি নিয়ে আমার অনেক স্মৃতি আছে।

রাধারমণ জিজ্ঞেস করলেন, বাড়িটি বুঝি আর নেই?

দীর্ঘশ্বাস গোপন করে শশিভূষণ বললেন, বাড়িটি আছে সেই একই জায়গায়। কিন্তু মালিক বদলে গেছে। সে তালুকও আর আমাদের নেই। বেশি বাড়াব না, সংক্ষেপেই বলি। ঘোষমশাই, বাচ্চা বয়স থেকেই আমার শিকারের শখ। বাবার একটা বন্দুক নিয়ে আমি জঙ্গলে জঙ্গলে ঘুরতাম। আমাদের ওদিককার বনে প্রচুর খরগোশ, শুয়োর, হরিণ, ভাম, বাগডাসা, এমনকি চিতাবাঘও আছে। বহরমপুর থেকে সাহেবরা প্রায়ই সেখানে শিকার করতে যায়। আমার একাচোরা স্বভাব, আমি কখনও সঙ্গী-সাথী নিতাম না। একদিন, সেই দিনটার কথা আমার মনে আছে, সেদিনটা ছিল কালীপূজা, রাঢ় অঞ্চলে ওই দিনটায় সকলেই যেন তান্ত্রিক হয়ে যায়, অতি বৃদ্ধেরাও মাংস খায়, শিশুরাও মদ্যপান করে। আমি গিয়েছিলাম শিকারে। সেদিন জঙ্গলে অন্য শিকারীদের উপস্থিতি টের পেয়েছিলাম। আমি গ্রাহ্য করিনি, জন্তু-জানোয়ারের অভাব নেই, যার খুশি শিকার করুক। অনেকক্ষণ ঘুরে ঘুরে আমি একটা হরিণ মেরেছি, এট জেনে রাখবেন, হরিণ মারা বাঘ মারার চেয়েও শক্ত, জল-কাদা-কাঁটা ঝোপ ঠেলে ঠেলে আমার শরীরও তখন ক্ষতবিক্ষত, হরিণটার কাছে গেছি.....

হঠাৎ থেমে গেলেন শশিভূষণ, তাঁর ফর্সা মুখটি রক্তাভ হয়ে গেল, স্থির হয়ে গেল চোখ, তিনি কাঁপতে লাগলেন।

রাধারমণ উদ্বিগ্ন হয়ে বললেন, কী হল, কী হল, শশী? থাক, আর বলতে হবে না!

শশিভূষণ কটমট করে তাকালেন রাধারমণের দিকে। তারপর ভূতগ্রস্তের মতন ঘড়ঘড়ে গলায় বলতে লাগলেন, সেই সময় ঘোড়া ছুটিয়ে এল দুটি ইংরেজ। সঙ্গে কয়েকজন আদার্লি। তারা আমার ন্যায্যত শিকার করা হরিণটা নিতে দিল না।

রাধারমণ বললেন, তোমার হরিণ তারা কেড়ে নিল? ইংরেজরা তো সাধারণত এত নিচু কাজ, এমন অখেলোয়াড় সুলভ কাজ করে না!

শশিভূষণ গর্জন করে উঠে বললেন, ইংরেজরা আরও কত নীচ, জঘন্য কাজ করতে পারে তা আপনি কী জানেন?

রাধরমণ বললেন, সেই সাহেবরাও কি ওই একই হরিণকে গুলি করেছিল?

শশিভূষণ বললেন, না! আমি আর কোনও গুলির শব্দ পাইনি। সাহেবব্যাটারা এসে বলল, এই, তুই বন্দুক কোথায় পেলি? তুই ডাকাত! ঘোষমশাই, ওই জঙ্গল আমাদেরই তালুকের মধ্যে, আমরাই মালিক, অথচ একটা বাইরের লোক এসে বলে কি না, আমি ডাকাত?

রাধারমণ বললেন, তোমাদের তালুক হলেও রাজত্বটা তো ইংরেজের। তাই তাদের এত প্রতাপ। তোমার জল-কাদা মাখা চেহারা দেখে তারা তোমাকে চিনতে পারেনি। থাক, থাক, আর উত্তেজিত হয়ো না। শান্ত হও!

শশিভূষণ বললেন, এখনও শেষ হয়নি। সাহেবের মুখে ওরকম বর্বর কথা শুনে আমি ইংরেজিতে বললাম, এই বন্দুক আমার বাবার। কলকাতার রানী মুদিনীর গলির স্মিথ অ্যান্ড ফার্গুসনের দোকান থেকে কেনা, আর এই জঙ্গলও আমাদের পারিবারিক সম্পত্তি। আমার একথাও ওরা গ্রাহ্য করল না। সাহেবদের হুকুমে আদার্লিরা আমার বন্দুকটা কেড়ে নিল, হরিণটা তুলে নিল। এবং ঘোড়ায় চড়া একজন সাহেব, পরে তার নাম জেনেছি, বহরমপুরের

পুলিশের কর্তা হ্যামিলটন, সে ঘোড়াটার মুখ ফিরিয়ে যাবার সময় একটা লাথি কষাল আমার মুখে। আমি মাটিতে পড়ে গেলাম।

রাধারমণ বললেন, পাপ! মিরজাফর-জগৎ শেঠদের পাপ! সেই পাপের ফল ভোগ করছি আমরা।

শশিভূষণ বললেন, না, ঘোষমশাই! অতীতের পাপের কথা ভেবে আমরা বর্তমানের কাপুরুষতাকে চাপা দিতে পারি না! ফিরে এসে আমি এই ঘটনার কথা আমার দাদাদের জানিয়েছি। কলকাতায় বিশিষ্ট ব্যক্তিদের জানিয়েছি। সবাই মাথা দুলিয়েছে, জিভ দিয়ে চুকচুক শব্দ করেছে, কিন্তু এই অপমানের প্রতিকারের কোনও পথ বাতলাতে পারেনি। হ্যামিলটনের বিরুদ্ধে আমি তবু মামলা করেছিলাম।

রাধারমণ বললেন, সাহেবের বিরুদ্ধে মামলা করে কি কোনও লাভ হয়? তাও পুলিশ সাহেব!

শশিভূষণ বললেন, স্যাঙাতে স্যাঙাতে মুখ শোঁকাশুঁকি। জজও তো সাহেব। মামলা ডিসমিস করে দিল। আমার কোনও সাক্ষি ছিল না। হ্যামিলটন কারুকে লাথি মারেনি বলল, তার কথাই বিশ্বাস করা হল। বন্দুকটা শুধু ফেরত দিয়েছিল। কলকাতার কাগজওয়ালাদের আমি এই ঘটনা ছাপাতে বলেছিলাম, কেউ ভয়ে রাজি হয়নি! আমার দাদারা কী করল জানেন! পুলিশ সাহেবের সঙ্গে বিবাদ করে ওখানে টেকা যাবে না এই ভেবে অমন সুন্দর তালুকটা বিক্রি করে দিল ঝটপট। এত কাপুরুষ, এত মেরুদণ্ডহীন যদি কোনও জাতি হয়ে যায়, সে জাত আর কোনও দিন উঠে দাঁড়াতে পারবে?

রাধারমণ জিজ্ঞেস করলেন, তারপর তুমি ত্রিপুরা চলে এলে?

শশিভূষন বললেন, ইংরেজের রাজত্বে আর বাস করব না প্রতিজ্ঞা করেছি। তাই কাছাকাছি এই স্বাধীন ত্রিপুরা রাজ্যে চলে এসেছি।

রাধারমণ বললেন, ত্রিপুরা কেমন স্বাধীন রাজ্য, তা আশাকরি এতদিনে তুমি জেনেছ। ঢাল নেই, তরোয়াল নেই, নিধিরাম সর্দার!

শশিভূষণ বললেন, তা জানি। তবু তো ইংরেজকে বার্ষিক কর দেয় না! ইংরেজ জজ-ম্যাজিস্ট্রেটরা এখানে হাকিম হয়ে বসেনি। ঘোষমশাই, ত্রিপুরার এই স্বাধীন অস্তিত্বটুকু অন্তত টিকিয়ে রাখতে হবে। মহারাজ বীরচন্দ্রকে আপনি সামলে সুমলে রাখবেন।

রাধারমণ বললেন, সেই চেষ্টাই তো করছি, শশী! তা হলে তোমার অভিমান কোনও নারী ঘটিত নয়! তোমার অভিমানের মধ্যে ক্রোধ বেশি, তা একদিন কেটে যাবে। নারীর প্রতি অভিমান সারা জীবনেও যায় না!

শশিভূষণ বললেন, অভিমান হয়েছে আমার দাদাদের উপর। তারা ওই তালুকটা বেচে দিয়েছে বলে। রাগ আছে ইংরেজদের ওপর। সেই রাগ কবে ঘুচবে জানেন? যেদিন আমি একজন ইংরেজের মুখে ওই রকম লাথি মারতে পারব। মারবই একদিন—আপনি জেনে রাখুন!

রাধারমণ বললেন, সর্বনাশ! এ রাজ্যে যেন ও রকম কম্মো করতে যেও না! তা হলে আমরাই তোমাকে জেলে ভরে দেব!

এই সময় মালবাহকদের মধ্যে কী যেন চ্যাঁচামেচি শুরু হয়ে গেল। মাহুত হাত তুলে হাতিকে থামাবার ইঙ্গিত দিল। গভীর জঙ্গল, এখানে থামবার কোনও কারণ নেই।

চারজন মালবাহক তাদের কাঁধের ভার নামিয়ে রেখে ছুট দিল এক দিকে। শশিভূষণ জিজ্ঞেস করলেন, কী ব্যাপার, ওরা চলে যাচ্ছে কেন?

রাধারমণ বললেন, ওদের ডিউটি শেষ। ছ'জনকে দেখছিলে তো, ওদের মধ্যে মাত্র দু'জন আমাদের কর্মচারি। বাকি চার জন গ্রামবাসী। আমরা যখন যে গ্রামের পাশ দিয়ে যাব, তখন সেই গ্রামের লোক আমাদের মাল বয়ে দেবে।

শশিভূষণ ভুরু কুঁচকে জিজ্ঞেস করলেন, এমনি এমনি মাল বয়ে দেবে? পয়সা পাবে না?

রাধারমণ বললেন, উহুঃ! পয়সা কিসের? প্রজারা রাজার কাজ দিচ্ছে, এর মধ্যে মজুরির প্রশ্নই ওঠে না। একে বলে তিতুন প্রথা। বহুদিন ধরে এ রাজ্যে এ প্রথা চলে আসছে।

শশিভূষণ বিরক্তভাবে কিছু বলতে যেতেই রাধারমণ হেসে হাত তুলে তাকে বাধা দিয়ে বললেন, জানি, জানি, তুমি কী বলতে চাও! তোমার শিক্ষিত বিবেক বলবে, মানুষকে বিনা পয়সায় খাটানো উচিত নয়। কিন্তু ভুলে যেও না, কয়েক বছর আগেও এ দেশে দাস প্রথা ছিল, মানুষ কেনা-বেচা চলত। মহারাজকে বুঝিয়ে সুঝিয়ে সে প্রথা রদ করিয়েছি। বেশি তাড়াহুড়ো করলে লাভ হবে না। মহারাজকে ধীরে সুস্থে বুঝিয়ে এইসব কুপ্রথা নিবারণ করতে হবে। দেখ না, সতীদাহ বন্ধ করার জন্য মহারাজকে বারবার বলছি, তিনি রাজি হচ্ছেন না। তবু ধৈর্য হারালে চলবে না।

শশিভূষণ বিরাগের সঙ্গে বললেন, আমার অত ধৈর্য নেই। মানুষকে মানুষের মর্যাদা না দিলে সে রাজ্যের কোনও উন্নতি হতে পারে!

নতুন মালবাহকরা এসে গেছে, আবার শুরু হল যাত্রা।

মাঝে মাঝে ছোট ছোট পাহাড় পার হতে হচ্ছে। কোথাও জঙ্গল এমন নিবিড় যে পায়ে চলা পথও দেখা যায় না। সন্ধের দিকে একটু ফাঁকা জায়গা নির্বাচন করে যাত্রা স্থগিত হয়, খটাখট শব্দে খাটানো হয় তাঁবু। জঙ্গল থেকে শুকনো কাঠ এনে জ্বালানো হয়, সেই আগুন ঘিরে বসে মালবাহকরা গান ধরে।

রাত্রের আহারাদি পর্ব শেষ হলে অন্য সকলে বাইরেই শুয়ে পড়ে, রাধারমণ-শশিভূষণ তাঁবুতে। রাধারমণ নিয়মনিষ্ঠ মানুষ, তাঁর যেন ইচ্ছা ঘুম, ঘড়ি দেখে ঠিক সাড়ে নটার সময় শুয়ে পড়ার সঙ্গে সঙ্গে তার মৃদু নাসিকা গর্জন শুরু হয়। ভোর সাড়ে চারটের সময় তাঁর ঠিক ঘুম ভাঙবে। শশিভূষণ অত সহজে যেখানে সেখানে ঘুমোতে পারেন না, তাঁবুর বাইরে মশাল জ্বলে, সেই আলোয় বই পড়ার চেষ্টা করেন। বন্দুকধারী প্রহরী দু'জনের মধ্যে পালা করে একজন ঘুমোয়, একজন জাগে। নিজের বন্দুকটা হাতে নিয়ে তাঁবু থেকে বেরিয়ে এসে শিকার সন্ধান করেন শশিভূষণ। সারা রাত আগুন জ্বলে বলে জন্তু-জানোয়াররা এদিকে আসে না, দূরে তাদের গমনাগমন টের পাওয়া যায়। জন্তু জানোয়ারদের চেয়েও হিংস্র আদিবাসীদের দ্বারা আক্রান্ত হবার ভয়ই বেশি। তবে তাদের বন্দুক নেই।

অন্ধকারে একা দাঁড়িয়ে থাকতে থাকতে শশিভূষণ বিমনা হয়ে যান। তাঁর অতীত জীবনের নানান দৃশ্য যেন নদীর স্রোতের মতন বয়ে যায় তাঁর সামনে দিয়ে। হঠাৎ কোনও গাছে পাখিদের ডানা ঝটপটানি ও আর্ত চিৎকার শোনা যায়। নিশ্চয়ই কোনও সাপ হানা দিয়েছে তাদের বাসায়। কয়েকটা শিয়াল ফেউ ফেউ করে ডেকে উঠলে বোঝা যায় কাছাকাছি বাঘ এসেছে।

তৃতীয় দিনের যাত্রা বেশ বিঘ্ন-বহুল। এখানে অন্যান্য গাছের চেয়ে বাঁশ বেশি। চতুর্দিকে শুধু বাঁশ। হাতির গায়ে খোঁচা লাগে, সে আর এগোতে চায় না। মাহুত বার বার ডাঙস মারে আর চ্যাঁচায়। এক জায়গায় বাঁশের খোচায় শশিভূষণেরও বাহু ছড়ে গেছে। রাধারমণের আদেশে মালবাহকেরা বাঁশ কেটে হাতির জন্য পথ পরিষ্কার করতে লাগল।

শশিভূষণ বললেন, এত বাঁশ, এগুলো কেটে কেটে বাংলায় চালান দিতে পারেন না? তা হলে তো ত্রিপুরার রাজস্ব বাড়ে।

রাধারমণ বললেন, এগুলো মুলি বাঁশ, এখানেই খুব কাজে লাগে।

শশিভূষণ বললেন, কতই তো রয়েছে। সব তো আর কাজে লাগে না। এমনি এমনি নষ্ট হচ্ছে।

রাধারমণ বললেন, সব বাঁশের ভালো দাম পাওয়া যায় না। বয়ে নিয়ে যাবার খরচা পোষায় না। এদিকে তো নদী-নালা নেই ভালো। এখানকার লোক আবার দু'এক রকম বাঁশ কাটতেই চায় না, সংস্কার আছে।

শশিভূষণ বললেন, বাঁশের আবার একরম সেরকম হয় নাকি?

রাধারমণ বললেন, বাঃ, বাঁশের জাত নেই? কালি বাঁশ, মাকাল বাঁশ, পারুয়া, মৃতিঙ্গা, রুপাই, ভালু, কলাই এরকম কত ধরনের বাঁশ হয়। লক্ষ করে দেখ, ওই যে কুলিরা বাঁশ কাটছে, এক একটা ঝাড়ে কিন্তু তারা দায়ের কোপ মারছে না, এড়িয়ে যাচ্ছে, ওগুলো কালি বাঁশ। মাঝে মাঝে ঝাড়ের মধ্যে উঁকি দিয়ে ওরা কী দেখছে বল তো?

—কী?

—দেখছে ফুল ফুটছে কি না। বাঁশের ফুল বড় সাজ্ঘাতিক জিনিস। দশ-কুড়ি বছরে একবার ফোটে, তখন দুর্ভিক্ষ, মড়ক, মহামারি আসে দেশে।

—সত্যি?

—অন্তত লোকের তো তাই বিশ্বাস। বাঁশের ফুল দেখলে নাকি ইঁদুররা পাগল হয়ে যায়!

—বাবাঃ, কত কিছুই এখনও শেখার বাকি আছে।

— শেখার কী শেষ আছে? তুমি বাঁশের কোড়া খেয়েছ, শশী? ছেলেবেলায় দেখেছি, বাঁশ ঝাড়ে কচি কচি ডগা উঠলে তার ওপর হাঁড়ি চাপা দিয়ে রাখত। তখন সেই কচি ডগা বাড়তে না পেরে ফুলে-ফেঁপে একটা মস্ত বড় ফুলকপির মতন হয়ে যায়। তা দিয়ে ব্যঞ্জন রাঁধলে কী অপূর্ব স্বাদ!

এই রকম নানা গল্প করতে করতে সময় কাটে। দিন কাটে। চতুর্থ দিন দুপুরে এই দলটি এসে পৌঁছল মেঘনা নদীর তীরে এক গঞ্জে। এখানে প্রথম পর্বের সমাপ্তি। হাতি নিয়ে মাহুত ও অধিকাংশ মালবাহক এবার ফিরে যাবে, পরের যাত্রা শুরু হবে নৌকোয়।

বিশাল মেঘনা নদী থৈ থৈ করছে, ফনফন করছে বাতাস, খেয়াঘাটে দাঁড়িয়ে শশিভূষণের রোমাঞ্চ হল। ত্রিপুরায় আসবার সময় একবারই মাত্র তিনি এই নদীপথে এসেছিলেন, সেবারে ঝড় উঠেছিল, মাঝিদের সামাল সামাল রবে বুক কেঁপে উঠেছিল তাঁর। প্রশস্ত গয়নার নৌকোটি মোচার খোলার মতন উথাল-পাথাল করছিল। এখন আকাশে মেঘ নেই, তবু নিশ্চিন্ত হওয়া যায় না কিছুতে।

নৌকো তৈরিই আছে, কিন্তু কিছু কিছু রসদপত্র কিনে নেবার জন্য কিছুটা দেরি হবে। গঞ্জে বেশ ভিড়, ভিখিরি, ফড়ে, দালালরা গিসগিস করছে, গোটা তিনেক মনিহারি দোকানে সেফটি পিন থেকে হামান দিস্তা পর্যন্ত নানান দ্রব্য সাজানো। পাশাপাশি হিন্দু ও মুসলমানদের দুটি ভাতের হোটেলে খাওয়া-দাওয়া চলছে কলরবের সঙ্গে, তার ঠিক পেছনেই একটি বেশ্যালয়।

রাস্তার ধারে ভিখিরিরা বসে আছে প্রত্যেকের সামনে এক টুকরো চট পেতে, একটু দূরেই তাসের জুয়ার আসর, তার পাশেই মাছওয়ালারা চেল্লামেল্লি করছে। নদী থেকে সদ্য ধরা হয়েছে একটা বোয়াল মাছ, এত বড় যে মনে হয় হাঙর। শশিভূষণ অলসভাবে হাঁটছেন সেই রাস্তা দিয়ে। তিনি চুরুট খুঁজছেন। তাঁর সঙ্গে এক বাক্স চুরুট ছিল, কিন্তু মালবাহকরা নৌকোয় তোলার সময় সেটি জলে ফেলে দিয়েছিল, সঙ্গে সঙ্গে তোলা হয়েছে বটে কিন্তু চুরুটগুলোর অবস্থা যাচ্ছেতাই হয়ে গেছে। এত ছোট জায়গায় তাঁর পছন্দমতন চুরুট পাওয়ার সম্ভাবনা নেই।

কিছুক্ষণ ঘোরাঘুরি করার পর তিনি হঠাৎ অস্বস্তি বোধ করলেন । এর মধ্যে তিনি কিছু একটা দেখেছেন অথচ বিশেষভাবে লক্ষ করেন নি, তবু খচখচ করছে মনের মধ্যে। কী দেখেছেন? সেটা মনে পড়ছে না। এখন রোদ বেশ চড়া। ঘোরাঘুরি না-করে নৌকোর ছইয়ের

মধ্যে বসে থাকাই ভালো, শশিভূষণ ঘাট পর্যন্ত গিয়েও থেমে গেলেন। দ্রুত পদে ফিরে এলেন মাছের বাজারে। যেখানে ভিখিরিদের লাইন, তার থেকে একটু দূরে একটা জারুল গাছে ঠেস দিয়ে বসে আছে একটি কিশোর। দেখেই মনে হয় পাগল। কোমরে সামান্য একটা ত্যানা জড়ানো, এ ছাড়া আর কোনও বস্ত্র নেই শরীরে, বুকের পাঁজরা বেরিয়ে গেছে, মুখে ধুলোর পরত, ন্যাড়া মাথা। সে অনবরত মাথা নাড়ছে আর বিড় বিড় করে কী যেন বলছে।

শশিভূষণ একটুক্ষণ তীক্ষ্ণ চোখে তাকে দেখলেন, তারপর উবু হয়ে সামনে বসলেন। পাগলটি মাথা দোলাতে দোলাতে বিকৃত স্বরে বলছে, পাখি, পাখি, পাখি—

শশিভূষণ বিহ্বলভাবে বললেন, ভরত!

ছেলেটি এক পলকের জন্য থামল, চোখের সম্পূর্ণ জ্যোতি ফুটল না, সে আবার বলতে লাগল, পাখি, পাখি, পাখি সব করে রব, পাখি পাখি—

শশিভূষণ এবার তার কাঁধ ধরে ঝাঁকানি দিয়ে বললেন, ভরত! তুই এখানে কী করে এলি?

ভরত তবু শশিভূষণকে চিনতে পারল না, মাথা ঝাঁকাতে ঝাঁকাতে বলে যেতে লাগল, পাখি, পাখি, পাখি সব করে রব রাতি পোহাইল

শশিভূষণ জোর করে পাঁজাকোলা করে তুলে নিলেন তাকে। তারপর ছুটলেন নৌকোর দিকে।

॥ ৯ ॥

ভরতকে কেন্দ্র করে শশিভূষণ ও রাধারমণের মধ্যে জোর বিবাদ ঘটে গেল। আচম্বিতে এরকম একটা অস্বাভাবিক অবস্থায় ভরতকে দেখে শশিভূষণ শুধু বিস্মিত নন, ক্রমান্বয়ে স্তম্ভিত, ক্রুদ্ধ এবং বেদনার্ত। রাধারমণের কোনও ভাবান্তর নেই। শশিভূষণ জননীর মতন যত্নে ভরতের শরীরের ক্লেদ ধুইয়ে দিলেন, পরিষ্কার ধুতি পরালেন, জোর করে চিঁড়ে-গুড়-কলা মেখে খাইয়ে দিলেন নিজের হাতে। রাধারমণ নীরবে সব লক্ষ করে যেতে লাগলেন, তারপর যখন নৌকো ছাড়ার সময় হল, তিনি গম্ভীরভাবে বললেন, ওকে ঘাটে নামিয়ে দাও, শশী। ওকে সঙ্গে নেওয়া যাবে না।

রাধারমণ কোনও অবস্থাতেই বিচলিত বা বিস্মিত হন না। তাঁর মুখ দেখে মনের ভাব বোঝা অতি দুষ্কর। মৃতপ্রায়, উন্মাদদশাগ্রস্ত ভরতকে এই গঞ্জের হাটে খুঁজে পাওয়ার মধ্যে যেন অসাধারণত্ব কিছু নেই, ভরতের সঙ্গে তিনি এ পর্যন্ত একটা কথাও বলার চেষ্টা করেননি, তার এই অবস্তান্তর সম্পর্কে কোনও কৌতূহল দেখাননি।

শশিভূষণ অপলকভাবে কয়েক মুহূর্ত তাকিয়ে রইলেন, তারপর বললেন, আপনি কী বলছেন ঘোষমশাই? ভরতকে এখানে ফেলে যাব?

রাধারমণ বললেন, উপায় নেই। আমাদের আসার সময় উপেন্দ্র ও আরও দু'জন রাজকুমার কলকাতা বেড়াবার জন্য বায়না ধরেছিল। মহারাজ কড়াভাবে নিষেধ করেছেন। আমি একটি গোপন উদ্দেশ্য নিয়ে যাচ্ছি। এ অবস্থায় ভরতকে সঙ্গে নেওয়া কোনওক্রমে সম্ভব নয়।

শশিভূষণ জোর দিয়ে বললেন, ওকে এই অবস্থায় দেখেও কোনও মানুষ ফেলে যেতে পারে? মহারাজ নিজেই তো শুনলে বলবেন—

দাঁড়ি-মাঝিরা শুনতে পাবে বলে রাধারমণ ঘাটে নেমে একটু দূরে সরে গেলেন। এখানে একটি বৃহৎ অশ্বত্থ গাছ জল পর্যন্ত শিকড় ছড়িয়ে আছে। রাধারমণ শশিভূষণকে সেখানে হাতছানি দিয়ে ডেকে বললেন, উত্তেজিত হয়ো না, শশী। গোটা দশেক টাকা দিচ্ছি, ভরতের ট্যাঁকে গুঁজে দাও। তারপর ওর নিয়তি ওকে যেখানে নিয়ে যায় যাক্‌। তুমি কি জোর করে কারুর ভাগ্য বদলাতে পারবে? ভরত নামে ওই ছেলেটি বর্জণীয় পদার্থ।

শশিভূষণ বললেন, তার মানে?

রাধারমণ শশিভূষনের কাঁধে হাত রেখে বললেন, ত্রিপুরার সঙ্গে ওর সম্পর্ক শেষ হয়ে গেছে। ভরত নিরুদ্দেশ হবার পর অনেক খোঁজাখুঁজি করা হয়েছিল। এ খবর মহারাজেরও কানে যায়। তিনি একটা অদ্ভুত মন্তব্য করেছিলেন। তিনি একটুও উদ্বিগ্ন হননি, বরং উদাসীনভাবে বলেছিলেন, যেখানে গেছে যাক! কুকুরের পেটে কি আর ঘি সহ্য হয়! তখনই আমি বুঝেছিলাম, ভরতের দিন ফুরিয়েছে।

শশিভূষণ তবু কিছু বুঝতে না পেরে বললেন, কিন্তু কেন? ভরত কী দোষ করেছে? অতি নিরীহ, শান্ত ছেলে—

—সব সময় কি নিজের দোষে ভাগ্য বিপর্যয় হয়? নিয়তি দেবী অলক্ষ্যে থেকে কলকাঠি নাড়েন!

—আমি ওসব নিয়তি ফিয়তিতে বিশ্বাস করি না।

—তুমি বিশ্বাস না করলেই কি সব উল্টে যাবে? ভরত তোমার ভালো ছাত্র ছিল, তুমি দুঃখ পেয়েছ তা বুঝি। ছেলেটিকে আমিও পছন্দ করতাম। কিন্তু ও বেচারা দুর্ভাগ্য নিয়েই জন্মেছে।

—মহারাজ ওর ওপর বিরক্ত হবেন কেন? আমি খুব ভালো করেই জানি, ও ছেলে কোনও রকম সাতে পাঁচে থাকে না।

—ও না থাকলে কী হবে. অন্য কেউ ওর ওপর নজর দিয়েছিল। আমি মহারাজের একটা ইঙ্গিত থেকেই বুঝেছি, মহারাজ শিগগিরই আর একটি বিয়ে করতে চলেছেন।

—অ্যাঁ, কী বললেন? মহারানী ভানুমতীর মৃত্যু হয়েছে, এখনও দু' সপ্তাহও কাটেনি, এর মধ্যে মহারাজ আর একটি বিয়ের চিন্তা করছেন, এ কখনও সম্ভব?

—সাধারণ মানুষের পক্ষে সম্ভব নয়, তবে রাজা-মহারাজাদের কথা আলাদা। মনোমোহিনী মহারাজের জন্য মনোনীতা হয়ে আছে।

—মনোমোহনী, মানে সেই ফচ্‌কে মেয়েটি? আপনি কী বলছেন, ঘোষ মশাই? মহারাজের বয়েস কত, অন্তত পঞ্চাশ হবেই, তিনি বিয়ে করবেন ওই বাচ্চা মেয়েটিকে? ছি ছি ছি? আপনি এটা সমর্থন করবেন? শ্যালিকার মেয়ে, মনোমোহিনী তো মহারাজের কন্যার মতন।

—ওই যে বললাম, আমাদের নীতিবোধ রাজা-মহারাজাদের ক্ষেত্রে খাটে না।

—কেন খাটবে না? তারা কি মহামানব নাকি? আমরা আজও মধ্যযুগে পড়ে থাকব? এ কখনও হতে পারে না!

—চেঁচিয়ো না, শশী, চেঁচিয়ে কোনও লাভ হবে না।

—তার মানে আপনি বলতে চান, মহারাজ নিজেই ভরতকে সরিয়ে দিয়েছেন?

—তা জানি না। মণিপুরিরা, মনোমোহিনীর বাপ-জ্যাঠারাও সরিয়ে দিতে পারে, মোটকথা তাতে মহারাজের অসম্মতি নেই বোঝা যায়। অন্তঃপুরে যে রানী হয়ে থাকবে, তার সঙ্গে অন্য কোনও পুরুষের দহরম মহরম তিনি মেনে নেবেন কী করে? তুমি রাজনীতি বোঝো

না শশী! রানী ভানুমতী মারা গেছেন, কুমার সমরেন্দ্রকে যুবরাজ করা হয়নি, এই অবস্থায় মণিপুরিরা ক্ষেপে আছে, তাদের শান্ত করাও মনোমোহিনীকে বিবাহের অন্যতম কারণ। ম্যারেজ অপ কনভিনিয়েন্স যাকে বলে!

—আমি এমন নোংরা রাজনীতি বুঝতেও চাই না।

—তা হলে অন্তত এইটুকু বোঝো, মহারাজ নিজের সন্তান হলেও যাকে কুকুরের মতন বিদায় করতে চেয়েছেন, আমরা রাজকর্মচারি হয়ে তাকে গ্রহণ করি কী করে? ছেড়ে দাও ওকে, ও ছোঁড়ার যদি কপালের জোর তাকে তা হলে নিজে নিজেই বাঁচবে।

—ঘোষমশাই, একটা অসহায় ছেলেকে ভাগ্যের হাতে ছেড়ে দিয়ে যদি যাই, তা হলে আমার শিক্ষা-দীক্ষা সব বৃথা। চাকরি যায় যাবে। ভরতকে আমি ফেলতে পারব না। আপনি যদি সঙ্গে নিতে না চান, তা হলে আমরা অন্য নৌকোয় যাব।

একটুখানি হেসে শশিভূষণের মুখের দিকে চেয়ে রইলেন রাধারমণ। তারপর বললেন, তাই যাও। তোমার এই মহানুভবতার আমি প্রশংসা করি শশী। কিন্তু আমার নৌকোয় ভরতের স্থান নেই। তুমি যদি ওকে আঁকড়ে থাকতে চাও, তোমারও স্থান নেই। সাবধানে যেও, ভালো দেখে নৌকো ভাড়া করো। আমি আর দেরি করতে পারছি না।

রাধারমণের আদেশে মাঝিরা ঘুমন্ত ভরতকে ধরাধরি করে নৌকো থেকে নামিয়ে দিল ঘাটে। তারপর নৌকো ছেড়ে গেল। রাধারমণ হুঁকো হাতে দাঁড়িয়ে রইলেন ছইয়ে ভর দিয়ে। একটু বাদেই সে নৌকো দিগন্তে মিলিয়ে গেল।

শশিভূষণ ভরতকে নিয়ে সেই গঞ্জেই একটা ভাতের হোটেলের বিশ্রী নোংরা ঘরে থেকে গেলেন একরাত। খুঁজে পেতে এক কবিরাজকে ধরে ভরতের চিকিৎসা করালেন। তারপর একটা নৌকো ঠিক করে নিরাপদেই পৌঁছলেন কুষ্টিয়ায়। সেখান থেকে ট্রেনে কলকাতা। শিয়ালদা স্টেশন থেকে একটা ছ্যাকড়া গাড়িতে চেপে ভবানীপুরের বাড়িতে পৌঁছলেন একেবারে ক্লান্ত, বিধ্বস্ত অবস্থায়।

ভরত মাথা নাড়া ও বিড়বিড় করা বন্ধ করেছে বটে, কিন্তু কোনও কথা বলে না। হাজার প্রশ্ন করলেও উত্তর দেয় না। শুধু অপলকভাবে চেয়ে থাকে, তার কৈশোরের লাবণ্যমাখা মুখখানিতে ভয়ের আঁকিবুকি। তাকে একটি পৃথক ঘর দেওয়া হয়েছে, সেখানে খাট-বিছানা আছে, জানলা দিয়ে প্রচুর গাছপালা দেখা যায়, এই অঞ্চলে দালান-কোঠার সংখ্যা কম। পরদিন শশিভূষণ তার খবর নিতে এসে তাকে দেখতে পান না, উদ্বিগ্ন হয়ে ডাকাডাকি করার পর আবিষ্কৃত হয়, সে খাটের নীচে অন্ধকারে বসে আছে। যেন সে একটা তাড়া খাওয়া ভয়ার্ত জন্তু।

শশিভূষণদের ভবানীপুরের এই বাড়িটি দু'মহলা। একান্নবর্তী পরিবার, তাঁর দুই দাদা জমিদারি বিক্রি করে দিয়ে পাটের ব্যবসা করেন, ইদানীং বিদেশে প্রচুর পরিমাণে পাট রফতানি হচ্ছে বলে ব্যবসা বেশ ভালোই জমে উঠেছে। মধ্যম ভ্রাতা মণিভূষণ একজন আর্মেনিয়ানের সঙ্গে অংশীদারত্বে নৈহাটি অঞ্চলে একটি চটকল খোলারও উদ্যোগ নিয়েছেন। শশিভূষণ যে কেন ত্রিপুরায় স্বেচ্ছানির্বাসন নিয়েছেন, তা এ বাড়ির কেউ বোঝে না।

মা এবং বাবা দু' জনেই গত হয়েছেন। দুই বৌদি অনেকদিন পরে এই খামখেয়ালি দেবরটিকে পেয়ে খাতির যত্ন করার প্রতিযোগিতায় মেতে উঠলেন। শশিভূষণকে ছবি তোলার সরঞ্জাম কেনাকাটি করতে হবে, মহারাজেরও কিছু নির্দেশ আছে, এ ছাড়া ক্যানিং লাইব্রেরি ও স্যান্সক্রিট প্রেস বুক ডিপোজিটারি থেকে নতুন বই পত্রও সংগ্রহ করা দরকার, কিন্তু তিনি বাড়ি থেকে বেরুতেই পারছেন না। বাড়ির সবাই ত্রিপুরার গল্প শুনতে চায়, সে দেশ সম্পর্কে কেউ কিছুই জানে না, পাহাড় ঘেরা সেই দেশ যেন রহস্য ও রোমাঞ্চ দিয়ে

ঘেরা। একটা ক্যাংলা চেহারার পাগল ছেলেকেই বা সেখান থেকে কেন নিয়ে এলেন শশিভূষণ?

দুপুরবেলা ষোড়শ ব্যঞ্জনের ভোজনপর্ব সেরে শশিভূষণ বাইরে বেরুবার জন্য প্রস্তুত হচ্ছেন, এমন সময় তাঁর জ্যেষ্ঠ ভ্রাতৃজায়া কৃষ্ণভামিনী এসে দাঁড়ালেন দরজার ধারে। হাতে একটা রুপোর রেকাবিতে দু' খিলি পান। তার নিজের দু'গালও পানে ঠাসা, ঠোঁট দুটি টুসটুসে লাল। বয়েস হয়েছে কৃষ্ণভামিনীর, শরীরে মেদ জমেছে। দলা দলা সিঁদুর ব্যবহার করার জন্য সিঁথির কাছটায় ফাঁকা হয়ে গেছে চুল, কিন্তু মুখখানি হাসিখুসি। কোনও রকম ভূমিকা না করেই তিনি বললেন, হ্যাঁ গা, তুমি কি আর বিয়ে থা করবে না? লোকের কাছে যে মুখ দেখাতে পারি না!

শশিভূষণ অবাক হয়ে বললেন, সে কি বউদিদিমণি, আমি বিয়ে করছি না বলে তোমরা মুখ দেখাতে পারবে না কেন?

কৃষ্ণভামিনী অনেকখানি ভুরু তুলে বললেন, ওমা, শোনো ছেলের কথা! সোমত্থ পুরুষ মানুষ, লেখাপড়া শিখেছে, তার বউ থাকবে না? ত্রিপুরায় কি রাঁড় রেখেছ নাকি গো!

শশিভূষণ বললেন, ছিঃ বউদিমণি, আমাকে তুমি এমন ভাব?

কৃষ্ণভামিনী এই র্ভৎসনায় একটুও লজ্জা না পেয়ে বললেন, আমিও তো তাই বলি। আমাদের ঠাকুরপো হীরের টুকরো ছেলে। গায়ে ময়লা ধরে না। শোনো, তোমার কোনও আপত্তি শুনছি না। আমার এক পিসতুতো বোন আছে, তার সঙ্গে তোমার সম্বন্ধ করছি, একবার দেখ, দেখলেই তোমার পছন্দ হবে, একেবারে সাক্ষাৎ লক্ষ্মী প্রতিমা!

শশিভূষণ হাসলেন। আগের সন্ধ্যেবেলা একটু ফাঁকা পেয়ে মণিভূষণের স্ত্রী সুহাসিনীও তাঁর কোনও এক মাসতুতো বোনের সঙ্গে শশিভূষণের বিয়ের প্রস্তাব দিয়েছেন। এমনকি এ বাড়িতে গ্রাম সম্পর্কে এক আশ্রিতা পিসি আছেন, তিনিও পাত্রী ঠিক করে ফেলেছেন তাঁর জন্য। সুস্থ শরীর, উপার্জনশীল কোনও পুরুষকে বিবাহ বন্ধনে বাঁধতে না পারলে মেয়েরা স্বস্তি বোধ করে না। আশ্চর্যের ব্যাপার প্রত্যেকেরই পাত্রী একেবারে লক্ষ্মী প্রতিমার মতন। বাংলা দেশে এত লক্ষ্মীর ছাড়াছড়ি!

কৃষ্ণভামিনীকে কোনও রকমে এড়িয়ে বাড়ি থেকে নির্গত হলেন শশিভূষণ। তাঁর মাথায় একটা নতুন চিন্তা জাগল। বৌদিরা সব সময় এরকম জ্বালাতন করলে এ বাড়িতে বেশিদিন টেঁকা যাবে না। রাধারমণের সঙ্গে ঝগড়ার ফলে সম্ভবত আর ফেরা যাবে না ত্রিপুরায়। কলকাতাতেও থাকতে ইচ্ছে করে না তাঁর । একটা কিছু ব্যবস্থা করতে হবে।

পরদিন সকালেই অবশ্য এ সমস্যার অনেকটা সমাধান হয়ে গেল।

এক হাতে ধুতির কোঁচা, অন্য হাতে রুপো বাঁধানো ছড়ি নিয়ে এ বাড়ির দরজার সামনে এসে ঘোড়ার গাড়ি থেকে নামলেন রাধারমণ। শান্ত মুখমণ্ডল, শশিভূষণের সঙ্গে ঝগড়া করে তাঁকে যে মাঝপথে বিদায় করে দিয়েছেন, সে জন্য কোনও পরিতাপের চিহ্নও নেই তাঁর ব্যবহারে। অত্যন্ত স্বাভাবিকভাবে জিজ্ঞেস করলেন, কেমন আছ, শশী? তোমরা কবে পৌঁছলে ? সে ছোঁড়াটা কেমন আছে, তার চিকিৎসার কিছু ব্যবস্থা করেছ? সে ওই গঞ্জের ঘাটে এসে ঠেকলো কী করে?

ভরতকে তিনি দেখতে এলেন দোতলার ঘরে। রাধারমণকে দেখে আরও ভয় পেয়ে গেল ভরত, সে খাটের নীচে ঢুকে বসে রইল। কিছুতেই বাইরে আসতে চায় না। শশিভূষণ জোর করে টেনে এনে তাকে দাঁড় করালেন, সে আবার মাথা ঝাঁকাতে শুরু করেছে।

রাধারমণ বললেন, এই ভরত , তাকা আমার দিকে। কে তোকে ধরে নিয়ে গিয়েছিল মনে আছে? কোথায় নিয়ে গিয়েছিল? মাথা ন্যাড়া করে দিল কে? এসব কিছু তোর মনে আছে?

ভরত সজোরে মাথা ঝাঁকাতে ঝাঁকাতে বলতে লাগল, পাখি সব, পাখি সব, পাখি সব করে রব।

রাধারমণ বললেন, এখনও বায়ু চড়ে আছে। একবার ডাক্তার মহেন্দ্রলাল সরকারকে দেখাও। উনি ধন্বন্তরি। ঠিক হয়ে যাবে।

তারপর ভরতের মাথায় সস্নেহ হাত রেখে বললেন, তোর ভয় নেই। তুই একজন মহান ব্যক্তির হাতে পড়েছিস। আবার তোর ভাগ্য খুলে যাবে।

এরপর নীচে নেমে এসে বৈঠকখানায় বসে তিনি বললেন, পান-তামাক খাওয়াও, শশী। তোমার বাড়িতে প্রথম এসেছি। তোমার সঙ্গে কথা আছে।

শশিভূষণ অনুভব করলেন, রাধারমণের ব্যক্তিত্বের কাছে তিনি নত হয়ে যাচ্ছেন। তিনি ঠিক করেছিলেন, এই হৃদয়হীন লোকটির সঙ্গে আর কোনও সম্পর্ক রাখবেন না। কিন্তু রাধারমণ মানী লোক হয়েও নিজেই দেখা করতে এসেছেন এবং এখন তাঁকে ততটা হৃদয়হীনও মনে হচ্ছে না।

রাধারমণ জিজ্ঞেস করলেন, তুমি কী ঠিক করলে, শশী? তুমি যদি ত্রিপুরায় ফিরে যেতে চাও, আমার কোনও আপত্তি নেই। তবে বুঝতেই পারছ, ভরতকে সেখানে ফিরিয়ে নিয়ে যাওয়া তার পক্ষেই শুভ হবে না। সিমলে পাড়ায় আমার চেনা এক ব্যক্তি নিজের বাড়িতে মফঃস্বলের ছেলেদের রেখে লেখাপড়া শেখায়। খাওয়া-দাওয়াও সেখানেই । মাসে আঠেরো টাকা করে নেয়, সেখানে রেখে দিলে ছেলেটা মানুষ হতে পারবে। মাসিক আঠেরো টাকা তুমি আর আমি ভাগ করে দেব। রাজার তহবিল নয়। আমি নিজের থেকে দিতে পারি দশ টাকা । এ প্রস্তাবটা তোমার কেমন মনে হয়?

শশিভূষণ বললেন, ভালোই তো মনে হচ্ছে। তবে একটু ভেবে দেখি।

রাধারমণ বললেন, ভাব! ত্রিপুরায় আবার যাবে কি যাবে না?

শশিভূষণ বললেন, আপনাদের আপত্তি না থাকলে আমারও আপত্তি নেই।

রাধারমণ বললেন, উত্তম, অতি উত্তম। শুধু ভরতের প্রসঙ্গটা মহারাজের কানে না তুললেই হল। আমি ভরতকে দেখিনি, ভরত কোথায় আছে জানি না। মহারাজ সহসা এ বিষয়ে তোমাকে কিছু জিজ্ঞেসও করবেন না। ওকে সিমলে পাড়ায় পাঠিয়ে দিলে ওর সঙ্গে তোমার কোনও যোগাযোগও নির্ণয় করা যাবে না।

শশিভূষণ চুপ করে রইলেন। রাধারমণের প্রত্যেকটি কথায় অকাট্য যুক্তি আছে।

রাধারমণ বললেন, শশী, তা হলে তুমি ত্রিপুরার রাজকর্মচারিই রইলে। এবারে তোমার কাছে আমার একটু অনুরোধ আছে। আমি যে কাজে এসেছি তা সার্থক হয়েছে, আশাতীত ফল পেয়েছি। শুধু আর একটি ছোট কাজ বাকি আছে। একবার জোড়াসাঁকোর ঠাকুরবাড়িতে যেতে হবে। মহারাজ তরুণ কবি রবীন্দ্রের জন্য একটি মানপত্র ও কিছু উপহার পাঠিয়েছেন, সে সব দিয়ে আসতে হবে, তুমি আমার সঙ্গে গেলে আমি বড় উপকৃত হবে। তোমার আপত্তি আছে?

শশিভূষণ বললেন, এতে আপত্তির তো কোনও কারণ নেই। রবীন্দ্রবাবুকে দেখার কৌতূহল আছে আমারও।

রাধারমণ সঙ্গে সঙ্গে উঠে দাঁড়িয়ে বললেন, বাঃ, তা হলে আর বিলম্বে কাজ কী? চলো, এখনই যাই, গাড়ী তৈরি আছে।

জোড়াসাঁকোর দিকে এই প্রথম এলেন শশিভূষণ। তাঁদের ভবানীপুরের দিকটা ফাঁকা ফাঁকা, এখনও অনেকে ভবানীপুরকে রসাপাগলা গ্রাম বলে, সেই তুলনায় জোড়াসাঁকো মানুষের ভিড়ে গমগম করে। কেরাঞ্চি গাড়ি, ছ্যাকড়া গাড়ি ছুটছে অনবরত, মাঝে মাঝে সুদৃশ্য বগি গাড়ি ও ল্যান্ডো, তারই ফাঁকে ফাঁকে এঁকেবেঁকে যাচ্ছে ঝাঁকামুটে, ফেরিওয়ালা।

গলির মুখে ঘোড়ার গাড়ি থেকে নামলেন রাধারমণ ও শশিভূষণ। কোচোয়ানের পাশে বসেছিল একজন আর্দালি, সে উপহার দ্রব্যের দুটি বান্ডিল বয়ে নিয়ে চলল। দেউড়িতে চার-পাঁচজন দারোয়ান গুলতানি করছে, তারা এঁদের দিকে ভ্রুক্ষেপও করল না। এঁরাও কিছু জিজ্ঞেস করলেন না, অনেক লোক যাতায়াত করছে অনবরত।

দেউড়ির পরে অনেকখানি ফাঁকা চত্বর। এক পাশে রয়েছে গোটা পাঁচেক জুড়ি গাড়ি, ঘোড়াগুলির দলাই মলাই চলছে, কাছেই সার দিয়ে বসে আছে কয়েকজন ফেরিওয়ালা। ঠাকুরবাড়িটি যে এত বিশাল, সে সম্পর্কে এঁদের দু'জনেরই সঠিক ধারণা ছিল না। দু'দিকে ছড়িয়ে আছে অনেকখানি, তারপরেও কর্মচারি-দাস-দাসীদের ছোট ছোট বাড়ি-ঘর। পেছন দিক থেকে মাথা তুলে আছে একটা মস্ত বট গাছ। কিছু স্ত্রীলোক কাঁখে কলসি নিয়ে সেদিকে যাচ্ছে দেখে বোঝা যায় একটা পুকুরও আছে।

ত্রিপুরার রাজবাড়ির চেয়ে এই প্রাসাদ অনেক বেশি সরগরম। রাধারমণ অনুভব করলেন, তাঁর মনিবদের থেকে ঠাকুরদের ঐশ্বর্যও বেশি।

দু'জনেই দিশাহারা বোধ করলেন খানিকটা। কাকে দিয়ে ভেতরে খবর পাঠানো যায় বোঝা যাচ্ছে না, দাস-দাসী-কর্মচারী সকলেরই এস্তব্যস্ত ভঙ্গি, কেউ ভ্রুক্ষেপ করছে না এই আগন্তকদের দিকে।

শশিভূষণ একটা ঘরে উকি মেরে দেখলেন, সেখানে অনেকগুলি চৌকির ওপর ফরাস পাতা, দেওয়ালের ধারে গোছা-গোছা লাল কাপড়ের মলাট দেওয়া খেরোর খাতা ও অন্য কাগজপত্র ছড়ানো। দুটি লোক সেখানে বসে খাতায় কিছু লেখালেখি করছে। এটা বৈঠকখানা নয়, সেরেস্তা ধরনের, অগত্যা শশিভূষণ সে ঘরে ঢুকেই লোকদুটির উদ্দেশে বললেন, নমস্কার, আমরা ত্রিপুরার রাজদরবার থেকে আসছি, একবার রবীন্দ্রবাবুকে খবর দেওয়া যেতে পারে কি?

একজন সেরেস্তাদার মুখ তুলে তাকাল। ত্রিপুরা দরবারের কথা শুনে সে তেমন গুরুত্ব দিল না, চিন্তিতভাবে বলল, রবীন্দ্রবাবু? কোন বরীন্দ্রবাবু?

শশিভূষণ বললেন, দেবেন্দ্রনাথ ঠাকুরের কনিষ্ঠ পুত্র, যার কাব্যগ্রন্থ বেরিয়েছে 'ভগ্নহৃদয়'—

লোকটি বলল, অ, রোববাবু! তিনি কি আছেন এখানে? বসুন আপনারা, আমি খপর পাঠাচ্ছি।

সে ভেতরের দরজার দিকে উঠে গিয়ে হেঁকে বলল, হরিচরণ, ও হরিচরণ, দেখ তো রোববাবুমশাই আছেন কি না, কারা তাঁকে ডাকতে এয়েছেন—

ভেতর থেকে একটি অদৃশ্য কণ্ঠ আর একজনের উদ্দেশে বলল, রস্‌কে, অ্যাই রস্‌কে, তিনতলায় রোববাবুমশাইকে গিয়ে বল...

মনে হল যেন সেই লোকটিও আবার অন্য একজনকে দায়িত্ব হস্তান্তরিত করল, এই বার্তা প্রতিধ্বনিত হয়ে উঠতে লাগল উপরের দিকে।

রাধারমণ শশিভূষনের পাশে এসে দাঁড়িয়েছেন। সেরেস্তাদারটি অনুরোধ করাতেও তিনি ফরাসের ওপর বসলেন না, ঘরে কোনও চেয়ার নেই। দু'জনে দাঁড়িয়েই রইলেন। সময় কাটতে লাগল, ভেতর থেকে কোনও উত্তর আসে না। রাধারমণ ভেতরে ভেতরে বিরক্ত হচ্ছেন, আগে থেকে লোক মারফত খবর পাঠিয়ে আসা উচিত ছিল, কিন্তু তাঁর হাতে যে সময় নেই। প্রথম কয়েকদিন সাহেব কোম্পানির সঙ্গে আলাপ-আলোচনায় ব্যস্ত ছিলেন, কার্য উদ্ধার হয়েছে, কালই তাঁকে আবার ত্রিপুরার দিকে রওনা দিতে হবে।

সেরেস্তাদার দু'জন কাজে ব্যস্ত, একজন এক সময় মুখ তুলে বলল, জ্যোতিবাবু মশাই আর নতুন বউঠান এখন চন্দননগরে রয়েছেন।

হঠাৎ এই অপ্রাসঙ্গিক খবরটির কী তাৎপর্য তা রাধারমণ বা শশিভূষণ বুঝলেন না। মহারাজের উপহার রবি ঠাকুরের হাতে হাতে দেওয়ার নির্দেশ আছে, সেইজন্য শশিভূষণ বলল, আমরা রবীন্দবাবুর সঙ্গেই দেখা করতে এসেছি—

আরও কয়েক মিনিট পরে একজন উঁকি দিয়ে বলে গেল, রোববাবুর ঘর তালাবন্ধ, তিনি কলকাতার বাইরে।

শশিভুষণ ও রাধারমণ পরস্পরের দিকে কিংকর্তব্যবিমূঢ় ভাবে তাকালেন।

এই সময় এক ছিপছিপে, সুদর্শন যুবক হনহনিয়ে এ ঘরে ঢুকে ভুজঙ্গধর, আমার মাসোহারা থেকে কুড়িটে টাকা দাও তো। রাস্তার কুকুরদের খাওয়াব!

সেরেস্তাদারটি বলল, আজ্ঞে আপনার মাসোহারার সব টাকা দেওয়া হয়ে গেছে।

যুবকটি ধমক দিয়ে বলল, তা বলে কি কুকুরগুলো না খেয়ে থাকবে? দাও দাও, আগাম লিখে দাও—

কথা বলতে বলতে সে শশিভূষণদের উপস্থিতি টের পেয়ে থেমে গিয়ে কৌতূহলী হয়ে চেয়ে রইল কয়েক মুহূর্ত। তারপর জিজ্ঞেস করল, মশাইদের কোথা থেকে আসা হচ্ছে?

শশিভূষণ বললেন, আমরা আসছি ত্রিপুরার মহারাজের কাছ থেকে।

যুবকটি খুবই বিস্মিত হয়ে বলল, ত্রিপুরা? সে তো পাহাড়ের কোলে লুকিয়ে থাকে, কেউ দেখতে পায় না। সেখানকার রাজারা মুক্তাভস্ম, হীরেভস্মা খায়, তাই না! কিন্তু বাবামশাই আলমোরায় গেছেন, তাঁর সঙ্গে তো দেখা হবে না।

শশিভূষণ বললেন, আমরা রবীন্দ্রবাবুর জন্য একটা চিঠি নিয়ে এসেছি।

যুবকটি বলল, রবি? রবি তো বাচ্ছা ছেলে। তার সঙ্গে আপনাদের কী দরকার? সে বিলেত থেকে পালিয়ে এসে এখন লুকিয়ে আছে, তা জানেন না?

শশিভূষণ বললেন, তিনি একটি কাব্যগ্রন্থ লিখেছেন...

তাকে থামিয়ে দিয়ে যুবকটি বলল, হ্যাঁ, হ্যাঁ, রবি কবিতা লেখে, বেশ তোফা লেখে, আমরাই ওর বই ছাপিয়ে দিই। বিক্রি হয় না মোটে। আমি কে জানেন? আমি হচ্ছি রবিব দাদা, সোম। কী বিশ্বাস হচ্ছে না। এই ভুজঙ্গধরকে জিজ্ঞেস করুন। ওহে ভুজঙ্গ, আমি সোমবাবু নই?

লোকটি বলল, আজ্ঞে হ্যাঁ।

এবার যুবকটি এক গাল হেসে বলল, আমিও কবিতা লিখতে পারি। রবি গান গায়। আমি তার চেয়েও ভালো গান গাই। শুনবেন আমার গান?

এবার সে দু' হাত তুলে বেশ চেঁচিয়ে গান ধরল, 'দেখিতে তরঙ্গময় ভব পারাবার—'

তরঙ্গবোঝাবার জন্য দু'হাত কাঁপিয়ে নাচের ভঙ্গি করল। ক্রমশ সে নৃত্য উদ্দাম হল। নাচতে নাচতে রাধারমণের হাত চেপে ধরে বলল, অমন গোমড়া মুখে দাঁড়িয়ে কেন? আপনিও নাচুন আমার সঙ্গে। নাচলে মন ভালো হয়ে যায়—

একজন হৃষ্টপুষ্ট, গৌরবর্ণ, সুদর্শন পুরুষ দ্রুত ঘরে ঢুকে এসে সোমের কাঁধ ধরে বললেন, এ কী সোম, কী করছ? বাইরে থেকে ভদ্রলোকেরা এসেছেন—

সোম সরল ভাবে বলল, কিছু করিনি তো, ওঁদের গান শোনাচ্ছিলাম। রবির থেকে আমি ভালো গাই কি না বল? ওঁদের নাচতে বলছিলাম আমার সঙ্গে। নাচলে মন ভালো হয় না, গুনো দাদা?

গুণেন্দ্রনাথ স্নেহের সঙ্গে বললেন, না, সোম, সবার সামনে এমন হঠাৎ নাচতে নেই। চলো এখন ভেতরে চলো, লক্ষ্মী ভাইটি আমার—

আর একজন ভৃত্যও এসে গেছে। দু'জনে সোমের দু'কাঁধ ধরে আস্তে আস্তে টেনে নিয়ে গেল অন্দরমহলে।

॥১০॥

চন্দননগরের গোন্দলপাড়ায় গঙ্গার ধারে মোরান সাহেবের বাগানবাড়িটি রাজপ্রাসাদতুল্য। নীলের ব্যবসায়ী মোরান সাহেব এই বাগানবাড়িটি বানিয়েছিলেন খুব শখে ও যত্নে। এখন নীলের কারবারে মন্দা চলছে, প্রায় বন্ধ হবারই মুখে, তাই এই কুঠিবাড়িটি ভাড়া দেওয়া হয়। বর্তমানে এখানে সস্ত্রীক বসবাস করতে এসেছেন জ্যোতিরিন্দ্রনাথ।

একেবারে গঙ্গার তীর থেকেই পাথরে বাঁধানো সিঁড়ি ধাপে ধাপে উঠে গেছে ওপরে, মিশেছে এক সুবিশাল বারান্দায়। তারপর ঘরগুলির আকৃতিও বিচিত্র। ঘরগুলি সমতলে নয়, কোনওটি একটু উঁচুতে, কোনওটি কয়েক সিঁড়ি নীচে, কোনও ঘরই পাশাপাশি নয়, দরজাগুলিও বিভিন্ন দিকে। এ বাড়িতে কোনওদিনই অতি পরিচয়ের একঘেয়েমি আসবে না।

নদীর গা ঘেঁষেই রয়েছে একটি প্রশস্ত বৈঠকখানা, তার সব জানলায় রঙিন ছবিওয়ালা কাচ বসানো। প্রতিটি ছবিই এক একটি মধুর দৃশ্য। তার মধ্যে একটি ছবি বিশেষভাবে দৃষ্টি আকর্ষণ করে: ঘন পত্রপল্লবময় একটি গাছের ডালে বাঁধা রয়েছে একটি দোলনা, তাতে বিভোর হয়ে দুলছে দুই যুবক-যুবতী। দেখলেই মনে হয় সম্পূর্ণ নির্জনতার স্বাদ উপভোগ করছে ওরা দুজন।

এ বাড়ির দু পাশে এবং পশ্চাৎদিকে অনেকখানি বিস্তৃত বাগান, তাতে যেমন রয়েছে প্রচুর ফলবান বৃক্ষ, তেমনই বহুরকম ফুলের সম্ভার। বিভিন্ন ঋতুর ফুল-ফল অনেকটা এমনিই ঝরে যায়। একটি বড় আম গাছের ডালে টাঙানো আছে সত্যিকারের দোলনা। নদীর ঘাটে বাঁধা আছে একটি সুদৃশ্য নৌকো, এই ঘাটে অন্য কারুর নৌকো ভিড়তে পারে না।

আকাশে এখন রঙের দ্যুতি, অস্ত যাচ্ছেন সূর্যদেব। গঙ্গার বুকে নেমে এসেছে সহস্র রেখা, পাল তোলা চলমান নৌকোগুলি সেই অপরূপ আলোয় মায়াময় রূপ ধরেছে। এখানে কল-কোলাহল নেই, কোনও যান্ত্রিক শব্দ নেই, একটু কান পাতলেই যেন শোনা যায় প্রকৃতির নিজস্ব সঙ্গীত।

ঘাটের সিঁড়িতে নদীর দিকে মুখ করে দাঁড়িয়ে আছেন, এক সুঠাম পুরুষ, জ্যোতিরিন্দ্রনাথ, দেবেন্দ্রনাথ ঠাকুরের ষষ্ঠ সন্তান। দীর্ঘকায়, মজবুত গড়ন, তীক্ষ্ণনাশা, টানা টানা চোখ, কুঞ্চিত চুল, তাঁর রুপ দেবোপম। দেবেন্দ্রনাথের চতুদর্শ পুত্রকন্যার মধ্যে তাঁর ব্যক্তিত্বই সবচেয়ে উজ্জ্বল, রূপে-গুণে সমান, তিনি খেলাধুলো, অশ্বারোহণ ও শিকারে দক্ষ, পিতার অনুপস্থিতিতে জমিদারির কাজ তিনিই পরিদর্শন করেন, আবার সাহিত্য ও সঙ্গীতে তাঁর যশ অনেকখানি ছড়িয়ে পড়েছে। তিনি বেহালা বাজাতে পারেন, পিয়ানো বাজাতে জানেন, সঙ্গীত রচনা করে সঙ্গে সঙ্গে সুর বসিয়ে দেন, নাট্যকার হিসেবে তিনি রীতিমতন সফল, তাঁর রচিত নাটক সাধারণ রঙ্গমঞ্চেও অভিনীত হয় নিয়মিত । বাংলার সকলেরই চোখ ঠাকুরবাড়ির এই প্রতিভাবান তরুণটির দিকে, অনেকেরই ধারণা, তিনি অসাধারণ কীর্তি রেখে যাবেন।

জ্যোতিরিন্দ্রনাথের হাতে রুপোর হাতল বসানো পাতলা পোরসিলিনের চায়ের পেয়ালা, তাতে চুমুক দিতে দিতে তিনি সূর্যাস্তের শোভা উপভোগ করছেন, একবার মুখ ফিরিয়ে জিজ্ঞেস করলেন, রবি কোথায়? রবি নামেনি?

বাগানে সাজানো রয়েছে বেতের গোল টেবিল ও কয়েকটি চেয়ার। একটি চেয়ারে বসে আছেন জ্যোতিরিন্দ্রনাথের স্ত্রী কাদম্বরী, ইনিও সাধারণ নারীদের তুলনায় লম্বা, গাঢ় ভুরু, বড় বড় অক্ষিপক্ষ্ম, কৌতুকময় চক্ষু। এর সঙ্গেও তুলনা দেওয়া যায় কোনও গ্রীক দেবীর। বস্তুত অন্তরঙ্গ মহলে তাঁর ডাক নাম হেকেটি। তাঁর আরও একটি ডাক নাম আছে। জ্যোতিরিন্দ্রনাথের পরে আরও অনেক ভাই বোন জন্মে গেলেও অনেকের কাছে তিনি নতুনবাবু বা নতুনদা নামে পরিচিতি। সেই অনুসারে তাঁর স্ত্রী নতুন বউঠান। দেবেন্দনাথের অন্যান্য পুত্রবধুরাও এসে গেছে, কিন্তু কাদম্বরী নতুন বউঠানই রয়ে গেলেন, তিনি পুরনো হবেন না।

মাথার চুল সামনের দিকে পাতা কাটা, পরনে ঘটিহাতা ব্লাউজ ও সাদা সিল্কের শাড়ি, কাদম্বরীও চা-পান করতে করতে একটি বই পড়ছিলেন, একটি চটি কাব্যগ্রন্থ, মুখ তুলে বললেন, রবি তো চা খায় না।

জ্যোতিরিন্দ্রনাথ গলা তুলে ডাকলেন, রবি, রবি!

এ বাড়িতে কতগুলি যে কক্ষ তার হিসেব নেই। অনেক ঘরই কাজে লাগে না। তিনজন মাত্র নারী পুরুষের বসবাস এখানে, ভৃত্যদের মহল বেশ খানিকটা দূরে। প্রয়োজনে ডাক না পড়লে তাদের কাছাকাছি এসে ঘোরাফেরা করার নিয়ম নেই। গৃহটির সবচেয়ে উঁচুতলায় একটি গোল ঘর রয়েছে, তার সব দিকই খোলা, জ্যোতিরিন্দ্রনাথের কনিষ্ঠ ভ্রাতা রবি এটি দখল করে নিয়েছে, এখানে সে নিভৃতে কবিতা-সাধনা করে।

অনন্ত এ আকাশের কোলে
টলমল মেঘের মাঝার
এইখানে বাঁধিয়াছি ঘর
তোর তরে কবিতা আমার।

দাদার ডাক শুনে রবি ছাদের কার্নিসের ধারে দাঁড়িয়ে নীচে উঁকি দিল। কুড়ি বছর পূর্ণ করে সদ্য একুশে পা দিয়েছে সে। সলজ্জ, লাবণ্যমাখা মুখ, মাত্র কিছুদিন আগে সে দাড়ি কামানো শুরু করেছে, মাথার চুল দু পাশে পাট করা, মাঝখানে সিঁথি। একটা রেশমের কাজ করা কুর্তা ও কুচোনো ধুতি পরা, পায়ে লপেটা। রবি দেখতে চাইল, তার দাদার কাছে কোনও দর্শনার্থী এসেছে কি না। কেউ নেই দেখে সে প্রফুল্ল মনে সিঁড়ি দিয়ে নামতে শুরু করল।

ইদানীং সে বাইরের লোকদের সংসর্গ পারতপক্ষে এড়িয়ে যেতে চায়, এমনকি আত্মীয়-স্বজনদেরও সামনে অস্বস্তি বোধ করে। এই সংসারে আর যা কিছুরই অভাব থাক, অযাচিত মন্তব্য বা উপদেশ দেওয়ার মানুষের অভাব নেই। নিজের কোনও উপকার হয় না তবু অন্যকে মানুষ আঘাত দেয়। অনেকে শুভার্থীর ছদ্মবেশে হাসিমুখে গরলমাখা তীর নিক্ষেপ করে আনন্দ পায়। যেমন, ইদানীং অনেকেই দেখা হলেই তাকে প্রশ্ন করে, কী রবি, এবারেও বিলেত গিয়ে কিছু করতে পারলে না? শুধু শুধু ফিরে এলে!

একবার নয়, দু দুবার রবিকে বিলেতে পাঠানো হয়েছিল ব্যারিস্টার কিংবা আই এ এস হয়ে আসার জন্য। দুবারই সে ব্যর্থ হয়েছে। দেবেন্দ্রনাথের এতগুলি সন্তানের মধ্যে একমাত্র সত্যেন্দ্রনাথ ছাড়া আর কেউই নিজস্ব জীবিকা অর্জনে সমর্থ হয়নি। যৌবনে ঋণে জর্জরিত দেবেন্দ্রনাথ একান্ত নিজের উদ্যমে সমস্ত দায়মুক্ত হয়েছেন এবং বিভিন্ন অঞ্চলে জমিদারির বিস্তার ঘটিয়েছেন। কিন্তু তাঁর পুত্ররা সেই ঐশ্বর্য বৃদ্ধির বদলে ক্ষয়ের দিকেই বেশি মনোযোগী। বিবাহিতা কন্যাদের স্বামীরাও ঘরজামাই। দেবেন্দ্রনাথ এখন কলকাতায় থাকেন কদাচিৎ। পশ্চিমের বিভিন্ন শৈল শহরে কিংবা নদীবক্ষে বোটে বাস করেন ইচ্ছেমতন, অবশ্য চিঠিপত্র ও দূত মারফত পরিবারের প্রত্যেকের প্রতি তীক্ষ্ণ নজর রাখেন।

তাঁর চোদ্দটি সন্তানের মধ্যে রবিই এখন কনিষ্ঠ। রবির পরেও বুধ নামে আর একটি পুত্র ছিল, কিন্তু সে অকালমৃত। রবির দুই দাদা পাগল, অন্যরাও খাময়েখালি। কৈশোরেই রবির বুদ্ধির প্রাখর্য প্রকাশ পেয়েছে, তার সুঠাম সুন্দর শরীর, সকলেরই ধারণা হয়েছিল রবি নিশ্চিত একজন কেউকেটা হবে। সেই জন্যই ষোলো বৎসর বয়েসে তাকে বিলেত পাঠানো হল। তার জন্য দেবেন্দ্রনাথ এস্টেটের তহবিল থেকে মাসে মাসে দেড়শো টাকা বরাদ্দ করেছিলেন, পরে তা বাড়িয়ে দুশো চল্লিশ টাকা করা হয়। সেই টাকায়, অর্থাৎ মাসিক কুড়ি পাউন্ডে বিলেতে তার বেশ সচ্ছলভাবেই চলে যাওয়ার কথা।

প্রথম প্রথম রবির মন বসেনি তা ঠিক। নতুন দেশ, নতুন পরিবেশে মানিয়ে নিতে সময় লাগে। মেজবৌদি জ্ঞানদানন্দিনী সেই সময় দুই ছেলেমেয়ে বিবি আর সুরেনকে নিয়ে ইংল্যান্ডে ছিলেন, মেজদা সত্যেন্দ্রনাথও ছুটি কাটাতে এসে পড়লেন, রবি থাকতে লাগল ওঁদের সঙ্গে। ওঁরা চলে যাওয়ার পর রবি একটু একটু করে মন দিল ভাষা শিক্ষায়, তারপর ভর্তি হল লন্ডন ইউনিভার্সিটি কলেজে। সেখানে ভালোই করছিল সে, হঠাৎ দেবেন্দ্রনাথের আদেশে তারে ফিরে আসতে হল। পিতার আদেশের কোনও প্রতিবাদ চলে না।

প্রায় দু বছর ইংল্যান্ডে কাটিয়ে, অনেক অর্থ ব্যয় করেও কোনও ডিগ্রি না নিয়ে রবি ফিরে এল, কিন্তু সবটাই কি তার দোষ? শেষের দিকে রবি পেয়িং গেস্ট ছিল একটি ইংরেজ পরিবারে। সেই পরিবারে এক প্রৌঢ় দম্পতি ও তিনটি কন্যা, তাদের মধ্যে দুটি মেয়ে না জানি ভারতীয়দের কীরকম কিম্ভূত দেখতে হয় এই ভয়ে প্রথমে বাড়ি ছেড়ে পালিয়ে গিয়েছিল। পরে তারা ফিরে এসে দেখে এই যুবকটি রীতিমতন সুপুরুষ এবং সুকণ্ঠ, বিলিতি আদবকায়দাও জানে। গৃহকর্ত্রী রবিকে জননীর মতন স্নেহ করতেন। যুবতী তিনটির সঙ্গে রবির বন্ধুত্ব হয়ে গেল। সবাই মিলে এক সঙ্গে গান গায়, পিকনিকে গিয়ে হাসিঠাট্টায় মাতে, অন্ধকারে ঘরে প্ল্যানচেটে বসে। এসব খবর দেবেন্দ্রনাথের কানে পৌঁছেছিল। মেম-যুবতীদের সঙ্গে ছেলের এমন মেলামেশা তিনি পছন্দ করেননি, আর একটি ব্যাপারেও দেবেন্দ্রনাথ উদ্বিগ্ন হয়েছিলেন। বিলেত থেকে রবি ভারতী পত্রিকার জন্য য়ুরোপ যাত্রী কোনও বঙ্গীয় যুবকের পত্র ' নামে যে লেখাগুলি পাঠাত, তাতে মাঝে মাঝে রীতিমতন ঔদ্ধত্যের প্রকাশ ছিল। 'পারিবারিক দাসত্ব' নামে একটি প্রবন্ধ প্রায় পারিবারিক বিদ্রোহের মতন। তাতে রবি লিখেছিল যে, বাঙালি পরিবারে অভিভাবকরা বাড়ির ছোটদের প্রতি দাস-দাসীর মতন ব্যবহার করে, তাদের মতামতের কোনও মূল্য দেয় না। এমনই উগ্র মতামত যে সম্পাদক দ্বিজেন্দ্রনাথ ছোটভাইয়ের লেখাটি প্রকাশ করেছিলেন বটে, কিন্তু সম্পাদকীয় মন্তব্যে প্রতিবাদ করতে বাধ্য হয়েছিলেন।

বাবার হুকুমে রবি ফিরে এল তবু সবাই রবিকেই দায়ী করল। আত্মীয়রা বলতে লাগল, কী রে, রবি, এতগুলো দিন বিলেতে থেকে এলি কিছুই করলি না? সেই সব খোঁচা তার গায়ে বেঁধে, সে কষ্ট পায়, তার সেই কষ্ট মাত্র দু-একজন ছাড়া আর কেউ বোঝে না। রবি ঠিক করল, সে ব্যারিস্টারি পাশ করবেই, বাবার কাছে সে আর একবার বিলেত যাওয়ার অনুমতি চাইল।

দ্বিতীয়বার আর একা নয়, তার সঙ্গী হবে তার প্রায় সমবয়সী ভাগনে, বড়দিদি সৌদামিনীর ছেলে সত্যপ্রসাদ। একই বাড়িতে দুজন বালক বয়েস থেকে বর্ধিত হয়েছে, সত্যপ্রসাদ বয়েসে দু-এক বছরের বড়, রবির তুলনায় অনেক বেশি তুখোড়। সত্যপ্রসাদ কলকাতার কলেজে ভর্তি হওয়ার সঙ্গে সঙ্গেই বিয়ে করেছে এবং পরপর পরীক্ষায় ফেল করলেও এরই মধ্যে এক কন্যা সন্তানের পিতা হয়ে একটা অন্তত সাফল্যের পরিচয় দিয়েছে। এই সত্যপ্রসাদই রবিকে দ্বিতীয়বার বিলেত যাওয়ার প্ররোচনা দেয়।

কলকাতা থেকে ছাড়ল জাহাজ, ডেকে দাঁড়িয়ে দাঁড়িয়ে সত্যপ্রসাদের ভবিষ্যৎ পরিকল্পনার শেষ নেই, ব্যারিস্টার হয়ে ফিরে এসে সে আর জোড়াসাঁকোয় থাকবে না। সাহেবপাড়ায় বাড়ি ভাড়া করবে, রবিকে করে নেবে তার জুনিয়ার! রবিকে বেশি পরিশ্রম করতে হবে না, সে কবিতা লেখার অনেক সময় পাবে। কিন্তু মাদ্রাজ পৌঁছবার কিছু আগে পেটে মোচড় দিতেই সে চিৎকার করতে লাগল, ওরে রবি রে, আমার আর বিলেত যাওয়ার কাজ নেই, আমি বাড়ি ফিরে যাব, আমি বাড়ি যাব! রবি যত বোঝায় যে এই সী-সিকনেস দু-একদিন পরেই কেটে যাবে, সত্যপ্রসাদ তত আর্তনাদ বাড়িয়ে দেয়। জাহাজের পার্সার এবঙ অন্যান্যরাও এসে তাকে নানারকম টোটকা দেওয়ার চেষ্টা করল, সে কিছুই শুনবে না। সে বলতে লাগল, তার রক্ত আমাশয় হয়েছে, মৃত্যুর আর দেরি নেই, সে তার প্রিয়তমা অর্ধাঙ্গিনী নরেন্দ্রবালা আর শিশুকন্যার মুখ না দেখে পৃথিবী ছাড়তে চায় না।

জাহাজের ক্যাপ্টেন বিরক্ত হয়ে সত্যপ্রসাদকে নামিয়ে দিতে চাইলেন। কিন্তু সত্যপ্রসাদ একা যাবে না, রবিকেও ফিরতে হবে তার সঙ্গে।

বন্দরে নামার পরেই বোঝা গেল সত্যপ্রসাদের অসুখবিসুখ কিছুই নেই। খাদ্যদ্রব্যের প্রতি বেশ লোভও আছে। আসল কথা, পত্নী-কন্যাকে ছেড়ে সে বিলেতে থাকতে পারবে না। কিন্তু রবির তো ওসব বন্ধন নেই, তবু রবির যাত্রা নষ্ট করা কেন। সত্যপ্রসাদ জানে, দেবেন্দ্রনাথ এই সংবাদে মহা বিরক্ত হবেন, তাই রবিকে সে ঢাল হিসেবে নিজের সামনে রাখতে চায়। দেবেন্দ্রনাথ তখন রয়েছেন মুসৌরিতে, মাদ্রাজ থেকেই টেলিগ্রাম করে তাঁকে জানানো হল দুঃসংবাদ। এবং কলকাতায় না ফিরে দুজনে সোজা মুসৌরিতে গেল দেবেন্দ্রনাথের কাছে মার্জনা চাইতে।

মহর্ষি দেবেন্দ্রনাথের ক্রোধের কোনও কর্কশ প্রকাশ নেই। দুই অপরাধীকে তিনি বসিয়ে রাখলেন সামনে। তপস্যারত ভঙ্গির মতন কিছুক্ষণ স্থির হয়ে তিনি আত্মসংযম করলেন। তারপর ধীর স্বরে বললেন, জাহাজ ভাড়া বাবদ অতগুলি টাকা তোমরা জলাঞ্জলি দিলে, সে জন্য তোমাদের কোনও শাস্তি দেব না। তবে, ভবিষ্যতে তোমাদের শিক্ষার জন্য আমার কাছ থেকে আর একটি পয়সাও পাবে না। যথেষ্ট হয়েছে ! এবারে তোমরা নিজেরা যা পার করো। ঈশ্বর তোমাদের সহায় হোন!

বাবার কাছে রবি যা বলতে পারেনি, কলকাতায় ফিরে চাপা বিদ্রুপকারীদেরও তা সে মুখ ফুটে বলতে পারল না, এবার সত্যিই ইংলন্ডে গিয়ে পড়াশুনা করতে চেয়েছিল, সত্যপ্রসাদের জন্যই সে ফিরতে বাধ্য হয়েছে। রবির ভদ্রতাবোধ অতি সুক্ষ্ম, সত্যপ্রসাদের নামে দোষ চাপাতে তার রুচিতে বাধে। সত্যপ্রসাদ সবার সামনে বেশ বীরত্বের সঙ্গে বলে, আমি আর রবি দুজনেই ঠিক করলুম, ওই ম্লেচ্ছদের দেশে স্যান্ডুইচ আর মশলা ছাড়া সেদ্ধ মাংস খেয়ে বছরের পর বছর কাটানো আমাদের সহ্য হবে না। গরম ভাত, মুসুরির ডাল আর মৌরলা মাছ না পেলে কি বাঙালির ছেলে বাঁচে! খুব জোর বেঁচে গেছি বাবা! সত্যপ্রসাদ আসল সত্য প্রকাশ করে না, রবি সেখানে উপস্থিত থাকলেও প্রতিবাদ করে না। রবি মিথ্যে কথা বলতে প্রায় অক্ষম, আবার সত্যের বড়াই করে কোনওক্রমেই অন্যকে আঘাত দিতে পারবে না সে। রবি অনেকদিন মাতৃহীন, বড়দিদি সৌদামিনী তার মাতৃসমা, সত্যপ্রসাদকে সবাই অভিযুক্ত করলে বড়দিদি দুঃখ পাবেন ভেবেও রবি নীরব থাকে।

এই সময়ে পলায়নই শ্রেষ্ঠ পন্থা। জ্যোতিরিন্দ্রনাথ তাঁর পিতার মতনই এক বাড়িতে বেশিদিন থাকতে পারেন না। শহরের বিভিন্ন অঞ্চলে কিংবা শহরের বাইরে এক একটি সুরম্য অট্টালিকা ভাড়া নিয়ে কাটিয়ে যান কিছুদিন । কলকাতায় ফিরেই রবি যখন শুনল যে জ্যোতিদাদা ও নতুন বউঠান রয়েছেন চন্দননগরের বাগানবাড়িতে, রবি চলে গেল সেখানে। অবিলম্বেই তার চিত্তশুদ্ধ হল, এই দুজনের সান্নিধ্যেই সে সবসময় পায় প্রকৃত মুক্তির স্বাদ।

দিন কাটছে যেন স্বর্গের এক একটি দিন। প্রতিটি মুহূর্ত এক এক বিন্দু অমৃত। সারাদিন কোনও পরিকল্পনা নেই, কোনও উদ্বেগ নেই। কোনও কর্তব্য নেই, কোনও দায়িত্ব নেই। যখন যা মন চায়, তখনই তা করা যায়। ইচ্ছে করলে বাগানে গিয়ে দোলনায় বসে দোলা যায়, গাছ থেকে ফল পাড়া যায়, নদীতে নৌকা বিহারে যাওয়া যায়, আবার ঘন্টার পর ঘন্টা বিছানায় বুকে বালিশ দিয়ে উপুড় হয়ে শুয়ে কবিতা লেখার চেষ্টা করলেও বাধা দেবে না কেউ।

তিনজনে একসঙ্গে থাকলে গান হয়, গানের পর গান, নতুন নতুন গান। সুরের তরঙ্গই আনন্দের তরঙ্গ। সেই সঙ্গে হাসির উচ্ছলতা। জ্যোতিদাদা জীবনকে উপভোগ করতে জানেন, এক একদিন এক এক রকম পরিবেশ সৃষ্টি করেন। মাঝে মাঝে তাঁকে অবশ্য কাজের জন্য বাইরে যেতে হয়, কলকাতাতেও যেতে হয়, ফিরতে রাত হয়, সেই সব সময়ে নতুন বউঠান আর রবি এই দুজনই দুজনের সঙ্গী, দুজনেরই রয়েছে পরস্পরের জন্য অফুরান গল্প, সময় ওদের হাতের তালু দিয়ে অলক্ষ্যে ঝরে যায় বালির মতন। কাদম্বরী রবির চেয়ে মাত্র দেড় বছরের বড়, তিনি এখনও জননী হননি, তিনি এক অসংসারী নারী, তাঁর শরীর ও মন জুড়ে রয়েছে শিল্পের সুষমা। এই লাজুক দেবরটিকে প্রীতি ও বন্ধুত্ব দিয়ে তিনি সব সময় আপন করে রাখেন আর রবিও তার মন সম্পূর্ণ উন্মুক্ত করে দিতে পারে শুধু এই নতুন বউঠানেরই কাছে।

বাগানে এসে রবি দেখল জ্যোতিদাদা মাঝিমাল্লাদের কী সব নির্দেশ দিচ্ছেন, রবিকে দেখে বললেন, আয় রবি। ঠিক করেছি আজ রাতটা গঙ্গার বুকে কাটাব। এমন আকাশের রূপ লক্ষ বছরে একদিন হয়।

কাদম্বরী চাপা হাসির সঙ্গে জিজ্ঞেস করলেন, কী গো, দুপুর থেকে তুমি ওপরতলায় নিরুদ্দেশ। কটা কবিতা লেখা হল?

রবি বলল, যা লিখেছি, তার থেকে না লিখেছি বেশি। সেই না-লেখা লাইনগুলিই বোধ হয় আসল কবিতা। সেই লাইনগুলি ধরতে পারছি না, কে যেন আড়াল করে দাঁড়াল।

কাদম্বরী বললেন, কে, কে?

ঘাটে বাঁধা বোটটি একটি ছোটখাটো বজরা। মাঝখানে দুটি কক্ষ। ছাদটি চৌকো ধরনের, কেউ যাতে অসাবধানে জলে না পড়ে যায় সেই জন্য দু দিকে রেলিং দেওয়া। সেই ছাদের ওপর ফরাস পেতে মখমলের তাকিয়া দেওয়া হল। সঙ্গে নেওয়া হল পানীয় জল, কিছু মুখরোচক আহার্য। জ্যোতিরিন্দ্রনাথ কোঁচানো ধুতি ও বেনিয়ান পরে বসলেন ছাদের একদিকে, তাঁর হাতে বেহালা। কাদম্বরী ও রবি তাঁর মুখোমুখি। নৌকো চলতে শুরু করতেই জ্যোতিরিন্দ্রনাথ ধরলেন পূরবী রাগিনী। আকাশে এখন সোনার ছড়াছড়ি, যেন মহাকাল মেতেছে স্বর্ণ হোলি খেলায়। সূর্য অদৃশ্য, তবু এত রং, এত বিভা। গঙ্গার দু দিকের গাছপালা ঝাপসা হয়ে এসেছে, শোনা যাচ্ছে দূরের কোনও মন্দিরের টুং টাং ঘন্টাধ্বনি, কোনও মসজিদের অস্পষ্ট আজানের সুর।

বাজনা শেষ করে জ্যোতিরিন্দ্রনাথ বললেন, রবি, তুই এবার একটা গান কর।

কাদম্বরী বললেন, ওই গানটা গাও এ কী সুন্দর শোভা.....

জ্যোতিরিন্দ্রনাথ বললেন, ওটা তো পূরবী সুর নয়, ইমন ভূপালি -কাওয়ালি

কাদম্বরী বললেন, তা হোক আমি ওটাই শুনতে চাই।

জ্যোতিরিন্দ্রনাথ বললেন, ঠিক আছে, ওটাই হোক, ওটাই হোক।

রবি মুখ নিচু করে শুরু করলেন:

এ কী সুন্দর শোভা
কী মুখ হেরি এ.......

বোটের তিনজন মাঝিকে একেবারে নীরব থাকার নির্দেশ দেওয়া আছে। শুধু ঝপ ঝপ দাঁড়ের শব্দ। জ্যোতিরিন্দ্রনাথ পাশে রাখা ফরাসি ব্রান্ডির বোতল থেকে গ্লাসে ঢেলে মৃদু মৃদু চুমুক দিচ্ছেন। তারপর তিনিও বেহালায় ধরলেন ইমনের সুর। একসময় একটু থেমে তিনি যেই সিগারেট ধরালেন, কাদম্বরী রবিকে বললেন, তুমি আর একখানি গান ধরো—

এবারে আর কোন গান জিজ্ঞেস করতে হল না, সেই কনে-দেখা আলোয় নতুন বউঠানের দিকে তাকিয়ে সে গেয়ে উঠল, আলাইয়া ঝাঁপতালে,'তোমারেই করিয়াছি জীবনের ধ্রুবতারা, এ সমুদ্রে আর কভু হবো না পথহারা...... ।'

জ্যোতিদাদা বললেন, এখন তো সবেমাত্র গোধুলি, এখনও ধ্রুবতারা ওঠেনি।

আকাশে সোনার আভা মিলিয়ে গেল একটু একটু করে, কিন্তু অন্ধকারের পর্দা সব কিছু ঢেকে দেওয়ার আগেই চাঁদ উঠে ছড়িয়ে দিল তরল রুপোর মতন জ্যোৎস্না। ভেসে চলেছে নৌকো, জ্যোতিরিন্দ্রনাথ বাজিয়ে চলেছেন একটার পর একটা রাগ-রাগিনী, রবি গান গাইছে সঙ্গে সঙ্গে, মাথা দুলিয়ে দুলিয়ে কখনও সেই গানে যোগ দিচ্ছেন কাদম্বরী। স্বর্গে ইন্দ্রের সুরসভা কি এর চেয়ে বেশি আকর্ষণীয় হতে পারে? ভাবে বিভোর তিনজন মানুষ এখন পৃথিবী বিস্মৃত।

একসময় জ্যোতিরিন্দ্রনাথ নীচের এক মাঝিকে বললেন, ওরে, কতদূরে এলি রে ? এবার ফের !

কাদম্বরী বললেন, এর মধ্যেই ফেরা হবে? তুমি তো সবে বেহাগ বাজাচ্ছিলে। আমি ভেবেছিলুম, ভৈরবীতে শেষ হবে।

জ্যোতিরিন্দ্রনাথ হা হা করে হেসে উঠে বললেন, তা হলে ফেরার পথে আর কোনও গান থাকবে না! নৌকোয় আমি ঘুমোতে ভালোবাসি না।

রবি এতক্ষণে জ্যোতিদাদার বেহাগের সুরের সঙ্গে মিলিয়ে নিজের একটা বেহাগ-খাম্বাজ একতালা গান পেয়েছে। সে গেয়ে উঠল:

সখি, ভাবনা কাহারে বলে
সখি যাতনা কাহারে বলে
তোমরা যে বল দিবস-রজনী,
'ভালোবাসা' ভালোবাসা'.......

গানের মাঝখানেই জ্যোতিরিন্দ্রনাথের মাথায় নতুন এক খেয়াল চাপল। উঠে দাঁড়িয়ে বললেন, পলতার কাছাকাছি এসেছি মনে হচ্ছে। আয় রবি, ঝাঁপ দিবি আমার সঙ্গে? তুই-আমি সাঁতরে গিয়ে গুণোদাদার সঙ্গে দেখা করে আসি!

জ্যোতি-রবিদের খুল্লতাত ভাই গুণেন্দ্রনাথ সম্প্রতি পলতায় একটি অতি সুদৃশ্য বাগানবাড়ি কিনে সপরিবারে অবস্থান করছেন। আমোদ ও হৈচৈ পরায়ন গুণেন্দ্রনাথ সে বাড়িতে প্রায়ই প্রচুর অতিথিদের আমন্ত্রণ করে পার্টি দেন। সেখানে বোট নিয়েই যাওয়া যায়, কিন্তু জোয়ার এসেছে, জ্যোতিরিন্দ্র এই রাত্রিতে জোয়ার-উত্তাল নদী সাঁতরেই পার হতে চান। এর আগেও তিনি কাদম্বরীকে ভীতি-বিহ্বলা করে রবিকে নিয়ে সাঁতার দিয়ে গঙ্গা পার হয়েছেন।

কাদম্বরী ব্যাকুল হয়ে রবির হাত চেপে ধরে বললেন, না, না, না, তুমি যেতে পারবে না! কিছুতেই যাবে না!

জ্যোতিরিন্দ্রনাথ আবার হাসলেন। তিনি জানতেন, তাঁর স্ত্রী তাঁর বেলায় খুব আপত্তি না করলেও কিছুতেই রবিকে যেতে দেবে না। রবিকেও এখনও ছেলেমানুষ করে রাখতে চায়!

এক এক রাতে এমন সঙ্গীত ও রঙ্গ-কৌতুকে তৃতীয় প্রহর পার হয়ে যায়, তার পরের দিন অনেক বেলা পর্যন্ত জ্যোতিরিন্দ্রনাথ ও কাদম্বরী শয্যাত্যাগ করেন না। রাত জাগলেও

কিন্তু বেশিক্ষণ ঘুমোতে পারে না রবি। সে সূর্যোদয়ের একটু পরেই উঠে পড়ে, দাদা-বউদিদের ডাকে না, একলা একলা বাগানে ঘুরে বেড়ায় কিংবা ঘাটে বসে নৌকো চলাচল দেখে। প্রতিটি দৃশ্য, প্রতিটি মানুষ এমনকি প্রতিটি বস্তুই তার নতুন মনে হয়। সব কিছুই যেন তাৎপর্যময়। একজন সাধারণ মানুষ খুব মনোযোগ দিয়ে স্নান করার পর গামছা দিয়ে পিঠ রগড়াচ্ছে, অস্ত সূর্যের বিপরীত দিকে উড়ে যাচ্ছে বকের পাঁতি, সেইদিকে তাকিয়ে থাকতে থাকতে রবির মনে হয়, এই সব দৃশ্যেরও যেন কোনও গূঢ় অর্থ আছে, অথচ সে অর্থটা তার কাছে ধরা পড়ছে না।

কবিতা রচনার সময়েও সে এই সংশয়ে বিমূঢ় বোধ করে।

বিলেতে গিয়ে বিশেষ কৃতিত্ব অর্জনের ব্যর্থ প্রচেষ্টার পর তাকে প্রায়ই আত্ম অনুসন্ধান করতে হচ্ছে ইদানীং। একটা কিছু তো করতেই হবে, কিন্তু তার কী যোগ্যতা আছে? বাংলা ভাষায় প্রতিদিনই কিছু না কিছু রচনা করতে তার সবচেয়ে ভালো লাগে, কিন্তু সেটাই কি যথেষ্ট? রমেশ দত্ত, বঙ্কিমবাবু, নবীন সেন এঁরা খ্যাতিমান লেখক বটে, কিন্তু এঁরা কৃতবিদ্য এবং সমাজে অন্যভাবেও প্রতিষ্ঠিত। আর মাইকেল মধুসূদন, নাঃ ওঁর কথা না তোলাই ভালো, উনি সব দিক দিয়েই ব্যতিক্রম। রবিকে কি তার পিতার পরিচয়েই পরিচিত হতে হবে?

বাল্যকাল থেকেই সে কবিতা লিখছে। আত্মীয়বন্ধুরা তার কবিতার বই ছাপিয়ে দেয়, কুড়ি বছর বয়েসেই সে তিন-চারখানি গ্রন্থের গ্রন্থকার। দু দশ কপির বেশি বিক্রি হয় না অবশ্য। মহৎ সাহিত্য যে তাৎক্ষণিক জনপ্রিয়তা পায় না তাও রবি জানে। কবিত্বশক্তি নিয়ে তার নিজের বেশ একটা আত্মশ্লাঘা ছিল, কিন্তু অতি সম্প্রতি তার মনে একটা দ্বিধা দেখা দিয়েছে। দাদারা এবং পারিবারিক শুভার্থীরা স্নেহের বশে উচ্ছ্বসিত হয়ে সে যা লেখে তারই প্রশংসা করেন, কিছু কিছু অল্পবয়েসী ছেলেছোকরা শুধু তার কবিতা নয়, তার সাজপোশাকেরও অনুকরণ শুরু করেছে বটে, কিন্তু প্রকৃত শিক্ষিত বোদ্ধারা কী বলেন?

রবি সন্দেহাতীত ভাবে একজন ভালো গায়ক। নিজের পারিবারিক গণ্ডী, আদি ব্রাহ্মসমাজের ছোট বৃত্ত ছাড়িয়ে তার খ্যাতি ছড়িয়ে পড়েছে কলকাতার বৃহত্তর প্রাঙ্গণে। বিশেষত বিলেত থেকে ফেরার পর তার কণ্ঠে সুরের সঙ্গে মিশেছে দার্ঢ্য। ছেলেবেলায় সে যদু ভট্টের কাছ থেকে ভারতীয় শাস্ত্রীয় সঙ্গীতে তালিম নিয়েছিল, ব্রাহ্ম সমাজের বাঁধা গায়ক বিষ্ণু চক্রবর্তীর কাছ থেকেও অনেক কিছু শিখেছে, জ্যোতিদাদার পিয়ানো বাজনার সঙ্গে গলা মিলিয়েছে, তারপর ইংল্যান্ডে গিয়ে পাশ্চাত্য সঙ্গীতের মর্মে প্রবেশ করেছে খানিকটা। সব মিলিয়ে তার সঙ্গীত জ্ঞান সমৃদ্ধ কণ্ঠস্বরেও এসেছে নিজস্বতা। সবাই তাকে এখন গান শোনাবার জন্য অনুরোধ করে। কিন্তু রবি কি পেশাদার গায়ক হতে চায়?

অভিনেতা হিসেবেও সে এর মধ্যেই অনেকটা সার্থক। জোড়াসাঁকোর বাড়িতে যে-কোনও নাট্য-উৎসবে রবির অনিবার্য ভূমিকা, কলকাতার বিদ্বজ্জনেরা সে সব দেখতে আসেন। রেভারেন্ড কেষ্ট বাঁড়ুজ্যে বাল্মীকি প্রতিভায় রবির গান ও অভিনয় দেখেশুনে রবিকে আখ্যা দিয়েছেন, 'বাল্মীকি কোকিল'! কিন্তু রবি তো নেহাত অভিনেতাও হতে চায় না। তার প্রধান ভালোবাসা যে কবিতা!

বস্তুত, কবি হিসেবে রবি এ পর্যন্ত তেমন কোনও অসাধারণত্বের প্রমাণ দিতে পারেনি। সে অনবরত কবিতা লিখে যেতে পারে, ছন্দ মিল আসে সাবলীলভাবে, কিন্তু কিছুতেই গভীরতা আসে না। তার শব্দগুলো এলিয়ে পড়া, ছাড়া ছাড়া, অস্পষ্ট। বিশুদ্ধ আবেগের বদলে ফুটে ওঠে উচ্ছ্বাস বিষণ্ণতার বদলে হা-হুতাশ । বাল্মীকির কণ্ঠ থেকে যখন স্বতোৎসারিত হয়েছিল শ্লোক, তখন তার প্রেরণা ছিল শোক, হা-হুতাশ নয়। রবি কবিতা লিখতে গেলেই যেন হয়ে যায় ছন্দোবদ্ধ ব্যক্তিগত ডায়েরি কিংবা চিঠি, তাতে সার্বজনীনতার স্পর্শ লাগে না। রবি এখন তা বুঝতে পারছে, কিন্তু কী করে এর থেকে উত্তরণ ঘটানো যায়?

'ভগ্নহৃদয়' কাব্যগ্রন্থটি প্রকাশের পর কেউই বিশেষ ভালো কথা বলেনি। রবি ভাবছে, এ বইটির প্রচার বন্ধ করে দেবে। যাঁর মতামতকে রবি বিশেষ শ্রদ্ধা করে, সেই প্রিয়নাথ সেন বইখানি পড়ে রবিকে প্রায় ভর্ৎসনাই করেছেন বলতে গেলে। বিহারীলাল চক্রবর্তীর প্রতিবেশী এই প্রিয়নাথ সেনের সঙ্গে রবির পরিচয় হয়েছে মাত্র কিছুদিন আগে। এই মানুষটির জ্ঞানের পরিধি দেখে রবি একেবারে মুগ্ধ। প্রিয়নাথ যে সাহিত্যের সাত সমুদ্রের নাবিক। তিনি পৃথিবীর সব কটি প্রধান ভাষার সাহিত্যের স্বাদ গ্রহণ করেছেন, রবির সঙ্গে তাঁর প্রীতির সম্পর্ক, রবি তার কাছ থেকে অনেক কিছু শিখেছে। প্রিয়নাথ নিজে কবি হতে চান না। তাই রবির প্রতি তার ঈর্ষা থাকারও কোনও কারণ নেই। ভগ্নহৃদয় পড়ে তিনি ভ্রুকুঞ্চিত করে বলেছেন, এ সব কী লিখেছে হে, রবীন্দ্র? এ যে নিছক মেয়েলি ছড়ার মতন, এতে কোনও উচ্চাঙ্গের ভাব নেই, রস নেই। ভাষা এত দুর্বল!'এ পারে দাঁড়ায়ে, দেবি, গাহিনু যে শেষ গান/ তোমারই মনের ছায় সে গান আশ্রয় চায়—/একটি নয়নজল তাহারে করিও দান....'। যাত্রা দলের ছোঁড়ারা এমন প্যানপ্যানানি গান গায়।'একটি নয়নজল' আবার কী? তারপর এই যে লিখেছ, 'বিষণ্ণ অধর দুটি অতি ধীরে ধীরে টুটি/ অতি ধীরে ধীরে ফুটে হাসির কিরণ.....'। অধর আবার দুটো হয় কি করে? ওপরেরটি ওষ্ঠ, নীচেরটি অধর। তাও না হয় হল। অধর আবার টুটবে কী করে? অধরের কথা লিখতে গিয়ে ভাষা কি মাথামুণ্ডও খোয়াবে? পরপর দু লাইনে 'অতি ধীরে ধীরে' কোন ভালো কবি লিখবে না!

পরিবারের সবাই সব সময় প্রশংসা করে রবিকে উৎসাহিত করেন বটে, শুধু একজন ব্যতিক্রম। যাঁর উদ্দেশ্যে রবির অধিকাংশ কবিতা লেখা, তিনিই রবির প্রধান সমালোচক। নতুন বউঠান। রবির সব কবিতা তিনি প্রথম পাঠ করবেনই, রবি দেখাতে না চাইলেও জোর করে খাতা কেড়ে নেবেন। কিন্তু পড়তে পড়তে মাথা দুলিয়ে দুলিয়ে কৌতুক হাস্যে বলেন, যাই বল, রবি, তুমি এখনও উঁচু দরের কবি হতে পারোনি, বিহারীলালের মতন তুমি লিখতে পার না? তোমার গানগুলি বেশ হয় বটে, কিন্তু কাব্যে বিহারীবাবু সেরা!

কাদম্বরী বেশ ভালোই জানেন, কোন কথা তাঁর এই দেবরটির মনে বেশি জ্বালা ধরাবে। কোনও কবিই অন্যের সঙ্গে তুলনা সহ্য করতে পারে না। এই কথা শুনলে রবি পুরনো কবিতা ছিঁড়ে ফেলে আবার নতুন করে লিখতে বসে। বিহারীলালকে ছাড়িয়ে যেতেই হবে, নতুন বউঠানের কাছে সে-ই হবে একমাত্র কবি। কিন্তু কিছুতেই পারা যাচ্ছে না কেন? মাঝখানে রবি বিহারীলাল চক্রবর্তীকে অনুসরণ করারও চেষ্টা করেছিল। 'বাল্মীকি প্রতিভা' তো বিহারীলালের 'সারদামঙ্গল'-এর আদলেই রচিত, তাতে বিহারীলালের অনেক লাইনও ঢুকে গেছে। নাঃ, ও ভাবে হবে না! ও ভাবে হবে না!

রবি এর মধ্যে সত্যিকারের প্রতিভার পরিচয় দিয়েছে গদ্য রচনায়। সতেরো-আঠেরো বছর বয়েসে সে যেমন পরিচ্ছন্ন, নির্মেদ, ধারালো গদ্য লিখেছে, তার তুলনা বাংলায় তো দূরের কথা ভূ-ভারতে নেই। এমনকি সারা পৃথিবীতেই বা তার বয়েসী এমন অবিশ্রান্ত গদ্য লেখক আর কে আছে? তার গদ্যে রয়েছে যুক্তি, কৌতুক, শ্লেষ; নেই অকারণ উপমার বাহুল্য, নেই অনর্থক তৎসম শব্দ ঝঙ্কারের প্রতি মোহ। যারা রবিকে শুধু স্কুল-পালানো ছেলে মনে করে, তারা জানে না রবির নিজস্ব পড়াশুনোর বিস্তার কতখানি। তার প্রবন্ধের বিষয়, বিয়াত্রিচে, দান্তে ও তাঁহার কাব্য, নর্মান জাতি ও অ্যাঙ্গলো-নর্মান সাহিত্য, নিন্দাতত্ত্ব, নিঃস্বার্থ প্রেম, বস্তুগত ও ভাবগত কবিতা, সঙ্গীত ও ভাব, চীনে মরণের ব্যবসায়, গোলাম চোর, গেটে ও তাঁহার প্রণয়িনীগণ ইত্যাদি। এ ছাড়া 'য়ুরোপ যাত্রী কোন বঙ্গীয় যুবকের পত্র' নামে ধারাবাহিকভাবে যেগুলি সে লিখেছে, তাতে ভারতীয় ও ইংরেজ সমাজের খুঁটিনাটি তুলনা, অল্প আঁচড়ে এক একটি চরিত্রকে জীবন্তভাবে ফুটিয়ে তোলাও অসাধারন পর্যবেক্ষণ শক্তির পরিচয় আছে। কিন্তু পরিহাস এই যে, গদ্য লেখক হিসেবে রবির কোনও সুনাম হয়নি,

'ভারতী'তে কোনও রচনাতেই লেখকের নাম থাকে না। রবির কয়েকখানি কবিতার বই প্রকাশিত হয়ে গেছে, অনেকেই ঠাকুরবাড়ির এই ছোট ছেলেটিকে কবি হিসেবে চিনেছে, কিন্তু ভারতীর ওই তীক্ষ্ম গদ্য রচনাগুলি কে লিখছে কে জানে!

তা ছাড়া, গদ্য তেমন গুরুত্বও পায় না। অনেকের কাছেই এখনও কবিতাই প্রকৃত সাহিত্য, গদ্য-টদ্য খবরের কাগুজে ব্যাপার। হ্যাঁ, বঙ্কিমবাবু মহাকাব্যের বদলে গদ্য-আখ্যায়িকা লিখছেন বটে, সেগুলি বেশ জনপ্রিয়ও হয়েছে, মেয়েরা খুব পড়ে, তা বলে বঙ্কিম তো ভারতচন্দ্র কিংবা চণ্ডীদাসের চেয়ে বড় নন।

বিলেত ঘুরে এসে, পশ্চিমী সাহিত্যের সাম্প্রতিক ধারার সঙ্গে খানিকটা পরিচিত হয়ে রবি বুঝতে পেরেছে ভবিষ্যতে গদ্যেরই যুগ আসছে। ক্রমশ নাটক-নভেলই কবিতার ওপর আধিপত্য করবে। লম্বা লম্বা পদ্যে লেখা মহাকাব্য আর কেউ পড়তে চাইবেনা। বঙ্কিমবাবুও পদ্য ছেড়ে গদ্যে এসেছেন, তিনি ঠিক পথই ধরেছেন। গদ্য লেখার জন্য বঙ্কিমের কী অহংকার, রবি দু একবার তাঁর সঙ্গে দেখা করতে গিয়েছিল, বঙ্কিমবাবু পাত্তাই দেননি। প্রকাশ্যে তিনি রবির পিঠ চাপড়ান বটে, সেটা যেন খানিকটা করুণা, বাড়িতে গেলে কথাই বলতে চান না। বঙ্কিমের ওপর টেক্কা দিতে গেলে রবিকেও উপন্যাস লিখতে হবে। চন্দননগরে এসে সে একটা উপন্যাস লিখতে শুরু করেছে। ঐতিহাসিক উপন্যাসেই বঙ্কিমের প্রধান খ্যাতি, রবিও বেছে নিয়েছে ঐতিহাসিক পটভূমিকা। নাম দিয়েছে 'বউ ঠাকুরানীর হাট'। কবিতার মতন, এই গদ্য রচনার সময়ও নতুন বউঠানের ছায়া তার সামনে এসে দাঁড়ায়। এখানে লিখতে লিখতে আর একটা উপন্যাসের প্লটও তার মাথায় এসেছে। এক রহস্যময়ী রমণীকে ঘিরে দুজন পুরুষের প্রণয় দ্বন্দ্ব। তবে এই বিষয়টা নিয়ে এখুনি লেখা ঠিক হবে কি না সে বিষয়ে সে মনঃস্থির করতে পারছে না।

সকালবেলা বাগানে প্রাতরাশ খেতে খেতে জ্যোতিরিন্দ্রনাথ বললেন, ও রবি, তোকে একটা কথা বলতে ভুলে গেছি। কাল বিকেলে একজন লোক একটি পত্র নিয়ে এসেছিল। ত্রিপুরার রাজ দরবারের দুজন দূত তোর সঙ্গে দেখা করতে চায়।

রবি চমকে উঠে বলল, কেন?

একটু দূরের চেয়ারে বসে কুরুশ কাঠি দিয়ে একটি পশমের আসন বুনছেন কাদম্বরী, তার মাঝখানে দু একটি অক্ষর ফুটে উঠেছে। আসনটি কার জন্য বোনা হচ্ছে তা তিনি বলবেন না কিছুতেই। বোনা থামিয়ে তিনি কৌতূহলী হয়ে তাকালেন।

জ্যোতিরিন্দ্রনাথ বললেন, কেন, তা আমি কী করে জানব। শুনেছি, ত্রিপুরার রাজারা কলকাতা থেকে মাষ্টার ধরে নিয়ে যায়। তোকেও মাষ্টার ঠাউরেছে নাকি? তোর তা হলে একটা হিল্লে হয়ে যাবে।

কাদম্বরী ফিক করে হেসে বললেন, রবি হবে মাস্টার?

জ্যোতিরিন্দ্রনাথ বললেন, ও হ্যাঁ, মনে পড়েছে। ত্রিপুরায় এখনকার রাজার নাম কী যেন? বীরচাঁদ না ভীরুচাঁদ, না না, ওরা মাণিক্য হয়। বীরুমাণিক্য, ওই রাজার শখ নবরত্ন সভা বসাবার। আমাদের যদু ভট্টকেও তো ওখানে নিয়ে গেছে। তোকেও বোধ করি সভাকবি হিসেবে পাকড়ে নিয়ে যাবে।

রবি বলল, জ্যোতিদাদা, আমি ওদের সঙ্গে দেখা করতে চাই না।

কাদম্বরী বললেন, কেন, যাও না ত্রিপুরায়। তুমি বেশ রাজকবি হবে। কত সম্মান হবে। আমরা ত্রিপুরায় বেড়াতে যাব।

রবির মুখে বেদনার রেখা ফুটল, সে এক দৃষ্টিতে নতুন বউঠানের দিকে চেয়ে রইল।

জ্যোতিদাদা বললেন, দেখা করবি না কী রে, আমি যে আসতে বলে দিয়েছি। এখুনি এসে পড়বে। কী বলতে চায় শুনেই দেখ না। এই সব নেটিভ স্টেটের রাজারা এক একটি

উৎকট জীব হয়। এদের কতরকম উদ্ভট খেয়ালের কথা যে শুনেছি। কেউ কুকুরের বিয়েতে লাখ টাকা খরচ করে, কেউ পাঁচ সাতশো বিয়ে করে। মানডুর সুলতান গিয়াসুদ্দিন, তার হারামে নাকি ছিল পনেরো হাজার নারী। তার দেহরক্ষীরাও নারী, সিংহাসন ঘিরে থাকত নারীরা, সে ব্যাটা সর্বক্ষণ স্ত্রীলোক ছাড়া কোনও পুরুষকে দেখতই না! আর একজন রাজার ছখানা পরোটা ভাজার জন্য তিরিশ সের ঘি খরচ হতো। এদের তো ডিফেন্স বাজেট নেই, সৈন্য নিয়ে কারুর সঙ্গে লড়তে হয় না, তাই টাকাপয়সা নিয়ে নয়-ছয় করে। দেখ এই ত্রিপুরার বীরুমাণিক্যের কোন বাই চেপেছে।

কাদম্বরী বললেন, বাইরের লোক আসবে, আমি ভেতরে যাই।

জ্যোতিরিন্দ্রনাথ বললেন, ওঁরা তো রাজার দূত। মেজবৌদি লাটসাহেবের সঙ্গে দেখা করতে গিয়েছিলেন, তুমি এক রাজার দূতদের সামনে থাকতে পারবে না কেন?

কাদম্বরী তাঁর কণ্ঠস্বরের অপ্রসন্নতা অনেকটা ঢেকে বললেন, তোমার মেজবৌদি যা যা পারেন, তার সব কি আমি পারি?

কাদম্বরী থাকলেন না। চলে গেলেন। জ্যোতিরিন্দ্রনাথ রবিকে বললেন, সেবারে কি মজা হয়েছিল জানিস তো? লাটসাহেব কলকাতার অনেককে ডেকেছেন, মেজদা মেজবৌদিকেও সঙ্গে নিয়ে গিয়েছিলেন। আর তো কেউ বউদের নিয়ে যায় না। সেখানে উপস্থিত ছিলেন পাথুরেঘাটার প্রসন্ন ঠাকুর, উনি তো আমাদের জ্ঞাতি, প্রথমে মেজবৌদিকে দেখে ভেবেছিলেন বেগম সেকেন্দার। ভূপালের ওই বেগম পুরুষ সেজে থাকেন, পুরুষের মতন দরবারে বসেন। তারপর প্রসন্ন ঠাকুর যে-ই চিনতে পারলেন যে বেগম নয়, উনি ঠাকুরবাড়ির বউ, অমনি রেগেমেগে উঠে গেলেন সেখান থেকে।

রবি বলল, বেগম সেকেন্দার তাঁর মায়ের নাম দিয়েছেন শাহজাহান, তাই না?

জ্যোতিরিন্দ্রনাথ বললেন, হ্যাঁ, খুব তেজী মহিলা। মুসলমান হয়েও পর্দা-ফর্দা ছিঁড়ে ফেলেছে।

একটু পরেই এসে পড়লেন রাধারমণ ও শশিভূষণ। সঙ্গে একজন ভৃত্যের হাতে উপহার দ্রব্যের একটি ডালি। জ্যোতিরিন্দ্রনাথ ওঁদের বৈঠকখানা ঘরে এনে বসালেন।

রাধারমণ বললেন, আমরা রবীন্দ্রবাবুর সঙ্গে দেখা করতে এসেছি।

জ্যোতিরিন্দ্রনাথ বললেন, এই তো আমার ছোট ভাই রবি।

রাধারমণ ও শশিভূষণ দুজনেই বিস্মিতভাবে চেয়ে রইলেন। এই সদ্য যুবকটির চোখে-মুখে এখনও লেগে রয়েছে কৈশোরের লাবণ্য। তার দৃষ্টি সলজ্জ।

রাধারমণ আবার জিজ্ঞেস করলেন, ইনিই 'ভগ্নহৃদয়; কাব্যটি লিখেছেন?

জ্যোতিরিন্দ্রনাথ বললেন, বিলক্ষণ। রবির আরও বই বেরিয়েছে।

রাধারমন এবারে গদ্‌গদভাবে বললেন, হে কবি, আপনাকে আমাদের শ্রদ্ধা জানাতে এসেছি। ত্রিপুরার মহামান্য মহারাজ শ্রীল শ্রীযুক্ত বীরচন্দ্র মাণিক্য আপনার কাব্যখানি পড়ে মোহিত হয়েছেন। তিনি আপনাকে একটি মানপত্র পাঠিয়েছেন, আর সামান্য কিছু প্রীতির নিদর্শন।

জ্যোতিরিন্দ্রনাথ উৎসাহের সঙ্গে বললেন, বাঃ, এ তো খুব ভালো কথা। শ্রীমান রবির খ্যাতি অনেক দূর ছড়িয়ে গেছে দেখছি।

মানপত্রখানি রাধারমণেরই রচনা। তিনি সেটি পাঠ করে শোনালেন। তারপর সবিস্তারে বলতে লাগলেন, নিদারুণ শোকগ্রস্ত অবস্থায় কীভাবে মহারাজ এই কাব্যগ্রন্থটি আবিষ্কার করেন, এর কবিতাগুলি থেকে তিনি কতখানি সান্ত্বনা পেয়েছেন। মহারাজ স্বয়ং একজন কবি, তিনি কবিতার মর্ম বোঝেন।

শুনতে শুনতে রবি সঙ্কুচিত হয়ে যাচ্ছেন। ভেতরে ভেতরে খানিকটা গর্বও বোধ করছে ঠিকই। 'ভগ্নহৃদয়'-এর কবিতাগুলি তা হলে একেবারে ব্যর্থ নয়। একজন মানুষকে শোকে সান্ত্বনা দিতে পারে। যে সে মানুষ নয়, একজন মহারাজ এবং কবিতার সমঝদার।

শশিভূষণ অনেকক্ষণ চুপ করে ছিলেন। এবার বললেন, রবীন্দ্রবাবু, একটা কথা জিজ্ঞেস করতে পারি। কিছুকাল আগে 'ভারতী' পত্রিকায় ছাপা হয়েছিল একটি সন্দর্ভ, 'জুতা ব্যবস্থা', সেটি কি আপনার রচনা?

রবি সম্মতিসূচক মাথা নাড়ল।

শশিভূষণ বললেন, আমি ঠিক ধরেছি। আপনি যে 'য়ুরোপ যাত্রী বঙ্গীয় যুবকের পত্র' লিখতেন, নাম না থাকলেও আপনার লেখা বলে চেনা যায়। তার সঙ্গে এই রচনাটির ভাষার খুব মিল আছে। এই লেখাটি পড়েই আমি আপনার বিশেষ অনুরাগী হয়েছি।

জ্যোতিরিন্দ্রনাথ জিজ্ঞেস করলেন,'জুতা ব্যবস্থা' কোন লেখাটা রে?

শশিভূষণ হঠাৎ উত্তেজিত হয়ে উঠলেন, কণ্ঠস্বর উচ্চগ্রামে তুলে বললেন, মশাই, সে লেখাটির মধ্যে বারুদ ঠাসা আছে। ইংরেজরা আমাদের যখন তখন অপমান করে, কেউ তা প্রতিবাদ করে না। ওই যে ট্যাঁস ফিরিঙ্গিদের একটা কাগজ আছে, ইংলিশম্যান সে কাগজে পর্যন্ত—

রবি এবার ধীর স্বরে দাদার দিকে তাকিয়ে বলল, তুমি পড়েছ লেখাটা। ইংলিশম্যান কাগজ একবার লিখেছিল, ভারতীয়দের সঙ্গে কথা বলার আগে একবার করে লাথি মারতে হয়। Kick them and then speak to them. Age lat pechoo bat. আমি তার উত্তরে....

শশিভূষণ বললেন, মুখের মতন জবাব দিয়েছিলেন। হিন্দু পেট্রিয়ট কাগজও প্রতিবাদ করেছিল বটে, কিন্তু তেমন জোরালো নয়। আপনি বাঙালি জাতটাকেও বলেছেন, আর কতকাল জুতো খাবে? Perfect piece of political writing! ওই লেখাটির জন্য বিশেষ করে অভিনন্দন জানাচ্ছি। ওই রকম আরও লিখুন।

রাধারমণ ঈষৎ অসহিষ্ণুভাবে বললেন, শশী, এবার আমাদের উঠতে হবে।

এর মধ্যে জলখাবার এসে গিয়েছিল। আর একটুক্ষণ ভদ্রতা বাক্যের বিনিময়ের পর ওঁরা দুজন বিদায় নিলেন। দুই ভাই ওঁদের দরজা পর্যন্ত এগিয়ে দিয়ে আসার পর জ্যোতিরিন্দ্রনাথ বললেন, কী দিয়েছে দেখি!

পুঁটুলিটা খুলে দেখা গেল, তার মধ্যে রয়েছে একটি শাল, এক জোড়া ধুতি, একটি উত্তরীয় হাতির দাঁতের তৈরি দুটি পুতুল এবং একটি ছোট্ট মখমলের তোড়ায় পাঁচটি মোহর।

জ্যোতিরিন্দ্র বললেন, তেমন কিছু রাজকীয় বলা যায় না, তবু মন্দ নয়। কিন্তু রবি, তোর রাজকবির চাকরিটা হল না। মহারাজের কাছে অ্যাপ্লাই করে দেখলে পারিস।

জ্যোতিরিন্দ্রনাথকেও এবার বেরুতে হবে। তিনি গাড়ি জুততে বলে পোশাক বদলাতে গেলেন। রবি কাদম্বরীকে খুঁজল, কাছাকাছি কোথাও দেখতে পেল না। জ্যোতিদাদা চলে যাওয়ার পর তাঁর শয়নকক্ষে উঁকি মারল, সেখানেও নেই। দু চারবার ডেকেও সাড়া পাওয়া গেল না। তখন সে বাড়ি থেকে বেরিয়ে এসে বাগানে ঘুরতে লাগল।

কাদম্বরী একটি কাঁঠাল গাছে ঠেস দিয়ে গঙ্গার দিকে মুখ করে দাঁড়িয়ে আছেন। শূন্য উদাস দৃষ্টি।

রবি কাছাকাছি গিয়ে ডাকল, নতুন বউঠান!

কাদম্বরী মুখ ফেরালেন, কোনও কথা বললেন না। রবি ভেবেছিল, বাইরের লোকদুটি চলে যাওয়ামাত্রই কাদম্বরী এসে খুঁটিয়ে খুঁটিয়ে সব কথা জিজ্ঞেস করবেন, মানপত্র ও

উপহারদ্রব্যগুলি দেখবেন, রবির সঙ্গে খুনসুটি করবেন। কিন্তু এখন দেখা যাচ্ছে কাদম্বরীর কোনও আগ্রহই নেই।

রবি বলল, ত্রিপুরার মহারাজ আমার 'ভগ্নহৃদয়' বইটি খুব পছন্দ করেছেন। ওরা অনেক ভালো ভালো কথা বলে গেলেন। তুমি খুশি হওনি?

কাদম্বরী আবেগহীন শুষ্ক কণ্ঠে বললেন, কেন খুশি হব না ভাই। তোমার মান বাড়লে আমাদের সকলেরই আনন্দ হয়।

রবি বলল, 'ভগ্নহৃদয়' বইখানি তো তোমারই। এ সম্মানও তোমার।

কাদম্বরী বললেন, আমার না ছাই!

রবি বলল, ওরা কী সব জিনিসপত্র দিয়ে গেল, তুমি দেখবে না?

কাদম্বরী কয়েক পা এগিয়ে যেতে যেতে বললেন, দেখবখন পরে।

রবি বলল, তোমার কী হয়েছে বলো তো? মন খারাপ?

কাদম্বরী একটা ঝোপ পেরিয়ে গিয়ে বড় একটা আমগাছের ডালে টাঙানো দোলনায় বসলেন। একটি দীর্ঘশ্বাস ফেলে বললেন, নাঃ, কিছু হয়নি।

দূরে দাঁড়িয়ে রবি প্রচ্ছন্ন অভিমানের সঙ্গে জিজ্ঞেস করল, তুমি তখন আমাকে ত্রিপুরায় চলে যেতে বললে কেন? তুমি আমাকে দূরে ঠেলে দিতে চাও?

কাদম্বরী বললেন, আমি দূরে ঠেলে দেব কেন? তুমি নিজেই চলে যাবে। দিন দিন তোমার যশ হবে, তোমার কর্মক্ষেত্র বাড়বে, অনেক মানুষ তোমাকে চাইবে, তুমি আমাদের ছেড়ে চলে যাবে, সেটাই তো স্বাভাবিক। তুমি যত বিখ্যাত হবে, তত তুমি সর্বসাধারণের হয়ে যাবে, আমরা ছোট গণ্ডির মধ্যে তোমাকে ধরে রাখতে যাব কেন?

রবি বলল, তোমাকে ছেড়ে আমি কোনওদিন কোথাও যাব না। তা তুমি নিশ্চিত জান।

কাদম্বরী বললেন, না রবি, তা হয় না। তোমার কবিতা আর আমাকে প্রথম শোনাবার সময় তুমি পাবে না। আমি তো নগণ্য।

রবি বলল, নতুন বউঠান, তুমি এমন কথা আমাকে বল না, বল না! তোমাকে ছেড়ে আমি কোথাও থাকতে পারি না। তুমি আমার সব!

কাদম্বরী বললেন, তুমি বিলেতে চলে গিয়েছিলে। তোমার নতুন দাদাও খুব ব্যস্ত, তাঁর কত কাজ, আমার কাছে আসার সময় পান না, আমি দিনের পর দিন একা আর একা, জোড়াসাঁকোর বাড়ির তেতলার ঘরে একা, বন্দিনীর মতন, কেউ নেই, তুমি সর্বক্ষণ থাকতে পাশে, তুমিও ছিলে না গত বছর।

রবি বলল, বিলেতে আমিও তো একা, সর্বক্ষণ তোমার কথাই ভেবেছি। আমার সব লেখা তোমারই উদ্দেশে তা তুমি জান না? 'ভারতী'তে যে চিঠিগুলি ছাপা হয়েছে সেগুলো তো আসলে তোমাকেই লেখা চিঠি। 'ভগ্নহৃদয়ের' সব কবিতা তো তোমারই জন্য।

কাদম্বরী বাহুতে মুখ গুঁজে একটুক্ষণ চুপ করে রইলেন। তারপর হঠাৎ মেজাজ পরিবর্তন করে তীক্ষ্ণ গলায় বললেন, ও হ্যাঁ, মনে পড়েছে, এতদিন তোমাকে বলা হয়নি, তুমি 'ভগ্নহৃদয়'-এর উপহারে শুধু শ্রীমতী হে-কে লিখেছ কেন?

রবি বলল, শুধু তোমার জন্য।

কাদম্বরী বললেন, ওরকম কেউ লেখে?

রবি বলল, আর কেউ বুঝবে না। শুধু তুমি আর আমি বুঝব। তুমিই হেমাঙ্গিনী, তুমিই হেকেটি। এই লেখাগুলি তুমি আর আমি একরকম পড়ব, অন্যরা আর একরকম পড়বে।

কাদম্বরী খানিকটা র্ভৎসনার সুরে বললেন, আহা, কী বুদ্ধি! অলীকবাবু নাটকে তুমি অলীক আর আমি হেমাঙ্গিনী সেজেছিলুম, তা বুঝি অন্যরা জানে না? তুমি যে আমায় কখনও সখনও হেকেটি বলে ডাক, তাও অন্যেরা জানে!

রবি বলল, জানুক গিয়ে! যে যা খুশি বুঝুক। আমার ইচ্ছে হয়েছে অমন লিখেছি!

কাদম্বরী ভ্রূভঙ্গি করে বললেন, আ-হা-হা-হা! বাবুর ইচ্ছে হয়েছে বলে—

কাদম্বরীর মেজাজ পরিবর্তনে রবি খুশি হয়ে উঠল। সে বলল, তুমি একটু বসো, নতুন বউঠান, আমি এখুনি আসছি।

সে দৌড়ে চলে গেল বৈঠকখানা ঘরে। উপহারের পুঁটুলিটা নিয়ে ফিরে এল। কাদম্বরী তখন দোলনাটায় একটু একটু দুলছেন আর মৃদও স্বরে গান গাইছেন।

দোলনাটা থামিয়ে দিয়ে রবি কাদম্বরীর পায়ের কাছে বসল। মোহরের তোড়াটি ছোঁয়াল কাদম্বরীর পায়ে। হাতির দাঁতের পুতুল দুটি তাঁর কোলের ওপর ফেলে দিয়ে রবি বলল, এই নাও, দেবী, এ সবই তোমার। আমার যা কিছু আছে, সবই তোমার।

কাদম্বরী কিছু দেখলেনই না। মুখটা ঝুঁকিয়ে এনে বললেন, আমার কিছুই চাই না। ভানু, তুমি শুধু আমাকে একটা গান শোনাও—

এইভাবেই কাটতে লাগল দিন। জ্যোতিদাদাকে প্রায়ই কলকাতায় যাতায়াত করতে হয়। তিনি একটি নতুন ব্যবসায়ের পরিকল্পনায় মেতেছেন। নানাবিধ লোকসানের ব্যবসায়ে জ্যোতিরিন্দ্রনাথের খুব উৎসাহ । তিনি সকালবেলা চলে যান, সন্ধের আগে ফিরতে পারেন না। সারা দিনমান নতুন বউঠানের সঙ্গী শুধু রবি, তারা কখনও গল্প করে মুখোমুখি বসে ঘন্টার পর ঘন্টা, কখনও ছুটোছুটি করে বাগানে। কখনও গলা মিলিয়ে গান করে, কখনও গাছ থেকে ফল পাড়ে, কখনও ঘাটের সিঁড়িতে বসে থাকে জলে পা ডুবিয়ে। নতুন বউঠান যখন বনের মধ্যে ঝুলনায় দোলেন, রবি তখন গুচ্ছ গুচ্ছ ফুল তুলে এনে ফুলডোরে সেটাকে সাজিয়ে দেয়। যখন তারা গান করে না, গল্প করে না, তখন তারা চুপ করে পরস্পরের দিকে চেয়ে শুধু বসে থাকে, সেই নৈঃশব্দও অনেক বাঙ্ময়।

সন্ধেবেলা অন্ধকার নদীতে ছলচ্ছল শব্দ হয়। চলন্ত নৌকোগুলিতে দেখা যায় বিন্দু বিন্দু আলো, যে আলোটি খুব কাছে এগিয়ে আসে সেদিকে উৎসুকভাবে তাকিয়ে থাকে ওরা দুজন। এই বুঝি জ্যোতিরিন্দ্রনাথ ফিরে এলেন। ইদানীং তিনি বোটে যাওয়া-আসা করছেন। কিন্তু প্রত্যাশা পূর্ণ হয় না, জ্যোতিরিন্দ্রনাথের প্রায়ই দেরি হয়।

চন্দননগরের এই বাড়িতে আসা হয়েছিল শীতের শুরুতে, ক্রমে বসন্ত ও গ্রীষ্ম পেরিয়ে গেল। আকাশে জমছে মেঘ, সেই মেঘের রং গাঢ় হচ্ছে, বর্ষা আসন্ন। নদীর স্রোতে ভেসে যাওয়া ফুলের মতন এক একটি দিন। রবি ও নতুন বউঠান পরস্পরকে এত নিবিড়ভাবে কাছাকাছি আগে কখনও পায়নি। দুজনের জন্য শুধু দুজন। এক একদিন দমকা হাওয়ায় সব কিছু এলোমেলো হয়ে যায়, চতুর্দিকে প্রকৃতির আঁচল ওড়ে, বাড়ির সন্নিহিত জঙ্গলটিতে একটি আবরণ তৈরি হয়ে যায়, মনে হয় এই পৃথিবীতে এই জঙ্গল ছাড়া আর কিছু নেই, তখন তার মধ্যে হাত ধরাধরি করে ছোটে দুটি বিশুদ্ধ যুবক-যুবতী, তাদের বুক কাঁপে বজ্রপাতের শব্দে, তবু কি মধুর সেই ভয়, গাছের পাতাগুলি ঝিলিমিলি শব্দে যোগ দেয় তাদের হাসির উচ্ছলতায়।

একদিন একটা বিপর্যয় হল। সেদিন সকাল থেকে রবি লেখা নিয়ে মগ্ন। উপন্যাসটিতে বেশ মন বসেছে, একটানা সাত পাতা লেখার পর একটু থেমে দুটি কবিতা লিখে ফেলল। এখন তাকে বিদ্যাপাতিতে পেয়ে বসেছে, বিদ্যাপতি নতুন বউঠানেরও খুব প্রিয়। তিনি নিরালায় রবিকে ভানু নামে ডাকেন, রবি ভানুসিংহ ছদ্মনামে ব্রজবুলিতে বেশ কয়েকটি কবিতা লিখে ফেলেছে। সেরকম দুটি কবিতা শেষ করে সে আবার উপন্যাসে মনোনিবেশ করল।

একসময় তার মনে হল যে তার বেশ খিদে পেয়েছে। বেলা কত হল কে জানে? কেউ তাকে খেতে ডাকেনি কেন? তারপরেই খেয়াল হল ওঃ, আজ তো সেই পিকনিক হবার কথা।

এরকম আগেও হয়েছে কয়েকবার। জ্যোতিদাদার খুব বনভোজনের শখ। আজ জঙ্গলের মধ্যে একটা বকুল গাছের তলায় নতুন বউঠান রান্না করবেন, জ্যোতিদাদা আর রবি তাঁকে গানবাজনা শোনাবে। মশলা না দিয়ে শুধু সঙ্গীত সহযোগে পঞ্চ ব্যঞ্জনের কেমন স্বাদ হয়, তার পরীক্ষা। রবি ভুলেই গিয়েছিল জ্যোতিদাদারা নিশ্চয়ই ওখানে বসে আছেন। রবিকে ডেকে পাঠাননি কেন?

কাগজপত্র এলোমেলোভাবে ছড়িয়ে রবি ছুটে বেরিয়ে গেল বাড়ি থেকে। জঙ্গলের মধ্যে নির্দিষ্ট জায়গাটিতে গিয়ে সে আরও অবাক হল। উনুন সাজানো আছে কিন্তু আগুন ধরেনি, রান্নার সরঞ্জাম ও দ্রব্য পরিপাটি করে গুছিয়ে রাখা হয়েছে কিন্তু ছোঁওয়া হয়নি কিছুই, একটা মোড়ায় পাথরের মূর্তির মতন বসে আছেন কাদম্বরী, জ্যোতিদাদার কোনও চিহ্ন নেই।

রবি ঝপ করে হাঁটু গেড়ে বসে পড়ে হাত জোড় করে বলল, ক্ষমা করো, ক্ষমা করো নতুন বউঠান, আমি ভুলে গিয়েছিলাম, আমাকে তুমি একবারটি ডাকলে না? আমি লেখা নিয়ে ডুবেছিলাম।

কাদম্বরী যেন রবির কথা শুনতেই পেলেন না।

রবি জিজ্ঞেস করল, জ্যোতিদাদা কোথায়?

এবারও কোনও উত্তর নেই।

রবি বলল, দাঁড়াও, আমি এক্ষুনি জ্যোতিদাদাকে ডেকে আনছি।

সে আবার ছুটে গেল বাড়িতে। ভৃত্যদের কাছ থেকে খবর নিয়ে জানল যে জ্যোতিদাদা বেরিয়ে গেছেন ভোরবেলা, কখন ফিরবেন ঠিক নেই।

রবি এবার ভয় পেয়ে গেল। নতুন বউঠানের অভিমান অতি সাঙ্ঘাতিক। এই অভিমানে তিনি চ্যাঁচামেচি করেন না, কাঁদেন না, তীব্র বিষাদে মগ্ন হয়ে যান, সেই সময় তিনি কথা বলতে চান না কিছুতেই । কিছুদিন আগে এই রকম এক অভিমানের সময় নতুন বউঠান আত্মহত্যা করতে গিয়েছিলেন। আজ রবি নিজেও দোষ করেছে।

আবার ফিরে গিয়ে রবি নতুন বউঠানের মান ভাঙাবার জন্য কাকুতি-মিনতি করতে লাগল। পা দু'খানি জড়িয়ে ধরে টেনে নিল নিজের বুকে। কাদম্বরী তাতেও মুখ খুললেন না। পা ছাড়িয়ে নিয়ে তিনি দৌড় দিলেন জঙ্গলের দিকে। রবি গেল পেছন পেছন, কাদম্বরী কিছুতে ধরা দেবেন না।

আকাশ অন্ধকার হয়ে এসেছে, গম্ভীর গুরু গুরু শব্দে ডাকছে বাজ, হঠাৎ এক প্রান্ত থেকে অন্য প্রান্ত পর্যন্ত চিরে ঝলসে উঠল বিদ্যুৎ। তার পরেই উঠল ঝড়,প্রবল ঝড়। মড়মড়িয়ে উঠল গাছপালা, গঙ্গায় জল উত্তাল। রবি নতুন বউঠানের হাত শক্ত করে চেপে ধরে বলল, ঘরে চলো., ঘরে চলো, এ সময় গাছতলায় দাঁড়ানো বিপজ্জনক।

কাদম্বরী প্রবলভাবে মাথা নাড়লেন। যেন তাঁর আর ঘর নেই, তার ফেরা -না- ফেরা সমান।

রবি তবু বলল, নতুন বউঠান আমি আর কোনওদিন তোমাকে দুঃখ দেব না, শুধু আজ আমার কথা শোনো।

কাদম্বরী তবু ছুটোছুটি করতে লাগলেন। এরই মধ্যে নামল বৃষ্টি, বড় বড় ফোঁটায় ফোঁটায় বৃষ্টি, তারপর জলপ্রপাতের মতন বৃষ্টি। এখন আর কোথাও যাওয়া যাবে না। একটা বড় গাছের নীচে দাঁড়াল দু'জনে । এবারে কাদম্বরীর সারা শরীর কাঁপতে লাগল, তাঁর দু' চোখ থেকেও অঝোরধারা মিশে গেল বৃষ্টির জলে।

এক সময় তিনি বললেন, রবি—

রবি বলল, কী নতুন বউঠান?

কাদম্বরী আর কিছু বললেন না, গভীর একাগ্রতায় চেয়ে রইলেন রবির দিকে। কী বলতে গিয়ে তিনি থেমে গেলেন তা রবি বুঝল না। সেও চেয়ে রইল, চোখে চোখে সেতু বন্ধন হল। কী অপুর্ব সুন্দর এখন দেখাচ্ছে কাদম্বরীকে, সেই রূপ যেন অপার্থিব। এখন এঁকে মানবী বলা যায় না, রবি অস্ফুটভাবে বলতে লাগল, দেবী, দেবী।

একটু পরে কাদম্বরী একটা দীর্ঘশ্বাস ফেললেন। যে পাখির নীড় নষ্ট হয়ে গেছে তাঁর দৃষ্টি সে রকম পাখির মতন অসহায়। তিনি আস্তে আস্তে বললেন, এ ভরা বাদর মাহ ভাদর শূন্য মন্দির মোর। এ ভরা বাদর—

দু' তিনবার সেই একই পঙ্‌ক্তি উচ্চারণ করে তিনি আবার বললেন, রবি, তুমি এর সুর জান? আমাকে গেয়ে শোনাবে?

রবি মনে মনে একটু গুনগুন করে সুর ভেঁজে নিল। তারপর তাতে বসিয়ে দিল মিশ্র মল্লারের সুর। দু'জনেই ভিজে একেবারে শপশপে হয়ে গেছে, পাশাপাশি দাঁড়িয়ে, হাতে হাত ধরে রবি নতুন বউঠানকে গেয়ে শোনাতে লাগল, এ ভরা বাদর মাহ ভাদর শূন্য মন্দির মোর.........।

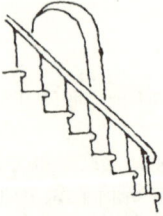

॥ ১১ ॥

সিঁড়ি দিয়ে নামতে নামতে শশিভূষণের হঠাৎ মাথা ঘুরে গেল। মনে হল পৃথিবীটা যেন দুলছে। রেলিং ধরে পড়ে যাবার ঝোঁক সামলে নিয়ে তিনি ভাবলেন, ভূমিকম্প শুরু হল নাকি? পায়ের নীচে মাটি কাঁপছে। তিনি অপেক্ষা করতে লাগলেন, নিশ্চয়ই চতুর্দিকে এখন শঙ্খধ্বনি শুরু হবে। সাধারণ মানুষের ধারণা বাসুকী মাথা দোলালে ভূমিকম্প হয়, তখন শাঁখ বাজিয়ে শান্ত করতে হয় তাকে। সেরকম কিছুই হল না, কোথাও কোলাহলও শোনা যাচ্ছে না। তাহলে কি শশিভূষণের মনের ভুল?

আরও দু'তিন সিঁড়ি নামলেন শশিভূষণ, মাথাটা তবু দুলছে, এটা মনের ভূল নয়। অস্বাভাবিক কিছু ঘটছে অবশ্যই। শশিভূষণ বাইরে বেরুবার জন্য সুসজ্জিত, চুনট করা ধূতি, সিল্কের বেনিয়ান ও কাঁধে মুগার চাদর, সঙ্গে অনেক টাকা। বোর্ন অ্যান্ড শেফার্ড কোম্পানিতে ক্যামেরার সরঞ্জাম ও ছবি তোলা প্লেটের অর্ডার দিয়ে এসেছেন, আজ সে-সব সংগ্রহ করার কথা, আগামীকালই তাঁকে ত্রিপুরায় ফেরার যাত্রা শুরু করতে হবে। টলটলে ভাব নিয়েই তিনি জোর করে নামতে গেলেন, এবার মাথার মধ্যে যেন চিড়িক চিড়িক শব্দে ছোট ছোট বিদ্যুৎ চমক হতে লাগল। শশিভূষণ ক্রমশ বিস্মিত হতে লাগলেন, তাঁর স্বাস্থ্য অটুট। রোগ-ভোগের অভিজ্ঞতা অনেকদিন নেই, নিজের কর্মক্ষমতার ওপর অগাধ বিশ্বাস, যে-কোনও কাজেই পারতপক্ষে অন্যের সাহায্য চান না।

সিঁড়ির মধ্য পথে গিয়ে আর পারলেন না শশিভূষণ, রেলিং থেকে তাঁর হাত ছেড়ে গেল, শরীরটা দুমড়ে তিনি গড়িয়ে পড়তে লাগলেন। সিঁড়ির শেষে তিনি পড়ে রইলেন অসহায় ভাবে, উঠে দাঁড়াবার ক্ষমতা নেই, কারুকে ডাকতেও পারলেন না। বাড়ি ভরা লোকজন, অনেক দাস-দাসী, কিন্তু শশিভূষণ পড়েই রইলেন জড়ের মতন, কেউ কিছু টের পেল না। শশিভূষণের অবশ্য জ্ঞান চলে যায়নি, মাথায় তীব্র যন্ত্রণা, কণ্ঠস্বর রুদ্ধ হয়ে গেছে, সেই

অবস্থাতেও তিনি ভাবছেন, তাঁর মৃত্যু ঘনিয়ে এল নাকি? এক একসময় মানুষ কত অসহায়,এত আত্মীয়-স্বজন, শশিভূষণের এত মনের জোর, তবু সকলের অলক্ষ্যে তিনি মাটিতে পড়ে আছেন অচেতন পদার্থের মতন।

মাথার মধ্যে যেন শত শত সূচ ফুটছে, আর সহ্য করতে পারছেন না শশিভূষণ, এবার চৈতন্য লোপ পাবে, কিংবা এটাই মৃত্যু? প্রাণপণে একবার চিৎকার করবার চেষ্টা করলেন, তবু স্বর বেরুল না। চক্ষু দুটি যখন বুজে আসছে, তখন দেখতে পেলেন একটি কিশোরী মেয়েকে। মেয়েটি কোথা থেকে এল? সে সিঁড়ি দিয়ে নেমে আসেনি, সদর দরজাও বন্ধ, তবে কি সে অলীক? এ বাড়িতে এই মেয়েটিকে আগে কখনও দেখেননি শশিভূষণ, সম্পূর্ণ অচেনা। বড় বড় টানা টানা চোখ, বয়সের তুলনায় তাঁর মাথায় অনেক চুল, চুল দিয়েই যেন তাঁর শরীর ঢাকা, তাঁর এক হাতে একগুচ্ছ সাদা ফুল, সে মুখখানি ঝুঁকিয়ে আনল শশিভূষণের মুখের কাছে। তারপর আর তাঁর কিছু মনে নেই।

কোথায় ভরতের চিকিৎসা করিয়ে তাঁর একটা হিল্লে করে যাবেন, তা নয় শশিভূষণ নিজেই নিদারুণভাবে অসুস্থ হয়ে পড়লেন। ডাক্তার-বদ্যির আনাগোনা চলল অনবরত। দিনকতক যমে-মানুষে টানাটানিই চলল প্রায়. এক একসময় শশিভূষণের প্রায় নাভিশ্বাস ওঠার মতন অবস্থা। রুগীকে কিছুই খাওয়ানো যায় না, অমন সবল সুপুরুষটির চেহারা হয়ে গেল শুকনো আমসির মতন, বিছানার সঙ্গে একেবারে সাঁটা, গলা দিয়ে বাচ্চা শালিক পাখির মতন চিঁচি আওয়াজ বেরোয়। প্রখ্যাত সাহেব ডাক্তার চার্লস গর্ডন কোনওক্রমে শশিভূষণকে বাঁচিয়ে রেখেছেন বলা যায়। কিন্তু তাঁরও অভিমত, কিছু খাওয়াতে না পারলে শুধু ওষুধে বেশিদিন কাজ হবে না। জোর করে শশিভূষণকে কিছু খাওয়াতে গেলেই শশিভূষণের বমি হয়ে যায়।

দু'জন বউঠান দিবারাত্রি সেবা করছেন মন-প্রাণ দিয়ে। বড় বউঠানের খুব বিশ্বাস হোমিওপ্যাথিতে, তাঁর ধারণা ডাক্তার মহেন্দ্রলাল সরকারকে ডাকলেই কাজ হবে। কিন্তু তিনি এত ব্যস্ত যে তাঁকে ধরাই যায় না। এর মধ্যে তিনি আবার বর্ধমানের মহারাজার চিকিৎসা করবার জন্য সেখানে গিয়ে বসে আছেন। কৃষ্ণভামিনীর অনুরোধে ডাক্তার মহেন্দ্রলাল সরকারকে জরুরি কল দেবার জন্য লোক পাঠানো হয়েছে বর্ধমানে।

শশিভূষণের ঘরের দরজার পাশ থেকে আড়ষ্টভাবে উঁকি মারে ভরত। তাঁর শরীর সম্পূর্ণ সুস্থ হয়নি, ঊরুতে বর্শার ক্ষতটি শুকোয়নি পুরোপুরি, মাঝে মাঝেই জ্বর আসে, তবে তাঁর পাগলামির ভাবটা অনেকটা কমেছে। মাথায় এখন খোঁচা খোঁচা চুল, প্যাঁকাটির মতন শীর্ণ চেহারা, সবসময় মুখ-চোখ ভয়-ভয় ভাব। শশিভূষণের অসুখ নিয়ে সারা বাড়ির ব্যস্ততায় ভরতের কোনও ভূমিকা নেই। সে শুধু দরজার কাছে দাঁড়িয়ে চেয়ে থাকে। এ পৃথিবীতে শশিভূষণই তাঁর একমাত্র অবলম্বন।

মহারাজার সচিব রাধারমণ ঘোষ ফিরে গেছেন ত্রিপুরায়। শশিভূষণ দেড় মাসের ছুটি নিয়ে এসেছিলেন, তাও উত্তীর্ণ হবার মুখে। সিমলে পাড়ায় হরমোহন ভট্টাচার্যের গুরুকুল আশ্রমে ভরতকে ভর্তি করে দেবার ব্যবস্থা পাকা হয়ে আছে। সেখানে ভরতকে পৌঁছে দেবার জন্য শশিভূষণ একদিন ওকে সঙ্গে নিয়ে বেরিয়েছিলেন, কিন্তু অন্য জায়গায় থাকতে হবে শুনেই ভরত দৌড়ে ফিরে এসে খাটের তলায় ঢুকে পড়েছিল। শশিভূষণকে ছেড়ে সে কোথাও যাবে না। মহা মুশকিলের ব্যাপার, শশিভুষণকে ত্রিপুরায় ফিরতে হবে, সেখানে আর ভরতকে নিয়ে যাবার প্রশ্নই ওঠে না। রাধারমণের কথা শুনেই বোঝা গেয়েছিল যে, ত্রিপুরা রাজ্যে ভরতের আর স্থান নেই, সেখানে গেলেই তাঁর জীবন বিপন্ন হবে। সব ব্যাপারটা শুনে শশিভূষণের মেজদাদা মণিভূষণ বলেছিলেন, তোকে ত্রিপুরায় ফিরতে হবে, তুই ওকে না জানিয়ে একদিন চলে যা। ও ছোঁড়টা তো এ বাড়িতে থাকতে অনেকটা অভ্যস্ত হয়ে গেছে,

এখানেই থাকুক আর কিছুদিন। তারপর ধীরে সুস্থে ওকে বুঝিয়ে সুঝিয়ে পাঠশালায় পাঠালেই হবে।

এখন শশিভূষণের অসুস্থতার জন্য ওসব কথা চাপা পড়ে গেছে। ভরতের দিকে মন দেবার কারুর সময় নেই।

ডাক্তারি-কবিরাজি ছাড়া শশিভূষণের জন্য দৈব চিকিৎসারও বিরাম নেই। কালীঘাটের মন্দিরে তাঁর নামে জোড়া পাঠা মানত করা হয়েছে। অন্যান্য মন্দির থেকেও প্রসাদ ও চরণামৃত আসে। শশিভূষণ নিজে ব্রাহ্মভাবাপন্ন হলেও তাঁর দুই দাদা বৈষ্ণব, এই সিংহ পরিবারে রাধা-কৃষ্ণের যুগল মূর্তির পূজা হয় নিয়মিত, বাড়ির তিনতলায় ঠাকুর ঘর আছে। এখন দু'বেলাই সেখানে শশিভূষণের আরোগ্য কামনায় যাগযজ্ঞ চলছে। মেজ বউঠান সুহাসিনীর আবার সাধু-সন্ন্যাসীদের প্রতি খুব ভক্তি, তাঁর বাপের বাড়ির গুরুদেব মাধবাচার্য স্বামী এসে শশিভূষণের মাথায় হাত বুলিয়ে গেছেন দু'দিন।

শশিভূষণ অধিকাংশ সময়েই আচ্ছন্ন অবস্থায় পড়ে থাকেন, কোনও কিছুতেই সাড়া দেন না। মাঝে মাঝে তিনি সজাগ হন, দৃষ্টি স্বচ্ছ হয়, পূর্ণ চেতনা ফিরে আসে। তখন তিনি অনুভব করেন, তাঁর পাশ ফিরতে ইচ্ছে করে না, হাত-পাগুলিতে যেন সাড় নেই, ক্ষুধা-তৃষ্ণার কোনও বোধ নেই। মন যেন এই শরীরটাকে ছেড়ে ইচ্ছে মতন ঘুরে বেড়াতে পারে। শরীরটা যদি একেবারে নষ্ট হয়ে যায়, তা হলেও কি এই মন টিকে থাকবে? তা হলে কি সত্যিই আত্মার অস্তিত্ব আছে? হৃৎস্পন্দন থেমে গেলেই মৃত্যু, তারপরেও অজর, অমর হয়ে থাকে মানুষের আত্মা?

শশিভূষণের মন এক একসময় চলে যায় ত্রিপুরায়। কমলদিঘির কাছে তাঁর ছোট বাড়িটি, সেখানে রয়েছে তাঁর দামি দামি ক্যামেরা, বইপত্তর। যদি চুরি হয়ে যায়? ক্যামেরা ও বইয়ের চিন্তায় তিনি উতলা হয়ে ওঠেন। যদিও রাধারমণ ফিরে গেছেন, তিনি রক্ষণাবেক্ষণের দায়িত্ব নেবেন। তবু বলা যায় না। মহারাজার এক পারিষদ পঞ্চানন্দ মিত্রের খুব লোভ আছে শশিভূষণের বইগুলির প্রতি, বই চুরিকে অনেকে চুরি বলে গণ্য করে না। শশিভূষণের দীর্ঘশ্বাস পড়ে।

একদিন রাত্রিবেলা শশিভূষণের এক রোমাঞ্চকর অভিজ্ঞতা হল। রাত তখন অনেক, সমস্ত বাড়ি ঘুমন্ত নিঝুমপুরী, পথেও কোনও গাড়িঘোড়ার আওয়াজ নেই। তাঁর ঘর একেবারে অন্ধকার করা হয় না। এক কোণে একটি সেজবাতি জ্বলে। দরজা খোলা, মেঝের ওপর মাদুর পেতে শুয়ে আছে কে একজন, প্রতি রাতেই বাড়ির কেউ না কেউ থাকে এই ঘরে। আজ যে রয়েছে, সেও এখন মগ্ন হয়ে আছে গভীর ঘুমে। শোনা যাচ্ছে তাঁর নিঃশ্বাসের শব্দ। হঠাৎ শশিভূষণ জেগে উঠলেন, স্পষ্ট দেখলেন দরজা পেরিয়ে, ঘুমন্ত মানুষটির পাশ দিয়ে এগিয়ে আসছে একজন রমণী, শোনা যাচ্ছে ঝুমঝুম ধ্বনি। নুপূর নিক্কণ নয়, মনে হয় যেন কোমরে গোঁজা চাবির গোছার শব্দ, রমণীটিও মধ্যবয়স্কা, লালপেড়ে গরদের শাড়ি পরা, কপালে বড় একটা টিপ। আরও কাছে আসতে শশিভূষণ চিনতে পারলেন সেই নারী তাঁর জননী, তাঁর দু'চোখে জলের ধারা। শশিভূষণের শিয়রের কাছে এসে তিনি ফুঁপিয়ে ফুঁপিয়ে কাঁদতে লাগলেন। শশিভূষণ ব্যাকুলভাবে জিজ্ঞেস করলেন, এ কী, মা তুমি কাঁদছ কেন?

সেই রমণী কম্পিত কণ্ঠে বললেন, ভুসু, ভুসু রে, বাছা আমার, এ কী চেহারা হয়েছে তোর! পেট-পিট যে এক হয়ে গেছে। কার্তিকের মতন সুন্দর ছেলে তুই, তোর সোনার অঙ্গ কালি হয়ে গেছে!

শশিভূষণ বললেন, মা, আমার যে কিছু খেতে ইচ্ছে করে না। কিছু মুখে দিতে পারি না। আমি আর পারছি না, মা। আমি এইভাবেই শেষ হয়ে যাব!

জননী তখন শশিভূষণের কপালে স্নেহময় স্নিগ্ধ হাত রেখে বললেন, অমন কথা বলে না! সোনা আমার, মানিক আমার!

শশিভূষণ মায়ের হাতের ওপর হাত রাখলেন। সঙ্গে সঙ্গে তাঁর শৈশব ভাব হল। তিনি মায়ের কনিষ্ঠ সন্তান, সবচেয়ে আদরের সন্তান। মা তাঁর মাথায় হাত বুলিয়ে ঘুম পাড়াতেন বাল্যকালে। কিন্তু এখন ঘুম আসবে না।

শশিভূষণ জিজ্ঞেস করলেন, মা, তুমি আমাকে নিয়ে যেতে এসেছ? আমাকে নিয়ে চলো।

মা সঙ্গে সঙ্গে ত্রস্তভাবে বললেন, আমি কোথায় নিয়ে যাব? না, না, না, না অমন কথা বলে না সোনা! আমি এক লক্ষ্মীছাড়ি, ছেলের অসুখে সেবাও করতে পারলুম না গো! দুঃখে আমার বুক ফেটে যায়। তুই ভালো হয়ে যাবি, ভুসু! কিছু খেতে ইচ্ছে করে না, কাঁচা বেল পুড়িয়ে শরবত করে দিতে বলবি। তাতে জিহ্বায় রুচি হবে, তারপর ফেনাভাত খাবি।

শশিভূষণ আকুল হয়ে বললেন, মা, মা, তুমি আমার জন্য রান্না করে দাও।

তারপর আর কিছু নেই। শশিভূষণ জ্ঞান হারালেন কিংবা চক্ষু অন্ধকার হয়ে গেল। অবচেতনের গভীরে ডুবতে ডুবতেও তিনি মাকে ছাড়তে চাইলেন না, মায়ের হাতখানি ধরে আছেন, প্রাণপণে বলতে চাইছেন, মা, আমি তোমার কাছে থাকতে চাই, চলে যেও না, চলে যেও না। কিন্তু ঢেউয়ের পর ঢেউ এসে তাঁর চৈতন্যকে গ্রাস করে নিল।

শশিভূষণ আবার যখন জাগলেন, তাঁর সর্বাঙ্গ ঘামে ভেজা। এতদিন শরীর নাড়াচাড়া করেননি, এখন দ্রুত পাশ ফিরে মাকে দেখতে চাইলেন । কোথায় কে? সেজবাতির আলোয় দেখা যাচ্ছে শূন্য ঘর। মেঝেতে যে শুয়ে আছে, তাঁর নিশ্বাস শোনা যাচ্ছে একইভাবে।

শশিভূষণের বুক ধড়াস ধড়াস করতে লাগল। খানিক আগে কী দেখলেন তিনি! মা এসেছিলেন, মা তাঁর সঙ্গে কথা বললেন, হাত রাখলেন কপালে, কিন্তু মা তো মারা গেছেন সতেরো বছর আগে। তখন শশিভূষণ নিতান্ত এক কিশোর। তবে কি এটা স্বপ্ন? তা কী করে হবে, মায়ের হাত ধরেছিলেন তিনি, সে যে বাস্তব হাত! এখনও শশিভূষণ যেন পাচ্ছেন সেই স্নেহ-সুবাস । তা হলে?

শশিভূষণ আর চিন্তা করতে পারলেন না। মাথায় যন্ত্রণা হচ্ছে। কিন্তু চিন্তা কী করে বন্ধ করা যায়! মায়ের সঙ্গে তাঁর যে কথাগুলি হয়েছিল, সেইগুলিই মাথার মধ্যে ঘুরতে লাগল বারবার, যেন একটা কবিতা মুখস্থ করা হচ্ছে। একটা শব্দও এদিক ওদিক করা যাবে না।

এইভাবে কতক্ষণ কাটল কে জানে, এক সময় শশিভূষণের খুব তৃষ্ণা পেল। তিনি অস্ফুট স্বরে বললেন, জল, একটু জল!

যেন সঙ্গে সঙ্গে কেউ একটা জলভরা ঝিনুক ধরল তাঁর ওষ্ঠের কাছে। শশিভূষণ চোখ বুজে ছিলেন, চোখ মেলতেই আবার তাঁর বুক কেঁপে উঠল। এবারে মা নন, একটি কিশোরী, তাঁর মাথা ভর্তি চুল, সারল্যমাখা টানা টানা দুটি চোখ, সে শশিভূষণের একেবারে মুখের কাছে ঝুঁকে এসে জল পান করাচ্ছে ঝিনুক দিয়ে। এই কিশোরীটিকে তিনি চেনেন না, প্রথম দিন সিঁড়ি দিয়ে পড়ে যাবার পরে একেই দেখেছিলেন, এর এক হাতে ছিল একগুচ্ছ সাদা ফুল। কে এই ললনা? এও কি অলীক? শশিভূষণ ভাবলেন, বিকারের ঝোঁকে তিনি চোখে ভুল দেখছেন। তাঁর তো এমন কঠিন অসুখ আগে কখনও হয়নি, বিকারের ঝোঁকে তিনি চোখে ভুল দেখছেন। তাঁর তো এমন কঠিন অসুখ আগে কখনও হয়নি, তাই অভিজ্ঞতা নেই। সত্যি সত্যি তিনি জল পান করছেন, না এটাও স্বপ্ন; অথচ যেন তাঁর তৃষ্ণা মিটে যাচ্ছে, কশের ধার দিয়ে গড়িয়ে পড়ছে জলের রেখা।

পরদিন শশিভূষণ জাগলেন বেশ দেরিতে। অন্যদিনেরই মতন তাঁর বউঠানরা যখন তাঁকে জোর করে দুধ-সাগু খাওয়াতে এলেন, শশিভূষণ আস্তে আস্তে মাথা নেড়ে বললেন, কাঁচা বেল পোড়ার শরবত।

বেল জোগাড় করার জন্য বাজারে ছুটতে হল না, এ বাড়ির বাগানেই বেল গাছ আছে। দুটি বেল পুড়িয়ে খানিকক্ষণের মধ্যেই শরবত করে আনা হল, চুক চুক করে পুরো এক গেলাস শরবত পান করলেন এই রুগী। এগারো দিন পর তাঁর পেটে কিছু খাদ্য গেল। পরদিন তিনি ফেনাভাতও খেতে পারলেন কয়েক চামচ।

কিছুটা জ্বালানি পেয়ে শশিভূষণের মস্তিষ্ক যন্ত্রটি সজাগ হল, তাঁর যুক্তিবোধ ফিরে এল। সেই রাতে তিনি মাকে ও এক অচেনা কিশোরীকে দেখলেন কী করে? সতেরো বছর আগে যিনি মারা গেছেন, তিনি ফিরে আসছেন, এও কি সম্ভব? ধরা যাক, আত্মার কোনও লয়-ক্ষয় নেই, কিন্তু সেই আত্মা কি আবার শরীর ধারণ করতে পারে? পরনের শাড়ি, হাতের গয়না, কোমরে চাবির গোছা, এগুলি তো জড়পদার্থ, এরাও রূপ ফিরে পেল? মায়ের যে কাঁকনজোড়া এখন বড় বউঠানের হাতে, সেই কাঁকনই আবার মায়ের হাতে ফিরে যাবে? তা হলে সবটাই স্বপ্ন? অথচ শশিভূষণ মায়ের সঙ্গে কথা বলছেন, হাত ছুঁয়েছেন, তা প্রত্যক্ষের মতো সত্য। তবে যারা ভূত-প্রেত দেখে, ঠাকুর-দেবতাদের দেখতে পায়, যারা ঈশ্বর দর্শনের কথা বলে, সেগুলোও মিথ্যে নয়? ওই যে কিশোরী মেয়েটি, সে এ বাড়িরই কোনও মৃত আত্মীয়া?

শশিভূষণ দোলাচলের মধ্যে রইলেন। তিনি মেনে নিতে পারছেন না, অথচ অস্বীকার করারও উপায় নেই। স্বপ্ন কি এত তীব্র হতে পারে? মায়ের প্রত্যেকটি কথা তাঁর মনে আছে! কাঁচা বেল পোড়ার শরবতের কথাটা কী করে স্বপ্ন হবে? শশিভূষণ কস্মিনকালে বেল পছন্দ করেন না, বেলের পানাকে তিনি মনে করতেন বিধবাদের পানীয়। মা এসে তাঁকে বলে গেলেন, আর সত্যি সত্যি বেলের শরবত তাঁর সহ্যও হল। ফেনাভাতও দিব্যি মুখরোচক । মা এসে বলে গেলেন সঠিক পথ্যের কথা। সিঁড়ির তলায় যে কিশোরীটি তাঁকে পড়ে থাকতে দেখে সবাইকে ডাকল, শেষ রাতে যে এসে জল পান করিয়ে গেল, সেও আসলে অশরীরী? সেই দৃশ্যগুলি আবার ভাবলেই রোমাঞ্চ হয়।

স্বপ্ন, না অলৌকিক দর্শন, এই দ্বিধার নিষ্পত্তি করতে পারলেন না শশিভূষণ। দক্ষিণেশ্বরে রামকৃষ্ণ ঠাকুর নামে কালী মন্দিরের এক পুরুত আছে, সে নাকি কালী প্রতিমাকে জীবন্ত দেবী হিসেবে দেখতে পায়, সেই দেবীর সঙ্গে কথা বলে, হাসে। আগে এ সব কথা শুনে শশিভুষণ অবজ্ঞায় ঠোঁট বেঁকিয়েছিলেন। তাঁর মতে ওসব পাগলামি ছাড়া আর কিছুই নয়। এবারে অবশ্য ত্রিপুরা থেকে ফিরে শশিভূষণ শুনতে পাচ্ছেন যে কেশববাবু আর তাঁর চেলারা খুব মাতামাতি করছেন ওই রামকৃষ্ণ ঠাকুরকে নিয়ে। কেশববাবু উচ্চশিক্ষিত, বিলাতে বক্তৃতা দিয়ে কল্কে পেয়েছেন, খ্রিস্টের ভক্ত বলে এখানকার পাদ্রিরাও তাঁকে সমর্থন করে, সেই কেশববাবু এক গ্রাম্য পুরুতের ভেল্কি দেখে ভুললেন? কেশবাবু পরীক্ষা করে, যাচাই করে দেখেছেন নিশ্চয়ই । তা হলে কি সবটাই ভেল্কি নয়? মনের এক বিশেষ অবস্থায় ও রকম দিব্যদর্শন সম্ভব?

শশিভূষণ নিজের কাছেই নিজে অস্বীকার করতে পারছেন না যে, একটা কিছু ব্যাখ্যার অতীত অলৌকিক ঘটনা ঘটে গেল তাঁর জীবনে। মা এসে তাঁর কপালে হাত বুলিয়ে দিয়ে গেলেন, পথ্যের ব্যবস্থা করে দিয়ে গেলেন, তারপর থেকেই শশিভূষণ অনেক সুস্থ বোধ করছেন। এটা কী নিছক স্বপ্ন হয়?

এখনও শশিভূষণের হাঁটার ক্ষমতা হয়নি বটে, তবে নিজে নিজে উঠে বসতে পারেন। দু'তিনটি বালিশে ঠেস দিয়ে তিনি বসে থাকেন পা ছড়িয়ে, কথা বলতে ইচ্ছে করে না, বই পড়তেও ইচ্ছে করে না। এক এক সময় তিনি দরজার কাছে ভরতকে দেখতে পান, সে নিজে থেকে কাছে আসে না, শশিভূষণও তাকে ডাকেন না। কোনও কিছু নিয়ে চিন্তা করতেও তাঁর ক্লান্তি বোধ হয়। শুধু বারবার মনে পড়ে মায়ের মুখ। মায়ের মৃত্যুর সময় শশিভূষণ ছিলেন মুর্শিদাবাদে, শেষ শয্যায় মাকে তিনি দেখতে পাননি।

দু'দিন বাদে এলেন ডাক্তার মহেন্দ্রলাল সরকার। সিঁড়িতেই তাঁর পায়ের ধুপধাপ শব্দ হতে লাগল : তিনি হৃষ্টপুষ্ট জবরদস্ত পুরুষ, নাকের নীচে কাবুলি বিড়ালের ল্যাজেন মতন গোঁফ, মাথায় বাবরি চুল, তাতে সামান্য পাক ধরেছে। তাঁকে ঘিরে প্রচলিত হয়েছে নানা কাহিনী। মেডিক্যাল কলেজের নামজাদা ছাত্র ছিলেন, এম ডি পাশ করেছিলেন প্রথম হয়ে। অ্যালোপাথ ডাক্তার হিসেবে টক্কর দিচ্ছিলেন সাহেব ডাক্তারদের সঙ্গে। অত্যন্ত সরব নাস্তিক, ভূত-ভগবান-হোমিওপ্যাথি সম্পর্কে ঠাট্টা-বিদ্রুপ করতেন প্রকাশ্যে। হোমিওপ্যাথির প্রতি তাচ্ছিল্য প্রকাশ করতে তাঁর জুড়ি ছিল না। তিনি যুক্তিবাদ ও বিজ্ঞানে বিশ্বাসী, এদেশীয়দের মধ্যে বিজ্ঞানচর্চার প্রসারের জন্য তিনি 'ইন্ডিয়ান অ্যাসোসিয়েশন ফর দা কালটিভেশন অব সায়েন্স' নামে সংস্থা স্থাপন করেছেন। কিন্তু ইতিমধ্যে তাঁর জীবনে এক আকস্মিক রূপান্তর ঘটে গেছে। যিনি ছিলেন হোমিওপ্যাথির ঘোর শত্রু, সেই তিনিই এখন অ্যালোপ্যাথি ছেড়ে হোমিওপ্যাথ ডাক্তার হয়েছেন।

মহেন্দ্রলালকে হোমিওপ্যাথিতে দীক্ষা দেন রাজেন দত্ত। তিনিও এক বিচিত্রকর্মা পুরুষ। তালতলায় প্রখ্যাত ধনী দত্ত পরিবারের সন্তান রাজেন্দ্রবাবু অনেক ব্যবসা-বাণিজ্যের সঙ্গে জড়িত, শিক্ষিত মানুষ, অনেকগুলি ভাষা জানেন, গ্রিক ও হিব্রু পর্যন্ত, তিনি হঠাৎ শখের হোমিওপ্যাথ ডাক্তার হলেন। তাঁর মতে, এই দেশের দরিদ্র জনসাধারণের জন্য হোমিওপ্যাথিই আদর্শ চিকিৎসা । তিনি লক্ষপতি, রুগীদের কাছ থেকে কোনও ফি নেন না তো বটেই, বরং নিজে তাদের ওষুধ ও পথ্য কিনে দেন। মহেন্দ্রলালের মতন পাস করা ডাক্তাররা রাজেন্দ্রবাবুকে হাতুড়ে বলে অবজ্ঞা করতেন। কিন্তু রাজেন্দ্র দত্তর সাফল্য চমকপ্রদ। গরিব মানুষরা তো তাঁর নামে ধন্য ধন্য করেই, অনেক প্রখ্যাত ব্যক্তিকেও তিনি সারিয়ে তুলতে লাগলেন প্রায় অলৌকিক উপায়ে। ইশ্বরচন্দ্র বিদ্যাসাগরকে তিনি সুস্থ করে তুললেন, বিদ্যাসাগর মশাই এখন হোমিওপ্যাথির ভক্ত। রাজা রাধাকান্ত দেবের পায়ের গ্যাংগ্রিন কিছুতেই সারছিল না, রাজেন দত্তর চিকিৎসায় তিনি সুস্থ হয়ে উঠলেন, জয়পুরের রাজার চোখের ছানিও সেরে গেল তাঁর ওষুধে। রাজা রাধাকান্ত দেব কৃতজ্ঞ হয়ে রাজেন দত্তকে পঁচিশ হাজার টাকা পুরস্কার দিতে চেয়েছিলেন, রাজেন দত্ত তাও নেননি, হোমিওপ্যাথির যে জয় হয়েছে, সেটাই তাঁর কাছে যথেষ্ট!

মহেন্দ্রলাল একবার চ্যালেঞ্জ জানালেন রাজেন দত্তকে। তিনি ওঁর সঙ্গে ঘুরে ওঁর চিকিৎসা পদ্ধতি দেখবেন। তারপর থেকেই তিনি রাজেন দত্ত ও হোমিওপ্যাথির ঘোর ভক্ত। কলকাতার চিকিৎসক সমাজ ছি ছি করতে লাগল, ব্রিটিশ মেডিক্যাল অ্যাসোসিয়েশনের বাংলার শাখা থেকে তাঁকে বিতাড়নের প্রস্তাব উঠল। কিন্তু মহেন্দ্রলাল তাঁর জেদ ছাড়লেন না। নবরূপে আবির্ভূত হবার পর প্রথম কয়েক মাস তিনি রুগীই পাননি, তারপর ধীরে ধীরে তাঁর হাতযশ ছড়াতে লাগল। এখন তিনি শয্যার পাশে দাঁড়ালে মুমূর্ষু রুগীও উঠে বসে।

শশিভূষণ তাঁর প্রথম যৌবনে কেশব সেন ও মহেন্দ্রলাল সরকারের মতন ব্যক্তিদের দ্বারা উদ্বুদ্ধ হয়েছিলেন। অন্ধ বিশ্বাস ও ভক্তির বদলে যুক্তিই ছিল মূল মন্ত্র। কিন্তু এখন তাঁর সেইসব আদর্শ পুরুষদের মতবদল দেখে বিভ্রান্ত হয়ে পড়েছেন। কেশববাবু রামকৃষ্ণ ঠাকুরের অনুগামী হয়ে খোল কত্তাল বাজিয়ে কীর্তন শুরু করেছেন, আর মহেন্দ্রলাল হয়েছেন হ্যানিম্যানের চেলা। অথচ, মহেন্দ্রলালের কথা শুনেই শশিভূষণ এতকাল মনে করতেন, হোমিওপ্যাথি চিকিৎসা হল আন্দাজে ঢিল ছোঁড়া, কিছু কিছু রোগ প্রকৃতির হাতে ছেড়ে দিলে আপনি সেরে যায়, হোমিওপ্যাথি ডাক্তাররা সেই আরোগ্যের কৃতিত্ব নেয়। আজ শশিভূষণকে সেই চিকিৎসারই আশ্রয় নিতে হচ্ছে, আর চিকিৎসা করতে আসছেন যিনি, তাঁর কাছ থেকেই শশিভূষণ পেয়েছিলেন অবিশ্বাসের দীক্ষা।

সিঁড়ি দিয়ে উঠতে উঠতে মহেন্দ্রলাল হঠাৎ থেমে গিয়ে শশিভূষণের মেজদা মণিভূষণকে জিজ্ঞেস করলেন, ও সব কিসের আওয়াজ?

মণিভূষণ ছিপছিপে মধ্যবয়স্ক পুরুষ, মাথায় টাক, বাড়িতেও তিনি ফুলপ্যান্ট ও ফুল স্লিভ শার্ট পরে থাকেন, গলায় টাই না বেঁধে বাইরে বেরোন না। এ দিকে আবার তিনি পরম বৈষ্ণব, ঠাকুরের প্রসাদ না নিয়ে মধ্যাহ্নভোজনে বসেন না কখনও । মণিভূষণ বললেন, আজ্ঞে, আমাদের গৃহদেবতার পূজা হচ্ছে।

মহেন্দ্রলাল পরে আছেন ধূসর রঙের থ্রি পিস সুট। কোটের বুকপকেট থেকে উঁকি দিচ্ছে রুমালের ত্রিকোণ। প্যান্টের পকেট থেকে অন্য একটি রুমাল বার করে কপালের ঘাম মুছলেন। ওপরতলায় ঠাকুর ঘরে একই সঙ্গে ঘন্টা, কাঁশি ও করতাল বাজছে, সেইসঙ্গে শোনা যাচ্ছে এক পুরুতের উচ্চ কণ্ঠস্বর।

মহেন্দ্রলাল জিজ্ঞেস করলেন, প্রত্যেকদিনই এ রকম হয়?

মণিভূষণ বললেন, প্রত্যেকদিন তো পুজো হয় বটেই। গৃহদেবতার পুজো একদিনের জন্য বন্ধ হলে সে গৃহ ছারখারে যায়। তবে, শশীর এমন ব্যারামের জন্য ক'দিন ধরে শান্তি স্বস্ত্যয়ন হচ্ছে। ভাটপাড়ার এক পুজারী—

মহেন্দ্রলাল এবার গর্জন করে বললেন, বন্ধ করুন! না হলে আমি ফিরে যাব। বাড়িতে যখন এই রকম চেল্লামেল্লি হবে, তখন ডাক্তার ডাকবেন না। কাঁই-কুঁই ঢ্যাং ঢোং শুনলে কেউ মনঃসংযোগ করতে পারে? ওফ, আমারই কানে তালা লেগে যাচ্ছে, তা হলে রুগীর কী অবস্থা! এতে অসুখ কমে, না বাড়ে?

মনিভূষণের মুখে আতঙ্কের ছাপ পড়ল। পুজো কি মাঝপথে বন্ধ করা যায় নাকি? তাতে যে মহা অকল্যাণ হবে। ডাক্তার বাড়িতে একদিন-দু'দিন আসে, পুজো-আচ্চা নিত্য তিরিশ দিনের ব্যাপার!

তিনি বললেন, ডাক্তারবাবু, আপনি দোতলার বৈঠকখানা ঘরে বসে একটু বিশ্রাম গ্রহণ করুন। পান-তামাক খান। আর আধ ঘন্টার মধ্যেই আরতি শেষ হয়ে যাবে।

মহেন্দ্রলাল ভুরু তুলে বললেন, আমি রুগী দেখতে এসে পান খাই না, তামাকও খাই না। আমার বিশ্রামের কোনও প্রয়োজন নেই, আমার সময়ের দাম আছে। ওই খোল-কত্তালের ঝ্যানঝ্যানানি যদি বন্ধ না করেন, তা হলে আমি এই দণ্ডেই ফিরে চল্লেম। আমার দ্বারা চিকিৎসা হবে না!

মহেন্দ্রলাল সত্যি সত্যি ফিরছেন দেখে মণিভূষণ হাত জোড় করে বললেন, দাঁড়ান, দাঁড়ান, আমি পুরুতমশাইকে বলে দেখি।

সিঁড়িতেই দাঁড়িয়ে রইলেন মহেন্দ্রলাল। মণিভূষণের এক কর্মচারি ছুটে গেল ঠাকুরঘরে। সেখানে কিছুটা বিতর্ক শুরু হয়ে গেল। আজ তিনজন পুরুত উপস্থিত, তাঁরা পুজো থামাতে রাজি নন, কোনও গৃহস্বামী তাঁদের কখনও এমন অনুরোধ করেনি। কর্মচারিটি ডাক্তার মহেন্দ্রলাল সরকারের নাম করায় একজন পুরোহিত বললেন, ওরে বাবা, সেই পাষণ্ডটা এসেছে? সে যে এক জাঁদরেল গুণ্ডা। এরপর ঠাকুরঘরে এসে সে আমাদেরই না চড়-চাপড় মারে। পুজো চলুক, কিন্তু বাজনাগুলো সব থামাও, মনে মনে মন্ত্রপাঠ করো।

সারা বাড়ি স্তব্ধ হতে মহেন্দ্রলাল বললেন, আপদের শান্তি! চলুন, এবার রুগী দেখা যাক।

শশিভূষণের ঘরের দরজার কাছে এসেও ঢোকার আগে একটুক্ষণ দাড়িয়ে রইলেন মহেন্দ্রলাল। কোমরে দু'হাত দিয়ে সেনানায়কের ভঙ্গিতে তিনি যেন সৈন্যশিবির পরিদর্শন করছেন।

শশিভূষণও আধ-শোওয়া হয়ে দেখতে লাগলেন তাঁর প্রথম যৌবনের এই এক নায়ককে। শুধু চিকিৎসক তো নন তিনি যুবসমাজের এক শ্রেণীর মুখপাত্র। বহু কুসংস্কার ভাঙতেও তিনি বদ্ধপরিকর।

বাড়ির সকলেই এদিক সেদিক থেকে কৌতূহলে উঁকি মেরে আছে। এই বিতর্কিত ও প্রসিদ্ধ চিকিৎসকটিকে অনেকেই স্বচক্ষে দেখতে চায়। মহেন্দ্রলাল ধমক দিয়ে বললেন, এত ভিড় কেন? সবাইকে সরে যেতে বলো। ঘরের জানলাগুলো সব খুলে দাও। মিট-সেফের ওপর আধখাওয়া দুধের গেলাস, সকড়ি প্লেট সরাতে পারনি আগে থেকে ? ডাক্তার কি মুদ্দোফরাস নাকি? নোংরা ঘরে পা দিতে আমার ঘেন্না করে। হঠাও, সব জঞ্জাল হঠাও! বেডপ্যান খাটের নীচে রাখতে হয়, তাও কেউ জানে না এ বাড়িতে?

ভেতরে এসে, শশিভূষণের শিয়রের কাছে দাঁড়িয়ে তিনি কিন্তু কোমল কণ্ঠে জিজ্ঞেস করলেন, খুব কষ্ট? কোথায়, মাথায়?

প্রায় সিংহাসনের মতন একটি সুদৃশ্য কেদারা এনে দেওয়া হল ডাক্তারের বসবার জন্য, তিনি বসলেন না, দাঁড়িয়েই জিজ্ঞেস করলেন, শুনলাম তুমি ত্রিপুরায় থাক, সেখানে মশা কেমন?

শশিভূষণ বললেন, মশা আছে, অনেক।

মহেন্দ্রলাল আবার জিজ্ঞেস করলেন, জল কেমন? পাহাড়ী জায়গার জলে পেটের রোগ হয়। শশিভূষণ বলেন, হ্যাঁ, অনেকেরই পেটের রোগ আছে।

—আগে কোনও কঠিন রোগ হয়েছিল? শেষ কবে ডাক্তার দেখিয়েছ?

—কঠিন রোগ কখনও হয়নি, অন্তত পনেরো-ষোলো বছর কোনও ডাক্তারের ওষুধ খাইনি।

—রোগ না হোক, দুর্ঘটনা হয়নি?

—ঘোড়া থেকে একবার পড়ে গিয়েছিলাম, সে-ও বারো-তের বছর বয়সে।

মহেন্দ্রলাল পালঙ্কের মাথার দিকটা ঘুরে এসে অন্য পাশে একটি কাচের আলমারিতে রাখা বইগুলি দেখতে লাগলেন মন দিয়ে। তারপর চেয়ারটিতে বসে শশিভূষণের একটি হাত টেনে নিয়ে নাড়ি চেপে ধ্যানস্থের মতন হয়ে রইলেন কিছুক্ষণ। ঘরের মধ্যে এখন উপস্থিত শুধু শশিভূষণের দুই দাদা। ওঁরা নিজেদের মধ্যে কিছু একটা কথা শুরু করতেই মহেন্দ্রলাল রোষকষায়িত লোচনে সেদিকে তাকিয়ে হুংকার দিয়ে বললেন, চোপ !

এরপর তিনি শশিভূষণের জিভ, চোখ হাটুর গ্রন্থি ও অন্যান্য অঙ্গ-প্রত্যঙ্গ পরীক্ষা করে দেখবার পর প্রসন্ন নিঃশ্বাস ফেললেন, রুগীর দাদাদের বললেন, আমার হাত ধোওয়ার গরম জল আনাও।

শশিভূষণের দিকে তাকিয়ে বললেন, তোমার অসুখের যা বিবরণ শুনেছিলুম, অবস্থা সে রকম সংকটজনক নয়। ক্রাইসিস কেটে গেছে। মনে হয়, এ যাত্রা তুমি তরে গেলে। ব্রেন ড্যামেজ হবার সম্ভাবনা দেখা দিয়েছিল তা ঠিক। তিনদিনের ওষুধ দিচ্ছি, সে ওষুধ আমার সঙ্গেই আছে। এর পরের ওষুধ আমার চেম্বার থেকে নিয়ে আসতে হবে। তুমি হার্বাট স্পেনসারের বই পড় দেখছি! কোঁৎ পড়েছ?

মণিভূষণ প্যান্টালুনের পকেটে একটা চামড়ার পার্স নিয়ে নাড়াচাড়া করছেন, ডাক্তারের ফি কত দিতে হবে, তা জিজ্ঞেস করতে সাহস পাচ্ছেন না। মহেন্দ্রলাল উঠে দাঁড়াতেই তিনি পকেট থেকে পার্সটা বার করলেন।

মহেন্দ্রলাল বললেন, আমার ভিজিট বত্রিশ টাকা।

দুই ভাই চোখাচোখি করল বিস্ময়ে। এই টাকা দিতে যে তাঁরা অপারগ তা নয়, কিন্তু ইংরেজ ডাক্তাররা পর্যন্ত ষোলো টাকা ফি নেয়, আর এই একজন বঙ্গসন্তান ডাক্তার চাইছে বত্রিশ। সবাই জানে. অ্যালোপ্যাথদের তুলনায় হোমিওপ্যাথদের ফি অনেক কম।

মণিভূষণ দ্বিধান্বিতভাবে পার্স খুলতেই মহেন্দ্রলাল বললেন, এখন থাক। তিনদিন পর রুগী নিজে আমার চেমবারে যাবে পরের ওষুধ নিতে। যদি ও যেতে না পারে, তা হলে আমার এক পয়সা চাই না। রোগ না সারিয়ে মহীন সরকার পয়সা নেয় না। এই কলকেতা শহরে কতকগুলান গুয়োর ব্যাটা ডাক্তার আছে, রুগীদের চিকিৎসা না করে রোগ পুষে রাখে আর বারবার ভিজিট নেয়! রক্তচোষা, বদের ধাড়ি! তিনদিনের মধ্যে এ ছেলেটা যদি উঠে দাঁড়াতে না পারে, তা হলে আমি নিজেই আবার আসব!

মহেন্দ্রলাল যখন গমনোদ্যত, তখন শশিভূষণ বললেন, মশাই আপনি কি খুব ব্যস্ত? আপনাকে একটা-দুটো প্রশ্ন জিজ্ঞেস করতে পারি?

মহেন্দ্রলাল ফিরে ভ্রূ কুঞ্চিত করে তাকালেন। কয়েক পলক পর বললেন, বিলক্ষণ পারো! রুগীর যদি প্রশ্ন থাকে ডাক্তার অবশ্যই শুনবে। শুধু ডাক্তারই যে প্রশ্ন করে যাবে এমন তো কোনও আইন নেই।

শশিভূষণ মিনতিপূর্ণ নয়নে দাদাদের দিকে তাকিয়ে বললেন, তোমরা একটু বাইরে যাবে?

ওরা দু'জন বেরিয়ে যাবার পর মহেন্দ্রলাল নিজেই দরজা ভেজিয়ে দিয়ে ফিরে এলেন। শশিভূষণ খানিকটা ইতস্তত করে বললেন, আমি অনেকদিন থেকেই আপনার অনুরাগী।

মহেন্দ্রলাল হাত ঝাড়া দেবার ভঙ্গিতে বললেন, ওসব কথা বাদ দাও, আসল কথা বল!

শশিভূষণ বলেন, কয়েকদিন আগে আমার অবস্থা এখন-তখন ছিল, নিজেই বুঝেছিলাম মাঝে মাঝে নিঃশ্বাস বেধে যাচ্ছে, কোনও খাদ্যদ্রব্য মুখে নিতে পারতাম না। তারপর কাঁচা বেলপোড়ার শরবত আর ফেনাভাত খেয়ে গায়ে কিছুটা জোর পেয়েছি।

মহেন্দ্রলাল বললেন, বেশ তো, ভেরি ওয়েল! যা প্রাণ চায়, তাই খাবে। খাদ্য হচ্ছে শরীরের ব্যাপার, শরীর সহ্য করতে পারলেই হল!

—আমার মা এসে আমাকে এই দুটো খেতে বললেন।

—সন্তানের কী ভালো লাগে, তা মায়ের চেয়ে আর বেশি কে বুঝবে? একই তো রক্ত মাংসের আধার।

—ডাক্তারবাবু, আপনি পরীক্ষা করে কী বুঝলেন, আমার মাথা ঠিক আছে? পাগল-ছাগল হয়ে যাব না তো!

—সে রকম তো কোনও লক্ষণ দেখলাম না। ঠিকই আছে। তোমার কাথাবার্তাও স্বাভাবিক ।

—আমার মা মারা গেছেন সতেরো বছর আগে। তবু মা আমার কাছে এসেছিলেন, আমাকে ওই খাবার কথা বলে গেলেন!

মহেন্দ্রলাল এবার গাঢ় দৃষ্টি ন্যস্ত করলেন তাঁর এই রুগীর মুখে। কোনও মন্তব্য না করে চুপ করে রইলেন।

শশিভূষণ লজ্জিতভাবে ঈষৎ কাঁপা গলায় বললেন, এ কথা আমি অন্য কারুকে বলতে পারি না। আমি নিজে এ সব বিশ্বাস করিনি কোনওদিন। আপনি নিশ্চয়ই বলবেন, আমি স্বপ্ন দেখেছি। কিন্তু ডাক্তারবাবু, আমি আপনাকে এখন যেমন দেখতে পাচ্ছি, মাকেও ঠিক সেইভাবে দেখেছি, মাকে ছুঁয়েছি!

একটা দীর্ঘশ্বাস ফেলে মহেন্দ্রলাল বললেন, দেখেছ, বেশ ভালো কথা। তাতে ক্ষতি তো কিছু হয়নি।

শশিভূষণ বললেন, কিন্তু আমার বিশ্বাসের সংকট নিয়ে আমি যে খুব অশান্তিতে আছি। সর্বক্ষণ এই চিন্তা। মরা মানুষ কি সত্যি ফিরে আসতে পারে?

মহেন্দ্রলাল এবার দৃঢ় গলায় বললেন, না, পারে না। স্বয়ং ভগবানের সাধ্য নেই মরা মানুষকে ফেরাবার। কিন্তু মানুষ পারে। মানুষ তৈরি করে নিতে পারে অনেক কিছু। খুব তীব্রভাবে চাইলে হারানো বাপ-মাকেও চোখে দেখতে পারে। গয়াতে যারা পিণ্ডি দিতে যায়, তারা নাকি বাপ-ঠাকুর্দার হাত দেখতে পায়। জ্বরের ঘোরে লোকে বিলকি–ছিলকি বলে, চোখেও নাকি কাকে কাকে দেখে। বাপ-মা হারারা অসুখের সময় বাপ কিংবা মাকে দেখে, একরম তো প্রায়ই শুনি!

শশিভূষণ বললেন, কিন্তু ওই যে পথ্যের কথা, ওসব তো আমি পছন্দ করতাম না, যদি কল্পনাই হয়........

মহেন্দ্রলাল অস্থিরভাবে উঠে দাঁড়িয়ে বললেন, ওরে বাপধন, আমি কী আর সব জানি! আমার কিছু মতামত আছে বটে, কিন্তু তা এখন বলার সময় নয়, তোমার শরীর দুর্বল, হজম করতে পারবে না। ভূতের পথ্যি খেয়ে তোমার গায়ে তাগদ এসেছে, অতি উত্তম কথা, এ নিয়ে দুশ্চিন্তা করার তো প্রয়োজন দেখি না। সুস্থ হয়ে ওঠার পর আমার কাছে ছুটিছাটার দিনে এসো, তোমায় অনেক গপ্পো শোনাব!

মহেন্দ্রলালের একটা কথাই শুধু শশিভূষণের মনে লেগে রইল। তীব্রভাবে চাইলে হারানো বাপ-মাকেও মানুষ আবার তৈরি করতে পারে। মা সেদিন নিজের থেকে আসেননি, তাঁর সেই বাস্তব রূপ তাঁর সন্তানের মন-গড়া। তাই যদি হয়, তা হলে মাকে আবার তো ফিরিয়ে আনা যেতে পারে।

বাবা আর মা পৃথিবী ছেড়ে চলে গেছেন মাত্র ছ'মাসের ব্যবধানে। কিন্তু বাবার সঙ্গে কখনও তেমন নৈকট্যবোধ করেননি শশিভূষণ। বাবা ছিলেন খাঁটি জমিদার, ভোগী ও বিলাসী, কখনও নিষ্ঠুর কখনও উদার, প্রজাদের ওপর উৎপীড়ন করেছেন আবার তাদের জন্য দিঘি কাটিয়ে দিয়েছেন, ইস্কুল বানিয়েছেন, এক-একদিন অতি কৃপণ, এক একদিন দাতা। ছেলেরা কেউ বাবার মতন হয়নি, বড় দুই ছেলে জমিদারি বিক্রি করে দিয়ে এখন ব্যবসায়ী, তারা কুটকৌশলী, নিপুণ সংসারী। তাদের চরিত্রে বড় ধরনের কোনও ব্যঞ্জনা নেই। আর ছোট ছেলে হয়েছে মাস্টার! শশিভূষণ তাঁর বাবার সঙ্গে সাহস করে কথা বলতেই পারতেন না, খুব ছোট বয়েসেও বাবা তাঁর কনিষ্ঠ পুত্রটিকে কখনও আদর করেছেন এমন স্মৃতি নেই শশিভূষণের। কিন্তু মায়ের কথা আলাদা। এত বড় এক পরিবারের কর্ত্রী ছিলেন তিনি, তবু তিনি ছিলেন ভারি কোমল স্বভাবের, তাঁর ব্যক্তিত্ব ছিল স্নিগ্ধ ছায়াময়। কৈশোরে শশিভূষণ যখন বারমুখো হতে শুরু করেছিলেন, মায়ের কাছে আসবার সময় পেতেন না, তখনও মা প্রতি রাত্রে তাঁর ঘরে এসে বলতেন, সারাদিন তোকে একবারও দেখিনি, শশী, ছেলেটাকে একবার না দেখলে আমি শুতে যাই কী করে?

এই পরিবার থেকে বিচ্ছিন্ন হয়ে গিয়েছিলেন শশিভূষণ, নিজের সম্পত্তির ভাগটুকু নেওয়া ছাড়া দাদাদের সঙ্গে বিশেষ সম্পর্কে রাখেননি। মৃত মা-বাবার কথা মনে পড়েনি অনেকদিন। এখন মায়ের জন্য একটা দারুণ আকৃতি বোধ করছেন। সন্ধের পরই চোখ বুজে তীব্র মনঃসংযোগে মাকে ফিরিয়ে আনবার চেষ্টা করতে লাগলেন, জেগে রইলেন প্রায় সারা রাত, কিন্তু আর কোনও অলৌকিক দর্শন হল না। গভীর অভিমানে তাঁর বুক ভরে যায়, কেন মা আর আসবেন না? কপালটা জ্বালা করে, মা কি বুঝতে পারছেন না যে, তিনি এসে আর একবার হাত রাখলে তাঁর সন্তান কত শান্তি পেত। অবুঝ শিশুর মতন শশিভূষণ ফিসফিস করে ডাকেন, মা, মা, মা!

ডাক্তার মহেন্দ্রলাল সরকারের ওষুধে শশিভূষণের ক্ষুধা বৃদ্ধি হয়েছে, এখন দু'বেলাই তিনি পথ্য গ্রহণ করতে পারেন। হাত-পা নাড়া-চাড়া করতে তেমন অসুবিধে নেই, বই পড়ার ইচ্ছেটাও ফিরে এসেছে। এ বাড়িতে দু'তিনটি সংবাদপত্র আসে তাঁর মধ্যে 'ইংলিশম্যান'

পত্রিকাটি তিনি ঘৃণায় স্পর্শ করেন না, তাঁর বদলে তিনি পড়েন 'ইন্ডিয়ান' মিরার। ব্রাহ্মদের বাংলা পত্রিকাগুলি পড়ে তিনি বুঝতে পারছেন নানা উপদলীয় কোন্দল। ত্রিপুরায় থাকতে তিনি এত সব জানতেন না। বাঙালিরা কিছুতেই মিলে মিশে কোনও কাজ করতে পারে না, দলাদলি হবেই। ইস্কুলে সবাই রচনা লেখে 'একতাই শক্তি', অথচ সমাজজীবনে কোনও একতা নেই। খ্রিস্টান মিশনারিদের কার্যকলাপ প্রতিরোধ করার জন্য ব্রাহ্মসমাজের সৃষ্টি হয়েছিল, কত উচ্চ আদর্শ ছিল, আজ তা তিন টুকরো হয়ে গেছে। শুধু তাই নয়, এখন তারা পরস্পরের বিরুদ্ধে কাদা ছোঁড়াছুঁড়ি করছে। দেবেন ঠাকুর নিজের ছেলের মতন ভালবাসতেন কেশব সেনকে, সেই কেশববাবু আলাদা দল করে আত্মপ্রচারে মত্ত হলেন। আবার কেশববাবুর নিজ হাতে গড়া শিবনাথ শাস্ত্রীর মতন চেলারা তৃতীয় দল খুলেছে এবং তারা কেশববাবুর বিরুদ্ধে সব সময় কটুক্তি করে । সাবালিকা হবার আগে মেয়েদের বিবাহের প্রবল বিরোধী ছিলেন কেশববাবু, তাঁকে সবাই মনে করত নারী মুক্তির প্রধান সহায়ক, সেই কেশববাবু নিজের নাবালিকা কন্যার বিবাহ দিলেন কুচবিহারের রাজকুমারের সঙ্গে। তাও পৌত্তলিক হিন্দু মতে! রাজপরিবারের শ্বশুর হবার জন্য তিনি নিজের আদর্শ বিসর্জন দিলেন! কেশববাবু নাকি আবার মূর্তি পূজার প্রচলন করতে চলেছেন। সাধারণ ব্রাহ্মসমাজের কাগজ তত্ত্বকৌমুদী লিখেছে যে, কেশববাবুর নব বিধানে এখন একটা নিশান স্থাপন করে সেটাকে চামর দুলিয়ে আরতি করা হয় আর সবাই টিপ টিপ করে সেই নিশানটাকে প্রণাম করে! নিরাকার ব্রহ্মের শিষ্যদের এই পরিণতি!

কেশববাবু একদিন একখানা স্টিমার ভাড়া করে দলবল নিয়ে দক্ষিণেশ্বরে গিয়ে কালীভক্ত রামকৃষ্ণ ঠাকুরকে তুলে নিয়েছিলেন, তারপর নদীবক্ষে বেড়াতে বেড়াতে নাচ-গান হল। ওই রাকমৃষ্ণ ঠাকুর যখন তখন অজ্ঞান হয়ে যান, অনেকে বলছে, সেটা নাকি ভাব-সমাধি। একদিন গিয়ে নিজের চক্ষে ব্যাপারটা দেখতে হবে।

সকালবেলা বালিশে ঠেস দিয়ে বসে কাগজ পড়ছেন শশিভূষণ, হঠাৎ তাঁর মনে হল, দরজার সামনে দিয়ে একটি কিশোরী মেয়ে ছুটে গেল, তাঁর হাতে একগুচ্ছ সাদা ফুল। শশিভূষণের বুক এমন ভাবে কেঁপে উঠল যে তিনি দু'হাতে বুক চেপে ধরলেন, যেন এক্ষুনি তাঁর নিশ্বাস বন্ধ হয়ে যাবে। ভয়ে তাঁর সমস্ত রোমকূপে শিহরন বয়ে যাচ্ছে। এই সেই কিশোরী, যে শেষরাত্রে এসে তাকে জলপান করিয়েই অদৃশ্য হয়ে গিয়েছিল। প্রথম দিন অজ্ঞান হবার সময় সিঁড়ির নীচেও একেই দেখেছিলেন, তখনও এর হাতে ছিল সাদা ফুল।

অতিকষ্টে সামলে নিয়ে শশিভূষণ নিজেকেই তিরস্কার করলেন। এ কী হচ্ছে আমার আমি এত দুর্বল হয়ে গেছি যে দিনের আলোয় ভূত দেখছি? না, না, তা হতেই পারে না, নিশ্চয়ই আমার দৃষ্টি বিভ্রম, অথবা সত্যিই একটি মেয়ে ছুটে গেছে। এর যে-কোনও একটাই হোক, তাতেই বা আমি ভয় পাব কেন?

ঠিক এই সময় কৃষ্ণভামিনী বেলের শরবত ভর্তি গেলাস নিয়ে ঢুকলেন ঘরে। সঙ্গে সঙ্গে শশিভূষণের মনে হল, যদি চোখের ভুল না হয়, তা হলে ইনিও নিশ্চিত দেখছেন মেয়েটিকে।

শশিভূষণ জিজ্ঞেস করলেন, বউদিদিমণি, এই মাত্র বাইরে দিয়ে কে একটি মেয়ে ছুটে গেল?

কৃষ্ণভামিনী বললেন, কই, কে আবার ছুটে যাবে?

শশিভূষণ তবু বললেন, তুমি একটু দেখো তো!

কৃষ্ণভামিনী পিছিয়ে গিয়ে ওপরের সিঁড়ির দিকে তাকিয়ে বললেন, ও, ও, তো বুমি গো, বুমি!

শশিভূষণের ভুরু তুলে বললেন, কে বুমি?

কৃষ্ণভামিনী বললেন, বাঃ তুমি বুমিকে দেখনি? কতবার এসেছে, তোমার সেবা-যত্ন করেছে।

শশিভূষণ বললেন, ওকে একবার ডাকো, এখানে আসতে বলো!

দরজার কাছে এসে দাঁড়াল একটি কিশোরী, লাল পেড়ে সাদা শাড়ি পরা, মাজা-মাজা রং, মুখে যেন গর্জন তেল মাখানো, মাথা ভর্তি ঈষৎ কোঁকড়া চুল, অজস্র চুল, সেই চুলে তাঁর পিঠ ছাওয়া, একগুচ্ছ রয়েছে বুকের ওপরে, তাঁর হাতে এক তোড়া গন্ধরাজ ফুল।

শশিভূষণের আবার বুক কাপছে, তবে এবার ভয়ে নয়, সত্যের উপলব্ধিতে। তা হলে একজন অন্তত অলকীক নয়, তাঁর মন গড়া নয়, এ মেয়েটি বাস্তব। শেষরাতে এই মেয়েটি কেন তাঁকে জলপান করাতে এসেছিল, সে প্রশ্ন মনে জাগল না, শশিভূষণ এক দৃষ্টিতে তাকিয়ে রইলেন সাদা ফুলগুলির দিকে। প্রায় আপন মনেই বললেন, ওর হাতে সবসময় সাধা ফুল থাকে কেন?

কৃষ্ণভামিনী বললেন, ও রোজ সকালে বাগান থেকে পুজোর ফুল তুলে আনে। রোজ ও ঠাকুরঘর সাজায়।

শশিভূষণ এবারে মেয়েটিকে সরাসরি প্রশ্ন করলেন তুমি কে? তোমার নাম কী?

নতমুখী কিশোরীটি সলজ্জ কণ্ঠে বলল, আমার নাম ভূমিসূতা মহাপাত্র।

শশিভূষণ বিস্ময় ও অনুক্ত প্রশ্ন নিয়ে বউদিদির দিকে তাকালেন। উনি যা-ই বলুন, মাত্র দু' বারই আচ্ছন্ন অবস্থায় তিনি এই মেয়েটিকে দেখেছেন, স্বাভাবিক অবস্থায় একবারও দেখেননি, এ বাড়িতে এই নামের একটি মেয়ের অস্তিত্বের কথাও তিনি ঘুণাক্ষরে জানতেন না। দু' মহলা বাড়ি ভেতর মহলে শশিভূষণ মাত্র দু'একবারই গেছেন।

কৃষ্ণভামিনী বললেন, ওর কথা শোননি বুঝি? বুমি আমাদের বড় ভালো মেয়ে। পরে বলবখন। তুই যা রে বুমি, পুজোর ঘরে যা।

একটি বিদ্যুৎ ঝলকের মতন পর মুহূর্তে অদৃশ্য হয়ে গেল মেয়েটি। শশিভূষণকে শরবত খাওয়াতে খাওয়াতে কৃষ্ণভামিনী ওই কিশোরীর কাহিনী শোনালেন। দেড় বছর আগে শশিভূষণের মেজদাদা ও মেজবউদি বেড়াতে গিয়েছিলেন পুরী জগন্নাথ ধামে। ফেরার সময় তারা ভূমিসূতাকে সঙ্গে নিয়ে ফিরেছেন। কলেরায় ভূমিসূতার বাবা-মা ও দুই দাদা মারা যায় অল্পদিনের মধ্যে, তাঁর এক চশমখোর মামা ওই মেয়েকে বিক্রি করে দেয় এক পাণ্ডার কাছে দেবদাসী বানাবার জন্য। ভূমিসূতা কিছুতেই যাবে না, হাপুস নয়নে কাঁদছিল, পাণ্ডা মহারাজ নির্মমভাবে টানাটানি করছিল তাকে, সেই অবস্থায় মণিভূষণের চোখে পড়ে। সুহাসিনীর খুবই দয়া হয় মেয়েটিকে দেখে, সুহাসিনীর সনির্বন্ধ অনুরোধেই মণিভূষণ ওকে উদ্ধার করেন, পান্ডা মহারাজকে ক্রয়মুল্য তিনিই চুকিয়ে দিয়েছেন। সেই থেকে ভূমিসূতা এ বাড়িতে আছে, চমৎকার মানিয়ে নিয়েছে, নিজে থেকেই সে অনেক রকম কাজকম্ম করে। শশিভূষণের ঘরে প্রতি রাত্রেই পালা করে কেউ না কেউ শোয়, এর মধ্যে বার দুয়েক ভূমিসূতাও মেঝেতে শুয়েছে। ও কিন্তু মোটেই সাধারণ দাসী নয়, পরিবারেরই একজন হয়ে উঠেছে বলতে গেলে, কিছু কিছু লেখাপড়াও জানে, ওড়িয়া, বাংলা, ইংরেজিও পড়তে পারে।

শশিভূষণের আর একটা ধন্ধও কিছুটা পরিষ্কার হয়ে গেছে। কৃষ্ণভামিনী কথায় কথায় বললেন, তুমি গেলাস গেলাস বেলপোড়ার শরবত খাচ্ছ, আগে মোটে ছুঁতে না। তোমার এখন এই শরবত খাওয়ার ঘটা দেখে তোমার দাদা কী বলেছেন জান? শশীটা ঠিক বাবার মতন হয়েছে। বাবার একবার উদুরি হল, বেলপোড়া শরবত ছাড়া আর কিছু খেতে চাইতেন না। তখন আমাদের বাড়ির বেলগাছ ছিল না, বেল এমন সস্তার জিনিস বাজারে কেউ বেচেও না, নানান বাগান ঘুরে ঘুরে আমাদের বেল জোগাড় করতে হতো। একবার বেল পাড়তে গিয়ে এক ব্রহ্মদৈত্যি তোমায় তাড়া করেছিল। বাবাই তো আমাদের বাগানে দু'খানা বেলগাছ পুঁতলেন।

ডাক্তার মহেন্দ্রলাল সরকার বৃথা বাগাড়ম্বর করেননি, তাঁর ওষুধ শুরু করার তৃতীয় দিনেই শশিভূষণ চলে ফিরে বেড়াতে সক্ষম হলেন। অন্যের সাহায্য ছাড়াই গেলেন শৌচালয়ে। বিকেলবেলা ডাক্তারের চেম্বারে তিনি নিজেই যাবেন। শশিভূষণ তাঁর সারা শরীরে অনুভব করছেন জীবন-রস ফিরে পাওয়ার ছন্দ। অনেকদিন পর তিনি এসে দাঁড়ালেন ঘরের সংলগ্ন অলিন্দে।

এখান থেকে পুরো বাগানটি দেখা যায়। প্রায় দেড় বিঘে জমির উদ্যান, শশিভূষণের পিতার গাছপালার শখ ছিল, নিজের হাতে তিনি রকমারি ফুলের চারা বসাতেন। সে আমলের তিনজন মালি ছিল, এখনও রয়েছে একজন, বাগানটি বিশেষ নষ্ট হয়নি। একটু দূরে ফলবান বৃক্ষের সারি, বাড়ির কাছাকাছি অজস্র ফুলের ঝাড়।

বেল-যুঁই-রজনীগন্ধা-গন্ধরাজ ফুলগাছগুলির পাশে ঘুরছে ভূমিসূতা। ও সব সময় সাদা শাড়ি পরে কেন, আর শুধু সাদা ফুলই ভালোবাসে? মাথায় এত চুলের বাহুল্যের জন্য ওর মুখখানাকেও মনে হয় যেন একটা ফুল। শশি একজন ফটোগ্রাফারের চোখ দিয়ে দেখতে লাগলেন ভূমিসূতাকে। ফুলের বাগানে আনমনা এক কিশোরীর ছবি খুব ভালো উঠতে পারে। শুধু সাদা শাড়ির বদলে ওকে একটা গাঢ় রঙের কিংবা ডুরে শাড়ি পরানো দরকার, এত দূর থেকেও হবে না, ক্যামেরা অনেক কাছে বসাতে হবে।

আর একটু সুস্থ হলে শশিভূষণ ওর একটা ছবি তুলবেন।

॥ ১২ ॥

ঘাটের পৈঠায় বসে একটা নিম ডাল চিবিয়ে দাতন করছে রবি। ঊষালগ্ন পার হয়নি, অতি নরম আলো ছড়িয়ে পড়েছে দিগ্‌বলয়ে, এখনও প্রকাশিত হননি সূর্যদেব। কয়েকদিন অবিশ্রাম বৃষ্টিধারার পর প্রাচীনা গঙ্গা নদীকে আজ মনে হচ্ছে পূর্ণযৌবনা। ছলচ্ছল স্রোতের শব্দের মধ্যে রয়েছে একটা চাপা সঙ্গীত । রবি কান পেতে সেই সুরটা ধরার চেষ্টা করছে।

রবি পরে আছে বিলেত থেকে আনা গাঢ় নীল রঙের সুইমিং ট্রাঙ্ক, খালি গা, দু' চোখে সদ্য ঘুম ভাঙার সামান্য রেশ। তাঁর একুশ বছরের শরীরে এখন পূর্ণ যৌবন, প্রশস্ত বুক নির্মেদ কোমর, দীর্ঘ বাহু, গৌর বর্ণ, যদিও জ্যোতি দাদার তুলনায় অনেকেই তাকে কালো বলে। বাড়িতে আর কেউ জাগেনি, এমনিতেই সবাই রাত করে ঘুমোয়, কাল ফেরা হয়েছে অনেক রাতে, গুণেন্দ্রনাথের বাগানবাড়িতে নেমন্তন্ন ছিল। কিন্তু যত রাতেই ঘুমোতে যাক, রবি প্রতিদিনই ভোর হবার আগেই জেগে ওঠে । আকাখে সূর্য উঠে গেলে বিছানায় শুয়ে থাকতে পারে না রবি।

গুণোদাদার বাড়িতে পার্টি মানেই বিশাল হইচই। আমুদে ও মজলিশি গুণেন্দ্রনাথ ছোট আকারের কিছু ভাবতে পারেন না। এই সব পার্টি তেমন পছন্দ করে না রবি। ফোয়ারা বয়ে যায়, কিন্তু মদ্যপান শুরু হলে আর থামতেই চায় না প্রথম দিকটায় বেশ ভালো, রবি নিজেও উৎসাহের সঙ্গে যোগ দেয়, গান-বাজনা হয়, হাসি-ঠাট্টায় তখন লোকে চেঁচিয়ে কথা বলে, অকারণে তর্ক তোলে, একই কথা বারবার বলে। সেই সময় রবির হাই উঠতে থাকে। রবি নিজে মদ স্পর্শ করে না, ছেলেবেলা থেকে সে মাতলামি অনেক দেখেছে, রাজনারায়ন বসুর

মুখে ইয়ং বেঙ্গল দলের মদ্যপানের বাড়াবাড়ির প্রচুর গল্প শুনেছে। এ দেশে আগে যে সুরা বা সোমরস ছিল না, তা নয়। কিন্তু ইংরেজরা আসার পর মদ্য পান করা যেন সভ্যতার পরাকাষ্ঠা হয়ে উঠেছে, বাবামশাইয়ের মতন মহর্ষিতুল্য মানুষও এক সময় নৈশভোজের আগে সুরা পান করতেন। আশ্চর্যের ব্যাপার, রবি ইংল্যান্ডে গিয়ে দেখেছে, অনেক ইংরেজ কিন্তু মদ্যপান করে না। কোনও নেশার প্রতিই আসক্তি নেই রবির, তাঁর প্রয়োজন হয় না। যুব সমাজের অনেকেই হুঁকোয় তামাক খায়, যেখানে সেখানে থুতু ফেলে, তা দেখে রবির শরীর ঘৃণায় কুঁকড়ে ওঠে। হুঁকো-তামাক দূরে থাক, সিগারেট টানতেও প্রবৃত্তি হয় না তার।

নিমের ডালটা ফেলে দিয়ে রবি গঙ্গার জলেই মুখ ধুয়ে নিল। ওপারের গাছপালায় একটু একটু অন্ধকার লেগে ছিল, কোথা থেকে যেন তরল আলো এসে মুছে দিচ্ছে সেই কালিমা। কিংবা এমনও মনে হতে পারে, যামিনী যেন আঁচল গুটিয়ে সরে যাচ্ছে অন্তরালে। রবির একটা কথা মনে পড়ল। ভগ্নহৃদয় কাব্যে সে এক জায়গায় লিখেছিল 'অস্তমান যামিনী,' তাকে এক সমালোচক ভর্ৎসনা করে লিখেছেন, যামিনী আবার অস্ত যায় নাকি? এ যে ভাষার ওপর একরূপ জবরদস্তি! সমালোচকের ওই কথাই কি সত্যি? একজন কবির যদি মনে হয়, যামিনী অস্ত যাচ্ছে, তা হলে সেই মনে হওয়াটাও কি কবিতার সত্য নয়? নায়িকার মুখের সঙ্গে পূর্ণিমার চাঁদের তুলনা দেন যে কবি, সেও তো কবির কল্পনা। বাস্তবে চাঁদের মতন গোল চকচকে মুখ যদি হয় কোনও নারীর, তা হলে তো অতি বিশ্রী দেখাবে। চাঁদ নয়, উপমাটা চাঁদের সুষমার সঙ্গে।

আকাশে ছিন্ন মেঘ, এলোমেলো বাতাস জলপূর্ণ, বেশ শীত শীত ভাব। এই বাতাসকে মলয়পবন বলা যায় না। স্নিগ্ধ সমীর? না, বায়ুর হিল্লোল, না। পাগলা হাওয়া বইলে যেমন হয়? এরকম কত কথাই মনে আসে, আবার হারিয়ে যায়।

স্নান করে নিতে হবে কিন্তু জল বেশ ঠাণ্ডা । শরীর গরম করার জন্য কয়েকবার বৈঠক দিতে লাগল রবি।

পেছন থেকে একজন ভৃত্য বলল, তেল মাখিয়ে দেব, বাবুমশাই?

রবি পেছন ফিরে লোকটিকে একবার দেখে নিয়ে বলল, দে।

সে সর্ষের তেলের বাটি সঙ্গে নিয়েই এসেছে। রবি আবার পা ছড়িয়ে বসল, লোকটি দু'হাতে জবজবে তেল নিয়ে আচ্ছাসে দলাই মলাই করে দিতে লাগল রবিকে।

একজন লোক তেল মাখিয়ে দিচ্ছে, রবিকে এদিক ওদিক শরীর নাড়াতে হচ্ছে, কিন্তু তাঁর মন সেখানে নেই। সারাদিন এ রকম তুচ্ছ বাস্তবতার মধ্যে অনেকবারই থাকতে হয়, অকারণে কত কথা বলতে হয়, কিন্তু রবি যখন তখন তাঁর মন এসব থেকে সরিয়ে নিয়ে যায়।

এতক্ষণে সূর্য উঠছে, ঠিক রবির কোনাকুনি, জল থেকে হঠাৎ লাফিয়ে, এখনও যেন তাঁর গায়ে লেগে আছে জলকণা। প্রাচীন ঋষিরা এই সূর্যকে বলেছেন জবাকুসুম সঙ্কাশং। জবা ফুলের লাল আর এই নতুন সূর্যের লাল ঠিক এক নয়। জবার লাল বেশি টকটকে, এই লাল নরম রক্তিম। অনেক ডিমের কুসুমের রং এরকম হয়। ইংরেজরা ডিমের পোচ বানাবার সময় বলে সানি সাইড আপ! কিন্তু ডিমের কুসুমের সঙ্গে নবোদিত সূর্যের তুলনা দেওয়া চলে নাকি? টিয়া পাখির মসৃণ মাথার মতন বুট জুতোর ডগা বলা যায়? এ রকম তুলনা দিলে রসাভাস হয়।

একটু পরেই সূর্যের রং বদল হল। এখন মনে হচ্ছে ঠিক একটা সোনার থালা। এটা অবশ্য অতি সাধারণ উপমা। বড় বেশি চাক্ষুষ। ফুলের সঙ্গে তুলনাটাই যেন ঠিক, কিন্তু জবা ফুল রবির তেমন পছন্দ নয়। এমন কোনও ফুলের সঙ্গে তুলনা দেওয়া যায় না, যা মানুষ কখনও চোখে দেখেনি? অরুণ বরণ পারিজাত।

জলে নেমে রবি টের পেল, এখন ভরা জোয়ার, জলের বেশ টান আছে। তবু সাঁতার কাটতে ভালো লাগছে। দূরে কয়েকটা ডিঙি নৌকো ছাড়া কাছাকাছি কোনও মানুষ নেই।

অনেক দূরে দেখা যাচ্ছে একটা স্টিমার, লোকে বলে কলের জাহাজ। এটা একটা প্যাসেঞ্জার লাইন, যাত্রীরা পাটনা-এলাহাবাদ পর্যন্ত যায়। আর একটা ফেরার স্টিমার চন্দননগর কোতোয়ালির ঘাটে ভিড়বে ঠিক সাড়ে আটটায় সময়।

সোজাসুজি সাঁতার কাটা যায় না, স্রোতে টানে। খানিকটা ডান দিকে এসে রবি দেখতে পেল বাগানের বড় বড় গাছতলার ফাঁকে একটি নারী মূর্তি। প্রথমে তাঁর মনে হল কোনও দাসী, তারপর একটু নজর করে দেখল নতুন বউঠান। উনিও এত তাড়াতাড়ি জেগেছেন?

রবির আর সাতার কাটা হল না। দ্রুত ফিরে এল ঘাটে। তক্ষুনি ভিজে গায়ে বাগানে ছুটে যেতে ইচ্ছে করছিল, কিন্তু গেল না। বউদিদির সামনেও খালি গায়ে যেতে সে লজ্জা পায়। একজন ভৃত্য তোয়ালে হাতে নিয়ে দাঁড়িয়ে আছে, সেটা গায়ে জড়িয়ে সে দৌড়ে চলে গেল বাড়ির মধ্যে। কলতলায় গিয়ে মাথা মুছে নিল। দু' দিন দাড়ি কামানো হয়নি আজ দরকার। নাপিত আসবে বেলায়, রবি নিজেই গালে সাবান মেখে শেফিল্ডের ক্ষুর দিয়ে দাড়ি কামাল বড় আয়নার সামনে দাড়িয়ে । এ ব্যাপারটায় সে এখনও তেমন রপ্ত হয় নি। মুখের সাবান ধুয়ে ফেলার পর ফিটকিরি বুলিয়ে নিল, তারপর ধুপধাপ করে ওপরে উঠে পরে নিল পোশাক, প্যান্টালুন, মোজা, পাম্প শু, একটা পাতলা লম্বা ধরনের সাদা কোট । পরিপাটি করে আঁচড়াল চুল।

আবার তরতর করে সিড়ি দিয়ে নেমে ছুটে চলে এল বাগানে।

সাদা সেমিজের ওপর একটা হালকা নীল রঙের শাড়ি আলগা ভাবে পরা, চূর্ণ চুল এসে পড়েছে মুখে, দু'হাতে কোনও অলংকার নেই, শুধু বাঁ হাতের মধ্যমায় একটা কমল হীরের আংটি, খালি পা, কাদম্বরী খুব মন দিয়ে ফুল কুড়োচ্ছেন। রবি একটু দূরে দাঁড়িয়ে দেখল। কাদম্বরী এমনই মগ্ন হয়ে আছেন যে রবির পায়ের আওয়াজও শুনতে পাননি।

মোরান সাহেবের এই বাগান বাড়িতে একটা মুক্তির স্বাদ আছে। জোড়াসাঁকোয় অত বড় বাড়িতে কত মানুষজন, সেখানে মেয়েদের বাইরে কোথাও যাবার সুযোগই নেই। সত্যেন্দ্রনাথ ও জ্যোতিরিন্দ্রনাথ নিষেধের গণ্ডি ভেঙে তাদের স্ত্রীদের নিয়ে বাইরে বেরিয়েছেন বটে, কিন্তু তা শুধু নিয়ম ভাঙার জন্যই এক দু'দিন, নিয়মিত তো নয়! জ্যোতিদাদা নতুন বউঠানকে নিয়ে ঘোড়ায় চড়ে রাজপথে বেরিয়েছিলেন পর্যন্ত, তা সকলকে চমকে দেবার জন্য এখন জ্যোতিদাদার সে শখ মিটে গেছে, তা ছাড়া এখন তিনি সময়ও পান না। জোড়াসাঁকোর বাড়িতে বাড়ির মেয়ে-বউদের এখনও বাড়ির মধ্যেই কাটাতে হয় চব্বিশ ঘন্টা, বাগানে কিংবা পেছন দিকে যে পুকুর আছে সেখানেও তাদের যাওয়া পছন্দ করেন না দেবেন্দ্রনাথ। একতলায় স্নান ঘরে একটা মস্ত বড় চৌবাচ্চা আছে। তাঁর মধ্যেই হাত-পা ছুঁড়ে মেয়েরা সাঁতার শেখার চেষ্টা করে। সেই তুলনায় এখানে কত স্বাধীনতা। কাদম্বরীকে জ্যোতিরিন্দ্রনাথ আর রবি দু'জনে মিলে সাতার শিখিয়েছে গঙ্গায়, এখানে তিনি যখন তখন বাগানে ঘুরতে পারেন, নৌকোয় কিংবা ঘোড়াগাড়ি চেপে বেড়াতে গেলে আপত্তি করার কেউ নেই।

রবি মৃদু গলায় বলল, কেন গো আপন মনে ভ্রমিছ বনে বনে ।

কাদম্বরী ঈষৎ চমকিত হয়ে মুখ তুলে চাইলেন। রবির আপাদমস্তক দেখে ঠোঁট টিপে হেসে বললেন, ইস, এই সাত সকালেই একবোরে ফিট বাবুটি সেজেছ দেখছি!

রবি বলল, তুমিও এত ভোরে জেগে উঠেছ যে? সাধের বিছানা ছেড়ে উঠে এলে?

কাদম্বরী বললেন, শুনছ না, একটা চোখ গেল পাখি কেমন ডেকে চলেছে! এত পাখির ডাকে ঘুমোয় কার সাধ্য! একবার জেগে উঠে জানলার কাছে এসে দাঁড়িয়েছি, অমনি ফুলের গন্ধের ঝাপটা এসে লাগল নাকে।

দু'হাতের অঞ্জলি ভর্তি ফুল দেখিয়ে কাদম্বরী বললেন, দেখ, ভানু, কত বকুল ফুল ঝরে পড়েছে, কী মিষ্টি গন্ধ।

রবি কাছে এসে কাদম্বরীর অঞ্জলির কাছে মুখ নোওয়াল। ঘ্রাণ নিল বুক ভরে। শুধু ফুলের নয়, কাদম্বরীর সান্নিধ্যেরও একটা সৌরভ আছে।

পাশের গাছটার দিকে তাকিয়ে কাদম্বরী বললেন, এ গাছটা একেবারে ফুলে ভরে আছে। তুমি গাছে চড়তে পার? আমায় টাটকা ফুল পেড়ে দেবে?

রবি বলল, গাছে চড়তে নিশ্চয়ই পারি। কিন্তু এখন যে জুতো-মোজা পরে আছি। এত ফুল নিয়ে কী করবে?

কাদম্বরী বললেন, একটা মালা গাঁথব।

নিরাকার ব্রহ্মে বিশ্বাসী ব্রাহ্ম পরিবার, এঁদের কোনও ঠাকুর-দেবতা নেই, সকালবেলা ফুল নিয়ে পুজো-আচ্চারও পাট নেই। রবির কৌতুহলী চোখ দেখে কাদম্বরী বললেন, মালা গেঁথে একজনকে পরাব।

রবি জিজ্ঞেস করল, কাকে?

সারা মুখে কৌতুকের হাসি ছড়িয়ে কাদম্বরী ছদ্ম চিন্তার ভান করে বললেন, তাই তো, কাকে? তোমাকে! আজ তোমাকে একটা গাছতলায় বসিয়ে, গলায় মালা পরিয়ে রাজা সাজাব। একটা বেশ খেলা হবে।

রবি বলল, রাজা? তা হলে তো একটা সিংহাসন দরকার।

কাদম্বরী বললেন, তাও আনানো যাবে না হয়। কী রকম সিংহাসন তোমার পছন্দ?

রবি ওঁর চোখে চোখ রেখে বলল, হৃদয়-সিংহাসনের চেয়ে ভালো কোনও সিংহাসন তো হতেই পারে না!

কাদম্বরী সুর করে বললেন, ইস! শুধু কথার খেলা!

তারপর একটুক্ষণের জন্য অন্যমনস্ক হয়ে চুপ করে রইলেন। আবার ফুল কুড়োতে কুড়োতে বললেন ,আরও ফুল লাগবে, এতে বড় মালা হবে না।

রবি কয়েকবার লাফিয়ে বকুল গাছের একটা ডাল ধরে ফেলে ঝাকুনি দিয়ে আরও কিছু ফুল ফেলে দিল মাটিতে। তারপর দুঁজ'ন মিলে কুড়োতে লাগল, ফুলে মগ্ন হয়ে রইল।

কাদম্বরী বললেন, আজ আমরা অনেকক্ষণ বাগানেই থাকব, কেমন? তোমার আজ লেখা টেখা চলবে না বাপু। নিবিড় মেঘ ছেয়ে আসছে আকাশে, দেখ। তুমি রাখাল রাজা হয়ে গান বাঁধবে।

রবি বুঝল, আজ নতুন বউঠানের মেজাজ বেশ উৎফুল্ল । কণ্ঠস্বরে চাপল্যের ভাব। এই কৌতুক হাসি মাখা মুখখানা দেখতেই তাঁর বেশি ভালো লাগে। এক একসময় তাঁর হাবভাব দুবোর্ধ্য হয়ে যায়, তখন কথা বলতেও ভয় হয়, এ কথার অন্য অর্থ করে নেন। কিন্তু খুশির সময় সমস্ত মাধুর্য উজাড় করে দেন কাদম্বরী।

রবি বলল, নতুন বউঠান, তুমি বুঝি আমায় নিয়ে পুতুল খেলা খেলতে চাও?

অমনি গম্ভীর হয়ে গেলেন কাদম্বরী । ঝলমলে হাসি মুছে গিয়ে মুখে পড়ল মেঘে ছায়া। দু'হাতের ফুল ছড়িয়ে দিতে দিতে আস্তে আস্তে সরে গেলেন অন্যদিকে। রবি অপ্রস্তুত হয়ে গেল।

কাদম্বরীর শরীরটা যেন ছায়াময় হয়ে গেল, তিনি একটু একটু দুলছেন, তাঁর দৃষ্টি সুদূর। এক সময় রবির দিকে মুখ না ফিরিয়েই তিনি বললেন, একজন বেলা এগারোটারে পর্যন্ত ঘুমোবেন, তারপর উঠেই বেরিয়ে যাবেন তাড়াহুড়ো করে। পাবলিক থিয়েটা তাঁর নাটকের রিহার্সাল, নট-নদীদের শেখাবার জন্য তাঁকে যে থাকতেই হবে সেখানে। আমি তা হলে কাকে নিয়ে পুতুল খেলা খেলব, রবি?

রবি চুপ করে রইল। এ প্রশ্নের উত্তর সে জানে না। জ্যোতিদাদা সত্যিই বেশ ব্যস্ত হয়ে পড়েছেন, এখানে থাকার আর মন নেই তাঁর, শিগগিরই আবার জোড়াসাঁকোয় ফিরে যাবার

কথা ভাবছেন ! চিরকাল বাবুরা সারাদিন বাইরে থেকেছেন, অনেক রাত্তিরেও স্ত্রীদের সঙ্গে দেখা হতো না, তা অস্বাভাবিক কিছু ছিল না। এখন নব শিক্ষায়, নব্য সভ্যতায়, তাঁরা অনেকে স্ত্রীদের সহধর্মিণী করে নিয়েছেন, জীবন যাপনের সঙ্গে যুক্ত করেছেন, বহুদিনের যবনিকা সরিয়ে তাঁদের স্বাধীনতা ও মুক্তির আলোর ঝিলিক দেখিয়েছেন। সেই সব স্ত্রীরা এখন আর অবহেলা কিংবা একাকিত্ব মানতে রাজি নন। এ যে আধুনিকতার এক দ্বন্দ্ব।

কথা ঘোরাবার জন্য রবি একটা কদমগাছ থেকে ফুল পেড়ে নিয়ে কাছে এসে বলল, নতুন বউঠান, এই নাও, বাদলদিনের প্রথম কদম ফুল।

কাদম্বরী মুখ ফেরালেন। উদাসীনভাবে বললেন, এটা মোটেই প্রথম কদম নয়। অনেকদিনের কদম। কাদম্বরী ফুটেছে, গাছ ভর্তি ফুল।

রবি বলল, তবু এটা আমার প্রথম কদম। নাও, তুমি নাও।

ফুলটি নিয়ে কাদম্বরী বসলেন এসে দোলনায়। রবি পেছনে দাঁড়িয়ে জিজ্ঞেস করল, দুলিয়ে দেব?

কাদম্বরী বললেন, না, তুমি আমার পাশে এসে বসো।

দু'জনে বসল পাশাপাশি। কাদম্বরী পা দিয়ে মাটিতে চাপ দিলেন, দোলনাটা মৃদু লয়ে দুলতে লাগল, বেশ কিছুক্ষণ কেউ কোনও কথা বলল না। কাদম্বরী তন্ময় হয়ে গেছেন, রবি কিন্তু তেমন আবিষ্ট হতে পারছে না। তাঁর শরীরে একট চঞ্চলতা, সে সূর্যের দিকে তাকিয়ে দেখছে কতটা বেলা হল।

একসময় কাদম্বরী বললেন, ভানু, তোমার একটা নতুন গান শোনাবে না?

রবি মুহূর্তমাত্র দ্বিধা বা চিন্তা না করে, যেন তৈরিই ছিল, গেয়ে উঠল: দুই হৃদয়ের নদী একত্র মিলিল যদি/ বল দেব, কার পানে আগ্রহে ছুটিয়া যায়/ সম্মুখে রয়েছে তাঁর তুমি প্রেম পারাবার, তোমারি অনন্তহৃদে দুটিতে মিলিয়ে যায়......

এ গান শুনতে শুনতে কাদম্বরীর অসাড়তা কেটে গেল, মুখে ফুটে উঠল আলো, গানটির প্রতিটি শব্দ যেন তাঁর ত্বকে রোমাঞ্চ এনে দিচ্ছে।

রবি কিছুটা ব্যস্তভাবে গানটি শেষ করেই বলল, নতুন বউঠান কাল সারাদিন আমি তোমার সঙ্গে এই বাগানে কাটাব। কাল আর কিছু নয়, শুধু গল্প আর গান। আজ আমায় একটু ছুটি দিতে হবে যে!

কাদম্বরী পাশ ফিরে জিজ্ঞেস করলেন, আজ তোমার জরুরি লেখা আছে বুঝি? 'ভারতী'র জন্য কোনও লেখা শেষ করতে হবে ? কী লিখবে গো, বউ ঠাকুরানির সেই গল্পটা, না কবিতা?

রবি বলল, লেখা নয়, আজ আমাকে একবার কলকাতায় যেতে হবে।

কাদম্বরী এবার ভ্রুকুঞ্চিত করে তীক্ষ্ণ স্বরে বললেন, কেন, কলকাতায় যেতে হবে কেন? না, যেও না ! যেতে হবে না!

রবি বিব্রত হয়ে করুণ স্বরে বলল, যেতে যে হবেই। কথা দিয়েছি!

কাদম্বরী বললেন, কাকে কথা দিয়েছ? কী কথা দিয়েছ? আমায় আগে কিছু বলনি তো?

রবি বলল, তুমি তো জান, রাজনারায়ণ বসুর মেয়ে লীলাবতীর বিয়ে। সেই বিয়ের দিনের জন্য আমাকে দুটি গান লিখে দিতে বলেছিলেন। কয়েকজনকে গান দুটো শিখিয়ে দিয়ে আসতে হবে।

কাদম্বরী খানিকটা অবাক হয়ে বললেন, অন্যদের শিখিয়ে দিতে হবে কেন? তুমি নিজেই গাইলে তো পার। তোমার চেয়ে ভালো আর কে গায়?

রবি বলল, সে বিয়ের দিন তো আমি যেতে পারব না!

কাদম্বরী আরও বিস্মিত হয়ে বললেন, সে কি! ঋষিমশাইয়ের মেয়ের বিয়ে, তাতে তুমি যাবে না? উনি কত দুঃখ পাবেন। তোমাকে এত ভালোবাসেন।

রবি বলল, ঋষিমশাই নিজেই মেয়ের বিয়েতে যাবেন না। বাবামশাই আমাদেরও যেতে নিষেধ করেছেন!

ব্রাহ্মদের তিন শরিকের রেষারেষি এক একটা বিবাহকে কেন্দ্র করে প্রকাশ্য হয়ে পড়ে। আদি ব্রাহ্মসমাজের সঙ্গে কেশব সেনের নব বিধানের ব্যবধান এখন দুস্তর, মুখ দেখাদেখিও প্রায় বন্ধ। কেশবের দল ভাঙা বিদ্রোহী তরুণ গোষ্ঠী যে সাধারণ ব্রাহ্মসমাজ স্থাপন করেছে, তাঁর প্রতি বরং আদি ব্রাহ্মসমাজের বটবৃক্ষ দেবেন্দ্রনাথের প্রসন্ন দৃষ্টি আছে। তরুণদের পৃথক প্রার্থনাগৃহ গড়ার জন্য তিনি সাত হাজার টাকা দান করেছেন, কেশবের দলকে দুর্বল করে দেবার জন্য এও এক ধরনের রাজনীতি। হিন্দুদের সঙ্গে ব্রাহ্মদের বিবাহ হয় না। হিন্দুরাই বিয়ে দিতে চায় না। আবার তিন শরিকের মধ্যেও বিবাহ-সম্পর্ক বন্ধ হবার উপক্রম। রাজনারায়ন বসু দেবেন্দ্রনাথের বিশেষ অনুগত, আদি ব্রাহ্মসমাজের বিশিষ্ট নেতা, তাঁর মেয়ে লীলাবতীর বয়েস সতেরো, তাঁর বয়েস কিঞ্চিৎ বেশি, এখন আটাশ। সম্বন্ধ করা বিয়ে নয়, পাত্র-পাত্রী পরস্পরকে দেখেছে এবং মনোনীত করেছে। সব কিছুই তো শুভ ছিল, কিন্তু অতি সামান্য ব্যাপারে মনোমালিন্য দেখা দিল। কৃষ্ণকুমার ব্রাহ্মদের তৃতীয় দল অর্থাৎ সাধারণ ব্রাহ্মসমাজের সদস্য, এবং সে জেদ ধরেছে বিবাহ হবে তাদের মতে। কিছুকাল আগে সিভিল ম্যারেজ বিল পাস হয়েছে, এতে জাতি-বিচার নেই, মন্ত্র কিংবা পুরুতের কোনও স্থান, তরুণ ব্রাহ্মের দল এটাই মানে। আদি ব্রাহ্মরা আবার এর ঘোর বিরোধী, কারণ রেজিস্ট্রি করে বিয়ে মানে তো নিরীশ্বর বিবাহ, নাস্তিকতা! দেবেন্দ্রনাথ তা শুনেই এ বিয়েতে অসম্মতি জানালেন। রাজনারায়ণ বসু দেখলেন যে তাঁর মেয়ে এই পাত্রকেই বিয়ে করতে খুব আগ্রহী, তিনি মেয়ের ইচ্ছেতে বাধা দিলেন না। মেয়ের ভবিষ্যৎ জীবনের সুখ সৌভাগ্যের অন্তরায় হবেন কেন তিনি! কিন্তু বিয়ের দিন কন্যা পক্ষের কেউ যাবে না, ঠাকুরবাড়ির কেউও যাবে না।

কাদম্বরী যখন বুঝলেন, রবিকে যেতেই হবে, সে সাড়ে আটটার স্টিমার ধরবে, বেশি সময় নেই, তখন তিনি দোলনা ছেড়ে উঠে দাঁড়িয়ে বললেন, তুমি কিছু খেয়ে যাবে তো? চল, তোমার জলখাবারের ব্যবস্থা করে দি গে।

কয়েক পা গিয়ে ফিরে দাঁড়িয়ে আবার বললেন, তুমি রাত্তিরে কলকাতায় থেকে যাবে না তো? ফিরে আসবে, কথা দাও!

কোতোয়ালির ঘাট থেকে স্টিমারে চাপবার পর রবির মন কিছুটা উতলা হয়ে উঠল। এমন ভাবে চলে আসাটা ঠিক হয়নি, আজ না গেলেই বা কী ক্ষতি হতো! অন্য কেউ তাঁর গান গাইলে রবির বেশ ভাল লাগে। ব্রাহ্মসমাজের উপাসনায় এখন অনেকেই গাইছে। সব সময় নিজেকে গাইতে হয়না, অন্যরা আগ্রহ করে শেখে। ভাগ্নে সত্যপ্রসাদ তাকে একদিন বলেছিল, হেদোর মোড়ে কয়েকটি ছাত্রকে সে রবির গান গাইতে শুনেছে। কথাটা শুনে গোপন পুলকের রোমাঞ্চ হয়েছিল রবির, সম্পূর্ণ অচেনা লোকেরাও তাঁর গান পছন্দ করেছে!

বিলেত যাবার আগে পর্যন্ত রবি প্রায় সর্বক্ষণই জ্যোতিদাদা ও নতুন বউঠানের সঙ্গে সঙ্গে ঘুরত ফিরত। জ্যোতিদাদা যখন থাকতেন না, তখন মুখোমুখি দু'জনে। কত কথা, কত নীরবতা। প্রতিটি মুহূর্ত যেন মনে এক একটা আলোর বিন্দু। এখন রবিকে লেখার জন্য অনেক সময় দিতে হয়, বাইরের পৃথিবিরিও ডাকাডাকি করে। তবু নতুন বউঠানের সাহচর্যেই সে সবচেয়ে বেশি আনন্দ পায় । গান শোনাতে শোনাতে উৎসুকভাবে তাঁর মুখের দিকে তাকিয়ে থাকে। তিনি সামান্য প্রশংসা করলে রবি ধন্য হয়ে যায়। আজ নতুন বউঠানের মনটা ভালো ছিল, পাখির ডাক শুনে জেগে তিনি খুব ভোরে ফুল কুড়োতে নেমেছিলেন, রবিকে নিয়ে অনেকক্ষণ থাকতে চেয়েছিলেন বাগানে। আজই কেন রবিকে চলে যেতে হল!

এখন জোয়ার রয়েছে, স্টিমারের গতি বেশ দ্রুত। ভরা গঙ্গায় ঢেউ তুলে স্টিমারটা এগিয়ে চলল কলকাতার দিকে। নানা জাতের অনেক যাত্রী, কারুর সঙ্গে একটি কথাও বলেনি

রবি, অচেনা মানুষদের সঙ্গে সে স্বতঃপ্রবৃত্ত হয়ে ভাব জমাতে পারে না। ডেকের রেলিং ধরে দাড়িয়ে সে মনে মনে গান দুটি ভেঁজে নিচ্ছে বারবার। আবার ঝিরিঝিরি বৃষ্টি নেমেছে। বর্ষার দৃশ্য তাঁর চক্ষুকে আরাম দেয়।

এক সময় চোখে পড়ল দক্ষিণেশ্বরে রানী রাসমণির কালী মন্দির। রবির ভুরু একটু কুঁচকে গেল। কালী মন্দির দেখলেই তাঁর চোখে ভাসে একটা হাঁড়িকাঠ আর পাঁঠা বলির পর মাটিতে ছড়িয়ে থাকা টকটকে রক্ত। তাঁর গা গুলিয়ে ওঠে। জন্ম থেকেই মূর্তিপুজার সঙ্গে তাঁর কোনও সম্পর্ক নেই, ব্রাহ্মরা নিজেদের হিন্দুও মনে করে না। কিন্তু রাধা-কৃষ্ণের বিরহের কাহিনী, যমুনা পুলিনে বাঁশি বাজায় এক শ্যামবর্ণ যুবা, বিবাহিতা রাধা উচাটন হয় সেই বাঁশি শুনে। ছুটে আসে সে নীল রাত্রির কুঞ্জবনে এসব তাকে আকৃষ্ট করে। বিদ্যার দেবী সরস্বতীকেও তাঁর বেশ পছন্দ। কিন্তু কালী ওই করাল মূর্তিকেও মানুষ পুজা করে কেন? দেবতার পূজার নামে মানুষ কী করে হিংসায় মাতে, ঢাক-ঢোল বাজিয়ে নাচতে নাচতে পশু বলি দেয়, তা তাঁর বুদ্ধির অগম্য।

রবি সেদিক থেকে মুখ ফিরিয়ে আবার গাইতে লাগল, দুই হৃদয়ের নদী একত্র মিলিল যদি......। এক নদীর ওপর দিয়ে যাচ্ছে স্টিমার রবি গাইছে দুটি নদীর গান।

॥ ১৩ ॥

বাবুঘাটে স্টিমার থেকে নেমে ভাড়ার গাড়ির জন্য রবিকে কিছুক্ষণ খোঁজাখুঁজি করতে হল। কাদায় প্যাচপ্যাচ করছে রাস্তা, লোকজনের ভিড়, মুটে–মজুরদের ঠেলাঠেলি, এর মধ্যে গা বাঁচিয়ে চলার চেষ্টা করল রবি, তাও পারা যায় না, একজন তাঁর পা মাড়িয়ে জুতো নোংরা করে দিল। বৃষ্টির দিনে গাড়ি দুর্লভ হয়ে যায়, ফিটন একটাও নেই, কেরাঞ্চি গাড়িগুলোতে একসঙ্গে চার-পাঁচজন যাত্রী হুড়মুড় করে উঠে পড়ছে। ও রকম বারোয়ারি গাড়িতে যেতে ঠাকুরবাড়ির ছেলেরা অভ্যস্ত নয়। এর চেয়ে পদব্রজে গমনই প্রশস্ত।

অযোধ্যার নির্বাসিত নবাব ওয়াজিদ আলি শাহ সদলবলে আশ্রয় নেবার পর মেটেবুরুজ অঞ্চলটিতে প্রচুর দোকানপাট বসে গেছে, পাশ দিয়ে যেতে যেতে নাকে আসে কোপ্তা-কাবাব ও আরও নানাবিধ মোগলাই খানার সুগন্ধ। এই অঞ্চলটিতে মুসলমানদের প্রাধান্য, বাংলা কথা প্রায় শোনাই যায় না। রবির মনে পড়ল, মেজদাদা সত্যেন্দ্রনাথ যখন আই সি এস হয়ে বিলেত থেকে এসে আমেদাবাদে অ্যাসিস্ট্যান্ট কালেকটর ও ম্যাজিস্ট্রেটের চাকরি নেন তখন এই মেটেবুরুজ থেকে আবদুল নামে একজন বাবুর্চিকেও সঙ্গে নিয়ে গিয়েছিল। সেই আবদুলের যেমন ছিল রান্নার হাত তেমনই ছিল গাল-গল্পের সঞ্চয়। রবি সেই সময় কিছুদিন গিয়ে থেকেছিল মেজদাদার কাছে। বাড়িখানা কী, বাদশাহী আমলের প্রাসাদ, যেন এক স্তব্ধ ইতিহাস। কলকাতা শহরটি বড় অর্বাচীন, এখানে ইতিহাসের কোনও রূপ নেই। আমেদাবাদে সেই শাহিবাগ-প্রাসাদের প্রকাণ্ড ছাদে জ্যোৎস্না রাতে একা একা পদচারণা করবার সময় মনে হতো যেন চারপাশ থেকে অনেক অশরীরী ফিসফিস করে কিছু বলতে চাইছে।

নবাব ওয়াজিদ আলি শাহের বাড়িতে গান-বাজনার আসরে অনেকেই যায়। জ্যোতিরিন্দ্রনাথের সঙ্গে নবাব বাহাদুরের পরিচয় আছে, রবি ঠিক করল সেও একদিন ওই আসরে যাবে।

হাঁটতে হাঁটতে রবি চলে এল লালবাজারের কাছে। এখানে একটি ভাড়া-গাড়ির আড্ডা আছে, রবি সেখানে একটি ল্যান্ডো গাড়ির গাড়োয়ানের সঙ্গে কথা বলছে, এমন সময় পাশে আর একটি গাড়ি দাঁড়াল, সেই গাড়ি থেকে ঝুঁকে এক ব্যক্তি বলল, আরে রবীন্দ্রবাবু যে, এসো, এসো, এ গাড়িতে উঠে এসো!

রবি ফিরে দাঁড়িয়ে হাত জোড় করে নমস্কার জানাল। এই ব্যক্তিটির নাম শিবনাথ ভট্টাচার্য, অনেকে শাস্ত্রীমশাই বলেও ডাকে। রবির চেয়ে বয়েসে চোদ্দ পনেরো বছরের বড়, রবিকে বালক বয়েস থেকেই চেনেন, আগে শুধু রবি বলতেন, এখন রবীন্দ্রবাবু বলে সম্বোধন করছেন। সাহিত্য জগতে এঁর বেশ সুনাম আছে, আবার তেজস্বী সমাজ সংস্কারক। বিধবা বিবাহ ও নারী শিক্ষার জন্য তিনি প্রচুর পরিশ্রম করেন। চোদ্দ বছরের কম বয়েসী বালিকাদের বিবাহ নিষিদ্ধ করার আন্দোলনে তিনি ছিলেন অন্যতম প্রধান প্রবক্তা, পরে কুচবিহার রাজবাড়িতে নিজের অপ্রাপ্তবয়স্কা কন্যার বিবাহ দিতে গিয়ে কেশববাবু যখন সেই আদর্শ থেকে চ্যুত হলেন, তখন শিবনাথের নেতৃত্বেই দলত্যাগীরা সাধারণ ব্রাহ্মসমাজ গড়ল। এখন ছেলে-ছোকরা মহলে এই তৃতীয় শরিকটিই বেশি জনপ্রিয়।

শিবনাথ জিজ্ঞেস করলেন, তুমি এখানে কোথায় এসেছিলে?

রবি সঙ্কুচিতভাবে বলল, আমি তো আপনাদেরই ওখানে যাব, আসছি চন্দননগর থেকে। দেরি হয়ে গেল—।

শিবনাথ ধুতির ট্যাঁক থেকে একটা গোল ঘড়ি বার করে দেখলেন। তরুণ ব্রাহ্মরা অতিশয় সময়ানুবর্তী, ঘড়ির কাঁটা মেনে চলেন। রবির গান শেখাতে যাবার কথা দুপুর বারোটার সময়, এখন একটা বেজে দশ মিনিট।

তবু শিবনাথ বললেন, তাতে কী হয়েছে, এত দূরের পথ। নগেন, কেদাররা অবশ্যই অপেক্ষা করবে। আমার সঙ্গেও ওদের কথা আছে।

ঘোড়ার গাড়ি ঝুমঝুমিয়ে ছুটতে লাগল। রবির আশঙ্কা হয়েছিল, আদি ব্রাহ্মরা রাজ নারায়ন বসুর মেয়ের বিয়েতে যে উপস্থিত থাকবে না সেই প্রসঙ্গ তুলে শিবনাথ তির্যক মন্তব্য করবেন। কিন্তু শিবনাথ সে দিকে গেলেন না। এমনকি এককালের খ্রিস্ট ভক্ত কেশব সেনের সাম্প্রতিক বৈষ্ণবীয় চালচলন যে অনেকের ঠাট্টা-বিদ্রুপের প্রিয় বিষয়, তারও উল্লেখ করলেন না একবারও। বয়েসে অনেক কনিষ্ঠ রবি যেন তারই সমসাময়িক একজন লেখক, এই ভাব নিয়ে সাহিত্য আলোচনা করতে লাগলেন।

গাড়ি থেকে নামবার সময় শিবনাথ বললেন, আমাদের সভায় এসে তুমি যে গান শেখাতে সম্মত হয়েছ, তাতেই আমি বিলক্ষণ খুশি হয়েছি।

সভাগৃহে দশ-বারোজন পুরুষ উপস্থিত। রবি ভেতরে এসে নমস্কার জানিয়ে তাঁর বিলম্বের জন্য মার্জনা চাইল। সকলেই অতিশয় ভদ্রতার সঙ্গে মাথা দুলিয়ে দুলিয়ে বললেন না, না, কিছুমাত্র দেরি হয়নি, আমরা সবাই আগ্রহের সঙ্গে অপেক্ষা করছি।

গান শিখবেন মোট পাঁচজন। শুভ্র ফরাসের একদিকে তাঁরা বসেছেন, একটু দূরে তাদের মুখোমুখি রবি। গায়কদের একজনের হাতে এস্রাজ, আর একজনের হাতে খঞ্জনি। তত্ত্ববোধিনী প্রেস থেকে গানের কথা ছাপিয়ে সেই কাগজ ওঁদের মধ্যে বিলি করা হয়েছে।

রবি প্রথমে দুই হৃদয়ের নদী গানটার এক লাইন গেয়ে বলল, এটা সাহানা ঝাঁপতাল—

গায়কদের সবারই বেশ তৈরি গলা, সহজেই গান তুলে নিতে পারেন। ওঁদের মধ্যে একজন ছাড়া আর সকলেরই বয়েস রবির চেয়ে ঢের বেশি। নগেন চাটুজ্জে, সুন্দরীমোহন

দাস, কেদার মিত্তিরকে তো রবি চেনেই, অন্ধ চুনীলালের গানও সে শুনেছে আগে। অন্যজন যেন বয়েসে রবির চেয়েও কিছু ছোট, বেশ বলিষ্ঠকায় এক সদ্য কৈশোর অতিক্রান্ত যুবা, বড় বড় টানা টানা চোখ, গাঢ় ভুরু। আলাপ করিয়ে দেবার সময় ওর নাম বলা হয়েছে নরেন দত্ত, সে একজন কলেজের ছাত্র।

রবির প্রথমে মনে হয়েছিল এই যুবকটি তাঁর একবারেই অচেনা। একটু পরে মনে হল, এই মুখের আদলটি সে আগে কোথাও দেখেছে। তারও পরে মনে পড়ল, বড়দাদার ছেলে দীপুর সঙ্গে এই নরেন দত্তকে সে তাদের জোড়াসাঁকোর বাড়িতেই দু'এক বার দেখে থাকবে। তখন সে আরও ছোট ছিল, খুব সম্ভবত সে দীপুর স্কুলের সহপাঠী ছিল। নরেনের বেশ জোরালো উদাত্ত কণ্ঠস্বর, তারসপ্তকেও ভাঙে না। কোরাস দলে এরকম একটি গায়কের বিশেষ প্রয়োজন।

দ্বিতীয় গানটি জয়জয়ন্তী ঝাঁপতাল, মহাগুরু, দুটি ছাত্র এসেছে তোমার........

সে গানটিও যখন অনেকখানি শেখানো হয়ে গেছে, তখন গায়কদের একজন বললেন, রবীন্দ্রবাবু, আমাদের তো পাঁচ ছ'টি গান গাইবার কথা, আপনার আর একটি গান আমাদের নরেন বেশ গায়। সেটি কি এই উপলক্ষে চলতে পারে?

রবি কৌতূহলী হয়ে তাকাল।

সেই গায়কটি বললেন, ওহে নরেন, 'তোমারেই করিয়াছি 'গানটা একবার ধরো না। রবীন্দ্রবাবুকে শোনাও।

অনেক গায়কই গানের অনুরোধ জানালে অহেতুক লজ্জা প্রকাশ করে সময় নষ্ট করে। নরেন দত্তর সে বালাই নেই। দু'হাতে তাল দিয়ে সে গেয়ে উঠল, তোমারেই করিয়াছি জীবনের ধ্রুবতারা/এ সমুদ্রে আর কভু হব নাকো পথহারা.......।

মুখ নিচু করে ফরাসের ওপর আঙুল দিয়ে আঁকিবুকি কাটতে কাটতে রবি শুনতে লাগল গানটা। শুনতে শুনতে এ গান যাকে উদ্দেশ করে লেখা, মনে পড়ল তাঁর কথা। টনটন করতে লাগল বুকের মধ্যে। বিলেতে যাবার সময় শুধু সেই একজনকে ছেড়ে যাবার কষ্টই রবির অসহ্য বোধ হতো, জাহাজের ডেকে দাঁড়িয়ে ভারতভূমির দিকে তাকিয়ে জল এসে যেত তাঁর চোখে। সেই সময়ে এই গানটির খসড়া করা হয়েছিল।

....যেথা আমি যাই নাকো তুমি প্রকাশিত থাকো
আকুল নয়নজলে ঢাল গো কিরণ ধারা
তবু মুখ সদা মনে জাগিতেছে সঙ্গোপনে
তিলেক অন্তর হলো না হেরি কূল-কিনারা.....

না, না, এ গান শুধু তাদের দু'জনের, সর্বসাধারনের জন্য নয়। নরেন গানটি যদিও বেশ ভালোই গেয়েছে, তবু রবি বলল, এ গানে বিরহের কথা আছে, এই উৎসবের পক্ষে ঠিক মানানসই হবে না।

সঙ্গীত শিক্ষাপর্ব শেষ হতে হতে পেরিয়ে গেল অপরাহ্ন। তখনই স্টিমার ঘাটে না গিয়ে. রবি ঠিক করল মাঝপথে সে একবার মেজদাদার বাড়ি ঘুরে যাবে। মেজদাদার দুটি ছেলেমেয়ের সঙ্গে তাঁর ভারি ভাব, অনেকদিন দেখা হয় নি। মেজ বউঠানও বারবার যেতে বলেছেন।

সত্যেন্দ্রনাথকে কার্যব্যপদেশে বোম্বাই প্রেসিডেন্সির বিভিন্ন অঞ্চলেই থাকতে হয়। তার পত্নী জ্ঞানদানন্দিনী স্বামীর কাছেই ছিলেন এখন, ছেলেমেয়েদের শিক্ষার জন্য কলকাতায় চলে এসেছেন। সুরেন্দ্র আর ইন্দিরা দুই পিঠোপিঠি ভাই বোন, দশ আর ন' বছর বয়েস। তারা সাহেবি ইস্কুলে পড়ে।

জোড়াসাঁকো ঠাকুরবাড়িতে প্রথম বিলিতি আদবকায়দা আমদানি করেছেন জ্ঞানদানন্দিনী। যে-দেবেন্দ্রনাথ নিজের কন্যা ও পুত্রবধূদের অন্দরমহলের বাইরে বেশি যাতায়াত পছন্দ করেন না, তারই মধ্যম পুত্রবধু জ্ঞানদানন্দিনী স্বামী সঙ্গ ছাড়াই একা দুটি শিশু পুত্র কন্যা নিয়ে ইংল্যান্ড ঘুরে এসেছেন। সত্যেন্দ্রনাথ নিজে স্ত্রী-স্বাধীনতার বিশেষ পক্ষপাতী, জোড়াসাঁকোর বাড়ির খড়খড়িগুলো ভেঙে দেওয়ায় ইচ্ছে তাঁর অনেকদিনের । মেয়েরা চিকের আড়াল থেকে সব কিছু দেখবে, তারা কি অন্ধকারের প্রাণী? কিন্তু পিতার ইচ্ছার বিরুদ্ধে সব যবনিকা ছিড়ে ফেলা সম্ভব নয়। সত্যেন্দ্রনাথ নিজে যখন ছাত্র অবস্থায় ইংল্যান্ডে ছিলেন, তখন খুব চেয়েছিলেন স্ত্রীকেও নিজের কাছে নিয়ে যেতে। পাশ্চাত্যের মেয়েরা শিক্ষা-দীক্ষায় কর্মক্ষেত্রে কতটা এগিয়ে গেছে কতটা সংস্কারমুক্ত হয়েছে, তা এ দেশের মেয়েরা নিজের চোখে দেখুক! কিন্তু দেবেন্দ্রনাথ তখন অনুমতি দেননি। তারপর দেশে ফিরে এসে সত্যেন্দ্রনাথ যখন উচ্চ চাকরি নিয়ে স্বাবলম্বী হলেন তখন এক দুঃসাহসী কাজ করে ফেললেন। সঙ্গে তিনটি শিশু সন্তান, পুরুষ অভিভাবক নেই, এই অবস্থায় কোনও বঙ্গললনা তো দুরের কথা কোনও ভারতীয় নারী এর আগে সমুদ্র পাড়ি দেয়নি। জ্ঞানদানন্দিনী তখন ছাব্বিশ সাতাশ বছরের যুবতী। ইংল্যান্ড যাত্রা অবশ্য এর মধ্যে অনেকটা সুগম হয়ে গেছে, জাহাজে মাত্র এক মাস লাগে।

জ্ঞানদানন্দিনীর রূপান্তর অতি বিস্ময়কর, কোথা থেকে কোথায় এসে পৌঁছেছেন। যশোরের এক অতি সাধারণ পরিবারের কন্যা, নিতান্ত বালিকা বয়েসে ঠাকুরবাড়ির পুত্রবধূ হয়ে এসেছিলেন। লাজুক ভীরু রোগা-পাতলা সাত-আট বছরের সেই বালিকা ঠাকুরবাড়ির ঐশ্বর্য ও আড়ম্বরের মধ্যে এসে জড়োসড়ো হয়ে এক কোণে বসে থাকত। রবি মেজ বউঠানের কাছে তাঁর বাপেরবাড়ির গল্প শুনেছে। সে ছিল নানা রকম কুসংস্কারে ভরা এক শাক্ত বংশ। বাড়ির কারুর অসুখ বিসুখ হলে মা কালীর কাছে জোড়া পাঁঠা আর মদ মানত করা হতো। জ্ঞানদানন্দিনীর মা একবার কোনও এক সংকটের সময় পাঁঠা মদ ছাড়াও নিজের বুকের রক্ত দিতে চেয়েছিলেন ঠাকুরকে, নিজের করতলে জ্বলন্ত ধুনো-গুগ্‌গুল নিয়ে আরতি করেছেন।

সেই বাড়ির একটি পুঁচকে মেয়ে যেন রূপকথার মতন একদিন খোলস ছেড়ে বেরিয়ে এল এক অসামান্য রমনী হয়ে। যেমন তাঁর রূপ, তেমন তেজ। ইংরেজ-সমাজেও মিশতে পারেন সমান আত্মমর্যাদা নিয়ে ইংরেজি ফরাসিতে কথা বলতে পারেন অনর্গল। এতকাল হিন্দু বাঙালি স্ত্রীলোকেরা ছিল একবস্ত্রা, অঙ্গে শুধু শাড়ি ছাড়া আর কোনও অন্তর্বাস থাকত না। নারী দেহ শুধু ভোগের জন্য এবং সন্তান উৎপাদনের জন্য ব্যবহৃত অন্দরমহলে অবরুদ্ধ সেই সব নারীদের জন্য ওইটুকু বস্ত্রই তো যথেষ্ট। কিন্তু সত্যেন্দ্রনাথ তাঁর স্ত্রীকে যখন বাইরে নিয়ে এলেন, তখন ওই পোশাক তাঁর কাছে অশ্লীল ও অভব্য মনে হয়েছিল। তিনি নিজে স্ত্রীর জন্য অন্য পোশাকের পরিকল্পনা করেছেন, জ্ঞানদানন্দিনীও প্রবাসে স্বামীর সঙ্গে ঘুরে ঘুরে পারসি মরণীও মেমদের দেখে দেখে সেমিজ, শায়া, পেটিকোটের নতুন সাজসজ্জার প্রচলন করেছেন। ঠাকুর পরিবার ও অন্যান্য অনেক অভিজাত পরিবারের নারীরা এখন জ্ঞানদানন্দিনীর অনুসরণ করে।

তা বলে জ্ঞানদানন্দিনীর সমস্ত রকম চালচলন ও ইংরেজিয়ানা বাড়ির সবাই মেনে নেয়নি। দেবেন্দ্রনাথও এসব অনুমোদন করেন না, তিনি ইংরেজদের কোনওদিনই পছন্দ করেননি, ইংরেজদের সংস্পর্শ এড়িয়ে চলেছেন, ইংরেজি পোশাক ও আদব-কায়দার অনুকরণ তাঁর দু'চক্ষের বিষ। আজকাল অবশ্য তিনি জোড়াসাঁকোর বাড়িতে প্রায়ই থাকেন না।

বিলেত থেকে ফেরার পর জ্ঞানদানন্দিনী শ্বশুরবাড়িতে তাঁর অংশটিতে আলাদা রীতি নীতি চালু করেছেন। তাঁর ছেলেমেয়ে দুটি বাংলা ইস্কুলে পড়ে না, বাড়ির অন্য ছেলেমেয়েদের

সঙ্গেও বিশেষ মেশে না। তারা কাঁটা-চামচ দিয়ে খায়, পরস্পরের সঙ্গে ইংরেজিতে কথা বলে এবং প্রতিদিন বিকেলে সাহেব বাচ্চার মতন খাস বিলেতি কোট ও ফ্রক পরে সেজে একজন ভৃত্যের সঙ্গে ইডেন উদ্যানে হাওয়া খেতে যায়। বাড়ির অন্যান্য অনেক বাচ্চার মধ্যে যে-কোনও একজনকে দয়া করে সুরেন-ইন্দিরার সঙ্গে পাঠানো হয় বটে, তাও নিয়মিত নয়, পালা করে। জ্ঞানদানন্দিনী রামা নামে একজন ভৃত্য এনেছেন বাইরে থেকে, সেও প্যান্ট-কোট পরে থাকে। ফ্রান্সের নিস্ শহর থেকে একটা সাদা রঙের তুলতুলে কুকুর এনেছেন, তাঁর নাম নিসুয়া। বাড়ির মধ্যে কুকুর পোষাতে অনেকেই ঘেন্নায় মুখ কুচকেছে, এ পরিবারে আগে কেউ দেখেনি।

যারা প্রথম কোনও সংস্কার ভাঙে, তাদের অনেক নিন্দাও সহ্য করতে হয়। যারা নতুন কোনও পথ দেখায়, তাদের তৈরি থাকতে হয় পথের অনেক নিন্দাও সহ্য করতে হয়। যারা মুক্তি অভিলাষী, তাদের খুলতে হয় অনেক বন্ধ দ্বার। আবার এ কথাও ঠিক, যারা পথিকৃৎ, তারা অত্যুৎসাহে কিছুটা বাড়াবাড়িও করে ফেলে, অনেক সময় তাদের স্বাধীন চেতনা ঔদ্ধত্যের মতন মনে হয়, প্রকট নতুনত্ব মনে হয় দৃষ্টিকটু।

জ্ঞানদানন্দিনী শুধু বিলেতে যাননি স্বামীর সঙ্গে ভারতের নানা অঞ্চলে ঘুরেছেন, মিশেছেন বহু জাতের মানুষের সঙ্গে। ক্ষুদ্র বাঙালি-গণ্ডি ছাড়িয়ে তিনি দেখেছেন বৃহত্তর জগৎ। তিনি লক্ষ করেছেন, এই দেশেই বাঙালিদের তুলনায় অন্যান্য জাতের কিছু কিছু মহিলা বেশ অগ্রসর হয়ে আছে, তারা সব সময় ঘোমটায় মাথা ঢেকে গুড়ের নাগরী হয়ে থাকে না। জ্ঞানদানন্দিনীর ব্যবহারে কিছুট উগ্রতা থাকলেও তিনি নারীদের অবরোধ মুক্ত করার জন্যই নিজের দৃষ্টান্ত সবার সামনে তুলে ধরতে চেয়েছেন। কিন্তু অনেক নারীই তাঁকে মানে না, তাঁর উদ্দেশ্য সম্পর্কে সন্দিহান। জ্ঞানদানন্দিনী অন্যের নিন্দে গ্রাহ্য করেন না সকলে বলে সেটা তাঁর দেমাক। তিনি পুরুষদের সঙ্গে সমান মর্যাদা নিয়ে কথা বলতে গেলে অন্য মেয়েরা বলে বেহায়াপনা। ভারতের প্রথম আই সি এস অফিসারের স্ত্রী হিসেবে তাঁর কিছুটা অহংকার থাকতে পারে, কিন্তু যখন সেরকম কোনও অহংকারের প্রকাশ নেই, তখনও লোকে সেটা আরোপ করে তাঁর ওপর। অনেকে এমন কথাও বলে সত্যেন তো আই সি এস হয়েছে দ্বারকানাথ ঠাকুরের নাতি বলে, না হলে কি আর পারতো!

নিজে বড় হবার চেষ্টা না করে কেউ বড় হলে তাকে নানা ভাবে ছোট করার চেষ্টায় এ দেশের মানুষের বিশেষ আনন্দ। মেয়েরা এগিয়ে যেতে চাইলে তাকে পেছন দিক থেকে টেনে ধরে মেয়েরাই।

জ্ঞানদানন্দিনী তাঁর শ্বশুরবাড়ির অনেক জা-ননদ -ঠাকুরঝির পুরোপুরি সমর্থন পাননি। এই বৃহৎ একান্নবর্তী পরিবারে বাইরের অনেক মেয়ে এসেছে পুত্রবধূ হয়ে, এ বাড়ির মেয়েরাও বিয়ের পর বাড়িতেই থেকে গেছে, তাদের স্বামীরা ঘরজামাইর এতগুলি মানুষ সব বিষয়ে একমত হয়ে মিলে মিশে বরাবর সুখে সাচ্ছন্দ্যে থাকবে, এটা একটা অলীক কল্পনা। ঠোলকাঠুকি লাগবেই কখনও কখনও। তবে ঠাকুরবাড়ির বিশেষ একটা সহবত আছে, ব্রাহ্ম সংস্কৃতির অঙ্গ পরিশীলিত বিনয় বচন, এ পরিবারে কেউ চেচিয়ে ঝগড়া করে না, এক জানলা থেকে আর এক জানলায় পরনিন্দা করে না। কিন্তু ঠারে ঠোরে ইঙ্গিতে ঈর্ষা-বিদ্বেষ, পরিহাসের ছলে গা বেঁধানো কথা, নিজে দায়িত্ব না নিয়ে অমুক বলছিল বলে এক টুকরো কুৎসা শুনিয়ে দেওয়া এগুলো তো থাকবেই। এসব মানব চরিত্রের অন্তর্গত।

এই পরিবেশে জ্ঞানদানন্দিনী কিছুদিন পর হাঁপিয়ে উঠলেন। ছেলে-মেয়ে দুটির সুশিক্ষার জন্যও তিনি চিন্তিত। তিনি শ্বশুরবাড়ি ছেড়ে আলাদা কোথাও থাকতে চান সেই অনুরোধ জানিয়ে প্রবাসী স্বামীকে চিঠি লিখতেন প্রায়ই। সত্যেন্দ্রনাথেরও আপত্তি নেই। বাড়ির মেয়েদের সম্পর্কে দেবেন্দ্রনাথের নির্দেশের কড়াকড়ি তারও মনঃপূত নয়। তাঁর বড় দাদা

দ্বিজেন্দ্রনাথ ভোলা-ভালা মানুষ, নিজের নানা রকম খেয়াল নিয়েই মশগুল হয়ে থাকেন, তিনি কিছুই বলেন না। সত্যেন্দ্রনাথই মাঝে মাঝে এই, বিশাল পরিবারে অধিপতির মতের বিরুদ্ধে মৃদু প্রতিবাদ জানিয়েছেন। স্বামী এখানে নেই জ্ঞানদানন্দিনী শুধু ছেলেমেয়েদের নিয়ে আলাদা বাড়িতে থাকবেন, তা আবার হয় নাকি? সত্যেন্দ্রনাথ জানালেন, হ্যাঁ, তাও হতে পারে, তাঁর স্ত্রীর বাপের বাড়ির দু'একজন না হয় সঙ্গে এসে থাকবে।

জ্ঞানদানন্দিনী শুধু প্রথম বিলেতেই যাননি, তিনি প্রথমে এই যৌথ পরিবারটির ভাঙনের সূচনাও করেছেন। এখন তিনি থাকেন বির্জিতলাও-এর একটি বাড়িতে। ছেলেমেয়েদের স্কুল লরোটো, সেন্ট জেভিয়ার্স কাছাকাছি হবে। এই অছিলায় উঠে এলেও সবাই বুঝেছে এই ভাঙন আর জোড়া লাগবে না।

বির্জিতলাওয়ের বাড়িটি বেশ বড়, এই সম্পত্তিটি অনেকদিন আসামের বিজ্‌নি এস্টেটের কাছে ন্যস্ত ছিল, এখন সেটি অধিগ্রহণ করা হয়েছে। কাছেই সেন্ট পল্‌স গির্জার আকাশচুম্বী চূড়া, তাঁর সামনে একটা মস্ত পুকুর, সেই পুকুরের নামেই বাড়িটির নাম। আত্মীয়-বন্ধু দাস-দাসী বাবুর্চি নিয়ে বাড়িটি সরগরম।

অন্যান্য আত্মীয় ও দেওরদের তুলনায় জ্যোতিরিন্দ্রনাথ আর রবি জ্ঞানদানন্দিনীর বেশি ঘনিষ্ঠ। রবি আর নতুন বউঠান কাদম্বরী যেমন প্রায় সমবয়েসী, সেই রকম মেজ বউটান জ্ঞানদানন্দিনীর বয়েসও জ্যোতিরিন্দ্রনাথের কাছাকাছি। ওঁদের দু'জনের খুব বন্ধুত্ব। জ্যোতিরিন্দ্রনাথ এ বাড়িতে প্রায়ই সময় কাটাতে আসেন।

রবি যখন বিলেতে যায় তখন জ্ঞানদানন্দিনী ছেলেমেয়েদের নিয়ে দক্ষিণ ইংল্যান্ডে সমুদ্রের ধারে ব্রাইটন শহরে বাসা ভাড়া করে ছিলেন। নতুন দেশটাকে সইয়ে নেবার জন্য রবি কিছুদিন মেজ বউঠানের কাছে আশ্রয় নিয়েছিল, সেখানে মেজ বউঠানের একটি ছেলে মারা গেছে। অন্য দুটি শিশু সুরেন আর ইন্দিরা, ডাক নাম সুরি আর বিবি খুব ন্যাওটা হয়ে যায় রবির। সেই থেকে তারা রবিকা'র সঙ্গ পেলে আর ছাড়ে না। এতদিনে তারা অবশ্য কিছুটা ধাতস্থ হয়েছে, ইংরেজি ইস্কুলে পড়লেও সব সময় ইংরেজি বলে না, বাংলা বেশ শিখেছে, বাংলা গান গায়। কাঁটা-চামচের বদলে হাত দিয়ে ও দিব্যি খেতে পারে।

সদর দিয়ে ঢোকবার পর একটি মারবেল গাঁথা প্রশস্ত হলঘর। তারপর এক পাশ দিয়ে চওড়া কাঠের সিঁড়ি উঠে গেছে, তাতে লাল কার্পেট পাতা। সেই সিঁড়ির বাঁকের মুখে একজন কর্মচারির সঙ্গে কথা বলছিলেন জ্ঞানদানন্দিনী। ঘি রঙের সিল্কের শাড়ি পরা, সামনে কুচি দেওয়া কাঁধের কাছে আঁচলে একটা ব্রোচ আঁটা তাতে দুটি চুনী পান্না বসানো। বাড়িতে কোনও উৎসব থাকুক বা না থাকুক, প্রতিদিন জ্ঞানদানন্দিনী বিকেলে ভালো করে গা ধুয়ে উত্তম সাজসজ্জা করে থাকেন। অন্যদের, এমনকি ভৃত্যদেরও পোশাকের মালিন্য সহ্য করতে পারেন না তিনি। জ্ঞানদানন্দিনী রূপসী, তবে সে রূপ স্নিগ্ধ নয়, প্রখর, তাঁর ব্যক্তিত্বের আভা মণ্ডিত। দুটি জীবিত পুত্র-কন্যা ছাড়াও যে তাঁর আরও দুটি সন্তান জন্মেছিল, নিখুত শরীরের গড়নে তাঁর কোনও ছাপ নেই, তেত্রিশ বছর বয়সের এক পরিপূর্ণ যুবতী।

রবিকে দেখে তিনি কথা থামিয়ে কয়েক পলক বিস্ময়ের সঙ্গে তাকিয়ে রইলেন। তারপর সিঁড়ি দিয়ে নামতে নামতে বললেন, রবি? এতদিনে আমাদের মনে পড়ল? চন্দননগরে লুকিয়ে আছ বুঝি?

রবি হেসে বলল, মেজ বউঠান আমার খিদে পেয়েছে। কী খাওয়াবে বল!

জ্ঞানদানন্দিনী আরও কাছে এসে বললেন, এ কী রুখুসুখু চেহারা হয়েছে। জুতোয় কাদা মাখা মাখি, খুলে ফেল, খুলে ফেল !

রবি বলল, সারা দুপুর গান শেখাতে হয়েছে। খিদেয় পেট জ্বলছে।

সুরেন পেছনের বাগানে স্কুলের বন্ধুদের সঙ্গে টেনিস খেলছে, বিবি পিয়ানো বাজাচ্ছে পাশের ঘরে বসে। রবির গলায় আওয়াজ শুনে সে খুশিতে ঝলমল মুখে ছুটে এল, রবির কোমর জড়িয়ে ধরে বলল, রবিকা, তুমি এতদিন আসনি কেন?

এই বয়সেই যা সুন্দরী বিবি কারে সে ঠাকুরবাড়ির সেরা রূপসীদেরও ওপরে টেক্কা দেবে মনেহয়। বিবির সমবয়েসী আর একটি মেয়েও বেরিয়ে এল পিয়ানোর ঘর থেকে সে রবির দিদি স্বর্ণকুমারীর মেয়ে সরলা। সে কয়েকদিন এ বাড়িতে এসে রয়েছে। এই দুই বালিকাকে সোফায় পাশে বসিয়ে রবি চন্দনগরের গল্প শোনাতে লাগল। তাঁর জন্য রুপোর রেকারিতে এল কেক-পেস্ট্রি।

জ্ঞানদানন্দিনী বললেন, রবি তুমি ভালো দিনে এসেছ। আজ সুরির জন্মদিন অনেকে আসবে তুমি গান গাইবে।

বিবি আবদার করে বসল রবিকা তুমি রাত্তিরে এখানে থাকবে। তুমি আজ যাবে না। এই অ্যাত্ত বড় কেক কাটা হবে। ইংরেজ সমাজের দেখাদেখি জ্ঞানদান্দিনী ছেলেমেয়েদের জন্মদিন পালনের প্রথা চালু করেছেন। হিন্দুরা এই ব্যাপারটা জানেই না। ব্রাহ্মরাও এতদিন এই প্রথা গ্রহণ করেনি। তবে অনেকেরই এখন ভালো লাগছে। একজন বাচ্চার জন্মদিন উপলক্ষে অন্য অনেক বাচ্চা আনন্দে মেতে থাকে। এই একটাই উৎসব যাতে বাচ্চারা গুরুত্ব পায়।

জ্ঞানদানন্দিনী বললেন, তুমি এতদিন ধরে চন্ননগরে পড়ে আছ কেন রবি? তুমি আমাদের এখানে এসে থাকো। কত ঘর খালি রয়েছে। বিবি আর সুরি তোমাকে এত ভালোবাসে ওরা তোমার কথা এত বলে।

রবির একটা হাতচেপে ধরে বিবি বলল রবিকা আর যাবে া যাবে না যাবে না!

জ্ঞানদানন্দিনী বললেন নতুনও আসবে। সেও তো আজ রাত্তিরে এখানে থাকবে বলেছে। আমি নতুনকে বলেছি এবার চন্দননগর ছেড়ে কলকাতায় চলে এসো। বাগানবাড়িতে লোকে দু চার দিনের জন্য যায়। শহুরে মানুষ কি মঞ্চর ছেড়ে বেশিদিন বাইরে থাকতে পারে?

কিছুক্ষণ কথাবার্তার পর রবি লক্ষ করল জআনদানন্দিনী নতুন বউঠানের কুশল সংবাদ জিজ্ঞেস করা দুরে থাক একবারও তাঁর নাম পর্যন্ত উল্লেখ করলেন না। দুই জায়ে ভাব নেইরং একটা সুক্ষ্ম অপছন্দের ব্যাপার রয়েছে পরস্পরের মধ্যে। জ্যোতিদাদার সঙ্গে নতুন বউঠানের বিয়েটাই সমর্থন করেননি মেজদাদা। হাড়কাটার শ্রাম গাঙ্গলির মেয়ের সঙ্গে তাঁর এমন গুনবান ভাইয়ের বিয়ে দিতে সত্যেন্দ্রনাথের ঘোর আপত্তি ছিল। মেয়ের বাবা সম্পর্কে বিরাগের ভাব ছিল বলে মেয়ে সম্পর্কে আপত্তি। জ্ঞানদানন্দিনীর চেষ্টা করেছিলেন একটি বিলেত ফেরতা মেয়ের সঙ্গে তাঁর এই প্রিয় দেবরটির বিয়ে দিতে সেটা শেষ পর্যন্ত হল না। সত্যেন্দ্রনাথ বাবামশাইয়ের কাছেও তাঁর আপত্তির কথা জানিয়েছিলেন। দেবেন্দ্রনাথ বলেছিলেন, একে পিরালির বংশ তায় ব্রাহ্ম এই পরিবারে কোনও সম্ভ্রান্ত হিন্দুই মেয়ের বিয়ে দিতে চায় না। পাত্রী অতি দুর্লভ। সহজে পাত্রী পাওয়া যায় না বলে যে-কোনও হেঁজিপেজি মেয়ের সঙ্গে জ্যোতিন্দ্রনাথের মতন এক অসাধারণ পুরুষের বিয়ে দিতে হবে? আর কিছুদিন অপেক্ষা করা যেত না?

পিতৃপরিচয় যাই হোক, কাদম্বরী যে হেজিপেজি নন তা তিনি প্রমাণ করেছেন। মেজদাদা মেজবউঠান তা এখনও মানতে চান না কে? জ্ঞানদানন্দিনীরই মতন অতি সামান্য অবস্থা থেকে এসে কাদম্বরী নিজেকে অন্যভাবে তৈরি করে নিয়েছেন, এখন রূপে-গুণে তিনি অতত‍ুলনীয়। তবে জ্ঞানদানন্দিনীর সঙ্গে কাদম্বরীর গভীর প্রভেদও আছে। জ্ঞানদানন্দিনীর বাস্তব জ্ঞান অতি তীক্ষ্ণ সব দিকে তাঁর নজর যেমন ছেলেমেদের লেখাপড়ার জন্যে বিশেষ যত্ন নেন তেমনি টাকা পয়সার হিসেবে বুঝে দক্ষভাবে সংসার চালাতে পারেন। স্বামী প্রবাসে

তিনি আলাদা বাড়িতে এসে নিজের সংসার তো সুষ্ঠু ভাবে চালাচ্ছেন! সে-কোনও মানুষকে দিয়ে তাঁর আদেশ পালন করাবার ক্ষমতা আছে। কারুর অসুখ-বিসুখ হলে সেবা করতেও তাঁর জুড়ি নেই। আবার বই পড়তে ভালোবাসেন লিখতে পারেন গান বাজনা আমোদ আহ্লাদেও সমান উৎসাহ। তিনি স্বয়ংসম্পূর্ণ। অন্যদিকে কাদম্বরীও লেখাপড়া শিখেছেন তাঁর রুচি অতি সুক্ষ্ম গান ভালোবাসেন অভিনয় করতে অন্যদিকে কাদম্বরীও লেখাপড়া শিখেছেন তাঁর রুচি অতি সুক্ষ্ম গান ভালোবাসেন অভিনয় করতে জানেন কিন্তু বাস্তবের সঙ্গে যেন তাঁর কোনও সম্পর্ক নেই। বাইশ বছর বয়সেও তাঁর সন্তান হয়নি টাকা পয়সা নিয়ে কখনও মাথাই ঘামান না আপন খেয়ালে থাকেন। তাঁর উপস্থিতিতে রবি সব সময় যেন একটা রহস্যের ইঙ্গিত পায়। জোড়াসাকোয় যখন থাকেন তখনও কাদম্বরী তাদের তেতলার মহলেই অধিকাংশ সময় কাটান বাড়ির অন্যদের সঙ্গে মিশতে পারেন না সাবলীলভাবে । এ যে তাঁর অহংকার নয় তাঁর স্বভাবের ধরনটাই এ রকম তা রবি বোঝে।

আস্তে আস্তে আরও অনেকে আসছে। কয়েকজন প্রতিবেশী মেম এল তাদের বাচ্চাদের নিয়ে। হলঘরে একটা টেবিলের ওপর রাখা হয়েছে কেকটি সুরি করছে শেষ স্টিমার ছেড়ে যেতে পারে ছ'টার সময় ছ'টা বাজতে চলল। গতিক দেখে মনে হচ্ছে আর তাঁর ফেরা হবে না। ছেলেমেয়েরা ঝুলেঝুলি করছে থেকে যাবার জন্য।

বাচ্চাদের নিয়ে রবি একটা ইংরেজি গান ধরল। ব্রাটনে থাকবার সময় রবি গানটা শিখে গাইত। দু' একটা শব্দ বদলে দিলে সুরি আর বিবি হেসে কুটি কুটি হতো।

Won't you tell me, Molly darling
darling you are growing old
Good-bye sweetheart good bye......

মলি ডারলিং এর বদলে বিবি ডারলিং করে দিল রবি। আর অন্য ছেলেমেয়েরা বিবিকে ঘিরে হাততালি দিতে লাগল।

কেক কাটা যাচ্ছে না, কারণ জ্যোতিরিন্দ্রনাথ এখনও এসে পৌঁছননি। তিনি মধ্যমণি। বাচ্চারা অধৈর্য হয়ে যাচ্ছে, রবিও ঘন ঘন ঘড়ি দেখছে যদিও শেষ স্টিমার ছেড়ে গেছে অনেক্ষণ আগে। বাইরে একটা জুড়ি গাড়ি দাড়াতেই সবাই ছুটে গেল। হ্যা এবার এসেছেন জ্যোতিরিন্দ্রনাথ। বাচ্চা বাচ্চা ছেলেমেয়েরা মুগ্ধভাবে চেয়ে রইল এই কন্দর্পকান্তি পুরুষটির দিকে। জ্যোতিরিন্দ্রনাথের চুল উস্কো খুস্কো জামার বোতাম খোলা মুখে ক্লান্তির ছাপ। গাড়ি থেকে নামতে নামতে তিনি বললেন কী সবাই এসে গেছে?

হলঘরটির প্রবেশপথে দেবীমূর্তির মতন দাড়িয়ে আছেন জ্ঞানদানন্দিনী ওষ্ঠধরে চাপা হাসি। মৃদু র্ভৎসনার সুরে তিনি বললেন নতুন তুমি এত দেরি করলে?

কাছে এসে জ্যোতিরিন্দ্রনাথ বললেন মেজ বউঠান খুব দুঃখিত থিয়েটারে পার্ট দেখিয়ে দিচ্ছিলাম। লোকগুলো এমন আকাট মুখ দিয়ে শুদ্ধ বাংলায় উচ্চারণ বেরোয় না।

জ্ঞানদানন্দিনী দেবরের জামার বোতাম আটকে দিতে দিতে রঙ্গ করে বললেন ঠিক করে বল তো কোন অ্যাকট্রেস তোমাকে এতক্ষন আটকে রেখেছির?

এরপর কেক কাটা হইচই গান চলতে লাগল

এক সময় রবি জ্যোতিদাদাকে জিজ্ঞেস করল তুমি আজ চন্দননগরে ফিরবে না? নতুন বউঠানকে বলে এসেছ? উনি একা থাকবেন।

জ্ঞানদানন্দিনী বললেন গাদা গুচ্ছের চাকর দারোয়ান তো রয়েছে। একা একটা রাত্তির থাকলেই বা ভয়ের তো কিছু নেই।

রবি বলল জ্যোতিদাদা আমি কি তবে চলে যাব?

ছেলেমেয়েরা হইচই করে উঠল, তারা রবিকে কিছুতেই ছাড়বে না। জ্ঞানদানন্দিনীও বারবার বোঝাতে লাগলেন। তা ছাড়া রবি ফিরবে কী করে? নৌকোয় যাবে নাকি অতটা পথ কত রাত হয়ে যাবে কী দরকার।

রবি কারুর উপরোধে কর্ণপাত না করে জুতো পরতে লাগল। চন্দননগরের অতবড় বাড়িতে কাদম্বরী নিঃসঙ্গ থাকবেন সারারাত? তাঁর অভিমান কত তীব্র, তা কি রবি জানে না?

হাওড়া থেকে রাত সাড়ে আটটায় একটা ডাক গাড়ি ছাড়ে। এই দ্রুতগামী ট্রেনটি জল নেবার জন্য থামে চন্দননগরে। এখনই বেরিয়ে পড়লে রবি সে গাড়িটা ধরতে পারবে। রবিকে ফিরে যেতেই হবে, সে নতুন বউঠানকে কথা দিয়েছে।

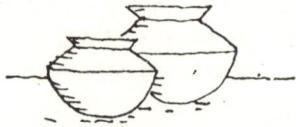

॥ ১৪ ॥

এখন ভরতের সবসময় খিদে পায়। পেটের মধ্যে একটা অনিবার্ণ উনুন জ্বলছে তাঁর দাহ্য চাই এমনকি মাঝরাত্রে ও ঘুম ভেঙে গিয়ে তাঁর মনটা খাই খাই করে। কিন্তু কে তাকে সর্বক্ষণ খাবার জোগাবে? ত্রিপুরার রাজবাড়িতে যদিও সে ছিল ফ্যালনা ছেলে কিন্তু ক্যাওটরাম নামে এক বৃদ্ধ পাচক তাকে নেকনজরে দেখত। রাজবাড়ির রন্ধনশালায় ভোর থেকে মধ্যরাত পর্যন্ত কিছু না কিছু রাধাবাড়া চলতই কয়েকগণ্ডা রানী ও এক কুড়ি রাজ কুমার রাজকুমারীদের মধ্যে কে কখন কী চেয়ে পাঠাবে তাঁর ঠিক ছিল না। ক্যাওটরাম প্রায়ই জোর করে তাকে এটাসেটা খেতে দিত। তখন কিন্তু এমন খিদেও ছিল না ভরতের।

ভবানীপুরের এই সিংহবাড়িতেও আত্মীয় আশ্রিত মিলিয়ে লোকসংখ্যা প্রায় পচিশজন একতলার রান্নাঘরে তিনটি বড় উনুন। ওপর মহলের কেউ এখানে আসেন না প্রধান রাধুনী নিত্যানন্দ প্রতিদিন সকালে বড় তরফ আর মেজ তরফের গিন্নিদের কাছ থেকে কী কী পদ রান্না হবে তাঁর নির্দেশ নিয়ে আসে। যৌথ পরিবার হলেও দু তরফের কত্তা-গিন্নিরা একসঙ্গে বসে আহার গ্রহণ করেন না এজমালি রান্নাঘর থেকে তাদের মহলে অন্ন ব্যঞ্জন যায় তারপর তা নিজেদের রুচি মতন ঘি-মাখন মণ্ডা-মেঠাই যোগ করে নেন। দাসদাসী ও আশ্রিতদের সারা বছর একই খাদ্য মোটা চালের ভাত আর ডাল তাঁর সঙ্গে একটা কিছু তরকারি কখনও সখনও তাঁর মধ্যে ছিঁটেফোটা মাছ বা কাটামুড়ো মেশানো থাকে। তবে তারা বৈচিত্র্যের অভাবটা পুরণ করে নেয় পরিমাণে প্রায় সকলেই আধ সের চালের ভাত খায় কারুর কারুর এক সেরও লাগে। চালের পরিমাণ বিষয়ে বাড়ির কত্তাদের কোনও বিধি নিষেধ নেই। দু'নি বস্তার কয়েক চাল আসে প্রতি মাসের গোড়ায়।

ভরত অবশ্য একবারে অনেকখানি গাণ্ডেপি খেয়ে জাবর কাটতে পারে না সারাদিন।

সকালবেলা উঠেই ভরত দৌড়ে গিয়ে রান্নাঘরের সামনের দাওয়ায় উবু হয়ে বসে থাকে। ঠিক যেন মনে হয় একটা ল্যাজ-গোটানো বিড়াল। ইজের পরা খালি-গা হাড়-পাজরা বার করা বুক মাথার চুল কদম ফুলের মতন। তাঁর পাগলামির ভাবটা অনেকটা কমে গেছে পুরনো কথা বেশ মনে পড়ে। ঊরুর ক্ষতটাও শুকিয়ে গেছে প্রায় ছোটাছুটি করতে অসুবিধে নেই। এখন তাঁর রোগ একটাই অনবরত খিদে শরীরের প্রতিটি রন্ধ্রে খিদে।

নিত্যানন্দের সঙ্গে ক্যাওটরামের কোনও তুলনাই হয় না। ক্যাওটরাম প্রায় বৃদ্ধ গায়ের রং পোড়া হাড়ির মতন একটা চোখ অস্বচ্ছ কিন্তু তাঁর মুখের রেখাগুলি নরম। ক্যাওটরাম আসামের লোক সেই জন্যই বোধ হয় ভরতের প্রতি তাঁর পক্ষপাতিত্ব ছিল। নিত্যানন্দ মাঝবয়েসী বেটে ও চ্যাপটা ধরনের শরীর মাথায় টাক রং বেশ ফর্সা তাঁর বাড়ি বালেশ্বর জেলায়। রান্নার কাজে না লেগে সে যাত্রার দলে যোগ দিলে আরও বেশি পয়সা উপার্জন করতে পারত বোধ হয়। সে যখন তখন মুখের অভিব্যক্ত বদল করতে পারে। বাবুদের কারুর সামনে সে একেবারে বিনয়ের অবতার হাত জোড় করে থাকে মুখে একটা তেলতেলের মাখো মাখো ভাব নিমীলিত চক্ষু। আবার বাবুরা চলে গেলেই সে মুহূর্তের মধ্যে ভঙ্গি বদলায় চোখ জ্বলে ওঠে তাঁর তিনজন সহকারীর প্রতি তর্জন গর্জন করে চড়-চাপড়ও মারে। যখন তখন কোনও সহকারীর কাঁধে তাঁর একটা গোদা পা তুলে দিয়ে শালো হারামজাদো বলে ডাকা তাঁর বিশেষ বিলাসিতা।

ভরতকে সে ধর্তব্যের মধ্যেই আনে না। এ বাড়িতে কার কী রকম খাতির তা সে তীক্ষ্ণ নজরে বুঝে নেয়। প্রথম প্রথম শশিভূষণ যখন কোথা থেকে একটা ক্যাংলা চেহারার পাগলকে এনে আদিখ্যেতা করতেন তখন মনে হয়েছিল এই ছেলেটা বাবুদের মহলেরই একজন হিসেবে গণ্য হবে। কিন্তু এখন ভরতকে কেউ পাত্তা দেয় না সে সারাদিনে কখন কী খায় তা নিয়ে কেউ খোঁজ খবরও করে না । শশিভূষণ অনেকটা সুস্থ হলেও পুরোপুরি স্বাভাবিক জীবনে ফিরে আসেননি দু'দিন অন্তর ফিট্‌ন গাড়ি করে ডাক্তার মহেন্দ্রলাল সরকারের কাছে যান বাকি সময় শুয়েই থাকেন দুচারজন পরিচিত ব্যক্তি তাঁর সঙ্গে দেখা করতে আসে। ভরতের কথা যেন তিনি ভুলেই গেছেন।

নিত্যানন্দের তিন সহকারির মধ্যে একেবারে ছোটটির বয়েস কুড়ি-একুশ তাঁর নাম হেলা। হয়তো অন্য কোনও নামও তাঁর আছে কিন্তু সেটা কখনও শোনা যায়নি হেলা বলেই সবাই তাকে ডাকে। ভরত এই হেলার কাছ থেকে সহানুভূতি আদায়ের চেষ্টা করে । তাঁর চোখের দিকে তাকিয়ে থাকে, সে যেদিকেই যায় তাকে অনুসরণ করে দৃষ্টি দিয়ে। হেলায় ওপর দিনের প্রথম দায়িত্ব সব উনুনের ছাই বার করে। ছাই উড়তে জিনিসটা নতুন সকলে এখনও অভ্যস্ত হয়নি এরা দুদুরি কাঠের জ্বালে রান্না করে। ছাই উড়তে থাকে ভরতের চোখে মুখে লাগে তবু সে সরে যায় না খিদের জ্বালায় সে দাতে দাত চেপে থাকে। মনটাকে ফেরাবার জন্য সে তাঁর অধীত বিদ্যা স্মরণ করে টুইংকল টুইংকল লিট্‌ল স্টার.......এ স্লাই ফক্স মেট এ হেন.....অস্তি গোদবরি তীরে বিশাল শাল্মলি তরু....পৃথিবীর কর্মক্ষেত্রে যুঝিব যুঝিব দিন রাত/ কালের প্রস্তর পটে লিখিব অক্ষয় নিজ নাম/ অলস নিদ্রায় পড়ি করিব না এ শরীর পাত/ মানুষ জন্মেছি যবে......

নিত্যানন্দ আর তাঁর সহকারীরা কল্পনাই করতে পারবে না ভিখারিরও অধম হয়ে যে লোভী কিশোরটি বসে আছে, সে এত শক্ত শক্ত লেখাপড়ার কথা জানে।

একসময় নিত্যানন্দ ওপরে গেলে হেলা অন্যদের বলে, এ বিলোইটারে এবার বিদায় করি! চক্ষু দিয়ে আমাকে যে গিলে খাচ্ছে গো!

একটা ফুটো সানকিতে কয়েকখানা বাসি রুটি আর কুমড়োর ছক্কা দেওয়া হল তাকে। গত রাতে বাবুদের অবশিষ্ট সেই খাদ্যই হাভাতের মতন অতি দ্রুত খেতে শুরু করল এই রাজার কুমার। তারপর উঠোনের কুয়োতলায় গিয়ে নিজেই কলসিতে জল তুলে পেট ভরিয়ে নিল অনেকখানি। জলে টইটুম্বুর পেটে রুটিগুলো ফুলতে থাকে।

এ বাড়ির যে কোনও জায়গাতেই গতিবিধির ব্যাপারে ভরতের ওপরে কোনও নিষেধ নেই। কত্তাদের কেউ তাকে কখনও ডেকে একটা ভালো কথাও বলে না খারাপ কথাও বলে না। ভেতর মহেলের দিকে পারতপক্ষে যায় না ভরত। ত্রিপুরার রাজবাড়ির অন্দরহমলে

মহারানী ভানুমতীর এত্তেলায় সে একবারই মাত্র প্রবেশ করেছিল। নারীজাতি সম্পর্কে তাঁর মনে একটা ভীতি বদ্ধমুল হয়ে গেছে। কোনও রমণীর চোখের দিকে সে সরাসরি তাকাতে পারে না যখন তখন মনোমোহিনীর কৌতুক মাথা চক্ষু দুটির কথা মনে পড়লেই তাঁর ত্রাস হয় তাঁর বুক কাপে। নিজের বুকে হাত বুলোতে বুলোতে তাঁর এখনও মাঝে মাঝে সন্দেহ হয় সে কি সত্যিই বেচে আছে! জঙ্গলের মধ্যে মাটি খুড়ে তাকে বুক পর্যন্ত পুতে রাখা হয়েছিল দিনের পর দিন সে কিছু খায়নি সে কোনও মানুষজন দেখেনি তবু কে তাকে রক্ষা করল? শুধু দু'তিনটি আদিবাসী শিশু তারা কি স্বর্গ থেকে নেমে এসেছিল না নরকের প্রাণী? তারা তাকে ইট মারছিল ভরতের বাধা দেবার কোনও উপায় ছিল না সে জ্ঞান হারিয়ে ফেলে তারপর আর তাঁর কিছুই মনে নেই। সেই অবস্থা থেকে কে শেষ পর্যন্ত উদ্ধার করেছিল তাকে তাঁর নিজের তো সামর্থ্য ছিল না কার দায় পড়েছিল? তবে কি ভগবানই বাচিয়েছেন তাকে! ছোটবেলা থেকে সে শুনে এসেছে যার কেউ নেই তাঁর ভগবান আছে। ভগবান ভগবান খুব খিদে পেলে সে ভগবানকে ডাকে।

দিনের বেশির ভাগ সময়েই সে বাগানে ঘুরে বেড়ায়। সকালবেলা কয়েকখানা রুটি খাবার কিছুক্ষণ পরেই আবার তাঁর পেট জ্বলতে থাকে। কিন্তু দুপুরে ভাত খাওয়ার আগে তো তাকে আর কেউ কিছু খেতে দেবে না। কিন্তু খিদের চোটে ভরত অবশ হয়ে যায় চোখ ঝাপসা হয়ে আসে। বাগানের ঘাসের ওপর লুটিয়ে পড়ে। এ বাগানে ফলবান বৃক্ষ বেশি নেই, আছে কয়েকটা বেল গাছ, কলা গাছ, নারকেল গাছ। উঁচু উঁচু নারকেল গাছগুলিতে নারকেলের কাঁদি আছে বেশ কয়েকটা কিন্তু ভরত সে গাছে চড়তে পারে না, লোলুপ দৃষ্টিতে তাকিয়ে থাকে সে দিকে। একটা পেয়ারা গাছে কষি কষি পেয়ারা ছিল বটে, একদিন খিদের চোটে ভরত সেই পেয়ারাই খেয়ে ফেলে অনেকগুলো তারপর তাঁর পেট ছেড়ে দেয় প্রায় মুমূর্ষ অবস্থা হয়েছিল। তাঁর পরেও ভরত সেই পেয়ারা খেয়েছিল এখন আর সে গাছে একটাও নেই।

সকালের দিকে ফুলের বাগানে ভরত মাঝে মাঝে একটি কিশোরী মেয়েকে ফুল তুলতে দেখতে পায়। সঙ্গে সঙ্গে ভরত লুকিয়ে পড়ে আড়ালে, এ পর্যন্ত সে ওই মেয়েটির সঙ্গে একটি কথাও বলেনি।

বাড়ির দেউড়ির একপাশে দারোয়ানের ঘর। তাঁর নাম নটবর। প্রায় সারাদিনই নটবর শুয়ে থাকে একটা খাটিয়ার তাঁর আসল কাজ সন্ধ্যের পর তখন সে একটা বন্দুক কাধে নিয়ে পায়চারি করে আর মাঝে মাঝে চেচিয়ে ওঠে জয় সীয়ারাম! গভীর রাতে সে কিছুক্ষণ অন্তর অন্তর ওই হুংকার দিয়ে তাঁর জেগে থাকার কথা মালিকদের জানান দেয়। নটবরের রান্নাবান্নার কোনও বালাই নেই, সে দু'বেলাই ছাতু আর লঙ্কা খায় আর সে ভালোবাসে কলা। ভরত ওই নটবরের খাওয়ার সময় বেশ কয়েকবার কাছাকাছি ঘুর ঘুর করেছে কিন্তু দারোয়ানজি একটু প্রাসাদও দেয় না। তাঁর চক্ষুলজ্জাও নেই খাওয়ার সময় নজর লাগার ভয়ও নেই।

মাঝে মাঝেই দেউড়ি খোলা থাকলে শিয়াল ঢুকে পড়ে বাগানে। ভবানীপুরে বড় শিয়ালের উৎপাত। সন্ধে হতে না হতেই তাদের হুক্কা হুয়া শুরু হয়ে যায় এক শিয়াল এদিকে ডাকলে সঙ্গে সঙ্গে অন্য দিক থেকে জবাব দেয় আর এক শিয়াল। এমনকি দিনের বেলাতেও তারা দৌরাত্ম্য করে অদ্ভূত সাহস ও বুদ্ধি এই প্রাণিটির কিছুদিন আগে এ বাড়ির পেছন দিক ঘুরে কী করে রান্নাঘর পর্যন্ত শিয়ালটা পৌঁছল, সেটাই এক আশ্চর্যের ব্যাপার। বড় কত্তার কাছে নটবর সাজ্ঝাতিক বকুনি খেয়েছিল তাঁর চাকরি যাবার উপক্রম হয়েছিল কিন্তু পরদিন রাতেই বন্দুকের গুলিতে একটা শিয়াল মেরে সে তাঁর বীরত্বের প্রমাণ দিয়েছে।

খুব ভোরের দিকে এ বাড়ির বাগানে ভরত দু একবার শিয়াল দেখেছে। বাগানের পাঁচিলে নিশ্চয়ই কোথাও ফাঁকফোকর আছে। ভরত অবশ্য শিয়ালকে ভয় পায় না ত্রিপুরায় অনেক দেখা আছে তার। বরং কুকুর সম্পর্কে তাঁর ভীতি আছে।

ইদানীং কারা যেন রাস্তায় কিছু নেড়ি কুত্তা ছেড়ে দিয়েছে। কলকাতার রাস্তায় আগে কুকুর দেখা যেত না শিয়াল তাড়াবার জন্য কারা এই ব্যবস্থা নিয়েছে কে জানে! কুকুর আর শিয়াল যেন জন্ম শত্রু, কাছাকাছি এলেই প্রবল ঝগড়া মারামারি শুরু হয়। শেষপর্যন্ত শিয়ালরা লেজ গুটিয়ে পালায়। কুকুরের পাল যখন আসে এ পল্লীতে তখন কয়েকদিন শিয়ালের উপদ্রব বন্ধ থাকে।

ভরত এক একসময় দেউড়ি পেরিয়ে রাস্তায় পা দেয়। এ দিকটা এমনিতেই ফাঁকা কাছাকাছি বাড়িঘর নেই, মাঝে মাঝে এঁদো পেরিয়ে পুকুর ও জংলা জায়গা পড়ে আছে। কিছুটা দূরে শাঁখারিপাড়ায় একটি বসতি গড়ে উঠেছে। দুপুরের দিকে এখানকার রাস্তায় মানুষজন প্রায় দেখাই যায় না। কাচা রাস্তা যেখানে সেখানে পগার নোংরা পচা আবর্জনার গন্ধে গা গুলিয়ে ওঠে হাজার হাজার মাছি ভনভন করে। কোনও কোনও পগারের ওপর নড়বড়ে সাকো সেখানে দিয়ে পালকি বেহারারা যখন পালকি নিয়ে যায় মনে হয় এই বুঝি সবসুদ্ধ ভেঙে পড়ল। ভরত ভিতু ভিতু মুখে দেউড়ি ছেড়ে কয়েক পা এগোয় এদিক ওদিক তাকায় তারপরই আবার দৌড়ে ফিরে আসে। আবার যায় দু এক পা বেশি। ঠিক যেমন ইঁদুর গর্ত ছেড়ে খানিকটা বাইরে আসে, বাতাসে গন্ধ শোঁকে, হঠাৎই অজানা আশঙ্কায় আবার এক ছুটে গর্তে ফিরে যায় ভরতের ভাব-ভঙ্গি অবিকল সেইরকম। নগর কলকাতা সম্পর্কে সে কত গল্প শুনেছে, এখনও পর্যন্ত কিছুই দেখেনি, সে আবিষ্কার করতে চায়, কিন্তু তাঁর সাহসে কুলোয় না।

গুটি গুটি পা-পা করতে করতে ভরত দিন সাতেক বাদে বেশ খানিকটা দূরে চলে আসে। এখানে গোয়ালাদের একটা পল্লী, তাঁর পাশ দিয়ে কালীঘাটের মন্দিরে যাবার একটা রাস্তা। এই পথে লোক চলাচল অবিরাম। তীর্থযাত্রীরা দিনের আলো থাকতে থাকতে মন্দিরে পূজো-আচ্চা সেরে বাড়ি ফিরে যেতে চায়, সন্ধে হয়ে গেলে গড়ের মাঠ পেরিয়ে যেতে মানুষের বুক কাঁপে। মাতাল গোরাদের সামনে পড়ে গেলে আর রক্ষে নেই। তারা টাকা পয়সা কেড়ে নেয়। নারীদের ইজ্জত নষ্ট করে। গোরাদের নামে কোতোয়ালিতে নালিশও চলে না।

গোয়ালাপল্লীতে গরু মোষের অনেকগুলি খাটাল, সকাল-বিকেল দুধ দোওয়া হয়, ভরত দাঁড়িয়ে দাঁড়িয়ে দেখে। কতদিন সে দুধ খায়নি! এই গোয়ালারা সবাই মুসলমান, পুরুষদের লম্বা চওড়া চেহারা, গিট দিয়ে লুঙ্গি পরে, নগ্ন চওড়া বুক যেন লোহা দিয়ে গড়া, মুখে দাড়ি আর গালপাট্টা গোঁফ, চোখে লালচে ভাব। ভরত ত্রিপুরায় অনেক মুসলমান দেখেছে, কয়েকজনের সঙ্গে তাঁর ভাবও আছে, তারা বাংলায় কথা বলে, কিন্তু ভরত এদের ভাষা এক বর্ণ বুঝতে পারে না। মাঝে মাঝে জুড়ি গাড়ি করে সম্ভ্রান্ত মুসলমান ভদ্রলোকরাও এখানে আসেন, দুধে-আলতা মেশানো গায়ের রং, নবাব-বাদশাদের মতন পোশাক, তাঁরাও বাংলা বলেন না কেউ।

একদিন এক মুসলমানকে দেখে ভরতের প্রাণ উড়ে গিয়েছিল। তখন বিকেল প্রায় ফুরিয়ে এসেছে, ভরত পাড়া বেড়িয়ে ফিরছে। দেউড়ির কাছে দাড়িয়ে আছে একজন লম্বা লোক, আলখাল্লা পরা অনেক ছেঁড়া ছেঁড়া কাপড় সেলাই করা যেন সেই আলখাল্লা, মাথায় লম্বা ধরনের কালো টুপি। তাঁর এক হাতে একটা ঝোলা, অন্য হাতে একটা পেতলের ডিবেতে আগুন জ্বলছে। সারা মুখ দাড়ি-গোঁফে ঢাকা, শুধু জ্বলজ্বল করছে চোখ দুটি। ভরতের বুক টিপ টিপ করতে লাগল। ওই অদ্ভূত পোশাক-পরা লোকটিকে এড়িয়ে সে ভেতরে ঢুকবে কী

করে, কাছে গেলেই যদি খপ করে ধরে! কিন্তু যেতে তো হবেই । লোকটি পেছন ফিরে আছে, খুব সন্তর্পণে এগোতে লাগল ভরত, হঠাৎ লোকটি পাশ ফিরে তাকে দেখল, হাসল, কালো গোঁফ-দাড়ির ফাঁক দিয়ে বেরিয়ে পড়ল ধপধপে সাদা দাঁত। ভরত কাঁদো কাঁদো মুখে বলল, আমি এই বাড়িতে থাকি........

লোকটি পরিষ্কার বাংলায় বলল, ও বাছা, ভয় পাও কেন? ভয় নাই গো, ভয় নাই। আমি মুশকিল আসান। সত্যপীরের কথা শোনো, সব মুশকিল দূর হয়ে যাবে।

তারপর সে দোলানির সুরে একটা ছড়া বলে যেতে লাগল। তাঁর অনেকটাই বুঝতে পারল না ভরত, কিন্তু সুরের একটা মাদকতা আছে, সে মন্ত্রমুগ্ধের মতন তাকিয়ে রইল লোকটির দিকে। ছড়া শেষ করার পর লোকটি আগুনের শিখার ওপর একটুক্ষণ নিজের হাত রেখে সেই তপ্ত হাত বুলিয়ে দিল ভরতের মুখে। এই রকম তিনবার করার পর সে একটা কাজলের ফোঁটা দিল তাঁর কপালে, বলল, আর ভয় নাই, সব বিপদ দূর হয়ে যাবে। বাড়ির ভিতর থেকে আমার জন্য একটি পয়সা এনে দাও তো বাপ আমার!

লোকটির চেহারা দেখে আতঙ্ক জন্মালেও তাঁর হাতের স্পর্শ বেশ স্নিগ্ধ, শরীরটা যেন জুড়িয়ে গেল ভরতের । আর তাঁর ভয় করছে না। কিন্তু পয়সা সে কোথায় পাবে, কার কাছে চাইবে?

সমস্যাটা খুব সহজেই মিটে গেল, প্রায় সেই মুহূর্তেই বাড়ির সামনে এসে থামল একটা ল্যান্ডো গাড়ি, তাঁর থেকে নামলেন মেজ কর্তা। পাক্কা সাহেবি পোশাক-পরা মণিভূষণ লোকটির কাছে নিজের মাথা এগিয়ে দিয়ে বললেন, দাও হে মুশকিলআসান, আমায় তোমার আশীবার্দ দাও! অনেকদিন আসনি!

লোকটি মণিভূষণের মুখে মাথায় তিনবার হাত বুলিয়ে দিলে তিনি তাকে একটি দু' আনি দিলেন, সে সন্তুষ্ট মনে আরও স্বস্তিবচন উচ্চারণ করে চলে গেল।

পয়সার কথাটা শোনার পর থেকে ভরতের মনে নতুন করে একটা দুঃখ চাড়া দিল। তাঁর কোনও পয়সা নেই কিন্তু পয়সা খরচ করার অভ্যেস তাঁর ছিল। ত্রিপুরায় রাধারমণ ঘোষ তাকে মাসে দশ টাকা করে জলপানি দিতেন। সাত টাকা কয়েকটা পয়সা তাঁর বিছানার বালিশের নীচে রয়ে গিয়েছিল, কে নিল কে জানে! এখানে কেউ তাকে পয়সা দেয় না। পয়সা থাকলে সে খিদের সময় কিছু কিনে খেতে পারত। গোয়ালাদের পল্লীর কাছে সে একটা মুদিখানা দেখেছে, সেখানে দু'পয়সায় এক ধামা মুড়ি পাওয়া যায়। আর কী সুন্দর সাদা সাদা বাতাসা বিক্রি করে।

শশিভূষণ অনেকদিন ভরতের সঙ্গে একটা কথাও বলেননি, যেদিন তিনি ডাকলেন, সেদিন ভরত সাড়া দিতে পারল না।

সকালবেলা বেরিয়ে গোয়ালাপল্লী ছাড়িয়ে আরও খানিকটা এগিয়ে গিয়েছিল ভরত কালীঘাট মন্দিরের দিকে। এত লোক যেখানে যায়, সেই মন্দিরটা দেখার খুব ইচ্ছে তার। কিন্তু রাস্তার হারিয়ে ফেলার ভয়ে বেশি দূর যেতে পারে না। সেদিন সে একটা জিনিস আবিষ্কার করেছে, কলকাতার রাস্তায় পয়সা ছড়ানো থাকে। এদিকে কোথাও একটা শ্মশান আছে, প্রায়ই 'বল হরি হরি বোল' হাঁক তুলে এক একদল লোক মড়া নিয়ে যায় সেদিকে। সাধারণ বাড়ির মড়া আর অবস্থাপন্ন বাড়ির মড়ার তফাত বোঝা যায় শ্মশানযাত্রীদের আচরণ দেখে। সাধারণ মানুষ যায় দড়ির চারপাইয়ে শুয়ে, বাহকেরা ছোটে হনহনিয়ে, যত তাড়াতাড়ি সম্ভব পুড়িয়ে ফেলার জন্য ব্যস্ত। আর বেশ পালিশ করা কাঠের খাট, পুরু বিছানা, ফুলের স্তূপ দিয়ে সাজানো মড়া দেখলে বোঝা যায় হোমরাচোমরা কেউ, শব-বাহকরা হাঁটে ধীর গতিতে, সামনে দু-একজন খোল-কত্তাল বাজিয়ে কীর্তন গায়। সবচেয়ে বড় কথা, সেই মড়ার সামনে সামনে বাড়ির কেউ খই আর তামার পয়সা ছড়াতে ছড়াতে যায়। ভরত নিজে ঠং ঠং

করে পয়সা পড়তে দেখেছে। অবশ্য সেরকম জাঁকজমকের শবযাত্রা দেখলেই যেন মাটি ফুঁড়ে উঠে আসে গোটা কয়েক ধুলোমাখা, নেংটি পরা, কাঙালি ছেলে, তারা ছুটে ছুটে সেই পয়সা কুড়িয়ে নেয়। তা দেখে কী কষ্ট হয় ভরতের! খিদেয় তাঁর পেট মোচড়ায়, একটা দুটো পয়সা পেলে সে পেট ভরে মুড়ি-বাতাসা কিনে খেতে পারত। প্রবল ইচ্ছে হয় ভরতের, কাঙালিগুলো তারই বয়েসী, সেও চেষ্টা করলে ওদের সঙ্গে ঠেলাঠেলি করে কুড়োতে পারে পয়সা, তবু সে যেতে পারে না, বিমর্ষ মুখে দাঁড়িয়ে দাঁড়িয়ে দেখে। রাজবাড়িতে সে মানুষ, রাজকুমারের সম্মান সে কখনও পায়নি বটে, তবু তো রাজরক্ত আছে তাঁর শরীরে। সে মুখ ফুটে কারুর কাছে কিছু চাইতে পারে না। নটবর দারোয়ান তাকে দেখিয়ে দেখিয়ে একসঙ্গে চার-পাঁচটা কলা খায়, ভরতের কত ইচ্ছে করে একটা কলা খেতে, কিন্তু কোনওদিন চাইবে না সে। রান্নাঘরের দাওয়ায় সে বসে থাকে, বসেই থাকে, কিছু চায় না তো কখনও। সে কী করে কাঙালিদের সঙ্গে মিশে পয়সা কুড়োবে? তবু কাঙালিদের তাঁর হিংসে হয়, চোখের সামনে মাটিতে পয়সা পড়তে দেখছে, তবু সে নিতে পারছে না, এই জন্য আরও মন-মরা হয়ে সে বাড়ি ফিরে আসে।

দেউড়ি দিয়ে ঢুকে দেখল, বাগানে বেশ কিছু মানুষের ভিড়। ওখানে আবার কী ব্যাপার? ভরত এগিয়ে গিয়ে দেখতে পেল, ফুলবাগানের ধারে শশিভূষণ তেপায়া স্ট্যান্ডের ওপর ক্যামেরা বসিয়েছেন, পাশে তাঁর তিন চারজন বন্ধু, বাড়ির কিছু লোকও উকিঝুকি মারছে কাছ থেকে, নটবর দারোয়ান বেশ সেজেগুজে, মাথায় পাগড়ি পরে, কাঁধে বন্দুক নিয়ে ওদিক ওদিক তাকাচ্ছে, যেন তারও ছবি উঠে যাবে। কালো কাপড়ে ক্যামেরা ও নিজের মাথা ঢাকা দিয়ে শশিভূষণ বলতে লাগলেন, একটু ডাইনে সরো, অতটা নয়, থুতনি উঁচু করো, চোখ খোল, চোখ খোল, ভালো করে চোখ তুলে চাও.....। কাকে শশিভূষণ এই সব বলছেন তা প্রথমে বুঝতে পারেনি ভরত, আরও কাছে এসে দেখল, এই বাগানে প্রায়ই সকালে পুজোর ফুল তুলতে আসে যে মেয়েটা, সে একটা হলুদ শাড়ি পরে দাঁড়িয়ে আছে ফুলের ঝাড়ের পাশে, ঠিক পুতুলের মতন স্থির, একটা হাত উঁচু করা।

ছবি তোলা সহজ কর্ম নয়, সেই ভঙ্গিটি পছন্দ হল না শশিভূষণের, মেয়েটিকে জায়গা বদলাতে হল, ক্যামেরাও সব সরঞ্জাম সমেত সরে এল, আবার নানারকম নির্দেশ। তবু শাটার টিপলেন না শশিভূষণ, কালো কাপড় সরিয়ে আকাশের দিকে তাকিয়ে বললেন যাঃ, মেঘ এসে গেল, এই আলোতে হবে না।

একজন বন্ধু বলল, পাতলা মেঘ। এখুনি সরে গিয়ে রোদ উঠবে।

শশিভূষণ বললেন, তা হলে একটু অপেক্ষা করা যাক।

ভূমিসূতাকে বললেন, ওইখানে দাঁড়িয়ে থাকো। নড়বে না।

বন্ধুটি বলল, এ মেয়েটি দেবদাসী ছিল, নাচতে জানে নিশ্চয়ই। নাচের পোজে ছবি তুললে কিন্তু প্রাইজ পাবার মতন ফটোগ্রাফি হতো!

শশিভূষণ বললেন,ও দেবদাসী ছিল না। ওকে দেবদাসী করার জন্য জোর করে ধরে নিয়ে যাওয়া হচ্ছিল।

শশিভূষণকে অবাক করে দিয়ে ভূমিসূতা বলল, আমি নাচতে জানি। দেখাব?

শশিভূষণ তৎক্ষণাৎ ধমক দিয়ে বললেন, না, না, না! একটুও নড়বে না। অ্যাংগ্‌ল নষ্ট হয়ে যাবে।

বন্ধুটির দিকে ফিরে বললেন, ছিঃ! কী যে অদ্ভূত কথা বল তুমি!

এইবার তিনি ভরতকে দেখতে পেলেন ভিড়ের এক ফাঁকে। কয়েক মুহূর্ত তাকিয়ে রইলেন তাঁর মুখের দিকে। যেন ভরতের কথা তিনি ভুলেই গিয়েছিলেন। তিনি বললেন, ভরত, তুই ভালো হয়ে গেছিস? এদিকে আয় তো, কাছে আয়।

সঙ্গে সঙ্গে দারুণ অভিমানে ভরে গেল ভরতের বুক। এ বাড়িতে এই একটি মাত্র মানুষ ছাড়া আর কারুকেই সে চেনে না। কেউ কথা বলে না তাঁর সঙ্গে । এমনও দিন যায়, সারা দিনে ভরতের একবারও মুখ খোলার কারণ ঘটে না। সারা দুনিয়াতেই শশিভূষণ মাস্টার ছাড়া তাঁর আপনজন আর কেউ নেই। তিনিও ভরতকে তাচ্ছিল্য করেছেন, ভরতের অসুখ সেরে গেছে কি না সে খবরও রাখেন না। ভরতের যে এত খিদে পায়, তাও জানেন না তিনি।

অভিমাণের বাষ্পে গলা রুদ্ধ হয়ে গেছে ভরতের, সে কোনও উত্তর দিল না। বন্য প্রাণীর মতন মাথা নিচু করে ভিড়ের মধ্যে ঢুঁসো মেরে ছুটে বেরিয়ে গেল, আর দেখা গেল না তাকে। বাড়ি থেকে বেরিয়ে গিয়ে রাস্তার ধারে একটা ত্রঁদো পুকুরের পাড়ে বসেই কাঁদতে লাগল মাথা ঝাঁকিয়ে ঝাঁকিয়ে, সমস্ত বিশ্ব এখন তাঁর কাছে অর্থহীন। সেই কান্নার মধ্যেই সে বলতে লাগল, মা, মা আমি মরে গেলাম না কেন? মা, মা আমাকে নিয়ে যাও...... ।

এক সময় কাঁদতে কাঁদতে সেখানেই ঘুমিয়ে পড়ল সে। ঘাসের ওপর লম্বমান এক কিশোর শরীর, এখানে কোনও মানুষজন নেই, শুধু গাছপালাগুলি ব্যগ্র হয়ে তাকে দেখছে। ঘুমের মধ্যেও ভরতের ঠোঁট আঁকা অভিমান।

এক একদিন সকালে বাসি রুটি কুমড়োর ছক্কাও থাকে না, সেই সব সকালে ভরত একেবারে ধুঁকতে থাকে। যেন খিদের চোটে সে মরেই যাবে। জঙ্গলের মধ্যে যখন সে মাটির মধ্যে পোঁতা ছিল দিনের পর দিন, তখনও সে এত খিদের কষ্ট পায়নি। হেলা'র জ্বর হয়েছে ক'দিন ধরে। ভরতকে সামান্য দয়া করারও কেউ নেই। এক সকালে অন্য একজন রাঁধুনি ভরতকে অনেকক্ষণ বসে থাকতে দেখে এক মুঠো মুড়ি এনে বলল, এই ছোঁড়া, আজ রুটি নেই, এই দুগ্‌গো মুড়ি খা, এখন যা এখান থেকে!

ওই সামান্য মুড়িতে খিদে আরও বাড়ে। জ্বলন্ত উদর দু'ঘটি জল খেয়েও নেবে না। ভরতের নিজেরই হাত পা কামড়ে খেতে ইচ্ছে করে। বাগানে গিয়ে সে ঘুরে ঘুরে বেড়ায় আর শরীরের জ্বালা ভোলার জন্য মুখস্থ কবিতার লাইন উচ্চারণ করার চেষ্টা করে। কিন্তু মনে পড়ে না। মন এখন পেটের মধ্যে। কবিতার বদলে ভরত বিড় বিড় করে, হে ভগবান, হে ভগবান, আমায় কিছু খেতে দাও, আমায় দুটি খাবার জুগিয়ে দাও.....

একটা তেঁতুল গাছের ডাল ভেঙে নিয়ে সে পাতা চিবোতে শুরু করল। গরু-ছাগলে ঘাস পাতা খেয়ে বেঁচে থাকে, মানুষ পারে না? তেঁতুল পাতাতে একটু টক টক স্বাদ, মন্দ লাগে না। বেশি খেলে পেট ব্যথা হবে না তো? হয় হোক, তবু ভরত খেয়ে যায়।

এক সময় সে হঠাৎ একটা আর্তনাদ শুনল। একটি মেয়েলি কণ্ঠ বলে উঠল, উ মাগো, বাবাগো! বেশ খানিকটা দূরে। ভরত কারুকে দেখতে পেল না। আবার ওই রকম শুনে সে খানিকটা এগিয়ে গেল। ভূমিসূতা নামে সেই মেয়েটি এক জায়গায় পাঁচিল ঘেষে কাঠ হয়ে দাড়িয়ে আছে, মুখ-চোখ আতঙ্কে বিবর্ণ। ভরত ঠোঁট উল্টে ভাবল, নেকি! সেদিন ছবি তোলার জন্য আদেখলেপনা করছিল। বলছিল , নেচে দেখাব! আজও নাচুক না!

ভূমিসূতা চিৎকার করেই চলেছে। সে রোজ যেখানে ফুল তোলে তাঁর থেকে আজ চলে এসেছে অনেকটা দূরে। বাগানের পাঁচিল এখানে শেষ হয়েছে কোনাকুনি ভাবে। মেয়েটির সামনেই কিছু একটা রয়েছে, তাই সে পালাতে পারছে না। ভরত ভাবল, সাপ! এ বাগানে সে একদিন একটা সাপ দেখেছে বটে। সাপ হলেই বা ভরত কী করবে? খিদের চোটে তাঁর মাথা ঝিমঝিম করছে, এখন কি সে সাপ মারতে যাবে নাকি?

ভরতকে এবার দেখতে পেয়েছে ভূমিসূতা। সে আকুল হয়ে তাকে ডাকছে। ডাকুক। ও মেয়েটা তাঁর কে? ও কি একদিনও নিজের থেকে কথা বলেছে তাঁর সঙ্গে? মেয়েটা ভেতর মহলে থাকে, ভালো ভালো খাবার খায়।

ঝোপের মধ্যে একটা আওয়াজ হল। কোনও বড় সড় প্রাণী! বাঘ নাকি? মেয়েটা অত ভয় পেয়েছে, বাঘের চোখে চোখ পড়লে নাকি চলৎশক্তি চলে যায়। ত্রিপুরায় কমলদিঘির ধারে দু' একবার বাঘ এসেছিল। হঠাৎ কেমন যেন ভাবান্তর হল ভরতের তাঁর ভয় ডর চলে গেল। যদি বাঘ হয়, তবে তাকেই খাক, তাঁর জীবনের তো কোনও মূল্য নেই। রোজ রোজ খিদের জ্বালা আর সহ্য হয় না। মাটি থেকে একটা ভাঙা আধলা ইট তুলে নিয়ে সে সটান হেটে গেলে মেয়েটির দিকে। ভূমিসূতা ভরতের দিকে চেয়ে থরথর করে কাঁপছে। অসীম সাহসীর মত ভরত ঝোপটার একেবারে কাছে গিয়ে উঁকি মারল।

বাঘ নয়, লতা-পাতার আড়ালে রয়েছে একটা শিয়াল। শিয়াল দিনের বেলা ডাকে না। কোনও মতলবে শিয়ালটা এখানে লুকিয়েছিল, মানুষ দেখে সে নিজেই ভয় পেয়েছে, সামনে দিয়ে পালাতে পারছে না।

আশ শ্যাওড়ার ঝোপটা খানিকটা টেনে ফাঁক করে ভরত বলল, যাঃ যাঃ!

শিয়ালটা এবার হুড়মুড়িয়ে বেরিয়ে এসে ল্যাজ গুটিয়ে চোঁ চোঁ দৌড় লাগাল। ইটটা ফেলে দিয়ে হাতের ধূলো ঝেড়ে আবার উল্টো দিকে হাটতে লাগল ভরত। ভূমিসূতার সঙ্গে সে একটিও কথা বলল না, তাঁর দিকে একবার ফিরেও তাকাল না।

॥ ১৫ ॥

মহারাজ বীরচন্দ্র মাণিক্য তাঁর পাটরানীর মৃত্যুশোকে তীর্থ করতে গেলেন বৃন্দাবনে। রাজাদের শোকের বহর বোঝা যায় শ্রাদ্ধের আড়ম্বর দেখে। মহারানী ভানুমতী সৌভাগ্যবতী, তাঁর শ্রাদ্ধের অনুষ্ঠান হল দু'জায়গায়, রাজধানী আগরতলায় এবং বৃন্দাবনের পূণ্যস্থানে। রাজকোষ থেকে খরচ হল এক লক্ষ টাকা। আর কোনও রানীর পারলৌকিক কাজের জন্য এই বিপুল অর্থ ব্যয় কল্পনাই করা যায় না। ত্রিপুরার অনুষ্ঠানে বীরচন্দ্র সারাদিন অভুক্ত থেকে যজ্ঞ করেছেন, তাঁর চক্ষুদুটি অশ্রুসজল। ব্রাহ্মণদের বস্ত্র, স্বর্ণখণ্ড ও একশো গোবৎস দান করেছেন, সবাই ধন্য ধন্য করেছে রাজার নামে। বৃন্দাবনে এসে মহারাজ দেড় হাজার ব্রাহ্মণকে ভোজ দিয়েছেন, এতবড় শ্রাদ্ধবাসর এখানকার মানুষ বহুদিন দেখেনি। অনেকে বলাবলি করতে লাগল, অতদূর থেকে এসে ত্রিপুরার রাজা জয়পুরের রাজাদেরও টেক্কা দিয়েছেন।

তবে বৃন্দাবন ঠিক শোক প্রকাশের উপযুক্ত স্থান নয়। নামমাহাত্ম্যেই অনেক কথা মনে পড়ে। আকাশে কাজল বর্ণ মেঘ দেখে মনে পড়ে এক বংশীধারী চিরকিশোরের কথা, যমুনার তরঙ্গে ভেসে ওঠে চিরকালের প্রেমিকা রাধার মুখচ্ছবি সেই রাখালের দল। গোয়ালিনীরা আর নেই বটে, কিন্তু বাতাসে কান পাতলে যেন শোনা যায় তাদের গান ও কলহাস্য। বৃন্দাবনের পথের ধুলোতেও ছড়িয়ে আছে রাধা-কৃষ্ণের স্মৃতি। বীরচন্দ্রের কবি মন উতলা হয়ে ওঠে।

মহারাজ আরও কয়েকটি তীর্থদর্শনে যাবেন ভেবেছিলেন, কিন্তু তড়িঘড়ি ফিরে এলেন ত্রিপুরায়। রাধারমণ ঘোষ, ধনঞ্জয় ঠাকুর, নরধবজ সিংহ প্রমুখ কয়েকজন ঘনিষ্ঠ পারিষদকে ডেকে ব্যক্ত করলেন তাঁর হৃদয়ের বাসনা, তিনি কুমারী মনোমোহিনীকে অবিলম্ব বিয়ে করতে চান। এ বিবাহ নিছক ইন্দ্রিয় সুখের জন্য নয়। এই প্রৌঢ় বয়সে তিনি আবার বরের টোপর

মাথায় দিতে চান নেহাত বাধ্য হয়ে। এক মহান দায়িত্ব পালনের জন্য। মৃত্যুর আগে মহারানী ভানুমতী তাঁর এই ইচ্ছে জানিয়ে গেছেন। মহারানীর শেষ ইচ্ছে পালন করা তাঁর অবশ্য কর্তব্য।

এ প্রস্তাব শুনে কেউই বিস্মিত হলেন না। রাধারমণ বললেন, তা হলে কন্যাটিকে তাঁর পিত্রালয়ে পাঠিয়ে দেওয়া হোক। আগামী বৎসর শুভদিনক্ষণ দেখে.........

তাঁকে বাধা দিয়ে নরধবজ বললেন, আগামী বৎসর?এত দেরি করতে হবে কেন?

বীরচন্দ্র হাসতে লাগলেন।

নরধ্বজ বললেন, শুভস্য শীঘ্রম। এই মাসেই শুভদিন আছে।

ধনঞ্জয় ঠাকুর চুপ করে রইলেন। তিনি জানেন, এই বিবাহের প্রধান উদ্যোক্তা নরধ্বজ। মহারাজ বীরচন্দ্র ইচ্ছে করলেই মনোমোহিনীকে কাছুয়া হিসেবে অন্তঃপুরে রাখতে পারতেন, কিন্তু তিনি ওই মেয়েটিকে বিবাহের স্বীকৃতি দিচ্ছেন নরধ্বজের চাপে। নরধ্বজেরই মৃতা ভগিনীর কন্যা এই মনোমোহিনী।

বীরচন্দ্র বললেন, তোমরা বাঙালিবাবুদের রীতি-নীতি জান না। ওদের পরিবারে কেউ মারা গেলে এক বছর কালাশৌচ চলে। কী ঘোষমশাই, তাই না? বিয়ের কনে আসে বাপের বাড়ি থেকে, তাই ও মনোকে এখন বাপের বাড়ি পাঠিয়ে দিতে বলছে।

নরধ্বজ অপ্রসন্নভাবে বললেন, বাঙালিবাবুদের রীতি এ রাজ্যে চলবে কেন? বউ মরে গেলে কি কেউ আর সন্দেশ খায় না? সন্দেশ খাবার ইচ্ছে হল আজ, আর খাবে এক বছর পরে? এসব আমরা বুঝি না।

এই বিচিত্র উপমা শুনে রাধারমণ চুপ করে গেলেন।

ধনঞ্জয় ঠাকুর বললেন, ক্ষত্রিয়দের স্ত্রী বাপের বাড়ি থেকে সেজেগুজে দোলায় চেপে আসে না। ক্ষত্রিয়রা কন্যা লুণ্ঠন করে আনে।

নরধ্বজ বললেন, আমাদের মতে পঁচিশ তারিখটাই একটা শুভদিন। সেদিনই তা হলে ব্যবস্থা করা যাক। আমার ইচ্ছে একটা ইংলিশ ব্যান্ড পার্টি আনা হোক চিটাগাং থেকে। ঘোষমশাই, তাতে কত খরচ পড়বে?

রাধারমণ গলা খাঁকারি দিয়ে বললেন, মহারাজ সম্প্রতি বৃন্দাবন ঘুরে এলেন, দুটি শ্রাদ্ধ অনুষ্ঠানে অনেক খরচ হয়েছে, রাজকোষে বিশেষ অর্থ নেই। বালিশিরার পাহাড় ইংরেজ কোম্পানিকে ইজারা দিয়ে যে লক্ষ মুদ্রা পাওয়া গিয়েছিল, তারও কিছু আর অবশিষ্ট নেই। সেই জন্যই আমি বলছিলাম, উৎসবটা যদি আর কিছুদিন পরে করা যায়—

বীরচন্দ্র বললেন, না, না, ওসব ইংলিশ ব্যান্ড-ফ্যান্ড মোটেই চাই না। ধূমধাম করে বড় গোছের উৎসবেরই প্রয়োজন নেই। নমো নমো করে বিয়ে সারতে হবে। পুরুতরা শ্রাদ্ধের সময় অনেক কিছু পেয়েছে, সব এখনও হজম হয়নি, এবারে তাদের হাতে দু'পাচ টাকা গুঁজে দেবে। ভানুমতীর অলংকারের অর্ধেক রেখে দেওয়া হবে সমরের বউয়ের জন্য, বাকি অর্ধেক মনো পাবে। নতুন গয়নাগাঁটিও গড়াতেও হবে না! নরধ্বজ, পঁচিশ তারিখ কেন, আরও আগে দিন নেই? এই সপ্তাহের মধ্যেই দেখো না!

ধনঞ্জয় বললেন, তা ঠিক। সন্দেশ খাবার জন্য পঁচিশ তারিখ পর্যন্তই বা অপেক্ষা করতে হবে কেন?

আগামী মঙ্গলবার, অর্থাৎ পাঁচ দিন পরেই বিবাহের লগ্ন নির্ধারিত হয়ে গেল। প্রস্তুতি শুরু হয়ে গেল সঙ্গে সঙ্গে। অন্দরমহলে চলল নানা রকম কানাকানি। অন্য রানীরা ঠোঁট বেঁকিয়ে কুৎসা ছড়াতে লাগল মনোমোহিনীর নামে, এ মেয়ে যখন তখন প্রাসাদের বাইরে যায়, অন্য পুরুষদের সঙ্গে কথা বলে, এমন মেয়ে রাজরানী হবার যোগ্যই নয়। রাজকুমারীরাও এই দস্যি স্বভাবের কিশোরীকে তেমন পছন্দ করে না, ভানুমতীর মৃত্যুর পর

তারা মনোমোহিনীকে নানা ছুতোয় নিপীড়ন শুরু করেছিল, একজন তো ঝগড়া বাঁধিয়ে কাঁচি দিয়ে কেটে দিয়েছিল মনোমোহিনীর অনেকখানি চুল, এখন তারা সন্ত্রস্ত হয়ে উঠল, মনোমোহিনী পাটরানী হয়ে বসলে তাদের ওপর প্রতিশোধ নেবে। বিয়ের পর অন্তত ছ'মাস এই অল্প বয়েসী রানী মহারাজের প্রিয়তমা হয়ে তো থাকবেই।

মনোমোহিনী অবশ্য এই সংবাদ শুনে কোনও ভাবান্তর দেখাল না। সে আগেরই মতন ধেই ধেই করে যেখানে সেখানে ঘুরে বেড়ায়। বিরজা নামে এক মাসি সম্পর্কীয়ার সঙ্গে সে রাত্রে শোয়, বিরজা তাকে রানী হিসেবে যোগ্য করে তোলার জন্য নানান উপদেশ দেবার চেষ্টা করল বটে, কিন্তু কে শোনে কার কথা!

বীরচন্দ্রের বৈধ পুত্রকন্যার সংখ্যা পঁচিশ। ন'জন পুত্রের মধ্যে রাধাকিশোর যেমন জ্যেষ্ঠ, রাজকুমারীদের মধ্যে তেমনি অনঙ্গমোহিনীরই জন্ম হয়েছে সকলের আগে। যুবরাজ রাধাকিশোরের বয়েস এখন কুড়ি, অনঙ্গমোহিনীর জন্ম হয়েছে সকলের আগে। অনঙ্গমোহিনীর বয়েস তেইশ। অনঙ্গমোহিনীর স্বামী গোপীকৃষ্ণ ঠাকুর এ রাজ্যের একজন উজির। অনঙ্গমোহিনী শৈশব থেকেই তাঁর পিতার খুব প্রিয়, প্রথম সন্তানের প্রতি সব পিতারই বিশেষ টান থাকে। অনঙ্গমোহিনী নিজের চেষ্টায় লেখাপড়া শিখেছে, সেও কবিতা রচনা করে। ত্রিপুরার রাজকবি মদন মিত্তিরের মতে, অনঙ্গমোহিনীর কবিতা অতি উচ্চাঙ্গের, কলকাতার পত্র-পত্রিকায় ছাপা হলে অবিলম্বে তাঁর খ্যাতি ছড়িয়ে যাবে। কিন্তু অন্তঃপুরের এক বধূর কবিতা মুদ্রিত হলে কেরানি, ভবঘুরে, সাধারণ পাঁচপেঁচি ধরনের লোকও পড়ে ফেলবে, এ যে অকল্পনীয় ব্যাপার। বে-আব্রু হতে আর বাকি থাকল কি! অনঙ্গমোহিনীর কবিতা এখানকার অতি ঘনিষ্ঠ দু'চারজনই শুধু পড়ে, তাঁর বাবা একজন উৎসাহী সমঝদার।

অনঙ্গমোহিনী স্বামীর সঙ্গে অন্য বাড়িতে থাকলেও রাজপ্রাসাদে প্রায়ই আসে, এখানে তাঁর নিজস্ব কক্ষটি অন্য কেউ দখল করতে পারেনি। অন্দরমহলের মহিলাদের কলহে অনঙ্গমোহিনী হস্তক্ষেপ করে, দৃঢ়ভাবে মতামত দেয়, তাঁর কথা কেউ সহজে অগ্রাহ্য করতে পারে না। সকলেই জানে, মহারাজ তাঁর এই প্রিয় কন্যাটি কথার গুরুত্ব দেন।

পিতার এই আকস্মিক নতুন বিবাহের বাসনা অনঙ্গমোহিনীর একেবারেই পছন্দ হল না। ভানুমতীর সঙ্গে অনঙ্গমোহিনীর বনিবনা ছিল না। ভানুমতীরই মনোনীতা একটি পুঁচকে মেয়ে তাঁর মাতৃস্থানীয়া হবে, এটা অনঙ্গমোহিনী মেনে নিতে পারে না কিছুতেই। মণিপুরিদের দাপটে আর একটি মণিপুরি কন্যাকে যদি রাজপরিবারে বধূ হিসেবে আনতেই হয়, তা হলে যুবরাজ রাধাকিশোরের সঙ্গেই তো তাঁর বিয়ে দেওয়া যেতে পারে। রাধাকিশোরের এক স্ত্রী আছে অবশ্য। কিন্তু রাজা হবার পর তাঁর রানীর সংখ্যা তো বাড়বেই।

অনঙ্গমোহিনী ভাইকে নিজের কক্ষে ডেকে পাঠাল।

যুবরাজ রাধাকিশোরের শরীর তাঁর পিতার মতন বৃহদাকার নয়, তাঁর মেজাজেও সে রকম দার্ঢ্য নেই। মাঝারি ধরনের গড়ন, এই বয়সেই তাঁর মস্তিষ্ক ধীর স্থির। বিনীত স্বভাব ও নম্র বাক্যের জন্য সকলেই তাকে পছন্দ করে। গত দেড় মাস মহারাজার অনুপস্থিতিতে মন্ত্রীদের সঙ্গে নিয়ে সে যে অতি বিচক্ষণতার সঙ্গে রাজ্য চালিয়েছে, সে কথা মহারাজ নিজেও স্বীকার করেছেন।

একটি বেতের তৈরি বেশ চওড়া চেয়ারে বসে আছে অনঙ্গমোহিনী, জরির কাজ করা শাড়ি পরা, তাঁর মুখখানি গোল ধরনের, কিন্তু দু'চোখে বুদ্ধির দীপ্তি। একটা রুপোর পাত্র থেকে সে শুকনো খেজুর তুলে তুলে খাচ্ছে। ধুতি ও বেনিয়ান পরা রাধাকিশোর সে ঘরে প্রবেশ করতেই অনঙ্গমোহিনী বলল, আয় ভাই, বোস! তারপর সে নিজেই উঠে গিয়ে দ্বার বন্ধ করে দিল।

রাধাকিশোর বলল, কী ব্যাপার, এত জরুরি তলব? আমি দরবারে যাচ্ছিলাম।

অনঙ্গমোহিনী বলল, পরে যাবি। তুই খেজুর খেতে ভালবাসিস। এই দেখ কত বড় বড় আরবি খেজুর। মির্জা মহম্মদ এনে দিয়েছে ঢাকা থেকে।

রাধাকিশোর দুটি খেজুর তুলে নিয়ে মুখে পুরল। অতি উত্তম আরবি খেজুর, কিন্তু তাঁর স্বাদ নেবার পর রাধাকিশোরকে তেমন পুলকিত দেখাল না।

অনঙ্গমোহিনী বলল, নে, আরও নে!

রাধাকিশোর বলল, নাঃ আর থাক! ছোটবেলায় এই খেজুর সত্যিই আমার খুব প্রিয় ছিল, তোমার সঙ্গে কাড়াকাড়ি করে খেতাম। কিন্তু এখন আর তেমন ভাল লাগছে না। ছোটবেলার অনেক কিছুই পরে বদলে যায়।

অনঙ্গমোহিনী বলল, এখন তুই কী খেতে ভালবাসিস রে?

—সে সব কথা পরে হবে। এখন তোমার কাজের কথাটা বল তো দিদি। আমার তাড়া আছে।

—শোন রাধু, তোকে আর একটা বিয়ে করতে হবে!

—তা তুমি আদেশ করলে আর একটা বিয়ে করব, এ আর বড় কথা কী! তোমার শ্বশুরবাড়ি কোনও সোমত্থ ননদ আছে বুঝি? অলঙ্কারাদি যদি ভালোমতন দেয়, ছাদনাতলায় গিয়ে বসে পড়ব!

—আমার কোনও ননদের কথা নয়। ওই যে মণিপুরি মেয়েটা, মনোমোহিনী,বেশ ডাগর চেহারা, তুই ওকে বিয়ে করছিস না কেন?

যেন চোখের সামনে একটা সাপ দেখেছে, এইভাবে শিউরে উঠল রাধাকিশোর। চক্ষুদুটি বিস্ফারিত করে চেয়ে রইল কয়েক মুহূর্ত। তারপর বলল, তুমি কী বলছ দিদি? ওর সঙ্গে কার বিয়ে ঠিক হয়েছে শোননি?

অনঙ্গমোহিনী বলল, শুনব না কেন? আমি বাবাকে বুঝিয়ে বলব,ওই মেয়েটির সঙ্গে তোর বিয়ে হলেই ভালো হবে।

রাধাকিশোর আতঙ্কিত মুখে দরজা-জানলাগুলির দিকে একবার চেয়ে দেখল কেউ শুনছে কি না। তারপর কাছে এসে ফিসফিস করে বলল, তুমি কি আমার সর্বনাশ করতে চাও দিদি? তোমার মুখে ও কথা শোনা মাত্র বাবা ভাববেন, ও মেয়েটার ওপর আমার বুঝি লোভ আছে। ভরতের কি হয়েছে তুমি জান না? বড় রানীর মৃত্যুর আগে থেকেই ও মেয়েটির প্রতি পিতাঠাকুরের আসক্তি হয়েছে। তিনি ওকে বিয়ে করতে বদ্ধপরিকর। খবরদার, তুমি এরকম কথা আর ভুলেও উচ্চারণ করো না!

অনঙ্গমোহিনী খানিকটা অপ্রস্তুত হয়ে গেল। এই সব বিষয় সে কিছুই জানত না। সে জিজ্ঞেস করল, ভরত কে?

রাধাকিশোর বলল, সে ছিল একটা কাছুয়ার ছেলে। যতদূর জানি, সে অতি নিরীহ, পড়াশুনো নিয়ে থাকত। ওই মেয়েটা তাঁর সঙ্গে আশনাই করতে গিয়েছিল। একটু জানাজানি হতেই সে ছোঁড়াটাকে খতম করে দেওয়া হয়েছে। ও মেয়ে বিষকন্যা, যাকে ছোঁবে......আমার সঙ্গেও ভাব জমাতে এসেছিল, আমি চেঁচিয়ে মেচিয়ে, লোকজনদের শুনিয়ে তাকে ধমকেছি! বাপরে বাপ, এমন কথা আর বলো না দিদি!

অনঙ্গমোহিনী বিরক্তিমাখা মুখ নিয়ে একটুক্ষণ চুপ করে রইল। তারপর বলল, কিন্তু তুই বুঝতে পারছিস না, রাধু, ওই মেয়েটা যদি পাটরানী হয়ে বসে, তা হলে কী বিপদ হবে? ও সমরেন্দ্রর মাসি হয়। ওরা দু'জনে মিলে আমাদের বিরুদ্ধে ষড়যন্ত্র করবে। বাবার মনটা ঘোরাবার চেষ্টা করবে!

এবার রাধাকিশোরের মুখে ক্ষীণ হাসি ফুটে উঠল। আর একটা খেজুর মুখে দিয়ে বলল, ষড়যন্ত্রকে কি ভয় পেলে চলে? সর্বক্ষণই তো কিছু না কিছু চলছে। নিজের বুদ্ধির ওপর ভরসা

রাখতে হয়। তুমি এসব নিয়ে আর উচ্চবাচ্য করো না। বরং পিতাঠাকুরের এই বিয়েতে খুশির ভাব দেখাও। ভবিষ্যতে কী হয় দেখা যাবে!

অনঙ্গমোহিনী উঠে দাঁড়িয়ে বলল, ভবিষ্যতে সব সময় আমি তোর সঙ্গে থাকব, রাধু। আমাকে জানাবি সব কথা!

এই বিবাহের আর একটি বাধা এল সম্পূর্ণ এক অন্য দিক থেকে।

বড় উৎসব না হলেও কয়েক সহস্র মুদ্রা তো ব্যয় হবেই, মহারাজার সচিব রাধারমণ ঘোষের সেটাই প্রধান চিন্তা। রাজা-রাজড়ার বিয়ে চুপি চুপি সারা যায় না, রাজধানীর প্রধান ব্যক্তিদের আমন্ত্রণ জানাতে হবে, হাতি-ঘোড়ার মিছিল বের হবে, মহারাজার নতুন সাজ-সজ্জা বানাতে হবে, পুরনো পোশাকে বিয়ে হয় না। রাজকোষের অবস্থা ভালো নয়, প্রজাদের কাছ থেকে বকেয়া কর আদায়ের জন্য ঘোষমশাই জোর চেষ্টা চালাচ্ছেন। এ জন্য তাঁকে ছুটতে হচ্ছে রাজধানী ছেড়ে বাইরের বিভিন্ন অঞ্চলে।

একদিন দুপুর বেলা ঘোষমশাই স্নানাহারের জন্য ফিরলেন নিজের বাড়িতে। সারা সকাল বিভিন্ন কর্মচারিদের সঙ্গে আলাপ আলোচনা চালাতে হয়েছে, সেইজন্য তিনি কিঞ্চিৎ ক্লান্ত। তাঁর পরিবার এখানে নেই, তিনি একা থাকেন। সিঁড়ি দিয়ে উঠে এসে পোশাক ছাড়বার জন্য নিজের ঘরের দিকে যেতে যেতে তিনি বৈঠকখানায় কিসের যেন একটা শব্দ পেলেন। উঁকি দিয়ে দেখলেন, তক্তপোশের ওপর বসে আছে এক আগন্তুক, ধুতির ওপর কাপালিকদের মতন টকটকে লাল রঙের একটা লম্বা আলখাল্লা পরা, মুখে জ্বলন্ত চুরুট, একখানি বইয়ের পাতা ওল্টাচ্ছে মনোযোগ দিয়ে।

ঘোষমশাই দরজার কাছে এসে দাঁড়াতেই আগন্তুকটি মুখ ফিরিয়ে কাষ্ঠ হাসি দিয়ে বললেন, দ্বিপ্রহরের প্রণাম, কেমন আছ হে ঘোষজা, অনেকক্ষণ বসে আছি তোমার জন্য।

রাধারমণ ঘোষের মুখমণ্ডলে তাঁর অন্তরের অনুভূতির প্রকাশ সহজে ঘটে না। ভাব গোপন করার জন্য তিনি প্রসিদ্ধ। কিন্তু এই ব্যক্তিটিকে দেখে তিনি যেন সর্বাঙ্গে চমকিত হলেন। অস্ফুট স্বরে বললেন, কৈলাস?

আগন্তুক বললেন, কেন, চিনতে পারছ না নাকি? আমার এই চাঁদবদনখানির তেমন তো বিশেষ পরিবর্তন হয়নি। মাঝে কিছুদিন দাড়ি রেখেছিলাম, পোষালো না, গর্মির সময় বড় কুটকুট করে! এসো, এসো, বসো, খুব অবাক হয়েছ মনে হচ্ছে? এখন অবধি সাদর সম্ভাষণও করলে না?

তক্তপোশের অন্য কোণে বসে রাধারমণ শুষ্ক কণ্ঠে জিজ্ঞেস করলেন, কী ব্যাপার, কৈলাস? হঠাৎ ত্রিপুরায় এলে কী মনে করে?

কৈলাস বললেন, বাঃ, পুরনো বন্ধুর সঙ্গে দেখা করতে আসতে পারি না? তুমি কেমন আছ, দেখতে এলাম! তা বেশ ভালোই তো গুছিয়ে বসেছ মনে হচ্ছে। বোধ করি এ রাজ্যের প্রধানমন্ত্রী হবার পথে তোমার আর কোনও প্রতিবন্ধক নেই!

রাধারমণ মুখ নিচু করে দ্রুত চিন্তা করতে লাগলেন। কৈলাসচন্দ্র সম্পর্কে তাঁর একটা অপরাধবোধ আছে। ত্রিপুরায় আসারও আগে কৈলাসচন্দ্রের সঙ্গে তাঁর পরিচয়, এখানে এসে কৈলাসচন্দ্রই ছিলেন তাঁর প্রথম বন্ধু। কৈলাস বুদ্ধিমান, লেখাপড়া জানা মানুষ, ইতিহাস-সচেতন, তাঁর সঙ্গে কথা কয়ে সুখ ছিল।

কৈলাসের বাড়ি ত্রিপুরায়, পড়াশুনো করতে গিয়েছিলেন কলকাতায়। তাঁর বাবা গোলোকচন্দ্র সিংহ ছিলেন এখানকার রাজস্ব বিভাগের সেরেস্তাদার। রাজপরিবারের সঙ্গে ওঁদের পরিবারের অনেক দিনের সম্পর্ক। কলকাতা থেকে ফিরে কৈলাসও রাজস্ববিভাগে চাকরি পেয়েছিলেন, রাধারমণ ও কৈলাস এক সঙ্গে অনেক সময় কাটাতেন, দু'জনে রাজ্যের বিভিন্ন অঞ্চলে ঘুরে বেরিয়েছেন। হঠাৎ এক সময় মহারাজ বীরচন্দ্রের সঙ্গে

কৈলাসের মতান্তর,মনান্তর ও শত্রুতা শুরু হয়ে গেল। পূর্ববর্তী রাজা ঈশানচন্দ্রের অকাল মৃত্যুর পর তাঁর অন্যান্য ভাইদের কোনও রকম সুযোগ না দিয়েই বীরচন্দ্র সিংহাসন দখল করে নিয়েছিলেন। অন্য দুই ভাইয়ের সঙ্গে মামলা-মোকদ্দমা জিতে আইনসঙ্গত করে নিয়েছিলেন নিজের অধিকার। রাজত্ব বেশ ভালোই চালাচ্ছিলেন বীরচন্দ্র,কিছুদিন পর আবার একটা ঝঞ্ঝাট শুরু হল। ঈশানচন্দ্রের নাবালক পুত্র নবদ্বীপচন্দ্র বয়ঃপ্রাপ্ত হতেই গোষ্ঠি থেকে দাবি তোলা হল তাঁর পক্ষে। আগেকার রাজার ছেলেই যখন উপযুক্ত হয়েছে, তখন সে-ই তো সিংহাসনের উত্তরাধিকারী, কাকা বীরচন্দ্র এতদিন অভিভাবক হিসেবে রাজ্য চালিয়েছেন, বেশ ভালো কথা, এবার তিনি সরে আসুন। কিন্তু একবার সিংহাসন পেলে কে তা ছাড়ে? তা ছাড়া বীরচন্দ্র মনে করেন, ব্যক্তিত্বহীন বালক নবদ্বীপচন্দ্রের চেয়ে রাজা হিসেবে তিনি অনেক বেশি যোগ্য। কৈলাস চলে গেল নবদ্বীপচন্দ্রের পক্ষে, প্রবল আন্দোলন শুরু করল এবং রাধারমণকেও টানার চেষ্টা করল নিজের দলে।

কিন্তু রাধারমণের রাজনীতি জ্ঞান তীক্ষ্ম। তিনি বুঝেছিলেন, রাজনীতিতে ন্যায়-অন্যায়ের সূক্ষ্ম বিচার চলে না। আখের গুছিয়ে নিতে হলে যে বেশি ক্ষমতাশালী, তাঁর পক্ষেই থাকতে হয়। রাষ্ট্রযন্ত্র এবং পুলিশ বীরচন্দ্রের হাতে, তাঁকে হটিয়ে নবদ্বীপচন্দ্রের পক্ষে সিংহাসন দখল করার সম্ভাবনা খুবই ক্ষীণ। সুতরাং নিছক আবেগের বশে নবদ্বীপচন্দ্রকে নিয়ে মাতামাতি অর্থহীন। বন্ধুর পাশ থেকে সরে গেলেন রাধারমণ। এমন কি, বিধবা রানী ও নবদ্বীপচন্দ্রকে যখন কারারুদ্ধ করা হল, কৈলাসের চাকরি কেড়ে নিয়ে তাকে আরও কঠিন শাস্তি দিতে উদ্যত হলেন বীরচন্দ্র, তখনও রাধারমণ প্রতিবাদ না জানিয়ে কিছুই না জানার ভান করে রইলেন। গুপ্ত ঘাতকের হাতে অকস্মাৎ মৃত্যুই ছিল তখন কৈলাসের নিয়তি, কিন্তু যথাসময়ে ষড়যন্ত্রটি টের পেয়ে কৈলাস এ রাজ্য ছেড়ে চম্পট দিলেন। তাতে স্বস্তির নিঃশ্বাস ফেলেছিলেন রাধারমণ।

কৈলাস আবার ফিরে এলেন কোন সাহসে, কোন্ অস্ত্রবলে বলীয়ান হয়ে?

চুরুট টানতে টানতে তাচ্ছিল্যের সুরে কৈলাস বললেন, তুমি ছিলে এক নব্য শিক্ষিত বঙ্গীয় যুবক, এখন হয়েছ এক স্বৈরাচারী রাজার চাটুকার। শেক্সপিয়ার-মিল্টন মুখস্থ করেছিলে একদা, এখন বীরচন্দ্রের যাচ্ছেতাই কবিতা শুনে বাহবা দাও! রুশো-ভলটেয়ার পড়েছিলে, এখন সাধারণ মানুষের দুঃখ-দুর্দশার দিকে দৃকপাত কর না! বুঝলে হে ঘোষজা, আমি কুমিল্লার দিক দিয়ে ঢুকে রাজধানী পর্যন্ত পদব্রজে এসেছি। দেখলাম, গ্রামে গ্রামে সাধারণ মানুষের দারিদ্র্য আরও বেড়েছে, উপজাতীয়রা একবেলাও পেট পুরে খেতে পায় না। পরণের কপনিও জোটে না। এক জায়গায় চোখে পড়ল, শীর্ণকায় একদল মেয়ে-মদ্দা জঙ্গল থেকে কচুর মূল তুলে এনে তাই সেদ্ধ করে খাচ্ছে!

রাধারমণ বললেন, এ রাজ্যের মানুষ চিরকালই তো গরিব। পাহাড়ী আদিবাসীদের অবস্থা নিয়ে কে কবে চিন্তা করেছে? জুম চাষে যে জমি নষ্ট হয়, সারা বছরের খাদ্য জুটতে পারে না, সে কথা কেউ আগে বুঝিয়েছে? আমি আস্তে আস্তে বোঝাবার চেষ্টা করছি। তাদের অবস্থার উন্নতি ঘটাবার জন্য আমি প্রাণপণে চেষ্টা করে যাচ্ছি!

কৈলাস বললেন, আস্তে আস্তে মানে কত আস্তে আস্তে? আমার তো মনে হল, দুর্ভিক্ষ আসন্ন, উজার হয়ে যাবে গ্রামের পর গ্রাম। আর এদিকে এক রানীকে মেরে ফেলে তাঁর ছেরাদ্দে লক্ষ টাকা খরচ করছ তোমরা। বুড়ো রাজা আবার বিয়ে করতে যাচ্ছে এক কচি বাচ্চা মেয়েকে, তাতেও টাকার ছেরাদ্দ হবে। উৎকট শখে রাজা কিনছেন দামি দামি ক্যামেরা, নিরন্ন, শীর্ণ প্রজাদের ছবি তোলাতেই তাঁর আমোদ! শুনলাম মানা ঘরে এখন ন্যাংটো মাগীদের ছবি আঁকা হচ্ছে। এইসব অনাচার-ব্যভিচারে তুমি সায় দিয়ে যাচ্ছ।

রাধারমণ এবার খানিকটা রাগতভাবে বললেন, তুমি আমার ওপর লেকচার ঝাড়তে এসেছ, কৈলাস? রাজা-রাজড়াদের জীবনযাত্রার ধরণ-ধারণ পাল্টাবার আমি কে? তুমি পারতে? সিংহাসনে যে-ই বসুক, সে-ই বিলাসিতায় গা ভাসাবে! তোমার নবদ্বীপচন্দ্র এলেও অন্যতা হতো না। মুর্খেরা বেশি বিলাসী হয়। তবু আমি বলব, মহারাজ বীরচন্দ্র মাণিক্য একেবারে স্বৈরাচারী নন, অন্যদের পরামর্শ গ্রহণ করেন, প্রজাদের অযথা পীড়ন করেন না! তিনি মদ স্পর্শ করেন না!

কৈলাস বললেন, মদ না ছুঁলেই চরিত্তির শুদ্ধু হয়ে গেল? আমি তো দেখেছি অনেক মদ্যপায়ী বরং উদার হয়। কলকাতার কাগজে তোমার সম্বন্ধে কী বেরিয়েছে তুমি জান? ত্রিপুরায় এখনও সতীদাহ হয়, গত মাসেই উদয়পুরের কাছে এরকম দুটি ঘটনা একই দিনে ঘটেছে। তুমি রাজার একান্ত সচিব, এ রাজ্যের অতি ক্ষমতাসম্পন্ন ব্যক্তি হয়েও এই বর্বর প্রথা নিবারণ করতে পারনি! ছি ছি ছি ছি, তুমি ইয়ং বেঙ্গলের বংশধর হয়েও এটা সহ্য করে যাচ্ছ!

রাধারমণ বললেন, ত্রিপুরা তোমার দেশ, আমার দেশ নয়। আমি বহিরাগত। এখানকার এই সব কুপ্রথা দূর করার জন্য তুমি কতখানি চেষ্টা করেছিলে? কোন সামাজিক আন্দোলন চালিয়েছ? এই সেদিন পর্যন্ত এখানে ক্রীতদাস প্রথা চালু ছিল। এখান থেকে ভারতের বহু জায়গায় দাস-দাসী ও খোজা চালান যেত, তোমরা তো সেসব জেনেশুনেও মুখ বুঁজে থেকেছ। মহারাজকে বুঝিয়ে সুঝিয়ে ক্রীতদাস প্রথা বন্ধ করার আইন জারি করেছি আমি, হ্যাঁ গর্ব করে বলতে পারি, আমার চেষ্টাতেই সেটা বন্ধ হয়েছে। সতীদাহ বন্ধ করার জন্য আমি বারবার চেষ্টা চালিয়ে যাচ্ছি, মহারাজ এখনও মানতে চাইছেন না, ধর্মীয় প্রথা বলে ভয় পাচ্ছেন, কিন্তু অদূর ভবিষ্যতে আমি সফল হবই, এই তোমাকে বলে রাখলাম। কলকাতার কাগজে যা খুশি লিখুক, আমার কিছু আসে যায় না!

একটু থেমে, নিজেকে সংযত করে রাধারমণ আবার শান্তভাবে বললেন, বেলা অনেক হয়েছে, এখন থাক ওসব কথা। কৈলাস, তুমি কি শুধু আমাকে ধমকাতেই এখানে এসেছ, না অন্য কোনও উদ্দেশ্য আছে?

কৈলাস ধারালোভাবে হেসে বললেন, এসেছি তোমার ওই পেয়ারের রাজার বিয়েটা বন্ধ করতে। ওকে আমি জেল খাটাব!

রাধারমণ বললেন, রাজার বিয়ে তুমি বন্ধ করবে? নিজের ক্ষমতার ওপর তোমার অত্যধিক আস্থা দেখছি!

আলখাল্লার মধ্যে হাত ঢুকিয়ে ভেতরের জেব থেকে একটি লম্বা, সাদা রঙের লেফাফা বার করলেন কৈলাস। এক চক্ষু টিপে বললেন, এর মধ্যে কী আছে আন্দাজ করতে পারো? বীরচন্দ্রের মৃত্যুবাণ। ত্রিপুরার সিংহাসনে বসার কোনও যোগ্যতাই যে ওর নেই, তাঁর অকাট্য প্রমাণ আমার হাতে আছে। পেট মোট রাজা বীরচন্দ্র মাণিক্যকে ছাদনাতলায় যেতে হবে না, তাকে আমি দাঁড় করাব আদালতের আসামীর কাঠগড়ায়।

রাধারমণ এক দৃষ্টে চেয়ে রইলেন লেফাফাটির দিকে।

কৈলাস বললেন, ওহে ঘোষজা, তোমার এবার এখান থেকে পাট উঠল। নতুন রাজা নিশ্চয়ই তোমার মতন ঘরশক্রু বিভীষণকে রাখবেন না। তুমি জিনিসপত্র গোছগাছ শুরু করে দাও, আবার নতুন কী চাকরি খুঁজবে ভাব!

রাধারমণ একটা দীর্ঘশ্বাস ফেলে বললেন, এখানে চাকরি গেলেও যে আমি খেতে পাব না তা তো নয়! দু' মুঠো ভাত জুটে যাবেই। আপাতত আমার ক্ষুধা পেয়েছে বেশ। তোমারও খাবার-দাবারের বন্দোবস্ত করতে হবে তো। নাকি তুমি আহারাদি সেরে এসেছ?

কৈলাস বলল, খেয়ে আসব কেন? কায়স্থের বাড়িতে এসে পাত পেড়ে বসলে ভালো-মন্দ জুটে যাবেই, তা কি আমি জানি না? তোমার সেই পুরনো খানসামাটি এখনও আছে? আহা, সে বড় ভালো রাঁধে।

রাধারমণ বললেন, বসো, তোমার স্নানের জল দিতে বলি গে!

ঘর থেকে বাইরে এসে রাধারমণ একটুক্ষণ স্থির হয়ে দাঁড়িয়ে রইলেন। তারপর দ্রুত নিজের কক্ষে গিয়ে নিয়ে এলেন বড় তালা আর চাবি। বৈঠকখানার দরজাটি টেনে বন্ধ করে বেশ সশব্দে হুড়কোতে তালা লাগাতে লাগলেন।

ভেতর থেকে কৈলাস জিজ্ঞেস করলেন, ও কী হে, ঘোষজা, দরজা বন্ধ করছ কেন?

রাধারমণ বললেন, তুমি একটু বিশ্রাম নাও, মাথাটা ঠাণ্ডা করো। তোমার বিশ্রামে যাতে কেউ ব্যাঘাত না ঘটায়, সেইজন্য দরজা আটকে দিলাম। তারপর রাধারমণ বাইরের এক প্রহরীকে ডেকে বললেন, তুই এখানে পাহারায় থাক। ভিতরে এক বাবু আছে, যদি দরজা ভেঙে বেরুবার চেষ্টা করে, মাথায় মারিস না, পায়ে মারবি জোরে। দুই পা খোঁড়া করে আটকে রাখবি, প্রাণে মারিস না যেন!

॥ ১৬ ॥

মহারাজ বীরচন্দ্র মাণিক্য ভোজনবিলাসী, কিন্তু পেটুক নন। খাদ্যের আস্বাদের ব্যাপারে তিনি খুঁতখুঁতে। তাঁর বপুটি বেশ বড়সড় হলেও মাঝে মাঝে তিনি আহার করেন নাম মাত্র। কাজে বিভোর হয়ে থাকলে দু'একবেলা তিনি কিছু মুখে দিতেই ভুলে যান। সাধারণত তিনি আহার গ্রহণ করেন নিজের কক্ষে বসে, তখন দু' একটি পরিচারিকা ছাড়া অন্য লোকজনের উপস্থিতি পছন্দ করেন না। এক একদিন তিনি কোনও বিশেষ রানীর মহলে গিয়ে সেই রানীকে পরিবেশনের সুযোগ দিয়ে ধন্য করতে চান। সেদিন ধরে নেওয়া হয় যে, মহারাজের পরিপাটি ভোজনের শখ হয়েছে। নির্দিষ্ট রানীটি ধন্য হবার বদলে অতি মাত্রায় উতলা হয়ে পড়েন, কারণ মহারাজের মতিগতি বোঝা যেন ভগবানেরও অসাধ্য।

শ্বেত পাথরের মেঝেতে একটি লাল পশমের আসন পাতা হয়েছে। স্বর্ণথালা ঘিরে আঠারোটি রূপোর বাটি সাজানো, জল পানের গেলাসটিও সোনার। একটু দূরে নীল শাড়ি পরা রানী করেণুকা হাঁটু গেড়ে জোড় হাতে এমনই নিথর হয়ে বসে আছেন, যেন তাঁর নিঃশ্বাসও পড়ছে না। স্নানের পর তিনি সারা মুখে চন্দনচর্চা করেছিলেন, এখন তা ঘামে মিশে যাচ্ছে। সীতার অগ্নিপরীক্ষার চেয়েও যেন কঠোরতর এক পরীক্ষায় সম্মুখীন রানী করেণুকা।

ঘি রঙের পট্টবস্ত্র পরিধান করে খড়ম খটখটিয়ে এসে হাজির হলেন বীরচন্দ্র, মুখ দেখলে মনে হয় তিনি বেশ খোশমেজাজেই আছেন। আসনে বসবার আগে তিনি একবার অন্ন-ব্যঞ্জনের পাত্রগুলি সাজাবার পারিপাট্য দেখে নিলেন, তারপর জিজ্ঞেস করলেন, কেমন আছিস রে, করেণু? তুই কটা পদ রেঁধেছিস?

করেণুকা মহারাজের পাটরানীদের অন্যতমা নয়। পুত্রের জননী হবার সৌভাগ্য তাঁর হয়নি, তিনি দুটি কন্যার গর্ভধারিণী। নামের সঙ্গে চেহারার মিল নেই একেবারেই, করেণুকা কৃশাঙ্গী, অনেক ননী-মাখন খেয়েও তিনি মোটা হতে পারেননি, মহারাজের পাশে তাঁকে যেন ঠিক মানায় না। ইদানীং স্বামী-সন্দর্শন তাঁর ভাগ্যে খুব কমই ঘটে, গত ছ'মাসের মধ্যে মহারাজ একবারও তাঁর খোঁজ নেননি। হঠাৎ আজ অন্য রানীদের ছেড়ে মহারাজ কেন তাঁর মহলেই অন্ন গ্রহণের ইচ্ছা প্রকাশ করলেন, এটা ভেবে ভেবেই তিনি সারা হয়ে যাচ্ছেন।

মহারাজের প্রশ্নের উত্তরে করেণুকা কম্পিত কণ্ঠে বললেন, সবই আমি রেঁধেছি, প্রভু!

মহারাজ জোড়সনে বসে বললেন, দেখি তোর হাতের গুণ!

প্রথমে একটুক্ষণ চক্ষু বুজে তিনি ইস্ট দেবতার নাম স্মরণ করলেন। তারপর গেলাস থেকে এক গণ্ডুষ জল নিয়ে ছোঁয়ালেন মুখে। এই রীতি ব্রাহ্মণদের কাছ থেকে শেখা, কিন্তু ব্রাহ্মণরা এই সময় যে মন্ত্র উচ্চারণ করে, তা তাঁর মনে নেই।

থালায় যুঁই ফুলের মতন ভাত, মহারাজ প্রথমে একটু ভাত ভাঙলেন, তাতে কোনও ব্যঞ্জন মাখার আগে, এক একটি বাটি থেকে একটু একটু তুলে চেখে দেখতে লাগলেন। বাটির পর বাটি ঠেলে সরিয়ে দিতে লাগলেন এক পাশে, অর্থাৎ সেইসব ব্যঞ্জন তাঁর পছন্দ নয়, কোনও কোনওটি ঠেলে সরাবার আগে বললেন, মন্দ না! একটি ব্যঞ্জন দু'বার মুখে দিয়ে বললেন, এটা কী রে?

করেণুকা বললেন, চিতল মাছের মুইঠ্যা!

অন্য কয়েকজন রানী আড়াল থেকে উঁকি মারছিলেন, কৌতূহল চেপে রাখতে না পেরে তাঁরা ক্রমশ সামনে চলে এলেন। মহারাজ মুখ তুলে দেখলেন তাঁদের, আপত্তি জানালেন না।

তিনি বললেন, চিতল মাছের মুইঠ্যা! তোরটা হয়েছে বটে এক প্রকার, কিন্তু বড়রানী ভানুমতী এটা যা রান্না করত, তাঁর সঙ্গে তুলনাই হয় না। সেই স্বাদ এখনও যেন মুখে লেগে আছে। তোরা কী বলিস, ঠিক না?

অন্য রানীরা তো করেণুকার হেনস্থা দেখতেই এসেছেন, তাঁরা সঙ্গে সঙ্গে সম্মতি জানিয়ে বললেন,ওঃ বড়দিদির হাতের রান্না, অমৃত, অমৃত!

অন্য একটি তরকারি আঙুলের ডগায় তুলে মহারাজ জিজ্ঞেস করলেন, এটা কী?

করেণুকা বললেন, রসুনবাটা দিয়ে বেগুন!

মহারাজ ভাল-মন্দ মন্তব্য না করে রানীদের মধ্য থেকে একজনকে বেছে নিয়ে বললেন, এই তুই এটা খা।

সেই রানী সারা শরীর মুচড়ে বলল, না, আমি খাব না। আমি খেতে পারব না।

অন্য রানীরা থুতনিতে আঙুল দিয়ে গভীর বিস্ময়ের সঙ্গে বলে উঠলেন, সে কী রে, সুদক্ষিণা, স্বয়ং মহারাজ আদেশ করছেন, তুই তবু খাবি না? মহারাজের প্রসাদ, খা, খা, খা!

সবাই জানে, সুদক্ষিণা রসুনের গন্ধ একেবারে সহ্য করতে পারে না। একবার ভুল করে কোনও রসুন মিশ্রিত তরকারি মুখে দিয়ে সে বমি করে ফেলেছিল। অন্য রানীরা সুদক্ষিণাকে জোর করে খাওয়াতে গেল, সে ছুটে পালাল সবার হাত ছাড়িয়ে। বীরচন্দ্র হা-হা করে হাসতে লাগলেন।

বীরচন্দ্র যে-সব বাটি উচ্ছিষ্ট করে সরিয়ে দিচ্ছেন, তাঁর জায়গায় আসছে অন্য বাটি। সব বাটি একসঙ্গে সাজানো হয়নি। অন্তত বত্রিশ ব্যঞ্জনের কমে মহারাজকে সেবা করার কথা চিন্তাই করা যায় না। তিনি রুইমাছের ঝাল বাদ দিয়ে পুঁটি মাছের টক খাচ্ছেন, ঝিঙের তরকারিতে কুমড়োর টুকরো দেখে নাক কুঁচকোচ্ছেন।

সব কটি পদ চাখবার পর বললেন, এচোঁড় রাধিসনি, করেণু? এখন কাঁঠাল গাছগুলো একেবারে নুয়ে আছে, এই তো সময়। ভালো করে গরম মশলা দিয়ে রাঁধলে মাংসের মতন......বাঙালিরা কি সাধে এঁচোড়কে গাছ-পাঁঠা বলে?

করেণুকার মুখখানি বিবর্ণ হয়ে গেল। তাঁর এত সাধ, এত শ্রম, সব ব্যর্থ! মহারাজ যে-টা নিজের মুখে চাইছেন, সেটাই নেই। তিনি জানবেন কী করে, মহারাজ তো তাঁর আঙিনায় আগে কখনও খেতে আসেননি!

অন্য রানীরা ঠোঁট টিপে হাসছে। বীরচন্দ্র বাঁ হাত বাড়িয়ে করেণুকার মাথায় হাত রেখে বললেন, যা, তুই পাশ করে গেলি। আমি তোর হাতের রান্না খেয়ে তৃপ্তি পেয়েছি। এঁচোড়

আমি দু' চক্ষে দেখতে পারি না, কাঁঠালের কাঁ পর্যন্ত শুনলেই আমার গা জ্বলে। আর আমার রাজ্যেই কিনা এত কাঁঠাল ফলে! ভাগ্যিস বুদ্ধি করে ওটা বাদ দিয়েছিস!

এঁটো হাতেই আরও কিছুক্ষণ বসে থেকে রানীদের সঙ্গে কৌতুক করতে লাগলেন বীরচন্দ্র। একজন তামাক সেজে এনে তাঁকে গড়গড়ার নলটি ধরিয়ে দিল।

বীরচন্দ্রের সচিব রাধারমণ ঘোষ এর মধ্যে একবার খোঁজ করতে এলেন। বাইরে থেকেই যখন শুনলেন যে মহারাজ আজ এক রানীর মহলে আহার করতে গেছেন, তখন বুঝলেন অন্তত ঘন্টা দু'একের মধ্যে দেখা পাবার আশা নেই। রাধারমণ নিজের বাড়িতেও ফিরলেন না, শশিভূষণের বাড়ির দরজা খুলিয়ে সেখানে স্নানাহার সেরে নিলেন।

অন্য রানীদের বিদায় করে, করেণুকার কক্ষে এক খিলি পান মুখে দিয়ে পালঙ্কে শুয়ে বিশ্রাম করতে লাগলেন বীরচন্দ্র। করেণুকা পদসেবা করতে লাগলেন। বীরচন্দ্র বললেন, বাঃ, তোর হাত দুটি তো বেশ নরম। পাটকাঠির মতন চেহারা হলে কী হয়, তোর হাতের গুণ আছে। তোর ক'টি ছেলেমেয়ে রে, করেণু?

করেণুকা বললেন, প্রভু, আপনার দয়ায় আমার দুটি কন্যা। পুত্রসৌভাগ্য হয়নি।

বীরচন্দ্র কয়েক মুহূর্ত ঊর্ধ্বনেত্রে চিন্তা করলেন। এতগুলি ছেলে মেয়ের সকলের নাম-ধাম যদি মনে রাখতে হয়, তা হলে তিনি রাজকার্যে মন দেবেন কী করে? রানীদের নামগুলি যে মনে রেখেছেন, তাই-ই যথেষ্ট।

কন্যা দুটিকে আগেই পাঠিয়ে দেওয়া হয়েছে পরিচারিকাদের মহলে। বীরচন্দ্র শিশুদের কোলাহল পছন্দ করেন না। করেণুকার দুই কন্যা কখনও তাদের পিতার কোলে বসে আদর খায়নি। দূর থেকে কয়েকবার দেখেছে মাত্র।

নাম জানতে চাইলেন না, বীরচন্দ্র জিজ্ঞেস করলেন, তাদের বয়েস কত?

কন্যা দুটির বয়েস আট আর সাত বৎসর। বিবাহের পর বীরচন্দ্র যখন ঘন ঘন করেণুকার সঙ্গে এক শয্যায় রাত্রিবাস করতেন তখন পিঠোপিঠি ওই দুই বোনের জন্ম। এরপর মহারাজার আরও দুই রানী এসেছে, করেণুকা আড়ালে চলে গেছেন।

বীরচন্দ্র বললেন, তা হলে তো বড়টির এবার বিয়ের ব্যবস্থা করতে হয়........

বলতে বলতেই বীরচন্দ্রের চোখ বুজে এল, নাসিকা গর্জন শুরু হয়ে গেল। করেণুকা তবু একই জায়গায় বসে স্বামীর পা টিপে দিতে লাগলেন, প্রত্যাশায় তাঁর বক্ষ উদ্বেল, আজ আকস্মিকভাবে তাঁকে দয়া করেছেন দেবতা। করেণুকা কিছুই খাননি, সারা শরীর এমনই টান টান হয়ে আছে যে আজ কোনও খাদ্যই তাঁর গলা দিয়ে নামবে না।

বেশিক্ষণ ঘুমোলেন না বীরচন্দ্র, ঘন্টা খানেকের মধ্যেই উঠে বসে হাই তুললেন দু'বার। খোলা মুখের কাছে টুসকি মেরে বললেন, রাধেকৃষ্ণ, রাধেকৃষ্ণ!

পালঙ্ক থেকে নেমে বললেন, বেশ বিশ্রাম হয়েছে। তোর ঘরটি তো বেশ ভালো রে, করেণু! যথেষ্ট আলো হাওয়া বয়। এখানা খুব প্রশস্ত, পাশে আরও দুটি ছোট ঘর আছে, তাই না?

সারা ঘরটিতে চোখ বুলিয়ে, অন্য দুটি কক্ষের দরজা খুলে উঁকি মেরে, এখানকার একটি জানলা খুলে বাইরের মেঘলা আকাশ দেখলেন তিনি। তাঁর মুখ প্রসন্নতায় ভরা। তিনি করেণুকাকে ডাকলেন, আয় কাছে আয়।

তাঁর প্রশস্ত বক্ষে করেণুকার ক্ষীণ শরীরটি যেন মিলিয়ে গেল। করেণুকা থরথর করে কাঁপছেন। এত সুখ কি সহ্য করা যায়! বহু দিন মহারাজ তাঁকে স্মরণ করেননি, তিনি ধরেই নিয়েছিলেন যে, তিনি উপেক্ষিতাদের দলে পড়ে গেছেন। পুত্রহীন রানীদের কদর থাকে না বেশিদিন। অন্য কয়েকজন রানীর মতন প্রাসাদ-ষড়যন্ত্রে যোগ দেবার ক্ষমতাও তাঁর নেই। তাঁর পিতৃকুলও শক্তিশালী নয়।

আলিঙ্গনাবদ্ধ করেণুকাকে বীরচন্দ্র বললেন, ভারি লক্ষ্মী মেয়ে তুই। তোর সেবা যত্নে আমি মুগ্ধ হয়েছি। যেমন সুন্দর তোর হাতের রান্না, তেমনই তৃপ্তি পেলাম আজ তোর এখানে ঘুমিয়ে।

এবারে আনন্দের চোটে কেঁদেই ফেললেন করেণুকা।

তাঁর পিঠে সস্নেহে হাত বুলিয়ে দিতে দিতে বীরচন্দ্র বললেন, এবার আমি তোর কাছে একটা কিছু চাইব, তুই দিবি?

করেণুকার অশ্রুসিক্ত দু' চোখে ফুটে উঠল দারুণ বিস্ময়? এ কী কথা বলছেন তাঁর পতিদেবতা? তাঁর মতন এক অভাগিনীর কাছে মহারাজ বীরচন্দ্র কী চাইতে পারেন? করেণুকা কী দিতে পারেন, সব কিছুই তো মহারাজের!

করেণুকা অস্ফুট ভাবে বলল, এ কী বলছেন, প্রভু? আপনি চাইলে আমি এই মুহূর্তে আমার প্রাণ দিয়ে দিতে পারি।

বীরচন্দ্র সহাস্যে বললেন, না, না, প্রাণ-ট্রান দিতে হবে না। আমি যা চাইছি, তা অতি সামান্য!

করেণুকাকে আলিঙ্গন মুক্ত করে, দু' হাত দিয়ে তাঁকে খানিকটা দূরে সরিয়ে দিয়ে বীরচন্দ্র বললেন, তুই শুনেছিস নিশ্চয়ই আমি আর একটি বিয়ে করছি। তোদের বড়দিদির শেষ সাধ মেটাবার জন্য মনোমোহিনীকে বিয়ে করতেই হচ্ছে বাধ্য হয়ে। বিয়ের পর মনোর জন্য তো একটা পৃথক মহল দরকার। এই রাজপুরীতে আর স্থান-সঙ্কুলান হয় না। ভানুমতীর ঘরখানা তাঁর স্মৃতি বিজড়িত, এত শীঘ্র সেখানে মনোকে থাকতে দেওয়া কি উচিত হয়, তুই বল?

করেণুকা বিস্ফারিত চক্ষে চেয়ে রইলেন। এই আকস্মিক প্রসঙ্গ বদলের হেতু তিনি এখনও বুঝতে পারছেন না।

বীরচন্দ্র বললেন, সেই জন্যই বলছিলাম, তোর এই মহলটা ছেড়ে দিবি? তোর জন্য বিরজা অন্য ঘর ঠিক করে দেবে। তোর কোনও অসুবিধে হবে না। নতুন রানীর জন্য একটা নতুন মহল না হলে যে তাঁর বাপের বাড়ির লোকেরা নিন্দে করবে!

এরপর আর কিছুক্ষণ কোনও কথা না বলে করেণুকার দিকে একদৃষ্টিতে চেয়ে রইলেন বীরচন্দ্র। তিনি যেন বুঝিয়ে দিতে চান, তিনি কত উদার, কত মহান, তিনি এই রাজ্যের অধীশ্বর। তিনি মুখের কথা না খসিয়ে শুধু ইঙ্গিতে কোনও ইচ্ছা প্রকাশ করলেও সঙ্গে সঙ্গে তা পালিত হবে। যে-কোনও রানীকে তিনি পাঠাতে পারেন নির্বাসনে। করেণুকার এই মহলটি তাঁর প্রয়োজন, তিনি কি কর্মচারিদের সাহায্যে করেণুকাকে পরিচারিকা মহলে ঠেলে দিতে পারতেন না? তাঁর বদলে তিনি একটি হাড়-জিরজিরে রমণীর জন্য এতখানি সময় ব্যয় করেছেন, তাকে সেবা-যত্নের সুযোগ দিয়েছেন, প্রীতিপূর্ণ বাক্য বলেছেন, তাঁর কাছে প্রার্থীর মতন হাত পেতেছেন । তাঁর কোনও পূর্বপুরুষ এই ব্যবহার দেখলে হতবাক হয়ে যেতেন নিশ্চিত। একজন রাজার কাছে এরা আর কতখানি মহানুভবতা আশা করে?

করেণুকার অবিশ্বাস ও আতঙ্কমাখা মুখ তাঁর পছন্দ হল না। উত্তরের অপেক্ষা না করে দরজার দিকে যেতে যেতে বীরচন্দ্র বললেন, তোর সব জিনিসপত্র গুছিয়ে কাল সকালেই এই ঘর-টর কালি করে দিবি! এ মহলটা অন্য ভাবে সাজানো হবে—

রাধারমণ আবার যখন বীরচন্দ্রের খোঁজ করতে গেলেন, তখন শুনলেন যে মহারাজ দরবারে বসেছেন।

ঠিক যে রাজকার্যের জন্যই মহারাজকে নিয়মিত দরবারে বসতে হয়, তা নয়। বীরচন্দ্র খুব বেশি আড়ম্বর বা রীতিনীতি মানেন না। তিনি দরবারে মন্ত্রী বা সেরেস্তাদারদের বাড়িতেও যখন তখন চলে যান, কখনও বা উদ্যানে বসে গল্প-গুজবের ভঙ্গিতে সরকারি আইনের

আলোচনা সেরে নেন। ইংরেজ সরকারের কোনও প্রতিনিধি এলে অবশ্য রাজসভার জাঁকজমক দেখাতেই হয়। এ ছাড়া মাঝে মাঝে বিকেলের দিকে তাঁর দরবারে বসে রাজা সাজার ইচ্ছে জাগে। কয়েকজন গায়ক-বাজনদার কবি-চাটুকার তাঁর পোষ্য, তিনি রাজসভায় বসে তাদের সঙ্গে রহস্য-পরিহাস করেন।

রাধারমণ দরবারে এসে দেখলেন, মহারাজ বীরচন্দ্র মাথায় মুকুট পরে সিংহাসনে বসে আছেন। বহু প্রাচীন এই সিংহাসনটির অষ্টকোণ ষোলোটি সিংহ ধৃত। এই সিংহাসনে বসার অধিকার নিয়ে কম রক্তক্ষয় হয়নি। এই মুহূর্তে যে সিংহাসনটি আবার টলমল করছে, তা বীরচন্দ্র জানেন না। কবি মদন মিত্তির মুখে মুখে পদ্য বানিয়ে বলছে, মহারাজও তাঁর উত্তর দিচ্ছেন, আসর বেশ জমে উঠেছে। ধুরন্ধর পঞ্চানন্দ মহারাজকে তোষামোদ করে বাহবা দিচ্ছে বারবার। সম্প্রতি সে শ্যামাদাসীকে উপঢৌকন হিসেবে পেয়েছে মহারাজের কাছ থেকে। আগে যে রমণীটিকে সে নিজের স্ত্রী হিসেবে পরিচয় দিত, সেই রমণীটি ফিরে গেছে কলকাতায়।

একটুক্ষণ অপেক্ষা করার পর রাধারমণ মহারাজের কাছ ঘেঁষে কিছু বলতে যেতেই মহারাজ হাত তুলে বললেন, এখন কাজের কথা থাক।

পঞ্চানন্দও সঙ্গে সঙ্গে তাল দিয়ে বললেন, আঃ ঘোষমশাই, আপনি বড় বেরসিক! এমন কোকিলের গানের মতন কাব্যতরঙ্গ বইছে, এর মধ্যে কি কাকের কা-কা -কা ডাকের মতন কাজের কথা মানায়? আপনিও একটু শুনুন না!

রাধারমণ দৃঢ় স্বরে বললেন, কাজটা অতি জরুরি। কাব্য পরে হবে।

তিনি মহারাজের কানের কাছে গোপনে একটি বার্তা শোনালেন। শুনতে শুনতে বীরচন্দ্রের ভুরু উত্তোলিত হল, তিনি দাঁত দিয়ে অধর কামড়ে ধরলেন, জ্বলন্ত হল চক্ষু। সবেগে উঠে দাঁড়িয়ে বললেন, চল তো, চল গিয়ে এক্ষুনি দেখি!

বীরচন্দ্র হনহনিয়ে হেঁটে চললেন রাধারমণের বাড়ির দিকে। রাধারমণ ছাড়া অন্য কারুকে সঙ্গে আসতে নিষেধ করা হল।

বৈঠকখানার দরজার তালা বন্ধই আছে, বাইরে রয়েছে বন্দুকধারী প্রহরী । তালা খোলার পর দেখা গেল তক্তপোশের ওপর প্রায় একই ভঙ্গিতে বসে আছেন কৈলাস সিংহ। এর মধ্যে অনেকগুলি চুরুট শেষ করেছেন, সারা ঘরে ছাই ছড়ানো, এখনও তাঁর মুখে একটা অর্ধেক জ্বলন্ত চুরুট।

প্রথমে রাধারমণের দিকে তাকিয়ে তিনি সহাস্য কণ্ঠে বললেন, বাঃ বাঃ ঘোষজা, তোমার আতিথেয়তার নমুনাটি চমৎকার। অতিথিদের না খাইয়ে বন্দী করে রাখাই বুঝি এ রাজ্যে রেওয়াজ হয়েছে?

তারপর চুরুটটা মুখ থেকে সরিয়ে, তক্তপোশ থেকে নেমে এসে বীরচন্দ্রের সামনে হাঁটু গেড়ে বসে তাঁর পা দুটি স্পর্শ করলেন। বিনীতভাবে বললেন, প্রণাম মহারাজ। আপনার শরীর গতিক ভালো আছে আশা করি। রানীদের সর্বাঙ্গীণ কুশল তো? রাজকুমারেরা.......

এসব ছলনা-বাক্যকে গুরুত্ব না দিয়ে বীরচন্দ্র কঠোরভাবে বললেন, কী ব্যাপার, কৈলাস? তুমি আবার আমার রাজ্যে এসেছ যে!

সোজা হয়ে দাঁড়িয়ে, একটু পিছিয়ে গিয়ে কৈলাসচন্দ্র বিস্ময়ের ভঙ্গি করে বললেন, এ রাজ্যটা আপাতত আপনার বটে। কিন্তু এখানে কেউ স্বাধীনভাবে আসা যাওয়া করতে পারবে না, এমন কোনও নিয়মের কথা তো শুনিনি!

বীরচন্দ্র বললেন, তুমি আমার সঙ্গে শত্রুতা করতে এসেছ! আমার শত্রুদেরও আমি স্বাধীনভাবে ঘোরাফেরা করতে দেব?

কৈলাসচন্দ্র বললেন, আপনার শত্রুতা করব কেন? আমি ন্যায়ের অধিকার প্রতিষ্ঠা করতে এসেছি। আপনি ন্যায়নিষ্ঠা, প্রজাপালক, আপনি নিশ্চিত আমার দাবির সত্যতা বুঝবেন।

স্বর্গগত রাজা ঈশানচন্দ্রের নাবালক পুত্রের অছি হয়ে আপনি এই ক'বৎসর রাজ্য চালিয়েছেন। এখন নবদ্বীপচন্দ্র সাবালক হয়েছেন, এখন তাঁকে সিংহাসনের অধিকার দেওয়া ন্যায়সঙ্গত কি না, তা আপনিই বিচার করুন।

বীরচন্দ্র ক্রোধে অস্থির হয়ে চিৎকার করে বললেন, কিসের অধিকার? যে-সে রাজা হতে পারে? রাজা হবার যোগ্যতা লাগে না? এই যে এতগুলো বছর আমি রাজ্য চালালাম, এখানে কত রকম সমস্যা, কত জাত-পাত, কতগুলো উপজাতি, সব দিক আমি সামলেছি! আমার আমলে কেউ বিদ্রোহ করেনি। ঠিক কিনা। ঘোষমশাই, তুমিই বল, ঠিক কিনা! যে-কেউ রাজা হয়ে বসলেই কি সামলাতে পারবে?

কৈলাসচন্দ্র বললেন, নবদ্বীপকে সিংহাসনে বসার সুযোগ দিলে তবেই তো সে যোগ্যতা প্রমাণ দিতে পারবে। তাঁর আগে দেবে কী করে? তাছাড়া, যোগ্যতার বিচার ভূ-ভারতে কে কবে রাজা-বাদশা হয়েছে? সবাই তো সিংহাসনে বসে পিতৃপরিচয়ে কিংবা রক্তের জোরে।

বীরচন্দ্র জিজ্ঞেস করলেন, নবা হারামজাদাটা কোথায়? সে তোমাকে পাঠিয়েছে?

কৈলাসচন্দ্র মুখের হাসিটি বজায় রেখে বললেন, আপনার দাদার ছেলে, পরলোকগত মহারাজের একমাত্র পুত্র, তাকে তো আপনি হারামজাদা বলতেই পারেন। নবদ্বীপ আর তাঁর মাকে আপনি কারারুদ্ধ করে রেখেছিলেন। তারা সেখানে থেকে পালিয়ে গিয়ে কোথায় এখন আশ্রয় নিয়ে আছে, সে তথ্য আপনাকে আমি জানিয়ে দেব, আমাকে কি এতটাই মুর্খ মনে করেন আপনি?

—তোমাকেও আমি বন্দী করে চাবকাব। তা হলে তুমি ঠিকই মুখ খুলবে!

—সে চেষ্টা করে দেখুনই না, কী হয়!

—তলোয়ারের এক কোপে তোমার মুণ্ডু উড়িয়ে দেব। তোমার লাশ পুঁতে দেব জঙ্গলের মধ্যে, কেউ কোনওদিন আর তোমার সন্ধান পাবে না।

—এ কী মগের মুল্লুক নাকি! তাছাড়া আমাকে নিতান্ত হেঁজিপেঁজি ভাববেন না। আমি তত্ত্ববোধিনীর লোক। সব জানিয়ে শুনিয়ে এসেছি। দু' একদিনের মধ্যে আমি না ফিরলেই আমার খোঁজ পড়বে। তখন কান টানলেই মাথা আসবে।

বীরচন্দ্র চোখ সঙ্কুচিত করে রাধারমণের দিকে তাকালেন। তিনি জানতে চান, তত্ত্ববোধিনীটা আবার কী বস্তু?

রাধারমণ বললেন, তত্ত্ববোধিনী ব্রাহ্মদের একটি নামকরা পত্রিকা। ঠাকুরবাড়ির দেবেন্দ্রবাবু তাঁর মালিক, কলকাতার গণ্যমান্য ব্যক্তিরা সবাই পত্রিকাটি পড়ে। কৈলাস সে পত্রিকার একজন কর্মী।

কৈলাসচন্দ্র বললেন, তা ছাড়া আমি এখানে মির্জা মহম্মদের বাড়িতে অতিথি, তাঁর ভাই ঢাকা শহরে পুলিশের একজন কর্তা। ওঁরাও সব জানেন। আমার গলা কাটলে ইংরেজ ফৌজ চলে আসবে।

রাধারমণ বললেন, আহা, ওটা কথার কথা। মহারাজ উত্তেজনার বশে বলে ফেলেছেন। আসলে মহারাজ কারুকে কখনও কঠিন শাস্তি দেন না। কিন্তু কৈলাস, তুমি আমাদের বৃথা ভয় দেখাচ্ছ। আগেই তো সব মামলা মোকদ্দমার নিষ্পত্তি হয়ে গেছে, মহারাজ বীরচন্দ্রের দাবি স্বীকৃত হয়েছে। ইংরেজ সরকার বাহাদুর মহারাজের কাছ থেকে নজরানা নিয়েছেন, আবার নতুন কোনও ফ্যাকড়া বার করলেও তাঁরা মানবেন কেন?

কৈলাসচন্দ্র মহারাজের সঙ্গে কথা বলার সময় একবারও গলা চড়াননি, বিনীত ভঙ্গিটি রেখেছিলেন, এবার রাধারমণের দিকে ফিরে গর্জে উঠে বললেন, নজরানা দিলেই সত্যটা মিছে হয়ে যাবে? পরলোকগত মহারাজের আপন ঔরসজাত সন্তান থাকতেও রাজা হবে.....রাজা হবে এক......রাজা হবে অন্য একজন! ব্রিয়ের আয়োজন বন্ধ করো ঘোষজা, উকিল–মোক্তার ডাকো। তোমাদের আমি কাঠগড়ায় দাঁড় করাবই!

বীরচন্দ্র প্রথম থেকেই ক্রোধে ফুঁসছিলেন, এর মধ্যে আবার তাঁর বুক ভরে গেল অভিমানে। কোনও শিশু যখন আঁকাবাঁকা ছবি আঁকে কিংবা গাছের একটা শুকনো ডালকে মূর্তি মনে করে বাবা-মাকে দেখাবার জন্য ছুটে আসে, কিন্তু তাঁরা মনোযোগ দেন না, তারিফ করেন না, তখন সেই শিশুর যেমন অভিমান হয়, বীরচন্দ্রেরও প্রায় সে রকম কান্না এসে গেল। তাঁকে কেউ বুঝল না। এই দুর্বল ত্রিপুরা রাজ্যটিকে তিনি নিজের পায়ে দাঁড় করিয়েছেন। শান্তি-শৃঙ্খলার প্রতিষ্ঠা করেছেন, তিনি প্রজাদের ওপর অত্যাচার করেন না, তারা কর ফাঁকি দিলে তিনি গ্রামের পর গ্রাম জ্বালিয়ে দেন না। তাঁর পাইক-বরকন্দাজরা কোনও স্ত্রীলোকের ওপর অত্যাচার করলে কঠিন শাস্তি পায়। কেউ তাঁকে এ জন্য মর্যাদা দেবে না? একটা অপদার্থ, দুর্বল ছোকরা তাঁর বদলে সিংহাসনে বসবে?

মনোমোহিনীকে বিবাহ করবার জন্য তিনি শরীর-মনে প্রস্তুত হয়ে আছেন, তাঁর ঠিক আগেই এই উৎপাত! এখানে অনেকেই যেন এই বিবাহটা পুরোপুরি পছন্দ করছে না। কেন? তিনি আর একটি বিবাহ করতে চাইলে কার কী ক্ষতি? রাজা হয়ে তিনি এই একটা সামান্য সাধও মেটাতে পারবেন না? অন্য রাজাদের মতন তিনি কি দু'তিনটি হারেম বানিয়েছেন? মনোমোহিনীকে বিয়ে করলে তাঁর বৈধ রানীর সংখ্যা হবে মাত্র আটজন। এই বংশেরই এক রাজা প্রতি মাসে একটি বিবাহ করতেন।

নিজেকে প্রাণপণে সংযত করে তিনি কৈলাসচন্দ্রকে জিজ্ঞেস করলেন, তুমি আমার সম্পর্কে আরও কী যেন বলতে যাচ্ছিলে? বলতে বলতে থেমে গেলে?

কৈলাসচন্দ্র মহারাজের দিকে না ফিরে রাধারমণের দিকেই তীব্র চোখে তাকিয়ে রইলেন। আলখাল্লার ভেতর থেকে সাদা রঙের লেফাফাটি বার করে দোলাতে দোলাতে বললেন, তোমরা ভাবছ আমি ধাপ্পা দিতে এসেছি? মোক্ষম একটা অস্ত্র এসেছে আমাদের হাতে, নতুন প্রমাণ। শোনো, শুনে নাও! রাজা বীরচন্দ্র এক জারজ সন্তান। তাঁর জন্মের সময় তাঁর মা ছিলেন কুমারী। এটা উনি নিজে না জানতে পারেন, কিন্তু দলিল আছে। সিংহাসনে বসার হক নেই ওঁর।

এ কথা শুনেও বীরচন্দ্র বিচলিত হলেন না। তিনি শান্তভাবে বললেন, এটা নতুন কোনও প্রমাণ নয়। এ কথা আমি জানি। আমার জন্মের পর আমার মাকে বিয়ে করেছিলেন মহারাজ কৃষ্ণকিশোর মাণিক্য। ত্রিপুরার আইনে এই বিবাহ অসিদ্ধ নয়, পূর্বজাত পুত্রও বাবার সমস্ত সম্পত্তির উত্তরাধিকারী। আমার সব কিছুই বৈধ।

কৈলাসচন্দ্র এবার রাজার দিকে ফিরে বললেন, বৈধ কি না তা আদালতেই প্রমাণিত হবে। আপনার অন্য দুই বড় ভাইদের নামে জারজ অপবাদ দিয়েই তাদের সিংহাসন থেকে বঞ্চিত করেছিলেন, মনে নেই? চক্রধ্বজ, নীলকৃষ্ণরা আজ সর্বস্বান্ত। গুরু বিপিনবিহারীকে আপনি জেলের মধ্যে দগ্ধে মেরেছেন!

এই মুহূর্তে বীরচন্দ্রের ক্রোধের অগ্নি ও অভিমানের বাষ্প মিশে গিয়ে আগ্নেয়গিরির লাভার মতন বিস্ফোরিত হল। তিনি কৈলাসের দিকে মুষ্টি তুলে বললেন, পা-চাটা কুক্কুর! বেল্লিক! তোর বাপ-পিতামহ আমাদের বংশের নুন খায়নি? তুই নিমকহারামের মতন এমন কথা বলতে পারলি?

একটুখানি সরে গিয়ে কৈলাসচন্দ্র বললেন, আমার বাপ-ঠাকুর্দা আপনার বংশের নুন খেয়েছে তা ঠিক। কিন্তু আপনার নুন কেউ খায়নি। সেইজন্যই তো আমি এ বংশের প্রকৃত উত্তরাধিকারীর প্রতি আনুগত্য দেখাচ্ছি!

রাধারমণ ওঁদের দুজনের মাঝখানে চলে এসে কৈলাসচন্দ্রের কাঁধে হাত রেখে বললেন, কৈলাস, তুমি নিশ্চয়ই শুধু আমাদের ভয় দেখাতে আসোনি। তোমার অন্য উদ্দেশ্য আছে। কত চাও?

কৈলাসচন্দ্র তাচ্ছিল্যের হাসি দিয়ে বললেন, ঘুষ? জানি, ঘুষ-তঞ্চকতা-ফেরেব্বাজিতে দেশ ছেয়ে গেছে, গোল্লায় গেছে সব নৈতিকতা, তোমরাও এ সবের মধ্যে ডুবে আছ। তাই সব মানুষকেই তোমাদের মতন ভাব। তুমি যে এই কথাটা বললে, সে জন্য তোমাকেও ছাড়ব না, এই মামলায় জড়িয়ে তোমাকে দিয়েও জেলের ঘানি ঘোরাব। ছিঃ, ঘোষের পো, ছিঃ! একটা কথা জেনে রেখো, ঘুষের লোভ দেখিয়ে ব্রাহ্মদের বশ করা যায় না। ব্রাহ্মরা সত্যের পূজারী, তারা লোভ, বিলাসিতা, মাৎসর্যের অনেক ঊর্ধ্বে!

সগর্বে মাথা তুলে দরজার দিকে এগিয়ে গেলেন কৈলাসচন্দ্র।

বীরচন্দ্রের কাঁধ দুটি ঝুলে পড়েছে। তিনি আর কথা খুঁজে পাচ্ছেন না। রাধারমণ এবার আক্রমনোদ্যত সিংহের মতন শরীর ঝাড়া দিলেন। কৈলাস এতক্ষণ ধমকের সুরে কথা বলেছে, তিনি যথাযোগ্য উত্তর দিতে পারেননি। কিন্তু কৈলাসচন্দ্রকে এইভাবে জয়ীর মতন চলে যেতে দেওয়া যায় না।

তিনি হেঁকে বললেন, ওহে নব্য ব্রাহ্ম কৈলাস, তুমি আমার আর একটি কথা শুনে যাও। তুমি খুব বারফাট্টাই করলে, কিন্তু বেশ কিছু ব্রাহ্মের মহত্ত্বের মুখোসের আড়ালে আমি তাদের লোভী, অর্থ গৃধ্নু, স্বার্থপর, ঈর্ষাপরায়ণ মুখ দেখেছি! ঘোমটার আড়ালে খ্যামটাও কম দেখিনি! আমি ঘুষের প্রস্তাব করিনি তোমার কাছে। আমি জানতে চেয়েছিলাম, কুমার নবদ্বীপচন্দ্রকে কত ক্ষতিপূরণ দিলে তোমরা খুশি হবে! যদি তা তুলতে না চাও, তা হলে যাও, মামলা করো! ঘোষ বংশের পুরুষরা কখনও মামলা-মোকদ্দমায় ভয় পায় না। কত মামলা তুমি করতে পার দেখব! তোমাদের কত মুরোদ আছে তাও বোঝা যাবে। কত টাকা আছে ওই নবদ্বীপের? আমরা বছরের পর বছর মামলা টানব, হাইকোর্ট থেকে সুপ্রিম কোর্টে যাব, দরকার হলে তাঁর পরেও যাব লন্ডনের প্রিভি কৌনসিলে। সেখানে যেতে পারবে ওই ছোকরা নবদ্বীপ? তাকে আমরা পথের ভিখিরি করে ছাড়ব! ত্রিপুরার ঠাকুরলোকেরা কেউ ওই নিঃসম্বল কুমারের হয়ে সাক্ষি দিতে যাবে না। মামলার ভয় দেখাচ্ছ আমাদের?

মহারাজ বীরচন্দ্রও তাঁর সচিবের সতেজ উক্তিতে ভরসা পেয়ে গম্ভীরভাবে বললেন, আমার যাবতীয় স্থাবর-অস্থাবর সম্পত্তি, প্রয়োজনে রাজপ্রাসাদ পর্যন্ত বিক্রি করে দিয়ে মামলা লড়ব। শেষ পর্যন্ত যাব। তাঁর পরেও যদি দৈবাৎ বিচারবিভ্রাটে রায় আমার বিরুদ্ধে যায়, তা হলেও রাজমুকুট নবদ্বীপ পাবে না। এ রাজমুকুট আমি নামিয়ে দেব ইংরেজের পায়ের কাছে। ত্রিপুরা শেষ হয়ে যায় যাক।

এই প্রথম একটা জোর ধাক্কা খেলেন কৈলাসচন্দ্র, অবিশ্বাসে অস্পষ্ট হয়ে গেল তাঁর মুখ। আর্ত কণ্ঠে বললেন, সে কি, মহারাজ, ত্রিপুরার স্বাধীনতা আপনি ইংরেজদের কাছে বিকিয়ে দেবেন। আমরা এখনও স্বাধীন বলে কত গর্ব করি। কত সুপ্রাচীন এই রাজবংশের ধারা—

বীরচন্দ্র বললেন, আমি চলে গেলে ত্রিপুরার স্বাধীনতা এমনিতেই যাবে। ইংরেজরা জাল গুটিয়ে আনছে, আমি তাদের এতদিন ঠেকিয়ে রেখেছি। কুকি বিদ্রোহের ছুতোয় একবার ইংরেজ ফৌজ এ রাজ্যে ঢুকে পড়েছিল। আবার যদি কেউ কুকিদের উস্কানি দেয়, তারা ফুঁসে উঠলে চর্তুদিকে রক্তগঙ্গা বইবে, তা সামলাতে পারবে ওই মূর্খ, ভীরু নবদ্বীপ? রাজ্যে অরাজকতা, প্রজার সর্বনাশের চেয়ে ইংরেজ-শাসনও ভালো।

রাধারমণ বললেন, ত্রিপুরার স্বাধীনতা যদি যায়, তা হলে তোমরাই তাঁর জন্য দায়ী হবে, কৈলাস। মহারাজকে সরাবার চেষ্টা করে তোমরা নিজেরাও সর্বস্বান্ত হবে, ত্রিপুরা রাজ্যও ধ্বংস হয়ে যাবে।

সবেগে মাথা নেড়ে কৈলাসচন্দ্র বললেন, না, না, ত্রিপুরার স্বাধীনতা নষ্ট হোক, তা আমি কোনওক্রমেই চাই না। যে-কোনও ভাবেই হোক, এ রাজ্যের স্বাধীনতা রক্ষা করতেই হবে।

রাধারমণ বললেন, তা হলে শোনো, অযথা মামলা-টামলার মধ্যে যেও না। মাথা ঠাণ্ডা করো। তুমি বরাবরই রগ-চটা। মহারাজের অনুমতি না নিয়েই বলছি, তোমার ওই নবদ্বীপচন্দ্রের জন্য আমরা মাসিক পাঁচশ টাকা বৃত্তির ব্যবস্থা করে দেব। তাই নিয়েই তাকে খুশি থাকতে বলো!

ফিরে এসে তক্তপোশের ওপর ধপাস করে বসে পড়ে কৈলাসচন্দ্র বললেন, পাঁ-চ-শ টা-কা।

এর পর আর তর্ক কিংবা হুমকি নয়, আলোচনা এগোল সম্পূর্ণ ভিন্ন পথে।

শেষপর্যন্ত মনোমোহিনীর সঙ্গে বীরচন্দ্রের বিবাহ সুসম্পন্ন হল নির্বিঘ্নে । আড়ম্বরের আতিশয্য নেই, সেই রাতেই ফুলশয্যা। করেণুকার মহলটিতে নতুন আসবাব ও পালঙ্ক এসেছে, ফুলে ফুলে ভরিয়ে দেওয়া হয়েছে সব দেওয়াল। ঘরের চারকোণে চারটি উজ্জ্বল লণ্ঠন। মহারানী ভানুমতীর অলঙ্কারে সেজে, লাল মসলিনের শাড়ি পরে পালঙ্কের বাজু ধরে দাঁড়িয়ে আছে মনোমোহিনী, তাঁর দু কানের হীরের দুলে ঠিকরে পড়ছে আলো, নববধূসুলভ ব্রীড়া নেই তাঁর মুখে, দু চোখে শুধু কৌতূহল। মধ্যরাত্রে বীরচন্দ্র প্রবেশ করলেন সেই কক্ষে, গায়ের সিল্কের জামাটি ভিজে গেছে ঘামে, মুখে ক্লান্তির চিহ্ন,সারাদিন অনেক ধকল গেছে, বিবাহের অনুষ্ঠান ছাড়াও হঠাৎ সন্ধ্যাকালে ব্রিটিশ পলিটিক্যাল এজেন্ট এসে উপস্থিত, পরস্পর কাটাকুটি করেছেন কূটনৈতিক চাল। এতক্ষণ পর পাওয়া গেছে বিশ্রামের সময়। নিছক একটি কিশোরীর শরীরের প্রতি তাঁর লোভ জাগেনি, তিনি আকৃষ্ট হয়েছিলেন এই বিশেষ দুরন্ত কিশোরীটির প্রতি, সেই জন্যই মনোমোহিনীকে বিবাহের জন্য এত ব্যস্ত হয়েছিলেন।

ভেতরে এসে তিনি থমকে দাঁড়িয়ে নববধূর রূপ দর্শন করতে লাগলেন। হঠাৎ তাঁর দৃষ্টিবিভ্রম হল। পালঙ্কের ওধারে এই কিশোরীটি কে? এ যে ভানুমতী! ঠিক এই বয়েসেই ভানুমতী এসেছিল বাসরশয্যায়, এই অলঙ্কারগুলিই ছিল তাঁর অঙ্গে। সেই বয়েসের ভানুমতীর সঙ্গে মনোমোহিনীর মুখের যে আশ্চর্য মিল, তা বীরচন্দ্র এই প্রথম প্রত্যক্ষ করলেন। অভিমান ভরে ভানুমতী প্রাণত্যাগ করেছিল, আবার সে-ই কি তবে ফিরে এল এই রাতে! না, না। তা কী করে সম্ভব! অথচ বীরচন্দ্র মনোমোহিনীর বদলে স্পষ্ট দেখছেন তাঁর কৈশোরের খুনসুটির সঙ্গিনীকে। চোখ দেখছে এক, অথচ মন জানে সে নেই, সে নেই।

অবসন্ন ভাবে পালঙ্কে ঠেস দিয়ে মহারাজ অস্ফুট স্বরে বলতে লাগলেন :

দেবি! তুমি তো স্বরগ পুরে, জানি নাকো কতদুরে
কোন্ অন্তরাল দেশে করিতেছ বাস
পশিতে কি পারে তথা মানবের আশালতা.......

মনোমোহিনী এগিয়ে এসে বিস্মিতভাবে জিজ্ঞেস করল, কী বলছেন, প্রভু? বুঝতে পারছি না—

বীরচন্দ্র দু'হাতে মুখ চাপা দিয়ে হু-হু করে কেঁদে ফেললেন। এই নতুন বিবাহের রাতে তিনি সত্যিকারের শোকাভিভূত হলেন তাঁর প্রথম রানীর জন্য।

॥ ১৭ ॥

বাহাত্তর নম্বর আপার সার্কুলার রোডে কেশব সেনের বাড়িটি শহরের একটি দ্রষ্টব্য স্থান। এ গৃহের নাম কমল কুটির। গৃহ সংলগ্ন উদ্যানটি বড় সুচারু, মধ্যে একটি দিঘি, তার নাম কমল সরোবর, সেখানে সত্যি সত্যি কমল ফুটে আছে। পাশের বাড়িটির নাম শান্তি কুটির, সেখানে থাকেন বিখ্যাত বাগ্মী প্রতাপচন্দ্র মজুমদার। পেছন দিকের একটি বড় অট্টালিকায় এক সঙ্গে বসবাস করছেন কয়েকটি ব্রাহ্ম পরিবার, সেটির নাম দেওয়া হয়েছে মঙ্গলবাড়ি। পথ চলতি লোকেরা এই পল্লীটিকে বলে বেম্মোদের আখড়া।

প্রতি রবিবার বেলা দশটা-এগারোটার সময় কমল কুটিরের সামনে রীতিমতন ভিড় জমে যায়।

ব্রাহ্মসমাজ ত্রিধাবিভক্ত হয়েছে বটে, কুচবিহার-কাহিনীর পর কেশবচন্দ্রের জনপ্রিয়তা কিছুটা ক্ষুণ্ন হয়েছে তাও ঠিক, তবু তাঁর ভক্তসংখ্যা এখনও যথেষ্ট। ছেলে-ছোকরারা এখন কেশববাবুকে পরিত্যাগ করে সাধারণ ব্রাহ্মসমাজে যায়, কিন্তু মধ্যবয়সীরা এখনও কেশবাবুর অনুরাগী এবং তাঁদের পরিবারের ছেলেমেয়েরাও দলত্যাগ করেনি। প্রতাপ মজুমদারের মতন অনেকেই কেশববাবুর সর্বাঙ্গীণ সমর্থক।

কুচবিহার-বিবাহের ব্যাপারটা ঘটে গেছে বছর চারেক আগে, তা নিয়ে বিতর্ক চলেছে এখনও। কেশববাবু নিজেই বাল্যবিবাহ রোধ করার জন্য মেয়েদের বিয়ের নিম্নতম বয়েস চোদ্দ বছরে বেঁধে দেবার জন্য আন্দোলন করেছিলেন, কিন্তু কুচবিহার রাজবাড়ি থেকে তের বছরের কন্যা সুনীতির বিবাহের প্রস্তাব আসার পর কিছু দ্বিধা করে শেষ পর্যন্ত তিনি রাজি হয়ে গেলেন। এ কী রাজপরিবারের সঙ্গে কুটুম্বিতা করার আগ্রহে? ব্রাহ্মসমাজের এক বড় প্রবক্তা কেশববাবু, অথচ তাঁর কন্যার বিবাহ হবে হিন্দু পরিবারে, হিন্দু মতে? তা হলে আর আদর্শ রইল কোথায়? কেশবপক্ষীয়রা যুক্তি দেখিয়ে বলেন, অপ্রাপ্তবয়স্ক পাত্র ও পাত্রীর বিবাহের অনুষ্ঠান হবে শুধু, তারা স্বামী-স্ত্রীরূপে বসবাস করবে প্রাপ্তবয়স্ক হবার পর, কিশোর রাজা ততদিনে বিলেত ঘুরে আসবে, সুতরাং এতে দোষ নেই। বরপক্ষ হিন্দুমতে বিবাহের অনুষ্ঠান করলেও কন্যাপক্ষ ব্রাহ্ম মতই মেনে চলবেন। বিরুদ্ধে পক্ষ তখন বলেন, তা হলে তো এই যুক্তিতে বা ছুতোয় অনেকেই নাবালিকার বিবাহ দিয়ে বলবে, ওরা স্বামী-স্ত্রী হিসেবে এখন একসঙ্গে থাকবে না। নাবালক-নাবালিকা বিবাহের পর দাম্পত্য জীবনযাপন করছে কি না, তা পরীক্ষা করে দেখার জন্য কি ইন্সপেক্টর নিয়োগ করতে হবে? একটা আদর্শ প্রচার করতে গিয়ে কেশববাবু নিজের পরিবারেই দৃষ্টান্ত স্থাপন করতে পারলেন না, পথভ্রষ্ট হলেন?

দু' পক্ষের চাপান-উতোর আরও বহুদূর চললেও এ কথা ঠিক, কেশববাবুর ব্যক্তিগত সততা সমস্ত প্রশ্নের উর্ধ্বে। তার চরিত্রের দৃঢ়তা, নীতি ও সুরুচিবোধ বাংলার যুবসমাজকে উদ্বুদ্ধ করেছে দীর্ঘদিন। একেশ্বরবাদ, সমাজসংস্কার, শিক্ষাবিস্তার ও নারীদের অধিকার স্থাপনের জন্য অনলস প্রচেষ্টা চালিয়ে গেছেন তিনি। পাদ্রিরা যখন হিন্দুধর্ম বিষয়ে নানা রকম কুৎসা প্রচার শুরু করেছিল, তখন বাংলার ডেমোস্থেনিশ কেশববাবু সিংহবিক্রমে তাদের মুখের ওপর জবাব দিয়েছেন। যারা ব্রাহ্মধর্মে দীক্ষা নেয়নি, এমন অনেকেও ওঁর অনুরাগী।

মাদকবর্জনের দাবি নিয়েও কেশববাবু ভারতবর্ষীয় ব্রাহ্মসমাজের কর্মীদের সহায়তায় এক আন্দোলন শুরু করেছেন। এখন পাড়ায় পাড়ায় মদের দোকান, চতুর্দিকে বিলাতি মদের ছড়াছড়ি, আবগারি আইন বলতে তেমন কিছু নেই। অঢেল মদ বিক্রি করে মুনাফা লুটছে ইংরেজ ব্যবসায়ীরা, আর সেই মদের নেশায় উচ্ছন্নে যাচ্ছে এ দেশের অল্পবয়েসী ছেলেরা। বিলিতি মদের মাত্রাজ্ঞান নেই বলে পটাপট মরেও যাচ্ছে অনেকে।

কেশববাবু কিছু সংখ্যক উদ্যমী যুবকদের নিয়ে 'ব্যান্ড অফ হোপ' নামে একটি দল গড়েছেন, বাংলায় 'আশা বাহিনী'। তারা প্রতি রবিবার সকালে মাদক নিবারণী গান গেয়ে গেয়ে নগর পরিক্রমা করে, সঙ্গে থাকে খোল করতাল। 'মদ না গরল' নামে একটি পত্রিকাও বিলি হয়। অনেক রাস্তায় ঘুরে ঘুরে সেই আশা বাহিনী এসে থামে কমল কুটিরের সামনে। সেখানে পথের ওপর রয়েছে শোলা ও খড় দিয়ে তৈরি বিশাল ও বিকট একটি মূর্তি, তার গায়ে লেখা 'মদ রাক্ষসী'। মূর্তিটির পেটের মধ্যে থাকে সোরা-গন্ধক-বারুদ, একটু আগুন লাগলেই মদ রাক্ষসী দাউ দাউ করে জ্বলে ওঠে! এই রাক্ষুসী-বাজি পোড়ানোর মজা দেখতে আসে অনেক মানুষ, তাদের মধ্যে মদো-মাতালরাও থাকে, আর কিছু রসিক ছোকরা বাজি দেখার বদলে কেশববাবুর বাড়ির অন্দরের দিকে উঁকি ঝুঁকি মারে। কেশববাবুর কন্যা-ভাগ্য অতি ভালো, তাঁর পাঁচটি কন্যাই অতীব সুন্দরী, বড় দুটির বিবাহ হয়ে গেছে, বাকি তিনজনকে কেউ কেউ কবিত্ব করে বলে থ্রি গ্রেসেস।

মদ-রাক্ষসীর মূর্তিতে এখনও আগুন ছোঁয়ানো হয়নি, আশা বাহিনী তার সামনে নেচে নেচে গান ধরেছে—

পয়সা দিয়ে গরল গেলে   ইহকালটি মজিয়ে গেলে

পরকালে তপ্ত তেলে করবে ভাজা ভাজা

ও ভাই খিদের জ্বালায় তুর্কি নাচন   মদে দুঃখ হয় না মোচন

এখন খাচ্ছ খাও পাবে যমরাজের সাজা।

ঘরে কাঁদে মাগ ছেলে..........

ভিড়ের মধ্যে শশিভূষণের হাত শক্ত করে চেপে ধরে আছে ভরত। তার শুধু হারিয়ে যাওয়ার ভয়। সারি সারি বাড়িওয়ালা রাস্তা দেখলে তার একই রকম মনে হয়। এই সব রাস্তায় একটুক্ষণ শশিভূষণকে না দেখলেই ভরত অগাধ জলে ডুবে যাবার মতন আকুপাকু করে।

কয়েকদিন ধরে শশিভূষণ ভরতকে কলকাতা শহর চেনাচ্ছেন। নিজের অসুখের সময় শশিভূষণ ভরতের দিকে মনোযোগ দিতে পারেননি। একদিন তিনি বন্ধুদের সঙ্গে জুড়িগাড়ি করে যেতে যেতে দেখলেন কালীঘাটের রাস্তায় ভরত শ্মশানযাত্রীদের ছড়ানো পয়সা কুড়োচ্ছে। ভরত শেষ পর্যন্ত তার রাজরক্তের মহিমা অক্ষুন্ন রাখতে পারেনি, খিদের জ্বালায় সে কাঙালিদের সঙ্গে ভিড়ে গিয়েছিল, রাস্তা থেকে পয়সা কুড়িয়ে সে মুড়ি মুড়কি কিনে খেত। শশিভূষণ তাঁকে দেখতে পেয়ে কান ধরে টেনে তুলেছিলেন গাড়িতে। এখন আবার শশিভূষণ ভরতের শিক্ষার ভার নিজে নিয়েছেন।

শশিভূষণের কাছেই দাঁড়িয়ে আছে প্যান্টালুন ও চায়না কোট পরা, জেনারাল অ্যাসেম্বলি কলেজের একটি ছাত্র নরেন দত্ত। আজ তার মুখখানি উদাসীন, চক্ষুদুটি উদ্ভ্রান্ত। সে চেয়ে আছে বটে, কিন্তু কিছুই যেন দেখছে না। সে এখানে দাঁড়িয়ে আছে, কিন্তু তার মন নেই এখানে।

আশা বাহিনী গান শেষ করার পর একে একে প্রবেশ করতে লাগল কমল কুটিরের মধ্যে। অনেকক্ষণ পদব্রজে আসার পর তারা ক্লান্ত, এখন ব্রহ্মানন্দের গৃহে পবিত্র জল পান

করবে, স্বয়ং কেশবচন্দ্র তাদের হাতে একটা করে মিষ্টি তুলে দেবেন। একটু পরে সমবেতভাবে শুরু হবে প্রার্থনা সঙ্গীত।

নরেন মাঝে মাঝে এই সঙ্গীতানুষ্ঠানে অংশগ্রহণ করে। সে ভারতবর্ষীয় ব্রাহ্মসমাজ এবং সাধারণ ব্রাহ্মসমাজ, দু'দলের অনুষ্ঠানেই যায়। তার পক্ষপাতিত্ব নেই। সে নিজে এখনও ব্রাহ্মধর্মে দীক্ষা নেয়নি, গায়ক হিসেবেই তার ডাক পড়ে।

এক বন্ধু নরেনের পিঠে হাত দিয়ে বলল, কি রে, বিলে, চল, ভেতরে যাবি না?

নরেন যেন অকারণে বেশি চমকিত হল, তার শরীর কাঁপল। খানিকটা রুক্ষভাবেই সে বলল, না, আজ আর যাব না! তারপর সে হনহন করে হেঁটে চলে গেল অন্যদিকে।

মদ-রাক্ষসীর মূর্তিটা পুড়ে শেষ হয়ে যাবার পর যখন ভিড় ছত্রভঙ্গ হয়ে গেল, শশিভূষণ ভরতকে জিজ্ঞেস করলেন, কেমন লাগল? সব বুঝলি? গরল মানে জানিস?

ভরত বলল, জানি।

শশিভূষণ আবার জিজ্ঞেস করলেন, মদ চেখে দেখেছিস কখনও?

ভরত এবার সবেগে দু দিকে ঘাড় নাড়ল।

শশিভূষণ চলতে চলতে বললেন, আমার বাবা বেশি মদ্যপান করে অকালে গেছে। আমার বড় দাদার সঙ্গে পরিচয় ছিল চোরবাগানের কালী সিঙ্গির, অত বড় একটা তেজী পুরুষ, অথচ মাত্র তিরিশ বছরেই, আর মাইকেল মধুসূদনের নাম শুনেছিস তো, তিনিও, এ রকম আরও কত, সেই জন্য আমি মদ ছুঁই না, জীবনে কখনও, তুইও প্রতিজ্ঞা কর, কোনওদিন মদ স্পর্শ করবি না! ঈশ্বরের নামে বল...........

ভরত রাস্তার বাঁকের একটি শিবমন্দিরের দিকে অঙ্গুলি নির্দেশ করে বলল, এখানে গিয়ে প্রতিজ্ঞা করি?

শশিভূষণ বিরক্ত হয়ে এক ধমক দিয়ে বললেন, তোকে কতবার বলেছি না, মন্দিরে-মসজিদে-গির্জেয় ঈশ্বর থাকেন না! ঈশ্বরকে নিজের মন দিয়ে উপলব্ধি করতে হয়। মনে মনে প্রতিজ্ঞা কর। নিজের ভাবের ঘরে যে চুরি করে, সে মন্দির-মসজিদ-গির্জেয় গিয়ে যতই ভড়ং দেখাক, সে সব মিথ্যে!

ভরত এতসব বড় বড় কথা বুঝল না। সে সঙ্গে সঙ্গে ঘাড় হেলিয়ে বলল, মনে মনে প্রতিজ্ঞা করেছি!

শশিভুষণ বললেন, চল, এবার একটু ডাক্তারবাবুর কাছ থেকে ঘুরে যাই!

কাছেই ডাক্তার মহেন্দ্রলাল সরকারের চেম্বার। শশিভূষণ এখন প্রায় সুস্থই বলা যায়, শুধু দু' একটি উপসর্গ আছে। তিনি ত্রিপুরায় ফেরার জন্য ব্যস্ত হয়ে পড়েছেন, আজই ডাক্তারবাবুর কাছ থেকে শেষ ওষুধ নিয়ে তিনি কয়েকদিনের মধ্যে রওনা হবেন মনস্থ করেছেন।

ডাক্তার মহেন্দ্রলাল সরকারের চেম্বারে তখনও কয়েকটি রোগী রয়েছে। শশিভূষণ ভরতকে নিয়ে অপেক্ষা করতে লাগলেন বাইরে। মহেন্দ্রলালের চেহারা অনুপাতে গলাটিও বাজখাঁই। ডাক্তারদের গুপ্তিমন্ত্রের শপথ অনুযায়ী তিনি রোগীদের রোগ বিষয়ে আলোচনা করেন নিম্নস্বরে। যাতে অন্য কেউ শুনতে না পায়। কিন্তু অন্যান্য বিষয়ে আলোচনা যেন তাঁর চেম্বার ছাড়িয়ে গড়ের ময়দান পর্যন্ত পৌঁছে যায়।

যেমন, শেষ রোগীটি দেখার পর তিনি চিৎকার করে তাঁর সহকারির উদ্দেশে বললেন, শওকত, এনার কাছ থেকে ষোলো টাকা ভিজিট নিয়ে রশিদ লিখে দাও!

রোগীটি হাতজোড় করে বলল, ডাক্তারবাবু, আপনি অতি মহানুভব, আপনার নাম শুনে এসেছি, কিন্তু আমি অতি দরিদ্র, দু'বেলা অন্ন জোটে না, আপনার ফিস দেবার ক্ষমতা নেই। আপনি যদি দয়া করেন......

মহেন্দ্রলাল বললেন, দয়া? ডাক্তার-রুগীর সম্পর্কের মধ্যে আবার দয়া আসে কী করে? ফেল কড়ি মাখ তেল! ডাক্তারকে পয়সা না দিলে, ওষুধের দাম না দিলে সে চিকিৎসায় ফল হয় না, তা জান না? ষোলো টাকা দিতে না পার, কত দিতে পারবে?

লোকটি বলল, আজ্ঞে, আমার সামর্থ্য কিছুই নেই। আমি গরিব চাষী। এ বছর আষাঢ় মাসেও বিষ্টি হয়নি, হাতে একটা আধলাও নেই। এবারকার মতন যদি মাপ করেন, শরীরের তাগত ফিরে পেলে......

মহেন্দ্রলাল দু'কোমরে হাত দিয়ে লোকটির সামনে পাহাড়ের মতন দাঁড়িয়ে বললেন, বটে! একটি আধলাও নেই! তোমার কষ্ট শুনে আমার চোখে জল আসছে হে! তোমার একটি আধলাও না থাকলে আমি তোমায় হাজার আধলা দেব। তোমার বাড়ি তো গুসকরা। এক আধলাও না থাকলে ফিরবে কী করে? তোমার রাহা খরচা, খাই খরচা সব আমি দেব। তার আগে একটু সার্চ করে দেখতে হবে যে! শওকত, লোকটার ট্যাঁক খুলে দেখে নাও তো!

মহেন্দ্রলালের সহকারি শওকত মিঞা একজন রোগা-পাতলা মাঝবয়েসী মানুষ, মুখে তীক্ষ্ণ বুদ্ধির ছাপ, ঠোঁটে সব সময় মৃদু হাসি। তিনি এসে প্রথমে মহেন্দ্রলালকে বললেন, আপনি ঠিকই ধরেছেন, স্যার! তারপর লোকটির ধুতি ধরে টান দিতেই সে কোমরে বাঁধা বেশ মোটাসোটা একটি পুঁটলি চেপে ধরল দু হাতে।

মহেন্দ্রলাল প্রচণ্ড ধমক দিয়ে বললেন, হাত সরাও, খুলে দেখব কত আছে!

শওকত বলল, আটচল্লিশ টাকা, আর একটা আধুলি!

মহেন্দ্রলাল রোগীটিকে বললেন, ওহে, তোমার তো কিছু নেই। আমি এক হাজার আধলা দেব বলেছিলাম, সাত টাকা তের আনা নিয়ে বাড়ি যাও। বাকি সব আমার!

লোকটি হাউ হাউ করে কেঁদে উঠে বলল, গোস্তাকি হয়ে গেছে হুজুর, এবারকার মতন ক্ষমা করে দ্যান হুজুর।

মহেন্দ্রলাল বললেন, লোকটা অনেক সময় নষ্ট করেছে। শওকত, আমার ফি ষোলো টাকা আর আমাদের বিজ্ঞান কেন্দ্রের জন্য কুড়ি টাকা চাঁদা কেটে নিয়ে ওর বাকি পয়সা ফেরত দাও!

লোকটি মহেন্দ্রলালের পায়ের ওপর ঝাঁপিয়ে পড়ে বলল, অত টাকা নেবেন না হুজুর, মহাবিপদে পড়ে যাব, কালীঘাটে পাঁঠা মানত করেছি, বউদের জন্য শাড়ি কিনে নিয়ে যাব, একখান বেড়াজাল......এই টাকাতেও কুলোবে না.......

পা সরিয়ে নিয়ে অসহিষ্ণুভাবে মহেন্দ্রলাল বললেন, ওফ্, আর পারি না এদের নিয়ে। সবার জন্য কত কিছু কেনার ফর্দ, শুধু ডাক্তারের ফি দেবে না। ডাক্তাররা কি সব নিরাহারী সন্ন্যেসী ! অন্তত দশটা টাকা তো দেবে? তাও দেবে না? ওহে শওকত, পুঁটুলিটা ফেরত দিয়ে একে তাড়াতাড়ি বিদেয় করো!

লোকটি তৎক্ষণাৎ কান্না থামিয়ে ধুতি গুছিয়ে সরে পড়ল।

শওকত বলল, লোকটার পাটের ব্যবসা আছে স্যার। অনেক টাকা। আপনি কিছু না নিয়ে ছেড়ে দিলেন?

মহেন্দ্রলাল বললেন, আমি কান্নাকাটি সহ্য করতে পারি না। আপদ বিদায় হয়েছে বাঁচা গেছে। তারপর তিনি গুনগুন করে একটা গান ধরলেন:'পঞ্চভূতের ফাঁদে ব্রহ্ম পড়ে কাঁদে.........'।

চেম্বারের পর্দা সরিয়ে বাইরে পা দিয়ে শশিভূষণকে দেখতে পেয়ে গান থামিয়ে হাসলেন। বললেন, সব শুনলে বুঝি? নিশ্চয়ই ভাবলে, আমি চশমখোর। রুগীদের ট্যাঁক খুলে দেখি! ব্যাপার কী জান না তো, আমি কিছু গরিব-গুর্বো রুগীকে মাগনায় দেখি, তাদের ওষুধপথ্য কিনে দিই, যাদের সামর্থ্য নেই, তারা কি বিনা চিকিৎসায় মারা যাবে? কিন্তু এই

কথা রটে যাবার পর এখন যাদের রেস্তোর জোর আছে, মদ-মাগীতে পয়সা ওড়ায়, তারাও আমার কাছে চিকিচ্ছে করিয়ে ফি দিতে চায় না। গুয়োর ব্যাটারা আমার সামনে এসে মড়াকান্না জুড়ে দেয়। আমি কি দানছত্তর খুলেছি? আমার নিজের বাড়ির একটা খরচ আছে, বিজ্ঞান গবেষণা কেন্দ্রর জন্য পয়সা জোগাড় করতে আমার মুখের রক্ত উঠে যাচ্ছে, হুঁ, যত্তো সব!

আবার চেম্বারে এসে বসে তিনি জিজ্ঞেস করলেন, তুমি এখন এলে যে? তোমার তো বিকেলে আসার কথা। আমাকে একবার বউবাজারে বিজ্ঞান কেন্দ্রে যেতে হবে।

শশিভূষণ বললেন, আজ্ঞে কেশববাবুর বাড়ি গেসলুম, তাই ভাবলুম আপনার এখান থেকে একবার ঘুরে যাই, যদি আপনাকে পাওয়া যায়।

মহেন্দ্রলাল ভুরু কুঁচকে বললেন, কেশববাবুর বাড়ি....তুমি ওদের খাতায় নাম লিখিয়েছ নাকি?

শশিভূষণ বললেন, না, তা নয়। এই ছেলেটাকে নিয়ে গেসলুম মদ-রাক্ষসী দেখাতে।

মহেন্দ্রলাল বললেন, অ, তামাশা দেখতে গিয়েছিলে। হুঃ! নেচে-গেয়ে আর বাজি পুড়িয়ে উনি মদ খাওয়া ছাড়াবেন! এরপর দেখবে পাকা পাকা মাতালরাও ওই সঙ্গে নাচবে-গাইবে! সব জ্ঞানপাপীর দল!

শশিভূষণ বললেন, আর তো কেউ কিছু করছে না, তবু কেশববাবু চেষ্টা করছেন।

মহেন্দ্রলাল বললেন, চেষ্টা তো উনি করছেন অনেক কিছুরই। ফল হচ্ছে কী? আমার দুঃখ কী জান, এ দেশের শিক্ষিত লোকেরা এখানে শুধু সাকার না নিরাকার, দ্বৈত না অদ্বৈত এই নিয়ে মাথা ফাটাফাটি করছে। যেন সারা দেশে আর কোনও সমস্যা নেই। এই যুগটা হল বিজ্ঞানের যুগ। বিজ্ঞানের চর্চা করলে যুক্তিবোধ আসে। যুক্তি দিয়ে বিচার করতে শিখলে সাকার-নিরাকার ফুৎকারে উড়ে যাবে!

শশিভূষন বিনীতভাবে মৃদু প্রতিবাদের সুরে বললেন, আজ্ঞে, ধর্ম নিয়ে ইদানীং যে এক প্রবল সংশয়ের সৃষ্টি হয়েছে, তা তো মানতেই হবে! মনোজগতে আলোড়ন চলতে থাকলে বাইরের জীবনে সুস্থির হওয়া যায় না। হিন্দুরা খুবই ধন্ধের মধ্যে পড়েছে। এতকাল হিন্দুরা নানা রকম ঠাকুর-দেবতার পুজো করে, আচার-অনুষ্ঠান, সংস্কার-কুসংস্কার নিয়ে বেশ ছিল। মুসলমানরা নিরাকার আল্লার ভজনা করে। মুসলমান যুগেও হিন্দুরা নানান মূর্তিপূজার প্রথা পাল্টাবার কথা চিন্তা করেনি। কিন্তু এখন হয়েছে মহামুশকিল। ইংরেজরা স্থায়ী হয়ে বসেছে, এখন হিন্দুরা মনে করে সভ্য হতে গেলে ইংরেজি শিখতে হবে, ইংরেজদের মতন পোশাক পরতে হবে, তাদের মতন খানা খেতে হবে। অনেক বাঙালি যোগ্যতায় ইংরেজের সমকক্ষ হয়েও উঠেছে, কিন্তু তারা ধাক্কা খায় ধর্মের ব্যাপারে। মাটি-খড়-পাথরের পুতুল ঠাকুর পুজো নিয়ে সাহেবরা হাসি-ঠাট্টা, ব্যঙ্গ-বিদ্রুপ করে অনবরত। আর সব ধর্মেই ঈশ্বর নিরাকার, শুধু হিন্দুদেরই তেত্রিশ-কোটি দেব-দেবী। শিক্ষিত হিন্দুরা তা নিয়ে বিব্রত।

—সেই জন্যই ব্রাহ্মরা নিরাকার পরমব্রহ্মের আমদানি করলেন।

—হিন্দুধর্মে পরম ব্রহ্মের ধারণা আগেও ছিল। অন্য ধর্ম থেকে আমদানি করতে হয়নি, তবে সবাই মানত না। এক সময় দলে দলে বাঙালি ছেলেরা যে খ্রিস্টান হচ্ছিল, ব্রাহ্মরা তা যে রুখে দিয়েছেন, তা তো স্বীকার করতেই হবে। রামমোহন-দেবেন্দ্রবাবুর কৃতিত্ব অনেকখানি, কিন্তু কেশববাবুই যে তরুণদের মধ্যে একেশ্বরবাদের প্রতিষ্ঠা করেছেন, সেটা অবশ্য মানা উচিত।

—কেশববাবু হিন্দু পরমব্রহ্মের সঙ্গে খ্রিস্টানদের পরম ব্রহ্মকেও খানিকটা মেশাননি? সাহেবদের জবাব দেবার জন্য গদগদভাবে, যিশুর নাম উচ্চারণ করা আর কথায় কথায় বাইবেল থেকে কোট করা, এসব কী? এই আমাদের শওকতকে জিজ্ঞেস করো,

মোছলমানেরা নিজেদের ধর্মের শ্রেষ্ঠত্ব বোঝাবার জন্য বাইবেল নিয়ে টানাটানি করে? কেশববাবুর যে ব্রাহ্মদল, তাদের প্রার্থনাগৃহটা ভালোভাবে লক্ষ করেছ? চুড়োটা গির্জের ধাঁচের। লোকে বলে, ওটা কেশববাবুর গির্জে!

—হ্যাঁ, গোড়ার দিকে কেশববাবু অনেকটা ঝুঁকেছিলেন বটে। অনেকে ভেবেছিল, উনি বুঝি খ্রিস্টানই হয়ে যাবেন। কিন্তু এখন অনেক বদলে গেছেন। এখন বুঝেছেন, সাধারণ মানুষকে আকর্ষণ করার জন্য ঐতিহ্যকে বাদ দিলে চলবে না। এখন তাঁর দলে নামগান, সঙ্কীর্তন হয়।

—জানি, জানি! সেও তো আবার চরম জায়গায় পৌঁছে যায়। মুঙ্গেরে কী হয়েছিল জান না?

—আজ্ঞে না।

—ব্রাহ্মধর্ম প্রচার করতে কেশববাবু সদলবলে বোম্বাই গিয়েছিলেন। পথে থেমেছিলেন মুঙ্গের শহরে। সেখানে আগে থেকেই ব্রাহ্মদের আখড়া আছে। ভক্তির আতিশয্যে সেখানকার ব্রাহ্মিকারা ঘটি ঘটি জল কেশববাবুর পায়ে ঢেলেছে, তারপর সেই মেয়েগুলো তাদের লম্বা চুল দিয়ে পা মুছে দিয়েছে। নর-অবতার! মূর্তিপূজার বদলে মানুষ পূজা!

—সে রকম দু'একবার বাড়াবাড়ি হতে পারে। এখন হয় না। দক্ষিণেশ্বরের রামকৃষ্ণ ঠাকুরের সঙ্গে কেশববাবুর যোগাযোগ হয়েছে। ভক্তিবাদের সঙ্গে মিলেছে জ্ঞানবাদ। আমার তো মনে হয়, এই দুটির মিশ্রণই সাধারণ মানুষের কাছে

—দক্ষিণেশ্বরের রামকৃষ্ণ ঠাকুর, তাঁর কথা বেশ শোনা যাচ্ছে ইদানীং। বিদ্যাসাগরমশাইও একদিন বলছিলেন বটে। তিনি নাকি পরমহংস, যখন তখন মুচ্ছো যান। মৃগীরোগ আছে কিনা একদিন গিয়ে দেখে আসতে হবে। কালী ঠাকুর! ওই একটা ডব্‌কা সাঁওতালী মাগীর সামনে লোকে যে কী করে টিপ টিপ করে প্রণাম করে, তা আমি কিছুতেই বুঝি না। আমাদের বেদ-উপনিষদে কোথাও ওই কালীমূর্তির কথা আছে?

শশিভূষণ নিজে মূর্তিপূজায় একেবারে অবিশ্বাসী হলেও মহেন্দ্রলালের মুখে এই কথা শুনে শিউরে উঠলেন। তিনি আড়চোখে তাকালেন ভরতের দিকে। তার মুখখানা হাঁ হয়ে আছে, চোখ দুটো যেন ঠিকরে বেরুচ্ছে। শশিভূষণ ভাবলেন, মহেন্দ্রলালের এ রকম উক্তি কালীভক্ত শাক্তরা শুনলে যে তাঁকে মেরে ফেলতে চাইবে!

মহেন্দ্রলাল নিজের কপাল চাপড়ে বললেন, কেশববাবু! তাঁকে কি আমি কম চিনি? আমাদের বিজ্ঞান প্রতিষ্ঠানেও তিনি এক সময় কত কাজ করেছেন। যেমন ওঁর চরিত্রের দৃঢ়তা, তেমনি নেতৃত্ব দেবার ক্ষমতা। ইচ্ছে করলে উনি কত বড় কাজ করতে পারতেন, তা নয়, শুধু একটা ছোট গুষ্টির ধর্মগুরু হয়ে রইলেন। কেশববাবু আসল কাজ কি শুরু করেছিলেন জান? যদি তিনি শুধু ওই একটি কাজ নিয়ে লেগে থাকতেন, তা হলে মহা উপকার হতো এ দেশের। কেশববাবুই প্রথম বাঙালিদের ভারতীয় হতে শেখাচ্ছিলেন। এখনও বাড়িতে একজন পাঞ্জাবি বা মাদ্রাজি ভদ্রলোক এলে লোকে বলে একজন বিদেশি এসেছে। কিন্তু পাঞ্জাব বা মাদ্রাজ যে বিদেশ নয়, আমরা যে শুধু বাঙালি নই, ভারতীয়, একথা আগে কে বলেছে? কেশববাবু পত্রিকা বার করলেন, তার নাম বেঙ্গলি মিরার নয়, ইন্ডিয়ান মিরার। বক্তৃতার সময় উনি প্রায়ই নেশান বা ন্যাশনাল শব্দ ব্যবহার করতেন। আমরা বেঙ্গলি রেস কিন্তু ইন্ডিয়ান নেশান।

শশিভূষণ বললেন, ঠিক, এমন কথা আগে কেউ তেমন বলেনি।

মহেন্দ্রলাল বললেন, সিভিল ম্যারেজ আইন পাশ হবার সময় কেশববাবু কী বলেছিলেন জান? আমরা মুসলমান নই, খ্রিস্টান নই, হিন্দু নই, আমরা ভারতবাসী। এ একটা কত বড় কথা। এই বোধটা আমাদের ছিল না বলেই তো ইংরেজ এসে সকলের ঘাড়ের রক্ত চুষছে।

আমেরিকাতেও নানা জাতের মানুষ আছে, কিন্তু তারা সবাই আমেরিকান, সেইজন্যই তো দেশটা ধাঁ ধাঁ করে এগিয়ে যাচ্ছে। আমাদের দেশের নেতাদের এখন এই আদর্শের প্রচারটাই প্রধান কাজ নয়?

একটা দীর্ঘশ্বাস ফেলে, একটুক্ষণ চুপ করে থেকে, মহেন্দ্রলাল আবার বললেন, যাক, অনেক বকবক করলাম, দেরি হয়ে গেল। দেখি, তোমার হাতটা দাও, কেমন আছ বল।

শশিভূষণ বললেন, আজ্ঞে, এখন তো ভালোই আছি। দিব্যি হাঁটাচলা করতে পারি। খিদেও বেড়েছে। এখন আমি ত্রিপুরায় ফিরতে পারি?

শশিভূষণের নাড়ি পরীক্ষা করতে করতে মহেন্দ্রলাল বললেন, যাও। কোনও কমপ্লেন যদি না থাকে, যাবে না কেন?

শশিভূষণ বললেন, তেমন কিছু নেই, তবে মাঝে মাঝে ঝিমঝিম করে। রাত্তিরে নানা রকম দুঃস্বপ্ন দেখি, সেগুলো স্বপ্নই, ঘুম ভেঙে যায়।

মহেন্দ্রলাল শশিভূষণের হাত ছেড়ে দিয়ে হা, হা শব্দে অট্টহাস্য করে উঠলেন। শশিভূষণের ঘাড় চাপড়ে বললেন, শোনো হে, তোমার বয়েসী পুরুষদের মাথা ঝিমঝিমুনি রোগ আর স্বপ্ন তাড়ানোর খাঁটি ওষুধ কী জান? বি পূর্বক বহ্ ধাতু ঘঙ। বিশেষরূপে কারুকে বহন করো। তেমন কিছু ভাবোনি?

শশিভূষণ বললেন, আজ্ঞে না। এখন আমি ও জন্য প্রস্তুত নই।

মহেন্দ্রলাল বললেন, তোমাদের ঈশ্বর নিরাকার হোন আর যাই হোন, নারী কিন্তু সাকার। পুরুষও সাকার। এই সাকারে সাকারে মিলন হচ্ছে প্রকৃতির নিয়ম। তাতেই আত্মার সুখ। ত্রিপুরায় যাচ্ছ যাও, কিন্তু বেশিদিন একা থেক না।

শশিভূষণ বললেন, এই ছেলেটিকে একবার একটু দেখে দিন তো। ও সর্বক্ষণ খাই খাই করে। অস্বাভাবিক খিদে, বাগানে গিয়ে তেঁতুলপাতা চিবিয়ে খায়। এ রকম খিদেও মনে হয় কোনও অসুখ।

মহেন্দ্রলাল আবার হেসে বললেন, খিদে আবার অসুখ কী হে? খাদ্য পেলেই খিদে থাকে না। উঠতি বয়েসের ছেলে, এখন দু' বেলা পেটপুরে খেলে পাঠ্যা জোয়ান হবে।

তিনি এক দৃষ্টিতে চেয়ে রইলেন ভরতের দিকে। ভরত জড়সড় হয়ে গেল সেই দৃষ্টির সামনে।

মহেন্দ্রলাল মাথা দোলাতে দোলাতে বললেন,রোগ নেই, কোনও রোগ নেই। খাবি, যত ইচ্ছে খাবি। বড়লোকের বাড়িতে থাকিস, খাবারের অভাব কী? মনে করে খেতে না দেয়, চুরি করে খাবি। তেঁতুলপাতাও মন্দ কিছু না। টুলো পণ্ডিতের ছাত্ররা ওই দিয়ে ভাত খেত। এই ছেলে, তুই লেখাপড়া করিস?

ভরত ঘাড় নাড়ল।

মহেন্দ্রলাল বললেন, পড়, মন দিয়ে পড়বি। বিজ্ঞান পড়তে শেখ। বিজ্ঞান ছাড়া গতি নেই। তোর এই দাদাটি যদি ব্রাহ্মদের দলে ভেড়াতে চায়, সটকে পালিয়ে আসবি। নিজে ভালো-মন্দ বিচার করবি, নিজেই নিজের ধর্ম তৈরি করে নিবি। তোকে একটা বীজমন্ত্র দিয়ে দিচ্ছি, সেটা জপ করবি সব সময়: পঞ্চভূতের ফাঁদে ব্রহ্ম পড়ে কাঁদে......পঞ্চভূতের ফাঁদে ব্রহ্ম পড়ে কাঁদে.......

॥ ১৮ ॥

হেদোর পুকুরের এক ধারে জেনারেল অ্যাসেম্বলি ইনস্টিটিউশন নামে কলেজ। এই পুকুরটি পানায় মজে গিয়েছিল, সম্প্রতি তার সংস্কার করা হয়েছে, পার্শ্ববর্তী জমি সাফসুতরো করে লাগানো হয়েছে কিছু ফুলের গাছ, তারপর লোহার রেলিং দিয়ে ঘিরে দেওয়ায় বেশ একটা উদ্যানের রূপ ধারণ করেছে। কলেজের ছেলেরা এখানে এসে সিগারেট-চুরুট ফুঁকতে ফুঁকতে কখনও শেলী–ওয়ার্ডসওয়ার্থের কাব্য, কখনও হিউম-হার্বাটি স্পেনসারের দর্শন নিয়ে তর্ক করে, আবার যোষিৎ-সংসর্গ বিষয়ক রসের আলোচনাও কম হয় না।

আজ মেঘলা মেঘলা অপরাহ্ন, কলেজ ছুটির পর অধিকাংশ ছাত্রই বাড়ি ফিরে গেছে, এক তরুণ যুবা উদভ্রান্তের মতন ঘুরে বেড়াচ্ছে হেদোর বাগানে। কাছেই সিমলে পাড়ায় তার বাড়ি, অ্যাটর্নি বিশ্বনাথ দত্তের ছেলে নরেন্দ্র দত্ত, এই কলেজের এক উজ্জ্বল ছাত্র। সে আগে প্রেসিডেন্সি কলেজে পড়ত, মাঝে ম্যালেরিয়া জ্বরে আক্রান্ত হয়ে পড়ায় সেখানে পরীক্ষা দিতে পারেনি, জেনারেল অ্যাসেম্বলিতে ভর্তি হয়ে এফ, এ পাশ করেছে, এখন বি, এ পাঠরত। নরেন্দ্র যে শুধু ছাত্র হিসেবেই চৌখস তা নয়, তার কুস্তি করা সবল শরীর, লাঠিখেলা, তরোয়াল খেলা, ক্রিকেট খেলায় সে দক্ষ। এক প্রদর্শনীতে মুষ্টিযুদ্ধ প্রতিযোগিতায় প্রথম হয়ে সে একটা রুপোর প্রজাপতি পুরস্কার পেয়েছে। সে রীতিমতন সুগায়ক, গান গাইবার জন্য অনেক জায়গায় তার ডাক পড়ে, পাখোয়াজ -এস্রাজের মতন অনেকগুলি বাদ্যযন্ত্র বাজাতে জানে, বন্ধুদের মধ্যে প্রবল তার্কিক, আড্ডাপ্রিয়। অন্যান্য যুবকদের তুলনায় তার জীবনীশক্তি যেন কয়েকগুণ বেশি, পৌরুষ-দৃপ্ত মুখমণ্ডল, বড় বড় চক্ষু দুটিতে কখনও কৌতুক, কখনও স্পর্ধার ঝিলিক। নরেন্দ্র সচরাচর একা থাকে না, বন্ধুরা তাকে ঘিরে থাকে।

কিন্তু আজ কী হয়েছে নরেন্দ্রর, সে বন্ধুদের সংসর্গ পরিত্যাগ করেছে, আকাশের মেঘের মতন তার মুখেও কিসের ছায়া।

অন্যান্য দিন ছুটির পর সে মসজিদবাড়ি স্ট্রিটে বেণী ওস্তাদের কাছে গান শিখতে যায়। আহম্মদ খাঁর শিষ্য বেণী ওস্তাদের গৃহে সর্বক্ষণই যেন সুর গমগম করে, নরেন্দ্রকে সেখানে নিয়ম করে গলা সাধতে হয়। কোনও কোনও দিন ওস্তাদের গুরু আহম্মদ খাঁ স্বয়ং উপস্থিত থাকেন, সেই সব দিনে হয় খেয়াল-ঠুংরির নতুন নতুন তানের চর্চা।

কিন্তু আজ নরেনের সেখানে যেতে ইচ্ছে করছে না। অম্বু গুহের কুস্তির আখড়ায় ব্যায়াম করতে যেতেও তার ভালো লাগে, সেখানে তার বন্ধু রাখালের সঙ্গে দেখা হয়, আজ সে আখড়াতেও যাবে না নরেন্দ্র। ব্রাহ্ম-সমাজের প্রার্থনা ও সঙ্গীত-আসরে যাবারও মন নেই, বরানগরে বন্ধুদের আড্ডাও তাকে টানছে না। সে আজ কোথাও যাবে না, বাড়িও ফিরতে চায় না।

বাড়িতে এক নতুন উৎপাত শুরু হয়েছে, এফ, এ পাশ করার পর থেকেই কন্যাদায়গ্রস্ত পিতাদের আনাগোনা চলছে। নামজাদা সচ্ছল পরিবারের শিক্ষিত ছেলে, রূপবান-গুণবান, বিবাহ-বাজারে সে তো সুপাত্র হিসেবে বিবেচিত হবেই। কেউ দশ হাজার, কেউ কুড়ি হাজার টাকা পণ দিতে চায়, অতি সম্প্রতি এক কন্যার পিতা নরেন্দ্রকে বিলেত পাঠিয়ে আই সি এস

কিংবা ব্যারিস্টার হবার প্রস্তাব দিয়েছেন। নরেন্দ্রর বাবা মা ও পেড়াপিড়ি শুরু করেছেন, কলেজে পড়ার সময়ই তো অধিকাংশ ছেলের বিয়ে হয়ে যায়, তাঁরা পাত্রী দেখছেন নিয়মিত। বিবাহের কথা শুনলেই নরেন্দ্রর নাকটা কুঁচকে যায়। শুধু নিজস্ব জীবিকার ব্যবস্থা নয়, জীবন সম্পর্কে একটা দর্শন তৈরি করে নেবার আগেই ঝপ করে একটা বিয়ে করে সংসারী হয়ে যায় নেহাত গাড়লেরা। এ জীবন তো রাস্তায় কুড়িয়ে পাওয়া একটা জিনিস নয়, দুর্লভ এই মানবজন্ম, এর সার্থকতার পথ অন্বেষণ করা, চিত্তবৃত্তি বিকাশের জন্য যত্নবান না হয়ে গড্ডলিকা স্রোতে গা ভাসিয়ে দিলে পশুর সঙ্গে তফাত রইল কি!

কাজল বর্ণ মেঘ বিকেলকে সংক্ষিপ্ত করে সন্ধ্যাকে এগিয়ে আনে। মাঝে মাঝে শোনা যায় গুরুগুরু গর্জন। নরেন্দ্রর কিছুই খেয়াল নেই, সে উদ্দেশ্যহারা হয়ে ঘুরছে, মাঝে মাঝে নস্যি দিচ্ছে নাকে, থুতু ফেলছে যেখানে সেখানে। সে পরে আছে পায়জামা ও গোলগলা আচকান, পায়ে মোজা ও শু। বই-খাতা মোড়া একটা কাপড়ের থলি ঝুলছে এক হাতে।

হঠাৎ এক জায়গায় থেমে গিয়ে সে লোহার রেলিং-এ মাথা ঠুকতে লাগল আর বিড়বিড় করে বলতে লাগল কী যেন! যেন তার ভিতরে একটা সাঙ্ঘাতিক কষ্ট হচ্ছে, নিজের কাছেই উত্থাপিত কোনও প্রশ্নের সে উত্তর খুঁজে পাচ্ছে না বলে সে শাস্তি দিচ্ছে নিজেকে।

কেউ বাধা না দিলে মাথা ঠুকতে ঠুকতে একটা রক্তারক্তি কাণ্ডই হয়ে যেত। একজন এসে হাত রাখল তার পিঠে।

আসন্ন ঝড় বৃষ্টির আশঙ্কায় এখন এই বাগানে আর কোনও মানুষজন নেই। সন্ধের পর দু' চারটি গাড়ি-ঘোড়া ব্যতীত এ অঞ্চলে লোকজন বিশেষ চলাচল করে না। একটি ছাত্র কলেজের প্রিন্সিপালের বাড়ির লাইব্রেরিতে পড়াশুনো করছিল, সে এখন ফিরছে এদিক দিয়ে। শীলদের বাড়ির ছেলে এই ব্রজেন্দ্র অত্যন্ত মেধাবী, অল্প বয়েসেই পিতৃহীন, খুবই দরিদ্র অবস্থা, তবু শুধু মেধার জোরে সে স্কুল–কলেজের শিক্ষকদের প্রিয় হয়েছে। নরেন্দ্রর মতন গান-বাজনা কিংবা খেলাধুলোর দিকে তার ঝোঁক নেই, সে এক গ্রন্থকীট। নরেন্দ্রর চেয়ে বয়েসে ছোট হয়েও সে পড়ে ওপরের ক্লাসে, অসুখের জন্য নরেন্দ্রর একটি বছর নষ্ট হয়েছে, দু'জনের বেশ বন্ধুত্ব আছে।

ব্রজেন্দ্র বলল, এ কী নরেন, কী করছিস, কী করছিস?

নরেন্দ্র সচকিত হয়ে মাথা তুলল, তার ঘোর লাগা দৃষ্টি স্বাভাবিক হতে সময় লাগল কিছু মুহূর্ত, ব্রজেন্দ্রকেও যেন সে চিনতে পারছে না, তাকিয়ে রইল তার মুখের দিকে।

ব্রজেন্দ্র ব্যস্ত হয়ে জিজ্ঞেস করল, অমনভাবে মাথা ঠুকছিলি, কী হয়েছে তোর?

নরেন্দ্র আস্তে আস্তে বলল, মাথার মধ্যে খুব ব্যথা করছিল। তাই ভাবলাম, এতে যদি কমে।

ব্রজেন্দ্র বলল, মাথায় ব্যথা করছে, কবিরাজের কাছে যা—

বন্ধুর কাছে ধরা পড়ে গিয়ে নরেন্দ্র কিছুটা লজ্জা পেয়েছে। এমনিতে সে লজ্জা পাবার পাত্র নয়। সে রঙ্গপ্রিয়, বন্ধুদের নিয়ে সে-ই কৌতুক করে অধিকাংশ সময়ে।

স্বাভাবিক হবার জন্য সে আচকানের জেব থেকে নস্যির ডিবে বার করে অনেকখানি নস্যি নিল দু'নাকে। তারপর একটা পেন্সিল দিয়ে সেই নস্যি ঠুসে দিতে লাগল ভেতরে।

ব্রজেন্দ্র প্রায় শিউরে উঠে বলল, উঃ নরেন, অত নস্য নিস না। দেখলেও কেমন যেন লাগে!

নরেন্দ্র বলল, কম নিলে মাথা পরিষ্কার হয় না। মাথাটা পরিষ্কার হলে যদি ব্যথাটা কমে!

ব্রজেন্দ্র বলল, শোনো পাগলের কথা! ওষুধ না খেয়ে নিজে নিজে নস্য-চিকিৎসা! তোর ব্যথাটা কী ধরনের রে?

নরেন্দ্র বলল, কপালে দুই ভুরুর মাঝখানটা দপ দপ করে। মাঝে মাঝে সেখানে যেন একটা আলোর শিখা জ্বলে ওঠে। তোদের এরকম হয়?

ব্রজেন্দ্র বলল, না! কপালে ও রকম আলো টালো জ্বলা কাজের কথা নয়। বড় রকমের কোনও ব্যামো হতে পারে, তুই ডাক্তার-বদ্যি দেখা ভালো করে।

কথা নেই বার্তা নেই, হুড়মুড়িয়ে বৃষ্টি নেমে গেল। ব্রজেন্দ্র সাবধানী, সে বাদলার দিনে বগলে ছাতা রাখে। সে পরে আছে ধুতি আর কুর্তা, পায়ে শুঁড় তোলা তালতলার চটি। তাড়াতাড়ি ছাতা খুলে সে বলল, আয়, এর নীচে আয়।

নরেন্দ্র বলল, আমার ছাতা লাগবে না, তুই মাথায় দে।

—বৃষ্টি ভিজলে যে সান্নিপাতিক হবে!

—আমার তো হবে না, তোর হবে!

—তোর যৌবনের তেজ আছে বটে। চল নরেন, তোকে বাড়ি পৌঁছে দিয়ে আসি।

—আমি তো এখন বাড়ি যাব না।

—তা হলে টঙে যাবি? চল সেই পর্যন্তই যাই!

দুই বন্ধু হেদোর বাগান থেকে বেরিয়ে হাঁটতে লাগল রাস্তা দিয়ে । ঝড় বৃষ্টির জন্যই বোধ হয় আজ গ্যাসের বাতি জ্বলেনি, বিদ্যুৎ–চমকে পথ চিনতে হবে। দু'পাশে খোলা নর্দমা, পা হড়কে পড়ে গেলেই বিপদ। নর্দমা থেকে অনেক ক্রিমি কীট উঠে আসে রাস্তায়, খানা-খন্দও বাঁচিয়ে চলতে হয়। ব্রজেন্দ্র বুঝেছিল, পার্কের রেলিং-এ নরেন্দ্রর এরকম মাথা কোটা মোটেই স্বাভাবিক নয়, কিছু একটা মানসিক অশান্তি চলেছে তার, এই সময় তাকে একলা ছেড়ে দেওয়া ঠিক নয়।

ব্রজেন্দ্র বলল, কিছুদিন থেকে তোর একটা উড় উড় ভাব দেখছি, কী হয়েছে বল তো, নরেন? আগে প্রায়ই আমাদের রান্না করে খাওয়াতিস, মোগলাই খানা, ফরাসি খানা, এখন তো আর ডাকিস না!

নরেন্দ্র বলল, আমার রান্নার শখ মিটে গেছে।

ব্রজেন্দ্র বলল, তোর গান-বাজনাও অনেকদিন শুনিনি।

নরেন্দ্র কোনও উত্তর দিল না। বৃষ্টি আরও ঝেপে এসেছে, নরেন্দ্র সবাঙ্গে সিক্ত। এমন বৃষ্টির তোড়ে এক ছাতার নীচে দু'জন মাথা দিলে দু'জনকেই ভিজতে হবে, তাই নরেন্দ্র ব্রজেন্দ্রর ছাতার অংশ নেবে না। ব্রজেন্দ্রও বাতাসের বেগে ছাতা সামলাতে পারছে না, তার পিঠ ভিজে যাচ্ছে, সে বন্ধুকে ডেকে একটি বড় বাড়ির পোর্টিকোর নীচে দাঁড়াল।

নরেন্দ্র আবার খানিকটা নস্যি নিল নাকে।

ব্রজেন্দ্র বলল,হ্যাঁ রে, নরেন, তুই নাকি দক্ষিণেশ্বরে রামকৃষ্ণ ঠাকুরের কাছে যাতায়াত শুরু করেছিস? কিশোরীচাঁদ বলছিল—

এ প্রশ্নেরও কোনও উত্তর দিল না নরেন্দ্র।

ব্রজেন্দ্র বলল, ব্রাহ্মদের উপাসনালয় থেকে কালীমন্দিরে? অবশ্য কেশববাবুর দলও যাতায়াত করছেন। আমাদের প্রিন্সিপাল মিঃ হেস্টি কী বলেছিলেন একদিন, শুনেছিস? ওয়ার্ডসওয়ার্থের এক্সকার্শান কবিতাটা পড়ছিলেন, ছাত্ররা কবির অতীন্দ্রিয় অনুভবের ব্যাপারটা ঠিক ধরতে পারছিল না। অধ্যক্ষমশাই তখন বললেন, ছাত্ররা কবির অতীন্দ্রিয় অনুভবের ব্যাপারটা ঠিক ধরতে পারছিল না। অধ্যক্ষমশাই তখন বলরেন, অনুভূতির তীব্রতায় ওয়ার্ডসওয়ার্থের মাঝে মাঝে ভাব-সমাধি হত। তোমরা যদি সেটা বুঝতে চাও, তা হলে দক্ষিণেশ্বরে রামকৃষ্ণ পরমহংসকে দেখে এসো গে। তাঁর ওই রকম ভাব-সমাধি হয়। মানুষটি খুব খাঁটি। আমাদের ক্লাসের অনেক ছাত্র রামকৃষ্ণ ঠাকুরের নামই শোনেনি। সবাই তো আর কেশববাবুদের কাগজ পড়ে না। আমি হেস্টি সাহেবের কথাটা শুনে খুব আশ্চর্য

হয়েছিলুম। কেশববাবুদের উচ্ছ্বাসের কারণ বোঝা যায়। ওঁরা আগে পরম ব্রহ্মকে পিতা বলতেন, এখন মাতা বানিয়েছেন। মা মা বলে কেত্তন গান করেন। কিন্তু হেস্টি সাহেব খ্রিস্টান হয়েও এক কালীভক্তকে প্রশংসা করলেন। আমারও একবার রামকৃষ্ণ ঠাকুরকে দেখবার ইচ্ছে আছে। তুই তো দেখেছিস, লোকটি কেমন রে?

নরেন্দ্র বন্ধুর দিকে ঘুরে দাঁড়াল। একটুক্ষণ তাকিয়ে রইল অপলকভাবে। তারপর দ্বিধার সঙ্গে বলল, লোকটি কেমন......লোকটি কেমন......তা আমার পক্ষে বলা শক্ত, এখনও ঠিক বুঝতে পারি না।

হঠাৎ উত্তেজিত হয়ে নরেন্দ্র জিজ্ঞেস করল, আচ্ছা ব্রজেন, তুই তো অনেক লেখা পড়া করেছিস,তুই একটা কথা বল তো! যুগ যুগ ধরে আমাদের সমাজে যা বিশ্বাস করে এসেছে, আমাদের বাপ-ঠাকুর্দা যে ধর্মের বিধান আর সৃষ্টিকর্তার রূপ মেনেছেন, তা কি আমরা এক কথায় উড়িয়ে দিতে পারি? যদি উড়িয়ে দিই, সেই অবিশ্বাসের যে শূন্যতা, তা সহ্য করা সম্ভব?

ব্রজেন্দ্র বলল, দেখ নরেন, তোর মনের গতি আমি খানিকটা স্টাডি করেছি, আমার কী মনে হয় বলব? তুই ডেকার্তের অহংবাদ পড়েছিস, আবার হিউমের নাস্তিকতা, ডারউইনের বিবর্তনবাদ এসবও পড়েছিস! কিন্তু তোর মাথার মধ্যে রয়ে গেছে হিন্দু ঐতিহ্য। তুই যখন তর্ক বির্তক করিস, তখন কখনও মনে হয় তুই নাস্তিক, কখনও সংশয়বাদী, আবার কখনও যেন বেরিয়ে পড়ে যে, তুই যেন সেই ঈশ্বরকে খুঁজছিস, যিনি এই জড় জগৎ পরিচালনা করেন।

—তোর মনে এই প্রশ্ন জাগে না?

—না। দার্শনিক মীমাংসায় আমি ঈশ্বরের কোনও স্থান খুঁজে পাই না। যুক্তি দিয়ে আমি ঈশ্বরের কোনও প্রয়োজনও বোধ করি না। কিন্তু তোর কথা আলাদা। তুই এক সময় ধ্যান-ট্যান করেছিস, আবার সাহেবদের সংশয়বাদী লেখাও পড়িস, তারপরেও জানতে চাস, কেউ স্বচক্ষে ঈশ্বর দেখেছেন কিনা! সেইজন্য দেবেন ঠাকুরের কাছে গিয়েছিলি না?

নরেন্দ্র চুপ করে রইল। সত্যিই সে একদিন ঝোঁকের মাথায় ছুটে গিয়েছিল দেবেন্দ্রনাথ ঠাকুরের কাছে। দেবেন্দ্রনাথকে সবাই পূত চরিত্র, মহর্ষি বলে মনে করে। তিনি নিশ্চয়ই মিথ্যে কথা বলবেন না। তিনি তখন চুঁচড়োর কাছে গঙ্গার ওপরে একটা বোটে থাকেন। নরেন্দ্র সোজা সেই বোটে উঠে গিয়ে প্রথমেই সরাসরি প্রশ্ন করেছিল, আপনি কখনও ঈশ্বরকে নিজের চোখে দেখেছেন? সে প্রশ্নের উত্তর দিতে পারেননি দেবেন্দ্রনাথ। এড়িয়ে গিয়ে বলেছিলেন, তোমার চক্ষুদুটি যোগীর মতন। তুমি সাধনা করলে নিজেই একদিন উপলব্ধি করবে।

ব্রজেন্দ্র বলল, আসল কথাটা কী জানিস, ঈশ্বর আছেন কি নেই, এ নিয়ে মাথা ব্যথা করার দরকারটাই বা কী? এই যে এত প্রার্থনা, ধ্যান, পুজো-আচ্চা, নামাজ পড়া, উপোস, মানুষের জীবনে এর কোনও প্রয়োজন আছে? এসব বাদ দিয়েও তো দিব্যি চলে যায়। অক্ষয় দত্ত মশাই অঙ্ক দিয়ে কী প্রমাণ করেছিলেন তুই দেখিসনি? উনি একটা ফর্মুলা দিয়েছিলেন। কৃষকরা সারাদিন পরিশ্রম করে ফসল উৎপাদন করে। তা হলে পরিশ্রম=ফসল। সেই সঙ্গে যদি ঈশ্বরের কাছে প্রার্থনাও করে, তাহলে পরিশ্রম+প্রার্থনা=ফসল। অর্থাৎ প্রার্থনা=০

নরেন্দ্র ঠোঁট বেঁকিয়ে বলল, দুর শালা, এসব হল ফক্কুড়ির কথা! জীবন মানে শুধু চাষবাস আর মাগ ছেলে মেয়ে নিয়ে ঘর করা নয়।

ব্রজেন্দ্র বলল, তুই অত রেগে যাচ্ছিস কেন? আচ্ছা, রামকৃষ্ণ ঠাকুরের কাছে গিয়ে তোর কি নতুন কোনও উপলব্ধি হয়েছে? আমাকে খুলে বল না!

নরেন্দ্র বলল, এ শালার বৃষ্টি থামবার নাম নেই। তামাক খাইনি কতক্ষণ। চল, ছুটে চলে যাই। তুই ছুটতে না পারিস ছাতা মাথায় দিয়ে আমার পেছন পেছন আয়।

নরেন্দ্র ছুটতে শুরু করে দিল, নিজের বাড়ির দিকে নয়, টঙের দিকে। রামকৃষ্ণ ঠাকুরের কথা মনে পড়লেই তাঁর ভুরু কুঁচকে যায়, মাথার মধ্যে একটা আলোড়ন শুরু হয়। এ ব্যাপারটা কারুকে ঠিক বুঝিয়ে বলাও যায় না।

রামকৃষ্ণ ঠাকুরের কাছে তো সে নিজে থেকে যায়নি। সে মূর্তিপূজার ঘোর বিরোধী, যুক্তিহীন ভক্তিবাদও তার সহ্য হয় না। রামকৃষ্ণ ঠাকুর সম্পর্কে তার কোনও আগ্রহই ছিল না, কেশববাবুদের প্রার্থনা সভাতেও সে এখন আর যায় না, সে যায় সাধারণ ব্রাহ্মসমাজের তরুণদের দলে। তাদের পাড়ায় সুরেন মিত্তিরের বাড়িতে একদিন রামকৃষ্ণ ঠাকুর এসেছিলেন। নরেন্দ্রকে এখন গান গাইবার জন্য অনেকেই ডাকাডাকি করে। সেদিনও সুরেন মিত্তিরের অনুরোধে নরেন্দ্র সে বাড়ির আসরে গিয়ে কয়েকখানা গান শুনিয়েছিল। সেদিন রামকৃষ্ণ ঠাকুরকে দেখে সে তেমন কিছু আকৃষ্টও হয় নি, বিশেষ কোনও কথাও বলেনি। শ্যামলা রঙের একজন ছোটখাটো চেহারার মানুষ, অঙ্গে গেরুয়া-টেরুয়া পরেন না, নরুন পাড় ধুতি পরা, গায়ে একটা উড়ুনি, কী যেন হাসির কথা বলছিলেন। সেই ঘরের মধ্যে খুব গরম ছিল, গান শুনিয়ে চলে এসেছিল নরেন্দ্র।

তারপর এই তো শীতকালের শেষ দিকের কথা। কোনও এক বড়লোকের বাড়িতে পাত্রী দেখতে যাবার জন্য ঝুলোঝুলি করছিলেন বাবা-মা, বিরক্ত হয়ে চোটপাট শুরু করে দিয়েছিল নরেন্দ্র। সেই সময় তাদের এক আত্মীয় রামচন্দ্র দত্ত এসে উপস্থিত।

বাড়িতে ওরকম হাঙ্গামা দেখে রাম দত্ত নরেন্দ্রকে বললেন, বিলে, তুই এখান থেকে কিছুক্ষণের জন্য পালিয়ে থাক না। আমার সঙ্গে দক্ষিণেশ্বর চ। গঙ্গার পারে ভারি মনোরম জায়গা। আমার ঠাকুরের দুটো উপদেশ শুনে দেখ তোর মনে লাগে কিনা। না মানলে না মানবি। তবে ওখানে গেলে তোর খারাপ লাগবে না। সেটা বলতে পারি।

যেতে রাজি হল নরেন্দ্র, তবে একা নয়, বরানগরের আড্ডা থেকে দু'জন বন্ধুকেও তুলে নিল ঘোড়ার গাড়িতে। কাঁচা রাস্তার দু'পাশে ঝোপ-জঙ্গল, মাঝে মাঝে একটা-দুটো বাড়ি। গাড়ি-ঘোড়ার সংখ্যাও কম। হঠাৎ দক্ষিণেশ্বর মন্দিরের চূড়া দেখলে বেশ বিস্ময় জাগে। অনেকখানি এলাকায় ছড়ানো মন্দির প্রাঙ্গণ। শীতকালের নির্মল আকাশ, গঙ্গা থেকে হু-হু করে আসছে উত্তুরে হাওয়া। বন্ধুদের সঙ্গে নরেন্দ্র ঘুরে ঘুরে সব দেখতে লাগল। মন্দিরের জন্য রানী রাসমণি হাত খুলে খরচ করেছেন। বাঁধানো ঘাটে অনেকখানি চওড়া সিঁড়ি। সিঁড়ি দিয়ে উঠে এলে প্রশস্ত চাঁদনী, সেখানে কয়েকটি খাটিয়া, আম কাঠের সিন্দুক, দু' একটা লোটা ছড়ানো রয়েছে। কিছু সাধু-ফকির-বৈষ্ণবী বসে আছে এদিক ওদিক, মনে হল তারা এখানে নিয়মিত প্রসাদ পায়। সিমেন্ট বাঁধানো পাকা উঠোনের একদিকে রাধাকান্তের মন্দির, অন্যদিকে কালীমন্দির। কালীমন্দিরের সামনে নাট মন্দির। চাঁদনীর এক পাশে দ্বাদশ শিবের মন্দির। তা ছাড়া ভাঁড়ার, ভোগ ঘর, অতিথিলাশা, বলিদানের হাঁড়িকাঠ। এই এলাকার মধ্যে রয়েছে দুটি পুকুর, বাসন মাজার পুকুর আর হাঁসপুকুর, কাছেই মস্ত বড় গোশালা। আর একদিকে পঞ্চবটী উদ্যান।

উঠোনের উত্তর পশ্চিম কোণে থাকেন শ্রীরামকৃষ্ণ ঠাকুর। ঘরটির এক পাশে একটি অর্ধবৃত্তাকার বারান্দা, সেই বারান্দায় দাঁড়ালেই অনেকখানি বিস্তৃত গঙ্গার রূপ দেখা যায়। বাগান-টাগান ঘুরে এসে নরেন্দ্র বন্ধুদের সঙ্গে নিয়ে এই ঘরে প্রবেশ করল। এক দিকে একটি তক্তপোশের ওপরে বসে আছেন রামকৃষ্ণ ঠাকুর, একটা ঠেঙো ধুতি পরা, কোমরের কষি আলগা, ঊর্ধ্বাঙ্গে একটা আলোয়ান জড়ানো। মেঝেতে মাদুর পাতা, সেখানে কয়েকজন লোক বসে আছে। এক কোণে একটা বড় গঙ্গাজলের জালা, সেখানে গিয়ে বসল নরেন্দ্র।

অন্যরা একটা দুটো প্রশ্ন করছে, তার মধ্যে রামচন্দ্র দত্ত রামকৃষ্ণ ঠাকুরের সঙ্গে নরেন্দ্রর পরিচয় করিয়ে দিলেন একজন গায়ক হিসেবে। গায়করা যেখানেই যায়, সেখানে গান

গাইতেই হয়। রামকৃষ্ণ ঠাকুর নরেন্দ্রর দিকে একদৃষ্টিতে তাকিয়ে আছেন, নরেন্দ্র প্রথমে গাইলঃ

মন চল নিজ নিকেতনে
সংসার বিদেশে বিদেশীর বেশে
ভ্রম কেন অকারণে?........

দ্বিতীয় গানঃ

যাবে কি হে দিন আমার বিফলে চলিয়ে
আছি নাথ দিবানিশি আশাপথ নিরখিয়ে.....

গাইতে গাইতে নরেন্দ্র লক্ষ করল, ওই গেরুয়াহীন সাধুটির চক্ষু দুটি স্থির হয়ে গেল, শরীর যেন নিস্পন্দ। একেই ভাব-সমাধি বলে নাকি? ভান, না সত্যি?

গান শেষ হবার পর রামকৃষ্ণ আপন মনে বললেন, বাঃ বেশ গায় তো ছেলেটি।

তারপর তক্তপোশ থেকে নেমে হঠাৎ নরেন্দ্রর হাত ধরে বললেন, আয় তো আমার সঙ্গে।

নরেন্দ্র অবাক হলেও উঠে দাঁড়াল। রামকৃষ্ণ তাকে টেনে নিয়ে এলেন পাশের বারান্দায়, শীতের বাতাস আটাকাবার জন্য বাইরের খোলা দিকটা ঝাঁপ দিয়ে ঘেরা। রামকৃষ্ণ দরজাটাও বন্ধ করে দিলেন, যাতে ওঁদের কোনও কথা ঘরের লোকেরা শুনতে না পায়, জায়গাটা আধা-অন্ধকার হয়ে গেল। দরজা বন্ধ করে রামকৃষ্ণ নরেন্দ্রর দিকে এক পা এক পা করে এগিয়ে আসতে লাগলেন, নরেন্দ্রর গা ছমছম করতে লাগল, কামড়ে টামড়ে দেবে নাকি? তারপর ভাবল, উনি বোধহয় নির্জনে তাকে কোনও উপদেশ টুপদেশ দিতে চান। তা এক কান দিয়ে শুনে আর এক কান দিয়ে বার করে দিলেই হবে!

উপদেশ দেবার বদলে উনি একটা অদ্ভুত কাণ্ড করলেন। খপ করে নরেন্দ্রর একটা হাত চেপে ধরে ঝরঝর করে কেঁদে ফেললেন। যেন তিনি নরেন্দ্রকে বহু দিন ধরে চেনেন এইভাবে বলতে লাগলেন, ওরে, এতদিন পর আসতে হয়? আমি যে তোর জন্য কতদিন ধরে বসে আছি, তা একবারও ভাবিসনি? বিষয়ী লোকদের বাজে কথা শুনতে শুনতে কান ঝলসে গেল রে! প্রাণের কথা কারুকে বলতে পারি না বলে আমার পেট ফুলে থাকে, কেন আসিসনি আমার কাছে!

তারপর হঠাৎই আবার কান্না থামিয়ে হাত জোড় করে গদগদ কণ্ঠে বললেন, জানি আমি প্রভু। তুমি পুরাতন ঋষি, নররূপী নারায়ণ.....

নরেন্দ্র স্তম্ভিত হয়ে গেল। এ যে দেখা যাচ্ছে বদ্ধ পাগল! সে বিশ্বনাথ দত্তের ছেলে নরেন, তাকে ইনি এ সব কী বলছেন? পাগলের প্রলাপে বাধা দিলে আবার কী হয়। সে চুপ করে শুনতে লাগল।

একটু পরে কথা থামিয়ে রামকৃষ্ণ বললেন, এখানে দাঁড়া, কোথাও যাবি না।

দরজা খুলে ভেতরে গিয়ে তিনি খানিকটা মাখন, মিছরি আর সন্দেশ নিয়ে এসে বসলেন, এগুলো খা—।

নরেন্দ্র বললেন, করেন কী মশাই, এগুলো আমি একা খাব কেন? ভেতরে বন্ধুরা রয়েছে, ওখানে গিয়ে ভাগ করে খাচ্ছি, দিন।

রামকৃষ্ণ বললেন, ওরা পরে খাবে। এসব তুই আমার সামনে খা।

মহা অস্বস্তিকর ব্যাপার। এ ভাবে দাঁড়িয়ে দাঁড়িয়ে গপ গপ করে খাওয়া যায়? তাও আবার মিছরির সঙ্গে মাখন! কিন্তু একজন বয়স্ক লোক বারবার বলছেন, নরেন্দ্র কোনওক্রমে খেয়ে নিল। রামকৃষ্ণ আবার নরেন্দ্রর একটা হাত জড়িয়ে ধরে বললেন, তোর ওই বন্ধুগুলি যেন কেমনধারা, তুই শিগগির একদিন একা আসবি? গভীর ব্যাকুলতার সঙ্গে বলতে লাগলেন, ঠিক আসবি তো? ঠিক আসবি? ঠিক আসবি.......

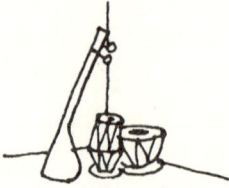

॥ ১৯ ॥

নরেন্দ্র ছুটতে ছুটতে রামতনু বসুর গলিতে ঢুকে পড়ল। তাদের নিজেদের বাড়িতে অনেক মানুষজন, তার নিজস্ব ঘর নেই, পড়াশুনো-গানবাজনা চর্চার সুবিধে হয় না। এই গলিতে তার দিদিমার বাড়ি, এখানে সে একটা ঘর পেয়েছে। ঘরটি অবশ্য বিচিত্র, মূল বাড়ির সঙ্গে কোনও সম্পর্ক নেই, একেবারে বাইরের দিকে একটা গম্বুজের দোতলায়, হয়তো এককালে নহবৎখানা কিংবা দারোয়ানের ঘর ছিল। রাস্তার দিক থেকে আলাদা সিঁড়ি, বন্ধুরা যখন তখন চলে আসতে পারে, নরেন্দ্র নিজেই এই ঘরটার নাম দিয়েছে টঙ।

ছোট্ট ঘরখানিতে রয়েছে একটা ক্যাম্বিসের খাট, তার ওপর একটা ময়লা বালিশ। মেঝেতে একটা ছেঁড়া সপ পাতা, একদিকের দেয়ালে দড়ি টাঙানো, তাতে কয়েকখানি কাপড়, পিরান, চাদর, গামছা ঝুলছে। নরেন্দ্রর সম্পত্তির মধ্যে এ ঘরে রয়েছে একটি তানপুরা, একটি সেতার ও একটি বাঁয়া, কুলুঙ্গিতে, খাটের ওপর, মাদুরে ছড়ানো প্রচুর বই। রাস্তার দিকে একটি মাত্র জানলা।

নরেন্দ্র পাজামা-আচকান ছেড়ে একটি ধুতি জড়িয়ে নিল, মাথা মুছল গামছা দিয়ে। ভিজেছে খুব। কিন্তু মজার ব্যাপার এই যে, তাকে এতখানি ভিজে ঘরে আসতে হল, আর পৌঁছবার পরই বৃষ্টি কমে গেল একেবারে! একদিকের কুলুঙ্গিতে রয়েছে একটা থেলো হুঁকো, খানিকটা তামাকের গুল আর ছাই ফেলবার একখানি সরা। আর একটা সরাতে টিকে, নারকোল ছোবড়া আর দেশলাই। এই দেশলাই জিনিসটা কিছুদিন যাবৎ চালু হয়ে বেশ সুবিধে হয়েছে।

কলকেতে তামাক ও টিকে দিয়ে ধরাবার পর নরেন্দ্র গুড়ুক গুড়ুক করে আরামের টান দিতে লাগল, নেশার দ্রব্য পেয়ে সুস্থির হল। একটু পরেই পৌঁছল ব্রজেন্দ্র, ছাতাটা গুটিয়ে রাখল বাইরে।

নরেন্দ্রর মনটা কিছুতেই হালকা হতে পারছে না। স্বাভাবিক হাস্য পরিহাসের বদলে সে ব্রজেন্দ্রকে দেখেই বলল, তুই জানতে চাইছিলি, শ্রীরামকৃষ্ণ ঠাকুরকে দেখে আমার কী মনে হয়েছে? জানিস ব্রজেন, আমি ওঁকে জিজ্ঞেস করেছিলুম, মশাই, আপনি স্বচক্ষে ঈশ্বরকে দেখেছেন? উনি একটুও দ্বিধা না করে সঙ্গে সঙ্গে উত্তর দিলেন, হ্যাঁ, আমি ঈশ্বর দর্শন করেছি। যেমন তোমাদের দেখছি। আরও ঘনিষ্ঠ রূপে দেখেছি!

ব্রজেন্দ্রর মুখে হাসি ফুটে উঠল, সে বলল, তুই তা বিশ্বাস করলি নাকি?

নরেন্দ্র প্রবল বেগে মাথা নেড়ে বলল, না, অবশ্যই বিশ্বাস করিনি। কিন্তু এটা বুঝতে পারলুম, উনি অন্য সাধকদের মতন রূপক হিসেবে বরেনঙ্গিরল বিশ্বাসের আন্তরিকতায় বললেন। হয়তো উনি মনোম্যানিয়াক।

ব্রজেন্দ্র বলল, তুই বললি না কেন তোকেও দেখাতে? আমাকে কেউ ভূতের গল্প বললে আমি সঙ্গে সঙ্গে দাবি করি, আমাকে দেখাতে পার? কেই তো তা পারে না দেখি!

নরেন্দ্র বলল, না। সে কথা বলিনি। উনি বলতে লাগলেন, সত্যি করে কে ঈশ্বরকে দেখতে চায়? লোকে মাগ-ছেলের শোকে, বিষয়-আশয়ের দুঃখে ঘটি ঘটি কাঁদে। ভগবানের জন্য কে তা করে?

ব্রজেন্দ্র বলল, তোর তো মাগ-ছেলে কিংবা বিষয়-আশয়ের টান নেই। তুই কিছুদিন কাঁদাকাঁদি করে দেখবি নাকি?

নরেন্দ্র বলল, পরিহাসের ব্যাপার নয় রে। মানুষটি অর্ধোন্মাদ হলেও খাঁটি, এটা আমি বুঝেছি। কথা-বার্তার মধ্যে কোনও খাদ নেই। ওঁর কাছে গিয়ে আমার এমন একটা অভিজ্ঞতা হয়েছে, যার কোনও ব্যাখ্যা আমি কিছুতেই খুঁজে পাচ্ছি না। কোনও ব্যাখ্যাই মনে ধরছে না।

নরেন্দ্র অন্যমনস্ক হয়ে গেল। সেই প্রথমবার দক্ষিণেশ্বরে যাবার পর নরেন্দ্র ঠিক করেছিল, সে আর ওখানে যাবে না। ওই আধ-পাগলা লোকটি স্বার্থশূন্য, সরল ও পবিত্রমনা হলেও কালীসাধক তো বটে! তাঁর সঙ্গে নরেন্দ্রর মতন যুবকদের কী সম্পর্ক থাকতে পারে? নরেন্দ্র কি যুক্তি বিসর্জন দেবে নাকি? ঈশ্বরকে চোখে দেখা যাবে কী করে, তা হলে তো মেনে নিতে হয় যে ঈশ্বরের কোনও রূপ কিংবা আকার আছে।

তবু সে কথা দিয়েছিল বলে নরেন্দ্রর মনটা খচখচ করে। যেতে সে চায় না, কিন্তু প্রতিশ্রুতি রক্ষার একটা দায়িত্ব আছে। একদিন সে ভাবল, ব্যাপারটা চুকিয়েই ফেলা যাক। আর একবার গিয়ে সে বলে আসবে, না মশাই, আমার আর এখানে আসা হবে না। একদিন সে হেঁটেই রওনা দিল। কিন্তু সিমলে থেকে শ্যামবাজার-বাগবাজার-কাশীপুর হয়ে দক্ষিণেশ্বর যে এতটা দূর, তা তার ধারণা ছিল না। পথ যেন ফুরোতেই চায় না। যখন দক্ষিণেশ্বরে পৌঁছল, তখন সে রীতিমতন ক্লান্ত। সে দিন ঘরে আর কেউ নেই, নিজের ঘরের ছোট খাট খানিতে বসে আছেন রামকৃষ্ণ ঠাকুর। নরেন্দ্রকে দেখে অতিমাত্রায় খুশি হয়ে সেই খাট চাপড়ে বললেন, আয়, আয়, এখানে বোস। নরেন্দ্র সঙ্কুচিত ভাবে খাটের এক প্রান্তে বসল। রামকৃষ্ণ যেন সঙ্গে সঙ্গে ভাবে আবিষ্ট হয়ে গেলেন। নরেন্দ্রর দিকে স্থির দৃষ্টিতে চেয়ে থেকে কী যেন বিড়বিড় করে বলতে লাগলেন। একটু একটু করে এগোতে লাগলেন নরেন্দ্রর দিকে। নরেন্দ্র ভাবল, এই রে, আজ আবার বুঝি কোনও পাগলামি করবে। নরেন্দ্র সরে যাচ্ছে, কিন্তু আর জায়গা নেই, পিঠ ঠেকে গেছে দেয়ালে। হঠাৎ রামকৃষ্ণ তাঁর ডান পা তুলে দিলেন নরেন্দ্রর কাঁধে। নরেন্দ্র ঝাঁকুনি দিয়ে পা-টা সরিয়ে দেবার চেষ্টা করেও পারল না, সঙ্গে সঙ্গে তার মাথা ঘুরতে লাগল। কিংবা দেয়াল সমেত ঘরটাই যেন ঘুরছে, দারুণ জোরে, ঘুরতে ঘুরতে কোথাও লীন হয়ে যাচ্ছে। নরেন্দ্রও যেন মিশে যাচ্ছে সর্বগ্রাসী শূন্যতায়। সেই শূন্যতাই মৃত্যু, কয়েক মুহূর্তের মধ্যেই নরেন্দ্র তার মধ্যে মিলিয়ে যাবে। দারুণ ভয় পেয়ে সে চেঁচিয়ে উঠল, ওগো, তুমি আমার এ কি করলে? আমার যে বাপ-মা আছেন! তা শুনে সেই অদ্ভুত পাগল খল খল করে হেসে উঠলেন। তারপর নরেন্দ্রর বুকে হাত বুলিয়ে দিতে দিতে বললেন, তবে এখন থাক, একবারে কাজ নেই, কালে হবে!

সঙ্গে সঙ্গে থেমে গেল সব ঘূর্ণন, অপসৃত হল মহাশূন্য, ঘর ও দেয়াল ফিরে এল নিজের জায়গায়, নরেন্দ্র যেখানে বসে ছিল, সেখানেই বসে আছে। রামকৃষ্ণ তার দিকে চেয়ে হাসছেন। সব কিছুই স্বাভাবিক।

প্রায় সেই সময়েই আরও লোকজন ঢুকে পড়ল ঘরে, তাই আর কোনও কথা হতে পারল না। নিজের ওপরেই মহা ক্রুদ্ধ হয়ে উঠল নরেন্দ্র। এ তো শস্তার ম্যাজিক। হিপনোটিজ্‌ম! তাই দিয়ে এই পাগলটি তাকে ভয় দেখিয়ে কাবু করে দিল? সে এত দুর্বল ? সে কখনও কারুর কাছে হার মানে না, কোথাও মাথা নিচু করে না, সামান্য ভেলকিতে সে ভয় পায়?

সেদিন ওই বিষয়ে আলোচনার সুযোগ পাওয়া গেল না, নরেন্দ্র ফিরে এল। কয়েকদিন ধরে রাগে ছটফট করতে লাগল সে। এর একটা হেস্তনেস্ত করতেই হবে। আর একদিন পরীক্ষা করে দেখতেই হবে। সাত দিনের মধ্যেই আবার দক্ষিণেশ্বরে গেল নরেন্দ্র, এই নিয়ে তৃতীয়বার। আগের দিন হেঁটে আসায় পথশ্রমে শরীর ছিল শ্রান্ত, সেইজন্য সে ম্যাজিকের বশীভূত হয়েছিল হয়তো। আজ সে ভাড়ার গাড়িতে এসেছে, শরীর টনকা, মন সজাগ। আজ সে প্রস্তুত।

সেদিনও কয়েকজন ভক্ত আগে থেকেই বসে আছে, এর মধ্যে ব্যক্তিগত কথা চলে না। রামকৃষ্ণ নরেন্দ্রকে দেখেই ব্যগ্র হয়ে বললেন, এসেছিস, চল, যদু মল্লিকের বাগানে বেড়িয়ে আসি।

মন্দির-এলাকার পাশেই কলকাতার বিশিষ্ট ধনী যদু মল্লিকের বাগানবাড়ি। তিনি মাঝে মাঝে আসেন, অন্য সময় তাঁর মালি-দ্বারবানরা পাহারা দেয়। সাধারণ লোকের এখানে প্রবেশ নিষেধ, কিন্তু যদু মল্লিকের আদেশ দেওয়া আছে, রামকৃষ্ণ ঠাকুর যখন খুশি আসতে পারবেন, তিনি এলে গঙ্গার ধারের বৈঠকখানা ঘরটির তালা খুলে দেওয়া হয়। এখানকার বাগানটি কেয়ারি করা, অজস্র কুসুমের সমারোহ, মাঝে মাঝে শ্বেত পাথরের বসবার জায়গা।

দুজনে বেড়াতে লাগলেন সেই বাগানে। বিকেলের রোদ পড়ে এসেছে, শীত শেষ হয়েই গরম পড়েছে বেশ, আকাশে কালবৈশাখীর মেঘ। নরেন্দ্র পরে এসেছে একটা ধুতি ও মলিন পিরান, সাজ পোশাকের দিকে তার কখনও মনোযোগ নেই। রামকৃষ্ণের ধুতি পরা খালি গা, বাতাস নেই, গুমোট। রামকৃষ্ণ খুঁটিয়ে খুঁটিয়ে নরেন্দ্রর বাড়ির খবর জিজ্ঞেস করতে লাগলেন। তিনি আগেই জেনেছেন যে, সে ব্রাহ্ম সমাজে যাতায়াত করে, নিরাকারবাদী। কথায় কথায় বললেন, আমি তোদের কেশবকে কী বলেছি জানিস? ঈশ্বর হলেন সচ্চিদানন্দ সমুদ্র, কূল-কিনারা নাই। ভক্তি হিমে এই সমুদ্রের স্থানে স্থানে জল বরফ হয়ে জমে যায়। জল বরফ হয়ে জমাট বাঁধে না? নিরাকার আর সাকার হল যেমন জল আর বরফ। ভক্তের কাছে তিনি সাক্ষাৎ হয়ে কখনও সাকার রূপে দেখা দেন। আবার ব্রহ্ম-জ্ঞান-সূর্য উঠলে সে বরফ গলে যায়।

নরেন্দ্র বলল, কথাটা শুনতে ভালো, কিন্তু ওতে কিছু প্রমাণ হয় না।

রামকৃষ্ণ বললেন, ওরে, আমি যে সাকার রূপে দেখেছি। কতবার দেখেছি।

নরেন্দ্র বলল, ও সব আপনার মনের ভুল। রূপ-টুপ আপনার খেয়াল।

রামকৃষ্ণ বললেন, তুই যদি মনে করিস, তুইও মনের মধ্যে কৃষ্ণকে হৃদয়মধ্যে দেখতে পাস—

নরেন্দ্র এবার উদ্ধতভাবে বলল, মশাই আমি ও সব কিষ্টফিষ্ট মানি না।

আজ নরেন্দ্র প্রত্যেকটি কথা কাটিয়ে দিচ্ছে। তার যুক্তিবোধের প্রাখর্যের কাছে এ সব ভাবাবেগের কোনও মূল্য নেই।

একটু পরে ধুলোর ঝড় উঠল। কালিমালিপ্ত হয়ে গেল দিগন্ত। গঙ্গার ওপর নৌকোর মাঝিরা চ্যাঁচামেচি করে পাল নামিয়ে নিচ্ছে। শোনা যাচ্ছে শোঁ শোঁ শব্দ। এখন আর বাইরে থাকা যাবে না।

রামকৃষ্ণ নরেন্দ্রকে নিয়ে এলেন বৈঠকখানা ঘরে। মূল্যবান সোফায় সে ঘরখানি সাজানো, ওপরে ঝুলছে ঝাড়লণ্ঠন । টানা পাখারও ব্যবস্থা রয়েছে। নরেন্দ্রর পাশে বসে রামকৃষ্ণ বললেন, আমি কতদিন ধরে তোর প্রতীক্ষা করে আছি। জানতাম, তোকে আসতেই হবে। আমার তো সিদ্ধই করবার যো নাই। তোর ভিতর দিয়ে করব, কী বলিস?

নরেন্দ্র বলল, না, না, তা হবে না।

এ কথা শুনেই রামকৃষ্ণ সমাধিস্থ হয়ে গেলেন, দৃষ্টি স্থির, ঘাড়টা সামান্য বাঁকা, একটা হাত ওপরে তোলা।

নরেন্দ্র কৌতুহলী হয়ে চেয়ে রইল। এই ব্যাপারটা কী, সে বুঝতে পারছে না। এ রকম যখন তখন সমাধি হতে পারে? সাধকদের কোনও প্রস্তুতি লাগে না? এক ধনীর গৃহের বৈঠকখানায়—

সহসা রামকৃষ্ণ ঝুঁকে পড়ে নরেন্দ্রর কপাল স্পর্শ করলেন। সঙ্গে সঙ্গে অন্ধকার। আজ আর মহাশূন্য দর্শনও হল না, একেবারে চৈতন্য লোপ!.....

ব্রজেন্দ্রর দিকে তাকিয়ে নরেন্দ্র বলতে লাগল, কতক্ষণ অজ্ঞান হয়ে ছিলুম তা জানি না। এক সময় চোখ মেলে দেখি, উনি আমার বুকে হাত বুলিয়ে দিচ্ছেন, আমি তার উত্তরও দিয়েছি। তারপর থেকে এই একমাস ধরে, এখনও আমার.......

ব্রজেন্দ্র উত্তেজিতভাবে বলল, মেসমেরিজ্‌ম! এ তো বোঝাই যাচ্ছে মেসমেরিজ্‌ম। মেসমার সাহেব এ রকম সম্মোহন করে রুগীদের ঘুম পাড়িয়ে তাদের মনের কথা জেনে নিতেন, তুই তা পড়িসনি?

নরেন্দ্র মহা বিরক্ত হয়ে গলা চড়িয়ে বলল, দেখ শালা, ব্যাজা, তুই কার সঙ্গে কথা কচ্ছিস তোর মনে থাকে না? আমি বিশ্বনাথ দত্তের ছেলে নরেন দত্ত। সিমলে পাড়ার কাপ্তান, আমার মুখের ওপর কেউ কথা বলতে সাহস পায় না। আমাকে মেসমেরাইজ কিংবা হিপনোটাইজ করবে ওই এক অশিক্ষিত বামুন! আমি কি মেনীমুখো, না রুগী?

ব্রজেন্দ্র বলল, তুই এত উত্তেজিত হচ্ছিস কেন? ভালো করে ভেবে দেখ—

নরেন্দ্র বলল, ধুৎ শালা, তোকে এ সব কথা বলাই আমার ভুল হয়েছে। তোর কাছ থেকে এমন সহজ ব্যাখ্যা আমি চেয়েছি? আমি এ সব আগে ভেবে দেখিনি? সম্মোহন করলে একমাস ধরে তার ঘোর থাকে? আমি এখনও সেই ঘোর কাটাতে পারিনি, মাঝে মাঝেই মনে হয়, চোখের সামনে যা দেখছি, তা সবই অলীক, মাথার মধ্যে দপ দপ করে, ধোঁয়া ধোঁয়া দেখি, এটা কী করে হয়? আজ যে রেলিঙ-এ মাথা ঠুকছিলুম, তা ঠিক মাথা ব্যথার জন্য নয়, ওখানে সত্যিই একটা রেলিঙ আছে কি না তা বোঝার জন্য! যাঃ, তুই বাড়ি যা!

মুখখানা গোঁজ করে ব্রজেন্দ্রর দিকে পেছনে ফিরে নরেন্দ্র আবার হুঁকো টানতে লাগল।

ব্রজেন্দ্র কাছে এসে নরম গলায় বলল, তোর মাথা গরম হয়ে গেছে। এখন আর ওই নিয়ে ভাবিস না। পরে চিন্তা করা যাবে। এবার একটা গান শোনা, নরেন।

নরেন্দ্র বলল, এখন গান গাওয়ার মেজাজ নেই। বললুম তো, বাড়ি যা।

ব্রজেন্দ্র বলল, তোর একটা অন্তত গান না শুনে কিছুতেই যাব না। মন যখন উদভ্রান্ত থাকে, তখন সঙ্গীতই শ্রেষ্ঠ ওষুধ। আমি সম্মোহিত হই গানে।

ব্রজেন্দ্রর বারবার অনুরোধে নরেন্দ্র হুঁকো রেখে তানপুরা তুলে নিল। সুর বাঁধতে লাগল মাথা ঝুঁকিয়ে । তারপর গান ধরল :

এ কি এ সুন্দর শোভা! কী মুখ হেরি এ!
আজি মোর ঘরে আইল হৃদয়নাথ
প্রেম-উৎস উথলিল আজি..........

গান শুনতে শুনতে হঠাৎ অলংকারের ঝনঝনানির শব্দ শুনে ব্রজেন্দ্র জানলা দিয়ে তাকাল। রাস্তার ঠিক অপর পারেই একটি বাড়ি, দোতলায় টানা বারান্দা। সেই বারান্দা অন্ধকার হলেও বোঝা যায় সেখানে দাঁড়িয়ে রয়েছে এক যুবতী। তার এক মাথা চুল, ফর্সা রঙের মুখখানি ঝুঁকে আছে রেলিং দিয়ে।

নরেন্দ্ররও গান থেমে গেছে। ফুলে উঠেছে নাকের পাটা, চক্ষু দুটি ক্রোধ-চঞ্চল। দাঁতে দাঁত চেপে বলল, নষ্ট মাগী! আমায় জ্বালিয়ে খেলে!

উঠে গিয়ে দড়াম করে জানলা বন্ধ করে দিয়ে সে আবার বলল, নাঃ আজ আর গান হবে না। আমার খিদে পেয়েছে। চল যাই—

দিদিমার বাড়ির এই ঘরখানায় থাকলেও নরেন্দ্র দু বেলা খেতে যায় নিজের বাড়িতে। বন্ধুকে নিয়ে সে বেরিয়ে পড়ল।

কয়েকদিন পরেই ছুটি হয়ে গেল কলেজ। নরেন্দ্র কিছুতেই আর পড়াশুনো কিংবা গান-বাজনায় মন বসাতে পারে না। এক এক সময় পড়তে পড়তে সে বই ছুঁড়ে ফেলে দেয়। অ্যাটর্নির কাজ শেখার জন্য বাবা এক জায়গায় ভর্তি করে দিয়েছেন, সেখানে যেতেও ভালো

লাগে না তার। রামকৃষ্ণের স্পর্শে কেন অমন ঘোর লেগেছিল তার ব্যাখ্যা সে খুঁজে পায়নি বটে, কিন্তু সেই ঘোরটা কেটে গেছে। এখন সে আবার কুস্তি লড়তে বা সাঁতার কাটতে পারে স্বাভাবিকভাবে। দক্ষিণেশ্বরে সে আর কিছুতেই যাবে না ঠিক করেছে। কেন যাবে?

মাঝে মাঝে দক্ষিণেশ্বর থেকে অদ্ভুত সব খবর আসে। দু একজন লোক নরেন্দ্রর কাছে এসে বলে, ও ভায়া, ঠাকুর আপনার জন্য বড় কান্নাকাটি করছেন, সর্বক্ষণ নরেন, নরেন করেন, আপনি একবারটি চলুন না!

রামকৃষ্ণ ঠাকুর নাকি যদু মল্লিকের বাগানে গিয়ে নরেন্দ্রর নাম করে ডাক ছেড়ে কাঁদেন। পাগলের মতন অবস্থা। কালীবাড়ির খাজাঞ্চি ভোলানাথ বলেছিল, মশায়, একটা কায়েতের ছেলের জন্য আপনি এমন করেন কেন? তাতেও তাঁর কান্না থামে না।

একদিন কয়েকজন ভক্ত রাত্রে ওখানেই থেকে গেছে, রাত্তিরে বারান্দায় শুয়ে ঘুমোচ্ছে। তাদের মধ্যে একজন একসময় চোখ মেলে দেখল, রামকৃষ্ণ ঠাকুর তাঁর ধুতিখানা বগলে নিয়ে উলঙ্গ অবস্থায় ঘুরে ঘুরে কাঁদছেন। একজনকে ডেকে বললেন, ওগো, ঘুমুলে? দেখ, নরেনের জন্য আমার প্রানের ভেতরটা গামছা নিঙড়োনোর মতন জোরে জোরে মোচড় দিচ্ছে, তাকে একবার দেখা করে যেতে বলো। তাকে না দেখলে যে থাকতে পারি না!

আর একদিন তিনি ভক্তদের মধ্যে বসে অনবরত নরেন্দ্রর কথা বলছিলেন। তারপর হঠাৎ বারান্দায় উঠে গিয়ে কাতর চিৎকার করতে লাগলেন। চোখ দিয়ে বন্যার মতন অশ্রু বইছে। মাঝে মাঝে বলতে লাগলেন, মা গো, আমি তাকে না দেখে আর থাকতে পারি না! এত কাঁদলাম, তবু তো নরেন এল না। প্রাণে বিষম যন্ত্রণা হচ্ছে, বুকে বিষম মোচড় দিচ্ছে।

মাঝে মাঝে একটু সুস্থির হয়ে নাকি বলেন, বুড়ো মিনসে, তার জন্য এমন অস্থির হয়েছি আর কাঁদছি দেখে লোকেই বা কী বলবে বল দেখি! কিন্তু আমি যে কিছুতেই সামলাতে পাচ্ছি না!

দূতদের মুখে এ সব কথা শুনেও নরেন্দ্র বিচলিত হয় না। কঠোরভাবে বলে, আমার যাওয়া হবে না। এগজামিনের পড়া করছি, বলবেন, আমার সময় নেই!

জোর করে সে আবার পড়াশুনোয় মন বসায়, পড়তে পড়তে ক্লান্ত হয়ে গেলে গান গায়, গলা সাধে। মন থেকে অবশ্য সে দক্ষিণেশ্বরের পাগলটির কথা একেবারে সরাতে পারে না। প্রায়ই ভুরু কুঁচকে ভাবে, একজন পুরুষ মানুষ তার জন্য এত উতলা হন কেন? কান্নাকাটি করেন সবার সামনে, কেন? ওঁর তো আরও ভক্ত আছে! নরেন মোটেই ওঁর ভক্ত নয়, এবং মাত্র কিছুদিনের পরিচয়।

নাঃ, দক্ষিণেশ্বরে আর সে যাবে না। একজনের মাথায় যদি বাতিক চাপে, তাই নিয়ে কান্নাকাটি করে কষ্ট পায়, তার জন্য নরেন্দ্র দায়ী নয়!

এক একদিন নিরিবিলিতে গান গাইতে গাইতে অনেক রাত হয়ে যায়। যত রাত বাড়ে, শহর নিঝুম হয়, তত কণ্ঠস্বরে বিশুদ্ধতা আসে। রাস্তার দিকের জানলাটা আর সে খোলে না, তার দরজায় অর্গল নেই, এমনিই বন্ধ থাকে। ঘরের মধ্যে খুব গরম হয়, তবু জানলা খোলার উপায় নেই!

নিবিষ্ট হয়ে সঙ্গীত সাধনা করছে নরেন্দ্র, হঠাৎ দরজা ঠেলার শব্দ হল। নরেন্দ্র মেঝেতে বসেছিল, পাশ ফিরে তাকাল। বিপরীত দিকের বাড়ির সেই যুবতী বিধবাটি সর্বনাশিনীর রূপ ধরে চুপি চুপি একেবারে তার ঘরে চলে এসেছে। তার আলুলায়িত চুল, চোখের দৃষ্টিতে আগুন, সর্বশরীরে কামনা।

নরেন্দ্রর সারা শরীরে দপ করে জ্বলে উঠল রাগ। এত সাহস হারামজাদির! নরেন্দ্র প্রথমে ভাবল, প্রচণ্ড ধমকে ওকে বিদায় করবে। মেয়েটির দিকে তীব্র চোখে কয়েক মুহূর্ত তাকিয়ে তার ক্রোধ রূপান্তরিত হল। সে ভাবল, এই মেয়েটি আসলে কত অসহায়! বিদ্যাসাগর মশাই

যতই প্রচুর কষ্ট করে বিধবা বিবাহের আইন পাশ করান, সমাজ তো তা মেনে নেয়নি! দু চারটি বিধবার বিয়ে হয়েছে মাত্র, বাকি সহস্র বাল-বিধবারা যে তিমিরে ছিল, এখনও সেই তিমিরে। ওদেরও যে শরীরের ক্ষুধা আছে, সংসার পাতার আকাঙ্ক্ষা আছে, সন্তান পালনের সাধ আছে, কে তার মূল্য দেবে? ওর যৌবন যেন হরিণীর মাংস, কিছু কিছু লোকের কাছে লোভের সামগ্রী! এই মেয়েটিও হয়তো কখনও সেই লোভের ফাঁদে ধরা দিয়েছে, তাই লাজ-লজ্জা ঘুচে গেছে।

এত রাতে কোনও পুরুষের ঘরে স্বয়মাগতা হয়ে আসার একটাই অর্থ হয়। মেয়েটি প্রেম কাকে বলে জানল না, শুধু দেহজ লালসা। নরেন্দ্র বৈষ্ণব পদাবলি পড়েছে, ইংরেজি রোমান্টিক কবিতা পাঠ করেছে, ভালোবাসা-বর্জিত দৈহিক মিলন তার কাছে বিষম ঘৃণার ব্যাপার। কিন্তু এ মেয়ে যে অন্য কিছু জানে না। একে ফেরানো সহজ নয়, শরীরে ওর উন্মা   মক দিলেও মিনতি করছে, নিঃশর্তে আত্মসমর্পণের জন্য গায়ে এসে পড়তে পারে   এই লালসার সর্পকে বশীভূত করার জন্য একটাই মাত্র মন্ত্র আছে।

নরেন্দ্র ঝুঁকে যুবতীটির পায়ের কাছে দু'হাত রেখে বলল, মা, মা জননী! আমি যে তোমাকে নিজের মায়ের মতন দেখি!

যুবতীটি বিহ্বল হয়ে গেল একটুক্ষণের জন্য। তারপরই দু হাতে মুখ চাপা দিয়ে ছুটে বেরিয়ে গেল হুড়মুড়িয়ে।

এই ঘটনার পর নরেন্দ্র তার এই প্রিয় আস্তানাটি ছেড়ে ফিরে এল নিজের বাড়িতে। এখানেও শান্তি নেই। এখানে বিয়ের জন্য পেড়াপেড়ি। কন্যাদায়গ্রস্ত পিতারা সরাসরি তাকে পাকড়াও করে। বন্ধুদের আড্ডাতেও নরেন্দ্রর যেতে ইচ্ছে করে না, তারা দক্ষিণেশ্বরের সঙ্গ তুলে বিদ্রূপ করে। বাড়িতে গান-বাজনা চর্চার তেমন সুবিধে হয় না বলে নরেন্দ্র আবার ব্রাহ্মসমাজের প্রার্থনায় যোগ দেওয়া শুরু করল। কেশববাবুদের সমাজে নয়, সেখানে রামকৃষ্ণ ঠাকুর হঠাৎ এসে পড়তে পারেন। সে যায় সাধারণ ব্রাহ্মসমাজে, সেখানকার তরুণদের সঙ্গেই তার মতের মিল হয়।

একদিন নরেন্দ্র বসে আছে উপাসনা গৃহের গানের দলে, পরপর কয়েকটি গানের পর ধ্যান হল। তারপর উঁচু বেদীতে বসে আচার্য উপদেশ দিতে শুরু করলেন। সাধারণত এই উপদেশ দেড় থেকে দু'ঘন্টা চলে। অনেক সদস্য এই সময় চক্ষু বুজে আবার ধ্যানমগ্ন হয়, সেই অবস্থায় উপদেশাবলি বেশি উপভোগ করা যায়।

সবেমাত্র উপক্রমণিকা পর্বও শেষ হয়নি, সভাগৃহ নিঃশব্দ, দরজা দিয়ে দ্রুতপদে ঢুকে এলেন রামকৃষ্ণ ঠাকুর, বলতে লাগলেন, নরেন? নরেন কোথায় ? নরেন—

অনাহূত ভাবে সাধারণ ব্রাহ্মসমাজের উপসনার সময় দক্ষিণেশ্বরের রামকৃষ্ণ ঠাকুর হঠাৎ এসে পড়বেন, এমন আশাই করা যায় না। কেশববাবুর নববিধানে তিনি এমন যান বটে, কিন্তু সাধারণ ব্রাহ্মসমাজের সঙ্গে তাঁর তেমন ঘনিষ্ঠতা নেই। তিনি বোধহয় জানেনও না যে সাধারণ ব্রাহ্ম সমাজের নেতারা ইদানীং তাঁকে আর তেমন পছন্দও করছেন না। শিবনাথ শাস্ত্রী ও আরও কেউ কেউ একসময় রামকৃষ্ণ ঠাকুরের কাছে যেতেন বটে। কিন্তু কেশব সেনের ভক্তি বন্যার প্রাবল্য দেখে তাঁরা সরে এসেছেন। একজন কালী সাধকের সঙ্গে তাঁরা আর সম্পর্ক রাখতে চান না।

উপস্থিত সদস্যরা কেউ কেউ রামকৃষ্ণ ঠাকুরকে চেনেন, অনেকেই চেনেন না। ঠেঙো ধুতি ও ফতুয়া পরা, খালি পা, একজন লোককে পাগলের মতন ঢুকে পড়তে দেখে কয়েকজন বলল, এ কে, এ কে? কয়েকজন বলল, আরে এ যে দক্ষিণেশ্বরের সেই ঠাকুর! কেউ বলল, ওঁকে কে ডেকেছে! বেদী থেকে আচার্য ভ্রূকুটি করে সবাইকে চুপ করতে বললেন। তবু সোরগোল, হুড়োহুড়ি পড়ে গেল।

রামকৃষ্ণ ঠাকুর কোনও কিছু গ্রাহ্যই করছেন না। তিনি নরেন কোথায়, নরেন কোথায় বলতে বলতে বেদীর কাছে পৌঁছে গেলেন, তৎক্ষণাৎ তাঁর ভাব-সমাধি হল, তিনি হাত তুলে দাঁড়িয়ে রইলেন প্রস্তুর মূর্তির মতন। সেই অবস্থাটা দেখবার জন্য পেছন দিকের সদস্যরা সামনে আসতে চাইল, কেই কেউ দাঁড়িয়ে পড়ল বেঞ্চের ওপর। রামকৃষ্ণ ঠাকুরকে নিয়ে যাতে বাড়াবাড়ি না হয়, সেই জন্য কর্তাব্যক্তিদের একজন নিবিয়ে দিলেন গ্যাসের আলো। কিন্তু অন্ধকারের মধ্যে বিশৃঙ্খলা পৌঁছল চরম অবস্থায়। ঠেলাঠেলি, চিৎকার, কে কার পা মাড়িয়ে দিচ্ছে তার ঠিক নেই।

গায়কদের দলে বসে থাকা নরেন্দ্রর হৃদয় উদ্বেল হয়ে উঠল। শুধু তার জন্য ছুটে এসেছেন রামকৃষ্ণ ঠাকুর। এমন স্বার্থশূন্য ভালোবাসাও সম্ভব! এত ব্যাকুলতা, এত টান, নরেন তো তার কোনও প্রতিদান দেয়নি। তার সন্ধানে এসে ঠাকুর অপমানিত হচ্ছেন, ধাক্কাধাক্কিতে আহতও হতে পারেন।

নরেন উঠে গিয়ে সবলে ভিড় সরিয়ে বেদীর কাছে গিয়ে রামকৃষ্ণ ঠাকুরকে পাঁজা কোলা করে তুলে নিল। কেউ কিছু বুঝবার আগে তাঁকে নিয়ে এল বাইরের খোলা হাওয়ায়। ধমকের সুরে বলল, আপনি হুট করে এখানে চলে এলেন কেন? আপনার মতন মানুষ, এমন ভাবে আসে?

রামকৃষ্ণ ঠাকুর বললেন, নরেন, নরেন, তোকে না দেখে আমি যে আর থাকতে পারি না। আমার বড় কষ্ট হয়। বুকটা মোচড়ায়।

একটা ঘোড়ার গাড়ি ডেকে তাতে রামকৃষ্ণ ঠাকুরকে শুইয়ে দিয়ে বললেন, আর কক্ষনও আসবেন না। চলুন, আমি আপনাকে পৌঁছে দিচ্ছি!

রামকৃষ্ণ ঠাকুর বললেন, আমি আর তোকে ছাড়ব না।

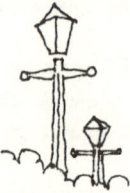

॥ ২০ ॥

চন্দননগরের মোরান সাহেবের বাগানবাড়িটি ছেড়ে দিতে হল। উদ্দেশ্য ছিল তিনজনে মিলে কাব্য ও গান নিয়ে মেতে থাকা ও প্রকৃতি-সম্ভোগ, কিন্তু জ্যোতিরিন্দ্রনাথকে নানা কাজে প্রায়ই কলকাতায় যেতে হয়, আসা-যাওয়ায় অনেক সময় খরচ হয়। জ্যোতিরিন্দ্রনাথ কলকাতায় ফিরলেন বটে, কিন্তু জোড়াসাঁকোর বাড়ির অত ভিড়ের মধ্যে থাকতে চাইলেন না। চৌরঙ্গি পাড়ায় একটি সুদৃশ্য অট্টালিকা ভাড়া নিলেন।

এই অঞ্চলটিতে অধিকাংশ বাড়িই ইংরেজ, আরমেনিয়ান ও পারসিদের, বেশ নিরিবিলি ও পরিচ্ছন্ন, সবচেয়ে বড় গুণ পথ-চলার সময় কিংবা কোনও বাড়ির বার-বারান্দায় দাঁড়ালে দুর্গন্ধ সহ্য করতে হয় না। রাস্তার পাশের কাঁচা ড্রেনগুলি ঢেকে সম্প্রতি এখানে পাথরের ফুটপাথ বানানো হয়েছে, রাত্তির বেলাতেও নিশ্চিন্তে হাঁটা যায়, কোনও পগারে পদস্খলনের ভয় নেই। গ্যাসের আলোয় ঝলমলে এই পথটির সঙ্গে লন্ডনের যে-কোনও রাজপথের তুলনা করা যায়।

এই চৌরঙ্গির ওপরেই যাদুঘরের প্রাসাদ, তার পাশের রাস্তাটির নাম সদর স্ট্রিট, সেই গলির দশ নম্বর বাড়িতে শুরু হল কাদম্বরী দেবীর নতুন সংসার। ঘরগুলি সাজাবার জন্য প্রচুর

নতুন আসবাব কেনা হল, পালঙ্ক, আলমারি, ওয়ার্ডরোব, বড় বড় বেলজিয়ান কাচের আয়না, সাদা কাচ-করার বিলিতি পুতুল বারান্দায় বসানো হল চিনে মাটির স্ট্যান্ড। হগ সাহেবের বাজার থেকে প্রতিদিন সকালে আসে টাটকা ফুল। কাদম্বরী নিজের হাতে সাজাতে ভালোবাসেন, একবার এক একখানা ঘর সাজান, পছন্দ না হলে আবার বদলে ফেলেন সব কিছু।

রবি কোথায় থাকবে, তা নিয়ে প্রথমদিকে কিছুটা সংশয় দেখা দিয়েছিল। জোড়াসাঁকোর বাড়িতে তার একটি নিজস্ব ঘর আছে ঠিকই, কিন্তু দাদা-বউদিদিরা অন্যত্র বসবাস শুরু করলে জোড়াসাঁকোয় তাঁর মন টিকবে কেন? জ্যোতিরিন্দ্রনাথ অবশ্যই রবিকে তাঁদের সঙ্গে থাকার জন্য আহ্বান জানিয়েছিলেন, সদর স্ট্রিটের বাড়িটির একেবারে শেষ প্রান্তে একটি বিশাল বারান্দাওয়ালা ঘর তার জন্য নির্দিষ্ট হয়েছিল। কিন্তু ওদিকে বির্জিতলাও-এর বাড়িতে জ্ঞানদানন্দিনীও তাঁকে বারবার থাকতে বলেছেন। ও বাড়িতে সুরেন আর বিবি তাদের রবিকা-কে পাবার জন্য সব সময় আবদার করে। জ্ঞানদানন্দিনী বললেন, রবি, তুমি তো চন্দননগরে নতুনদের সঙ্গে অনেকদিন রইলে, এবার কিছুদিন আমার কাছে থাকো। বিলেতের সেইসব দিনগুলোর কথা ভুলে গেলে? সন্ধেবেলা তুমি বাচ্চাদের নিয়ে গান গাইবে, আরও লোকজন ডেকে পার্টি হবে.........।

রবি ঠিক করল সে এবারে বির্জিতলাও-এর বাড়িতেই থাকবে। অনুমতি নেবার জন্য সে এল সদর স্ট্রিটের বাড়িতে। কাদম্বরী তখন রবির ঘরটিতেই পর্দা সাজাচ্ছিলেন। প্রশস্ত পালঙ্কের ওপর ধপধপে বিছানা, শিয়রের দু দিকে লম্বা স্ট্যান্ডের ওপর ফুলদানিতে গুচ্ছ গুচ্ছ সাদা ফুল, রবি যদিও বিছানায় উপুড় হয়ে শুয়ে বুকে বালিশ দিয়ে লেখে, তবু তার জন্য আনা হয়েছে নতুন লেখার টেবিল ও চেয়ার, পাশের ওয়ার্ডরোবটিও সাদা রং করা, জানলায় টাঙানো হচ্ছে সাদা লেসের পর্দা। সারা ঘরখানিতেই রয়েছে শুভ্র স্বাচ্ছন্দ্যের আবহাওয়া। একটা টুলের ওপর দাঁড়িয়ে, কোমরে আঁচল জড়িয়ে পর্দার রিং পরাচ্ছেন কাদম্বরী। বৈশাখ মাস, বাতাস নীরস, আকাশে কোনও রং নেই, দারুণ দাহন বেলা। বিন্দু বিন্দু ঘাম জমেছে কাদম্বরীর মুখে।

রবি বলল, নতুন বউঠান, এত যত্ন করে কার জন্য সাজাচ্ছ এই ঘর?

কাদম্বরী মুখ ফিরিয়ে কৌতুক হাস্যে বললেন, কার জন্য বল তো?

রবি বলল, বিশেষ কোনও অতিথি আসবেন বুঝি?

কাদম্বরী বললেন, একতলার অতগুলো ঘর তা হলে রয়েছে কিসের জন্য?

রবি বলল, বলা তো যায় না, বিহারীলাল চক্রবর্তী মশাই যদি কোনও কোনও রাত্তিরে থেকে যেতে চান, তাঁকে তো আর একতলায় পাঠানো যাবে না!

চক্ষে বিদ্যুৎ খেলিয়ে কাদম্বরী বললেন, মরণ!

রবি বলল, নতুন বউঠান, সুরেন আর বিবি আমাকে খুব করে ধরেছে ওদের কাছে থাকবার জন্য। আমি ভাবছি, কিছুদিন বির্জিতলাও-এর বাড়িতে গিয়ে থাকলে কেমন হয়? শুধু রাত্তিরটা কাটাব ওখানে। বেশি দূরে তো নয়, দিনের বেলা যখন তখন চলে আসতে পারব।

বাতিহীন চিনে লণ্ঠনের মতন কাদম্বরীর মুখখানা সঙ্গে সঙ্গে নিষ্প্রভ হয়ে গেল। তিনি অস্ফুট স্বরে বললেন, তুমি এখানে থাকবে না? মেজবউঠানের কাছে থাকবে?

কয়েক শো মুহূর্ত পলকহীন চোখে কাদম্বরী নিঃশব্দে তাকিয়ে রইলেন রবির দিকে। তারপর খুব ধীর গলায় বললেন, বেশ, তাই যাও। তোমার যদি ইচ্ছে হয়—

সঙ্গে সঙ্গে রবির বুকটা মুচড়ে উঠল। সে কি জানে না, কতখানি মমতায় এই ঘরখানি সাজানো হচ্ছে, এবং কার জন্য? এখানে দাঁড়িয়ে সে চলে যাবার কথা উচ্চারণ করতে পারল কী করে? সে নিজেই কি দূরে গিয়ে থাকতে পারবে?

কাছে এগিয়ে এসে রবি বলল, বাঃ, তুমি অমনি এককথায় রাজি হয়ে গেলে! তুমি বুঝি আমায় তোমার কাছে রাখতে চাও না?

কাদম্বরী অন্য দিকে মুখ ফিরিয়ে বললেন, তুমি যদি থাকতে না চাও

রবির আর যাওয়া হল না।

অবশ্য একথাও ঠিক, যেখানেই জ্যোতিরিন্দ্রনাথ সেখানেই প্রাণের প্রাচুর্য, উৎফুল্ল পরিবেশ, অফুরান আড্ডা। প্রায়ই সকালে চলে আসেন অক্ষয় চৌধুরী, প্রিয়নাথ সেন, জানকীনাথ ঘোষালের মতন বন্ধু ও আত্মীয়েরা। চা-পানের সঙ্গে সঙ্গে খোস গল্প ছাড়াও 'ভারতী' সম্পাদনার কাজও চলে। এই মাসিক পত্রিকাটির সম্পাদক হিসেবে বড় দাদা দ্বিজেন্দ্রনাথের নাম ছাপা থাকলেও তিনি বিশেষ সময় দিতে পারেন না। রচনা নির্বাচন থেকে প্রেসে ছাপানো ও ঠিক সময় বিলিবন্দোবস্ত করার সব দায়িত্বই জ্যোতিরিন্দ্রনাথের। সম্প্রতি রবি কবিতা বিভাগটির ভার নিয়েছে, সে উদীয়মান কবিদের কাছ থেকে কবিতা সংগ্রহ করে আনে।

রচনাগুলি প্রেসে পাঠাবার আগে জ্যোতিরিন্দ্রনাথ এক একটি হাতে নিয়ে কণ্ঠে পাঠ করেন, উপস্থিত তিন-চার জন শ্রোতা কখনও তারিফ করেন, কখনও অংশবিশেষ সম্পর্কে আপত্তি জানান। মূল লেখকরা সবাই ঠাকুরবাড়ি সম্পর্কিত। পরিমার্জন ও পরিবর্তনের জন্য তাঁদের অনুরোধ জানাতে কোনও অসুবিধে নেই। কোনও লেখার মূল বক্তব্যের সঙ্গে সম্পাদকমন্ডলির গুরুতর মতভেদ থাকলেও তা বর্জন না করে মুদ্রণ করা হয়, সম্পাদকের পক্ষ থেকে প্রতিবাদও যোগ করা হয় সেই সঙ্গে। রবি যখন বিলেত থেকে 'পারিবারিক দাসত্ব' নামে অতি উগ্র প্রবন্ধটি পাঠিয়েছিল, তখন সেটি ছাপিয়ে দ্বিজেন্দ্রনাথ ওই অল্পবয়স্ক স্পর্ধিত লেখকের বক্তব্যের প্রতিবাদও জানিয়েছিলেন সম্পাদকীয়তে।

নির্বাচকমণ্ডলির এই আসরে কাদম্বরী এসে বসেন না কখন। তিনি থাকেন আড়ালে আড়ালে, কখনও রেকাবি ভর্তি লিচু' এনে রেখে যান টেবিলে, কখনও নিজের হাতে তৈরি সন্দেশ। ঠিক সময়মতন চায়ের পট এসে যায়। হঠাৎ কোনও লেখা সম্পর্কে তিনি কোনও মন্তব্য করলে সচকিত হয়ে ওঠেন সবাই। তাঁর উচ্চাঙ্গের সাহিত্য–রুচির পরিচয় ফুটে ওঠে সেই কথায়।

অক্ষয় চৌধুরী অনেকবার বলেছেন, নতুন বউঠান, আপনি এসে বসুন না আমাদের সঙ্গে। কাদম্বরী সলজ্জভাবে ঘাড় নেড়ে বলেন, না, না। আমি আপনাদের জন্য শরবত নিয়ে আসছি!

কাদম্বরী কিছু লিখতেও চান না। জ্যোতিরিন্দ্রনাথ অনেক অনুরোধ করেছেন। রবি ঝুলোঝুলি করেছে, হাত ধরে অনুনয়ের সঙ্গে বলেছে, তুমি লেখো, তুমি সাহিত্য এত ভালোবাস, তুমি নিশ্চয়ই লিখতে পারবে। কাদম্বরী হেসে উড়িয়ে দিয়ে বলেছেন, যাঃ, আমি কী জানি! ওসব আমার দ্বারা হবে না!

ঠাকুরবাড়ির অনেক মেয়েই বাংলা লেখায় হাত দিয়েছে। স্বর্ণকুমারী নিয়মিত লেখিকা, তাঁর একাধিক গ্রন্থ প্রকাশিত হয়ে গেছে। এমন কি অক্ষয় চৌধুরীর স্ত্রী শরৎকুমারী, যাঁর বাল্যকাল কেটেছে লাহোরে, তাই রবি তাঁর নাম দিয়েছে লাহোরিনী, তিনিও বেশ লিখছেন। মেজবউঠান জ্ঞানেন্দ্রনন্দিনীর লেখার শখ আছে, তাঁর বাংলা ভাষাজ্ঞান তেমন টনটনে নয়, রবি তাঁর লেখা আগা-পাশ-তলা সংশোধন করে দেয়। কিন্তু যিনি হয়তো এঁদের সবার চেয়ে ভালো লিখতেন, সেই কাদম্বরী না-লেখার ধনুর্ভঙ্গ পণ করে রয়েছেন।

সকালের এই আড্ডা শেষ হয়ে দুপুরের বত্রিশ ব্যঞ্জন ভোজনের পর।

কোনও রবিবার এই বৈঠক স্থানান্তরিত হয় মানিকতলার অক্ষয় চৌধুরীর বাড়িতে কিংবা রামবাগানে জানকীনাথের বাড়িতে। একটা হলদে রঙের বাক্সে জমা থাকে সব পাণ্ডুলিপি।

সেটাই 'ভারতী'র সম্পাদকীয় দপ্তর। জ্যোতিরিন্দ্রনাথ সেই বাক্সটা বগলদাবা করে স্ত্রী ও ছোটভাইকে নিয়ে ল্যান্ডো গাড়ি চেপে চলে আসেন উত্তর কলকাতায়। প্রখ্যাত কবিবর বিহারীলাল চক্রবর্তীও এসে যোগ দেন প্রায়ই।

সকাল ও দুপুরগুলি জমজমাটভাবে কেটে গেলেও বিকেলের পর বাড়িটি যেন স্তব্ধ হয়ে থাকে। জ্যোতিরিন্দ্রনাথ প্রায়ই সন্ধের সময় বাড়িতে থাকেন না।

রবি তার জ্যোতিদাদার কর্মশক্তি দেখে মুগ্ধ হয়ে যায়। জ্যোতিদাদাই তার হিরো। এ দেশে কত মানুষ শুধু একটা চাকরি কিংবা জীবিকা নির্বাহের কোনও একটা উপায় পেয়েই ধন্য হয়ে সারা জীবন কাটিয়ে দেয়। কেউ বড়জোর সামান্য শখে তবলা পেটায় বা বাঁশি ফোঁকে। কেউ কবিতা রচনা শুরু করেই নিজেকে মহাকবি ভেবে ফেলে অন্যদের গালমন্দ শুরু করে দেয়। শ্রেষ্ঠত্বের সাধনা নেই, উচ্চাকাঙ্ক্ষার সঙ্গে সঙ্গে কঠোর পরিশ্রম ও ঝুঁকি নেবার সাহস থাকে না অধিকাংশ মানুষের।

জ্যোতিরিন্দ্রনাথ এক অসাধারণ ব্যতিক্রম। এমন আমুদে ও সঙ্গীতপ্রিয় মানুষটি তাঁর কর্মকাণ্ড ছড়িয়ে দিয়েছেন বহু দিকে। মাসিক 'ভারতী' পত্রিকা চালাচ্ছেন তিনি, আদি ব্রাহ্মসমাজের পরিচালনা কার্যও তাঁকে দেখতে হয়। পিতার নির্দেশে জমিদারি তদারকির ভারও তাঁর ওপর, সে কাজ করছেন দক্ষতার সঙ্গে, আয় বেড়েছে যথেষ্ট। এ ছাড়াও নিজস্ব পাটের ব্যবসা আছে জানকীনাথের সঙ্গে, তাতেও লাভ হচ্ছে এখন। এরকম যে-কোনও একটা কাজের ভার নিয়েই অনেক মানুষ হিমসিম খায়। এর পরেও জ্যোতিরিন্দ্রনাথ ছবি আঁকছেন, লিখছেন নাটক। এত কাজের তিনি সময় পান কখন? যখন পিয়ানো বাজাতে বসেন, তখন এমন তন্ময় হয়ে যান, যেন ভুলে যান অন্য সব কিছু। আবার আড্ডা দিতে বসলে মনে হয়, তাঁর কোনও কাজের তাড়া নেই। অথচ প্রতিদিন একবার করে সেরেস্তায় গিয়ে হিসেবপত্র বুঝে নেন, পূর্ববাংলায় কিংবা সুন্দরবনে কিংবা উড়িষ্যার জমিদারিতে ঝটিতি সফর করেও আসতে হয় মাঝে মাঝে।

জ্যোতিরিন্দ্রনাথের সবচেয়ে বড় গুণ, কোনও কাজে তিনি ব্যর্থ হলেও নিরুদ্যম হন না। জেদ ধরে বারবার চেষ্টা করে তিনি জয়ী হতে চান।

রবি জ্যোতিদাদাকে অনুসরণ করে প্রতি পদে পদে। সে বুঝতে পেরেছে, শ্রেষ্ঠত্বের সাধনার জন্য সর্বাঙ্গের ঘাম ঝরাতে হয়। লিখতে তার ভালো লাগে, কিন্তু সার্থক কিছু লিখতে গেলে নিজেকে তৈরি করে নিতে হবে, এমনি এমনি মহৎ সাহিত্য হয় না। তার কবিতায় ভাষা এখনও মর্মভেদী নয়, উচ্ছ্বাসের আবরণে চাপা পড়ে যাচ্ছে জীবনবোধ। লিখতে হবে, ছিঁড়ে ফেলতে হবে, আরও লিখতে হবে, অনেক লিখতে হবে।

সারা দুপুর-বিকেল রবি বিছানায় শুয়ে শুয়ে লিখে যায়। কখনও কবিতা, কখনও প্রবন্ধ, কখনও উপন্যাস, কখনও পুস্তক সমালোচনা । বিষয়বস্তুর শেষ নেই। ভাষার পরিধিও সমিাহীন! একটা কোনও অনুভূতি বা উপলব্ধিকে ঠিক ঠিক ভাষার বাঁধুনিতে ধরে রাখার নামই সার্থকতা। তার জন্যই তো এত সাধনা।

লিখতে লিখতে রবি একেবারে বিভোর হয়ে থাকে, সময় ও পরিবেশজ্ঞান থাকে না। তার একুশ বছরের ভাঁজহীন ললাটে কুঞ্চনের রেখা পড়ে, এক একটা কবিতা লিখতে গিয়ে কিছুতেই তার পছন্দ হয় না, বারবার কাগজ ছেঁড়ার বদলে সে একটা স্লেটে লিখতে শুরু করে, লেখে, কয়েক মিনিট তাকিয়ে থেকে মুছে দেয়, আবার নতুন লাইন মনে আসে।

সারা বাড়ি নিঃশব্দ, দাসদাসীরা কেউ দোতলায় আসে না, মাঝখানে দুটো-তিনটে দরজা আছে বলে মাঝখানের শব্দও শোনা যায় না। হঠাৎ এক সময় এদিকে ভেসে আসে পিয়ানোর মৃদু ঝংকার । রবির ধ্যান ভাঙে, লেখা ছেড়ে সে উঠে আসে।

শেষ গোধূলির আকাশে এখন বিষন্ন আলো। চৌরঙ্গির ওপাশের ময়দানের আকাশে বারুদ-বর্ণ মেঘ, আর ফ্রি স্কুল বাগানের দিকে কোলাহল করছে অসংখ্য পাখি। দূর থেকে ওই বাগনটিকে অরণ্যের মতন দেখায়।

রবি খুঁজতে খুঁজতে এসে দেখল, দোতলার সিঁড়ি দিয়ে ওঠার পরই যে হলঘর, সেখানে বড় পিয়ানোটার সামনে বসে আছেন কাদম্বরী, অন্যমনস্কভাবে টুং টাং শব্দে বাজাচ্ছেন একটা সুর। সেই সুরের সঙ্গে অপরাহ্ন শেষের আলোর যেন একটা মিল আছে। রবি পাশে গিয়ে দাঁড়াল, কাদম্বরী টের পেলেন না।

সাধারণত সাজসজ্জা সম্পর্কে কাদম্বরী উদাসীন, আজ কিন্তু তিনি বেশ সুসজ্জিতা। একটু আগে স্নান করেছেন, ধূপের ধোঁয়া-রঙের শাড়ি পরা, খোলা চুলে বেলফুলের মালা জড়ানো। তাঁর সান্নিধ্যে একটা স্নিগ্ধ সুগন্ধ।

রবি সুরটা চেনার চেষ্টা করল। না, তার কোনও গানের সুর নয়। জ্যোতিদাদার সৃষ্ট কোনও সুরও নয়, অন্য কিছু, রবির অচেনা।

হঠাৎ মুখ ফিরিয়ে রবিকে দেখেই বাজনা বন্ধ করে দিলেন কাদম্বরী।

রবি বলল, থামলে কেন, বাজাও।

কাদম্বরী বললেন, তোমার লেখার ব্যাঘাত হল? তুমি উঠে এলে।

রবি বলল, না, না, কোনও ব্যাঘাত হয়নি।

কাদম্বরী বললেন, আস্তে বাজাচ্ছিলাম, ভেবেছিলাম অত দূরে শোনা যাবে না।

রবি বলল, আমি এমনিই উঠে এসেছি। শুনতে খুব ভালো লাগছিল । এটা কিসের সুর? আর একটু বাজাও।

হাত সরিয়ে নিয়ে কাদম্বরী বললেন, ও এমন কিছু না। তুমি লেখা ছেড়ে উঠে এলে কেন?

রবি বলল, আর মন লাগছিল না। হঠাৎ একসঙ্গে অনেক পাখি ডেকে উঠল, আমার মনে হল ভোর হয়েছে বুঝি। এক একদিন ভোর আর সন্ধ্যার মধ্যে কোনটা যে কখন তা নিয়ে একটা বিভ্রম এসে যায়। ভোরবেলা পাখিরা বাসা ছেড়ে যায়, সন্ধ্যায় বাসায় ফেরে, তখন ওরা দিনটাকে বিদায় জানায়।

কাদম্বরী বললেন, আমি বিদায়ের ডাকটাই শুনি।

রবি বলল, সারা দিন ধরে এত লিখছি, এক সময় আঙুলগুলো বিদ্রোহ করে উঠল। মন বলল, চলো যাই, নতুন বউঠানের সঙ্গে গল্প করে আসি। তারপর শুনতে পেলুম তোমার পিয়ানোর সুর। চুপি চুপি এসে তোমার এই সুরের তন্ময়তার রূপখানি দেখছিলুম।

রবির দিকে ঘুরে বসে, থুতনিতে আঙুল দিয়ে কাদম্বরী বললেন, কী গল্প হবে, মশাই?

—তোমার আগেকার জীবনের গল্প।

—আমার আগেকার জীবন? বাপের বাড়ির কথা? গল্প করার তো কিছু নেই, রবি, একরত্তি বয়েসে চলে এসেছি। এঁরা কেউ আমার বাপের বাড়ির লোকদের পছন্দ করেন না। কতদিন যাইনি।

—বাপের বাড়ির কথা নয়, হেকেটি, তোমার পূর্বজন্মের গল্প। যখন তুমি ছিলে গ্রিসের এক দেবী।

—ছিলাম বুঝি?

—বাঃ, তোমার মনে নাই? তোমার তখন ছিল তিনটি মুখ। একটা সুন্দর মুখেই জগৎ জয় করা যায়, সেই রকম তিন তিনটি মুখ।

—কী বিকটই না জানি দেখতে ছিল তাকে। তিনমুখো মেয়ে, ইস!

—না গো, স্বর্গ মর্ত্য আর সমুদ্র, তিন দিকে তার দৃষ্টি। সে ছিল মায়াবিনী। পার্সিফোনকে যখন চুরি করে পাতালে নিয়ে যায়, তখন হেকেটি জ্বলন্ত মশাল হাতে খুঁজতে গিয়েছিল।

—তুমি তখন কোথায় ছিলে?

—আমিও হয়তো তখন ছিলাম গ্রিসে। সেই দেবীর এক নামহীন স্তাবক।

—কেন আমাকে ওই নামে ডাক? আমি বুঝি না।

—তোমারও যে রয়েছে সেই মায়া। আমি যখন যে-দিকেই তাকাই, তোমার একটি মুখ দেখতে পাই।

—তুমি তো সর্বক্ষণ তাকিয়ে থাক খাতার পাতার দিকে।

—সেখানেও কি তোমাকে দেখি না?

কাদম্বরী উঠে দাঁড়িয়ে বললেন, তোমার ঘরে বুঝি বাতি জ্বেলে দেয়নি এখনও? দেখি গিয়ে।

রবি বলল, দাঁড়াও, অত ব্যস্ত হবার কিছু নেই। আজ এত সাজগোজ করেছ, জ্যোতিদাদা বুঝি তোমায় কোথাও নিয়ে যাবেন?

কাদম্বরী উদাসীনভাবে বললেন, নিয়ে যেতে চাইলেই আমি যাচ্ছি আর কি! কোথাও যাব না। শুধু নিজের জন্য বুঝি সাজতে নেই?

রবি বলল, চলো, একবার ছাতে যাবে? এখনি নেমে আসবে সন্ধ্যা, দিগন্তসীমা মুছে গেলে ছাতে হাঁটতে থাকলে মনে হয় যেন অনেক দূরে যাচ্ছি।

এক একদিন সুরেন, বিবি, সরলারা চলে আসে এ বাড়িতে। কাদম্বরী বাচ্চাদের ভালোবাসেন খুব, যত্ন করে ওদের খাওয়ান, ওদের সঙ্গে খেলা করেন। রবিও লেখা ছেড়ে উঠে এসে হইচই করে যোগ দেয়। দশ বছরের বিবি রবির খুব ন্যাওটা, সে সব সময় রবির একটা হাত ধরে কাছ ঘেঁষে বসে থাকে। যুগ পাল্টাচ্ছে, কিছুদিন আগেও বিবির বয়েসী মেয়েদের কবে বিয়ে হয়ে যেত, এখন তার বিয়ের কথা কেউ চিন্তাও করে না।

জ্যোতিরিন্দ্রনাথকে সন্ধের সময় পাওয়া যায় না। নাটক নিয়ে খুব মেতে আছেন, তিনি এখন প্রতিষ্ঠিত নাট্যকার। শুদু ঘরোয়া অভিনয় নয়, লোকে টিকিট কেটে তাঁর নাটক দেখে। পাবলিক থিয়েটার প্রতিষ্ঠিত হবার পর ইদানীং বাংলা নাটক খুব জনপ্রিয়। গিরিশবাবু, অমৃতলাল, বিনোদিনীর নাম লোকের মুখে মুখে। বারবনিতাদের নিয়ে প্রকাশ্যে নাটক অভিনয় করা নিয়ে নীতিবাগীশদের ঘোর আপত্তি ছিল, কিন্তু জনসাধারণের প্রবল উৎসাহে সে আপত্তি ভেসে গেছে। গিরিশবাবু মাতাল এবং দুশ্চরিত্র হিসেবে কুখ্যাত, প্রকাশ্যেই তিনি বেশ্যালয়ে গিয়ে মদের আসর বসান সারারাত, তবু নাট্যকার এবং অসাধারণ অভিনেতা হিসেবে লোকে তাঁকে সম্মান করে।

নাটকের মহড়ার সময় জ্যোতিরিন্দ্রনাথ অনেক রাত পর্যন্ত উপস্থিত থাকেন সেখানে।

মেজ বউঠানের বাড়িতেও প্রায় রাতেই নিমন্ত্রণ থাকে জ্যোতিরিন্দ্রনাথের । জ্ঞানদানন্দিনী অনেক লোকজন ডেকে পার্টি দিতে ভালোবাসেন, সেখানে সুরা পানেরও কোন নিষেধ নেই। এরকমটি হওয়ার উপায় নেই জ্যোতিরিন্দ্রনাথের নিজের বাড়িতে। অল্প কয়েকজনের ঘরোয়া আসর কাদম্বরীর পছন্দ, একগাদা লোক নিয়ে হই-হুল্লোড় তিনি সহ্য করতে পারেন না। রবিও স্বস্তি বোধ করে না খুব বেশি জনসমাবেশে।

সদর স্ট্রিটের বাড়িতে সকাল-দুপুরের পরিবেশ একরকম, অপরাহ্ন-সন্ধ্যায় অন্যরকম।

॥ ২১ ॥

জ্যোতিরিন্দ্রনাথের মাথায় নিত্যনতুন পরিকল্পনা আসে। তিনি বহু প্রতিষ্ঠানের সঙ্গে জড়িত, তা সত্ত্বেও আর একটি প্রতিষ্ঠান গড়তে চাইলেন। তিনি ফরাসি ভাষার চর্চা করেছেন অনেকদিন, তিনি জানেন যে ফরাসিদেশে ফ্রেঞ্চ আকাদেমি ফরাসি ভাষার শুদ্ধতা রক্ষা ও সাহিত্য সমীক্ষার ভার নিয়ে থাকে। এদেশে সে রকম কোনও সাহিত্য প্রতিষ্ঠান নেই। যে-কোনও সাহিত্যের স্বাস্থ্যরক্ষা ও শ্রীবৃদ্ধির জন্য এরকম একটি প্রতিষ্ঠান দরকার। বিজ্ঞান এখন অবশ্য পাঠ্যবিষয়, কিন্তু বাংলায় বিজ্ঞানের পরিভাষা নেই। বাংলায় ভূগোল কিংবা দর্শন পাঠ করতে গেলেও পরিভাষা দরকার। কে এসব ঠিক করবে?

জ্যোতিরিন্দ্রনাথ প্রস্তাব দিলেন, বাংলার বিশিষ্ট সব লেখক, পণ্ডিত ও শিক্ষাবিদদের একসঙ্গে জড়ো করে একটি সারস্বত সমাজ গঠন করা হোক। মাঝে মাঝে এই সব গুণিজন একসঙ্গে মিলিত হয়ে বাংলাভাষার একটা সুনির্দিষ্ট রূপ দেবার ব্যবস্থা গ্রহণ করবেন।

এজন্য প্রাথমিক যা খরচপত্র লাগে তা দেবেন জ্যোতিরিন্দ্রনাথ আর সংগঠনের জন্য খাটাখাটনি করবে রবি। সাহিত্য সংক্রান্ত যে-কোনও ব্যাপারেই রবির প্রবল উৎসাহ।

এই প্রতিষ্ঠানের সম্পাদক হল রবি, আর সভাপতি কে হবেন? প্রথমেই যাওয়া হল রাজেন্দ্রলাল মিত্রের কাছে। বেলেঘাটা–শুঁড়োর মিত্তিরবাড়ির এই রাজেন্দ্রলাল অসাধারণ পণ্ডিত, বাগ্মী ও সুলেখক। মানুষটি কানে কিছু কম শোনেন, তাই কথা বলেন বেশি, কিন্তু অযথা কিছু বলেন না। বিজ্ঞানসম্মত ইতিহাস চর্চা তিনিই শুরু করেছেন বলা যায়। রাজেন্দ্রলালের The Sanskrit Buddhist Literature of Nepal বইটি রবির খুব প্রিয়। তিনি এশিয়াটিক সোসাইটির সঙ্গে বহুকাল জড়িত, তা ছাড়া স্কুল বুক সোসাইটি, ভার্নাকুলার লিটারেচার সোসাইটি এবং আর্ট স্কুল স্থাপনের ব্যাপারে তাঁর প্রচুর অভিজ্ঞতা। সাহেবদের কাছ থেকে অনেক সম্মান তিনি পেয়েছেন, কিন্তু সাহেবদের সম্পর্কে স্পষ্ট কথা বলতেও তিনি ছাড়েন না। ফটোগ্রাফিক সোসাইটি প্রতিষ্ঠিত হবার পরই তিনি ছিলেন তার কোষাধ্যক্ষ ও সম্পাদক, কিন্তু তিনি দেখেছিলেন ইংরেজ ও ভারতীয় সভ্যদের মধ্যে ব্যবহারের তারতম্য ঘটছে। আদালতের বিচার দু রকম। একদিন সোসাইটিতে এই বৈষম্যের সমর্থনে ইংরেজরা হৈ-চৈ করছিল, রাজেন্দ্রলাল ধমক দিয়ে বলে ওঠেন, এদেশে যত ইংরেজ আসে, তার বেশিরভাগই বিলিতি সমাজের আবর্জনা!

এই উক্তির জন্য তাঁকে ফটোগ্রাফিক সোসাইটি ত্যাগ করতে হয়েছিল, কিন্তু কলকাতায় মুখে মুখে ঘটনাটি ছড়িয়ে পড়ে। অনেকেই আশ্চর্য হয়ে ভেবেছিল, সাহেবদের মুখের ওপর এমন কথা বলার সাহসও কারুর থাকতে পারে!

মানিকতলায় আপার সার্কুলার রোডে শ্রীকৃষ্ণ সিংহের বাগানবাড়িতে থাকেন রাজেন্দ্রলাল। রবিকে তিনি বিশেষ স্নেহ করেন, রবির মুখে প্রস্তাবিত প্রতিষ্ঠানটির উদ্দেশ্যের কথা শুনে তিনি খুবই আগ্রহ দেখালেন। এশিয়াটিক সোসাইটি থেকে শুরু করে স্কুল বুক সোসাইটি পর্যন্ত সবই তো সাহেবদের উদ্যোগে গড়া হয়, বাঙালিরা নিজেরা কোনও প্রতিষ্ঠান গড়তে পারবে না কেন? এই প্রতিষ্ঠান যে কতখানি প্রয়োজনীয় হয়ে উঠতে পারে, তা তিনি

অনেকক্ষণ ধরে রবিকে বোঝালেন। তারপর বললেন, আমাকে সভাপতি হতে বলছ? আমার আপত্তি করার কোনও কারণ নেই। কিন্তু আরও তো গণ্যমান্য, বিদ্বান ব্যক্তিরা রয়েছেন! ঈশ্বরচন্দ্র বিদ্যাসাগর, বঙ্কিমবাবু, দ্বিজেন্দ্রবাবু, সৌরীন্দ্রমোহন ঠাকুর....... । তুমি ওঁদের কাছে গিয়ে মত সংগ্রহ করো, তারপর একদিন সভা ডেকে কমিটি তৈরি করা যাবে।

রবি এরপর গেল বঙ্কিমচন্দ্রের বাড়িতে । তিনি এখন আলিপুর আদালতে কাজ করছেন। বঙ্গদর্শনে তাঁর ধারাবাহিক উপন্যাস 'আনন্দমঠ' সদ্য শেষ হয়েছে। মেজাজ বেশ প্রসন্ন আছে। তিনি এখন হিন্দু ধর্মের পক্ষে প্রখর প্রবক্তা, খ্রিস্টান ও ব্রাহ্মরা পৌত্তলিকতা কিংবা পুজো-আচ্চা সম্পর্কে কটাক্ষ করলেই তিনি ইংরেজি বাংলায় তার প্রতিবাদ জানাচ্ছেন। মোগল-পাঠান আমলে হিন্দুরা নিবীর্য হয়ে পড়েছিল। সব জায়গায় তারা কাপুরুষের মতন পদানত হয়েছে, এ কথা বঙ্কিম মানতে রাজি নন। তাঁর মতে, এ সবই ভ্রান্ত ইতিহাস। মুসলমান ঐতিহাসিকরা নিজেদের পরাজয়ের কথা গোপন করে হিন্দুদের বশ্যতার কথা বেশি করে লিখেছেন। রাজপুতানা এবং দাক্ষিণাত্যে কি মুসলমান আক্রমণকারীরা বারবার পিছিয়ে আসেনি? উড়িষ্যার রাজা নরসিংহ দেব কি বাংলার পাঠান শাসক তোঘল খাঁকে সসৈন্যে পিটিয়ে তাড়িয়ে দেননি?

বখতিয়ার খিলজি মাত্র সতেরোজন অশ্বারোহী নিয়ে এসে বঙ্গবিজয় করেছিল, এ কথা শুনলেই বঙ্কিম ক্রুদ্ধ হয়ে ওঠেন। ভুল, একেবারেই ভুল ইতিহাস ! রাজধানীতে ঢুকেছিল আসলে সতেরোজন ছিঁচকে চোর। বৃদ্ধ রাজা লক্ষণ সেন পালিয়েছিলেন বটে, কিন্তু ইংল্যান্ডের রাজা দ্বিতীয় জেমস-ও কি পালাননি? সমগ্র গৌড় বঙ্গ অধিকার করার জন্য আক্রমণকারীদের লড়াই চালাতে হয়েছিল এক বছর। বাঙালির চরিত্র কালিমালিপ্ত করার জন্যই মিনহাজউদ্দিনের মতন ঐতিহাসিকরা এমন গাল-গল্প বানিয়েছে, যেন গোটা কতক অশ্বারোহী নিয়ে বখতিয়ার খিলজি এসে পড়ার পরই সমগ্র বাঙালি জাতি ভয় পেয়ে তার পায়ে আছড়ে পড়েছে!

বঙ্কিমের মতামত এমন জেদী ধরনের যে, অন্য দিকের কোনও যুক্তির তিনি ধার ধারেন না। তাঁর আত্মবিশ্বাস এক এক সময় দম্ভের পর্যায়ে পড়ে।

রবিকে তিনি ভালোই চেনেন, কিশোর রবির একটি কবিতা তিনি ছাপিয়ে ছিলেন 'বঙ্গদর্শন' পত্রিকায়। ঠাকুরবাড়িতে তাঁর যাতায়াত আছে বটে, কিন্তু মনে মনে তিনি ব্রাহ্মদের সম্পর্কে একটা তাচ্ছিল্যের ভাব পোষণ করেন। উদীয়মান লেখক রবির প্রতি তিনি দৃষ্টি রেখেছেন, প্রকাশ্যে তিনি রবির অকুণ্ঠ প্রশংসা করেন। এই তো কিছুদিন আগে রমেশ দত্তর মেয়ের বিয়েতে নিমন্ত্রণ সভায় রবির সঙ্গে তাঁর দেখা হয়েছিল। রমেশ দত্তর কন্যা কমলার সঙ্গে ভূতত্ত্ববিদ প্রমথনাথ বসুর বিবাহ হল হিন্দু পদ্ধতিতে। শ্বশুর ও জামাতা দুজনেই বিলেতফেরত, হিন্দু মতে কালাপানি পেরুলে প্রায়শ্চিত্ত করতে হয়, ওঁরা তা করেননি, তাই নিয়ে সমাজে বেশ শোরগোল হয়েছে। সে যাই হোক, সেই উৎসবে রমেশচন্দ্র বঙ্কিমবাবুর গলায় একটা মালা পরাতে গেলে বঙ্কিমচন্দ্র প্রবীণ লেখকের ঔদার্যে বলেছিলেন, আরে না, না, আমাকে কেন, এ মালা রবিকে দাও। রমেশ, তুমি 'সন্ধ্যাসঙ্গীত' পড়েছ? কী অপূর্ব কাব্য লিখেছে রবি।

কিন্তু নিজের বাড়িতে অন্তরঙ্গদের মধ্যে বঙ্কিম এতটা উদার হতে পারেন না। একদিন রবির প্রসঙ্গ ওঠায় বঙ্কিম বউঠাকুরানীর হাট উপন্যাসটি সম্পর্কে বলেছিলেন, স্থানে স্থানে সুন্দর উচ্চস্তরের লেখা আছে। কিন্তু উপন্যাস হিসেবে সেটা নিষ্ফল হয়েছে। রবি যথেষ্ট গিফটেড বটে, কিন্তু প্রিকোশাস।

রবির কাছ থেকে সারস্বত সমাজের উদ্দেশ্যের বয়ানখানি নিয়ে পাঠ করে বঙ্কিম বললেন, হ্যাঁ, বেশ ভালোই তো। তবে ফরাসি আকাদেমির ধাঁচে যখন হচ্ছে, তখন এর নাম " আকাদেমি অব বেঙ্গলি লিটরেচার" রাখলেই তো হয়!

রবি বলল, প্রথমদিনের সভায় এই নাম নিয়ে আলোচনা করা যেতে পারে।

বঙ্কিমচন্দ্র সই করে দিলেন।

আরও কয়েকজনের সম্মতি-সাক্ষর সংগ্রহ করার পর রবি গেল বিদ্যাসাগরের কাছে। তিনি থাকেন বাদুড়বাগানের।

বিদ্যাসাগর মশাইয়ের শরীর-মন কিছুই এখন ভালো নেই। মনটাই ভেঙে গেছে বেশি। বিধবা বিবাহ আইন প্রণয়নের জন্য তিনি কী কঠোর পরিশ্রম করলেন, কত বাধার সম্মুখীন হয়েছিলেন অকুতোভয়ে, শেষ পর্যন্ত আইনও প্রণীত হল, কিন্তু দেশের মানুষ তো মানল না। তিনি নিজে উদ্যোগ নিয়ে নিজের অর্থব্যয়ে কয়েকটি বিধবার বিয়ে দিলেন, কিন্তু এই আমুল কুসংস্কারাচ্ছন্ন সমাজে তাতে সাড়া জেগেছে কতটুকু? কেউ কেউ বেশ মজা পেয়েছে, সংবাদপত্রে নাম ছাপাবার জন্য বিধবা বিবাহে সম্মত হয়, তারপর সেই স্ত্রীর সঙ্গে উপপত্নীর মতন ব্যবহার করে। বিধবা বিবাহ চালু করার প্রচেষ্টায় বিদ্যাসাগরের নিজস্ব ধার জমে গেছে আশি হাজার টাকা!

তারপর তিনি বহু বিবাহ রদ করবার জন্য কলম ধরলেন। হিন্দু সমাজে জড়িয়ে আছে বহুরকম কুপ্রথা। কুলীন ব্রাহ্মণরা পঞ্চাশ-একশোটা বিবাহ করে অতগুলি মেয়ের সর্বনাশের কারণ হয়। তিনি নিজে বিভিন্ন জেলায় ঘুরে ঘুরে বহু বিবাহের পরিসংখ্যান জোগাড় করেছেন, তারপর ইংরেজ সরকারের কাছে আর্জি জানালেন যাতে আইন করে এই প্রথা বন্ধ করা হয়। আশ্চর্য ব্যাপার, এদেশের শিক্ষিত মানুষদের কাছ থেকেও তিনি এ ব্যাপারে সমর্থন পেলেন না। অধিকাংশ লোকই তাঁর বিপক্ষে। বহু বিবাহ বন্ধ না হলে যে বিধবার সংখ্যা বাড়তেই থাকবে, তা এঁরা বুঝলেন না। বিপক্ষীয়দের মতে, এই প্রথার ধীরে ধীরে অবসান হবে, আইন জারি করে বন্ধ করার দরকার নেই। অদ্ভুত যুক্তি! দাস-প্রথা, সতীদাহ প্রথা আইন করে বন্ধ করতে হয়নি? আপনা-আপনি বন্ধ হবার কোনও লক্ষণ দেখা গিয়েছিল? কুসংস্কারাচ্ছন্ন কিংবা মতলববাজ ব্যক্তিদের একমাত্র শাস্তির ভয় দেখিয়ে নিরস্ত করা যায়!

সমধর্মী মানুষদের এই বিরূপতা দেখে বিদ্যাসাগর নিরাশ হয়ে গেছেন। আরও আঘাত পেয়েছেন অনেক নিকটজনের কাছ থেকে। যাদের তিনি সাহায্য করেছেন, বিপদ থেকে উদ্ধার করেছেন, তারাও আড়ালে তাঁর নিন্দে করে। পরোপকারের এই প্রতিদান। এমনকি তাঁর জন্মস্থান বীরসিংহ, যে গ্রামের উন্নতির জন্য তিনি কত অর্থব্যয় করেছেন, সে গ্রামের মানুষও তাঁর একটা অনুরোধের মূল্য দেয় না। রাগে-দুঃখে তিনি আর কোনওদিন বীরসিংহ গ্রামে যাবেন না প্রতিজ্ঞা করেছেন। এখন মাঝে মাঝে সাঁওতাল পরগনায় কর্মাটাঁড়ে গিয়ে থাকেন। যেখানকার সাঁওতালরা তাঁকে ভালোবাসে। সেই সরল, কপটতাহীন সাঁওতাল নারী-পুরুষদেরই তাঁর মনে হয় খাঁটি মানুষ।

তাঁর স্বাস্থ্যও ভেঙে গেছে। অনেক বছর আগে মেরি কার্পেন্টার নামে এক বিবির সঙ্গে বালিতে স্কুল পরিদর্শনে গিয়েছিলেন, সেখানে ঘোড়ার গাড়ি উল্টে ছিটকে পড়ে যান রাস্তায়। বাইরের আঘাত সেরে গেল, কিন্তু শরীরের অভ্যন্তরে যে চোট লেগেছিল তার নিরাময় হল না। কোনও কোনও চিকিৎসকের মতে তাঁর যকৃৎ উল্টে গেছে। কিছুই হজম হতে চায় না। এখন আর কোনও সমাজ সংস্কারে তাঁর মন নেই। প্রেস ও প্রকাশনী বিক্রি করে দিয়েছেন, শুধু নিজের প্রতিষ্ঠিত স্কুল ও কলেজ নিয়েই আছেন।

সারস্বত সম্মিলনে যাঁরা যোগ দিতে রাজি হয়েছেন, সেই তালিকাটি দেখলেন বিদ্যাসাগর। বঙ্কিমের নামটার ওপর তাঁর চোখ আটকে গেল। ইংরাজ-ভৃত্য এই ব্যক্তিটি দু চারখানা নভেল লিখে খ্যাতি পেয়েছেন বটে, কিন্তু সমাজেরও দণ্ডমুণ্ডের কর্তা হতে চান। ইনি বরাবর বিদ্যাসাগরের বিরুদ্ধাচারণ করেছেন। বিদ্রূপ করেছেন বিধবা বিবাহ আন্দোলন নিয়ে, এমনকি বিদ্যাসাগরকে মুর্খ বলতেও দ্বিধা করেননি। বহু বিবাহ বন্ধ করারও ইনি পক্ষপাতী

নন। এমনকি ইনি বিদ্যাসাগরকে তেমন লেখক বলেও মানতে চান না। বিদ্যাসাগর নাকি কোনও মৌলিক রচনা লেখেননি। সবাইকেই নভেল-নাটক-পদ্য লিখতে হবে, না হলে সাহিত্য হবে না? নতুন বাংলা গদ্য ভাষা গড়ে উঠছে, এখন প্রবন্ধ, অনুবাদের বিশেষ উপযোগিতা নেই? বঙ্কিম বিদ্যাসাগরের 'সীতার বনবাস' পড়ে বলেছিলেন, এ তো কান্নার জোলাপ!

কোনও এক সভায় এই বঙ্কিমের সঙ্গে একাসনে বসতে হবে বিদ্যাসাগরকে ? হেসে হেসে কথা বলতে হবে? ওসব ভণ্ডামি তাঁর পক্ষে সম্ভব নয়।

মৃদু হেসে কাগজপত্র রবিকে ফিরিয়ে দিয়ে বিদ্যাসাগর বললেন, না, বাপু, আমি এর মধ্যে নেই!

রবি অবাক হয়ে বলল, সে কি! আপনি আমাদের সঙ্গে থাকবেন না? আমরা চাই, আপনি সভাপতি হবেন।

বিদ্যাসাগর দু'দিকে মাথা নেড়ে বললেন, আমি তো যাবই না। এ বুড়োর আর একটা কথা শুনে রাখো। এ রকম কাজে আমাদের মতন লোকদের বাদ দেওয়াই উচিত, হোমরা-চোমরাদের লয়ে কোনও কাজ হবে না। কারুর সঙ্গে কারুর মতে মিলবে না। বরং তোমাদের মতন ছেলেছোকরারা যদি সমবেত হয়ে কিছু করতে পার তো দেখ।

রবি জানে, বিদ্যাসাগর একবার না বললে আর তাঁর মত ফেরানো প্রায় অসম্ভব।

সারস্বত সমাজের কাজে ঘোরাঘুরির জন্য রবি এখন প্রায় সময়েই বাড়ি থাকতে পারে না। সদর স্ট্রিটের অত বড় বাড়িতে বিকেল–সন্ধে কাদম্বরীকে প্রায় নিঃসঙ্গ অবস্থায় কাটাতে হয়। রবির সে কথা মাঝে মাঝে মনে পড়ে, কিছুটা অপরাধ বোধ হয়, কিন্তু বাংলা আকাদেমি গড়ার আকাঙক্ষাটা তাকে মাতিয়ে তুলেছে, বড় বড় পণ্ডিত ও সাহিত্যজীবীদের কাছে গিয়ে ঘন্টার পর ঘন্টা এই বিষয়ে আলোচনা করতে তার উৎসাহের অবধি নেই। রবি তার সহযোগী হিসেবে পেয়েছে কেশব সেনের ছোট ভাই কৃষ্ণবিহারী সেনকে, কৃষ্ণবিহারী এম এ পরীক্ষায় ফার্স্ট হওয়া ছাত্র। রবির ইচ্ছে, কোনও গোষ্ঠীভেদ না করে সমস্ত উল্লেখযোগ্য ব্যক্তিদেরই এই সমিতিতে টেনে আনা। অনেকেরই সম্মতি পাওয়া গেল, বিদ্যাসাগর ছাড়া আর কেউ এখনও তার মুখের ওপর প্রত্যাখ্যান করেননি।

রবির এই ব্যস্ততা নিয়ে কোনও অনুযোগ করেন না কাদম্বরী। তিনি আড়ালে আড়ালে থাকেন। গোধূলির ক্ষীয়মান আলোয় তিনি একা একা ঘুরে বেড়ান এ ঘর থেকে ও ঘরে, বারান্দায়, ছাদে। কখনও পিয়ানোর সামনে বসে বাজিয়ে যান আপন মনে। কোনও কোনও সন্ধ্যায় জ্যোতিরিন্দ্রনাথ তাঁকে নিয়ে যেতে চান বির্জিতলাও–এর বাড়ির আসরে, কাদম্বরীর যেতে ইচ্ছে করে না।

সারস্বত সমাজের প্রথম অধিবেশন হল জোড়াসাঁকোর বাড়িতে। রাজেন্দ্রলাল, বঙ্কিম, সৌরীন্দ্রমোহন ঠাকুর, দ্বিজেন্দ্রনাথ ছাড়াও এলেন কৃষ্ণকমল ভট্টাচার্য, হরপ্রসাদ শাস্ত্রী, সঞ্জীবচন্দ্র চট্টোপাধ্যায়, হেমচন্দ্র বিদ্যারত্ন প্রমুখ। অনেক লম্বা লম্বা বক্তৃতা ও কমিটি গড়া হল, পরিভাষার সমস্যা নিয়ে চলল দীর্ঘ সময়ের বাদানুবাদ।

এর পরের দু একটা মাসিক অধিবেশনেই রবি বুঝতে পারল কাজের কাজ কিছুই হচ্ছে না। উপদলীয় কোন্দল শুরু হয়ে গেছে। এই সব বড় বড় মানুষগুলির প্রত্যেকেরই আত্মম্ভরিতার লম্বা লম্বা লেজ আছে, সেই লেজের বিড়ে পাকিয়ে সিংহাসন তৈরি করে তার ওপর এক একজন রাজা সেজে বসে থাকেন। এঁরা দূরবীনের উলটোদিক দিয়ে দেখেন জগৎসংসারটাকে। বঙ্কিমচন্দ্র এই প্রতিষ্ঠান সম্পর্কে আর তেমন গা করেন না, কয়েকজন আড়ালে বলাবলি করতে লাগল, ওসব ঠাকুরবাড়ীর ব্যাপার, সব বিষয়েই ওরা কৃত্তিত্ব নিতে চায়।

রবি নিরাশ হয়ে পড়ল। বাঙালি জাতির এত দূর অধঃপতনের পরেও এখনও এঁরা সবাই একসঙ্গে হয়ে হাতে হাত মিলিয়ে একটা কিছু গড়ে তোলার প্রয়োজনীয়তা বোধ করতে পারছেন না? শুধুই দলাদলি আর পরনিন্দা চলতে থাকবে? রবি উপলব্ধি করল, বিদ্যাসাগর মশাইয়ের সাবধানবাণী কত মর্মে মর্মে সত্য।

সারস্বত সমাজের অধিবেশনে নিয়মমাফিক চলতে লাগল বটে কিন্তু রবির আর কোনও গরজ রইল না। এর জন্য এতখানি সময় দিয়ে তার লেখার যথেষ্ট ক্ষতি হয়েছে।

হঠাৎ একদিন রবির জ্বর এসে গেল। রীতিমতন শীত ও কাঁপুনি। ম্যালেরিয়া নাকি? দুপুরবেলা লেপ মুড়ি দিয়ে শুয়ে পড়ল রবি, কারুকে কিছু জানাল না। কয়েকদিন যাবৎ কাদম্বরীরও শরীর খারাপ, নীলমাধব ডাক্তার এসে দেখে গেছেন। রবির অসুখ-বিসুখ কম হয়, শরীর বেশ মজবুত। শরীর নিয়ে সে বেশি চিন্তাও করে না। শ্রাবণ মাসের ভ্যাপসা গরমে রবি শীতে কাঁপছে। প্রবল জ্বর হলে তার একটা আরামের দিকও আছে, সমস্ত শরীর কেমন যেন হালকা হয়ে যায়, যেন বাতাসে ভাসে। জেগে থাকা অবস্থাতেই চিন্তাগুলো মনে হয় স্বপ্ন স্বপ্ন।

অনেকদিন কোনও গান রচনা করা হয়নি, সেই জ্বরের ঘোরে রবি একটা গান বাঁধবার চেষ্টা করল। একটি দুটি লাইন ঠিক এসে গেল, তৃতীয় লাইনটা ভাবতে গিয়ে গুলিয়ে গেল প্রথম লাইনটা। কিছুতেই মনে পড়ে না। সেটা হাতড়াতে গিয়ে আবার তৃতীয় লাইনটা হারিয়ে যায়।

কপালে একটা হাতের ছোঁয়া লাগতে চমকে উঠল রবি। ঘাড় ঘুরিয়ে দেখল, শিয়রের কাছে দাঁড়িয়ে আছেন কাদম্বরী। উরিখুরি চুল, চোখ দুটি ছলছলে, শরীরে একটা আটপৌরে হলুদ শাড়ি জড়ানো।

দুজনে পরস্পরের চোখের দিকে চেয়ে রইল বেশ কিছুক্ষণ। এর মধ্যে রবি গিয়েছিল কাদম্বরীর কাছে ক্ষমা চাইতে, কাদম্বরী উদাসীনভাবে কাটাকাটা উত্তর দিয়েছেন, রবি বুঝতে পেরেছিল, ওঁর রাগ পড়েনি। তারপর কাদম্বরী অসুখে শয্যাশায়িনী হলেন, মনোর মা আর নিস্তারিণী দাসী তাঁর ঘরে বসে থাকে, রবি সকাল-বিকেল দেখে এসেছে, অন্তরঙ্গ কোনও কথা হয়নি। জ্যোতিরিন্দ্রনাথ জমিদারির কাজে গেছেন শিলাইদহে, জোড়াসাঁকো থেকে দুজন কর্মচারি এসে রয়েছে এ বাড়িতে।

রবি অস্ফুট স্বরে বলল, নতুন বউঠান!

কাদম্বরী বললেন, রবি। তোমার অসুখ হয়েছে, আমাকে খবর দাওনি?

রবি কাদম্বরীর ডান হাতখানি ধরল। সে হাত খুব উষ্ণ। কাদম্বরীর মুখ দেখলেও টের পাওয়া যায় জ্বরের ঝাঁঝ।

রবি বলল, তোমারও তো বেশ জ্বর, তুমি উঠে এলে কেন?

কাদম্বরী বললেন, মেয়েমানুষের জ্বর হলে কিছু হয় না। সরকার মশাইকে জানাচ্ছি, নীলু ডাক্তারকে ডেকে আনুক তোমার জন্য। এত জ্বর, তোমার কপালে জলপটি দেওয়া হয়নি—

রবি বলল, এখুনি ডাক্তার ডাকার দরকার নেই। মোটে একদিনের জ্বর, আমার এমনিই ঠিক হয়ে যাবে।

কাদম্বরী বললেন, তুমি চুপটি করে শুয়ে পড়ো। এক্ষুনি আসছি।

রুপোর বাটিতে ঠাণ্ডা জল আর পরিষ্কার একটুকরো কাপড় নিয়ে একটু পরেই ফিরে এলেন কাদম্বরী। একপাশে বসে রবির কপালে জলপট্টি দিলেন যত্ন করে।

রবি বলল, এ তোমার ভারি অন্যায়, নতুন বউঠান। তোমার এখন শুয়ে থাকার কথা। তুমি জলপট্টি নাওনি কেন?

কাদম্বরী বললেন, তোমার এই মাথায় কত কী চিন্তা করতে হয়। বেশি গরম হলে ক্ষতি হতে পারে। আমাদের মাথার আর কী দাম আছে!

রবি বলল, চিন্তা সব মানুষই করে। তবে তোমার মনের মধ্যে কী যে চলে, তার আমি কোনও হদিশ পাই না।

কাদম্বরী হেসে বললেন, হদিশ করার সময় কোথায় তোমার?

রবি বলল, আমি দোষ করেছি। পথভ্রান্ত হয়েছিলাম, কিন্তু সেই দোষ কি একেবারে ক্ষমার অযোগ্য?

কাদম্বরী বললেন, ক্ষমার প্রশ্ন আসেই না, রবি। তুমি কি সর্বক্ষণ বাড়িতে বসে থাকবে নাকি আমার জন্য? আমি বুঝি তা বুঝি না?

রবি বলল, একটা লাভ হল কি জান, নতুন বউঠান, এই কয়েক মাস অন্যদের কাছে ঘুরে ঘুরে আমার উপলব্ধি হল, তোমার কাছাকাছি থাকতেই আমার সবচেয়ে বেশি ভালো লাগে।

দুদিন বাদে রবির জ্বর ছাড়ল। কাদম্বরীর ছাড়ল তার পরেরদিন। আবার শনিবারে দুজনেরই একসঙ্গে জ্বর এল। নীলমাধব ডাক্তার দুজনকেই ওষুধ দিলেন। সেই ওষুধে জ্বর ছাড়ে, আবার আসে। এই পালা জ্বর ক্রমে গা-সহা হয়ে গেল।

জ্বর যখন থাকে না তখন রবি লিখতে বসে যায়, কাদম্বরী ঘর গুছোতে শুরু করেন। সন্ধের পর দুজনে মুখোমুখি বসে গল্প করে কিংবা গান গায়। রবি তার সদ্য লেখা কবিতাটা পড়ে শোনায়। কাদম্বরী রবির সব লেখার প্রথম পাঠিকা কিংবা শ্রোতা। এই জ্বর রবির চেয়ে কাদম্বরীকেই কাহিল করেছে বেশি। মুখখানি শীর্ণ মনে হয়, চক্ষু দুটি বেশি উজ্জ্বল দেখায়। শেমিজ ঢলঢলে হয়ে গেছে, হাত দুটিও রোগা রোগা। কিন্তু তাঁর জীবনীশক্তি একটুও কমেনি। জ্বর-মুক্ত দিনে সারা বাড়ি ছুটে বেড়ান, স্নান করেন দুবার, নিজের হাতে রবির জন্য দু একটি পদ রান্না করেন।

এর মধ্যে জ্যোতিরিন্দ্রনাথ ফিরে এলেন শিলাইদহ থেকে। বাড়িতে অসুখের কথা শুনে তিনি স্ত্রীর কপালে হাত দিয়ে দেখলেন, ছোট ভাইয়ের হাত ধরে নাড়ির গতি বুঝতে চাইলেন এবং তখুনি একটা সিদ্ধান্ত নিয়ে ফেললেন। হাওয়া বদল দরকার। শুধু ওষুধে সব অসুখ সারে না। দার্জিলিং! সেখানকার নির্মল, শীতল বাতাসে শরীর জুড়িয়ে যাবে।

দু-একদিনের মধ্যেই যাওয়া যাবে না। কিছু কাজ সেরে নিতে হবে। যাওয়া হবে সামনের মাসে। তবু জ্যোতিরিন্দ্রনাথ সরকারবাবুকে ডেকে ব্যবস্থা নিতে বললেন। একজন গোমস্তাকে এখনই পাঠিয়ে দিতে হবে দার্জিলিং, সে একটা বাড়ি ভাড়া করে সব গোছগাছ করে রাখবে, রান্নার ঠাকুর ও দাসদাসী যাবে কয়েকজন, রেলের কামরা রিজার্ভ করা দরকার। এই সব নির্দেশ দিয়ে জ্যোতিরিন্দ্রনাথ আবার ঝড়ের বেগে বেরিয়ে গেলেন।

আজ পূর্ণিমা, এমন সন্ধ্যায় ঘরের মধ্যে কাটানোর কোনও মানে হয় না। জ্যোতিরিন্দ্রনাথ তাড়াতাড়ি ফিরবেন বলে গেছেন, এখনও আসেননি, রবি আর কাদম্বরী উঠে গেল ছাদে । ময়দানের দিকটা জ্যোৎস্না ভেসে যাচ্ছে, যেন একটা সমুদ্র। জ্যোৎস্নার মধ্যে যেন একটা সুরের মুর্ছনাও রয়েছে, যেন সুরলোকে চলেছে কোনও সঙ্গীত-উৎসব।

দুই প্রায় সমবয়স্ক যুবক-যুবতী বসে আছে পাশাপাশি। কেউ কোনও কথা বলছে না। আজ কাদম্বরী রবিকে কোনও গান গাইবার জন্য অনুরোধ করেননি, রবিও কোন খুনসুটি করছে না। সব কথার চেয়ে নীরবতাই যেন এখন শ্রেষ্ঠ উপভোগ্য।

এইভাবে বসে রইল অনেকক্ষণ। দুজনে দুজনের হাত ধরে আছে। দুজনেরই জ্বর আছে গায়ে। হাত দুটি তপ্ত। মাঝে মাঝে মুখ ফিরিয়ে তাকাচ্ছে পরস্পরের দিকে। তবু কোনও কথা নেই।

হঠাৎ নিস্তব্ধতা খান খান করে দিয়ে কেল্লা থেকে কামান দাগার শব্দ হল। পরপর বেশ কয়েকবার । সেই সঙ্গে শোনা গেল জাহাজের ভোঁ। বিলেতের জাহাজ ছাড়ছে। বাংলার ছোট

লাট স্যার অ্যাসলি ইডেন আজ বিদায় নিচ্ছেন। কুখ্যাত এই ছোটলাট, জোর করে চাপিয়েছেন ভার্নাকুলার অ্যাক্ট। অবসর নিচ্ছেন বলে আজ অনেক বাড়িতে আনন্দে উলুধ্বনি করা হয়েছে।

এই সময়েই বাড়ির সামনে এসে থামল জ্যোতিরিন্দ্রনাথের ফিটন গাড়ি।

পরদিন রবির ঘুম ভাঙল খুব ভোরে। চোখ মেলার পরই মনে হল, আজ জ্বর আছে, না নেই? নিজের কপালে হাত রেখে ঠিক বোঝা যাচ্ছে না। শরীরে কোনও গ্লানি নেই, একটা যেন আবেশ জড়ানো। পালঙ্ক থেকে নেমে রবি সেই ঘুমের রেশ লাগা চোখেই বারান্দায় গিয়ে দাঁড়াল। পৃথিবীরও এখনও ঘুম ভাঙেনি। এদিকের রাস্তায় ফেরিওয়ালা, গোয়ালাও বিশেষ দেখা যায় না। ঊষার আলো প্রথমে যেন হালকা নীল বর্ণ, তারপর একটু একটু করে লাগছে রক্তিম আভা।

সদর স্ট্রিট যেখানে শেষ হয়েছে, সেই ফ্রি স্কুলের বাগানে গাছপালার আড়ালে দেখা যাচ্ছে হিরন্ময় আলোয় ধোওয়া নতুন সূর্যকে। সেই দিকে চেয়ে থাকতে থাকতে রবির চোখের ওপর থেকে যেন একটা পর্দা সরে গেল। এই যবনিকার অন্তরালে শুধু আনন্দ ও সৌন্দর্যের তরঙ্গ। এতদিনের চেনা বিশ্বের বদলে উদ্ভাসিত হল এক নতুন বিশ্ব। হৃদয়ের গভীরতম প্রদেশে বিচ্ছুরিত হল তার রশ্মি, মুহূর্তে মিলিয়ে গেল সব বিপদ।

ঠিক যেন এক দৈব দর্শনের মতন নিস্পন্দ হয়ে দাঁড়িয়ে রইল রবি। শিহরিত হয়ে আছে সমস্ত রোমকূপ। সে শুনতে পাচ্ছে একটা ঝরঝর শব্দ। যেন এই মাত্র কোথাও কঠিন পাথর ফাটিয়ে বেরিয়ে এল একটা ঝর্না। সেই নবীন জলধারার শব্দ তার নাম ধরে ডাকছে।

বাসি মুখেই রবি লিখতে বসে গেল। সে বুঝতে পারছে, আজ সে কবিতা রচনা করছে না, আজ কবিতা স্বতোৎসার। ভাষার জন্য চিন্তা করতে হচ্ছে না। চিন্তাই বেরিয়ে আসছে নিজস্ব ভাষায়। কয়েক লাইন লিখে বারবার পড়ছে রবি, নিজেই বিস্মিত হয়ে ভাবছে, এ কার লেখা? আজ প্রত্যুষে কি তার নবজন্ম হল?

সারাদিন ধরে লিখে গেল রবি। মাঝে কাদম্বরী তার ঘরে এসে কয়েকবার উঁকি দিয়ে গেছেন, রবি লক্ষ করেনি। সে আজ খেতে যায়নি, প্লেটে করে কিছু ফল মিষ্টি কেউ রেখে গেছে তার সামনে, সে তার থেকেও খেয়েছে সামান্যই। সে কয়েক লাইন লিখছে, খাচ্ছে, বারবার পাঠ করছে সেই লাইনগুলো, আবার লিখছে। বিকেলের দিকে কাদম্বরী গা ধুয়ে সাজগোজ করে এসে মৃদু স্বরে ডাকলেন তাকে। রবি সাড়া দিল না।

কাদম্বরী কাছে এসে বললেন, এত কী লিখছ? এবার ওঠো। শরীর খারাপ হবে যে।

রবি অন্যমনস্কভাবে বলল, না!

কাদম্বরী রাগ করে বললেন, রবি, এবার আমি তোমার খাতা কেড়ে নেব কিন্তু!

রবি ফিরেও তাকাল না, কিছু বললও না।

কাদম্বরী এবারে একটা পেন্সিল তুলে নিয়ে রবির লেখার পাশে আঁকিবুকি কেটে দিলেন।

রবি বলল, আঃ, কী হচ্ছে?

কাদম্বরী বললেন, রবি তুমি সারাদিন মাথা গুঁজে পড়ে থাকবে, এটা আমার মোটেই ভালো লাগছে না। তুমি ওঠো। না হলে সব লেখা কাটাকুটি করে দেব বলছি।

রবি কয়েকবার মাথা ঝাঁকুনি দিল। তারপর উঠে বসে বলল, নতুন বউঠান, কী লিখেছি, শুনবে? এটার নাম 'নির্ঝরের স্বপ্নভঙ্গ'।

কাদম্বরী বললেন, হ্যাঁ, শোনাও। তারপর তুমি স্নান করে পোশাক বদলাবে। আমরা আজও ছাতে গিয়ে বসব।

রবি পড়ল, প্রথম চার লাইন।

আজি এ প্রভাতে
প্রভাত বিহগে

কী গান গাইল রে!
অতি দূর দূর
আকাশ হইতে
ভাসিয়া আইল রে!

এইটুকু পড়েই, মুখ তুলে তাকিয়ে রবি ব্যগ্রভাবে জিজ্ঞেস করল, কেমন লাগছে? কাদম্বরী ঈষৎ ভুরু কোঁচকালেন। ধীরে মাথা দুলিয়ে বললেন, তেমন ভালো লাগছে না তো! 'ভাসিয়া আইল রে', এটা কেমন যেন!

রবির বুকে যেন একটা শেল বিঁধল। গভীর প্রত্যাশা নিয়ে শোনাতে শুরু করেছিল। তার দৃঢ় ধারণা, এ কবিতা একবারে অন্যরকম। তার নজবন্মের কবিতা।

সে ফ্যাকাসে গলায় বলল, তোমার ভালো লাগছে না? নতুন বউঠান, এ কবিতা আমি চেষ্টা করে লিখছি না। আপনা আপনি বেরিয়ে আসছে ভেতর থেকে।

কাদম্বরী নিচু গলায় বললেন, আপনা আপনি বেরিয়ে এলেই কি ভালো কবিতা হয়? কবিতা তো একটা নির্মাণের ব্যাপার, তাই না? আমি অবশ্য বিশেষ কিছুই বুঝি না।

রবি গম্ভীর হয়ে আবার পড়তে শুরু করল:

না জানি কেমনে পশিল হেথায়
পথ হারা তার একটি তান,
আঁধার গুহায় ভ্রমিয়া ভ্রমিয়া
আকুল হইয়া কাঁদিয়া কাঁদিয়া
ছুঁয়েছে আমার প্রাণ........

রবি আবার মুখ তুলল।

কাদম্বরী অপরাধীর মতন মুখ করে বললেন, কী জানি, আমি এতে নতুনত্ব কিছু খুঁজে পাচ্ছি না। হয়তো আমার বোঝার ভুল—

রবির মাথায় রাগ চড়ে গেল। কাদম্বরীর দিকে সে এমন রক্তচক্ষে কখনও তাকায়নি। তার মনে হল, এ রমণী কিছুই কবিতা বোঝে না। একে আর শুনিয়ে কী হবে? নাঃ, আর কোনওদিন সে নতুন বউঠানকে তার কবিতা শোনাবে না।

কাদম্বরী ঝুঁকে রবির গা ছুঁয়ে মিনতি করে বললেন, রবি, তুমি রাগ করছ? আর একটু পড়ো—

রবি এবার অনেকটা বাদ দিয়ে চিৎকার করে পড়তে লাগল:

আজি এ প্রভাতে রবির কর
কেমনে পশিল প্রাণের পর
কেমনে পশিল গুহার আঁধারে
প্রভাত পাখির গান। না জানি কেন রে এতদিন পর
জাগিয়া উঠিল প্রাণ.......

কাদম্বরী বললেন, বাঃ, এই জায়গাটা ভালো লাগছে । সত্যি বেশ ভালো লাগছে।

রবি পড়ে যেতে লাগল প্রায় গর্জনের স্বরে :

জাগিয়া উঠেছে প্রাণ
ওরে উথলি উঠেছে বারি
ওরে প্রাণের বসনা প্রাণের আবেগ
রুধি রাখিতে নারি।
থর থর করি কাঁপিছে ভূধর
শিলা রাশি রাশি পড়িছে খসে ফুলিয়া ফুলিয়া ফেনিল সলিল
গরজি উঠিছে দারুণ রোষে......

কাদম্বরী রীতিমতন ভয় পেয়ে রবির একটা হাত চেপে ধরে আর্ত গলায় বলে উঠলেন, রবি, রবি, থামো। তোমার আজ কীহয়েছে, রবি?

রবি থেমে গেল। তার কপালে বিন্দু বিন্দু ঘাম জমেছে। থমথমে মুখ, উষ্ণ শ্বাস।

নিজেকে একটু সামলে নিয়ে বলল, নতুন বউঠান, আজ আমার ঘোর লেগেছে। কিসের ঘোর তা জানি না। আমি যেন আর আমাতে নেই!

॥ ২২ ॥

কী কুক্ষনেই ভূমিসূতা বলে ফেলেছিল যে, সে নাচতে জানে, এখন অন্দরমহলের দুপুরগুলিতে প্রায়ই তাকে নিয়ে টানাটানি শুরু হয়ে যায়।

এই পরিবারের দুই জা কৃষ্ণভামিনী আর সুহাসিনীর মধ্যে প্রকাশ্যে কোনও বিরোধ নেই, বরং গলাগলি ভাবই আছে বলে মনে হয়, তবে আড়ালে পরস্পরের নামে ঠেস দিয়ে কথা বলাবলি, সে তো থাকবেই । দু'জনের মহল আলাদা, কিন্তু কৃষ্ণভামিনী বড় বউ হিসেবে গোটা সংসারের কর্ত্রী, চাবির গোছা তাঁর কোমরে ঝনঝন করে। আবার কৃষ্ণভামিনীর স্বামীর তুলনায় সুহাসিনীর স্বামীই পারিবারিক ব্যবসায়টি দক্ষতার সঙ্গে পরিচালনা করছেন, তাঁর কৃতিত্বেই অর্থাগম হচ্ছে প্রচুর, সুতরাং সুহাসিনীর খানিকটা দেমাক তো থাকতেই পারে।

অনাথা ভূমিসূতাকে পুরী থেকে উদ্ধার করে এনেছেন, বলা যায় টাকা দিয়ে কিনে এনেছেন, মনিভূষণ, অতএব সে সুহাসিনীরই সম্পত্তি হিসেবে গণ্য হতে পারে। কিন্তু কৃষ্ণভামিনী তাঁর মহলে ওই মেয়েটিকে স্থান দিয়েছেন, প্রথম থেকেই মেয়েটির ওপর তাঁর টান পড়ে গেছে। এ বাড়ির কর্ত্রী হিসেবে সমস্ত দাস-দাসী ও আশ্রিত-পরিজন তাঁর অধীন। ভূমিসূতা বেশ শান্ত ও বাধ্য, প্রত্যেকদিন সে নিয়মিত পুজোর ফুল তুলে আনে, ঠাকুরঘর সাজায়, তা ছাড়াও কত্তা-গিন্নিদের যে-কোনও হুকুম সে তামিল করে হাসিমুখে। সে গিন্নিদের স্নানের জন্য হলুদ বেটে দেয়, সেলাই-ফোঁড়াই পারে, কত্তাদের গড়গড়ায় তামাক সাজতেও শিখে নিয়েছে। শশিভূষণের অসুস্থতার সময় সে সেবা করেছে রাত জেগে।

ভূমিসূতার বাবা-মায়ের অকালমৃত্যুর পর দেবদাসী করার জন্য তাকে বিক্রি করে দেওয়া হচ্ছিল, কিন্তু সে যে আগে থেকেই নাচ শিখেছে তা কারুর জানা ছিল না। শশিভূষণ যেদিন ছবি তুলছিলেন, সেদিন ভূমিসূতা নিজেই জানিয়ে দিয়েছে।

এখন দুপুরবেলায় আহারাদি সাঙ্গ হলে কৃষ্ণভামিনী ও সুহাসিনী পানের বাটা সামনে নিয়ে পা ছড়িয়ে বসে ডাকেন, অ বুমি, আয় তো, একটু নাচ দেখা। 'পবন হিল্লোল' নাচটা আর একবার দেখা তো বাছা!

নাচের জন্য বিশেষ সাজ করে নিতে হয় ভূমিসূতাকে। চুড়ো খোঁপা করে চুল বাঁধে, কাজল-টানা দেয় দু' চোখে, চন্দনের ফোঁটা আঁকে কপালে আর গালে, শাড়িখানা দু' ফেরতা করে পরে নেয়, আঁচল বাঁধে কোমরে।

তারপর সে নাচ শুরু করলেই হেসে গড়াগড়ি দেন দুই গিন্নি। শুধু ওঁরা নন, দাসী ও আশ্রিতা মহিলারাও ভিড় জমায়, তাদের মধ্যেও হাসির ধুম পড়ে যায়। বাঙালি পরিবারে নাচ একটা অভিনব ব্যাপার। বাঙালির জীবনে নাচই নেই বলতে গেলে। বৈষ্ণবরা অনেক সময়

রাস্তা দিয়ে খোল–কত্তাল বাজিয়ে ধেই ধেই করতে করতে যায়, তাকে ঠিক নাচ বলা যায় না, এবং সে দলে কোনও নারী থাকে না। শোনা যায় বটে যে, বাঈজীরা ধনীদের প্রমোদ-আসরে নাচানাচি করে, কিন্তু ভদ্রঘরের পুর-নারীরা তা কোনওদিন চক্ষে দেখেনি। মেটেবুরুজে লখনউয়ের নির্বাসিত নবাব ওয়াজিদ আলি শাহের দলবলের সঙ্গে অনেক বাঈজী এসে আস্তানা গেড়েছে, কলকাতার ধনী সন্তানেরা সেখানে যাওয়া-আসা করে, কিন্তু সেই বাঈজীরা যে কী ধরনের প্রাণী, তা কৃষ্ণভামিনী-সুহাসিনীর মতন রমণীরা জানে না।

ইদানীং অবশ্য থিয়েটারেও নাচ শুরু হয়েছে। বেশ্যারা অ্যাকটিং করে, আবার নেচে নেচে গান গায় মঞ্চের ওপরে। বেঙ্গল থিয়েটার আর ন্যাশনাল থিয়েটার পরস্পরের সঙ্গে প্রতিযোগিতায় নাচ-গানের সংখ্যা বাড়িয়েই চলেছে। গিরিশ ঘোষ 'আনন্দ রহো' নামে কী একটা পালা নামিয়েছে, তার একখানা গান, "নেচে নেচে আয় মা শ্যামা" এখন ভিখিরিরাও গায়। কিন্তু কৃষ্ণভামিনী-সুহাসিনীদের সেই থিয়েটারে যাবার প্রশ্নই ওঠে না। ভদ্র নারীরা সেখানে যায় নাকি, ছিঃ! থিয়েটার মানেই বেলেল্লার জায়গা, মাতাল-গাঁজাখোর-লম্পটদের বেশ একটা আখড়া হয়েছে থিয়েটারের নামে। আট আনার টিকিট কেটে যে-কেউ দর্শক হতে পারে, উচ্চণ্ড মাতালরা মঞ্চে বেশ্যাদের নাচ-গান শুরু হলেই জিভের তলায় আঙুল দিয়ে সিটি মারে, অসভ্য মন্তব্য ছুঁড়ে দিতেও তাদের মুখে আটকায় না। মনিভূষণ নিজে একদিন বন্ধুবান্ধবের পাল্লায় পড়ে সুদূর উত্তর কলকাতার মঞ্চে একখানা থিয়েটার দেখতে গিয়ে ঘৃণায় নাসিকা কুঞ্চিত করে ফিরে এসেছেন, আর কোনও দিন ও মুখো হবেন না।

ভবানীপুরের এই সিংহীবাড়ির রমণীরা এই প্রথম নাচ দেখছে। বেশ ভালোই নাচে ভূমিসূতা, সারা শরীর দুলিয়ে, দু' পা থিরিথিরি করে কাঁপিয়ে, শূন্যে লাফিয়ে সে নাচে। বোঝা যায়, সে রীতিমতন যত্ন করে শিখেছে। কৃষ্ণভামিনী প্রথম দিন জিজ্ঞেস করেছিলেন, হ্যাঁ লা, তোকে কে শিখিয়েছে নাচতে?

ভূমিসূতা বলেছিল, আমার বাবা!

সে কথা শুনেও সকলের বিস্ময়ে গালে হাত পড়ে। বাপ হয়ে কেউ মেয়েকে বাঈজীদের মতন নাচ শেখাতে পারে? সুহাসিনী পুরীতে দেখে এসেছেন, দরিদ্র হলেও ভূমিসূতা ভদ্র পরিবারের মেয়ে,তার বাবা ছিলেন পাঠশালার শিক্ষক। সে বাড়ির মেয়ে কী করে বা কেন নাচ শেখে, তা এঁদের বোধগম্য হয় না। কৃষ্ণভামিনীরা জানেন না যে, বাঙালিদের তুলনায় উড়িষ্যার মেয়েরা অনেকখানি মুক্ত, নাচ-গান তাদের সংস্কৃতির অন্তর্গত। মুসলমানি রীতিনীতির প্রভাবে বাংলার হিন্দু পরিবারের নারীরাও অন্তঃপুরে অবরুদ্ধ, বাইরের পৃথিবীর দিকে তারা চোখ মেলে তাকাতে পারে না। মোগল-পাঠানদের আধিপত্য উড়িষ্যায় তত বেশি ছিল না কখনও, পুরী-ভুবনেশ্বরে এবং সদ্য খোঁজ পাওয়া জঙ্গলে ঢাকা অর্ধভগ্ন কোনারক মন্দিরের দেয়ালগাত্রের মূর্তি-শিল্পের তুল্য কণামাত্র নিদর্শন বাংলার কোনও মন্দিরে নেই। নৃত্য যে ভক্তির অর্ঘ্য এবং পূজার অঙ্গ হতে পারে, সে ধারণাও নেই বঙ্গনারীদের।

কিশোরী ভূমিসূতার শরীরে যৌবন এখনও আসেনি কিন্তু আগমন বার্তা ঘোষণা করেছে। মাত্র কয়েক মাসের মধ্যেই লম্বা হতে শুরু করেছে সে, ছেলেদের তুলনায় আলাদা হয়ে যাচ্ছে তার ঊরুর গড়ন, বক্ষে দুটি ফুলের কুঁড়ি, দীর্ঘ হয়েছে অক্ষিপল্লব। হাতের আঙুলগুলি চম্পককলির মতন। নাচ শুরু করে সে প্রথমে যখন দুই হাত যুক্ত করে কপালে ছোঁয়ায়, তখন থেকেই মনে হয় তার তনুটি ছন্দোময়।

প্রথম প্রথম তার নাচ ছিল কৌতুকের ব্যাপার, ক্রমশ তা দুই জায়ের মধ্যে রেষারেষিতে পর্যবসিত হল। কৃষ্ণভামিনীর বাপের বাড়ির লোকজন আসে মাঝে মাঝে, তখন তিনি নিজের মহলে গিয়ে বসেন। একদিন তাঁর এক মাসি এসেছেন ছেলেমেয়েদের নিয়ে বেড়াতে, তাদের শরবত-মিষ্টি খাইয়ে আপ্যায়ন করতে করতে কথায় কথায় ভূমিসূতার প্রসঙ্গ এল। ভূমিসূতা

এঁটো রেকাবি-গেলাস সরাচ্ছিল, তাকে দেখিয়ে অভিনব কিছু ঘোষণার ভঙ্গিতে কৃষ্ণভামিনী বলে উঠলেন, জানো গো, ফুলমাসি, এই মেয়েটি নাচ জানে। অ বুমি, একটু নেচে দেখা তো বাছা।

নাচতে আপত্তি নেই ভূমিসূতার, কিন্তু যেমন তেমন অবস্থায় সে নাচ শুরু করে না। সে চুল আঁচড়াতে বসল। পুরী থেকে সে যে একটা কাপড়ের পুঁটলি নিয়ে এসেছিল, তার মধ্যে ছিল একজোড়া ঘুঙুর। এতদিন বার করেনি, আজ বাইরের লোকদের সামনে নাচ দেখাতে হবে, সাজগোজের পর সে পায়ে বেঁধে নিল ঘুঙুর।

কৃষ্ণভামিনীর ফুলমাসির দুটি ছেলেও এসেছে, তারা যমজ, অজয়ানন্দ আর বিজয়ানন্দ, তাদের বয়েস পনেরো। তারা এখনও ঠিক পুরুষমানুষ হয়নি বটে, কিন্তু বালকও বলা যায় না। ভূমিসূতা নাচ শুরু করতেই ফুলমাসি শিউরে উঠে বললেন, ওরে অজু-বিজু, তোরা বাইরে যা, বাইরে যা! কিন্তু সে ছেলেদুটি কথা শুনতে চায় না, তারা গোঁ ধরে রইল, তারাও নাচ দেখবে!

নাচ একটা অসভ্য ব্যাপার, মেয়েমহলে গোপনে দেখা চলতে পারে, কিন্তু ব্যাটাছেলের পাশাপাশি মেয়েরা বসে ওই জিনিস দেখা খুবই গর্হিত কাজ। ঘটনাটা সুহাসিনীর কানে উঠতেই তিনি ক্রোধে অগ্নিবর্ণ হলেন, তৎক্ষণাৎ তিনি ক্ষেমী দাসীকে আদেশ দিলেন, যা, বুমির কান ধরে হিড়হিড় করে টেনে নিয়ে আয়। ওর নাচের শখ আমি জন্মের মতন ঘুচিয়ে দিচ্ছি।

ও মহলে নাচ বেশ জমে উঠেছে, তার মাঝখানে মূর্তিমান বিঘ্নের মতন ক্ষেমী দাসী গিয়ে পড়ল। ক্ষেমী দাসী অতি জাঁদরেল, যেমন তার চোপার জোর, তেমনই তার পেশীর জোর, পুরুষরাও তার সামনে ভড়কে যায়। নৃত্যরতা অবস্থাতেই ভূমিসূতার একখানা হাত খপ করে চেপে ধরে ক্ষেমী দাসী বলল, মেজগিন্নি ডাকছেন, আয়, এক্ষুনি চলে আয় আমার সঙ্গে।

কৃষ্ণভামিনী, ফুলমাসি ও তাঁর ছেলেদের প্রবল আপত্তিও টিকল না। ক্ষেমী দাসী ভূমিসূতাকে ধরে নিয়ে গেল, সুহাসিনী ঠাস ঠাস করে তার গালে কয়েকটা চড় কষিয়ে গাল পাড়তে লাগলেন। সেই চড়ের শব্দ ও গালাগালি পৌঁছল যথাস্থানে, আত্মীয়দের সামনে অপমানিত হয়ে কৃষ্ণভামিনীও গুমরোতে লাগলেন। দুই জায়ে কথা বন্ধ হয়ে গেল।

এ মনোমালিন্য অবশ্য বেশিদিন স্থায়ী হল না। সুহাসিনীর তুলনায় কৃষ্ণভামিনী অনেক সরল ও সাদাসিধে, তিনি স্বীকার করলেন যে, ফুলমাসির অত বড় বড় দুই ছেলের সামনে ভূমিসূতাকে নাচতে বাধ্য করাটা উচিত হয়নি মোটেই।

আবার দুই জায়ে একসঙ্গে ভূমিসূতার ঘুঙুর পরা পায়ের নাচ দেখা শুরু করলেন দুপুরে। প্রথমে ছিল কৌতুক ও কৌতূহল। এখন যেন তাঁদের অজান্তেই নৃত্যের শিল্পরস একটু একটু করে চইয়ে যাচ্ছে তাঁদের অনুভূতিতে। ছন্দের ঝংকার সাড়া জাগাচ্ছে তাঁদের চেতনায়।

সুহাসিনী একদিন বললেন, অ বুমি, তুই নাচের সঙ্গে গান গাইতে পারিস না? গান শিখেছিস?

ভূমিসূতা সঙ্গে সঙ্গে মাথা নেড়ে বলে, হ্যাঁ, গানও জানি।

সে গান গাইতে শুরু করে:

বদসি যদি কিঞ্চিদপি দন্তরুচি কৌমুদী
হরতিদর তিমিরমতি ঘোরম
স্ফুরদধর সিধবে তব বদনচন্দ্রমা
রোচয়তি লোচন চকোরম...

বিস্ময়ে গালে হাত দিয়ে কৃষ্ণভামিনী বললেন, ওমা, এ কী গান গো। কিছুই যে বুঝলাম না। এ তোদের উড়িয়া ভাষা নাকি রে?

কৃষ্ণভামিনীর তুলনায় সুহাসিনী একটু বেশি জানে। সে বলল, না গো, দিদি, এ হচ্ছে সমস্কিত্য, ঠাকুর দেবতার গান, পুজোর গান!

ভূমিসূতা মুখ টিপে হাসছে।

কৃষ্ণভামিনী বললেন, এ মেয়ের পেটে পেটে কত বিদ্যে! কত কী জানে!

ভূমিসূতা বলল, আমি ইংলিশও জানি, শুনবেন? এ স্লাই ফক্স মেট এ হেন। একটি ধূর্ত শৃগাল একটি মুরগির সহিত সাক্ষাৎ করিয়াছিল...

বেলা এগারোটার সময় এ বাড়ির বাবুরা খেয়েদেয়ে আপিস করতে যান, তারপর বসে মহিলাদের আসর। বাবুর ফেরেন সন্ধের সময়। এ বাড়ির কত্তারা বাইরে রাত কাটান না, বাড়িতেও মদের আসর বসান না। জমিদারি বিক্রি করে দেবার পর জমিদারি মেজাজও আর তেমন নেই। মনিভূষণের শুধু একটি রক্ষিতা আছে শখেরবাজারে এক বাগানবাড়িতে, সেখানে তিনি যান শুধু রবিবার দুপুরে, এটুকু বিচ্যুতি ধর্তব্যের মধ্যেই নয়।

যেহেতু অন্যের চাকরি নয়, নিজেদেরই অফিস, তাই প্রতিদিন যাবার দায় নেই। এক দুপুরে নিজের চেম্বারে আরাম কেদারায় একটুখানি দিবানিদ্রা দিচ্ছিলেন মণিভূষণ, হঠাৎ তাঁর স্কন্ধে একটা যন্ত্রণা বোধ হল। আরাম কেদারায় ঘুমোনোতেও তেমন আরাম নেই, ঘাড়ে ব্যথা হয়ে যায়, মণিভূষণের বিছানার জন্য মন কেমন করল। তিনি বাড়ি ফিরে যাওয়া মনস্থ করলেন।

দোতলার সিঁড়ি দিয়ে উঠতে উঠতে তিনি শুনতে পেলেন ঘুঙুরের শব্দ। তিনি নিজের কানকে বিশ্বাস করতে পারলেন না। থিয়েটারের মঞ্চে ছাড়া তিনি এ আওয়াজ কখনও শোনেনইনি।

জুতো খুলে পা টিপে টিপে এসে তিনি দেখলেন এক অভাবনীয় দৃশ্য। তাঁরই শয়নঘরের মেঝেতে একদিকে সার দিয়ে বসেছে আট-দশটি নারী, তাদের কোল ঘেঁষে রয়েছে বাচ্চারা, কয়েকজন দাসী উঁকি ঝুঁকি দিচ্ছে জানলা দিয়ে, আর ঘরের অন্য দিকে ঘুঙুর পায়ে দিয়ে নাচছে একটি কিশোরী। প্রথমে তিনি ভূমিসূতাকে চিনতে পারলেন না। এ বাড়িতে সে ফুট-ফরমাস খাটে, ক্বচিৎ দেখা হয়। এরকম সাজগোজের অবস্থায় কখনও দেখেননি, হিল্লোলিত শরীরটিও অচেনা। তাঁর ধারণা হল, থিয়েটারের কোনও নষ্ট মেয়েকে ধরে এনে বাড়ির মেয়েরা গোপনে আমোদ করছে। বাড়ির মেয়েদের এমন আমোদ করার ইচ্ছেটাই তাঁর মতে পাপ।

কয়েক পলক সেই দৃশ্যটি দেখে তিনি হুঙ্কার দিয়ে উঠলেন, এসব কী হচ্ছে, অ্যাঁ? ছি ছি ছি ছি!

যেন একটা বজ্রপাত হল। থেমে গেল নাচ, সভয়ে মুখ ঘুরিয়ে তাকালেন রমণীরা। বাদামি রঙের সুট ও মেরুন টাই পরা মণিভূষণ প্যান্টের পকেটে হাত দিয়ে চিবিয়ে চিবিয়ে বললেন, দুপুরবেলা তোমরা এই কাণ্ড কর! বাড়িতে রাধামাধব রয়েছেন, তার মধ্যে এমন নষ্টামি! বাড়ি অপবিত্র করে ফেললে!

সুহাসিনী ফ্যাকাশে গলায় বললেন, ও আমাদের বুমি গো। নাচ দেখাচ্ছে।

মণিভূষণ ভূমিসূতাকে এবার চিনতে পেরেও বললেন, ভদ্দরলোকের বাড়িতে নাচ? ছি ছি ছি ছি! তা হলে আর ওকে পুরী থেকে নিয়ে এলে কেন? মন্দিরে দেবদাসী হলেই তো ওকে মানাত! ছোট ছোট ছেলেমেয়েগুলোরও মাথা খাচ্চ! ফের যদি কোনওদিন আমি এসব শুনি, ও মেয়েটাকে বাড়ি থেকে দূর করে দেব!

সেই থেকে নাচ বন্ধ হয়ে গেল। ভূমিসূতার ঘুঙুরজোড়া ছুঁড়ে ফেলে দেওয়া হল আস্তাকুঁড়ে। তাকে বুঝিয়ে দেওয়া হল, এ বাড়িতে থাকতে হবে তাকে অন্যান্য আশ্রিতদের মতন, বয়স্ক পুরুষদের সামনে সে সহসা আসবে না। তবে তার সকালবেলা ফুল তোলার দায়িত্বটা অব্যাহত রইল।

ভূমিসূতার এই পদাবনতিতে খুশি হল অন্য দাস-দাসীরা। কোথাকার একটা অজাত-কুজাতের মেয়ে, নাচের জন্য বেশি খাতির পেয়ে যাচ্ছিল সে। রান্নার ঠাকুরেরা উড়িষ্যার লোক, সেই সুবাদে তারা মনে করে যে, ভূমিসূতার ওপর তাদের একটা অধিকার আছে। কখনও সখনও ভূমিসূতাকে একতলার রান্নাঘরে আসতে হয়, তখনই নিত্যানন্দ তাকে ধমকায়। তার মুখের ভাষায় কোনও আড় নেই। হেলা নামে তার সহকারিটির বউ সদ্য মারা গেছে, ভূমিসূতা হেলাকে বিয়ে করবে না কেন ? হেলার আগের বউ নিত্যানন্দের পদসেবা করত নিয়মিত।

ভূমিসূতা এসব কথা শুনে মুখ বুজে থাকে, খাদ্যের পাত্রগুলি ভরা হলে দৌড়ে চলে যায় ওপর মহলে।

নাচ বন্ধ, তবু ভূমিসূতা নাচ ছাড়তে পারে না। সে নির্জনে একা একা নাচে, কখনও একতলায় স্নানের ঘরে, কখনও ছাদে। মস্ত বড় ছাদ, কাছাকাছি কোনও বাড়ি নেই, তবু এ বাড়ির কেউ সন্ধের পর ছাদে ওঠে না, অপদেবতার দৃষ্টি লাগার ভয় আছে। ফাঁক পেলেই ভূমিসূতা ছাদে উঠে আসে, ছায়ামূর্তির মতন ছন্দোময় পদক্ষেপে সে ঘুরে বেড়ায়।

এ বাড়িতে রাত্রির আহারাদির পাট চুকে যায় বেশ তাড়াতাড়ি, তারপর বাতি নিবে যায়। ভূমিসূতা এক-একদিন অন্ধকারে ছাদের আলসে ধরে দাঁড়িয়ে তার বাবা-মা, ভাই -বোনদের কথা স্মরণ করে কাঁদে। মাত্র কয়েকদিনের কলেরায় সবাই নিশ্চিহ্ন হয়ে গেল, শুধু বেঁচে রইল সে একা। কেন বাঁচল, একসঙ্গে মৃত্যু হলে সেও মা-বাবার সঙ্গে স্বর্গে গিয়ে থাকতে পারত।

বেশি রাতেও এ বাড়ির একটি ঘরে বাতি জ্বলে। বৈঠকখানা মহলের ওপরতলায় একটি ছোট ঘরে থাকে ভরত। শশিভূষণ ফিরে গেছেন ত্রিপুরায়, ভরতের অবস্থার অনেক বদল হয়েছে। সে আর আগেকার মতন অবাঞ্ছিত, উপেক্ষিত অনাথ কিশোর নয়। রাধারমণ ঘোষ কথা রেখেছেন, তিনি প্রতি মাসে ভরতের নামে দশটি করে টাকা পাঠান। শশিভূষণও ঠিক করে গেছেন, এ বাড়িতে তাঁর সম্পত্তির অংশের হিসেবনিকেশ রাখবে ভরত, সেজন্যও সে বিশ টাকা জলপানি পাবে। এ পল্লীতে ভালো ইস্কুল নেই, ভরতের জন্য দু'জন গৃহশিক্ষক নিযুক্ত করা হয়েছে, একজন পণ্ডিত ও একটি কলেজের ছাত্র, তাদের কাছ থেকে ভরত অঙ্ক-ইংরেজি-সংস্কৃতের পাঠ নেয়। তার চেহারা ও স্বভাবেরও অনেক পরিবর্তন হয়েছে, এক বছরের মধ্যেই অনেকখানি লম্বা হয়ে গেছে সে, প্রশস্ত কাঁধ, দৃঢ় দু' হাতের কব্জি, থুতনিতে অল্প অল্প দাড়ি এবং তার ব্যবহার অত্যন্ত গম্ভীর। বাড়ির কারুর সঙ্গে সে মেশে না, অনবরত পড়াশুনো করে। ভরতকে ভয় পায় ভূমিসূতা, দু'-একবার সে ভরতের সঙ্গে কথা বলতে গেছে, ভরত পাত্তাই দেয়নি।

ছাদে দাঁড়িয়ে দেখতে পায় ভূমিসূতা জানলার ধারে চেয়ারে বসা নিবিষ্টভাবে অধ্যায়নরত ভরত, টেবিলের ওপর জ্বলছে সেজবাতি। সেই দৃশ্য দেখে বাবার জন্য মন কেমন করে ভূমিসূতার। তার বাবাও রাত্রি জেগে পড়াশুনো করতেন, বাবার কাছ থেকে কত কী শিখেছিল সে!

ভোরবেলা ভূমিসূতা যখন বাগানে ফুল তুলতে যায়, তখন সে আর ভরতকে দেখতে পায় না। কলকাতার বাবুদের রোগ ধরেছে তাকে, সে এখন বেশ বেলা করে জাগে। খিদের কামড় তাকে আর জাগায় না, তার খাওয়া-দাওয়ার কোনও সমস্যা নেই। ভৃত্যেরা নির্দিষ্ট সময়ে তার ঘরে খাবার দিয়ে যায়, সেই ভৃত্যদের মাঝে মাঝে দু'-এক পয়সা বখসিস দেয় ভরত। এমনকি নিজের পয়সায় সে এখন মাখন-মতিচুর কিনেও খেতে পারে।

সকালবেলায় ভূমিসূতা সম্পূর্ণ স্বাধীন, ইচ্ছেমতন সে বাগানে ঘুরে বেড়ায়, ফুল তোলে, গুনগুনিয়ে গান গায়। ভাঙা পাঁচিল মেরামত করা হয়েছে, এখন আর শেয়াল ঢোকে না। তিনতলার ঠাকুরঘর সে প্রতিদিন টাটকা ফুল দিয়ে সাজায়, পুরুতমশাইরা আসেন না ন'টার

আগে, তার মধ্যে ভূমিসূতা নিজস্ব পূজা সেরে নেয়। নাচই তার পূজা। দেবদাসী হতে চায়নি ভূমিসূতা, ভয় পেয়েছিল, দেবদাসীদের বন্দিনী জীবন সম্পর্কে অনেক কাহিনী শুনেছিল, কিন্তু তাদের গ্রামে পূজামণ্ডপে সে তো অন্য মেয়েদের সঙ্গে অনেকবার নেচেছে।

একদিন এই ঠাকুরঘরেও একটা বিপত্তি ঘটে গেল।

ব্যবসার ব্যাপারে একটা সঙ্কট চলছিল, সারা রাত ঘুম হয়নি মণিভূষণের। ডায়মন্ড হারবারে একটা জাহাজ ডুবির খবর এসেছে, সেই জাহাজে তাদের কোম্পানির অনেক মালপত্র আসবার কথা। সেগুলি উদ্ধার করা না গেলে বহু টাকার ক্ষতি হয়ে যাবে। সকাল সকাল মণিভূষণ ঠাকুরঘরে চলে এসেছেন মানত করতে।

রাধামাধবের মূর্তি কষ্টিপাথরের, চক্ষুগুলি সোনার এবং মাধবের মুকুটে জ্বলজ্বল করছে একটি কমল হীরে। শ্বেতমর্মরে বাঁধানো মেঝে, সেখানে খালি পায়ে, তন্ময় হয়ে নৃত্য করছে ভূমিসূতা।

বিরক্ত হয়ে ধমক দিতে গিয়েও থেমে গেলেন মণিভূষণ। তিনি ঘোর বিষয়ী মানুষ, কোনও রকম শিল্প-সম্ভোগের ধার ধারেন না। ভালো ও মন্দ সম্পর্কে তাঁর পূর্ব নির্দিষ্ট ধারণা আছে, নাচ-টাচ তাঁর কাছে মন্দ ব্যাপার। তবু, শিল্পের একটা অভিঘাত আছে, কখনও কখনও তা নিতান্ত বেরসিককেও স্পর্শ করে। ভোরবেলার নরম আলোয় মিশে আছে পাখির ডাক, পূজা-কক্ষে অনেক রকম ফুলের বর্ণ ও গন্ধ, তার মধ্যে তরঙ্গের মতন দুলছে এক কিশোরী। এমন দৃশ্য মণিভূষণ কখনও দেখেননি, কিছুক্ষণের জন্য টাকাপয়সার লাভ-ক্ষতির কথাও তিনি বিস্মৃত হলেন। মিলিয়ে গেল তার কপালের ভাঁজ, কুঞ্চিত ভুরু সোজা হল, ওষ্ঠে এল প্রসন্নতা।

পুরুষের উপস্থিতির একটা উত্তাপ আছে, নারীরা তা টের পায়। ভূমিসূতা হঠাৎ মুখ ফিরিয়ে মণিভূষণকে দেখতে পেয়ে ভয়ে আড়ষ্ট হয়ে গেল। তাড়াতাড়ি মেঝেতে কপাল ঠুকে প্রণাম জানিয়ে সে বেরিয়ে যাবার চেষ্টা করতেই মণিভূষণ হাত বাড়িয়ে তাকে আটকালেন। কয়েক পলক এক দৃষ্টিতে তাকিয়ে রইলেন তার মুখের দিকে।

কস্তা ডুরে শাড়ি পরা এই মেয়েটিকে যেন তিনি নতুন করে দেখলেন। পুরীতে রোগা লিকলিকে, পাংশু-মুখ যে বালিকাটিকে উদ্ধার করেছিলেন, তার সঙ্গে এর কত তফাত! এমনকি কাল পর্যন্ত বাড়িতে যাকে ঘরোয়া কাজকর্মে দেখেছেন, সেও যেন অন্য মেয়ে ছিল, আজ সকালে সে নারী হয়ে গেছে। মণিভূষণ আবিষ্কার করলেন এক নারীকে।

তিনি আবিষ্টভাবে বললেন, থামলি কেন ? নাচ, আর একটু নাচ, আমি দেখি!

ভূমিসূতা ঘাড় হেঁট করে নিঃশব্দে দাঁড়িয়ে রইল। তার পা দুটি অসাড় হয়ে গেছে।

মণিভূষণ এগিয়ে এসে তার একটি হাত নিজের মুঠোয় নিলেন। কোমল, কম্পমান সেই হাত। এই হাত ছাড়তে ইচ্ছে করে না। মণিভূষণ একেবারে গলে যাওয়া কণ্ঠে বললেন, আর নাচবি না? আমাকে দেখাবি না? বড় ভালো লাগছিল।

ভূমিসূতাকে আরও কাছে টানতে গিয়ে মণিভূষণের চৈতন্য ফিরল। ঠাকুর ঘর! রাধামাধব দেখছেন, তাঁদের চোখের সামনে মণিভূষণ পাপ করতে যাচ্ছিলেন ? সর্বনাশ হয়ে যাবে যে!

হাত সরিয়ে নিয়ে, গলা খাঁকারি দিয়ে তিনি বললেন, গঙ্গাজলের কমণ্ডলুটা কোথায় রে?

একটু পরে নীচে নেমে এসে মণিভূষণ একটা কান্নার শব্দ শুনতে পেলেন। তাঁদের শয়নকক্ষের মেঝেতে উথালি-পাথালি হয়ে মাথা ঠুকতে ঠুকতে সুহাসিনী চিৎকার করছেন, ওগো, আমার জীবনটা ছারেখারে গেল গো! কী কুক্ষণে ওই ডাইনীটাকে ঘরে জায়গা দিয়েছি। ও সব্বাইকে শেষ করে দেবে! ওগো, তুমি শখের বাজারে মাগী রেখেছ, আবার বাড়িতেও বেবুশ্যে পুষবে ? আমি তবে কোথায় যাব? আমায় বিষ এনে দাও, আমায় পুড়িয়ে মেরে ফেলো—

মণিভূষণ কয়েক মুহূর্তের জন্য স্তম্ভিত হয়ে গেলেন। এত তাড়তাড়ি খবর পৌঁছল কী করে ? ঠাকুরঘরের আশেপাশে অন্য দাস-দাসীরা উঁকি ঝুঁকি মারছিল। ভূমিসূতা নিজে কিছু নিশ্চয় বলবে না। বলবার মতন তো কিছু ঘটেওনি। মেয়েটা নাচছিল, তিনি একবার তার হাত ধরেছেন মাত্র। কিন্তু সুহাসিনীকে তিনি চেনেন, একবার যখন ওঁর মনে কাঁটা ফুটেছে, তখন হাজার কৈফিয়তেও তা উপড়ে ফেলা যাবে না।

গলা চড়িয়ে তিনি বললেন, শুধু শুধু আমায় এখন দুষছ, তোমাকে পুরীতেই আমি বলিনি, ও মেয়েকে সঙ্গে এনো না? বাপ-মাকে খেয়েছে, ভাই-বোনদের খেয়েছে, ও তো ডাইনী! তখন তোমার দয়া উথলে উঠল! দূর করে দাও! ওকে বাড়ি থেকে বিদেয় করে দাও! ও আমাকেও পাপের পথে নিয়ে যাচ্ছিল, নেহাত আমার চরিত্রের জোর আছে.....ওই ঘর-জ্বালানিকে এই দণ্ডেই গলা ধাক্কা দিয়ে তাড়াও!

॥ ২৩ ॥

এ বাড়ির বড় কত্তা বিমলভূষণ বারান্দায় বসে ছিলেন গড়গড়ার নল মুখে দিয়ে। তিনি সংসারের সাতে-পাঁচে বিশেষ থাকেন না। আরাম কেদারার পাশে একটি টুলে এক গেলাস নিমপাতার রস রাখা আছে, মাঝে মাঝে আড়চোখে তাকাচ্ছেন সেদিকে। শিশুদের মতনই তেতো জিনিস সম্পর্কে তাঁর একটা ভীতি আছে, কিন্তু তাঁর কোষ্ঠকাঠিন্যের সমস্যা, কবিরাজের নির্দেশে নিমপাতার রস তাঁকে খেতেই হয় প্রতিদিন সকালে।

শুধু ধুতি পরা, খালি গা, ভুঁড়িতে হাত বোলাতে বোলাতে তিনি ভাবছিলেন আজ সকালে দুধ-চিঁড়ে-কলা খাবেন, না লুচি-হালুয়া। তিনি ঔদরিক, সারাদিন খাদ্যচিন্তায় তিনি আরাম পান।

এক সময় তিনি বললেন, হ্যাঁ গা গিন্নি, মেজদের ওদিকটায় কিসের গোলমাল হচ্ছে গো?

কৃষ্ণভামিনী কাছে এসে বললেন, শুনলুম তো মেজগিন্নি বুমিকে তাড়িয়ে দিচ্ছে।

বিমলভূষণ বললেন, বুমিটা আবার কে? নতুন কেউ বুঝি?

বিমলভূষণ তাঁর স্ত্রীর গোল মুখখানির দিকে তাকিয়ে রইলেন। এই সময় তাঁর একটু কৌতুক করার সাধ হল। সেই সাধের জন্যই সাময়িক ভাবে রক্ষা পেল ভূমিসূতা।

বিমলভূষণ ছদ্ম গম্ভীর্যের সঙ্গে বললেন, তোমার মায়া পড়ে গেসল, তা হলে তাকে মেজ বউ তাড়িয়ে দেয় কোন্ হিসেবে? তোমাকে জিজ্ঞেস করেছে? চাকর-চাকরানিদের মাইনে দেয় কে, তুমি না মেজবউ?

কৃষ্ণভামিনী বললেন, ও মেয়েটাকে ওরা গুচ্ছের টাকা দিয়ে কিনে এনেছে, ওর মাইনে নেই।

বিমলভূষণ বললেন, কিনে এনেছে তা জানি। কিন্তু কার টাকায়? এস্টেটের টাকায়, না মণির নিজের টাকায়?

কৃষ্ণভামিনী বললেন, তা আমি কী জানি!

বিমলভূষণ বললেন, আমার স্পষ্ট মনে আছে, মণি সেরেস্তায় হিসেব দাখিল করেছিল, পুরী হইতে নতুন দাসী আনয়ন বাবদ খরচ একশো চল্লিশ টাকা। মণি নিজের পয়সায় দয়া-

দাক্ষিণ্য করার ছেলেই নয়। ও মেয়েটা এজমালি দাসী। মেজবউ যদি এমনি যখন তখন যাকে তাকে বিদেয় করে দেয়, তা হলে অন্য ঝি–চাকরদের কাছে তোমার মান থাকবে?

কৃষ্ণভামিনী বললেন, আহা, মেজবউ ভারি আমার কথা শোনে! গুমোরে তার মাটিতে পা পড়ে না!

বিমলভূষণ ফিক করে হেসে বললেন, তুমি বুঝি মেজবউকে ভয় পাও? তুমি বড়বউ হয়ে তাকে শাসন করতে পার না ?

কৃষ্ণভামিনী অমনি ফস করে জ্বলে উঠলেন। ব্যক্তিত্ব জাহির করার জন্য তিনি হাঁকডাক শুরু করলেন অন্য দাস-দাসীদের।

ভূমিসূতার পুঁটুলিটা ছুঁড়ে ফেলে দেওয়া হয়েছে উঠোনে। ক্ষেমী দাসী তাকে ঠেলতে ঠেলতে নিয়ে যাচ্ছে বাইরে। ভূমিসূতা ফুঁপিয়ে ফুঁপিয়ে কাঁদছে, এই সময় মঙ্গলা দাসী এসে ওদের পথ আটকাল। বড় গিন্নির হুকুম, ভূমিসূতা যাবে না। সে কাজ করবে কৃষ্ণভামিনীর মহলে।

এই উপলক্ষে দুই জায়ে আবার কথা বন্ধ হয়ে গেল কয়েকদিনের জন্য।

কৃষ্ণভামিনীর পুত্রসন্তান নেই, তিনটি কন্যার মধ্যে দু'জনের বিবাহ হয়ে গেছে। ছোট মেয়েটির বিয়ের প্রস্তুতি চলছে, তার বয়েস ভূমিসূতার চেয়েও কম। কৃষ্ণভামিনীর বড় বোনের ছেলে-মেয়েরা এ বাড়িতে প্রায়ই আসে, তাদের মধ্যে আবার যমজ ছেলেদুটির, অজু ও বিজুর যেন সম্প্রতি মাসির জন্য দরদ একেবারে উথলে পড়ছে। তারা এ বাড়িতে আসে, খায়-দায়, গল্প জমায়, রাত্তিরেও ফিরে যাবার নাম করে না। কৃষ্ণভামিনী ওদের প্রতি স্নেহে অন্ধ, দিদির ছেলেদুটি যদি পাকাপাকি তাঁর কাছে থেকে যায়, তাতেও আপত্তি নেই। কৃষ্ণভামিনীর তুলনায় তার দিদির শ্বশুরবাড়ির অবস্থা তেমন ভালো নয়, কৃষ্ণভামিনীই অজু-বিজুর হাতখরচ জোগান।

ছেলেদুটি বেশ সুদর্শন, হুবহু একরম চেহারা, তাদের স্বভাবেও প্রচুর মিল। দু'জনে পাশাপাশি থাকে, প্রায় একই কথা বলে। ওরা লেখাপড়ায় বেশিদূর এগোয়নি, আর কিছুদিনের মধ্যেই বিমলভূষণের অফিসে ওদের কাজে লাগিয়ে দেওয়া হবে, এই রকম ভরসা দেওয়া আছে।

ভূমিসূতার নাচ এই ছেলে দুটির খুব পছন্দ হয়েছিল। আগের তুলনায় নীতিবোধ খানিকটা শিথিল হয়েছে। অজু-বিজু অন্দরমহলেই থাকে, দুপুরবেলার কৌতুকের সময় ওদের বার করে দেয়া যায় না, ওরা দু' একবার ভূমিসূতার নাচ দেখেছে। এখন ভূমিসূতা এ মহলেই সর্বক্ষণ থাকে, অজু-বিজু প্রায়ই বলে, ও মাসি, ওকে একটু নাচতে বল না! বোনপোদের অনুরোধ ঠেলতে পারেন না কৃষ্ণভামিনী, তিনিও বলেন, ও বুমি, দেখা না একটু নাচ, মাঝের দরজা বন্ধ করে দিচ্ছি, এদিক পানে কেউ আসবে না।

কিন্তু ভূমিসূতা আর কিছুতেই নাচবে না। সে কোনও কথা না বলে মুখ গোঁজ করে থাকে। সে বুঝেছে, নাচের জন্যই এত অনর্থ। কিছুতেই তাকে রাজি করানো যায় না। তার ঘুঙুর ছুঁড়ে ফেলে দেওয়া হয়েছে, অনু-বিজু বলে, আবার একজোড়া ঘুঙুর কিনে দিলে হয়তো সে নাচবে।

অজু-বিজুদের এড়িয়ে, আড়ালে আড়ালে থাকার চেষ্টা করে ভূমিসূতা। সারাদিন এক রকম কাটে, সন্ধের পর বাড়ি নিঝুম হয়ে গেলে তার মন খারাপ শুরু হয়ে যায়। সুহাসিনী তাকে একটা আলাদা ছোট ঘর দিয়েছিলেন, এই মহলে তাকে মঙ্গলা দাসীর সঙ্গে এক খাটে শুতে হয়। মঙ্গলা দাঁতে মিশি দেয়, তখন তার হাসির রঙও হয়ে যায় কালো, সেই কালো হাসির সঙ্গে সে অদ্ভুত সব খারাপ কথা বলে। সে সব শুনতে একেবারেই ভালো লাগে না ভূমিসূতার। তার ভূতের ভয় নেই, সে ছাদে চলে যায়।

পূর্ণিমার রাত, দুধ-সাদা হয়ে গেছে দিগন্ত, এই জ্যোৎস্নার টানেই যেন দূর থেকে ছুটে আসছে ঠাণ্ডা বাতাস। চাঁদ ঠিক মাথার ওপরে। ভূমিসূতা এক-একবার ওপর দিকে তাকায়, আর তার মনে হয়, চন্দ্রদেবতা তাকেই দেখছেন। পৃথিবীতে তার কেউ আপন নেই, একথা মনে পড়তেই তার বুক ঠেলে কান্না বেরিয়ে আসে। কেউ নেই, কেউ নেই!

একা একা অনেকক্ষণ ছাদে ঘুরে বেড়ায় ভূমিসূতা। এক সময় সে মানুষের পায়ের শব্দ পায়। একজন নয়, দু'জন। ভূমিসূতা পাঁচিল ঘেঁষে দাঁড়াল, কাছে এসে ওদের একজন বলল, এই তো পেয়েছি। ভূমি,এখানে নাচবি ? অন্যজন প্রতিধ্বনি করল, এখানে নাচবি ?

উত্তর না দিয়ে ভূমিসূতা এগিয়ে গেল সিঁড়ির দিকে।

তখন অজু তার এক হাত চেপে ধরে বলল, যাস কোথায় ? নাচবি না ?

বিজু অন্য হাত ধরে বলল, যাস কোথায় ? নাচবি না ?

ভূমিসূতা কান্না-মিশ্রিত কণ্ঠে বলল, না, আমি নাচব না। আমায় ছেড়ে দাও গো!

অজু অবাক হয়ে বলল, ভয় পাচ্ছিস কেন ? ভয় কিসের ?

বিজুও সেই একই কথা বলল।

তারপর ওরা দু'জনে হ্যাঁচকা টান দিয়ে শূন্যে তোলার চেষ্টা করল ভূমিসূতাকে, সে আছাড় খেয়ে পড়ল। তারপর প্রাণপণে নিজেকে ছাড়িয়ে নিয়ে দিল ছুট। ইঁদুর-বিড়াল খেলার মতন অজু-বিজু দু'দিক থেকে গেল ধেয়ে। তারা খলখল করে হাসছে একই রকম গলায়।

একজনের হাত থেকে তবু উদ্ধার পাওয়া যায়, দু'জনের আক্রমণ এড়ানো খুব কঠিন। মাঝে মাঝে ধরা পড়ে যাচ্ছে ভূমিসূতা, ওরা তাকে বুকে জড়াতে চাইছে, কিন্তু দু'দিকের বিপরীত টান, সেই ঝটাপটিতে কোনওক্রমে মুক্ত হয়ে আবার ছুটছে সে।

ভূমিসূতা জানে, সাহায্যের জন্য চিৎকার করে কোনও লাভ নেই। বাড়ির অন্য কেউ এখানে এসে পড়লে তাকেই দোষ দেবে। পুরুষমানুষ সোনার আংটি, তাতে কোনও কলঙ্ক পড়ে না। মেয়েদেরই শুধু দোষ হয়। অন্যরা বলবে, ভূমিসূতা একটা ডাইনী, সে এই ছেলেদুটির মাথা খেতে ছাদে টেনে এনেছে। বড় তাড়াতাড়ি এসব বুঝে যাচ্ছে ভূমিসূতা।

একবার সে ভাবল, পাঁচিল ডিঙিয়ে মরণঝাঁপ দেবে। লাফাতে গিয়েও থেমে গেল। মৃত্যুর আগে যে যন্ত্রণা হবে, সেটা কি সে সইতে পারবে ? না লাফিয়ে সে অন্ধের মতন ছুটে গেল সিঁড়ির দিকে। হুড়মুড়িয়ে খানিকটা গড়িয়ে গিয়ে সে আবার দৌড়ে গেল সেই ঘরটির দিকে, যেখানে অনেক রাত পর্যন্ত বাতি জ্বলে।

দরজা ঠেলে দেয়ালের এক কোণে ছিটকে পড়ল সে। পেছন পেছন তাড়া করে এল অজু আর বিজু। ভরত টেবিলে মুখ গুঁজে কিছু একটা লিখছে, তাকে গ্রাহ্যও করল না ওরা দু'জন। ভূমিসূতা যেন একটি আহত হরিণী, দুই শিকারী এসে তার দুই কাঁধ শক্ত করে ধরে হেঁচড়ে নিয়ে যেতে লাগল দরজার দিকে। ভরত চেয়ার ছেড়ে ওঠেনি, শুধু ঘাড় ফিরিয়ে তাকিয়ে আছে। ভূমিসূতার সঙ্গে তার চোখাচোখি হল। আহত হরিণীটির দৃষ্টিতে শুধু করুণা ভিক্ষা নেই, যেন রয়েছে তার পৌরুষের প্রতি ধিক্কার।

অজু বলল, হি হি হি, কোথায় পালাবি তুই?

বিজু বলল, হি হি হি, কোথায় পালাবি তুই?

চেয়ারটা শব্দ করে ঠেলে দিয়ে উঠে দাঁড়াল ভরত। সে এখন সবল যুবা, তা ছাড়া যেন তার মধ্যে ছলাৎ করে উঠল রাজরক্ত। দুটি ফর্সা বাঁদরের এই বেয়াদপি সে সহ্য করতে পারবে না।

সে ওদের একজনের চুলের মুঠি ধরে প্রচণ্ড জোরে এক চড় কষাল। তারপর রক্তচক্ষে অন্যজনের দিকে চেয়ে বলল, এখানে আমার পড়াশুনোর ব্যাঘাত করতে এসেছ, দূর হয়ে যাও!

অজু ও বিজু খাঁটি বঙ্গসন্তানের মতন, মার খেলে হজম করে যায়, প্রতিআঘাত করার সাহস নেই। অসহায় নারীদের ওপর অত্যাচার করার সময় বীরত্ব ফলায়, কিন্তু কোনও শক্ত মানুষের পাল্লায় পড়লেই মাথা নিচু করে কুঁই কুঁই করে। ভরতের রুদ্রমূর্তি দেখে তারা পায়ে পায়ে পিছিয়ে গেল, দরজার বাইরে গিয়ে আবার হম্বিতম্বি শুরু করল। ভরত একটা লোহার ডাণ্ডা নিয়ে বেরোতেই পিঠটান দিল তারা।

ভূমিসূতার দিকে কোনও মনোযোগ না দিয়ে আবার চেয়ারে ফিরে এসে ভরত পড়াশুনো শুরু করল। বুকের কাছে দু'হাতে আঁচলটা চেপে ধরে একটা মূর্তির মতন স্তব্ধ হয়ে দাঁড়িয়ে রইল ভূমিসূতা।

একটু পরে সে বলল, শুনুন

ভরত তার দিকে না ফিরে একটি হাত নেড়ে ইঙ্গিত করল তাকে চলে যেতে। শিয়াল তাড়াবার দিনে সে যেমন এই মেয়েটির সঙ্গে একটিও কথা বলেনি, আজও সে কোনও কথা বলতে চায় না।

ভূমিসূতা তবু এক পা কাছে এগিয়ে এসে বলল, আপনি যে আমার মান রক্ষা করলেন, সে জন্য আমি কী প্রতিদান দেব?

এবার ভরত কৌতূহলী হয়ে মুখ ফেরাল। শশিভূষণ যেদিন এই মেয়েটির ছবি তুলেছিলেন, সেদিন ভরত একে এ বাড়ির কোনও দাসী মনে করেছিল। তার বাবা মহারাজ বীরচন্দ্র মাণিক্যও দাসীদের ফটোগ্রাফ তোলেন। কিন্তু এই মাত্র মেয়েটি যে বাক্যটি বলল, তা তো দাসীদের ভাষা নয়। এর উচ্চারণ ভদ্র।

ভরত জিজ্ঞেস করল, তুমি কে?

ভূমিসূতা নিজের নাম জানিয়ে বলল, আমাদের বাড়ি ছিল উড়িষ্যায়, আমার মা-বাবা কেউ নেই।

ভরত বলল,প্রতিদানের প্রশ্ন নেই। তুমি যাও! এখানে আর এসো না।

ভূমিসূতা বলল, ওরা যদি যাবার সময় আবার ধরে?

ভরত গম্ভীরভাবে বলল, আমি তো সব সময় তোমাকে রক্ষা করতে পারব না! বাড়ির কত্তাদের কাছে গিয়ে বল।

ভূমিসূতা বলল, আমার নালিশ কেউ শুনবে না।

ভরত এবার অসহিষ্ণুভাবে মাথা ঝাঁকিয়ে বলল, কী মুশকিল, আমি তার কী করতে পারি? আমি একটেরেয় থাকি, এ বাড়ির অন্য লোকদের সঙ্গে আমার কোনও সম্পর্ক নেই।

আবার উঠে দাঁড়িয়ে সে বলল, আমি সিঁড়ির কাছে বাতি ধরছি, তুমি যাও, কোনও ভয় নেই।

তবু যেতে চায় না ভূমিসূতা। এই নিয়ে দ্বিতীয়বার ভরত তাকে রক্ষা করেছে। বিনিময়ে এই মানুষটি কিছুই চায় না। এ পৃথিবীতে ভূমিসূতা এমন ব্যবহার যে আর কারুর কাছ থেকে পায়নি। এই মানুষটির পা দুটি জড়িয়ে তার কাঁদতে ইচ্ছে করে।

ভরত কঠোর ভাবে বলল, দাঁড়িয়ে রইলে কেন, যাও!

পরদিন রাতে ভরতের কক্ষে আবার চলে এল ভূমিসূতা। আজ তাকে কেউ তাড়া করেনি, সে স্বয়মাগতা।

ভরত নিবিষ্টভাবে কিছু পাঠ করছিল, প্রথম কিছুক্ষণ খেয়ালই করেনি। একসময় মুখ তুলে তাকিয়ে দেখল, লাল পাড় শাড়ি পরা মেয়েটি কাছেই দাঁড়িয়ে একদৃষ্টে চেয়ে আছে তার দিকে।

ভুরু কুঞ্চিত করে ভরত জিজ্ঞেস করল, আবার এসেছ? কী চাই?

ভূমিসূতা বলল, একটা পলার আংটি, সোনার না, রুপোর, আপনি নেবেন?

ভরত বলল, আংটি ? কেন, আমি আংটি নেব কেন ?

ভূমিসূতা বলল, আমার যে আর কিছুই নেই!

কুঞ্চিত ভুরু সোজা হয়নি, ভরত বেশ কয়েক পলক তাকিয়ে রইল এই কিশোরীটির দিকে। এক ঝলক তার মনে পড়ে মনোমোহিনীর কথা। যদিও মনোমোহিনীর সঙ্গে এর কোনও মিল নেই। এ মেয়ে রঙ্গিনীর মতন হাসে না, চোখের কোণে ইঙ্গিত নেই। বরং ভিতু ভিতু ভাব। যেন একটা ভয় পাওয়া পাখি। সামান্য দাসী-বাঁদীর কাজ করে। তবু সে একটা আংটি দিতে চাইছে তাকে ?

ভরত বলল, আমায় কিছু দিতে হবে কে বলেছে? কেউ কিছু দিলেও আমি নিই না।

ভূমিসূতা বলল, আমি গীতগোবিন্দের পদ গাইতে পারি। গেয়ে শোনাব ?

ভরত বলল, গীতগোবিন্দ ? তুমি সংস্কৃত উচ্চারণ করতে পার ?

ভূমিসূতা বলল, আমি ইংরেজিও জানি। এ স্লাই ফক্স মেট এ হেন। একটি ধূর্ত শৃঙ্গাল...

ভরত জিজ্ঞেস করল, মুখস্থ করেছ? এলিফ্যান্ট মানে কী জান?

ভূমিসূতা বলল, হ্যাঁ, জানি। হাতি।

—জগন্নাথের মন্দির, এর ইংরেজি কী ?

—লর্ড জগন্নাথ'স টেম্‌পল।

—এসব তোমাকে কে শিখিয়েছে ?

—আমার বাবা।

—তা হলে তুমি এ বাড়িতে ঝিয়ের কাজ করতে এসেছ কেন ?

—এরা নিয়ে এসেছে। আমার যে কেউ নেই। বাবা-মা সব মারা গেছেন কলেরায়।

—হুঁ, তা হলে আর কী করা যাবে!

—আপনি আমাকে পড়া দেখিয়ে দেবেন ? এই সময় আমার কোনও কাজ থাকে না।

—আমার সময় নেই। আমি মাস্টারি করতে জানিও না।

ভূমিসূতা এবার মেঝেতে বসে পড়ল। অনুনয়ের সুরে বলল, আর কিছু করতে হবে না। আপনি জোরে জোরে পড়বেন, আমি শুনব। যদি মানে না বুঝতে পারি—

ভরত এবার ধমক দিয়ে বলল, ওসব হবে না! ওঠো, নিজের জায়গায় যাও। এখানে আমাকে বিরক্ত করতে আর এসো না!

ভূমিসূতা বলল, তা হলে এটা আপনাকে নিতে হবে!

উঠে দাঁড়িয়ে, ভরতের টেবিলের ওপর একটা আংটি রেখে দিয়ে সে কাঁদতে কাঁদতে দৌড়ে বেরিয়ে গেল, মিলিয়ে গেল বাইরের অন্ধকারে।

ভরত একটুক্ষণ বসে রইল হতবুদ্ধির মতন। এই আংটি নিয়ে সে কী করবে ? আংটিটা ফেরত দেবেই বা কী করে ? ভিতর মহলে সে কক্ষণও যায় না। এ বাড়ির কেউও তার জীবনযাত্রা নিয়ে মাথা গলায় না, কারণ সে শশিভূষণের প্রতিনিধি, সে শশিভূষণের অংশ দেখাশুনো করে।

এ বাড়ির রান্নার ঠাকুর নিত্যানন্দ আর হেলার কাছে সে এক সময় খিদের জ্বালায় দু'মুঠো মুড়ির আশায় বসে থাকত, এখন ওরা তাকে খাতির করে, দেখা হলে নমস্কার ঠোকে। ওরা বুঝে গেছে, ভরত এখন পাকাপাকিভাবে বাবুশ্রেণীর অন্তর্গত হয়ে গেছে। এখন ভরতের নিজস্ব হাতখরচ আছে, সে নিত্যানন্দদের বখসিস দেয়, সে ঘোড়ায় টানা ট্রামে চাপে, ইডেনবাগানে বাজনা শুনতে যায়, টিকিট কেটে থিয়েটার দেখে। প্রেসিডেন্সি কলেজের কয়েকজন ছাত্রের সঙ্গে থিয়েটার দেখার সূত্রে তার বন্ধুত্ব হয়েছে, আগামী বছর ভরত ওই কলেজে ভর্তি হবে।

ভূমিসূতা আর আসেনি, কিন্তু আংটিটার জন্য মনটা খচখচ করে ভরতের। অতি সাধারণ একটা পলার আংটি, রুপো কালো হয়ে গেছে, তবু ওই অনাথা মেয়েটার কাছে এর দাম আছে। বিক্রি করলে এক টাকা-দু'টাকা পেতে পারে।

বেশিরাত পর্যন্ত পড়াশুনো করে বলে ভরত জাগে বেশ দেরিতে। সে এখন সম্পূর্ণ স্বাধীন, যখন ইচ্ছে ঘুমোবে, যখন ইচ্ছে জাগবে। বেলা দশটার সময় পণ্ডিতমশাই আসেন পড়াতে, তার আগে তৈরি থাকলেই হল। তবু একদিন ভোরবেলা তার ঘুম ভেঙে গেল। কোথা থেকে যেন মৃদুস্বরে একটা গান ভেসে আসছে। নারী কন্ঠের গান। সে খুবই অবাক হল। এই সময় কে গান গাইবে! কান খাড়া করে শুনে তার বিস্ময় আরও বৃদ্ধি পেল। গানের ভাষা সংস্কৃত, এবং সে গান কেউ গাইছে তারই দরজার ওপাশে। 'বদসি যদি কিঞ্চিদপি দন্তরুচি কৌমুদী......।

ভরত ঝট করে খাট থেকে নেমে একটানে দরজাটা খুলে ফেলল। মাটিতে বসে দরজায় মাথা ঠেকিয়ে গান গাইছে ভূমিসূতা। ভরতকে দেখেই যেন ভয়ে কুঁকড়ে গেল সে, তারপর দৌড় লাগিয়ে অদৃশ্য হয়ে গেল!

ভরতের ওষ্ঠে হাসি ফুটে উঠল। মেয়েটির আত্মসম্মানজ্ঞান আছে। শুধু আংটিটা দিয়েই তার প্রতিদান শেষ হয়নি। ঘুমন্ত ভরতকে সে গান গেয়ে জাগাতে চায়।

জানলা দিয়ে দেখল, মেয়েটি এখন ফুল তুলছে। ধুতিটা গুছিয়ে পরে নিল ভরত। গায়ে একটা বেনিয়ান চাপিয়ে, টেবিল থেকে আংটিটা তুলে নিয়ে বাগানে নেমে এল। ভূমিসূতা তাকে দেখে পালাবার চেষ্টা করছিল, ভরত হাত তুলে আদেশের সুরে বলল, দাঁড়াও!

কাছ গিয়ে জোর করে তার হাতের মুঠোয় আংটিটা ভরে দিয়ে ভরত বলল, গান শুনিয়েছ, আর কিছু দিতে হবে না। এটা রাখো।

সলজ্জ কণ্ঠে ভূমিসূতা বলল, আবার কাল গান শোনাতে পারি?

ভরত বলল, না, তার আর দরকার নেই!

ভুমিসুতা বলল, আমি নাচও জানি। দেখাব? এখন এখানে কেউ আসবে না।

উত্তর শোনার অপেক্ষা করল না সে। মাথার ওপর দু'হাত তুলে চাপড় মেরে তাল দিল, তারপর শুরু করে দিল নাচ।

স্মিতহাস্যে মেয়েটিকে দেখতে লাগল ভরত। শিল্পের তরঙ্গ তাকে স্পর্শ করল না। ফুলের বাগানে এক নৃত্যরতা কিশোরীকে দেখতে দেখতেও মনে হল, এটা একটা কৌতুকজনক ব্যাপার। একটু পরেই সে বলল, এই তো যথেষ্ট হয়েছে। বাঃ!

ভরত গমনোদ্যত হতেই ভূমিসূতা জিজ্ঞেস করল, আপনি আমায় পড়া শেখাবেন না?

মুখ না ফিরিয়েই ভরত বলল, না, আমার সময় নেই।

দু'দিন পর ভরত কয়েকজন বন্ধুর সঙ্গে গেল ন্যাশনাল থিয়েটারে 'পাণ্ডবের অজ্ঞাতবাস' থিয়েটার দেখতে। বেঙ্গল থিয়েটার আর ন্যাশনাল থিয়েটারের মধ্যে জোর প্রতিযোগিতা চলছে, দুটি মঞ্চেই নামছে নতুন নতুন পালা। বেঙ্গলেই সুনাম বেশি, ওরা মঞ্চের ওপর ঘোড়া নিয়ে আসে। কিন্তু গিরিশবাবু 'পাণ্ডবের অজ্ঞাতবাস' পালা একেবারে জমিয়ে দিয়েছেন। কীচক আর দুর্যোধন, দুটো ভূমিকাতেই নেমেছেন গিরিশচন্দ্র স্বয়ং, অমৃতলাল মিত্তির ভীম, আর দ্রৌপদী সেজেছে বিনোদিনী। অভিমন্যু কে সেজেছে তা ঠিক বোঝা যাচ্ছিল না, এক বন্ধু ভরতের কানে কানে বলল, ও তো বনবিহারিণী! তা শুনে ভরত একেবারে থ। বনবিহারিণী নামকরা নায়িকা, সে পুরুষের ভূমিকাতেও এত ভালো অভিনয় করতে পারে? বিনোদিনী আর বনবিহারিণী দু'জনেই ঘন ঘন ক্ল্যাপ পাচ্ছে।

সব নাটকেই নাচ থাকে। প্রয়োজন থাকুক বা না থাকুক, দর্শকের নাচ দেখতে চায়। নাটকের শুরুতে এবং ইন্টারভ্যালের পর সখীর দল খানিকক্ষণ নেচে যায় । এই নাটকে

অবশ্য উত্তরার তো নাচেরই ভূমিকা, বৃহন্নলাবেশী অর্জুন তাকে নাচ শেখাবে। কিন্তু উত্তরা সেজেছে ভূষণকুমারী, তার নাচ মোটেই সুবিধেয় নয়, শরীর একেবারে শক্ত।

নাটক দেখতে দেখতে হঠাৎ ভূমিসূতার কথা মনে পড়ল ভরতের। মেয়েটি নাচতে জানে, গাইতে জানে, কিছু লেখাপড়াও শিখেছে, কিন্তু বিশ্বসংসারে ওর আপন কেউ নেই, ওকে ঝি-গিরি করেই কাটাতে হবে সারাজীবন। ওর এই গুণগুলো বৃথা যাবে! একমাত্র থিয়েটারে যোগ দিলে ওর ভাগ্য খুলে যেতে পারে। মেয়েটি দেখতে শুনতেও ভালো, নাচ জানা, গান জানা এমন মেয়ে পেলে লুফে নেবে যে-কোনও নাটুকে দল। থিয়েটারের মেয়েদের অবশ্য কেউ ভালো বলে না, সমাজে তাদের স্থান নেই, কিন্তু বাড়ির ঝিদেরও কি গ্রাহ্য করে সমাজ? অভিনেত্রীরা তবু তো হাততালি পায়, বাড়ির ঝি সারাদিন মুখে রক্ত তুলে পরিশ্রম করলেও কি পায় কিছু?

ভরতের বন্ধু নীলমাধবের সঙ্গে অর্ধেন্দুশেখরের আত্মীয়তা আছে, তাকে ধরে ভূমিসূতাকে কোনও নাটকের দলে ঢুকিয়ে দেওয়া শক্ত হবে না, তার আগে জানতে হবে ভূমিসূতা এই জীবন চায় কি না!

সে রাত্রে বাড়ি ফিরে ভরত দেখল, কে যেন তার ঘরখানি সুচারু ভাবে গুছিয়ে দিয়েছে। তার বইপত্র এলোমেলো হয়েছিল, জামা-কাপড় যেখানে সেখানে ছড়ানো থাকে, সব এখন সুবিন্যস্ত। টেবিলের ওপর অনেকখানি কালির দাগ ছিল, মোছা হয়নি, কেউ সযত্নে সেই দাগ তুলে দিয়েছে। টেবিলের ঠিক মাঝখানে রয়েছে রুপোর তৈরি সেই পলার আংটি।

॥ ২৪ ॥

ছ' নম্বর বিডন স্ট্রিটে ন্যাশনাল থিয়েটারের সামনে এসে থামল জ্যোতিরিন্দ্রনাথের ফিটন গাড়ি। থিয়েটার ভবনটি প্রায় কাঠের তৈরি, চতুর্দিকে তক্তার বেড়া আর করোগেটের ছাদ। আজ অভিনয়ের দিন নয়, তাই জন সমাগম নেই। জ্যোতিরিন্দ্রনাথের গায়ে পাতলা জামার ওপর সিল্কের মেরজাই, কাঁধে উড়ুনি, ধুতির কোঁচা বাঁ হাতে ধরে তিনি নামলেন গাড়ি থেকে। গেটের কাছে টুলে বসে একজন দারোয়ান গাঁজা টানছিল, জ্যোতিরিন্দ্রনাথকে দেখে তাড়াতাড়ি কল্কেটা লুকিয়ে ফেলল। থিয়েটারের দারোয়ানেরা ষণ্ডামার্কা ধরনের হয়, মাতাল ও উচ্ছৃঙ্খল দর্শকদের ঠ্যাঙাবার জন্য তৈরি থাকে। এই দারোয়ান ভুজবল সিংও সেই প্রকৃতির, চক্ষু সব সময় রক্তবর্ণ, অভিনেতা-অভিনেত্রীরা পর্যন্ত তাকে খাতির করে, সেও একমাত্র এই মঞ্চের মালিক প্রতাপ জহুরী ছাড়া আর কারুকে তোয়াক্কা করে না।

তবু যে ভুজবল সিং এখন গাঁজা কল্কে সরিয়ে রেখে সম্ভ্রম দেখাল, তার কারণ এই বাবুর কথা আলাদা। জ্যোতিরিন্দ্রনাথের শুধু চেহারা কিংবা সাজপোশাকের জন্যই নয়, তাঁর ব্যক্তিত্বেই এমন কিছু মহিমা আছে, যার জন্য সাধারণ মানুষ তাঁর সামনে এসে এমনিতেই মাথা নিচু করে। অথচ জ্যোতিরিন্দ্রনাথ গম্ভীর স্বভাবের নন, সদা হাস্যময়। দারোয়ান লম্বা সেলাম ঠুকলে জ্যোতিরিন্দ্রনাথ হাত তুলে বললেন, আচ্ছা হ্যায়?

অডিটোরিয়ামের পাশের টানা বারান্দা দিয়ে হাঁটতে লাগলেন তিনি। ভেতরে কোনও বাতি নেই, গ্রিনরুমের দিকে যাবার সিঁড়ির কাছে শুধু একটা গ্যাসের বাতি জ্বলছে। ডান ধারের ফাঁকা জায়গায় খাবারের দোকানটি আজ বন্ধ, পানের দোকানটির সামনে দাঁড়িয়ে গজল্লা করছে কয়েকজন, হঠাৎ চিৎকার থামিয়ে এদিকে তাকিয়ে তারা ফিসফিস করে বললেন, জ্যোতিবাবু, জ্যোতিবাবু!

জ্যোতিরিন্দ্রনাথের মন আজ কিছুটা ভারাক্রান্ত। এখানে আসবেন কি আসবেন না, তা নিয়ে দ্বিধাগ্রস্ত ছিলেন। ন্যাশনাল থিয়েটারের সঙ্গে তাঁর সম্পর্ক অনেকদিনের। এই মঞ্চে নাট্যকার হিসেবে তাঁর সার্থকতা প্রমাণিত হয়েছে। নিজেদের বাড়ির মঞ্চে পরিবারের লোকজন নিয়ে অভিনয় করা এক কথা, সেখানে দর্শকরা সব আমন্ত্রিত, আর এখানে সাধারণ দর্শকরা টিকিট কেটে নাটক দেখতে আসে, তাদের পছন্দ না হলে আসনগুলি ফাঁকা পড়ে থাকে। এখানে তাঁর 'পুরুবিক্রম' নাটক, 'কিঞ্চিৎ জলযোগ', 'সরোজিনী' বা 'চিতোর আক্রমণ' নাটক জনপ্রিয় হয়েছে। 'সরোজিনী' তো দারুণ ভাবে সার্থক, অন্য কারুর নাটক দর্শক মনোরঞ্জনে সমর্থ না হলেই সরোজিনী আবার মঞ্চস্থ হয়েছে। ন্যাশনাল থিয়েটারে তিনি বিশেষ সম্মানিত নাট্যকার।

কিন্তু অবস্থাটা বদলে গেছে সম্প্রতি । এই ন্যাশনাল থিয়েটারে গিরিশ ঘোষের 'পাণ্ডবের অজ্ঞাতবাস' জমজমাটভাবে চলছিল, হঠাৎ মালিকের সঙ্গে পরিচালক ও অভিনেতা-অভিনেত্রীদের কলহ হল। গিরিশবাবু সদলবলে বেরিয়ে গেলেন, এই বিডন স্ট্রিটেই খুব কাছে স্টার নামে নতুন থিয়েটার খোলা হয়েছে। গিরিশবাবু সঙ্গে নিয়ে গেছেন অমৃতলাল, বিনোদিনী, কাদম্বিনীদের, 'দক্ষযজ্ঞ' পালা নামিয়ে বিপুলভাবে দর্শক টানছেন। ন্যাশনালের অবস্থা এখন শোচনীয়, কোনও নাটকই জমছে না, এমনকি বঙ্কিমচন্দ্রের সদ্য প্রকাশিত উপন্যাস 'আনন্দমঠ'-এর নাট্যরূপ দিয়ে কোনও সুফল হল না। দর্শকরা আনন্দমঠ একেবারেই পছন্দ করেনি। জ্যোতিরিন্দ্রনাথ শুধু নাট্যকার নন, নাট্যসমালোচকও, 'ভারতী' পত্রিকায় তিনি নিয়মিত সাধারণ মঞ্চের নাটক বিষয়ে লেখেন। সেই জন্যই যখন নিজের নাটক মঞ্চস্থ হয় না, তখনও থিয়েটারের লোকজনদের সঙ্গে যোগাযোগ থাকে। 'আনন্দমঠ' মঞ্চে তাঁরও পছন্দ হয়নি। মূল উপন্যাসটি অবশ্য এখনও পড়া হয়নি তাঁর। রবি পড়েছে, রবির ভালো লাগেনি, রবির মতে উপদেশের ঠেলায় চরিত্রগুলো রক্ত-মাংস পায়নি, চরিত্রগুলি যেন এক একটি সংখ্যা, আর শান্তিকে নিয়ে বড় বেশি বাড়াবাড়ি করা হয়েছে।

ন্যাশনালের এই দুর্দশার সময়ে এখানকার মালিক জ্যোতিরিন্দ্রনাথকে ধরেছেন নতুন নাটক লিখে দেবার জন্য। জ্যোতিরিন্দ্রনাথ প্রথমে রাজি হননি। ন্যাশনালে নাটক দেওয়া মানে স্টারের গিরিশবাবুদের সঙ্গে প্রতিদ্বন্দ্বিতায় নামা। গিরিশবাবু বন্ধু মানুষ, এতকাল গিরিশ-অমৃতলাল-বিনোদিনীরাই তাঁর নাটকে অভিনয় করেছে, 'সরোজিনী'-র জনপ্রিয়তার অন্যতম কারণ বিনোদিনীর অসাধারণ অভিনয়। এখন তিনি ওদের বিপক্ষে যাবেন কী ভাবে? 'স্বপ্নময়ী' নামে একটি নাটক তিনি এমনিই লিখেছিলেন, ন্যাশনালের মালিক প্রতাপচাঁদ জহুরী সেখানা পাবার জন্য ঝুলোঝুলি করছে। জ্যোতিরিন্দ্রনাথের দ্বিধার কথা জানতে পেরে গিরিশবাবু একজন লোক মারফত খবর পাঠিয়েছেন যে, জ্যোতিরিন্দ্রনাথ ওই নাটক ন্যাশনালকে অবশ্যই দিতে পারেন, একই নাট্যকার বিভিন্ন মঞ্চের জন্য নাটক লিখে দেবেন, এ তো অস্বাভাবিক কিছু নয়। বন্ধুত্বপূর্ণ প্রতিযোগিতাও তো মজার ব্যাপার।

স্বপ্নময়ীর মহড়া শুরু হয়ে গেছে এখানে। তবু জ্যোতিরিন্দ্রনাথের অস্বস্তি কাটেনি। তাঁর চেনা অভিনেতা-অভিনেত্রীরা অনেকেই এ নাটকে নেই। নামভূমিকায় বিনোদিনী ছাড়া অন্য কোনও অভিনেত্রীকে কি মানাবে?

ন্যাশনালের মালিক প্রতাপচাঁদ জহুরী, আর সদ্য প্রতিষ্ঠিত স্টারের মালিক গুমুর্খ রায়, দু'জনেই মাড়োয়ারি। দুটি প্রধান বাংলা মঞ্চের মালিকানা মাড়োয়ারিদের হাতে। থিয়েটারও যে একটা ব্যবসা এবং তার থেকে প্রভূত অর্থ উপার্জন করা যায়, এ বুদ্ধি বাঙালিদের মাথায় আসে না। দশ-বারো বছর আগেও কলকাতার নাট্যচর্চা ছিল ধনীদের শখের ব্যাপার। সাধারণ রঙ্গালয় প্রতিষ্ঠার পর যখন টিকিট বিক্রি হতে লাগল, তখনও বাঙালি মালিকদের মাথায় লাভ–ক্ষতির ব্যাপারটা ঠিক ঢুকত না, প্রায় প্রতি রাতের টিকিট বিক্রির টাকা মদ্যপান ও আমোদ-প্রমোদে উড়ে যেত। প্রতাপচাঁদ জহুরী ন্যাশনালের মালিক হবার পর আয়-ব্যয়ের সঠিক হিসেব কষে এখন নিজের পকেটে টাকা ভরে। স্টারের মালিক গুমুর্খ রায় হোর মিলার কোম্পানির দালাল, টাকার হিসেব সেও ভালো বোঝে। নইলে অত টাকা খরচ করে সে নতুন মঞ্চ বানাবে কেন?

জ্যোতিরিন্দ্রনাথ এসে দাঁড়ালেন প্রোসেনিয়ামের পাশে। দর্শক শূন্য অন্ধকার হলের সামনের সারির চেয়ারে বসে আছে দু' তিনজন, আর মঞ্চে রিহার্সাল দিচ্ছে তিনটি পুরুষ ও দুটি নারী। পুরুষদের মধ্যে মহেন্দ্রলাল বসু রয়েছে, সে বড় অভিনেতা, আর দু' জন অচেনা। নারীদের মধ্যে একজন বনবিহারিণী, যার ডাক নাম ভুনি, এর গানের গলা ভারি সুরেলা। বনবিহারিনীর যথেষ্ট খ্যাতি হয়েছে এবং বিনোদিনীর সঙ্গে তার একটা প্রতিযোগিতার ভাব আছে, বিনোদিনী চলে যাবার পর সে এখন ন্যাশনালের প্রধানা নায়িকা। বনবিহারিণী পার্ট ভালোই করবে, কিন্তু বিনোদিনী যে এক একটা চরিত্রের মধ্যে ডুবে যেতে পারে, তার সেই আবিষ্টভাবটি বনবিহারিণী কোথায় পাবে?

অন্য নারীটিকে দেখে জ্যোতিরিন্দ্রনাথ চমকে উঠলেন। এ কে? মনে হচ্ছে যেন তেপান্তরের মাঠ থেকে এক শাকচুন্নিকে সদ্য ধরে আনা হয়েছে। গায়ের রঙ কালো হলেও ক্ষতি কিছু নেই, কিন্তু এর যে খড়ি ওঠা মুখ, পুরুষদের চেয়েও বেশি ঢ্যাঙা, মনে হয় একখানা বাঁশের গায়ে শাড়ি জড়ানো। নাটকের জন্য নতুন মেয়ে সংগ্রহ করা দুষ্কর। দল ভাঙার পর এই থিয়েটারে মেয়ে কমে গেছে, তাই সোনাগাছি থেকে যাকে সামনে পেয়েছে, তাকেই নিয়ে এসেছে। এদের দিয়ে নাটক উৎরোবে কী করে?

তবে একটা সৌভাগ্যের ব্যাপার, হঠাৎ অর্ধেন্দুশেখরকে পাওয়া গেছে। অর্ধেন্দুশেখর গিরিশবাবুরই সমকক্ষ ও প্রতিভাবান নট ও নাট্যশিক্ষক, কিন্তু বড়ই খেয়ালি। কখন যে কোথায় চলে যান, তার ঠিক নেই। মাঝে মাঝে কলকাতা শহরেই তাঁর পাত্তা পাওয়া যায় না। গিরিশবাবুর দলবল বিদায় নেবার পর এখানে যখন আনন্দমঠের রিহার্সাল চলছিল, তখন অর্ধেন্দুশেখর হঠাৎ এসে উপস্থিত। তখন সব ভূমিকাই নির্দিষ্ট হয়ে গেছে, অর্ধেন্দুশেখর নিলেন মহাপুরুষ চরিত্রটি। তাতে তিনি তেমন কিছু কৃতিত্ব দেখাতে পারেননি। এই স্বপ্নময়ী নাটকেও অর্ধেন্দুশেখরের উপযুক্ত কোনও ভূমিকা নেই। সিরিও-কমিক দেখাতে পারেননি। সিরিও-কমিক রোলে অর্ধেন্দুশেখরের প্রতিভা ঠিক খোলে।

ঐতিহাসিক নাটক, বাদশা আওরঙ্গজেবের আমলে শোভা সিং নামে এক ভূস্বামীর বিদ্রোহ এর বিষয়বস্তু। জ্যোতিরিন্দ্রনাথ তাঁর নাটকের কাহিনীর মধ্যে দেশপ্রেমের আদর্শ ছড়িয়ে দেন। পরাধীন জাতির কাছে নাট্যমঞ্চ একটা বড় অস্ত্র। নাটকের অভিনয়ের মাধ্যমে জনসাধারণের মধ্যে স্বাদেশিকতার ভাবনা সঞ্চারিত করা যায়। জ্যোতিরিন্দ্রনাথের 'পুরুবিক্রম' আর 'সরোজিনী' নাটকে রয়েছে জ্বলন্ত দেশপ্রেমের আদর্শ। আরও অনেকে সেরকম নাটকই রচনা করছিলেন। কিন্তু ব্রিটিশ রাজত্বের যুবরাজ সপ্তম এডোয়ার্ডের ভারত সফর উপলক্ষে সব গোলমাল হয়ে গেল!

সপ্তম এডোয়ার্ড ভারতের রাজধানী কলকাতায় কয়েকটা দিন কাটাবার পর কোনও হিন্দু পরিবারের অন্দরমহল পরিদর্শনের ইচ্ছে প্রকাশ করলেন। ভারতীয় নারীদের আচার-ব্যবহার

সম্পর্কে জানতে তিনি আগ্রহী। হাইকোর্টের জুনিয়ার সরকারি উকিল জগদানন্দ মুখুজ্যে অমনি আগ বাড়িয়ে যুবরাজকে তার ভবানীপুরের বাড়িতে নেমন্তন্ন করে বসল। এক সন্ধেবেলা যুবরাজ সদলবলে উপস্থিত হলেন জগদানন্দের বাড়িতে। সে বাড়ির মহিলারা শাঁখ বাজিয়ে, উলু দিয়ে অভ্যর্থনা করল যুবরাজকে, চন্দনের ফোঁটা দিয়ে বরণ করা হল। ঘোমটার আড়াল সরিয়ে যুবরাজ সেই সব নারীদের মুখ দেখতে চাইলেন, কথা বললেন। শুধু মালা বদলটাই বাকি রইল, একটি সোনার থালায় একছড়া হীরের মালা ও একখানি ঢাকাই ধুতি নজরানা পেল যুবরাজ।

সমস্ত ব্যাপারটার মধ্যে হ্যাংলামি ও হীনতাবোধ প্রকট। সরকারি উকিলের ডান হাত-বাঁ হাতের উপার্জন প্রচুর, কিন্তু একটা সরকারি খেতাব না পেলে সমাজে মান্যগণ্য হওয়া যায় না, তারই জন্য এই প্রয়াস। রক্ষণশীল ব্রাহ্মণ পরিবারের মহিলারা আর কোনও পুরুষকে কখনও অন্দরমহলে প্রবেশ করতে দেয়? তারা প্রায় অসূর্যম্পশ্যা, পরপুরুষের কাছে কক্ষনও মুখ দেখায় না। ম্লেচ্ছ যুবরাজকে দেখে বিগলিত হয়ে গেল! জগদানন্দের এই নির্লজ্জ চাটুকারিতায় অপমানিত বোধ করল সারা দেশ। হাইকোর্টের অন্যতম উকিল কবিবর হেম বাঁড়ুজ্যে মশাই এই ঘটনা নিয়ে এক তীব্র ব্যঙ্গকবিতা লিখে ফেললেন। গ্রেট ন্যাশনাল থিয়েটার চটপট নামিয়ে ফেলল এক প্রহসন, 'গজদানন্দ ও যুবরাজ'! জ্যোতিরিন্দ্রনাথের সরোজিনী নাটকের অভিনয়ের সঙ্গে জুড়ে দেওয়া হল সেই প্রহসন। কয়েকরাত পরে পুলিশ এসে সেই অভিনয় বন্ধ করে দিল। গ্রেট ন্যাশনালের কর্ণধার তখন উপেন দাস, তিনি অতি তেজস্বী পুরুষ, ভয় না পেয়ে, সেই প্রহসনের নাম বদল করে, 'হনুমান চরিত্র' নামে আবার মঞ্চস্থ করলেন। আবার পুলিশের হানা। অকুতোভয় উপেন্দ্রনাথ এবার পুলিশকেই একহাত নেবার জন্য ইংরেজিতে তৈরি করলেন এক প্রহসন "The Police of pig & sheep"। তখন কলকাতার পুলিশ কমিশনারের নাম স্যার স্টুয়ার্ট হগ। আর এক পুলিশ সুপারের নাম মিঃ ল্যাম্ব! অপূর্ব মিল। এরপর থিয়েটারে শুরু হয়ে গেল পুলিশের হামলা, অন্য একটি নাটকের অভিনয়ের সময় একদল পুলিশ জুতো মশমশিয়ে মঞ্চে উঠে উপেন্দ্রনাথ ও আরও সাতজনকে গ্রেফতার করে নিয়ে গেল থানায়। বড়লাট লর্ড নর্থব্রুক সিমলা থেকে এই সব নাটকের অভিনয় বন্ধ করার জন্য অর্ডিনান্স জারি করলেন। এদেশের বহু মানুষের আপত্তি ও আপিল অগ্রাহ্য করে বছরের শেষে পাশ হয়ে গেল ড্রামাটিক পারফরমেন্সেস অ্যাক্ট। এই আইনবলে পুলিশ এখন যে-কোনও নাটককে অশ্লীল কিংবা রাজদ্রোহমূলক ঘোষণা করে বন্ধ করে দিতে পারে।

এর ফলে বাংলা রঙ্গমঞ্চের মোড় ঘুরে গেল। মনঃক্ষুণ্ন উপেন্দ্রনাথ দাস দেশত্যাগী হবার পর কেউ আর তেমন সাহস দেখাতে পারে না। এখন সব মঞ্চের নাটকেই থাকে শুধু ভাঁড়ামি অথবা ভক্তিরসের প্রাবল্য। গিরিশবাবু নিজে আগে নাটক লিখতেন না, অন্যের কাহিনীর নাট্যরূপ দিতেন, এখন তিনি পৌরাণিক বিষয়বস্তু থেকে নিজেই নাট্য রচনা শুরু করেছেন। প্রায় প্রতি মাসে লিখে ফেলছেন এক একখানা নাটক। সাধারণ দর্শকরা হঠাৎ রামায়ণ–মহাভারতের কাহিনীতে আকৃষ্টও হচ্ছে খুব। তাঁর লেখা 'সীতার বনবাস' নাটকে লব ও কুশের ভূমিকায় বিনোদিনী আর কুসুমকুমারীর করুণ অভিনয় দেখে দর্শকরা কেঁদে ভাসিয়েছে। লব-কুশের এই জনপ্রিয়তা দেখে উৎফুল্ল মঞ্চ মালিক ধুরন্ধর ব্যবসায়ী প্রতাপচাঁদ গিরিশবাবুকে বলেছিলেন, বাবু, যব দুসরা কিতাব লিখোগে, তব ফিন ওহি দুনো লেড়কা জোড় দেও! সেই অনুরোধ এড়াতে না পেরে গিরিশবাবু আবার লিখলেন 'লক্ষণ বর্জন'।

জ্যোতিরিন্দ্রনাথ তাঁর এই নাটকটিতে একটি প্রেমের গল্পের মোড়কে সূক্ষ্মভাবে দেশপ্রেমের কথা জুড়ে দিতে ভোলেননি। প্রবল ক্ষমতাসম্পন্ন বাদশা আওরঙ্গজেবের বিরুদ্ধে শোভা সিং-এর মতন এক ক্ষুদ্র জমিদারও বিদ্রোহ করতে পারে। এই বিদ্রোহের মনোভাবটি

যদি দর্শকদের মধ্যে সঞ্চারিত হয়, সেইটুকুই যথেষ্ট। কিন্তু নাটকের রিহার্সাল দেখে তিনি আঁতকে আঁতকে উঠতে লাগলেন।

ড্রেস রিহার্সাল নয়, অভিনেতা-অভিনেত্রীরা যেমন তেমন ভাবে পার্ট ব'লে যাচ্ছে। শোভা সিং-এর ভূমিকায় মহেন্দ্রলাল এখন পরে আছে একটা লুঙ্গি ও ফতুয়া, হাতে হুঁকো। মাঝে মাঝে তলোয়ার তোলার ভঙ্গিতে সেই হুঁকোটাই উঁচু করে তুলছে, ছিটকে পড়ছে আগুন। বনবিহারিণীর হাতে মদের গেলাস, অভিনয়ের দিনেও দু'এক ঢোক না খেয়ে সে মঞ্চে নামতে পারে না। বনবিহারিণীর শরীরে যৌবন বিদায় জানাতে চলেছে বলেই সে যৌবনকে আরও প্রকট করে তুলতে চায়। গরমের অজুহাতে সে সেমিজ পরেনি, শরীরে শুধু একটা শাড়ি জড়ানো, আঁচল খসে পড়ছে বার বার।

বনবিহারিণী বলছে, কে আসে? কার পদশব্দ শোনা যায়!

তার সঙ্গের নতুন মেয়েটি বলল, ঘোড় দুঃছময় ! ধেয়ে আসে সত্তুর পক্ষ, রাছি রাছি ছ্যানা।

বনবিহারিণী তীক্ষ্ণভাবে হি হি হি হি করে হেসে উঠে বলল, ছ্যানা কি লা ? সেনা, বল সেনা ! রাশি রাশি সেনা!

মেয়েটি বলল, ছ্যানাই তো বলছি! ছ্যানা!

মহেন্দ্রলাল বলল, ছ্যানা দিয়ে রসগোল্লা বানাবি নাকি ? এ দিয়ে তো যুদ্ধ হবে না!

বনবিহারিণী বলল, এরপর আছে, শুভ্র কুসুমের মত শিশুগুলি, তা কী করে বলবি ?

মেয়েটি বলল, এই তো বলছি, দেখ না। সুভ্ভর কুছুমের মত ছিছুগুলি, কী হয়নি ?

বনবিহারিণী বলল, তোর হিরোইন হওয়া আটকায় কে ? ও সাহেব, একে আরও বড় পার্ট দাও!

অডিটোরিয়ামে প্রথম সারিতে বসে আছেন অর্ধেন্দুশেখর। তিনি সহাস্যে বললেন, তা হলে আর একটা নাটক বাছতে হয়, যাতে শ কিংবা স নেই একটাও।

প্রতাপচাঁদ বলল, এহি লাটক ফিফটি পাসের্ন্ট তৈয়ার হো গয়া। এটা কেন বাদ যাবে ? রাইটারবাবুকো বোল দিজিয়ে, সব ডায়ালোগ থেকে সো আর সো উতার দেবে। আভি দুস্‌রা লেড়কি কাঁহা সে মিলে গা ?

বনবিহারিণী উইংসের দিকে তাকিয়ে বলল, ওই তো রাইটারবাবু এসে গেছেন। ঠাকুরবাবু!

তরতর করে ছুটে এসে সে জ্যোতিরিন্দ্রনাথের হাত ধরে নিয়ে এল মঞ্চের মাঝখানে। তারপর অভিমানে ঠোঁট ফুলিয়ে বলল, ঠাকুরবাবু, আপনি আমার পার্টে এখন ও গান লিখে দিলেন না! কবে আর আমি গান তুলব ? এক হপ্তা মোটে আর সময় আছে।

প্রতাপচাঁদ উঠে দাঁড়িয়ে জ্যোতিরিন্দ্রনাথকে সম্মান দেখিয়ে বলল, নমস্তে, ঠাকুরবাবু, নমস্তে!

জ্যোতিরিন্দ্রনাথ বললেন, আপনি আমার নাটকের ডায়ালগ থেকে সমস্ত স আর শ তুলে দিতে চান ? তা হলে এ প্লে বন্ধ রাখুন !

অর্ধেন্দুশেখর হো-হো করে হেসে উঠলেন। প্রতাপচাঁদ জিভ কেটে বলল, আরে রাম রাম! ওটা কোথার কোথা! আপনি সিরিয়াস মানলেন ? আপনার প্লে ঠিক যেমন আছে, তেমুন হবে, একটা ডায়ালগ বাদ যাবে না। এ মাগীটাকে দিয়ে টেরাই করাচ্ছিলাম, ওকে চাকরানির পার্ট দিন, আউর দুসরা মাগী আসবে।

ভুল উচ্চারণ শুনলে জ্যোতিরিন্দ্রনাথের প্রায় শারীরিক কষ্ট হয়। উচ্চারণ শুদ্ধ করার জন্যই তিনি ঘন ঘন মহড়া দেখতে আসেন। অর্ধেন্দুশেখরের দিকে তাকিয়ে তিনি বললেন, সাহেব, প্রোনানসিয়েশন ঠিক না হলে সংলাপের রস নষ্ট হয়ে যায়।

অর্ধেন্দুশেখর বললেন, যতটা সম্ভব দেখব। এ ছুঁড়িটাকে দিয়ে চলবে না।

প্রতাপচাঁদ বলল, ঠাকুরবাবু, আপনার প্লে-টাতে দো-তিনটো নাচ জোড়কে দিজিয়ে না! ভুনি বহুৎ আচ্ছা নাচ দেখাতে পারে !

জ্যোতিরিন্দ্রনাথ বললেন, ওর চরিত্রে নাচ মানাবে না। নাটক আরম্ভের আগে আপনি যত ইচ্ছে সখীদের নাচ দিন। বনবিহারিণীর জন্য কয়েকখানা গান আমি লিখে দেব।

বনবিহারিণী আদুরে গলায় বলল, খুব ভালো গান চাই কিন্তু! আহা, কী অপূর্ব গান লিখেছিলেন, জ্বল জ্বল চিতা, দ্বিগুণ দ্বিগুণ!

বনবিহারিণী গানটা গেয়ে উঠতেই অর্ধেন্দুশেখর ধমক দিয়ে বললেন, অ্যাই, থাম। পরের সিনটা শুরু কর। রিহার্সাল দিতে দিতে রাত ভোর করবি নাকি ?

এরপর মহেন্দ্রলাল এবং বনবিহারিণী এই দু'জনে শুধু সংলাপ বলতে লাগল। দু'জনেরই অনেক দিনের অভিজ্ঞতা, যে-কোনও ভূমিকায় মানিয়ে নিতে পারে। তবু জ্যোতিরিন্দ্রনাথের মনে হতে লাগল, নাম ভূমিকায় বিনোদিনীকে পেলে তাঁর এই নাটকটি আরও প্রাণবন্ত হতে পারত। কিন্তু বিনোদিনী এখন স্টারে, আর স্টার থিয়েটার তাঁর নাটক নেবে না। গিরিশবাবু এখন নিজেই সবেগে এত নাটক লিখছেন যে, অন্য কোনও নাট্যকারের আর মুখাপেক্ষী নন তিনি।

একটা দৃশ্য শেষ হবার পর অর্ধেন্দুশেখর জিজ্ঞেস করলেন, কেমন দেখলেন, জ্যোতিবাবু?

জ্যোতিরিন্দ্রনাথ আমতা আমতা করে বললেন, ঠিক আছে, এমনিতে বেশ ভালোই হচ্ছে, তবু একটা জিনিসের যেন অভাব। ফরাসি ভাষায় যাকে বলে Joie de vivre, মানে জীবনের একটা উচ্ছ্বলতা—

মহেন্দ্রলাল বলল, ও জন্য ভাববেন না। ও আমরা ঠিক স্টেজে মেরে দেব!

জ্যোতিরিন্দ্রনাথ জামার পকেট থেকে একটা গোল সোনার ঘড়ি বার করে ডালা টিপে দেখলেন। রাত নটা দশ। এবার তাঁকে বাড়ি ফিরতে হবে।

প্রতাপচাঁদ একটা খুব জরুরি গোপন কথা জানাবার ভঙ্গিতে বলল, ঠাকুরবাবু, হামি একটা প্ল্যান করেছি। স্টারে গিরিশবাবুকা 'দক্ষ জগিয়া' প্লে-টা ইতনা সাকসেসফুল হল কেন জানেন ? সাহেববাবুসে শুনে লিন !

অর্ধেন্দুশেখর বললেন, গিরিশ ওর দক্ষযজ্ঞ স্টেজে নামাবার আগে কী করেছে জানেন ? ইদানীং ও তো খুব ঠাকুর-দেবতার ভক্ত হয়েছে ! আগে ছিল ঘোর নাস্তিক, এখন সর্বক্ষণ 'মা, মা' করে। তা ওর 'দক্ষযজ্ঞ' নাটকের ড্রেস রিহাসার্ল দিয়েছে কালীঘাটে। একদিন রাত্তিরে নাটমন্দির খালি করে দক্ষযজ্ঞের ড্রেস রিহার্সাল হল, প্রধান দর্শক মা কালীর মূর্তি! প্রতাপচাঁদ-এর ধারণা হয়েছে, ওই জন্যই 'দক্ষযজ্ঞ' এত জমে গেছে।

প্রতাপচাঁদ বলল, কালী মাইজির আশীরবাদ ! হামিও ঠিক করেছি আপকা ইয়ে যো অস্‌সুরমতী প্লে, এর ডেরেস রিহারসাল হবে ওই কালী মাঈয়ের সামনে, নাটমন্দিরে!

জ্যোতিরিন্দ্রনাথ একটুক্ষণ গম্ভীরভাবে চুপ করে রইলেন। বাংলা নাটক এ কোন দিকে যাচ্ছে ? মাটি-পাথরের তৈরি একটা কালীমূর্তির সামনে অভিনয়! তিনি আদি ব্রাহ্মসমাজের সম্পাদক, তিনি এটা কিছুতেই মানতে পারবেন না।

তিনি বললেন, শেঠজী, আমি এত রাজি নই! ন্যাশনাল থিয়েটারের স্টেজে আমার নাটক অভিনয়ের চুক্তি হয়েছে,কালীঘাটের নাটমন্দিরের জন্য নয়! আপনার যদি সেরকম ইচ্ছে থাকে, তা হলে আপনি আমার নাটক বন্ধ করে অন্য নাটক ধরুন।

অন্য কোনও নাট্যকার থিয়েটার-মালিকের মুখের ওপর এমনভাবে কথা বলতে পারে না। তারা সবাই অনুগ্রহ প্রত্যাশী। কিন্তু টাকা-পয়সার তোয়াক্কা করেন না জ্যোতিরিন্দ্রনাথ।

তাঁর সেই দৃঢ়তাপূর্ণ কণ্ঠস্বর ও কঠোর মুখভঙ্গি দেখে চুপসে গেল প্রতাপচাঁদ। মিনমিনে গলায় সে বলল, নেহি নেহি, আপনি আপত্তি করবেন তো ঠিক আছে, ওসব কিছু হোবে না। আপনি বড় রাইটার, আপনার প্লে এমনিতেই জমে যাবে।

ওদের কাছে থেকে বিদায় নিয়ে উঠে পড়লেন জ্যোতিরিন্দ্রনাথ। তাঁর মনটা খচখচ করতে লাগল। ন্যাশনালের দলটার যেন কোমর ভেঙে গেছে। তাঁর নাটক এরা সার্থক করতে পারবে কিনা সন্দেহ।

গেটের বাইরে এসে জ্যোতিরিন্দ্রনাথ নিজের গাড়িতে উঠতে যাবেন, এমন সময় মস্ত বড় একটা টমটম গাড়ি থামল একটু দূরে। তার ভেতর থেকে মুখ বাড়িয়ে গিরিশ ঘোষ বলল, জ্যোতিবাবু যে, নমস্কার, নমস্কার! কেমন চলছে মহড়া?

সেই গাড়ির দিকে এগিয়ে গেলেন জ্যোতিরিন্দ্রনাথ। গিরিশবাবু ছাড়া, বিনোদিনী এবং আর একজন পুরুষ বসে আছে তার মধ্যে। বিনোদিনীও জ্যোতিরিন্দ্রনাথকে নমস্কার জানাল।

অন্য যে একজন বসে আছে, তার বয়েস আঠেরো-উনিশের বেশি নয়। মাথায় পাগড়ি, গলায় মুক্তোর মালা। মুখখানা এমনই কচি যে, মনে হয় একটি শিশুকে বয়স্ক ব্যক্তি সাজানো হয়েছে। তার পরিচয় শুনে জ্যোতিরিন্দ্রনাথ রীতিমতন বিস্মিত হলেন। এই-ই গুমুর্খ সিং? জ্যোতিরিন্দ্রনাথ শুনেছিলেন বটে যে, এক ধনাঢ্য মাড়োয়ারি যুবক বিনোদিনীকে রক্ষিতা হিসেবে পাবার শর্তেই স্টার থিয়েটার গড়ার জন্য প্রচুর অর্থ বিনিয়োগ করেছে। কিন্তু তার বয়েস এত কম!

গঙ্গার ধারের এক বাড়িতে আজ গান-বাজনার আসর বসবে, বিনোদিনী সেখানকার প্রধান গায়িকা। গিরিশবাবু জ্যোতিরিন্দ্রনাথকেও সেখানে যাওয়ার জন্য অনুরোধ জানালেন। জ্যোতিরিন্দ্রনাথ রাজি হলেন না, তবু পেড়াপিড়ি করতে লাগলেন গিরিশবাবু। তিনি বেশ খানিকটা নেশা করছেন, জড়িত কণ্ঠে বললেন, শত্রুপক্ষকে আপনার নাটক দিয়েছেন বলে কি আমাদের সঙ্গে বন্ধুত্বও থাকবে না? চলুন, খানিকক্ষণ অন্তত বসবেন!

জ্যোতিরিন্দ্রনাথ আর প্রত্যাখ্যান করতে পারলেন না। তাঁর গাড়িতে এসে উঠে বসলেন গিরিশবাবু, দুটি গাড়ি ছুটল গঙ্গার দিকে। জ্যোতিরিন্দ্রনাথের বাড়ি ফেরা হল না।

॥ ২৫ ॥

সিঁদুরিয়াপট্টিতে একবার এক ধনীর বাড়ির পোষা হনুমান গৃহস্বামীর শয়নকক্ষ থেকে চুপিসারে একটি পেটিকা নিয়ে চিলের ছাদে উঠে পড়ে। সে ভেবেছিল, অতি সযত্নে রক্ষিত এ পেটিকায় নিশ্চিত কোনও দুর্লভ সুখাদ্য আছে। কিন্তু পেটিকাটি খুলে তার আর নৈরাশ্যের অবধি থাকে না, ভেতরে রয়েছে শুধু গুচ্ছ গুচ্ছ শুষ্ক, অখাদ্য কাগজ। পরম অবজ্ঞা ভরে হনুমানটি সেই কাগজগুলি বাতাসে ওড়াতে থাকে। বলাই বাহুল্য, সেগুলি সব একশো টাকার নোট। সেই উড়ন্ত মুদ্রা সংগ্রহ করার জন্য পথচলতি জনতার হুড়োহুড়ি, ঠেলাঠেলি, কাড়াকাড়ি এমন একটা পর্যায়ে চলে যায় যে, শৃঙ্খলা ফেরাবার জন্য পুলিশ বাহিনী এসে পড়ে। সেই বাহিনীর মধ্যেও কেউ কেউ যে, কর্তব্য ভুলে দু' চারখানা নোট পকেটস্থ করায় ব্যাপৃত হয়নি, এমন কথা জোর দিয়ে বলা যায় না।

টাকা ওড়ানো কথাটা সেই থেকে চালু হয়ে যায়। মনুষ্য শ্রেণীভুক্ত কেউ কেউও ওই হনুমানটির অনুকরণ করে। ইদানীং গুমুর্খ রায় মুসাদ্দি নামে এক মাড়ো রিনন্দনের রকম সকমও ওই প্রকার। তার বাবা গনেশদাস মুসাদ্দি ছিলেন একজন বিশিষ্ট ব্যবসায়ী এবং হোর মিলার কোম্পানির প্রধান দালাল। পিতার আকস্মিক মৃত্যুর পর আঠেরো বছরের ছেলে গুমুর্খ বিশাল সম্পত্তির উত্তরাধিকারী হয়। টাকার মূল্যই যেন সে বোঝে না, দু' হাতে টাকা ছড়িয়েই তার আনন্দ। ইয়ার-বক্সি-মোসাহেবও জুটে গেল যথারীতি। সন্ধের পর তারা সারা শহর মাতিয়ে বেড়ায়।

ইদানীং থিয়েটার-নাটকের খুব রমরমা। গুমুর্খ তার সাঙ্গোপাঙ্গদের নিয়ে প্রায়ই থিয়েটার দেখতে আসে। তারা সংখ্যায় দশ-বারোজন হলেও টিকিট কাটে পঞ্চাশখানা। সামনের দু' সারিতে কেউ বসবে না, তারা ইচ্ছেমতন পা তুলে দেবে, নেশার ঝোঁকে আধশোওয়া হবে, যখন তখন বিকট চিৎকার করবে।

গিরিশচন্দ্রের 'সীতাহরণ' নাটকটি খুবই জনপ্রিয় হয়েছে। যেমন অভিনয়, গান, তেমনই চমকপ্রদ দৃশ্য। মঞ্চশিল্পী ধর্মদাস সুর পুষ্পক রথে চেপে রাবণের শূণ্যপথে গমন পর্যন্ত দেখিয়ে দিলেন। পুষ্পক রথে সীতাকে হরণ করে নিয়ে যাচ্ছে রাবণ, সীতার ভূমিকায় বিনোদিনী এক একখানি ফুলের গহনা ছুঁড়ে ছুঁড়ে ফেলছে, এক সময় মনে হয় সীতা যেন সম্পূর্ণ নিরাবরণ। সুরামত্ত অবস্থায় গুমুর্খ চেঁচিয়ে উঠল, ওই আওরতের কত কিস্মত ? ওকে আমার চাই !

তার এক বয়স্য বলল, ওদিকে হাত বাড়িয়ো না, বাওয়া ! ও আওরত আগুনের খাপরা। ছুঁতে গেলেই হাত পুড়ে যাবে !

পরের নাটক পাণ্ডবের অজ্ঞাতবাসে বিনোদিনী দ্রৌপদী। একই নারীর কতরকম রূপ ! গুমুর্খ অত অভিনয়-টভিনয় বোঝে না। নাটকের ভাবগর্ভ ভাষাও তার মর্মে প্রবেশ করে না, সে বিনোদিনীকে দেখতে বারবার আসে। এবং দুরন্ত বালকের মতন আবদার ধরে, ওই আওরতকে আমার চাই !

কিন্তু তার সঙ্গীরা সকলেই জানে, এই ছলা-কলাময়ী নারী এক প্রভাবশালী ধনীর রক্ষিতা, নিছক টাকা পয়সার লোভ দেখিয়ে তাকে ভাঙিয়ে আনা যাবেনা।

একদিন গুমুর্খ আর তার দলবল নাটক শুরু হয়ে যাবার পর এসে টিকিট চাইল। সে দিন সব আসন পূর্ণ হয়ে গেছে। কিন্তু গুমুর্খ সে কথা মানবে কেন ? গুচ্ছ গুচ্ছ টাকা বার করে ফরফর করে ছড়াতে ছড়াতে সে চ্যাঁচাতে লাগল, টিকিট লাও! টিকিট লাও! সেই সন্ধ্যায় তাদের নেশার পরিমাণ বেশিই হয়েছিল, ভেতরে ঢুকে এসে তারা এমন হট্টগোল শুরু করে দিল যে, অভিনয় বন্ধ হবার উপক্রম। ন্যাশনাল থিয়েটারের মালিক প্রতাপচাঁদ জহুরীর এই বেলেল্লাপনা সহ্য হল না। তিনি দারোয়ানদের হুকুম দিলেন ওদের বার করে দেবার জন্য।

এক দারোয়ান গুমুর্খের গায়ে হাত দিতেই সে ক্ষিপ্ত হয়ে গেল। প্রতাপচাঁদের এতখানি সাহস যে, বড়তলার কাপ্তান গুমুর্খ সিংয়ের অপমান করে! কত টাকা দাম এই থিয়েটারের, আজই সে এই থিয়েটার কিনে নেবে!

সেদিন বিতাড়িত হল বটে, কিন্তু গুমুর্খ নিজস্ব থিয়েটারের মালিক হবার জন্য গোঁ ধরে রইল। সে ন্যাশনালের চেয়েও অনেক ভালো থিয়েটার বানাবে, ওদেরটা তো কাঠের বাড়ি, সে নির্মাণ করবে পাকা ইমারত। কিন্তু থিয়েটার মানে তো শুধু একটা নাট্যশালা নয়, অভিনেতা-অভিনেত্রী, কলা-কুশলীদেরও দরকার। সর্বোপরি চাই বিনোদিনীকে।

সেই যোগাযোগও ঘটে গেল আকস্মিকভাবে।

ন্যাশনালের মালিক প্রতাপচাঁদের সঙ্গে বিনোদিনীর বনিবনা হচ্ছিল না। বিনোদিনীর নামে টিকিট বিক্রি হয়, প্রতিটি ভূমিকা নিখুঁত করার জন্য বিনোদিনী প্রাণ দিয়ে খাটে, কিন্তু

সে তুলনায় মালিকের কাছে বিনোদিনীর খাতির নেই। মাঝখানে বিনোদিনী এক মাসের ছুটি নিয়ে তার বাবুর সঙ্গে বেড়াতে গিয়েছিল, প্রতাপচাঁদ বলে কিনা, সেই এক মাসের মাইনে সে দেবে না বিনোদিনীকে। কাজ না করলে আবার মাইনে কিসের ? তা শুনে দর্পের সঙ্গে বিনোদিনী বলল, বেশ, তবে আমি চললাম! সেই দণ্ডেই সে সাজপোশাক খুলে রঙ্গালয় ত্যাগ করতে উদ্যত হল। এদিকে সেকেন্ড বেল পড়ে গেছে, অবিলম্বে নাটক শুরু হবার কথা। খবর পেয়ে কীচকবেশী গিরিশ ঘোষ পথ আটকে বললেন, বিনোদ, তুই সাজ পরেও সেই সাজ খুলে চলে যাবি ? যাওয়াটা অন্যায্য নয়। কিন্তু দর্শকরা কত আশা করে এসেছে, তারা তোর অভিনয় দেখতে এসেছে, তাদের বঞ্চিত করবি তুই ? তারা তো কোনও দোষ করেনি !

গুরুবাক্য অগ্রাহ্য না করে আবার সাজল বিনোদিনী। সে রাত্রে শেষ যবনিকা পতনের পর গিরিশবাবু এসে বিনোদিনীর মাথায় হাত দিয়ে বললেন, ওরে বিনোদ, আজ তোর অভিনয় আগেকার সব দিনকে ছাড়িয়ে গেছে। আহত ফণিনীর মতন তোর তেজ প্রকাশ পাচ্ছিল !

গিরিশবাবু এবং আরও অনেকেও অবশ্য প্রতাপচাঁদের ওপর খুশি ছিল না। প্রতাপচাঁদ ধুরন্ধর ব্যবসায়ী, সম্প্রতি প্রচুর লাভ হলেও নট-নটীদের পারিশ্রমিক বাড়াতে সে রাজী নয়, এই নিয়ে মন কষাকষি চলতে চলতে গিরিশবাবু একদিন সদলবলে ন্যাশনাল মঞ্চের সংস্রব পরিত্যাগ করলেন। গুমুর্খ রায় যে নতুন থিয়েটার বানাতে চায়, সে সংবাদও তাঁর কানে এসেছিল।

গুমুর্খ এদের সকলকেই নিতে রাজি, আধুনিক উপকরণে রঙ্গালয় নির্মাণে যত টাকা লাগে, সবই দিতে সে প্রস্তুত, কুশী-লবদের পারিশ্রমিকও হবে দ্বিগুণ, কিন্তু তার একটি শর্ত আছে। বিনোদিনীকে তার রক্ষিতা হতে হবে।

এ অতি কঠিন শর্ত!

থিয়েটারের মেয়েরা বারবণিতাদের ঘর থেকে আসে। তাদের প্রত্যেকেরই একজন বাঁধা বাবু থাকে, আবার বেশি টাকার প্রস্তাব এলে বাবু বদলও হয়, এ এমন কিছু নতুন কথা নয়। নৃত্য-গীত পটীয়সী এই সব অভিনেত্রীদের দেখে শয্যাসঙ্গিনী করার জন্য উন্মত্ত হয়ে ওঠে কিছু কিছু ধনী সন্তান। বিনোদিনী যেখানেই অভিনয় করতে গেছে, সেখানেই এমন ঘটেছে। একবার লাহোরে গোপাল সিং নামে এক জমিদার মঞ্চে বিনোদিনীকে দেখে মুগ্ধ হয়ে প্রায় জোর করেই তাকে উপপত্নী বানাতে চায়। সেবারে গোপনে লাহোর ছেড়ে পালিয়ে আসতে হয়।

বিনোদিনীর বর্তমান রক্ষক এক বিশিষ্ট বাঙালি জমিদার বংশের সন্তান। সবাই তাকে চেনে, কিন্তু পাছে তার বংশের সম্ভ্রম ক্ষুন্ন হয়, তাই কেউ তার নাম উচ্চারণ করে না, তাকে অ-বাবু বলে উল্লেখ করা হয়। এই অ-বাবুর যেমন টাকা খরচের কার্পণ্য নেই, তেমনি বিনোদিনীর প্রতি ব্যবহারও অতি ভদ্র। সে থিয়েটার নিয়ে মাথা ঘামায় না, থিয়েটারের লোকজন ডেকে বাড়িতে মদের আসরও বসায় না। বিনোদিনীর সঙ্গে তার সম্পর্কটা নিভৃত।

সেই অ-বাবুকে বিনোদিনী ত্যাগ করবে কী করে ? বারবণিতাদেরও নীতিবোধ থাকে। অ-বাবু কোনও অন্যায় করেনি, বিনোদিনীর প্রতি সামান্য অনাদরও দেখায়নি। অ-বাবু কিছুদিনের জন্য কলকাতার বাইরে গেছে, এর মধ্যে এল গুর্মুখের এই প্রস্তাব।

নিজস্ব একটি নতুন রঙ্গমঞ্চ গড়ার জন্য গিরিশ-অমৃতলালদের উৎসাহের অবধি নেই, নকশা তৈরি হয়ে গেছে, বিডন স্ট্রিটেই কীর্তি মিত্তিরের জমি লিজ নেবার বন্দোবস্ত একেবারে পাকা, কিন্তু গুমুর্খের ওই শর্তটিই হল প্রধান বাধা। বিনোদিনী রাজি হতে পারে না। গুমুর্খেরও জেদ, তা হলে সে থিয়েটার বানাবে না।

গিরিশ-অমৃতলাল ও অন্যান্য সমস্ত নট-নটীরা বিনোদিনীকে ধরে বসল। বিনোদিনীর ওপরেই সবকিছু নির্ভর করছে, নিজস্ব একটি রঙ্গমঞ্চ পাবার এমন একটা সুবর্ণসুযোগ হাতছাড়া হয়ে যাবে? গিরিশবাবু বললেন, বিনোদ, থিয়েটারের জন্যই লোকে তোকে চেনে, মঞ্চেই আমরা অ-সাধারণ, মঞ্চের বাইরে আমরা কেউ না। সেই থিয়েটারের জন্য তুই এইটুকু ত্যাগ স্বীকার করতে পারবি না? অন্য একজন বলল, অ-বাবুর ওপর তোর এত দায় কিসের ? সে মুখে তোকে অত সোহাগ জানায়, যেন তোকে বই আর কারুকে জানে না, কিন্তু সে এখন কলকাতায় নেই কেন? তোকে না জানিয়ে চুপি চুপি বিয়ে করতে গেছে!

গুর্মুখ সিং বিনোদিনীর চেয়েও বয়েসে ছোট, বিকৃত উৎকট তার স্বভাব। সবাই মিলে বিনোদিনীকে তার শয্যায় পাঠাতে চায় একটি নিজস্ব রঙ্গমঞ্চ পাবার বাসনায়। এতদিনের সহচর-সহচরীদের কাতর অনুনয়-বিনয় আর এড়াতে পারল না বিনোদিনী, সে বাধ্য হয়ে সম্মতি জানিয়ে দিল।

খবর পেয়ে কলকাতায় ছুটে এল অ-বাবু । বিনোদিনীকে সে কিছুতেই ছাড়বে না। টাকার জোর আছে বলেই কেউ বিনোদিনীকে কেড়ে নেবে? নিজের জমিদারি থেকে লাঠিয়াল আনিয়ে বাড়ি ঘেরাও করে রাখল, বিনোদিনীর সঙ্গে কেউ দেখা করতে পারবে না। গুমুর্খ রায় ও কম যায় কিসে ? সে জমিদার না হলেও কলকাতা শহরে ভাড়াটে গুণ্ডা-ঠ্যাঙাড়ের অভাব আছে ? গুমুর্খ-নিযুক্ত একদল গুণ্ডা জোর করে বিনোদিনীকে ছাড়িয়ে আনতে গেল, শুরু হয় গেল মারামারি, রক্তপাত। তারপর পুলিশের হাঙ্গামা। ট্রয়ের হেলেন কিংবা মিশরের ক্লিয়োপেট্রাকে নিয়ে যে-রকম রক্তক্ষয়ী সংঘর্ষ, তারই ছোটখাট সংস্করণ এখনও বহু জায়গায় ঘটে যাচ্ছে।

এই সব ডামাডোলের মধ্যে গিরিশ-সম্প্রদায় বিনোদিনীকে সরিয়ে নিয়ে গেল এক অজ্ঞাত স্থানে। অতি ঘনিষ্ঠ দু'-চারজন ছাড়া কেউ তার সন্ধান জানে না। দ্রুতগতিতে থিয়েটার ভবনের নির্মাণকার্য চলছে, নিজেদের দল গড়ায় উত্তেজনায় সবাই অধীর, নতুন নাটক নামাতে হবে এবং বিনোদিনী অভিনয় না করলে দর্শকদের ব্যাকুল করা যাবে না।

গিরিশবাবু 'দক্ষযজ্ঞ' নামে দ্রুত নাটক লিখে ফেলেছেন, গোপনে গোপনে বিনোদিনীকে এনে অন্য একটি বাড়িতে মহড়া চলছে। স্বয়ং গিরিশচন্দ্র দক্ষ, আর সতীর ভূমিকায় বিনোদিনী যেন সতীত্বের প্রতিমূর্তি।

একদিন মহড়া থেকে ফিরে এসে বিনোদিনী তার অজ্ঞাতবাসের স্থানে ঘুমোচ্ছে, ভোরের দিকে তার শয়নকক্ষের দরজা সশব্দে খুলে গেল। কাঁচা ঘুম ভেঙে বিনোদিনী দেখল, জুতো মশমশিয়ে সে ঘরে ঢুকছে অ-বাবু। একেবারে যোদ্ধাবেশ, কোমরে ঝুলছে তলোয়ার, ক্রোধে গনগনে মুখ। গম্ভীর কণ্ঠে সে বলল, এত ঘুম কেন, মেনি?

বিনোদিনী ধড়মড়িয়ে উঠে বসতেই অ-বাবু একগোছা টাকা বার করে বলল, মেনি, তুমি কিছুতেই ওই মর্কটটার কাছে যেতে পারবে না। ওই সব থিয়েটারের বাজে লোকদের সংসর্গও তোমাকে ছাড়তে হবে। তোমার জন্য যদি ওদের কিছু টাকা খরচ হয়ে থাকে, এই নাও দশ হাজার। দিয়ে সকলকে ভাগাও!

বিনোদিনী বলল, না, তা আর হয় না! আমি ওদের কথা দিয়েছি। থিয়েটারের বন্ধুদের আমি ছাড়তে পারব না।

অ-বাবু অবজ্ঞার সঙ্গে বললেন, কথা দিয়েছ, টাকা দিয়ে চুকিয়ে দাও। দশ হাজারে না কুলোয় আরও দশ হাজার দিচ্ছি!

এবার বিনোদিনীর আঁতে ঘা লাগল। এরা শুধু টাকা চেনে। এরা মনে করে, টাকা দিয়ে মানুষকেও কেনা যায়! সে তেজের সঙ্গে বলল, রাখো তোমার টাকা! টাকা আমি উপার্জন করেছি, টাকা আমায় উপার্জন করেনি। ভাগ্যে থাকে, অমন দশ-বিশ হাজার টাকা আমার

কাছে যেচে আসবে। তুমি যাও, তোমার সঙ্গে আমার সম্পর্ক শেষ। থিয়েটার আমার ধ্যান-জ্ঞান, আমি থিয়েটার ছাড়তে পারব না।

অ-বাবুর শরীরটা যেন মশালের মত জ্বলে উঠল। খাপ থেকে তলোয়ার খুলে সে বলল, বটে! ভেবেছিস, তোকে আমি অত সহজে ছেড়ে দেব? আজ তোকে এখানে কেটে রেখে যাব!

সেই উদ্যত তলোয়ারের সামনে বিনোদিনী ভাবল, তার উনিশ বছরের জীবনের এখানেই শেষ!

প্রচণ্ড জোরে কোপ পড়ার শেষ মুহূর্তে বিদ্যুদ্‌গতিতে মাথা সরিয়ে নিল বিনোদিনী। পাশের একটা হারমোনিয়ামে সে কোপ পড়ে গেঁথে গেল দু' ইঞ্চি । আবার তলোয়ারটা ছাড়িয়ে নিয়ে মারতে যেতেই বিনোদিনী ত্রস্ত হরিণীর মতন ছুটতে লাগল সারা ঘরে, অ-বাবু উন্মত্তের মতন কোপ দিতে লাগল যেখানে সেখানে।

কোনওক্রমে একবার বিনোদিনী অ-বাবুর একেবারে সামনে এসে পড়ে তার হাত চেপে ধরে বলল, ওগো, তুমি এ কী করছ ? আমাকে মারতে চাও মারো, আমার এই কলঙ্কিত জীবন গেল বা রইল তাতে ক্ষতি কি ! কিন্তু তোমার যে হাতে দড়ি পড়বে! খুনের দায়ে তুমি.....

অ-বাবু চিৎকার করে বলল, বিশ হাজার টাকা দিয়ে উকিল–মোক্তার লাগাব, যা হয় হবে ! কিন্তু তোকে যেতে দেব না!

বিনোদিনী বলল, আমি সামান্য এক নারী, এক ঘৃণিত বারাঙ্গনা, আমার জন্য সব খোয়াবে? তোমার বংশের সুনামের কথা ভাবো! একবার পরিণামের কথা ভাবো!

অ-বাবু এবার তলোয়ারটা দূরে ছুড়ে ফেলে দিল, খাটের ওপর বসে পড়ে দু' হাতে মুখ ঢেকে আঃ আঃ শব্দে কাতর চিৎকার করতে লাগল।

একটু দূরে দাঁড়িয়ে কাঁপতে লাগল বিনোদিনী। একজন মানী লোকের এই কাতরতা সহ্য করা যায় না। একবার সে ভাবল, কাছে গিয়ে অ-বাবুর মাথায় হাত দিয়ে বলবে, ওগো আমার ঘাট হয়েছে। আর আমি ওদের কাছে যাব না, তোমার অবাধ্য হব না। তুমি আমাকে নিয়ে চল।

পরমুহূর্তেই মনে পড়ল মঞ্চের কথা। বন্ধুদের কথা, গুরুর কথা। ফুটলাইটের খেলা, এক একরকম পোশাকে এক একরকম চরিত্র, অন্ধকার প্রেক্ষাগৃহে দর্শকের হাততালি। তার চোখে জল এসে গেল।

একটু পরে মুখ থেকে হাত সরিয়ে কয়েক পলক এক দৃষ্টে তাকিয়ে রইল অ-বাবু। অস্ফুট কণ্ঠে বলল, নিয়তি ! যা মেনি, তোকে আজ থেকে আমি মুক্তি দিয়ে গেলাম!

সেদিন থেকে বিনোদিনীর বিবেকযন্ত্রণা অনেক কমল বটে, কিন্তু অন্যদিক থেকে আবার দেখা দিল জটিলতা।

গুমুর্খ রায়ের মাথার ঠিক নেই, যখন তখন মত বদলায়। নতুন থিয়েটারের পরিচালনা পদ্ধতি বিষয়ে গিরিশবাবুদের সঙ্গে সামান্য মতান্তর হতেই একদিন সে বিনোদিনীর কাছে দপদপিয়ে এসে বলল, দেখ, বিনোদ, আমি স্রিফ তোমাকে চাই। ওসব থিয়েটার-ফিয়েটারের ঝঞ্ঝাটে যাওয়ার দরকার কী ? সব বন্ধ করে দিচ্ছি। আমি তোমাকে পঁচাশ হাজার রুপিয়া দেব। তুমি আমার হয়ে যাও!

ঘরে বিনোদিনীর এক মাসি তখন উপস্থিত। তার চক্ষুদুটি ঠিকরে বেরিয়ে আসার উপক্রম ! পঞ্চাশ হাজার টাকা, অর্ধ লক্ষ মুদ্রা ! এ যে স্বপ্নের অতীত ! ওই টাকায় কলকাতা শহরে বড় বড় পাঁচ ছ'খানা বাড়ি কেনা যায়। বারবণিতার রূপ যৌবন আজ আছে, কালও যে থাকবে তার কোনও নিশ্চয়তা নেই। রূপ-যৌবন ফুরিয়ে গেলে এই সব পুরুষেরা পা দিয়েও ছোঁবে না।

মাসি বিনোদিনীর হাত চেপে ধরল। অত টাকার প্রস্তাব শুনে বিনোদিনীও সহসা কোনও উত্তর দিতে পারল না।

এই প্রস্তাবের কথা গিরিশবাবুদের কানে গেলে সকলের মাথায় হাত পড়ল। এতদূর এগিয়েও সব ভণ্ডুল হয়ে যাবে! নিজেদের নতুন রঙ্গমঞ্চ হবে না! এক খেয়ালি ধনীর দুলাল বিনোদিনীকে হরণ করে নিয়ে যাবে শুধু না, এই নতুনত্ব-প্রয়াসী নাট্যদলের স্বপ্নও ধুলিসাৎ করে দিয়ে যাবে।

সবাই মিলে বোঝাতে লাগল বিনোদিনীকে। অমৃতলাল বিনোদিনীর দু' হাত ধরে অশ্রু ভারাক্রান্ত গলায় বলতে লাগল, তুই শুধু নিজের কথা ভাববি বিনোদ ? আমাদের কথা, নাটকের কথা ভাববি না ?

গিরিশবাবু আগাগোড়া চুপ করে ছিলেন। এক সময় কশাঘাতের মতন তীব্র বিদ্রূপের সঙ্গে বললেন, থাক, ও যদি রাজি না হয়, ছেড়ে দে ! থিয়েটার হবে না তো হবে না! স্টেজে যে হিরোইন, হাজার হাজার অডিয়েন্স যাকে ভালোবাসত, সে যদি সাধারণ বেশ্যার মতন একজনের কাছে বাঁধা থাকতে চায় তো থাক। লোকে ওর নাম ভুলে যাবে। কালে কালে ও বাড়িউলি মাসি হবে !

বিনোদিনী তখনই ঝরঝর করে কেঁদে ফেলল। গিরিশবাবুর পায়ে ঝাঁপিয়ে পড়ে বলল, আমি কোনওদিন থিয়েটার ছেড়ে যাব না! ওগো, তোমরা এখনই বাবুটিকে ডাকো। আমার উত্তর জানিয়ে দিচ্ছি।

গুমুর্খ এলে সবার সামনে বিনোদিনী পরিষ্কার কণ্ঠে তাকে বলল, ওগো বাবু, আমি থিয়েটারের মেয়ে। থিয়েটার ছাড়া বাঁচব না। তুমি যদি থিয়েটারের বাড়ি গড়ে দাও, তবেই আমি তোমার সঙ্গে রাত্রিবাস করতে রাজি আছি। নইলে আমাকে কিছুতেই পাবে না।

সবাই তাকে ধন্য ধন্য করতে লাগল এরপর। গিরিশবাবু দাঁড়িয়ে রইলেন একটু দূরে। তাঁর ওষ্ঠে তির্যক হাসি। মনে মনে তিনি বললেন, নদীর ওপর নতুন সেতু যখন গড়া হয়, তখন নাকি ভিতের ওপর একটি শিশুকে বলি দিতে হয়। নররক্ত না পেলে সেতু মজবুত হয় না। বাংলা নাটকের স্বার্থে তোকে আমরা বলি দিলাম, বিনোদ !

এরপর প্রচুর অর্থব্যয়ে দ্রুতগতিতে গড়া হতে লাগল নাট্যশালা। কিন্তু এর নাম কী হবে? বিনোদিনীর খুব ইচ্ছে, এই নাট্যশালার সঙ্গে তার নাম যুক্ত থাক। একদিন না একদিন এই দেহপট পঞ্চভূতে বিলীন হয়ে যাবে। এই নাট্যশালার নাম শুনে তখনও লোকে মনে রাখবে তাকে। 'বিনোদিনী নাট্যশালা' শুনতেও বা খারাপ কী ?

প্রথমে সবাই এই নাম রাখতে রাজি। তারপর আড়ালে ফিসফিসানি শুরু হয়ে গেল! অন্য থিয়েটারগুলোর নাম 'বেঙ্গল', 'ন্যাশনাল', 'গ্রেট ন্যাশনাল', সেই তুলনায় 'বিনোদিনী'? বেশি বাড়াবাড়ি হয়ে যাবে না ? সবাই জানবে, এক বারবণিতাকে মাথায় তোলা হয়েছে ! সমাজের প্রতি অপমান ! এখনও ভদ্রশ্রেণীর অনেকেই থিয়েটারের সংস্রবে আসে না, মহিলা দর্শকদের সংখ্যা খুবই কম, ওই রকম নাম রাখলে যদি দর্শকের সংখ্যা আরও কমে যায় ?

বিনোদিনী এই আপত্তির কথা শুনে অভিমানে ঠোঁট ফোলাল। সে এতখানি আত্মত্যাগ করল, এরা তার কোনও মূল্য দেবে না? তাকে সান্ত্বনা দিয়ে কয়েকজন বলল, বরং নাম রাখা যাক বি থিয়েটার। খবরের কাগজওয়ালারা কিছু বলতে পারবে না, বি তো শুধু বি, কিন্তু লোকে ঠিকই জানবে, বি আসলে কে !

সেই রকমই ঠিক ছিল, কিন্তু যে-দিন কয়েকজন মিলে রঙ্গমঞ্চটি রেজিস্ট্রি করতে গেল, সেখানে তারা নাম দিয়ে এল 'স্টার'।

বিনোদিনী ছুটে এসে গিরিশবাবুর কাছে কেঁদে পড়ে বলল, তোমরা আমার এইটুকু কথাও রাখলে না ? আমার ইচ্ছের কোনও দাম নেই !

গিরিশবাবু তার পিঠে হাত বুলিয়ে দিতে দিতে বললেন, আরে পাগলী, তোর নামই তো রাখা হয়েছে। স্টার আর কে ? সব নাটকে তুই-ই স্টার। আমি দিব্যদৃষ্টিতে দেখতে পাচ্ছি,

রাস্তার লোকেরা কী বলাবলি করতে করতে যাচ্ছে ! একজন বলছে, এই থিয়েটারটার নাম স্টার হল কেন গা? অন্যজন বলছে, বুঝতে পারলিনি ? এই নুতন দলটার স্টার কে ? বিনোদিনী গো বিনোদিনী ! স্টার মানেই বিনোদিনী !

স্টার থিয়েটার গড়ার পেছনে এই সব কলহ, মান-অভিমান, ত্যাগ ও লালসা সবই তুচ্ছ, যদি সামাজিক পটভূমিকায় এর বিচার করা যায়। গিরিশবাবু নিজেও তখনও জানেন না, এই স্টার রঙ্গমঞ্চ অবলম্বন করে তিনি সমাজ পরিবর্তনে কতটা অংশগ্রহণ করে যাচ্ছেন। পরপর 'দক্ষযজ্ঞ', "ধ্রুব চরিত্র', 'নল-দময়ন্তী' অসাধারণ জনপ্রিয় হয়ে উঠল। আগে থিয়েটার দেখতে আসত কিছু উচ্চশিক্ষিত, কিছু ধনী সম্প্রদায় আর অনেক মাতাল-গেঁজেল-আমোদখোর। এখন মধ্যবিত্ত, নিম্ন মধ্যবিত্ত, এমনকি গ্রাম থেকেও ছুটে আসতে লাগল দলে দলে মানুষ। সবই রামায়ন–মহাভারত আর হিন্দু পুরানের কাহিনী এবং তাতে ভক্তিরসের প্রাবল্য। প্রতিদ্বন্দ্বী ন্যাশনাল থিয়েটারে জ্যোতিরিন্দ্রনাথ ঠাকুরের নাটক 'অশ্রুমতী' অর্ধেন্দুশেখরের শত চেষ্টাতেও জমল না। ইতিহাসের কাহিনীতে আর লোকের আগ্রহ নেই। গিরিশবাবুর নাটকগুলিতে সাধারণ হিন্দু সম্প্রদায় যেন আত্ম-আবিষ্কার করতে লাগল। সাহেবরা যখন তখন হিন্দু ধর্মের নিন্দা করে, ব্রাহ্মদের শুষ্ক পরম ব্রহ্ম তত্ত্ব সাধারণ হিন্দুরা হৃদয়ঙ্গম করতে পারে না। পাদ্রিরা হিন্দুদের এতগুলি ঠাকুর দেবতাদের নিয়ে ব্যঙ্গ-বিদ্রুপ করে তো বটেই, ব্রাহ্মরা এবং শিক্ষিত সম্প্রদায়ও এইসব পুতুল পুজোর ঘোর বিরোধী, অল্প শিক্ষিত বা অশিক্ষিত হিন্দুরা পূর্ব সংস্কার বিসর্জন দিয়ে নতুন কী আঁকড়ে ধরবে তা বুঝতে না পেরে দিশেহারা হয়ে গিয়েছিল, গিরিশবাবুর নাটকে তারা ফিরে পেল বংশানুক্রমিক বিশ্বাস। একশোটা বক্তৃতার চেয়েও একটি বিশ্বাসযোগ্য নাটকের শক্তি বেশি। গিরিশবাবুর নাটকে যুক্তিবাদ চাপা পড়ে গেল প্রবল ভক্তিবাদে, ঠাকুর-দেবতারা জীবন্ত হয়ে উঠল। অধিকাংশ মানুষই বেদ-উপনিষদ পড়েনি, পড়লেও বুঝবে না, মহাকাব্য-পুরাণের গল্পগুলিও ঠিকমতন জানে না, নাটক দেখতে এসে তারা গিরিশ-অমৃতলাল-বিনোদিনীর অভিনয় দেখে না, তারা দেখতে পায় জীবন্ত শিব, বিষ্ণু, ভক্ত ধ্রুব আর পতিপরায়ণা দময়ন্তীকে, যারা সব হিন্দুর আদর্শ।

মুসলমানরা এই সব নাটকের ধারে কাছে আসে না। ব্রাহ্ম আন্দোলনও একটা জোর ধাক্কা খেল।

গিরিশ ঘোষের মধ্যেও একটা বিরাট পরিবর্তন এসেছে। বাগবাজারের বোস পাড়ার ছেলে গিরিশ চোদ্দ বছর বয়সেই বাপ-মাকে হারায়। মাথার ওপর আর কোনও অভিভাবক ছিল না, সুতরাং বখামি শিখতে দেরি হল না। মাঝপথেই লেখাপড়ার পাট চুকিয়ে সে যত রাজ্যের বদ ছেলের সঙ্গে জুটল। বাগবাজারের পাড়ায় পাড়ায় গাঁজা-চরসের আড্ডাখানা, গিরিশের মদ্যপানের দিকেই ঝোঁক বেশি, সেই সঙ্গে মন্দ স্ত্রীলোকদের নিয়ে ফুর্তি ও উচ্ছৃঙ্খলতায় তার জুড়ি ছিল না। সে বলশালী যুবা, ব্যক্তিত্ব প্রবল, নেতৃত্ব দেবার সহজাত শক্তি আছে তার, সে সারা পল্লী দাপিয়ে বেড়াত। কিন্তু অন্যান্য বখাটে ছেলেদের সঙ্গে তার তফাত এই যে, তার পড়াশুনোর নেশাও ছিল দারুণ। নিজের চেষ্টায় ইংরেজি শিখে সে শেক্সপিয়ার মিল্টন পাঠ করে। তার সাহিত্যবোধ গাঢ় হতে লাগল দিন দিন।

প্রথম যৌবনে একদল বন্ধুকে নিয়ে একটা সখের যাত্রা দল খুলে ছিল গিরিশ। 'সধবার একাদশী' পালায় তার বেশ সুখ্যাতি হয়। ক্রমে পরিচয় হয় দীনবন্ধু মিত্র, মাইকেল মধুসূদন দত্তের সঙ্গে। তারপর সে জড়িয়ে পড়ল নাট্যজগতে।

এখন যে-কোনও মঞ্চে গিরিশ ঘোষই প্রধান আকর্ষণ। অভিনয়ে তিনি ইংল্যান্ডের প্রখ্যাত নট গ্যারিকের সঙ্গে তুলনীয়, তা ছাড়া তিনি অতি সার্থক নাট্যশিক্ষক ও পরিচালক। ইদানীং নাট্যকার। সকলের শ্রদ্ধেয় ও সম্মানিত হয়েও গিরিশ ঘোষ তাঁর দুর্দান্তপনা ছাড়েননি,

মদ খেয়ে মাতলামি করার সময় মনে হয় ইনি রুদ্রচণ্ড। সেই সঙ্গে আবার বিশিষ্ট বুদ্ধিজীবী এবং নাস্তিক। যুক্তিবাদী সাহিত্য ও বিজ্ঞান পাঠ করে গিরিশের ধারণা হয়েছিল যে, সব কিছুই প্রকৃতির নিয়মে চলে, একজন সৃষ্টিকর্তা কিংবা ঈশ্বরের কোনও ভূমিকা নেই বিশ্বজগতে। ধর্মের প্রসঙ্গ উঠলেই গিরিশ ডাক্তার মহেন্দ্রলাল সরকারের মতন কথা বলেন।

নাট্য নিয়ন্ত্রণ আইন পাশ হবার পর 'নীলদর্পণ' বা সেই জাতীয় নাটক অভিনয় করা যায় না। নাটকের ধারা পাল্টেছে। ভক্তিরসের পৌরাণিক নাটক প্রচুর দর্শকদের আকৃষ্ট করছে। কিন্তু নিছক জনপ্রিয়তা কিংবা ব্যবসায়িক সাফল্যের মোহেই গিরিশ পৌরাণিক নাটক লিখছেন না। এর মধ্যে তাঁর একটা বিরাট মানসিক পরিবর্তন ঘটে গেছে। একবার দারুণ অসুস্থ হয়ে পড়ার পর তিনি যুক্তি বিসর্জন দিয়ে অবলম্বন করেছেন ভক্তি। অবিশ্বাস থেকে ফিরে আসতে চাইছেন বিশ্বাসের পথে। কিন্তু পথ দেখাবার জন্য একজন প্রদর্শক চাই।

একদিন ওঁদের পাড়ায় বলরাম বসুর বাড়িতে দক্ষিণেশ্বরের রামকৃষ্ণ ঠাকুরের আসবার কথা। বলরামবাবু প্রতিবেশীদের অনেককে নেমন্তন্ন করেছেন। ইনি নাকি পরমহংস। এর আগে বোসপাড়ার একটি বাড়িতে ওই মানুষটিকে দেখেছিলেন গিরিশ। তেমন পছন্দ হয়নি। পরমহংস হওয়া কি সোজা কথা ! ঘরের মধ্যে অনেক ভিড় ছিল, মাঝখানে বসেছিলেন সাধারণ চেহারার একজন মানুষ, মাঝে মাঝে হাসছেন, গান গেয়ে উঠছেন, আবার কেশব সেনকে কী সব যেন গল্প শোনাচ্ছেন। বেলা পড়ে এসেছিল, একজন একটা সেজবাতি রেখে গেল সামনে, তাই দেখে রামকৃষ্ণ বারবার বলতে লাগলেন, হ্যাঁ গা, সন্ধে হয়েছে? সন্ধে হয়েছে ! গিরিশ ভাবলেন, ঢং দেখ! বাইরে অন্ধকার, সামনে সেজবাতি জ্বলছে, তবু ইনি বুঝতে পারছেন না যে, সন্ধে হয়েছে কি না! এখানে থাকা মানে সময় নষ্ট।

বলরাম বসুর বাড়িতেও তেমন আলাপ হল না। গিরিশ পৌঁছবার আগেই রামকৃষ্ণ ঠাকুর এসে গেছেন, তাঁকে ঘিরে রয়েছে লোকজন, বিধু কির্তনী গান শোনাবার জন্য বসে আছে একেবারে সামনে। গিরিশের ধারণা পরমহংস হবেন গম্ভীর, ধ্যানী, সাধারণ লোকাচারের অনেক ঊর্ধ্বে। তিনি কোনও সাধারণ মানুষকে প্রণাম করবেন, এ প্রশ্ন ওঠে না। কিন্তু ইনি ফিস ফিক করে হাসছেন আর মাটিতে মাথা ঠেকিয়ে বারবার প্রণাম করছেন বিধুকে। এ আবার কী ! একজন পরমহংসের পক্ষে এরকম রঙ্গ করা কি মানায়?

ঘরের মধ্যে যারা উপস্থিত, তারা সকলেই যে ওঁর ভক্ত তা নয়। অনেকে আগে ওঁর নামই শোনেনি, এসেছে বলরাম বোসের আমন্ত্রণে, কেউ কেউ এসেছে নিছক কৌতূহলে। ওঁর ভাবভঙ্গি দেখে ফিসফিসিয়ে বিরূপ মন্তব্য করছে দু'-একজন। একটু পরে দরজার কাছ থেকে এক ব্যক্তি হাতছানি দিয়ে ডাকলেন গিরিশকে। ইনি শিশিরকুমার ঘোষ, অমৃতবাজার পত্রিকায় দুঁদে সম্পাদক। গিরিশের বন্ধু। শিশিরকুমার পরম বৈষ্ণব, একজন কালীসাধকের প্রতি তাঁর তেমন আকর্ষণ থাকার কথা নয়। তাঁর মুখেও সেই ভাব ফুটে উঠেছে। তিনি গিরিশকে বললেন, এখানে আর কী থাকবে, চলো চলো !

গিরিশ বললেন, আর একটু থাকি, একবার কথা বলে দেখি।

শিশিরকুমার ওষ্ঠ উল্টে বললেন, দেখবার কী আছে? চল আমরা অন্য জায়গায় গল্প করিগে। একপ্রকার জোর করেই শিশিরকুমার গিরিশকে বাইরে নিয়ে এলেন। কিছুটা পথ যাবার পর গিরিশ তাকালেন পেছন ফিরে। একবার মনে হল, ওই মানুষটির কাছে ফিরে গেলে হয় !

কিন্তু গিরিশের ফেরা হল না।

॥ ২৬ ॥

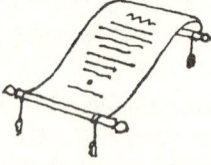

রবির বিবাহের তোড়জোড় শুরু হয়েছে। পাত্রীও নির্দিষ্ট হয়ে গেছে, কথাবার্তা প্রায় পাকা। একা বিশাল ধনী পরিবারের একমাত্র দুহিতা, এই বিবাহে রবি শুধু রাজকন্যাই লাভ করবে না, সেই সঙ্গে পাবে রাজত্ব, সাত লাখ টাকা আয়ের জমিদারি। পাত্রী পক্ষ অবশ্য বাঙালি নয়, দক্ষিণ ভারতীয়, কিন্তু তাতে কিছু যায় আসে না। এই বিবাহে জ্ঞানদানন্দিনীরই বেশি উৎসাহ, স্বামীর সঙ্গে তিনি ভারতের নানা অঞ্চলে গিয়ে থেকেছেন, অন্য ভাষাভাষী মানুষজনের সঙ্গে মিশেছেন অন্তরঙ্গভাবে। তা ছাড়া রবির বিয়ে তো যেমন তেমন মেয়ের সঙ্গে হতে পারে না, এই কন্যাটি ইংরেজি জানে, পিয়ানো বাজিয়ে গান গাইতে পারে।

ঘটকের মুখে কন্যাটির রূপ-গুণের আরও অনেক পরিচয় পাওয়া গিয়েছিল, শুধু এ বাড়ির মহিলাদের একবার দেখে আসাটাই বাকি আছে। বড় দাদা দ্বিজেন্দ্রনাথ তো একটা কবিতাই লিখে ফেললেন রবির আসন্ন বিবাহ উপলক্ষে।

দেবেন্দ্রনাথও রবির বিবাহ-ব্যবস্থা করার জন্য তাড়া দিচ্ছেন মুসৌরি থেকে । রবির বাইশ বছর বয়েস হয়ে গেছে, তাকে এখন জমিদারি দেখাশুনোর কিছু দায়িত্ব নিতে হবে, তার আগে সংসারী হওয়া দরকার। সর্বক্ষণ জ্যোতিরিন্দ্রনাথ আর নতুন বউঠানের ছত্রচ্ছায়ায় থাকলে তার নিজস্ব দায়িত্ব জ্ঞান হবে কী করে?

জ্ঞানদানন্দিনী একদিন কয়েকজন ননদ-জাকে সঙ্গে নিয়ে পাত্রী দেখতে গেলেন। পুরুষ সঙ্গী পাত্র স্বয়ং। রবি প্রথমে লাজুকতাবশত কিছুতেই আসতে চায়নি, তাকে প্রায় জোর করে ধরে আনলেন জ্ঞানদানন্দিনী।

মাদ্রাজি জমিদারমশাই কলকাতাতে একটি বড় বাড়ি ক্রয় করেছেন। পাত্রপক্ষকে বসানো হল একটি সুসজ্জিত বৈঠকখানায়। সে ঘরে রয়েছেন শুধু কয়েকজন মহিলা ও কিশোরী । মাদ্রাজি মেয়েরা বেশ সপ্রতিভ হয়, বাঙালিদের মেয়ে-দেখার আসরে কন্যাটি গয়না ও পোশাকের পুঁটুলি হয়ে মুখ নিচু করে থাকে, সাতবার এক কথা জিজ্ঞেস করলেও উত্তর দিতে চায় না। এখানে পাত্রী নিজেই ওঁদের অভ্যর্থনা জানাল। তার গায়ের রং চাঁপা ফুলের মতন, মাথা ভর্তি চুল, গভীর টানা চোখ। একটি প্রশস্ত ঘরে জমকালো গালিচা পাতা, তার এক দিকে বসলেন পাত্রপক্ষ। অন্যদিকে কয়েকজন অল্পবয়েসী নারী-পুরুষ বসে আছে, এক কোণে একটি পিয়ানো। জ্ঞানদানন্দিনীই ইংরেজিতে কথাবার্তা চালাতে লাগলেন মেয়েটির সঙ্গে। একটু পরে সে পিয়ানো বাজিয়ে শোনাল। তার শিক্ষা অতি উত্তম তো বটেই, উত্তর ভারতের সঙ্গীত-রীতির সঙ্গে দক্ষিণ ভারতীয় সঙ্গীতে কী প্রভেদ, তাও বুঝিয়ে দিতে লাগল সে।

কথা বলতে বলতে রবির দিকে মাঝে মাঝে তাকাতে লাগলেন জ্ঞানদানন্দিনী। রবির যে পছন্দ হয়ে গেছে, তাতে কোনও সন্দেহ নেই। যদিও সে নিজে মুখ ফুটে যোগ দিচ্ছে না আলোচনায়।

এক সময় চটি ফটফটিয়ে সেই কক্ষে প্রবেশ করলেন এক দীর্ঘকায় পুরুষ, তিনিই গৃহকর্তা। নমস্কার বিনিময়ের পর তিনি বললেন, আমার কন্যার সঙ্গে পরিচয় হয়েছে তো? ইনি আমার স্ত্রী, আর ওই আমার কন্যা।

ঘরের মধ্যে যেন একটি বজ্রপাত হল। এতক্ষণ যার সঙ্গে কথাবার্তা চলছিল, যাকে এঁরা পাত্রী হিসেবে মনোনীত করে ফেলেছিলেন, সে আসলে ওই ভদ্রলোকের স্ত্রী ! আর দেয়াল ঘেঁষে জড়সড় হয়ে বসে থাকা, অতি সাদামাটা একটি কন্যাই আসলে পাত্রী। হাসি চাপার জন্য দারুণ সংযম দেখাতে হল পাত্রপক্ষকে। সৌজন্য রক্ষার জন্য বড় বড় মিষ্টির থালা থেকে মুখে দিতে হল কিছু কিছু, তারপর পরে পাকা কথা জানাব বলে, জ্ঞানদানন্দিনী সদলবলে বেরিয়ে এলেন।

বাড়ি ফিরে সবাই ফেটে পড়লেন হাসিতে। মাদ্রাজি জমিদার মশাইয়ের সর্বগুণান্বিতা স্ত্রীটি সম্ভবত তৃতীয় পক্ষের। বিমাতা ও কন্যা প্রায় সমবয়েসী। রবিকে নিয়ে কৌতুকের আর শেষ রইল না। জ্যোতিরিন্দ্রনাথ বললেন, আর একটু হলে যে পরস্ত্রীহরণ পালা ঘটতে যাচ্ছিল রে, রবি!

এই সম্বন্ধ ভেঙে যাওয়ায় সবচেয়ে খুশি হলেন বড় দাদা দ্বিজেন্দ্রনাথ। তিনি বললেন, বাড়িতে নতুন বউয়ের সঙ্গে সর্বক্ষণ ইংরাজিতে কথা বলতে হবে, এই ভয়ে কাঁটা হয়ে ছিলুম। আমাদের বাঙালি মেয়েরা কি ফ্যালনা যে, রবির বিয়ের জন্য দক্ষিণ ভারতে ছুটতে হবে ?

আবার নতুন করে পাত্রী খোঁজা চলতে লাগল। সদর স্ট্রিটের বাড়ি ছেড়ে দিয়ে জ্যোতিরিন্দ্রনাথ আবার ফিরে এসেছেন জোড়াসাঁকোয়। বাবামশাই বাড়িতে থাকলে নিজেদের মহলেও গান-বাজনার আসর বা সান্ধ্য-আড্ডা বসাতে বেশ অস্বস্তি হয়। রাত যত বাড়ে, মজলিশ তত জমে, হাসি ও তর্ক উচ্চগ্রামে ওঠে, তাতে দেবেন্দ্রনাথের ঘুমের ব্যাঘাত হতে পারে। এখন বাবামশাই মুসৌরিতে রয়েছেন, সহসা ফিরছেন না। কাদম্বরী তাদের তেতলার মহলটি নতুন করে সাজিয়েছেন। বারান্দায় অনেকগুলি ফুলগাছের টব, বসবার ঘরটিতে খসখসের টানা পাখাটি সন্ধেবেলা ভিজিয়ে খানিকটা আতর ছড়িয়ে দেওয়া হয়, বাতাসে ছড়ায় সেই সুগন্ধ। প্রায়ই সন্ধেবেলা কয়েকজন বন্ধু আসে, কবিতা পাঠ ও গানে গানে প্রহর পেরিয়ে যায়। খানা-পিনাও চলে সঙ্গে সঙ্গে।

দিনের বেলা জ্যোতিরিন্দ্রনাথ ব্যস্ত থাকেন। সম্প্রতি তিনি জাহাজের ব্যবসা করার চিন্তায় মেতেছেন। জ্যোতিরিন্দ্রনাথ আমোদ-প্রমোদে যতই মত্ত থাকুন, তাঁর মনের মধ্যে একটা স্বাজাত্যাভিমান সব সময় কাজ করে। ইংরেজদের তুলনায় ভারতবর্ষীয় মানুষ কোনও অংশেই হীন নয়। ইংরেজরা অস্ত্রবলে ভারত অধিকার করে আছে। জ্যোতিরিন্দ্রনাথ বুঝেছেন, ইংরেজদের আসল শক্তি তাদের বাণিজ্যিক কুট বুদ্ধিতে। অস্ত্রের শাসন চোখে দেখা যায়, কিন্তু বাণিজ্যের নামে শোষণেই ঝাঁঝরা হয়ে যাচ্ছে এই দেশ। ভারতীয়দের হাতে অস্ত্র নেই, অস্ত্র ব্যবহারের নৈপুণ্যও তারা ভুলে গেছে, সম্মুখসমরে তারা ইংরেজদের সঙ্গে এঁটে উঠতে পারবে না। সিপাহি বিদ্রোহের সময়কার অত বড় সুযোগটাও নষ্ট হয়ে গেল, যোগ্য নেতৃত্বের অভাবে ছত্রভঙ্গ হয়ে গেল সব কিছু। এখন ইংরেজরা বজ্র আঁটুনি দিয়ে রেখেছে। এখন ইংরেজদের সঙ্গে বাণিজ্যে পাল্লা দেওয়াটাই শক্তি সংগ্রহের একমাত্র উপায়।

পিতামহ দ্বারকানাথ এক সময় জাহাজের ব্যবসার কথা ভেবেছিলেন। 'ইন্ডিয়া' নামে তাঁর একটা জাহাজ সমুদ্রে চলাচল করত। দেবেন্দ্রনাথ ব্যবসা-বাণিজ্যের দিকে যাননি। জমিদারি বিস্তারে মন দিয়েছেন। জ্যোতিরিন্দ্রনাথ আবার জাহাজের ব্যবসা শুরু করার উদ্যোগে নিয়েছেন। একটি জাহাজ নির্মাণ করার কাজে এখন মেতে আছেন তিনি।

রবি সকাল দুপুরে বিশেষ বেরোয় না। বিকেলের দিকে মাঝে মাঝে সভা সমিতিতে গান করার জন্য তার ডাক পড়ে। কখনও সে পায়ে হেঁটে কিছুটা ঘুরে আসে, কিংবা প্রিয়নাথ সেনের বাড়িতে যায়।

দিনের বেলাটা তার লেখার সময়। 'ভারতী' পত্রিকার জন্য অনেক কিছুই তাকে লিখতে হয়, প্রবন্ধ, শ্লেষ-রচনা, পুস্তক সমালোচনা। কবিতা ও গান তো আছেই। লেখার বিষয়ের

যেন শেষ নেই! একটা লেখা শেষ করতেই অন্য একটা লেখার চিন্তা মাথায় এসে ভর করে। এবং মাথায় কোনও চিন্তা এলেই রবি সঙ্গে সঙ্গে সেটা লিখে ফেলতে চায়। নইলে নতুন চিন্তা যে জায়গা পাবে না।

তিনতলায় জ্যোতিদাদার ঘরে বসে কিংবা বিছানায় বুকে বালিস দিয়ে শুয়ে সে লেখে। কাদম্বরী ঘোরাফেরা করেন নিঃশব্দে। কখনও পাশে একটুক্ষণ দাঁড়িয়ে দেখে যান রবি কী লিখছে। রেকাবি ভরে যুঁই ফুল রেখে যান এক পাশে। নিজের হাতে মোহনভোগ বানিয়ে এনে দেন। রবি মাঝে মাঝে মুখ তুলে তাকায়, হাসে। কাদম্বরী ছদ্ম গাম্ভীর্যের সঙ্গে বলেন, উঁহু, অন্যমনস্ক হতে নেই, মন দিয়ে লেখো। আবার কোনও সময় কাদম্বরী ঝুপ করে রবির পাশে বসে পড়ে বলেন, কী সারা দিন ধরে লিখছ! চোখ ব্যথা করবে যে! আর লিখতে হবে না, এসো গল্প করি। রবির খাতাটা তিনি তুলে নেন বুকে।

একদিন দুপুরে রবি 'সিন্ধু দূত' নামে একটি কাব্যগ্রন্থের সমালোচনা লিখছে। বিদেশের পটভূমিকায় বর্ণনাবহুল এক কাব্য, তেমন কিছু রস নেই। নেহাত প্রয়োজনের লেখা, রবির ঠিক মন লাগছে না। হঠাৎ কাদম্বরী চলে গেলেন রবির পাশ দিয়ে, তাঁর আঁচলের এক ঝলক বাতাস লাগল রবির গায়ে। রবি মুখ তুলে চেয়ে রইল একটুক্ষণ। কাদম্বরী ঘর থেকে বেরিয়ে গেলেন বারান্দায়, ফুলের টবগুলোতে নুয়ে নুয়ে দেখতে লাগলেন কী যেন। দুপুর রঙের শাড়ি পরা, পিঠের ওপর ছেয়ে আছে দীর্ঘ কেশভার, নিরাভরণ একটি বাহুতে রোদ পড়ায়, মনে হচ্ছে যেন লেগে আছে অভ্র কুচি।

রবির মাথায় এসে গেল একটি নতুন গান। নীরস লেখাটি সরিয়ে রেখে অন্য একটি কাগজে রবি লিখতে শুরু করলেন; আমার প্রানের পরে চলে গেল কে/ বসন্তের বাতাসটুকুর মত......

একটু পরে ঘরে এসে কাদম্বরী জিজ্ঞেস করল, আজ কী লিখছ, রবি?

রবি বলল, একটুকরো বসন্ত বাতাসের গান।

কাদম্বরী অন্যদিনের মতন আজ আর লেখাটা দেখতে চাইলেন না। বসলেন না রবির পাশে। পালঙ্কের বাজু ধরে দাঁড়িয়ে বললেন, কী মুশকিল কিছুতেই তোমার জন্য পাত্রী ঠিক হচ্ছে না। তোমার তাড়াতাড়ি একটা বিয়ে হয়ে গেলে বেশ হয়!

রবি বলল, কেন, তোমরা সবাই এত ব্যস্ত কেন?

কাদম্বরী বললেন, বাঃ, বাড়িতে একটা নতুন বউ আসবে, কত মজা হবে! তোমার বউকে আমি মনের মত করে সাজাব, তার সঙ্গে কত গল্প করব।

রবি বললেন, অর্থাৎ তাকে নিয়ে তুমি পুতুল খেলবে। তোমার একটি পুতুল চাই ?

কাদম্বরী মৃদু বকুনি দিয়ে বললেন, অমন কথা বলছ কেন ? একটি বাইরের মেয়ে নিয়ে আসা হবে, তাকে সব শেখাতে-পড়াতে হবে না ? তোমার মত কবিবরের যোগ্য করে তুলতে হবে তাকে!

রবি মনে মনে প্রমাদ গুনল। কয়েকদিন আগে জ্ঞানদানন্দিনীও এই রকম কথা বলেছেন। তাঁর ইচ্ছে, রবির স্ত্রীকে তিনি প্রথমে বেশ কিছুদিন তাঁর সার্কুলার রোডের বাড়িতে নিজের কাছে রাখবেন। তাকে লোরেটো স্কুলে ভর্তি করে দেবেন, তিনি নিজে সেই অন্য পরিবার থেকে আনা মেয়েটিকে আদব-কায়দা শিখিয়ে ঠাকুরবাড়ির উপযুক্ত করে তুলবেন। সর্বনাশ! সে বেচারি মেয়েটিকে নিয়ে দুই বউঠানের মধ্যে টানাটানি শুরু হয়ে যাবে নাকি? এই নিয়ে দু'জনার মধ্যে না আবার মনোমালিন্যের সৃষ্টি হয় !

রবি বললেন, তোমরা এত তাড়াতাড়ি আমার গলায় বিয়ের ফাঁস পরিয়ে বুঝি আনন্দ পেতে চাও !

কাদম্বরী বললেন, তোমাকে আর বেশিদিন আইবুড়ো থাকতে দেওয়া হবে না মশাই ! তোমার নতুন দাদা আর একটি পাত্রীর সন্ধান এনেছেন, শুনেছ ? উড়িষ্যার এক রাজার মেয়ে, সত্যিকারের রাজকন্যা।

রবি তাড়াতাড়ি বলে উঠল, না, না। আমার আর রাজকন্যা টন্যা দরকার নেই !

এই প্রসঙ্গটি এড়াবার জন্য রবি হঠাৎ কিছু একটা মনে পড়ার ভঙ্গিতে উঠে পড়ল লেখা ছেড়ে।

কাদম্বরী জিজ্ঞেস করলেন, এ কী, কোথায় চললে ?

রবি বলল, একবার শ্যামবাজারে যেতে হবে,আজ একটা প্রার্থনা সভা আছে।

কাদম্বরী বললেন, শোনো, শোনো, অত তাড়া করছ কেন, প্রার্থনা সভা তো সন্ধের আগে হয় না। তোমার নতুনদা কাল উড়িষ্যা যাচ্ছেন, তোমাকেও সঙ্গে নেবেন বলেছেন। তোমার পোশাক-পত্র গুছিয়ে দেব ?

রবি কয়েক মুহূর্ত অপলকভাবে চেয়ে রইল ওঁর দিকে। তারপর আস্তে আস্তে বললেন, নতুন বউঠান, তুমি যখন আপন মনে ঘুরে বেড়াও, তখন তোমাকে যেন ইথিরিয়াল মনে হয়, ধুলো মাটিতে তোমার পা ছোঁয় না, সেই অবস্থাটাই তোমাকে মানায়। আর তুমি যখন কাজের কথা বল, তখন যেন তোমাকে ঠিক চিনতে পারি না!

কাদম্বরী ভ্রুভঙ্গি করে বললেন, ইথিরিয়াল মানে কী ?

রবি বলল, মানে...স্বর্গীয়, হাওয়া দিয়ে গড়া, তখন তুমি দেবী হেকেটি।

কাদম্বরী কয়েক মুহূর্ত শব্দটি নিয়ে ভাবলেন। তারপর একটি দীর্ঘশ্বাস গোপন করে বললেন, আহা-হা আমার বুঝি রক্ত-মাংসের, সুখ-দুঃখের একটা শরীর নেই?

এ প্রশ্নের উত্তর অতি কঠিন। এমনকি শরীর শব্দটির সঠিক অর্থ কী, তাও এখনও রবির কাছে অস্পষ্ট। রক্ত-মাংসের শরীর তো সব মানুষেরই থাকে, কিন্তু সুখ-দুঃখের শরীর ? সুখ-দুঃখ কি মনের ব্যাপার নয়, শরীরেরও সুখ-দুঃখ থাকে ?

আর কথা না বাড়িয়ে রবি নিজের ঘরে চলে গেল। পোশাক বদল করে বেরিয়ে পড়ল খানিক বাদে।

নন্দনবাগানের কাশী মিত্তির শ্যামবাজার ব্রাহ্মসমাজ প্রতিষ্ঠা করেছিলেন, তার কুড়ি বৎসর পূর্ণ হওয়া উপলক্ষে আজ উৎসব। আদি সমাজের অনেকেই যাবেন, দেবেন্দ্রনাথের প্রতিনিধিত্ব করতে হবে রবিকে। যাবার পথে সে স্বর্ণদিদির বাড়ি থেকে জামাইবাবুকে তুলে নিল।

উৎসবের আয়োজন বেশ বড় করেই হয়েছে। গান, প্রার্থনা, ভাষণ, তারপর খাওয়া দাওয়া। রবি প্রথমে দু'খানা গান গেয়ে দিল। ক্রমেই লোকজন বাড়ছে। একতলার একটি ঘরে বেশ ভিড়। জানকীনাথ জিজ্ঞেস করলেন, ও ঘরে কী হচ্ছে, রবি? ভেতরে গিয়ে দেখবে নাকি?

পাশ থেকে একজন বলল, দক্ষিণেশ্বরের সাধু, রামকৃষ্ণ পরমহংস দেব এসেছেন, উনি ভারি চমৎকার গল্প বলেন।

রবি হঠাৎ ভ্রুকুঞ্চিত করে চুপ করে রইল। ব্রাহ্মদের উৎসবে মূর্তিপূজকদের আনাগোনা কেন ? সাধু সন্ন্যাসীদের সম্পর্কে রবির তেমন আগ্রহ নেই। সে ভেতরে গেল না। জানকীনাথ লোকজনদের ঠেলে ঠুলে ঢুকে পড়লেন।

রবি বাইরে দাঁড়িয়ে আছে। প্রচণ্ড গরমের দিন, সন্ধের পরেও সমুদ্র-বাতাস আসেনি, আকাশ গুমোটে থমথমে। এই সময় মানুষের গা ঘেঁষাঘেঁষিতে আরও অসহ্য লাগে।

একজন প্রবীণ ব্রাহ্ম, রবির কাছে এসে কুশলসংবাদ নিতে লাগলেন। হঠাৎ এক সময় তিনি বললেন, রবীন্দ্র, তুমি দুঃসংবাদটা শুনেছ ?

রবি সচকিতভাবে তাকাল।

সেই ব্যক্তিটি বললেন, 'বেঙ্গলি' পত্রিকার সম্পাদক সুরেন বাঁড়ুজ্যেকে জেলে ভরার আদেশ বেরিয়েছে। আমি দেখে এলাম, বিদ্যেসাগরমশাইয়ের কলেজের সামনে ছাত্ররা খুব দাপাদাপি করছে এই নিয়ে। শহরে একটা হাঙ্গামা না শুরু হয়ে যায়!

আরও কয়েকজন ব্যক্তি কী হয়েছে, কী হয়েছে বলে কাছাকাছি ঘিরে এল। তারপর শুরু হল উত্তপ্ত আলোচনা।

ঘটনাটি অতি গুরুতর তাতে কোনও সন্দেহ নেই।

প্রখ্যাত চিকিৎসক দুর্গাচরণ বন্দোপাধ্যায়ের ছেলে সুরেন্দ্রনাথ ছাত্র হিসেবে মেধাবী, বি এ পাশ করে বিলেত যান আই সি এস পরীক্ষা দিতে। সামান্য বয়েসের ব্যাপারে খুঁটিনাটির জন্য তিনি পরীক্ষায় পাস করলেও তাঁকে আটকে দেওয়া হয়েছিল। তিনি মামলা করেছিলেন, এবং মামলায় জিতে ইংরেজ সরকারকে বাধ্য করেছিলেন তাঁকে নিয়োগ পত্র দিতে। কিন্তু মামলায় জিতে চাকরি পাওয়া গেলেও নিয়োগকারীর আস্থাভাজন হওয়া যায় না। শ্রীহট্টের সহকারি ম্যাজিস্ট্রেট হিসেবে কাজ করছিলেন সুরেন্দ্রনাথ, তাঁর শ্বেতাঙ্গ ওপরওয়ালারা তাঁকে মোটেই পছন্দ করতেন না, একবার আদালতের কাজে সামান্য ত্রুটি দেখিয়ে তাঁকে বরখাস্ত করা হল।

এই অবিচারের প্রতিকারের জন্য আবার বিলেত গেলেন সুরেন্দ্রনাথ। এ দেশের ইংরেজরা নানা রকম উদ্ধত ব্যবহার করে বটে, কিন্তু ইংলন্ডের সরকার ন্যায়-নীতির মূল্য দেয়, এই ছিল সকলের ধারণা। কিন্তু সেখানেও সুবিচার পেলেন না সুরেন্দ্রনাথ, তাঁকে বিমুখ হয়ে ফিরতে হল।

তখন এদেশেও সকলে বুঝে গেল যে, সুরেন্দ্রনাথ, ইংরেজ শাসকদের বিরাগভাজন। এ দেশের মানুষ কর্তাভজা, সরকার যাকে পছন্দ করে না, তাকে কেউ ছুঁতে সাহস করে না। সুরেন্দ্রনাথ সরকারি চাকরি আর পাবেন না, দেশীয় ব্যক্তিরাও কেউ তাঁকে কাজ দিতে চায় না। জীবিকা নির্বাহ করাই দুষ্কর হয়ে উঠল তাঁর পক্ষে। সৌভাগ্যের বিষয়, একজন মানুষ এখনও আছেন, যিনি গ্রাহ্য করেন না ইংরেজের রাঙা চোখ। বিদ্যাসাগর মশাই একদিন সুরেন্দ্রনাথকে ডেকে পাঠিয়ে বললেন, সুরো, তুই কাল থেকে আমার কলেজে ইংরেজি পড়াবি। কত মাইনে চাস বল!

মেট্রোপলিটান কলেজটি বিদ্যাসাগর মশাইয়ের নিজের, যথাসর্বস্ব ব্যয় করছেন এই কলেজের জন্য, সরকারি সাহায্যের তোয়াক্কা করেন না তিনি।

আই সি এস সুরেন্দ্রনাথ বন্দোপাধ্যায় ছিলেন কালো সাহেব, অধ্যাপনার কাজ নিয়ে তিনি বাঙালি তথা ভারতীয় সমাজের অন্তগর্ত হলেন। ছাত্রদের মধ্যে জনপ্রিয় হয়ে উঠলেন অবিলম্বে,সুক্ষ্মভাবে প্রচার করতে লাগলেন দেশাত্মবোধ। ইংল্যান্ডে পড়াশুনো করার সময় তিনি জেনেছিলেন, ইওরোপের বিভিন্ন দেশে স্বাধীনতার আন্দোলন ও লড়াই কী ভাবে পরিচালিত হয়েছে। ইতালিতে ম্যাৎসিনি তরুণদের সঙঘবদ্ধ করেছিলেন, 'তরুণ-ইতালি'পরিণত হয়েছিল একটা বিশেষ শক্তিতে। এখানেও সেই আদর্শ অনুসরণ করা যায়।

অন্য একজন উজ্জ্বল ছাত্র আনন্দমোহন বসু ভারতীয়দের মধ্যে প্রথম র‍্যাংলার হয়ে বিলেত থেকে ফিরে স্টুডেন্টস অ্যাসোসিয়েশন নামে ছাত্র সংস্থার প্রতিষ্ঠা করেন। সুরেন্দ্রনাথ যোগ দিয়েছিলেন তাঁর সঙ্গে। সেই স্টুডেন্ট অ্যাসোসিয়েশানে সুরেন্দ্রনাথ একদিন বক্তৃতা দিলেন, তার বিষয়বস্তু Rise of the sikh power। যোদ্ধা শিখ জাতি সম্পর্কে বাঙালিরা সামান্যই জানে, স্কুলপাঠ্য ইতিহাসে যে-টুকু থাকে। ইংরেজ লিখিত সেই ইতিহাসে এই জাতির প্রকৃত বীরত্বের বিবরণ নেই, যে-সব যুদ্ধে শিখরা ইংরেজদের পরাজিত করেছে, তার উল্লেখই থাকে না। সুরেন্দ্রনাথ দেখালেন, এই তরুণ সম্প্রদায় বারবার অত্যাচার ও

আগ্রাসনের বিরুদ্ধে রুখে দাঁড়িয়েছে প্রাণপণে, মোগলদের সঙ্গে লড়েছে ব্রিটিশদের সঙ্গেও লড়েছে। নিছক শিখদের ইতিহাস বর্ণনা করাই সুরেন্দ্রনাথের উদ্দেশ্য নয়, বাংলার ছাত্রদের তিনি বোঝাতে চাইলেন যে, আদর্শের দৃঢ়তা থাকলে ইংরেজ শাসকদের বিরুদ্ধেও সঙ্ঘবদ্ধ হওয়া যায়।

সুরেন্দ্রনাথ বেঙ্গলি পত্রিকার সম্পাদক। ইংরেজ শাসকের নানান অব্যবস্থার সমালোচনা করেন তিনি। সম্প্রতি যে ঘটনাটি ঘটেছে, তা অদ্ভুত !

নরিস নামে হাইকোর্টের এক বিচারকের মতিগতি বোঝা ভার। উদ্ভট উদ্ভট সব আদেশ জারি করেন। তাঁর এজলাসে এক হিন্দু পরিবারের গৃহদেবতার পূজার অধিকার নিয়ে মামলা চলছিল। দুই শরিকের মধ্যে মামলা। অধিকার নিয়ে দ্বন্দ্ব, গৃহদেবতার অস্তিত্ব নিয়ে কোনও বিতর্ক নেই। তবু নরিস সাহেব হুকুম দিলেন ওই শালগ্রাম শিলা আদালতে এনে তাঁকে দেখতে হবে! আদেশ শুনে সকলে হতবাক। শালগ্রামে শিলা একখণ্ড পাথর হতে পারে, কিন্তু বিশ্বাসী হিন্দুদের চোখে তা স্বয়ং নারায়ণের পবিত্র প্রতীক। পুরোহিত ছাড়া কেউ স্পর্শ করারও অধিকারী নয়। সেই শালগ্রাম শিলা আনা হবে আদালতে ? গির্জা থেকে যিশুর মূর্তি কখনও আদালতে আনানো হয় ? সাহেবের এ কী স্পর্ধা ? কিন্তু হিন্দুদের প্রতিবাদ অগ্রাহ্য করে সেই শালগ্রাম শিলা আদালতে আনতে বাধ্য করা হল। নরিশ সাহেব সেদিকে তাকিয়ে বিদ্রুপের সঙ্গে বললেন, দূঃ, কে বলেছে এটা একশো বছরের পুরনো ?

সুরেন্দ্রনাথ তাঁর পত্রিকায় এই ঘটনাকে তীব্র ধিক্কার জানিয়ে লিখলেন, ওই বিচারক সর্বোচ্চ আদালতের মর্যাদাপূর্ণ আসনে বসার অযোগ্য! আদালত অবমাননার অভিযোগে দু'মাসের কারাদণ্ড হল সুরেন্দ্রনাথের। ইংরেজ সরকার নিশ্চুপ।

ইংরেজরা দেশের রাজা, তারা ইচ্ছে মতন প্রজাদের শাস্তি দিতে পারে। কিন্তু এই প্রথম প্রকাশ্যে বিক্ষোভ দেখানো হল রাজশক্তির বিরুদ্ধে। ছাত্রসমাজ ক্ষেপে গেল, বিভিন্ন স্থানে সভা করে বক্তারা প্রতিবাদ জানাতে লাগলেন। কেউ কেউ আবার ভাবলেন, এটা বেশি বাড়াবাড়ি হয়ে যাচ্ছে। এটা যে এক রাজনৈতিক আন্দোলনের সূত্রপাত, তা অনেকের এখনও বোধগম্য হল না।

সুরেন্দ্রনাথ জেল থেকে মুক্তি পাবার পর তাঁর সংবর্ধনা সভা হতে লাগল চতুর্দিকে। পত্রপত্রিকায় লেখালিখি চলল অবিরাম। ঠাকুর পরিবারের কেউ অবশ্য এ আন্দোলনে অংশ নিলেন না। ভারতী পত্রিকায় রবি অন্যান্য পত্রপত্রিকার গালাগালির ভাষা নিয়ে খানিকটা বিরূপ মন্তব্যই করে ফেলল।

একদিন প্রিয়নাথ সেন এসে বললেন, এটা তুমি কী করলে রবি ? সাধারণ মানুষের মধ্যে একটা উদ্দীপনা এসেছে, এ সময় তার বিরুদ্ধতা করা কি তোমার উচিত হল ?

রবি বলল, প্রতিবাদ জানানো ভালো কথা, কিন্তু ভাষার এমন অসংযম থাকবে কেন ? গালাগালি দেবার সময়ও ভদ্রলোক ভদ্রলোকই থাকে, বানরের মতন মুখ ভেঙচিয়ে দাঁত বার করলে যে, নিজেদেরই অপমান করা হয়!

প্রিয়নাথ বললেন, এখন ওসব ধর্তব্যের মধ্যে নয়। শোনো, রবি, তুমি একটাও জনসভায় যাওনি। আমার মনে হয়, দু' একটিতে তোমার যোগদান করা উচিত। ফ্রি চার্চ কলেজের ছাত্ররা আমাকে ধরেছিল, ওদের সভায় তোমাকে দিয়ে দু' একখানি গান গাওয়াবার জন্য। আগামীকাল একটা সংবর্ধনা সভা আছে, তুমি যাবে ?

রাজি হল রবি, কয়েকটি গানও গেয়েছিল, কিন্তু সভার উত্তেজনার সঙ্গে সঙ্গে সে ঠিক উদ্দীপিত হতে পারল না। তার বাংলা গানগুলি যেন এখানে অপ্রাসঙ্গিক। সংবর্ধনার উত্তরে সুরেন্দ্রনাথ বক্তৃতা দিলেন ইংরেজিতে। অন্যান্যদের বক্তৃতা, সভার কাজ কর্ম সবই চলছে

ইংরেজিতে। অবিকল ইংরেজদের সভার অনুকরণ। অথচ শ্রোতারা প্রায় সবাই বাঙালি। তবু বাংলায় বক্তৃতা দিলে মান থাকে না।

এই আন্দোলন টিকিয়ে রাখা ও দিকে দিকে ছড়িয়ে দেবার জন্য চাঁদা তোলা হচ্ছে। তার নাম দেওয়া হয়েছে 'ন্যাশনাল ফান্ড'। ঠিক যেমন ইংরেজদের 'ওয়ার ফান্ড' কিংবা 'ফ্যামিলি ফান্ড' হয়। 'জাতীয় ভাণ্ডার ' কিংবা 'জাতীয় তহবিল' বললে বুঝত না কেউ ? এখানেও চাঁদা তোলা হচ্ছে, এখন ঘোষণা করছে, প্লিজ কনট্রিবিউট অ্যাজ মাচ্ অ্যাজ ইউ ক্যান ফর দা ন্যাশনাল ফান্ড। উই উইল রেইজ আওয়ার ভয়েস.....

রবি ভাবল, মাতৃভাষার ব্যবহার যারা সম্মানজনক মনে করে না, তাদের দাস মনোভাব কি কোনওদিনও দূর হতে পারে ?

॥ ২৭ ॥

যশোরে নরেন্দ্রপুর গ্রামে জ্ঞানদানন্দিনীর বাপের বাড়ি। বহুদিন পর তিনি সদলবলে বাপের বাড়িতে বেড়াতে এলেন। দলটি বেশ বড়, তাঁর দুই ছেলে মেয়ে ছাড়াও রয়েছে দুই দেবর জ্যোতি আর রবি, এবং জা কাদম্বরী। একেবারে বালিকা বয়েসে এই গ্রাম ছেড়ে চলে গিয়েছিলেন জ্ঞানদানন্দিনী, তারপর দেশ-বিদেশ ঘুরে এতকাল বাদে আবার ফিরলেন। পুরনো আমলের মানুষরা তাঁকে দেখে চিনতেই পারেন না। এই গ্রামের কিছু ভালো হয়নি, কিন্তু জ্ঞানদানন্দিনীর রূপান্তর বিস্ময়কর।

নিছক বেড়াবার জন্যই আসেননি জ্ঞানদানন্দিনী, তাঁর প্রধান উদ্দেশ্য রবির জন্য পাত্রী খোঁজা। এই যশোর জেলা থেকেই অনেকগুলি মেয়েকে ঠাকুর বাড়ির বধু হিসেবে নিয়ে যাওয়া হয়েছে। যশোরের মেয়েরাই লক্ষ্মী!

অনেক ঘটক-ঘটকীর আনাগোনা শুরু হয়ে গেল। দক্ষিণডিহি, চেঙ্গুটিয়া এই সব কাছাকাছি গ্রামে এক একদিন জ্ঞানদানন্দিনীরা মেয়ে দেখতে যান, এক একদিনে তিন-চারটি মেয়ে দেখে আসেন। দিনের পর দিন কাটে, একটিও পাত্রী পছন্দ হয় না। বাংলা দেশে কি মেয়ের আকাল পড়ল ?

এদিককার হিন্দুরা কন্যার বয়স সাত-আট বছর হতে না হতেই বিয়ে দিয়ে দেয়। ঘটকরা যে-সব পাত্রীর সন্ধান আনছে, তাদের কারুর বয়স পাঁচ, কারুর বয়েস তিন। সেই সব কচি কচি কন্যার কারুর নাক দিয়ে সিক্‌নি গড়াচ্ছে, কেউবা এতগুলি অচেনা মানুষ দেখে কেঁদে ভাসায়।

রবি এই সব পাত্রী-সন্ধান-অভিযানে যেতে চায় না কিছুতে, জ্ঞানদানন্দিনী জোর করে তাঁকে নিয়ে যাবেনই। রবি ঠিক করেছে, সে কোনও মতামত দেবে না। বউঠানরা যা ঠিক করবেন, তাই-ই সে মেনে নেবে।

এক একদিন রবি পায়ে হেঁটে গ্রাম দেখতে বেরোয়, সঙ্গে থাকে সুরেন আর বিবি। এই বালক-বালিকা দুটি বিলেতের গ্রাম দেখেছে, কিন্তু বাংলার গ্রাম দেখেনি আগে। রবিরও পল্লীগ্রাম সম্পর্কে তেমন অভিজ্ঞতা নেই। দু' পাশে ধান ক্ষেত্রের মাঝখান দিয়ে কাঁচা রাস্তা, এমন দিগন্তবিস্তৃত ধানক্ষেত সে আগে দেখেছে ট্রেনের জানলা দিয়ে। এখন ইচ্ছে করলে পথ

ছেড়ে নেমে সেই ক্ষেতের মধ্যে ঢুকে পড়া যায়, নাকে এসে লাগে সোঁদা গন্ধ, বাতাসে সবুজ ঢেউ খেলে যায়। প্রচুর ফড়িং ওড়াউড়ি করছে ঘাসের ডগায়। মাঝে মাঝেই চোখে পড়ে খানা-ডোবা, গ্রাম্য বালকরা তার মধ্যে লাফালাফি করে মাছ ধরছে। রাস্তাটা শেষ হয়েছে নদীতে এসে, ঘাটের দু'ধারে ছোট ছোট মন্দির, শ্মশানতলা। নদীটি বেশ ছোট, কাছাকাছির মধ্যেই কয়েকটি বাঁক, হাঁটু জল, হেঁটেই অনেক লোক এপার ওপার হচ্ছে, একটা গরুর গাড়িও দিব্যি নদীর ওপর দিয়ে চলে গেল। এই সব দৃশ্য রবির কাছে অভিনব। এই নদীতেও মাছ ধরছে অনেক ছেলেরা, সারা গায়ে কাদা মাথা, গামছা কিংবা হাত টানা জাল দিয়ে টেনে তুলছে ঝাঁঝি-পাঁক, তার মধ্যে ছটফট করে কুচো চিংড়ি, পুঁটি,মৌরলা, খলসে। কোনওটায় একটা বড় ফলি মাছ কিংবা কালবোস পেলে তারা লাফিয়ে উঠছে উল্লাসে। যেন তাদের ইস্কুল যাওয়া নেই, হোম টাস্ক নেই, অন্য কোনও দায়িত্ব নেই, সারাদিন জলে দাপাদাপি করা আর মাছ ধরাতেই আনন্দ। সুরেন আর বিবি ওদের থেকে চোখ ফেরাতে পারে না।

এখানকার দিগন্ত-ছোঁয়া আকাশ দেখে রবির মনে হয়, আকাশ যেন গ্রামের দিকে অনেক নিচু। স্পষ্ট বোঝা যায় মেঘের গতিশীলতা, সারা দিনের বর্ণফেরা। এখান থেকে পৃথিবীটাকে মনে হয় বেশ ছোট, এই তো কয়েকখানা গ্রামের পরেই দিগন্তরেখা, অন্য দিকেও তাই। সমুদ্রের তটে দাঁড়িয়ে অন্যদিকের কূল-কিনারা দেখা যায় না। কিন্তু এই ধান খেতের মাঝখান দিয়ে হাঁটলে দেখা যায় দু'দিকেরই দিগন্ত। প্রকৃতির থেকে চোখ ফিরিয়ে রবি মানুষের দিকে তাকায়। গ্রামের মানুষ আর শহরের মানুষের মধ্যে এত প্রভেদ ! সারা গায়ে কাদা মেখে যে ছেলেগুলো মাছ ধরছে, তাদের তুলনায় ইজের-অলেস্টার জুতো পরা সুরেন আর ফ্রক ও হাঁটু পর্যন্ত মোজা পরা ইন্দিরাকে মনে হয় যেন অন্য গ্রহ থেকে এসেছে। নদীর ঘাটে সারা দিন ধরে যারা আসছে-যাচ্ছে, তারা নিজেদের গ্রামের মানুষ ছাড়া অন্য কোনও মানুষজন চেনেই না। রবিদের দিকে তারা ভাষাহীন বিস্ময়ে চেয়ে থাকে। একদিন এখানকার পোস্টমাস্টারবাবুর সঙ্গে আলাপ হল। যুবকটি এসেছে জেলা শহর থেকে, গ্রাম্য জীবনের সঙ্গে অভ্যস্ত নয়, নিজেই হাত পুড়িয়ে রান্নায় করে খায়, একটি বাচ্চা মেয়ে তার ঘরের কাজ করে দেয়। সাতখানা গ্রামের এই একমাত্র পোস্ট অফিস, তাও চিঠি আসে নাম মাত্র, এক একদিন আসেই না। পোস্টমাস্টারবাবুটি কবিতা লেখে, একমাত্র সে-ই বাইরের জগতের সঙ্গে যুক্ত।

মেয়ে দেখার অভিযান অব্যাহত থাকলেও মনে হচ্ছে, এখান থেকেও ব্যর্থ হয়েই ফিরতে হবে। কাদম্বরী যদিও সঙ্গে এসেছেন, কিন্তু তাঁর সঙ্গে রবির বিশেষ দেখা হয় না। রবি বাচ্চাদের নিয়ে বাইরের দিকের একটি ঘরে থাকে। পাত্রী নির্বাচনের সময় কাদম্বরী একটিও কথা বলেন না। অন্তরঙ্গদের বাইরে তিনি নীরবই থাকেন। জ্ঞানদানন্দিনীই চালান সব কথাবার্তা।

হঠাৎ একদিন পথে বেণী রায়ের সঙ্গে দেখা। বেণী রায় জোড়াসাঁকোর বাড়িরই এক কর্মচারী, তার দেশ যে যশোরে তা কে জানত! বাবুদের বাড়ির এতগুলি মানুষজন দেখে সে একেবারে বিগলিত হয়ে পড়ল। হাত কচলাতে কচলাতে সে বলল, জ্যোতিবাবুমশাই, এতদূর এসেছেন যখন, একবার আমার এই গরিবের বাড়িতে পা দেবেন না? বধূঠাকুরানীরাও যদি আসেন, আমার ওয়াইফ আর ফ্যামিলি ধন্য হয়ে যাবে!

কাছেই দক্ষিণডিহি গ্রামে বেণী রায়ের বাড়ি। পরদিন সবাই এলেন সেখানে বিকেলবেলা। প্রখ্যাত জমিদার ঠাকুর বংশের রাজা-রানীর মতন চেহারায় কয়েকজন এসেছেন বেণী রায়ের মতন একজন সাধারণ লোকের বাড়িতে, এ জন্য পাড়াপ্রতিবেশীরাও এঁদের দেখার জন্য ভিড় করে এল। বেণী রায় প্রচুর জলযোগের আয়োজন করে ফেলেছে, এঁরা কেউ অত খাবেন না, তবু পেড়াপিড়ি চলতে লাগল।

একটি আট-ন বছরের শ্যামলা রঙের দোহারা চেহারার বালিকা খাবারের প্লেট, জলের গেলাস এনে দিচ্ছে। জ্যোতিরিন্দ্রনাথ জিজ্ঞেস করলেন, এই মেয়েটি কে?

বেণী রায় হেঁ হেঁ করে হেসে বলল, আজ্ঞে ইটি আমারই শেষ বয়েসের কন্যা। ওর নাম ভবতারিণী। এই ভবি, পেন্নাম কর, বাবুদের পেন্নাম কর।

জ্ঞানদানন্দিনী জিজ্ঞেস করলেন, ওর এখনও বিয়ে দেননি!

বেণী রায় বলল, মা জননী, চেষ্টা তো করছি, ঠিকমতন যোটক হচ্ছে না। এবারে ওর বিয়ের একটা ব্যবস্থা করব বলেই তো ছুটি নিয়ে বাড়িতে এসেছি!

জ্ঞানদানন্দিনী জ্যোতিরিন্দ্রনাথের সঙ্গে চোখাচোখি করলেন।

বাড়ি ফেরার পথেই জ্ঞানদানন্দিনী বললেন, এই তো পাত্রী পাওয়া গেছে। আর খোঁজাখুঁজির দরকার কী?

জ্যোতিরিন্দ্রনাথ ইতস্তত করে বললেন, আমাদের সেরেস্তার কর্মচারির মেয়ে। এই সম্বন্ধ করতে কি বাবামশাই রাজি হবেন?

জ্ঞানদানন্দিনী বললেন, বাবামশাইকে বুঝিয়ে লিখতে হবে। দেখলে তো, এর চেয়ে ভালো আর কোনও মেয়ে পাওয়া যাচ্ছে না। বাবামশাই তো জানেন, কোনও বিশিষ্ট হিন্দু পরিবারই আমাদের বাড়ি মেয়ে দিতে চায় না। এই মেয়েটিকেই আমরা বেশ গড়ে-পিটে মানুষ করে তুলব।

এরপর আরও আলোচনা হল। জ্ঞানদানন্দিনীর মতটাই প্রবল। তাঁর উদ্দেশ্যও স্পষ্ট, যত তাড়াতাড়ি সম্ভব রবির বিবাহের ব্যবস্থা করে রবিকে তিনি কাদম্বরীর পক্ষছায়া থেকে সরিয়ে নিয়ে যেতে চান।

কাদম্বরী যথারীতি কোনও মতামত দিলেন না। রবির মনটা দমে গেছে। তার বয়েস এখন তেইশ। অতি সাধারণ, মুখচোরা একটি ন বছরের মেয়েকে জীবনসঙ্গিনী করে তার সঙ্গে সে জীবনের কোন কথা আলোচনা করবে? লেখাপড়াও তো প্রায় কিছুই শেখেনি মেয়েটি।

সুরেন আর ইন্দিরাকে সঙ্গে নিয়ে যাওয়া হয়নি। তারা যখন শুনল, পাত্রী বাছা হয়ে গেছে, তখন ইন্দিরা বলল, ওমা, আমার থেকেও ছোট? তার সঙ্গে রবিকাকার বিয়ে হবে, তাকে কাকিমা বলে ডাকব?

দেবেন্দ্রনাথকে চিঠি লিখতেই তিনি সঙ্গে সঙ্গে সম্মতি জানালেন। অন্যান্য সূত্র থেকে তিনি খবর পেলেন যে, রবি এই বিবাহের ব্যাপারে দোনামোনা করছে, তিনি মুসৌরিতে ডেকে পাঠালেন রবিকে। রবি যে শুধু তার জ্যোতিদাদা আর নতুন বউঠানের সঙ্গে সঙ্গে সব জায়গায় ঘোরে, নিজে দায়িত্ব নিয়ে কোনও কাজ করতে শেখেনি, এ জন্য তিনি অসন্তুষ্ট। মুসৌরিতে ডেকে তিনি রবিকে স্পষ্টভাবে বুঝিয়ে দিলেন যে, সামনের অঘ্রাণ মাসেই শুভদিন আছে, সেইদিনই বিবাহ করতে হবে রবিকে এবং তারপর থেকেই লেগে পড়তে হবে জমিদারির কাজকর্মে। প্রথমে সে কাছারিতে বসে সদর আমিনের কাছ থেকে জমাওয়াশিল বাকি ও জমাখরচ দেখতে থাকবে।

পিতৃ আদেশ মাথা নিচু করে শুনে রবি ফিরে এল কলকাতায়।

বিয়ের উদযোগ শুরু হয়ে গেল। এই সময় জ্ঞানদানন্দিনী আর ছাড়লেন না। রবি এসে রইল তাঁর সার্কুলার রোডের বাড়িতে। সুরেন আর বিবি খুব খুশি। এ বাড়িতে কবিতার আসর বসে না, তবে গান-বাজনা ও হইচই হয় খুব। প্রায় প্রতি সন্ধেতে। দিনেরবেলা যখন ছেলেমেয়েরা ইস্কুলে যায়, তখন জ্ঞানদানন্দিনী বাংলা প্রবন্ধ লেখার কসরত করেন, মাঝ মাঝেই রবির কাছে এসে বলেন, তুমি আমার ভাষা ঠিকঠাক করে দাও তো!

কাদম্বরী যে আবার অসুস্থ হয়ে পড়েছেন, সে খবর রবি পেল বেশ কয়েকদিন পরে। ওদিকে তার আর যাওয়াই হয় না। এ বাড়িতে কে যেন একদিন কথাচ্ছলে জানাল, নতুন বউঠানের কী যে অসুখ হয়েছে, ডাক্তাররা ধরতেই পারছে না......

রবির বুকে যেন একটা শেল বিঁধল। প্রায় এক মাস নতুন বউঠানের সঙ্গে দেখা হয়নি। নতুন কবিতা ও গানগুলি শোনানো হয়নি তাঁকে। এখন রবির অনেক বন্ধু হয়েছে। কিন্তু নতুন বউঠানের চেয়ে বড় বন্ধু আর কে ? নতুন বউঠানের যে আর একজনও বন্ধু নেই।

পরদিন বেলাবেলি রবি জোড়াসাঁকোয় এসে পৌঁছোল বটে, কিন্তু তার মনের মধ্যে একটা অপরাধবোধ কাজ করছে। সে অসুস্থ নতুন বউঠানকে দেখতে এসেছে, এমনি এমনি আসেনি। আগে সব কিছুই ছিল অকারণ। কোনও কথা না বলেও দুজনে একসঙ্গে কত সময় কাটিয়েছে।

তিনতলার মহলটি নিঃশব্দ শুনেই রবি বুঝল জ্যোতিদাদা বাড়িতে নেই। জ্যোতিরিন্দ্রনাথ তাঁর জাহাজ নিয়ে খুবই ব্যস্ত। কলকাতা বন্দর জাহাজ নির্মাণের জন্য প্রসিদ্ধ। খিদিরপুর ও হাওড়ায় জাহাজ নির্মাণ ও মেরামতির অনেকগুলি বড় বড় কারখানা আছে। জ্যোতিরিন্দ্রনাথ নিলামে যে জাহাজের খোলটি কিনেছেন সেটিকে পূর্ণাঙ্গ করে তোলার জন্য তিনি অনেক কারখানায় ঘুরছেন, কিন্তু সকলেরই হাতে অনেক কাজ, কেউই বছর খানেকের আগে হাত দিতে পারবে না। শেষ পর্যন্ত একটি সাহেব কোম্পানিকে রাজি করানো গেছে, কিন্তু তাদের কাজ ও চলছে অত্যন্ত শ্লথ গতিতে।

তিনতলায় উঠে এসে রবি দেখল, কাদম্বরী পাশ ফিরে শুয়ে আছেন তাঁর পালঙ্কে, ঘরে আর কেউ নেই । রবির রাগ হল। এত বড় বাড়ি, এত মানুষজন, অথচ একজন রুগীকে দেখাশুনো করার কেউ নেই ? কেমন যেন হয়ে যাচ্ছে পরিবারটা, কেই কারুর ব্যাপারে মাথা গলায় না। একটা দাসী পর্যন্ত বসে নেই কাছে।

রবি এসে শিয়রের কাছে দাঁড়াল। ঘুমিয়ে আছেন কাদম্বরী, রোগা হয়ে গেছেন এই কদিনেই। মুখখানি শীর্ণ, বেরিয়ে এসেছে কণ্ঠার হাড় । ডাকবে কি না, বুঝতে পারল না রবি। কাদম্বরীর শুয়ে থাকার মূর্তিটি এত করুণ! যেন ঘোর জঙ্গলে গাছতলায় শুয়ে থাকা এক নির্বাসিতা রাজকন্যা। রবির খুব ইচ্ছে হল, সব কাজ ছেড়েছুড়ে সে নতুন বউঠানের সেবা করবে। কিন্তু কী করে সেবা করতে হয় তা যে সে জানে না! পায়ে হাত বুলিয়ে দিলে ভালো লাগবে?

তখনই জেগে উঠলেন কাদম্বরী। ম্লান হেসে বললেন, রবি ? কখন এসেছ?

রবি বলল, নতুন বউঠান, তুমি আমার ওপর রাগ করেছ?

কাদম্বরী বললেন, না তো! রাগ করব কেন ?

রবি বলল, আমি তোমাকে ছেড়ে চলে গেছি, ও বাড়িতে থাকছি !

কাদম্বরী বললেন, বাঃ, তাতে কী হয়েছে। তুমি সব সময় আমাদের কাছে থাকবে, এমন মাথার দিব্যি কে দিয়েছে? সুরো-বিবি তোমাকে নিয়ে কত আনন্দ করে। আমার কাছে সব সময় থাকতে তোমার ভালো লাগবেই বা কেন ?

—তোমার কী হয়েছে ?

—কী একটা লক্ষ্মীছাড়া অসুখ! মাঝে মাঝে হাত-পা ব্যথা করে, বুক ব্যথা করে, মাথা তুলতে পারি না।

—ডাক্তাররা কী বলছেন ? আমি ডাক্তারসাহেবের সঙ্গে দেখা করব।

—অসুখের কথা ছাড়ো তো, রবি ! তোমার বিয়েতে কত আনন্দ-ফুর্তি হবে, সেই সময় আমি কি বিছানায় শুয়ে থাকব ? ঠিক সেরে উঠব তার আগে।

রবি কয়েক মুহূর্ত চেয়ে রইল কাদম্বরীর দিকে। তারপর খানিকটা আবেগরুদ্ধ কণ্ঠে বলল, নতুন বউঠান, একটা কথা জিজ্ঞেস করব? তুমি ঠিক উত্তর দেবে ? আমি যে.......আমার যে বিয়ে হচ্ছে, তুমি তাতে খুশি হয়েছ ?

কাদম্বরী ধড়মড় করে উঠে বসলেন, হাসি-কান্না-বিস্ময় মেশানো গলায় বললেন, ওমা, সে কি কথা গো ! খুশি হব না কেন ? তোমার বিয়ে, আমাদের কত আনন্দের ব্যাপার। মেয়েটিকে বুঝি তোমার মনে ধরেনি ! না, না, বেশ মেয়ে, ভালো মেয়ে। দেখো, একদিন গুটিপোকা ঠিক প্রজাপতি হয়ে পাখা মেলবে।

রবি বলল, নতুন বউঠান, তুমি সেরে ওঠো, তুমি ভালো হয়ে ওঠো। তোমার অসুখ দেখলে আমার একটুও ভালো লাগে না। কিচ্ছু ভালো লাগে না। আমি কালই ও বাড়ি ছেড়ে এখানে চলে আসছি, তোমার পাশে থাকব।

কাদম্বরী ব্যস্ত হয়ে রবির একটা হাত চেপে ধরে বললেন, অমন কাজও করো না, রবি! কেন আসবে ? সুরো-বিবির মা মনে দুঃখ পাবেন। আমার জন্য তোমাকে মোটেই আসতে হবে না। আমি ঠিক সেরে উঠব বলছি তো!

জ্যোতিরিন্দ্রনাথের ধারণা, অসুখ বিসুখ সারাবার শ্রেষ্ঠ উপায় হাওয়া-বদল। সত্যেন্দ্রনাথ এখন আছেন কর্নাটকের সমুদ্র-বন্দর কারোয়ায়। খুবই মনোরম স্থান। তিনি সেখানে যাওয়ার জন্য অনেকবার আহ্বান জানিয়েছেন। এবারে তাঁর পত্নী, ছোট ভাই ও আরও অনেককে নিয়ে জ্যোতিরিন্দ্রনাথ যাত্রা করলেন সেই সমুদ্রের দিকে। প্রথমে ট্রেনে বোম্বাই, তারপর একটি সম্পূর্ণ জাহাজ ভাড়া করে তিনদিন সমুদ্রপথে পাড়ি।

সেখান থেকে ফেরার কিছুদিনের মধ্যেই রবির বিবাহের সব ব্যবস্থা শুরু হয়ে গেল।

বিবাহ তো শুধু দুজনের ব্যাপার নয়, আরও কতজন যে এর সঙ্গে জড়িত! এই উপলক্ষে বাড়ির ছেলেমেয়েদের নতুন পোশাক হয়, গৃহিণীরা নতুন গয়না গড়ান, নিমন্ত্রিতদের তালিকা বানাবার ব্যাপারে দীর্ঘ আলোচনা চলে, ভোজ্যের তালিকাটাও কম আলোচ্য নয়। রবির বন্ধুরা বলে রেখেছে, বিয়ের দিন যা-ই খাওয়া দাওয়া হোক, পরে শুধু বন্ধুদের জন্য উইলসন হোটেলে আলাদা পার্টি দিতে হবে। কিংবা নানকিং নামে চিনা রেস্তোরাঁ খুলেছে, সেখানকার কাঁকড়ার রোস্ট অতি উপাদেয়।

এই সব উৎসাহের ছোঁওয়া শেষ পর্যন্ত রবির মনেও লাগল। একটি নিতান্ত খুকিকে যখন বিয়ে করতেই হচ্ছে, তখন মন খুলে করাই ভালো। পারিবারিকভাবে নিমন্ত্রণের চিঠি ছাপা হলেও রবি তার বন্ধুদের নিজের হাতে চিঠি লিখে পৃথকভাবে আমন্ত্রণ জানাল। প্রিয়নাথ সেনকে সে লিখল :

প্রিয়বাবু :

আগামী রবিবার ২৪শে অগ্রহায়ণ তারিখে শুভদিনে শুভলগ্নে আমার পরমাত্মীয় শ্রীমান রবীন্দ্রনাথ ঠাকুরের শুভবিবাহ হইবেক। আপনি তদুপলক্ষে বৈকালে উক্ত দিবসে ৬নং জোড়াসাঁকোস্থ দেবেন্দ্রনাথ ঠাকুরের ভবনে উপস্থিত থাকিয়া বিবাহাদি সন্দর্শন করিয়া আমাকে এবং আত্মীয়বর্গকে বাধিত করিবেন।

ইতি
অনুগত
শ্রী রবীন্দ্রনাথ ঠাকুর

চিঠিখানি পেয়ে বেশ অবাক হল প্রিয়নাথ। এর যে মাথামুণ্ডু কিছুই বোঝা যাচ্ছে না। রবীন্দ্রের বিবাহ হচ্ছে তা তো জানা, সে ছেলেমানুষের মতন একখানি চিঠি রচনা করেছে, কিন্তু বিয়েটা হচ্ছে কোথায় ? সে জোড়াসাঁকোর বাড়িতে যেতে বলেছে, সেখান থেকে কি

বরযাত্রী হিসেবে যাওয়া হবে ? কনের বাড়িতেই বিয়ের অনুষ্ঠান হয় সব সময়। কিন্তু রবি যে লিখেছে, ওই জোড়াসাঁকোর বাড়িতেই 'বিবাহাদি সন্দর্শন করিয়া' ?

প্রিয়নাথ জিজ্ঞেস করল নগেন্দ্রনাথ গুপ্তকে। নগেন বলল, আমিও তো ওই একই চিঠি পেয়েছি। ঠিক বুঝতে পারছি না !

রবির বিবাহ হল নতুন মতে। তার শ্বশুর বেণী রায়ের টাকাপয়সা নেই। তার কন্যাকে যাতে ঠাকুরবাড়ির বধূর উপযুক্ত বস্ত্রালঙ্কারে সাজিয়ে গুছিয়ে দেওয়া হয়, সে জন্য ঠাকুরবাড়ি থেকেই নানারকম গয়না ও শাড়ি পাঠিয়ে দেওয়া হয়েছে। কলকাতায় একটা বাড়িও ভাড়া করে দেওয়া হয়েছে ওঁদের জন্য, যশোর থেকে ভবতারিণী, তার মা ও অন্যান্য আত্মীয়স্বজন এসে রয়েছে সেই বাড়িতে। কিন্তু শেষ পর্যন্ত পাত্রপক্ষ বিবেচনা করল, সবই যখন তাদেরই দেওয়া, তখন ওই ভাড়াবাড়িতে আর বর ও বরযাত্রীদের পাঠাবার কী দরকার ! জোড়াসাঁকোর বাড়িতে সব চুকিয়ে ফেললেই তো হয় !

ফুল দিয়ে সাজানো অশ্বশকটে নয়, পায়ে হেঁটে একখানি মাত্র বারান্দা ঘুরে রবি এল অন্দরমহলের বিবাহ আসরে। হিন্দু মতে এর আগে আইবুড়ো ভাত খাওয়া এবং গায়ে হলুদ পর্ব সবই হয়েছে, আদি ব্রাহ্মসমাজের বিয়েতে শুধু শালগ্রাম শিলাকে সাক্ষী রাখা হয় না। রবি পরেছে গরদের কাপড় ও কাঁধে একটি পারিবারিক শাল, মাথায় সে মুকুট পরেনি। রবি দাঁড়াল একটা পিঁড়ির ওপর, কনেকে আর একটা পিঁড়িতে বসিয়ে ঘোরানো হল সাত পাক। কনে জড়সড় হয়ে এমন মাথা নিচু করে আছে যে তার মুখখানি দেখাই যায় না।

এরপর বর-কনে দুজনেই হেঁটে হেঁটে এল দালানে। এখানে হল সম্প্রদান।

এ বাড়ির কোনও পুত্র বিবাহ করে সংসারী হলেই তার জন্য বরাদ্দ করা হয় একটি মহল। রবির জন্য একটি বেশ বড় ঘর নতুন আসবাবে সুসজ্জিত করা হয়েছে। আচার-অনুষ্ঠান শেষ হওয়ার পর সেই ঘরে বসল বাসর।

দেবেন্দ্রনাথ আসেননি। পুত্র-কন্যাদের বিবাহ-অনুষ্ঠান সাঙ্গ হবার কয়েকদিন পর তিনি যৌতুক পাঠিয়ে দেন, এটাই তাঁর প্রথা। দাদারাও অনেকে অনুপস্থিত, রবির বিবাহ উৎসব কেমন যেন অনাড়ম্বর। বাসরে আমোদ-প্রমোদও কিছুটা নিষ্প্রাণ, কেউ কেউ গান গাইছে, ঠিক যেন জমছে না। এ বাসরে অন্য পুরুষ নেই। কাচ্চা-বাচ্চা ও বয়স্ক মহিলারাই উপস্থিত। রবির কাকিমা ত্রিপুরাসুন্দরী বললেন, ও রবি, তুই হেন এমন গায়ক থাকতে আর কেউ যে সাহস করে গাইতে পারছে না। তুই একটা গান ধর না!

মাঝে মাঝেই রবি চোখ দিয়ে একজনকে খুঁজছে। আর সবাই আছে। শুধু একজন নেই। কাদম্বরীকে দেখা যাচ্ছে না কোথাও। কাদম্বরী বলেছিলেন রবির বিয়েতে তিনি খুশি হয়েছেন। সত্যি কি সেটা তাঁর মনের কথা ? কোনও আচার-অনুষ্ঠানেই দেখা যাচ্ছে না তাঁকে।

উৎসবের সব ভার নিয়েছেন জ্ঞানদানন্দিনী, তিনি দশভূজার মতন সব দিক সামলাতে পারেন, তাঁর পাশে কাদম্বরী যেন নিতান্তই অপ্রয়োজনীয়। রবি যেন কল্পনায় দেখতে পেল, কাদম্বরী একা নিজের ঘরের জানলার কাছে দাঁড়িয়ে আছেন। ঘরের বাতি জ্বলেনি, অন্ধকারের মতন নিঃসঙ্গতা জড়িয়ে আছে তাঁকে।

বিবাহ বাসরের প্রধান ব্যক্তিটির কি অন্যমনস্ক হয়ে থাকার উপায় আছে? সবাই ঠেলাঠেলি করছে তাকে, রবি জোর করে হাসি ফোটাচ্ছে মুখে। তার বুকের ভেতরটায় যেন একটা ফাটা বাঁশির বেসুরো আওয়াজ শোনা যাচ্ছে।

মেয়েদের দঙ্গল বারবার বলছে, অমন চুপ করে আছ কেন, রবি, তুমি একটা গান ধরো, গান গাও !

রবি তখন তার স্বর্ণদিদির লেখা একটা গান গেয়ে উঠল : আ মরি লাবণ্যময়ী, কে ও স্থির সৌদামিনী........

কনেটির নাম আজ থেকে বদলে গেছে। ভবতারিণী নাম একেবারে চলে না। তার নতুন নাম হয়েছে মৃণালিনী। ওড়নায় মুখ ঢেকে সে লজ্জায় মাথা নুইয়ে রেখেছে, যেন তার কপাল ঠেকে যাবে মাটিতে। তান দেওয়ার ভঙ্গিতে রবি সেই অবগুণ্ঠিতার মুখের সামনে হাত নেড়ে নেড়ে বারবার বলতে লাগল, কে ও স্থির সৌদামিনী....কে ও স্থির সৌদামিনী......

সবাই হেসে আকুল !

রবি আরও দুষ্টুমি করতে লাগল ভাঁড়কুলো খেলার সময়। একটা কুলোর ওপর চাল থাকে, ভাঁড়ে করে সেই চাল একবার করে ভরে ফেলে দিতে হয়। মেয়েরা তখন নানারকম কৌতুক করে। সেই খেলা শুরু হতে না হতেই রবি ভাঁড়গুলোসব উপুড় করে দিতে লাগল।

ত্রিপুরাসুন্দরী ব্যস্তসমস্ত হেসে বলল, ওকি, ওকি করছিস রবি? ভাঁড়গুলো সব উলটে পালটে দিচ্ছিস কেন ?

রবি ফ্যাকাসে ভাবে হেসে বলল, জানো না কাকিমা, সবই যে ওলোট পালোট হয়ে গেল আজ থেকে !

॥ ২৮॥

ধর্মনগর একটি ক্ষুদ্র মফঃস্বল শহর। সেখানে রাজ সরকারের একটি ছোটখাটো বাড়ি আছে। কিন্তু সস্ত্রীক, সপারিষদ মহারাজ বীরচন্দ্রের পক্ষে সে বাড়ি অনুপযুক্ত। তাই শহরের একটু বাইরে রাজকীয় তাঁবু খাটানো হয়েছে। তিনটি হাতি ও দশটি ঘোড়াও রাখা হয়েছে কাছাকাছি, এ অঞ্চলে হাতি-ঘোড়াই প্রধান যান-বাহন, গরুর গাড়িতে বিপদের আশঙ্কা আছে, জঙ্গলের মধ্যে যখন-তখন হিংস্র শ্বাপদের উপদ্রব হয়।

প্রধান তাঁবুতে বীরচন্দ্রের সঙ্গে রয়েছে তাঁর নবোঢ়া পত্নী মনোমোহিনী। এর মধ্যে তার অনেকখানি পরিবর্তন হয়েছে, সে আর ডানপিটে, কৌতুকময়ী বালিকাটি নয়, শরীর বেশ ডাগর, তার হাবভাবে ফুটে ওঠে রাজমহিষী সুলভ গাম্ভীর্য। মনোমোহিনী বুদ্ধিমতী, সে বুঝেছে যে মহারাজের উপযুক্ত সঙ্গিনী হয়ে উঠতে না পারলে প্রাসাদে তার মর্যাদা থাকবে না। মহারাজও কিছুদিন পরেই তাকে নজরের আড়াল করে দেবেন। এখন সে মহারাজের নর্মসঙ্গিনী শুধু নয়, বীরচন্দ্রের কবিতাও আগ্রহের সঙ্গে শোনে, বোঝার চেষ্টা করে। সেবা-যত্নে সে মহারাজকে তাঁর প্রধানা মহারানী ভানুমতীর শোক অনেকটা ভুলিয়ে দিয়েছে।

বীরচন্দ্র রাজধানী ছেড়ে এতদূর এসেছেন শুধু রাজ্য পরিদর্শনের কারণে নয়, তাঁর অন্য একটি কৌতুহল আছে।

বীরচন্দ্রের পূর্ববর্তী কোনও রাজা রাজধানী ছেড়ে বেশিদিন বাইরে থাকেননি, সমগ্র রাজ্যটি কখনও ঘুরেও দেখেননি। সিংহাসনটি অন্য কে কখন জবরদখল করে নেয়, তার তো ঠিক নেই। ভ্রাতৃবিরোধ এবং সেনাপতিদের বিশ্বাসঘাতকতার ঘটনায় এই বংশের ইতিহাস পরিকীর্ণ।

বীরচন্দ্রের সে রকম কোনও ভয় নেই । তাঁর সিংহাসন এখন মোটামুটি নিষ্কন্টক। যুবরাজ রাধাকিশোরের ওপর তিনি রাজকার্য পরিচালনার ভার দিয়েছেন, তাকে সাহায্য করবেন মহারাজের নিজস্ব সচিব রাধারমণ ঘোষমশাই। এই ঘোষমশাইয়ের বিশ্বস্ততা ও দক্ষতার ওপর বীরচন্দ্রের পূর্ণ আস্থা আছে। বীরচন্দ্র ভ্রমণবিলাসী ও সৌন্দর্যপিপাসু, তাই মাঝে মাঝে দূরে দূরে যান।

সকালবেলা দশখানি লুচি ও এক জামবাটি ভর্তি মোহনভোগ দিয়ে জলখাবার সেরে বীরচন্দ্র অশ্বারোহণে বেরিয়ে পড়লেন। সঙ্গী শুধু শশিভূষণ, আর পিছনে তিনজন বন্দুকধারী

দেহরক্ষী। ডিসেম্বর মাস, তবু শীত তেমন প্রবল নয়। বীরচন্দ্র পরে আছেন পাৎলুন ও কোট, মাথায় পাগড়ি, অশ্বপৃষ্ঠে চলার সময়েও তাঁর মাঝে মাঝে গড়গড়া টানা চাই, একজন হুঁকোবরদার সঙ্গে সঙ্গে ছুটছে, মহারাজের ইঙ্গিত পেলেই সে গড়গড়ায় নলটি এগিয়ে দিচ্ছে।

শশিভূষণ ধুতি-পাঞ্জাবি পরে আছেন, ঊর্ধ্বাঙ্গে একটা শাল জড়ানো। ঘোড়ায় চড়তে গেলেই যে বিলাতি পোশাক পরতে হবে, এমনটা তিনি বিশ্বাস করেন না। তাঁর সঙ্গে রয়েছে একটা বড় চামড়ার কেস ভর্তি ক্যামেরা। সামনে পাহাড়ের সারি, তা নিবিড় বনানীতে আবৃত। সরু পায়ে চলা পথ ছাড়া কোনও তৈরি পথ নেই, মাঝে মাঝে দু'পাশের গাছের ডাল এসে গায়ে লাগে। এদিকের পাহাড়গুলি বড় নয়, টিলাই বলা যায়, তবু আকাশের গায়ে এই ঢেউ খেলানো দিগন্তরেখা বড় মনোহর।

শশিভূষণ বললেন, মহারাজ, পাহাড়ের গায়ে ওই যে জঙ্গল, তা দেখে মনে হয় যেন কোনও দিন মানুষের পায়ে বিধ্বস্ত হয়নি। প্রকৃতি এখনও আদিম অবস্থায় রয়েছে এখানে।

বীরচন্দ্র বললেন, আমার ত্রিপুরা অতি সুন্দর। প্রকৃতি এখানে অকৃপণ। জঙ্গলে যে-সব মানুষজন থাকে তারাও জঙ্গলকে অপবিত্র করে না। তুমি উদয়পুর থেকে অমরপুর পর্যন্ত বড়মুড়া পাহাড়শ্রেণী দেখেছ? কী অপূর্ব!

শশিভূষণ বললেন, আজ্ঞে না, এ দেশটির অনেক কিছুই আমার এখনও দেখা হয়নি।

বীরচন্দ্র বললেন, সে পাহাড়কে মনে হয় যেন দেবতাদের লীলাস্থল। আমি তো বড়মুড়াকে দেব্‌তামুড়া বলি। তবে দুঃখ কি জান মাস্টার, আমাদের এই ত্রিপুরার সৌন্দর্যের কথা বাইরের অনেকেই জানে না।

শশিভূষণ বললেন, সে কথা ঠিক। এ দেশ সম্পর্কে অনেকেরই ধারণা নেই, মনে করে অতি দূর-দুর্গম স্থান। কলকাতায় অনেকে ভাবে, ত্রিপুরায় বুঝি শুধু পাহাড় আর জঙ্গল, শহর-টহর কিছু নেই।

বীরচন্দ্র হেসে বললেন, আর আমি বন-গাঁয়ে শিয়ালরাজা ! তোমাদের কলকাতার লোকদের কথা আর বল না ! তারা সব পশ্চিমমুখো ! পুবের দিকে তাকাতে জানে না। সূর্য ওঠে পুবে, আর কলকাতার শিক্ষিত লোকেরা বিলেতের দিকে চেয়ে প্রনাম ঠোকে। তোমাদের এক কবি হেম বাড়ুজ্যে লিখেছেন :

চিন ব্রহ্মদেশ অসভ্য জাপান
তারাও স্বাধীন তারাও প্রধান
ভারত শুধুই ঘুমায়ে রয়।

আচ্ছা বল তো, জাপান কি সত্যই অসভ্যদের দেশ ? জাপানিরা কোনওদিন বাইরের কোনও শক্তির কাছে পরাধীন হয়নি। ওদের সম্রাট সূর্য দেবতার বংশধর। সেখানকার সব লোক বৌদ্ধ, তারা হয়ে গেল অসভ্য ? তোমাদের কবি, চিন, ব্রহ্মদেশকেও অসভ্য বলেছেন নাকি?

শশিভূষণ একটু বিব্রতভাবে উত্তর দিলেন, আপনি ঠিকই বলেছেন মহারাজ, এসব অজ্ঞতার ফল। চিন-জাপান সম্পর্কে অনেকেই কিছু জানে না। এই দেখুন না, জাপানে যে সূর্যকে দেবতা না ভেবে দেবী রূপে কল্পনা করা হয়, তাই বা জানে ক'জনা ? আসলে হয়েছে কী জানেন, এই ভারতের ওপর বারবার আক্রমণ এসেছে উত্তর আর পশ্চিম থেকে। আগে মোগল-পাঠানরা এল, তারপর পর্তুগিজ-ওলন্দাজ-ফরাসি-ইংরেজরা। সেই জন্যই ভয়ে বা বিস্ময়ে বা ভক্তিতে গদগদ হয়ে এদেশের মানুষ তাকিয়ে থাকে পশ্চিম দিকে।

মহারাজ রাগতভাবে বললেন, যারা চিন-জাপানকে অসভ্য বলে, তারা যে ত্রিপুরাকে জংলী ভাববে, তাতে আর আশ্চর্য কী !

শশিভূষণ বললেন, হেম বাঁড়ুজ্যে লিখেছেন বলেই যে সকলে ওরকম মনে করে, তার কোনও মানে নেই। আমার তো ওই কবিতাটি পড়ে হাসি পেয়েছিল !

মহারাজ বললেন, থামো তো তুমি ! আমার ঢের জানা আছে। কলকাতার মানুষ তাদের অজ্ঞতা ঢাকবার জন্য আত্মম্ভরিতা দেখায় !

শশিভূষণ চুপ করে গেলেন। কিছুক্ষণ মন দিয়ে গড়গড়া টানতে লাগলেন বীরচন্দ্র। ঘোড়া দুটি দুলকি চালে এগিয়ে চলল পাহাড় শ্রেণীর পাদদেশের দিকে।

একটু পরে বীরচন্দ্র হঠাৎ বিষয় পরিবর্তন করে বললেন, বুঝলে মাস্টার, আজ আমার মনটা একটু খারাপ!

শশিভূষণ সচকিতভাবে জিজ্ঞেস করলেন, কেন মহারাজ ?

বীরচন্দ্রের মুখখানি ঈষৎ লজ্জারুণ হল। গোঁফের দু'দিকে তা দিতে দিতে তিনি বললেন, কথাটা তোমাকে বলা উচিত কি না জানি না। আমার কনিষ্ঠা রানী আজ আমাদের সঙ্গে আসবার জন্য আবদার করছিল। বয়েস তো কম, একেবারে অবুঝ। আমি বললাম, আমাদের ঘোড়ায় চেপে যেতে হবে, পাল্কি যাবার রাস্তাও নেই। তাতে সে বলে, সে নাকি ঘোড়ায় চড়তে জানে। মণিপুরে থাকতে শিখেছে।

শশিভূষণ বললেন, তা হলে তাকে নিয়ে এলেন না কেন, মহারাজ ?

বীরচন্দ্র বললেন, তোমার কি মাথা খারাপ হয়েছে? ত্রিপুরা রাজ্যের রাণী প্রকাশ্যে ঘোড়ায় চড়ে যাবে, লোকে তার মুখ দেখবে, আমাদের বংশ মর্যাদা ধুলোয় লুটোবে না?

শশিভূষণ বললেন, আমাদের কলকাতায় কিন্তু অসুবিধে হতো না। সেখানকার বড় মানুষেরা স্ত্রীদের সঙ্গে নিয়ে ঘোড়ায় চাপেন। দেবেন ঠাকুরের ছেলে জ্যোতিবাবু তাঁর পত্নীকে নিয়ে বেরুতেন শুনেছি। আমি নিজে গড়ের মাঠে রাজা-মহারাজাদের দেখেছি, সাহেব মেমদের পাশাপাশি বউ নিয়ে হাওয়া খাচ্ছেন।

বীরচন্দ্র এ কথাগুলি যেন শুনলেন না। আপনমনে বললেন, আসবার সময় দেখলাম, ছলো ছলো নয়নে তাকিয়ে আছে। এখন নিশ্চয় কাঁদাকাটি করছে সে।

শশিভূষন বললেন, মহারাজ, আমি একটি প্রস্তাব জানাব ? আপনি কলকাতায় একটা অট্টালিকা বানান। সেখানে আপনি মাঝে মাঝে গিয়ে থাকবেন। আমার মনে হয়, এটা বিশেষ দরকার।

বীরচন্দ্র ভ্রুকুঞ্চিত করে কয়েক মুহূর্ত শশিভূষণের দিকে তাকিয়ে রইলেন। তারপর বললেন, দরকার ? কেন, কিসের দরকার !

শশিভূষণ বললেন, আপনি যাওয়া-আসা করলে আপনার কথা, ত্রিপুরা রাজ্যের কথা সেখানকার মানুষ জানবে। আর কলকাতা মারফত সারা ভারত জানবে। কলকাতা এখন ভারতের রাজধানী। গোটা পৃথিবীতে কলকাতার সুনাম। কত দূর দূর দেশ থেকে জাহাজ আসে, এমনকি ভূগোলকের উল্টো পিঠ আমেরিকা থেকেও জাহাজ আসে কলকাতা বন্দরে। ব্যবসা-বাণিজ্যের সমৃদ্ধিতে রমরম করছে কলকাতা শহর। আপনি বোধহয় অনেকদিন যাননি। কত সুরম্য প্রাসাদ নির্মিত হয়েছে সেই নগরীতে। ভারতের বড় লাট, ছোট লাট দু'জনেই থাকেন কলকাতায়, সেই টানে দেশীয় রাজা-মহারাজা, নবাব বাহাদুর যে কলকাতায় এসে থাকেন, তার ইয়ত্তা নেই। কুচবিহার, ময়ুরভঞ্জ, মহীশুর, জয়পুর ইত্যাদি সব রাজাদেরই নিজস্ব বাসভবন আছে কলকাতায়। সেই জন্যই বলছি, ত্রিপুরা সরকারেরও একখানি বাড়ি থাকা উচিত সেখানে। আপনার ফটোগ্রাফির এত শখ, কলকাতায় ফটোগ্রাফির ক্লাব আছে, বার্ষিক প্রদর্শনী হয়—

শশিভূষণকে থামিয়ে দিয়ে বীরচন্দ্র রুক্ষ স্বরে বললেন, থাক, আমাকে আর কলকাতার গুণপনা শোনাতে হবে না। আমি কলকাতায় গেছি, অত মানুষের ভিড় আমার ভালো লাগে না!

শশিভূষণ চুপ করে গেলেন।

এবারে ওঁদের পাকদণ্ডি ধরে চড়াইয়ে উঠতে হবে। অতি সাবধানে অশ্বচালনা করতে হবে এখানে। মাঝে মাঝেই এক পাশে খাদ। তবে স্নিগ্ধ বাতাস বইছে, শোনা যাচ্ছে নানারকম পাখির ডাক, অরণ্য থেকে ভেসে আসছে টাটকা সবুজ গন্ধ। তীর্থযাত্রীরা ছাড়া এ পথ দিয়ে আর কেউ যায় না, একটি কাঠুরেরও দেখা পাওয়া গেল না।

বীরচন্দ্র এখনও চিন্তা করছেন মনোমোহিনীর কথা। কল্পনায় স্পষ্ট দেখতে পাচ্ছেন, অভিমানের কান্নায় ভেসে যাচ্ছে সেই মুখ।

অরণ্যের এই নিস্তব্ধতার মধ্যে কথা বলতেও ইচ্ছে করে না। শশিভূষণ অভিভূতভাবে দু' পাশের গাছপালা দেখতে দেখতে এগোলেন।

হঠাৎ একটা যেন হলুদ রঙের উল্কা ছিটকে এল জঙ্গল থেকে। সেটা ঝাঁপিয়ে পড়ল বীরচন্দ্রের ঘোড়ার ওপর। প্রথমে কয়েক মুহূর্ত কেউ বুঝতেই পারল না যে সেটা একটি বাঘ!

ঘোড়াটার টুঁটি কামড়ে ধরে গর্জন করে উঠল বাঘটা। তখন একটা বিকট কোলাহল শুরু হয়ে গেল। হুঁকোবরদার ভয়ে পালাতে গিয়ে পড়ে গেল খাদে। দেহরক্ষী দু'জন বন্দুক তাক করতে গিয়ে দেখল টোটা ভরা নেই। বীরচন্দ্রের কাছে বন্দুক নেই যদিও, কিন্তু কটিবন্ধে ঝুলছে তলোয়ার। ঘটনার আকস্মিকতায় তিনি এমনই বিহ্বল হয়ে গেলেন যে টানাটানি করেও তলোয়ার কোষমুক্ত করতে পারলেন না। ঘোড়া থেকে তিনি পড়ে গেলেন মাটিতে।

দেহরক্ষীদের মধ্যে একজন বন্দুকে টোটা ভরার পরেও এমনই কম্পিত হাতে গুলি চালাল যে তা বাঘটার ধারে কাছেও গেল না। বাঘটা এবার ঘোড়াটাকে ছেড়ে বীরচন্দ্রের দিকে আক্রমণে-উদ্যত হয়েছে।

শশিভূষণ নিজের ঘোড়া থেকে লাফিয়ে নেমে বিদ্যুৎ বেগে ছুটে গিয়ে অন্য দেহরক্ষীটির হাত থেকে কেড়ে নিলেন বন্দুক। তারপর সোজা বাঘটির মাথার দিকে পরপর দুটি গুলি চালালেন। কিছুকাল আগে তিনি বিশিষ্ট শিকারী ছিলেন, তাঁর লক্ষ্যভ্রষ্ট হবার কথা নয়। বাঘটি আর মাথা তুলতে পারল না।

শশিভূষণ বীরচন্দ্রক তুলে ধরে বললেন, মহারাজ, আপনার লাগেনি তো?

বীরচন্দ্র এখনও কোনও কথা বলতে পারছেন না। শুধু 'দুদিকে মাথা নাড়লেন। শশিভূষণ ধুলো ঝেড়ে দিতে লাগলেন তাঁর পোশাকের। দেহরক্ষী দু'জন এখন অকারণ চ্যাঁচামেচি করছে, তাদের ধমক দিয়ে তিনি বললেন, হুঁকোবরদার কোথায় গেল, তাকে খোঁজ।

ঘোড়াটির গলা থেকে গলগল করে রক্ত পড়ছে, চিৎকার করছে মৃত্যু যন্ত্রণায়, তার বাঁচার কোনও আশা নেই। বন্দুকে আবার টোটা ভরে শশিভূষণ ঘোড়াটির ভব যন্ত্রণা শেষ করে দিলেন।

সমগ্র ঘটনাটি ঘটে গেল মাত্র দু'তিন মিনিটের মধ্যে। কতখানি বিপদ যে ঘটতে পারত এবং প্রায় বিনা ক্ষতিতে যে উদ্ধার পাওয়া গেল, তা উপলব্ধি করতে সময় লাগল আরও কিছুক্ষণ।

হুঁকোবরদার বেশি নীচে পড়েনি, তাকে উদ্ধার করা হল। ওরা সবাই মিলে মৃত বাঘটিকে ঘিরে মন্তব্য করতে লাগল নানারকম। গায়ে ছাপ ছাপ দেওয়া বেশ বড় আকারের চিতা, এর চামড়া অতি মূল্যবান। একজন দেহরক্ষী জিজ্ঞেস করল, মহারাজ, এর চামড়াটা খুলে নেব?

বীরচন্দ্র আবার দু' দিকে মাথা নাড়লেন, হাতের ইঙ্গিতে সরে যেতে বললেন তাদের। এবার নিজে কাছে এসে ভালো করে দেখলেন তার আততায়ীকে। সাধারণ বাঘের চেয়েও চিতা অনেক দুঃসাহসী ও হিংস্র। আজ ত্রিপুরার সিংহাসন শূন্য হয়ে যেতে পারত।

তিনি পা দিয়ে ঠেলে ঠেলে মৃত বাঘটিকে নিয়ে এলেন খাদের কিনারে। তারপর জোর ধাক্কা দিয়ে ফেলে দিলেন অনেক নীচে। ঘাড় ঝুঁকিয়ে সেটা দেখার পর শশিভূষণের দিকে ফিরে বললেন, মাস্টার, তুমি আমার জীবনরক্ষা করলে, এজন্য একটা পুরস্কার তোমার প্রাপ্য।

শশিভূষণ বিনীতভাবে বললেন, আপনি যে ইচ্ছা প্রকাশ করলেন, এটাই আমার বড় পুরস্কার। আর কিছু চাই না। আমি কর্তব্য করেছি মাত্র।

বীরচন্দ্র বললেন, উঁহু, এটা শুধু কর্তব্য নয়, বীরত্ব। সাহসা ত্রিপুরা রাজ্যকে তুমি অরাজকতা থেকে বাঁচালে। এর পুরস্কার তো তোমাকে নিতেই হবে। কী সেই পুরস্কার জান?

শশিভূষণ চুপ করে রইলেন। বীরচন্দ্র তাঁর হাত থেকে বন্দুকটি নিয়ে বললেন, এর যথার্থ পুরস্কার, এই মুহূর্তে তোমার মৃত্যুদণ্ড !

দু' চক্ষু বিস্ফারিত হয়ে গেল শশিভূষণের। বীরচন্দ্রের শীতল কণ্ঠস্বর শুনেই বোঝা যায়, তিনি কৌতুক করছেন না ! তবু তিনি খানিকটা অবিশ্বাসের সঙ্গে বললেন, এত বড় পুরস্কারের যোগ্য তো কিছু আমি করিনি !

বীরচন্দ্র বললেন, তুমি একজন মাস্টার, তোমার তো বন্দুক ধরার কথা নয়। তোমার উচিত ছিল ভয়ে কাপড় নষ্ট করে ফেলা কিংবা রাস্তায় গড়াগড়ি দিয়ে বলির পাঁঠার মতন চ্যাচানো ! তুমি গুলি চালিয়ে আমার প্রাণ বাঁচালে কেন?

বীরচন্দ্র বন্দুক তুলে তাক করলেন শশিভূষণের দিকে। শশিভূষণ এখনও বুঝতে পারছেন না, এটা কী ধরনের মস্করা।

বীরচন্দ্র একটা দীর্ঘশ্বাস ফেলে আবার বললেন, ত্রিপুরার মহারাজ একটা সামান্য বাঘের আক্রমণ থেকে আত্মরক্ষা করতে পারেননি, এটা কি তাঁর পক্ষে গৌরবের কথা ? তাঁর অপদার্থ দেহরক্ষী গুলো বন্দুক ধরতেই শেখেনি। ত্রিপুরার মুকুট রক্ষা করল কি না এক ধুতি পাঞ্জাবি পরা বাঙালিবাবু? ঠাকুর লোকেরা শুনে হাসবে । নাঃ, এর কোনও প্রমাণ রাখা যায় না। বাঘের থাবায় আসলে মরেছ তুমি, বুঝলে ?

দেহরক্ষীরা পাংশু মুখে ঘেঁষাঘেঁষি করে দাঁড়িয়ে আছে। তাদের দিকে কটমট করে তাকিয়ে বীরচন্দ্র বললেন, এই হারামজাদারা, তোরা যদি একটা কথা বলিস তা হলে গর্দান যাবে।

বীরচন্দ্র বন্দুক উঁচিয়ে রইলেন শশিভূষণের দিকে। তিনি ভয় পাননি, তাঁর ওষ্ঠ তিক্ত হয়ে গেছে। এই মুহূর্তে যদি মৃত্যু হয়, তবে তাঁর মুখে লেগে থাকবে একটা বিরক্তির ছাপ।

বীরচন্দ্র এবার আপনমনেই বললেন, আমি কখনও নিজের হাতে মানুষ মারিনি। আজই কি প্রথম মারব ? বড় বিশ্রী ব্যাপারে। এই মাস্টারটি ছবি তোলার অনেক কিছু বোঝে। এমন লোক কি আর পাব ?

বন্দুক নামিয়ে তিনি বললেন, ওহে মাস্টার, তোমার প্রাণটা বাঁচাবার একটা রাস্তা আছে। শপথ করো, এই ঘটনা কোনওদিন কারুর কাছে প্রকাশ করবে না !

শশিভূষণ কোনও উত্তর দিলেন না।

বীরচন্দ্র এবার খানিকটা মিনতির সুরে বললেন, এখানে তো একটা কথাও উচ্চারণ করবেও না, এমনকি কলকাতায় তোমার বাড়ির লোকদের চিঠি লিখেও জানাবে না।

শশিভূষণ তবু বললেন না কিছুই।

বীরচন্দ্র শশিভূষণের কাছে এসে তাঁর কাঁধে হাত রেখে বললেন, কথা দাও, মাস্টার। তোমার কথাই যথেষ্ট। তুমি আমার প্রাণ বাঁচিয়েছ, আমার মানটা বাঁচিয়ো।

শশিভূষণ বললেন, এতদিন আমায় দেখছেন, আপনার বোঝা উচিত ছিল, নিজের সম্পর্কে বেশি কিছু বলা আমার স্বভাব নয়। যাই হোক, এবার কি আমরা ফিরে যাব, না এগোব ?

বীরচন্দ্র বললেন, এতদিন ফিরব কেন ? যাব, শেষ পর্যন্ত যাব।

তিনি দেহরক্ষীদের একটি অশ্বে আরোহণ করলেন। তারপর একটু আগের সব কিছু যেন ভুলে গিয়ে হালকা গলায় বললেন, মাস্টার, তুমি বন্দুক চালাতে শিখলে কোথায়? আমার ধারণা ছিল, কলকাতার কলেজে পড়া বাবুরা কলম ছাড়া আর কিছু ধরতে জানে না।

শশিভূষণ নিজের বংশের কথা বিশদ না করে শুধু বললেন, আমার উঠতি বয়েসটা কেটেছে মুর্শিদাবাদে, সেখানকার বনে-জঙ্গলে শিকার করেছি।

—বাঘও মেরেছ নিশ্চয়ই। প্রথম বাঘ এরকম চটপট কেউ মারতে পারে না।

—তা মেরেছি দু'একটা।

—ছিলে বাঘ শিকারী, তারপর মাস্টারির মতন নিরীহ কাজ বেছে নিয়ে এলে কেন এখানে ?

—আমার উত্তরটা শুনলে হয়তো বিশ্বাসযোগ্য হবে না, মহারাজ। এসেছি ত্রিপুরাকে ভালোবেসে।

—বিশ্বাস করা সত্যি শক্ত। সবাই আসে কোনও না কোনও কোনও মতলবে, স্বার্থের সন্ধানে। নিঃস্বার্থ ভালোবাসা যে বড় দুলর্ভ বস্তু ! মাস্টার, তুমি ত্রিপুরা রাজ্যটিকে ভালোবাস, না এখানকার কোনও সুন্দরীতে তোমার মন মজেছে ?

শশিভূষণের এখন গল্প করার মেজাজ নেই। মুখের সামনে বন্দুক তুলে যদি কেউ হত্যার হুমকি দেয়, তারপর কারই বা মেজাজ ঠিক থাকে। কিন্তু বীরচন্দ্রের স্বভাব যেন শিশুর মতন, তিনি এরই মধ্যে হালকা গলায় হাসছেন।

কয়েকবার চড়াই-উৎরাইয়ের পর তাঁরা এসে থামলেন একটা ঝরনার সামনে। সমতল থেকে অনেকখানি উচ্চে, চতুর্দিকে ঘোর জঙ্গল, যতদূর দেখা যায় শুধু পাহাড় ও উপত্যকা। ঝরনাটার এক পাশে একটা ছোট মন্দির, কাছাকাছি জঙ্গল পরিষ্কার করা, এদিক-সেদিকে ছড়িয়ে রয়েছে কয়েকটা পাথরের উনুন, পোড়া কাঠ, ভাঙা মালসা। বোঝা যায়, তীর্থযাত্রীরা এখানে রান্না করে খায়।

মন্দিরটি এমন কিছু দর্শনীয় নয়, কিন্তু পাশেই দেয়ালের মতন যে খাড়া পাহাড়, সেদিকে তাকিয়ে দু' জনেই বিস্ময়ের শব্দ করে উঠলেন। সেই পাথুরে দেয়ালের গায়ে খোদাই করা আছে একটি বিশাল মুখ। তার তিনটি চোখ, এক দিকে একটি ত্রিশূল।

মহারাজ অস্ফুট স্বরে বললেন, কালভৈরব !

শশিভূষণ ঘোড়া থেকে নেমে চামড়ার ব্যাগ খুলে ক্যামেরা বার করলেন। এদিক ওদিক তাকাতে তাকাতে বললেন, আরও অনেক খোদাই করা মূর্তি আছে। ওই যে বিষ্ণু, সুদর্শন চক্র, গরুড়... ঝরনাটির জলধারা ক্ষীণ, হেঁটে পার হয়ে এলেন দু'জনে। পাহাড়ের গায়ে দেখতে লাগলেন একের পর এক মূর্তি।

বীরচন্দ্র বললেন, এই সেই ঊনকোটি তীর্থ !

শশিভূষণ বললেন, এ পর্যন্ত আমি ঠিক বিশ্বাস করতে পারিনি। ভেবেছিলাম গল্প কথা। এই দুর্গম পাহাড়ের গায়ে কে এত মূর্তি খোদাই করে রাখবে ? কার জন্য? মন্দিরেও তো কেউ থাকে না।

বীরচন্দ্র বললেন, ঊনকোটি ! তার মানে জান ? এক কোটির থেকে মাত্র একটি কম। এত মূর্তি ও ছবি যে আছে, তার সব আজ পর্যন্ত কেউ দেখেনি। শুনেছি, হাজার বছর আগে শিবের ভক্তরা এখানে এসব করে গেছে। প্রতি বছর অশোকাষ্টমীর সময় এখানে তীর্থযাত্রীরা দূর দূর দেশ থেকে আসে।

শশিভূষণ বললেন, এ যে শিল্পের খনি। ইতিহাসের খনি ! এখানে আসার আগে আমি কোনও দিন ঊনকোটির নামও শুনিনি।

স্ট্যান্ডের ওপর ক্যামেরা বসিয়ে ছবি তোলার ব্যবস্থা হল। কোনওটা বীরচন্দ্র তুলছেন, কোনওটা শশিভূষণ। ছবি অবশ্য ভালো আসার সম্ভাবনা কম। এখানকার আকাশ মেঘলা, যথেষ্ট আলো নেই।

পাহাড়ের ধারে ধারে খাদ নেমে গেছে। দেখা যায় অনেক দূর পর্যন্ত। কোনও কোনও স্থানে নীচে নামার জন্য সিঁড়ি ছিল, এখন ক্ষয়প্রাপ্ত। তবু সেই চিহ্ন ধরে নামতে নামতে আরও

দেয়াল চিত্র ও ভাস্কর্য দেখা যায়। শশিভূষণ এরই মধ্যে এক শো'র বেশি দেখেছেন, সত্যি যেন শেষ নেই। বেশি নীচে নামতে সাহস হয় না, তা হলে আবার ওপরে ওঠা খুবই কষ্টকর হবে। তা ছাড়া এক জায়গা থেকে স্পষ্ট দেখা গেল, নীচের উপত্যকা অরণ্য মর্দন করে চলেছে হাতির পাল।

বীরচন্দ্রের ভারি চেহারা, পাহাড়ে বেশি ওঠা-নামা করলে তিনি শ্রান্ত হয়ে পড়েন, শ্বাসকষ্ট হয়। শশিভূষণ এক এক দিক দেখে এসে মহারাজকে মূর্তিগুলির বর্ণনা দেন। ব্রহ্ম-বিষ্ণু-মহেশ্বর, হনুমান, গনেশ,নানান ভঙ্গিমার কিন্নরী, বুদ্ধ ও শিব, ভগীরথ, রাবণ কী নেই! এক সময় শশিভূষণও পরিশ্রান্ত হয়ে পড়লেন, তবু ফিরে যেতে ইচ্ছে করে না। মহারাজের পাশে বসে তিনি সম্পূর্ণ এলাকাটির পরিপার্শ্বের রূপ উপভোগ করতে লাগলেন।

এক সময় তিনি অভিভূতভাবে বললেন, মহারাজ, ত্রিপুরার যে এত সম্পদ আছে, তা সারা ভারতবর্ষের মানুষের জানা উচিত। অজন্তার কথা শুনেছেন? মহারাষ্ট্রের এক দুগর্ম অঞ্চলে পাহাড়ের গুহার মধ্যে বৌদ্ধ শিল্পীরা কী সব অপূর্ব শিল্পসম্পদ রেখে গেছেন। বহুকাল লোকে সেই সব শিল্পকীর্তির কথা জানতই না। ইংরেজরা এই শতাব্দীতে পুনরাবিষ্কার করেছে। ইংরেজরাও কি ত্রিপুরায় এই উনকোটির সন্ধান জেনেছে ?

বীরচন্দ্র তন্ময় হয়ে চেয়ে আছেন, কোনও উত্তর দিলেন না।

শশিভূষণ আবেগের সঙ্গে বললেন, আমার ইচ্ছে করে সারা জগতের মানুষকে ডেকে এনে দেখাতে। কিন্তু আমার কথা কে শুনবে ? সেইজন্যই বলছিলাম,মহারাজ, কলকাতায় ত্রিপুরা সরকারের একটা কেন্দ্র থাকলে এই সব জিনিসের প্রচার হতো ! ভারতের রাজধানীতে এখন সারা পৃথিবীর মানুষই আসে।

যেন ধ্যান ভঙ্গ করে বীরচন্দ্র বললেন, হুঁ ! তোমার প্রস্তাবের সারবত্তা আছে, তা ঠিক। তা হলে সেই ব্যবস্থাই করা যাক। বাড়ি বানাতে সময় লাগবে। তার আগে কলকাতা শহরে একটা বড়সড় বাড়ি ভাড়া করলেই হয়। তার এক অংশে আমি গিয়ে মাঝে মাঝে থাকব। আর এক অংশে হবে আমার সরকারের দফতর। তুমি হবে সেই দফতরের নিয়ামক।

শশিভূষন চমকে উঠে বললেন, আমি ? না, না, আমি না ! অপর কারুর ওপর ভার দিন, ও দায়িত্ব নিতে আমি রাজি নই।

বীরচন্দ্র ভুরু কুঞ্চিত করে বললেন, তোমারই প্রস্তাব, অথচ তুমি রাজি নও কেন ?

শশিভূষণ বললেন, আমি ত্রিপুরাতেই থাকতে চাই । এখানে আরও কত কী দেখার আছে। কলকাতায় চাকরি করা আমার পক্ষে সম্ভব নয় !

—আমি যদি বলি তোমায় যেতেই হবে ? তোমার পাঠশালায় তো ছাত্র জোটে না। আমি ঠিক করেছি, ও পাট এবার চুকিয়ে দেব। রাজধানীতে একটা কলেজ বানাব, সেখানে সাধারণ ঘরের ছাত্ররাও পড়বে, রাজকুমাররাও ইচ্ছে হলে পড়বে। তবে, সে কলেজ বানাতে তো দেরি লাগবে, ততদিন তুমি কী করবে ? তোমার যে আর চাকরি থাকবে না ?

—আপনার এখানে চাকরি না থাকলে আমি পরিব্রাজক হব। ইংরেজের রাজত্ব সীমার মধ্যে আমি কোনওদিন চাকরি করতে যাব না। পরম করুণাময়ের কৃপায় নিজের ব্যয়ের সংস্থান আছে।

—ওহে শশীমাস্টার, তুমি দেখছি বেশ ঘাড়-বেঁকা। আমি বললাম, তোমাকে কলকাতায় যেতেই হবে, তুমি তা প্রত্যাখ্যান করলে ! কোনও রাজা-মহারাজের মুখের ওপর কেউ এমন কথা বলে ? তার ফল কী হয় জান না ?

—যদি বেয়াদপি করে থাকি, তা হলে ক্ষমা করবেন, মহারাজ। আপনি কুমারদের পাঠশালা তুলে দিচ্ছেন, আমিও ইস্তফা দিচ্ছি। আমি আর কোনও চাকরি চাই না।

—ইস্তফা দেবার তো আর প্রশ্নই ওঠে না। রাজার মুখের ওপর যদি কেউ কথা বলে, তাতে রাজার ক্রোধের উদ্রেক হয়। যে-রাজার ক্রোধ নেই, তাকে কেউ মানে না। রাজার ক্রোধ হলে সেই বেয়াদবকে শাস্তি দিতেই হয়। তোমাকে শাস্তি দিতে আমি বাধ্য।

—শাস্তি দিন, আমি মাথা পেতে নেব।

—মাথা পেতেই নিতে হবে তোমার। তোমার ধড় থেকে মাথাটা বিচ্যুত হয়ে যাবে। সবার চোখের আড়ালে। তোমার ধড় কিংবা মাথা কেউ আর খুঁজে পাবে না। জঙ্গলের মধ্যে পুঁতে দেওয়া হবে, কোনও এক সময় তা নিয়ে ভোজের উৎসব করবে বন্য জন্তুরা।

—মহারাজ, আজ সকালে আপনি এক বিচিত্র মেজাজে আছেন। এই নিয়ে দ্বিতীয়বার আমাকে পৃথিবী থেকে অদৃশ্য করে দেবার কথা বললেন। কিন্তু এত তাড়াতাড়ি পৃথিবী ছাড়ার একেবারেই ইচ্ছে নেই আমার।

বীরচন্দ্র হা-হা শব্দে উচ্চহাস্য করলেন। উঠে দাঁড়িয়ে বললেন, তোমার মতন একটি গুণীকে একেবারে শেষ করে দিতে আমারই কি ইচ্ছে হয়? আমাকে বাধ্য করো না। আমার কথা মানো, শাস্তি পেতে হবে না। কলকাতায় যাও, আমার জন্য বাড়ি প্রস্তুত করে রাখো। কলকাতায় গেলেও তুমি তো ইংরেজের রাজত্বে চাকরি করছ না, তুমি প্রতিনিধি থাকছ স্বাধীন ত্রিপুরার! আঃ, এবার ছোট রানীকেও কলকাতায় নিয়ে যাব। তাকে একদিন ঘোড়ার চড়াব কেল্লার মাঠে, গঙ্গার ধারে! সে কত খুশি হবে।

॥ ২৯ ॥

নরেন্দ্র মাঝে মাঝে দক্ষিণেশ্বরে যায় বটে, আবার প্রায়ই তার মন বিদ্রোহী হয়ে ওঠে। ভক্তি নয়, ঈশ্বরকে পাবার ব্যাকুলতা নয়, সে যায় শুধু ভালোবাসার টানে। তার প্রতি রামকৃষ্ণ ঠাকুরের যে তীব্র ভালোবাসা, বুক ভরা ব্যাকুলতা, সে যেন তার কোনও ব্যাখ্যা খুঁজে পায় না। আবার এমন নিঃস্বার্থ ভালোবাসাকে অস্বীকারও করা যায় না। ভালোবাসার জন্য মানুষ সব কিছু বিসর্জন দিতে পারে। সত্যি পারে? এমনকি বিশ্বাসও?

রামকৃষ্ণ ঠাকুরের সাহচর্যে নরেন্দ্র স্নিগ্ধ মাধুর্য অনুভব করে। তাঁর ব্যক্তিত্বে অয়স্কান্তমণির আকর্ষণ আছে। রঙ্গ-রসিকতায় মেতে থাকতে থাকতে হঠাৎ তিনি গভীর ভাবের দিকে চলে যান। তাঁর সঙ্গ ছেড়ে উঠে আসতে ইচ্ছে করে না। কিন্তু যখন তাঁর ভক্তবৃন্দ বিভিন্ন ঠাকুর দেবতার নামে গদ্‌গদ্ হয়, যখন তিনি বলেন ঈশ্বর দর্শনই মনুষ্য জীবনের সার কথা, তখন নরেন্দ্রর বিশ্বাসে ঘা লাগে, সে ফুঁসে ওঠে। সে ছাড়া রামকৃষ্ণ ঠাকুরের মুখের ওপর প্রতিবাদ করতে আর কেউ সাহস পায় না। রামকৃষ্ণ ঠাকুরও নরেন্দ্রর কথা শুনে রাগ করেন না, হেসে ওঠেন।

নরেন্দ্রর বন্ধু রাখাল একসময় নরেন্দ্রের সঙ্গে ব্রাহ্মসমাজে যেত, নিরাকার ব্রহ্ম ছাড়া আর কোনও ঠাকুর-দেবতায় বিশ্বাস করবে না বলে শপথ নিয়েছিল, এখন সে সাকারবাদী হয়েছে। দিব্যি দক্ষিণেশ্বর মন্দিরের কালীঠাকুরকে পুজো করতে যায়। নরেন্দ্র সে জন্য একদিন রাখালকে ধমকাতে গিয়েছিল। রামকৃষ্ণ ঠাকুর বললেন, তুই নিজে না মানিস না মানিস, ওকে বকিস কেন? ও বেচারি তোকে দেখলেই ভয়ে ভয়ে থাকে।

রামকৃষ্ণ ঠাকুর কোনও বিষয়েই নরেন্দ্রকে জোর করেন না। নরেন্দ্র তর্ক করুক, নাস্তিকতার বড়াই করুক, তাও ঠিক আছে, শুধু বেশিদিন নরেন্দ্রকে না-দেখলে তিনি ছটফট করেন। নিজেই সিমলে পাড়ায় নরেন্দ্রর পড়ার ঘরে গিয়ে উপস্থিত হন।

রামকৃষ্ণ ঠাকুরের দু' একটি ব্যবহার নরেন্দ্রর পক্ষে খুবই অস্বস্তিজনক। কেউ মিছরি, পেস্তা বাদাম, কিসমিস দিয়ে গেলে তিনি বলবেন, ওরে, নরেনকে দে, ও সব খাবে ! একদিন নরেনের টঙে তিনি নিজে কিছু মিষ্টি নিয়ে এসেছেন, তখন আরও দু'জন বন্ধু সেখানে উপস্থিত। বন্ধুদের সম্পূর্ণ অগ্রাহ্য করে রামকৃষ্ণ ঠাকুর তাকে বললেন, তুই এগুলো খা, আমি দেখব ! মহা মুশকিলের ব্যাপার। গ্রাম্য ঠাকুমা-দিদিমারা অন্যদের লুকিয়ে নিজের নাতিকে ভালো ভালো জিনিস খাওয়ান। কিন্তু শহরের ছেলেরা বন্ধুদের সঙ্গে ভাগ না করে কিছু খায় নাকি!

আর হচ্ছে অতিশয়োক্তি। এক ঘর মানুষের মধ্যে রামকৃষ্ণ ঠাকুর নরেনের প্রশংসা করে তাকে একেবারে আকাশে তুলবেন। একদিন কেশব সেনের সঙ্গে তুলনা করায় নরেনের লজ্জায় মাথা কাটা যাবার জোগাড়। রামকৃষ্ণ ঠাকুর ফস করে বলে বসলেন, কেশবের তুলনায় নরেনের অন্তরের শক্তি ষোলোগুণ বেশি ! ছি ছি ছি, এমন কথা বলার কোনও মানে হয় ? কোথায় বিশ্ববিখ্যাত, ধী সম্পন্ন, পরম শ্রদ্ধেয় কেশব সেন, আর কোথায় একটা কলেজের ছোকরা। নরেন্দ্র কি নিবোর্ধ যে নিজের অন্যায্য প্রশংসা শুনে বিগলিত হবে, সে তীব্র প্রতিবাদ জানিয়েছিল।

কথা কানে হাঁটে। একজনের কথা আর একজনের কাছে পৌঁছে দিতে বাঙালিরা খুব তৎপর। যথাসময় রামকৃষ্ণ ঠাকুরের এই উক্তি কেশব সেনের কানেও তুলে দিল কিছু লোক। কেশববাবু কিন্তু রাগ করলেন না, তাঁর সহজাত উদারতায় বললেন, ওই ছেলেটার গুণপনা বিকশিত হলে আমি অবশ্যই খুশি হব।

অন্য ভক্তদের সামনে রামকৃষ্ণ ঠাকুর প্রায়ই বলেন, তোরা সব এক থাকের, নরেন আর এক থাকের। কিংবা কয়েক জন ভক্তের দিকে তাকিয়ে বলেন, তোরাও সবাই কুসুম, কেউ দশ, কেউ পনেরো, কেউ বড্ড জোর বিশ দল বিশিষ্ট পদ্ম, কিন্তু নরেন যে সহস্রদল কমল ! এত সব লোক আসে, কিন্তু নরেনের মতন আর কেউ না। অন্যরা কলসি, ঘটি এসব হতে পারে, নরেন হচ্ছে জালা। ডোবা, পুষ্করিনীর মধ্যে নরেন হচ্ছে বড় দিঘি—যেমন হালদারপুকুর! মাছের মধ্যে নরেন রাঙা-চক্ষু বড় রুই, আর সব.....পোনা কাঠি বাটা এই সব!

অন্য সব ভক্তদের এই ধরনের মন্তব্য ও তুলনা পছন্দ হবার কথা নয়। কারুর কারুর গাত্রদাহ হয়। কয়েকজন ঘুরিয়ে ফিরিয়ে নরেন্দ্রর নামে নিন্দা-মন্দ ছড়াবার চেষ্টা করে।

রামকৃষ্ণ ঠাকুর মাঝে মাঝে নরেনের সঙ্গে অন্য দু'একজনের তর্ক লাগিয়ে দিয়ে দেখেন। মহেন্দ্র গুপ্ত দক্ষিণেশ্বরে প্রায়ই আসেন। তিনি ইংরেজিতে কৃতবিদ্য এবং শ্রদ্ধেয় শিক্ষক, বিদ্যাসাগর মশাইয়ের স্কুলে পড়ান, স্বয়ং রামকৃষ্ণ ঠাকুর তাঁকে মাস্টার বলে ডাকেন। একদিন নরেন্দ্র পঞ্চবটিতে একা বসে আছে। রামকৃষ্ণ ঠাকুর তার হাত ধরে টানতে টানতে সহাস্যে বললেন, আজ তোর বিদ্যে বুদ্ধি বোঝা যাবে। তুই তো মোটে আড়াইটে পাশ করেছিস, আজ সাড়ে তিনটে পাশ করা মাস্টার এসেছে। চল, তার সঙ্গে কথা কইবি !

মুরগির লড়াইয়ের মতন দেখা মাত্রই তো তর্ক শুরু করা যায় না। নরেন্দ্র বিনীতভাবে আলাপ পরিচয় শুরু করল। প্রথমে বই পড়া জ্ঞানের কথা আসে, তারপর বিচার, বুদ্ধি ও বিশ্বাস। মাস্টারমশাই সংসারী মানুষ, আবার ইন্দ্রিয়াতীত অনুভূতির ওপরেও খুব ঝোঁক। কথায় কথায় অবতারবাদের প্রসঙ্গ এসে গেল। ঈশ্বর কোনও বিশেষ মানুষের রূপ ধরে পৃথিবীতে আসেন ? এ কথাটা শুনলেই নরেন্দ্রর হেসে উঠতে ইচ্ছে করে। কেউ একজন বলল,

আমি ঈশ্বরের প্রতিনিধি, দু'চারজন তাকে নিয়ে নাচানাচি শুরু করল আর অমনি তা সত্যি হয়ে গেল ? এর প্রমাণ কোথায় ? অন্যদের মতে, বিশ্বাস থেকেই প্রমাণ আসে। 'বিশ্বাসে মিলায় কৃষ্ণ, তর্কে বহুদূর'। বিশ্বাস শব্দটির ব্যাখ্যা নরেন্দ্রর কাছে অন্যরকম। জ্ঞান, অভিজ্ঞতা ও নিজস্ব বিচারবোধ, এর থেকেই গড়ে ওঠে বিশ্বাস। আর অন্যদের মতে, সত্যিকারের বিশ্বাস অর্জন করতে হলে বুদ্ধি ও বিচারবোধকে বিসর্জন দিতে হবে। নরেন্দ্র এ কথাটা কিছুতেই মানতে পারে না। সে বরাবরই তার মতামত তীব্র কণ্ঠে জাহির করতে ভালোবাসে । কথা বলতে বলতে তার কণ্ঠস্বর উচ্চগ্রামে ওঠে, মাটির ওপর ঘুঁষি মেরে সে বলে, অন্যে যা বলে, তা আমি চোখ বুজে বিশ্বাস করব ? কিছুতেই না।

রামকৃষ্ণ ঠাকুর আগাগোড়া মিটিমিটি হাসেন ও দু'জনের মুখের দিকে তাকান। তর্ক থামলে, মাস্টার বিদায় নেবার পর তিনি বললেন, পাশ করলে কী হয় ? মাস্টারটার মাদী ভাব, কথা কইতে পারে না। নরেন হচ্ছে খাপ খোলা তরোয়াল !

নরেন্দ্র লজ্জা পেয়ে বলে, ছি ছি, এ কী বলছেন। মাস্টারমশাই কি কিছু মনে করলেন ? ওঁর কাছে মাপ চেয়ে নেব।

অবতারবাদের প্রশ্নটি বেশ গুরুতর। আগে দক্ষিণেশ্বরে কিছু কিছু লোক আসত তার কারণ, রামকৃষ্ণ ঠাকুর সরল ও রসালো গল্পের ছলে ধর্মের ব্যাখ্যা করেন। ওঁকে দেখলেও খুব ভালো লাগে, মনে হয় খুব কাছের মানুষ। কিন্তু ইদানীং কিছু কিছু লোক ওঁকেই ঈশ্বরের অবতার বলে ভাবতে শুরু করেছে। রামকৃষ্ণ ঠাকুর তার প্রতিবাদ করেন না, নিজের মুখে কিছু বলেনও না।

একদিন কয়েকজন ভক্ত ব্রাহ্মদের নিরাকারবাদের তুলনায় সাকারবাদই যে হিন্দু ধর্মকে এতকাল ধরে রেখেছে, তা নিয়ে নিজেদের নানা অভিজ্ঞতার কথা বলতে লাগল। যুগ যুগ ধরে হিন্দুরা বিশ্বাস করে যে মাটির প্রতিমায় প্রাণ প্রতিষ্ঠা করা যায়। এসেই প্রতিমার সামনে চক্ষু বুজে বসে ধ্যান করলে সত্যিই সেই ঠাকুর জীবন্ত হয়ে ওঠেন। রামকৃষ্ণ ঠাকুর তো যখন-তখন কালীর সঙ্গে গিয়ে কথা বলেন, অন্য ভক্তদেরও একরম অভিজ্ঞতা হয়েছে।

নরেন্দ্র বিরক্ত হয়ে বলে উঠল, মশাই, এসব আপনাদের অন্ধ বিশ্বাস !

এবার রামকৃষ্ণ ঠাকুরের অন্যরকম প্রতিক্রিয়া হল। তিনি খানিকটা ধমকের সুরে নরেন্দ্রকে বললেন, বিশ্বাসের আবার অন্ধ কি রে ? বিশ্বাসমাত্রই তো অন্ধ। বিশ্বাসের কি আবার চোখ আছে নাকি ? হয় বল শুধু 'বিশ্বাস ' না হয় বল 'জ্ঞান' । তা না হয়ে আবার 'অন্ধ বিশ্বাস','চোখওয়ালা বিশ্বাস'—এ কী রকম ?

নরেন্দ্র হঠাৎ খুব দমে গেল। এখানে আসতে হলে একেবারে অন্ধবিশ্বাস রাখতে হবে ? না, না, সে পারবে না। ভালোবাসার জন্যও পারবে না।

নরেন্দ্র দক্ষিণেশ্বরের পথ মাড়ানো বন্ধ করল। সে আর আসে না। আসে না তো আসেই না। সে না এলে অন্য কয়েকজন ঈর্ষাকাতর ভক্তের সুবিধে হয়, তারা কুটুস কুটুস করে নরেন্দ্রর নামে নিন্দে ছড়ায়।

বি এ পরীক্ষার ফল বেরিয়ে গেছে, মেধাবী ছাত্র হলেও নরেন্দ্র পাশ করেছে মাঝারি ভাবে। পৈতৃক পেশা নেবার জন্য সে শিক্ষানবিশি শুরু করেছে অ্যাটর্নি অফিসে। অধিকাংশ সময় কাটায় বন্ধুদের সঙ্গে। বাড়িতে বেশি থাকেই না, কারণ সেখানে সব সময় বিয়ের তাড়না। বিশ্বনাথ দত্ত একটার পর একটা মেয়ে দেখেই চলেছেন। এক এক জায়গায় কথা প্রায় পাকা হয়ে গিয়েও খুঁটিনাটির জন্য ভেঙে যায়।

গান আর আড্ডা নরেন্দ্রর খুব প্রিয়। কখনও একটা ঘোড়ার গাড়ি ভাড়া করে সারা রাত হইহই করতে করতে ঘোরা হয় কলকাতা শহরে। কখনও কোনও বাগানবাড়িতে যাওয়া হয়। নস্যি, চুরুট এবং রান্নায় খুব বেশি ঝাল খাওয়া ছাড়া নরেন্দ্রর অন্য কোনও নেশা নেই, কিন্তু

তার বন্ধুরা কেউ কেউ যুগের হাওয়া অনুযায়ী মদ্যপানও করে, বেশ্যাপল্লীতেও যায়। সংসর্গ অনুযায়ী মানুষের চরিত্র বিচার হয়। যারা নরেন্দ্রর নামে অপবাদ ছড়াতে উৎসুক, তারা বলাবলি করতে লাগল যে নরেন্দ্র আজকাল মদ্যপান ও পতিতালয়ে যাওয়া-আসা শুরু করেছে।

এসব কথা নরেন্দ্রর কানে আসে। সে বুঝতে পারে যে রামকৃষ্ণ ঠাকুরের দু' একজন শিষ্য তার সম্পর্কে খোঁজ খবর নেবার জন্য তার বাড়ির কাছে ঘোরাঘুরি করে। শরৎ নামে একজন শিষ্য নরেন্দ্রর এক প্রতিবেশীর কাছে জিজ্ঞেসবাদ করছিল। প্রতিবেশীটি বলল, ধুর মশাই ওর কথা আর বলবেন না। এমন ত্রিপণ্ড ছেলে কখনও দেখিনি, বি এ পাশ করেছে বলে যেন ধরাকে সরা দেখে। বাপ-খুড়োর সামনেই তবলায় চাঁটি দিয়ে গান ধরল, পাড়ার বয়োজ্যেষ্ঠদের সামনে চুরুট খেতে খেতে চলল—এই রকম সব ব্যাপার।

নরেন্দ্রর অহংকাল প্রবল। কেউ তার নামে মিথ্যে বদনাম দিলে তা প্রতিবাদ করেই না, বরং তার উত্তর শুনে অন্যদের পিলে চমকে যায়। বদনামকারীরা সাধারণত আড়ালপ্রিয়, সামনে ভালো মানুষটি সেজে থাকে। নরেন্দ্র তাদের মুখের ওপর বলে, এই দুঃখ কষ্টের সংসারে নিজের দূরদৃষ্ট ভুলে থাকবার জন্য কেউ যদি মদ খায় কিংবা বেশ্যা বাড়ি গিয়ে সুখী হয়, আমার তাতে কিছুমাত্র আপত্তি নেই। শুধু তাই নয়, আমি যদি কখনও নিশ্চিত ভাবে বুঝি যে আমিও ওই সব করে কিছুটা সুখ পাব, তা হলে কারুর ভয়ে পিছিয়ে যাব না!

নরেন্দ্রর মনে কোনও একটা বিশ্বাস আছে যে দক্ষিণেশ্বরের ওই পাগল মানুষটি কখনও তার সম্পর্কে এসব কথা বিশ্বাস করবেন না। আর তিনিও যদি ভুল বোঝেন, তা হলে ভালোবাসার মাহাত্ম্য রইল কী!

রামকৃষ্ণ ঠাকুরের সামনে যখন কেউ কেউ নরেন্দ্রর নামে অপবাদ দেয়, তিনি হাসেন। কখনও বা রেগে উঠে বলেন, দুর শালা! নরেনের নামে ওসব বলবি তো তোদের আর মুখ দেখব না! নরেন সপ্তর্ষির একজন। ও কখনও নষ্ট হতে পারে?

এক একদিন নরেন নিজেই রামকৃষ্ণ ঠাকুরকে পরীক্ষা করতে যায়। কিংবা দক্ষিণেশ্বর তাকে টানে, সে অন্য জায়গায় যাবে ভেবে হঠাৎ উপস্থিত হয় দক্ষিণেশ্বরে। কিংবা বন্ধুদের সঙ্গে প্রবল আড্ডায় মেতে আছে, তারই মধ্যে উঠে দাঁড়িয়ে হন হন করে রওনা দেয় দক্ষিণেশ্বরের দিকে। সেখানে গিয়ে কিন্তু সে মূর্তি পূজা নিয়ে ঠাট্টা-ইয়ার্কি করতে ছাড়ে না। এমনকি অদ্বৈতবাদও মানতে পারে না সে। সব মানুষ, এমনকি সব বস্তুর মধ্যেই ঈশ্বর আছেন? তাহলে, চোর-ডাকাত-খুনেদের মধ্যেও ঈশ্বরের অবস্থান? ঘটি-বাটি-গামলাও ঈশ্বর?

একদিন উইলসনের হোটেলে কয়েকজন বন্ধুর সঙ্গে খানাপিনা চলছিল। এক সময় অকারণেই নরেন্দ্রর মন উচাটন হল, বন্ধুদের ছেড়ে সে চলে এল দক্ষিণেশ্বরে। আট-দশজন ভক্ত পরিবৃত হয়ে রামকৃষ্ণ ঠাকুর বসে আছেন তাঁর ঘরের সামনের বারান্দায়। কিছু একটা গল্প বলছেন, সবাই শুনছে গভীর মনোযোগ দিয়ে। এমন সময় নরেন্দ্র এসে সেখানে দাঁড়াল।

রামকৃষ্ণ ঠাকুর খুব স্বাভাবিক কণ্ঠে বললেন, এসেছিস? বোস।

নরেন্দ্র উদ্ধতভাবে বলল, আগে একটা কথা জানিয়ে রাখি। আমি হোটেল থেকে খেয়ে এসেছি। লোকে যাকে অখাদ্য বলে তাই খেয়েছি। আপনার জলের পাত্র, ঘটি-বাড়ি ছুঁলে যদি অপবিত্র হয়, তা হলে বলে দিন, কিছু ছোঁব না।

রামকৃষ্ণ ঠাকুর একটুক্ষণ অপলক নয়নে চেয়ে রইলেন নরেন্দ্রর দিকে। তারপর আস্তে আস্তে বললেন, তুই যা খুশি খা, কোনও দোষ লাগবে না। শোর-গরু খেয়েও যদি কেউ ভগবানে মন রাখে, তবে তা হবিষ্যান্নের তুল্য। আর শাক-পাতা খেয়েও যদি কেউ বিষয়-বাসনায় ডুবে থাকে, তবে তা শোর-গরু খাওয়ার চেয়ে কোনও অংশে পবিত্র নয়। তুই অখাদ্য খেয়েছিস, তাতে আমার কিছুই মনে হচ্ছে না।

ইঙ্গিতে তিনি নরেন্দ্রকে কাছে ডাকলেন। তার একটা হাত ধরে বললেন, এই দেখ, তোকে আমি ছুঁয়ে দিলাম। আমার কোনও বিকার হল না।

নরেন্দ্র স্তম্ভিত হয়ে গেল। ইনি গরু-শুয়োর খাওয়াটাকেও ঘৃণ্য মনে করেন না ? আজ পর্যন্ত কোনও সাধু-সন্ন্যাসী কি এমন কথা উচ্চারণ করতে পেরেছেন ? আর কোনও মহাপুরুষ দেখাতে পেরেছেন এতখানি উদারতা ? নিজের খাওয়া-দাওয়া সম্পর্কে রামকৃষ্ণ ঠাকুরের বাছ-বিচার আছে। কিন্তু অন্যদের ব্যাপারে সহনশীল। সাধারণত গুরুরা শিষ্যদের ত্যাগী হতে বলেন। আর ইনি ?

ক্রমশ নরেন্দ্র বুঝতে পারল, বিশ্বাস শব্দটার অর্থ সকলের কাছে এক নয়। সে ধরে রেখেছে, যা যুক্তসিদ্ধ নয়, তা বিশ্বাস করা যায় না। অর্থাৎ বিশ্বাস আর যুক্তি অঙ্গাঙ্গী জড়িত। আর রামকৃষ্ণ ঠাকুর বিশ্বাস শব্দটি বলেন উপলব্ধির অর্থে। যে-কোনও বিষয়ের যে তাৎপর্য, তার উপলব্ধি হলে তখন আর কোনও প্রশ্ন জাগে না। সেই উপলব্ধিটাই রামকৃষ্ণ ঠাকুরের ভাষায় 'অন্ধ বিশ্বাস' ?

অমন উপলব্ধি কী ভাবে হয় ?

আর একটা প্রশ্নও নরেন্দ্রর মনের মধ্যে ঘোরে। রামকৃষ্ণ ঠাকুর যে সবার সামনে তাকে এত বড় বড় বলেন, সে কি তার যোগ্য। সত্য না হোক, এটা ওঁর প্রত্যাশা। অমন সরল-সুন্দর মানুষটির এই প্রত্যাশার উপযুক্ত সে হবে কী করে ?

বজ্রপাতের মতন একটি ঘটনায় এই সব প্রশ্ন তার মন থেকে উপে গেল।

বরানগরে থাকে নরেন্দ্রর বন্ধু ভবনাথ চাটুজ্যে। সে নরেন্দ্রকে এতই ভালোবাসে যে, তাকে দেখে রামকৃষ্ণ ঠাকুর একদিন রঙ্গ করে বলেছিলেন, তুই আগের জন্মে নরেন্দ্রর ইস্তিরি ছিলি বোধহয় ! সেই ভবনাথ তার বাড়িতে প্রায়ই নরেন্দ্রকে নেমন্তন্ন করে খাওয়ায়। আরও দু'জন বন্ধু, সাতকড়ি আর দাশরথিও কাছাকাছি থাকে, তারাও আসে। সেরকমই একদিন খাওয়াদাওয়া ও গান-বাজনায় অনেক রাত হয়ে গেল, আর বাড়ি ফেরা যাবে না। নরেন্দ্র শুয়ে পড়ল সেখানেই। নরেন্দ্রর বাড়ি না ফেরার আর একটি গূঢ় কারণ আছে, পরদিন সকালেই বাবা তার জন্য আর একটি পাত্রী দেখতে যাবেন এবং নরেন্দ্রকে সঙ্গে নিয়ে যেতে চান। নরেন্দ্রর দিদিমার ধারণা হয়েছে যে, দক্ষিণেশ্বরের রামকৃষ্ণ সাধুর পাল্লায় পড়েই নরেন্দ্র বিয়ে করতে চায় না। সাধুই নিষেধ করেছে। নইলে, বয়েসকালের ছেলে, বিয়ের দিকে মন যাবে না কেন ? এখনই জোর করে ওর বিয়ে দেওয়া দরকার।

আলো নিবিয়ে সবাই শুয়ে পড়েছে, একসময় ঘুমিয়েও পড়ল।

গভীর রাতে জানলার বাইরে কে যেন ডাকল, নরেন, নরেন !

প্রথমে নরেন্দ্ররই ঘুম ভাঙল। কেউ কি সত্যি তাকে ডাকছে, না স্বপ্ন ? আবার সেই ডাক, খুব ব্যাকুল কণ্ঠস্বর।

নরেন্দ্র ধড়মড়িয়ে উঠে জানলা খুলে জিজ্ঞেস করল, কে?

রাস্তায় দাঁড়িয়ে আছে নরেন্দ্রর পাড়ার একটি ছেলে, তার নাম হেমালী। সে বলল, নরেন, শিগগিরই বেরিয়ে আয়,তোর বাড়িতে খুব বিপদ !

খালি গায়ে, খালি পায়ে ছুটে বেরিয়ে এসে নরেন্দ্র জিজ্ঞেস করল, কী হয়েছে ? ওরে! শিগগির বল, কী হয়েছে ?

হেমালী আড়ষ্ট গলায় বলল, তোর বাবা.......

নরেন্দ্র তার হাত চেপে ধরে বলল, অসুস্থ ? এখনও আছেন তো ?

হেমালী বলল, কী জানি.....নেই বোধহয়।

এত রাত্রে গাড়ি পাওয়া যাবে না। নরেন্দ্র ছুটতে লাগল। রাত্রির দ্বিতীয় প্রহর পেরিয়ে গেছে, নরেন্দ্র যখন সিমলেয় পৌছোল, তখন প্রায় ভোর।

বিশ্বনাথ দত্ত সেদিনও অফিস করেছেন। অফিস থেকে আলিপুরে গিয়েছিলেন এক মক্কেলের দলিলপত্র দেখতে । বাড়ি ফেরার পর বুকে একটু একটু ব্যথা বোধ করছিলেন, বেশি গুরুত্ব দেননি। বহুদিন থেকেই তাঁর ডায়বেটিস, কিছুদিন আগে হৃদরোগের লক্ষণ প্রকাশ পেলেও তিনি তাঁর জীবনযাত্রার ধরন বদল করেননি, তিনি ভোজনবিলাসী, প্রতি রাত্রে উত্তম পানাহার ছাড়া তাঁর মন ওঠে না। আজও আহারাদি সেরে স্ত্রীকে বললেন, বুকে একটা মলম মালিশ করে দিতে। বুকের ব্যথা চলছে, তার মধ্যেই তিনি গড়গড়ার নল মুখে নিয়ে তামাক টানছেন ও লেখাপড়ার কাজ করছেন। একবার উঠে গিয়ে তিনি বমি করলেন, সেই অবস্থাতেও স্ত্রীকে বললেন, কাল সকাল সকাল বেরুব, বিলের বিয়ের পাকা কথা দিয়ে আসব, জামা-কাপড় ঠিক করে রেখো। তার কিছুক্ষণ পরেই সব শেষ।

নরেন্দ্র মৃত পিতার পায়ের কাছে হাঁটু মুড়ে বসল। সে শক্ত মনের যুবা, কেউ কখনও তাঁকে কাঁদতে দেখেনি, পুরুষ মানুষের কান্না সে ঘোর অপছন্দ করে। সে বসে রইল নিঃশব্দে। অনুতাপে তার বুকটা দগ্ধ হয়ে যাচ্ছে। ইদানীং সে তার বাবাকে এড়িয়ে এড়িয়ে যাচ্ছিল। বেশ কিছুদিন বাবার সঙ্গে তার প্রায় কোনও কথাই হয়নি। শেষ সময়েও সে বাবার কাছে থাকতে পারল না। যাবার আগে জ্যেষ্ঠ পুত্রকে একটি কথাও বলে যেতে পারলেন না বিশ্বনাথ।

হঠাৎ আকাশ ভেঙ্গে পড়ার মতন নরেন্দ্র কান্নায় আছড়ে পড়ল।

॥ ৩০ ॥

কলকাতা শহরে বহিরাগত ছাত্রদের পৃথক পৃথক মেস আছে। সিলেটি মেস, কুমিল্লা মেস, ঢাকা মেস, নদীয়া মেস—এই রকম সব নাম। ত্রিপুরা, আসাম, বিহার, ওড়িশা থেকেও ছাত্ররা পড়তে আসে কলকাতায়, তারা গোষ্ঠিবদ্ধ হয়ে থাকে এক একটি মেসে। এগুলির মধ্যে সবচেয়ে বিখ্যাত হল ১৯ নম্বর মুসলমান পাড়া লেনের মেসটি, কোনও জেলার নামে নাম নয়, সবাই এটিকে মুসলমান পাড়া মেস বলে জানে এবং যে কোনও জেলা বা প্রদেশের ছাত্ররাই এখানে থাকতে পারে। সাধারণত মেধাবী ছাত্ররাই এখানে এসে ওঠে, প্রতি বছর মেসের বেশ কিছু ছাত্র বিভিন্ন পরীক্ষায় কৃতিত্বের পরিচয় দেয়।

প্রেসিডেন্সি কলেজে ভরতের সহপাঠীরা অনেকেই থাকে এই সব বিভিন্ন মেসে, কেউ কেউ ভরতকে টেনে নিয়ে যায় নিজেদের মেসে আড্ডা দেবার জন্য। ভরত অবশ্য কুমিল্লা, ত্রিপুরা কিংবা সিলেট মেসে ভুলেও কখনও পা দেয় না। সে তার ত্রিপুরার পরিচয়টা একেবারে মুছে ফেলতে চায়। কোথাও ছাপার অক্ষরে ত্রিপুরা নামটি দেখলেও তার বুক কেঁপে ওঠে। এক একদিন দুঃস্বপ্ন দেখে সে জেগে ওঠে, যেন জঙ্গলের মধ্যে বুক পর্যন্ত তাকে পুঁতে রাখা হয়েছে আবার, তার দম বন্ধ হয়ে আসছে, তার দম শেষ হয়ে আসছে ! কখনও একা একা পথ চলতে চলতে তার মনে হয়, তার পরিচয় জানতে পারলে কোনও গুপ্ত ঘাতক এখানেও এসে তাকে হত্যা করে যাবে।

একা অবশ্য থাকে না ভরত, তার তিনজন বন্ধু খুবই ঘনিষ্ঠ, তারা ভরতের বাড়িতে আসে, ভরত ওদের মেসে গিয়ে ঘন্টার পর ঘন্টা সময় কাটায়।

যাদুগোপাল রায় থাকে ঢাকা মেসে আর দ্বারিকানাথ লাহিড়ী থাকে মুসলমান পাড়ায়। দুটি মেসের পরিবেশের তফাত আছে। ছাত্ররা অধিকাংশই বাবার টাকায় পড়তে আসে, যাদের অবস্থা বেশ সচ্ছল তারা অধ্যায়নটাকেই তপস্যা না করে অন্যান্য দিকে আকৃষ্ট হয়। গ্রাম থেকে কলকাতা শহরের মতন চোখ ধাঁধানো পরিবেশে এসে দেখে যে এখানে সহজে বিশিষ্ট হতে গেলে পয়সা খরচ করতে হয়, পয়সা খরচ করার অনেক পিচ্ছিল পথ আছে, সে সব পথে নিয়ে যাবার জন্য সঙ্গী-সাথীরও অভাব হয় না। কিছু কিছু ছাত্র ক্লাস রুমে যাবার বদলে পতিতাপল্লীতে বেহুঁস হয়ে পড়ে থাকে। মফঃস্বল থেকে আসা অর্থবান ছাত্রদের নিঃস্ব করার জন্য কিছু কিছু আড়কাঠি লেগেই আছে।

ঢাকা মেসে কিছু ছাত্র আছে এ রকম, আর কিছু ছাত্র কট্টর নীতি-বাগীশ ব্রাহ্ম। এখানকার পরিচালনা ব্যবস্থা বেশ কঠোর। এই মেসগুলি সম্পর্কে সরকার বা বিশ্ববিদ্যালয়ের কোনও দায়িত্ব নেই, ছাত্ররা নিজেরাই চালায়। এখানেই প্রথম গণতান্ত্রিক পদ্ধতি সম্পর্কে ছাত্রদের কিছুটা অভিজ্ঞতা হয়। প্রতিমাসে একদিন নিজেদের মধ্যে ভোট নিয়ে একজনকে পরিচালক ঠিক করা হয়, সে যে শুধু সমস্ত খরচ চালাবার দায়িত্ব নেবে তাই-ই নয়, প্রয়োজনে কোনও ছাত্রকে শাসনও করতে পারবে। পরের মাসে নতুন কারুকে নির্বাচন করার আগে প্রাক্তন পরিচালক সমস্ত হিসেব-নিকেশ এবং কোনও গাফিলতি হলে তার জবাবদিহি করতেও বাধ্য। এ ছাড়া কিছু কিছু কোড অফ কনডাক্ট আছে। যেমন কোনও ছাত্রই মেস বাড়ির মধ্যে মদ এবং নিষিদ্ধ মাংস নিয়ে আসতে পারবে না। পরিচালকের অনুমতি না নিয়ে সারারাত বাইরে কাটাতে পারবে না। এবং আত্মীয় পরিচয় দিয়েও কোনও স্ত্রীলোককে ভেতরে আনা নিষিদ্ধ। এই সব নিয়মের বিরুদ্ধতা করলে কোনও কোনও ছাত্রকে বহিষ্কার করে দেবারও দৃষ্টান্ত আছে।

একটা ব্যাপার দেখে অবশ্য ভরতের মজা লাগে। যাদুগোপালের অতিথি হিসেবে সে ঢাকা মেসে কয়েকবার খেয়েছে। মির্জাপুরের এই তিনতলা বাড়িটির দোতলায় একটি হলঘর আছে। সবাই সেখানে মেঝেতে খবরের কাগজ পেতে একসঙ্গে রাত্তিরের খাবার খেতে বসে। কোনও কোনও ছাত্র জমিদার তনয় কিংবা উচ্চবংশীয় বলে অন্যদের মত খবরের কাগজের ওপর বসে না। নিজেদের আলাদা পশমের আসন নিয়ে আসে। কারুর কারুর সঙ্গে থাকে ঘিয়ের শিশি কিংবা সন্দেশ-রসগোল্লা বা মিষ্টি দইয়ের ভাড়। সেগুলি শুধু নিজেদের জন্য, অন্যদের দেবে না। ভরত এ রকম আগে দেখেনি। তার ধারণা ছিল, একসঙ্গে খেতে বসলে সবাই একরকম খায়।

অঘোরনাথ বাঁড় জ্যে নামে বিক্রমপুরের একটি ছাত্র আরও একটি বিচিত্র কাণ্ড করে। রান্নার ঠাকুরটিকে সে ঠিক বিশ্বাস করে না। তার ধারণা, লোকটির গলায় পৈতে থাকলেও সে বদ্যিবামুন। আসল ব্রাহ্মণ নয়। তাই সে একটা ছোট হাঁড়িতে নিজের জন্য রোজ ভাত ফুটিয়ে নেয়। কিন্তু ঠাকুরের রান্না ডাল-তরকারি-মাছের ঝোল খেতে তার আপত্তি নেই। অন্য ছেলেরা ঠাট্টা করে বলে, আরে অঘোইরা, ঠাকুরের রান্না খাইলে যদি তোর জাইত যায়, তাইলে ডাইল-মাছের ঝুল খাস ক্যামনে ? ভাত ছাড়া আর কিছু রান্দতে জানোস না বুঝি !

অঘোরনাথ নিরীহভাবে উত্তর দেয়, না রে ভাই, আমি জাত-টাত বুঝি না। আসবার সময় আমার মা মাথার দিব্যি দিয়ে বলে দিয়েছে, অব্রাহ্মণের হাতে ভাত খাবি না। আমি সত্যভ্রষ্ট হতে পারব না। বাড়ি গেলে বলব, না, মাগো, কথা রেখেছি, অন্য জাতের রাঁধা ভাত খাইনি। কেউ কি জিজ্ঞেস করে, অব্রাহ্মণের হাতে ডাল খেয়েছিস ? ঝোল খেয়েছিস ? তাই ওগুলো নিয়ে আমার মাথাব্যথা নেই।

ভরতের বন্ধু যাদুগোপাল ব্রাহ্ম। সে মাঝে মাঝে ভরতকে তাদের প্রার্থনা সভায় নিয়ে যায়, ভরত কিন্তু প্রার্থনায় কখনও যোগ দেয় না, বাইরে বসে পত্র-পত্রিকা পড়ে। তার মা

নেই, বাবা নেই, কোনও পরিবারের সঙ্গে যোগসূত্র নেই, তার জীবনে ঈশ্বরেরও কোনও ভূমিকা নেই। সে একবার মৃত্যুদণ্ড পেয়েছে, চরম ক্ষুধায় কষ্ট পেয়েছে, এই সব শাস্তি তাকে কে দিয়েছেন? ঈশ্বর? তা হলে তিনি কিসের করুণাময়? বিদ্যাসাগর মশাই বলেছেন, দুর্ভিক্ষে যখন লাখ লাখ লোক মারা যায়, তখন ঈশ্বর কোথায় থাকেন? ভরত তার এইটুকু জীবনেই দেখেছে, সমাজে যারা ক্ষমতাবান কিংবা ধনী, তারা নানা পাপ কার্য করেও ড্যাং ড্যাং করে দিব্যি ঘুরে বেড়ায়।

ডাক্তার মহেন্দ্রলাল সরকারের কথাটি ভরতের খুব মনে ধরেছে। যদিও তার গলায় সুর নেই, তবু ভরত প্রায়ই গুণগুণ করে, "পঞ্চভূতের ফাঁদে, ব্রহ্ম পড়ে কাঁদে..... ।"

যাদুগোপালদের মেসে ব্রাহ্ম বনাম হিন্দু ছাত্রদের প্রায়ই তর্ক যুদ্ধ লেগে যায়। হিন্দুরা এক সময় কোণঠাসা হয়ে পড়েছিল, তাদের জাত-পাত, ছোঁয়াছুঁয়ি, হাজার রকম কুসংস্কার আর তেত্রিশ কোটি দেব-দেবী নিয়ে শিক্ষিত সম্প্রদায় নানারকম ঠাট্টা ইয়ার্কি করত। ব্রাহ্মরা দাবি করে তারা হিন্দু ধর্মের সংস্কার ঘটিয়ে একেশ্বরবাদের প্রতিষ্ঠা করেছে, শিক্ষিত তরুণরা এক সময় দলে দলে খ্রিস্ট ধর্ম গ্রহণ করছিল, ব্রাহ্মরা সেই স্রোত প্রতিহত করেছে।

বংশানুক্রমিক হিন্দু ছাত্ররা এই সব দাবির জবাব দিতে পারত না। হঠাৎ যেন নববলে বলীয়ান হয়ে উঠেছে হিন্দুরা। তারা বলতে শুরু করেছে, ব্রাহ্মদের সব সংস্কারই আসলে খ্রিস্টানদের অনুকরণ। সাহেবদের কাছে আধুনিক সাজার চেষ্টা। পাদ্রিরা যখন হিন্দুদের এতগুলি ঠাকুর-দেবতা নিয়ে ঠাট্টা-বিদ্রুপ করে, তখন বশংবদ ব্রাহ্মরা বলে,কেন, কেন, এই দেখুন না, এখন আমরা কেমন শুধু নিরাকার পরম ব্রহ্মকে মানি! আরে বাবা, খ্রিস্টানদের জবাব দেবারই বা কী দরকার? সাহেবরা যে গির্জায় গিয়ে যিশুর মূর্তির পায়ের কাছে কেঁদে ভাসায়, সেটা বুঝি মূর্তি পূজা নয়? এতগুলো ঠাকুর-দেবতা নিয়েও তো হিন্দু সমাজ কয়েক হাজার বছর ধরে বেশ টিকে আছে। যার ইচ্ছে যে কোনও দেব বা দেবীকে ইষ্টদেবতা বলে মানে। কেউ কিছুই মানে না। এমনকি নাস্তিকও হিন্দু থাকতে পারে না।

এখনকার হিন্দু ছাত্ররা জোরালো সমর্থন পাচ্ছে মহামান্য লেখক বঙ্কিমচন্দ্রের কাছ থেকে। শশধর তর্কচূড়ামণি নামে এক পণ্ডিতের আগমন হয়েছে শহরে, তিনি আবার মাথায় টিকি রাখা, একদশীর উপোস, পূর্ণিমায় গঙ্গাস্নান, অমাবস্যার দিন লাউ কিংবা বেগুন না খাওয়ার বৈজ্ঞানিক ব্যাখ্যা দিতে শুরু করেছেন।

এক উগ্র হিন্দুদের কেউ কেউ কেশবপন্থীদের আরও বিদ্রুপ করে বলে, তোদের কেশববাবু আর ব্রাহ্ম রইলেন কোথায় রে! এখন তো তিনি বোষ্টম। মহাপ্রভুর অবতার, নাচতে নাচতে কাঁদেন!

অবশ্য সম্প্রতি কেশবচন্দ্রের মৃত্যুতে হিন্দু-ব্রহ্ম সব ছাত্ররাই শোকপালন করেছে। একসময় কেশবচন্দ্র যুবসমাজকে যেমন ভাবে উদীপ্ত করেছিলেন, তার তুলনা নেই। এখনকার তরুণরা সুরেন বাঁড় জ্যে-শিবনাথ শাস্ত্রীদের দিকে ঝুঁকেছে, তবু কেশবচন্দ্রের ভূমিকা চিরকাল অম্লান থাকবে।

ভরতের আর এক বন্ধু দ্বারিকা নাথদের মুসলমানপাড়ার মেসের পরিবেশ আবার অন্যরকম। ধর্মের বদলে এখানকার প্রধান তর্কাতর্কির বিষয় রাজনীতি।

ছাত্র সমাজ যে একটা রাজনৈতিক অস্ত্র হতে পারে, তা এই কিছুদিন আগে আবিষ্কৃত হয়েছে। সঙ্ঘবদ্ধ হলে ছাত্র শক্তি একটি বড় শক্তি। কয়েক বছর আগে বিপিন পাল নামে একটি ছাত্রকে ফিরিঙ্গিরা অপমান করেছিল, তাই নিয়ে বিপিন ও কয়েকজনের সঙ্গে ফিরিঙ্গিদের মারামারি বেধে যায়। পুলিশ এসে ফিরিঙ্গিদেরই সাহায্য করে। তখন ছাত্ররা দল বেঁধে ছুটে এসে বিপিনের পক্ষ সমর্থন করলে পুলিশও হটে যেতে বাধ্য হয়। কয়েকটি পুলিশ রীতিমতন ঠ্যাঙানি খেয়েছিল। প্রেসিডেন্সি কলেজের একজন সাহেব অধ্যাপক ভারতীয়দের

সম্পর্কে খারাপ মন্তব্য করেছিলেন, একটি সেকেন্ড ইয়ারের ছাত্রকে স্কুলের ছেলের মতন বেঞ্চির ওপর দাঁড়াতে বলেন। তাতে সমস্ত ছাত্ররা একযোগে প্রতিবাদ জানায়। অধ্যাপকমশাই ভয় পেয়ে লুকিয়ে পড়লেও ছাত্ররা সিঁড়ি অবরোধ করে রাখে। শেষ পর্যন্ত অধ্যাপক মিঃ বেলেট যখন অন্য কয়েকজনকে সঙ্গে নিয়ে বাড়ি যাবার চেষ্টা করলেন, একটি ছাত্র বেশি বাড়াবাড়ি করে তাঁর মাথা লক্ষ করে ইট ছুঁড়ে মারে। যাই হোক, মিঃ বেলেটের মাথায় বেশি লাগেনি, শুধু টুপিটা খুলে পড়ে গিয়েছিল। ছাত্ররা টের পেল সঙ্ঘবদ্ধ প্রতিবাদের জোর।

মুসলমানপাড়া মেসের এককালের বাসিন্দা ছিলেন আনন্দমোহন বসু। এ রকম মেধাবী ছাত্র এখনও আর একটিও আসেনি। আনন্দমোহন এই মেসে থাকতে থাকতেই প্রেমচাঁদ-রায়চাঁদ স্কলার হয়ে দশ হাজার টাকা পান, তারপর বিলেতে গিয়ে আরও অসাধারণ কৃতিত্বের পরিচয় দেন। কেমব্রিজে তিনি ভারতীয়দের মধ্যে প্রথম র‍্যাংলার অর্থাৎ গণিতে প্রথম শ্রেণীর সম্মানসহ স্নাতক হয়েছিলেন। শুধু কৃতবিদ্যই নন, আনন্দমোহন দেশ ও সমাজ-মনস্ক। কলকাতায় ফিরে তিনি স্থাপন করলেন, ক্যালকাটা স্টুডেন্টস অ্যাসোসিয়েশন। এই প্রথম কলকাতার ছাত্ররা একটা সমিতির অন্তর্ভূক্ত হল। এখন ছাত্র আন্দোলনে এই সমিতিই নেতৃত্ব দেয়। আনন্দমোহনের সঙ্গে সঙ্গে সুরেন্দ্রনাথও এসে যোগ দিয়ে এই সমিতির ছাত্রদের মাতিয়ে তুললেন।

আনন্দমোহন এবং সুরেন্দ্রনাথ এখনও মুসলমানপাড়ার এই মেসে মাঝে মাঝে আসেন। নতুন ছাত্রদের সঙ্গে পরিচিত হতে চান।

রাজনীতি ছাড়াও এই মেসে খাওয়া-দাওয়াও হয় বেশ ভালো। নিত্য-নৈমিত্তিক ডাল-ভাত-মাছের ঝোল তো আছেই, তা ছাড়াও ধনী ছাত্রদের কেউ কেউ এক একদিন মেসের সব বাসিন্দাদের মাংস কিংবা পোলাও কিংবা রাবড়ি খাওয়াবার খরচ দেয়। মুরগির মাংস এই মেসে নিষিদ্ধ নয়। দ্বারিকানাথ একদিন একাই চারটি আস্ত মুরগি খেয়ে সবাইকে তাক লাগিয়ে দিল।

দ্বারিকানাথ প্রায়ই বড়াই করত, সে চারখানা মুরগি খেতে পারে। সে বঙ্কিমচন্দ্রের শিষ্য। বঙ্কিমবাবু নাকি তাকে বলেছেন, তিনি যখন ওড়িশার যাজপুরে চাকরি করতেন, তখন প্রতিদিন চারটি আস্ত মুরগি ও চারটি ডিম খেতেন। এখনও দুটো মুরগি অনায়াসে খেতে পারেন। যারা বেশি মাথার কাজ করে, তাদের বেশি বেশি ভালো খাবার খেতে হয়। দ্বারিকানাথের দাবি, তার গুরু যদি চারটে মুরগি খেতে পারেন, সে শিষ্য হয়ে পারবে না?

কয়েকটি ছেলে তার সঙ্গে বাজি ধরেছিল। চারখানা বড় আকারের মুরগি রান্না করে সাজিয়ে দেওয়া হল তার সামনে। কার্পেটের আসনে বাবু হয়ে বসে খেতে শুরু করার আগে সে বলল, ওরে, রামমোহন রায় একটা গোটা পাঁঠার মাংস খেতে পারতেন। বঙ্কিমচন্দ্র চারটে মুরগি খান। তোরা একটাও সাবাড় করতে পারিস না? বাঙালির কী অধঃপতন!

সত্যি সত্যি দ্বারিকানাথ সেই চারখানা মুরগি শেষ করে বিরাট এক ঢেঁকুর তুলল। তারপর মুচকি হেসে বলল, এরপর একটু সিরাপ খাব, তাতেই সব হজম হয়ে যাবে!

বঙ্কিমবাবুর নাম শুনলেই ভরতের হৃদ্স্পন্দন বেড়ে যায়। সে ঈশ্বর মানে না, কিন্তু বঙ্কিমচন্দ্র তার আরাধ্য দেবতা। বঙ্কিমচন্দ্রের রচনাকে কেন্দ্র করেই ভরতের জীবনের আমুল পরিবর্তন ঘটে গেছে। অন্য বইয়ের অভাবে সে একসময় 'বঙ্গদর্শন' পত্রিকা থেকে বঙ্কিমের রচনা মুখস্থ করত।

সেই বঙ্গদর্শনের প্রকাশ হঠাৎ বন্ধ হয়ে গেল, তাতে ছাত্র সমাজের ক্ষোভের শেষ নেই। অবশ্য বঙ্গদর্শনের সম্পাদক বঙ্কিমচন্দ্র অনেক আগেই ছেড়ে দিয়েছিলেন, তারপর সঞ্জীবচন্দ্র ও শ্রীশ মজুমদারের হাতে এই পত্রিকার রুচির বেশ অবনতি হয়েছিল, "পশুপতি সম্বাদ"-এর

মতন বিশ্রী বদ রসিকতাও সেখানে ছাপা হয়, তবু যাই হোক, তাতে বঙ্কিমচন্দ্রের কিছু-না-কিছু রচনা তো পাওয়া যেত ! তিনি যে অন্য পত্রিকায় লেখেন না।

বঙ্কিমবাবু এখন কলকাতাতেই কলুটোলায় বাসা ভাড়া করে আছেন। তাঁর বাড়িতে ছুটির দিন মজলিশ বসে, অনেক নাম করা লোক সেখানে আসেন, ইদানীং শশধর তর্কচূড়ামণিও আসছেন।

ভরতের খুব ইচ্ছে, একবার বঙ্কিমবাবুর সঙ্গে সাক্ষাত করে জীবন ধন্য করে। কিন্তু অযাচিতভাবে যাওয়া যায় না, শোনা যায় তিনি খুব গম্ভীর ও রাশভারি। দ্বারিকানাথের বাবা একজন ডেপুটি ম্যাজিস্ট্রেট, বঙ্কিমবাবুর সঙ্গে পরিচয় আছে, সেই সুবাদে দ্বারিকানাথ প্রায়ই ওঁর বাড়িতে যায় এবং ফিরে এসে নানা রকম গল্প করে, তার কতটা সত্য আর কতটা দ্বারিকানাথের স্বকপোলকল্পিত, তা বলা শক্ত। ভরত দ্বারিকানাথের সঙ্গে একদিন যাবার জন্য কাকুতি-মিনতি করলেও দ্বারিকানাথ তাকে ল্যাজে খেলাচ্ছে।

ভোজনরসিক দ্বারিকানাথকে খুশি করার জন্য ভরত প্রায়ই তাকে বাড়িতে ডেকে নিজের হাতে কিছু রান্না করে খাওয়ায়। ভবানীপুরের এই সিংহবাড়ির সবাই বৈষ্ণব, এ বাড়ির রান্নাঘরে মুরগির মাংস ঢোকার তো প্রশ্নই ওঠে না, ওই নাম উচ্চারণ করাও নিষিদ্ধ। কেন যেন অনেকেই মনে করে যে কুক্কুট মাংসের সঙ্গে যবন সংসর্গ আছে। এরা কোনও মাংসই খায় না। মাছ রান্না হয় অবশ্য, তাও বাছাই করা তিন-চার রকম মাত্র।

ভরত এই ব্যাপারটা বোঝে না। মহারাজ বীরচন্দ্র মাণিক্যও বৈষ্ণব, কিন্তু রাজবাড়িতে খাওয়া-দাওয়ার ব্যাপারে কোনও ছুৎমার্গ নেই। ত্রিপুরায় পাঁঠা, খাসি, বনমোরগ, খরগোশ, হরিণ, মোষ সব রকম মাংসই চলে। মুসলমানদের বাড়িতে গো-মাংসও চলে, সেখানে আমন্ত্রিত হয়ে কোনও হিন্দু আহারাদি করলেও তার জাত যায় না। বাংলার নিয়ম অন্যরকম।

সিংহবাড়ির লোকজনদের সঙ্গে ভরতের বনিবনা নেই তেমন। সে শশিভূষণের অংশের প্রতিনিধি বলে কেউ তাকে ঘাঁটায় না বটে, কথাবার্তাও বলে না বিশেষ। বারোয়ারি রান্নাঘরে থেকে ভরতের জন্য খাবার আসার কথা, কিন্তু দিনের পর দিন ঝালহীন, মশলাহীন রান্না আর ভালো লাগে না তার। এখন তার অবস্থাও কিছুটা সচ্ছল। প্রেসিডেন্সি কলেজে ভর্তি হবার পর গৃহশিক্ষক দুজনকে রাখার আর প্রয়োজন হয় না। এখন সে দোতলায় তার ঘরের পাশের বারান্দায় একটি ছোট রান্নাঘর বানিয়ে নিয়েছে, রান্না শিখতেও তার দেরি হয়নি।

প্রায় অদৃশ্যভাবে এবং নিঃশব্দে তার রান্নার অনেক কিছু জোগাড়যন্ত্র করে দিয়ে যায় ভূমিসূতা। ভরত তাকে আসতে বারণ করে, তবু সে কিছুতেই শুনবে না। স্ত্রীজাতি সম্পর্কে ভরতের মনে একটা বিতৃষ্ণা ও ভীতির ভাব আছে। মাতৃস্নেহ পায়নি সে, স্নেহ ব্যাপারটাই তার কাছে অজ্ঞাত। তার কলেজের কিছু কিছু সহপাঠী যখন নারীসম্ভোগ বিষয়ে রসালাপ করে, গা ছমছমিয়ে ওঠে ভরতের, সে সেখান থেকে সরে যায়, তার মনে হয়, ওই ছেলেগুলি স্বেচ্ছায় বিপদের মধ্যে ঢুকতে চাইছে।

একটি মেয়ে তো শুধু স্ত্রীজাতির একজনই নয়, সে মানুষও বটে। পুরুষ ও স্ত্রী যে একই মানব শ্রেণীর অন্তর্গত, ভরত তাও বোঝে। মানুষের বিপদে মানুষই তো পাশে দাঁড়ায়। ভরত জানে যে, ভূমিসূতা তার কাছে বেশি যাওয়া-আসা করলে একটা কিছু গোলযোগ ঘনিয়ে উঠবে। ত্রিপুরার রাজবাড়ির মতন হয়তো এ বাড়ির আশ্রয়ও ছাড়তে হবে ভরতকে। অপরপক্ষে, ওই ভূমিসূতা নামের মেয়েটিও যে বিপদের মধ্যে আছে, তাও ঠিক । সে প্রায় একটি ক্রীতদাসী, সুতরাং তার মাংসের ওপর অধিকার আছে যার-তার । এমনকি রান্না ঘরের ঠাকুরেরাও তার ওপর জোর-জবরদস্তি করে, তাই ভূমিসূতা ভরতের কাছে আশ্রয় পাবার জন্য ছুটে আসে। কিন্তু ভরত তাকে কী ভাবে আশ্রয় দেবে?

ভরতকে এখন মন দিয়ে পড়াশুনো করতে হবে, এম এ পরীক্ষা না দেওয়া পর্যন্ত সে থামবে না, তারপর ডেপুটি ম্যাজিস্ট্রেটের চাকরি জোগাড় করতে পারলে সে স্বাবলম্বী হবে। সরকারি অফিসার হলে কেউ আর তার গায়ে হাত ছোঁয়াতে পারবে না। এমনকি সে তখন ইচ্ছে করলে ত্রিপুরাতেও ফিরে যেতে পারবে। জন্মভূমির কথা ভেবে মাঝে মাঝে ভরতের বুক টনটন করে।

তা ছাড়া, কলেজে ঢুকে ভরত এক বৃহত্তর জগতের সন্ধান পেয়েছে। দেশ, সমাজ, ধর্ম, পরাধীনতা এই সব নিয়ে সে এখন চিন্তা করে, সারা বিশ্বে ভারতের স্থান এখন কোথায়, তা নিয়ে মাথা ঘামায়। সে অনুভব করছে যে, এ দেশের মানুষের মানসিকতার একটা পরিবর্তন ঘটে যাচ্ছে, এবং তাতে তারও একটা ভূমিকা আছে। এই সব রোমাঞ্চকর সম্ভাবনা ছেড়ে সে কি নিতান্ত একটা মেয়ের জন্য ঝঞ্ঝাটে জড়িয়ে পড়বে ? বাড়ি থেকে বিতাড়িত হলে সে অকুল পাথারে পড়বে, তার পড়াশুনোও শেষ হয়ে যাবে!

ভূমিসূতার মতন আশ্রিতা মেয়েরা শেষ পর্যন্ত বাবুদের ভোগেই লাগে। তারাও তা মেনে নেয়। কিন্তু এই মেয়েটি কিছুটা পড়াশুনো শিখেছে, ওর মনের অন্ধকারে ফাটল ধরে সেখানে ঢুকেছে বাইরের আলোর রশ্মি, তাই ও অমন কদর্য জীবন মানতে পারে না। ওর সঙ্গে দু একবার কথা বলে ভরত তা টের পেয়েছে। কিন্তু ভরতও যে অসহায় !

একবার সে ভেবেছিল, মেয়েটিকে থিয়েটারের দলে ভিড়িয়ে দেবে। এই ব্যাপারে সে তার বন্ধু যাদুগোপালের সাহায্য চেয়েছিল। যাদুগোপালের সঙ্গে প্রখ্যাত নট অর্ধেন্দুশেখরের সামান্য আত্মীয়তা আছে, সেইজন্য যাদুগোপালের মাধ্যমে গেলে অর্ধেন্দুশেখর হয়তো প্রস্তাবটি বিবেচনা করে দেখবেন। কিন্তু যাদুগোপাল এ কথা শুনেই ঘোর আপত্তি জানাল। ব্রাহ্ম নৈতিকতায় ঝলসে উঠে সে বলেছিল, তুই কী রে, ভরত ? একটা জলে-ডোবা মেয়েকে উদ্ধার করতে গিয়ে তুই নোংরা পাঁকে তার মাথা ঠুসে দিবি? থিয়েটারে গেলে ওর নষ্ট হতে দুদিনও লাগবে না। বাড়ির থেকে থিয়েটারের পরিবেশ ভালো ? বাড়িতে যদি বা বাঁচার আশা থাকে, থিয়েটারে গিয়ে ঘাগী বেশ্যা হবে, আর তুই দায়ী হবি তার জন্য !

এরপর ভরত হাল ছেড়ে দিয়েছিল। ভূমিসূতার ভাগ্য সে বুঝে নিক। সে একদিন কঠিন মুখ করে ভূমিসূতাকে জানিয়ে দিল, তুমি আর কক্ষনও আমার কাছে আসবে না।

কাছে আসে না ভূমিসূতা, দূরেই থাকে। ভরত তাকে দেখতে পায় না, কিন্তু তার ঘোরাফেরা টের পায়। ভরত ঘর থেকে বেরুলেই সে পালিয়ে যায় এক ছুটে। এরই ফাঁকে ফাঁকে সে কখন যেন ভরতের এঁটে বাসন মেজে দেয়, কুঁজোয় জল ভরে রাখে, রান্নার জন্য মশলাপাতি বেটে, তরিতরকারি কুটে রাখে। কিন্তু গান আর সে গায় না। নাচে না। সকালবেলা যখন সে বাগানে ফুল তুলতে যায়, তখন ভরত দোতলার বারান্দায় এসে দাঁড়ালেই সে লুকিয়ে পড়ে ঝোপের আড়ালে। ভরতকে সে দেখা দেবে না কিছুতেই।

ভরত সন্ধেবেলা সেজবাতি জ্বেলে পড়াশুনো করে, সেই সময় তার ঘরের বাইরে দেয়ালে ঠেস দিয়ে বসে থাকে ভূমিসূতা। সে স্থানটি অন্ধকারে, তবু সেই অন্ধকারেই তার নিরাপদ আশ্রয়। এই সময়টাই তার ভয়ের সময়। যমজ ভাইদুটি এখনও আশা ছাড়েনি, তারা ভূমিসূতার সন্ধানে ছোঁক ছোঁক করে ঘুরে বেড়ায়। রান্নাঘরের ঠাকুরদেরও সন্ধের পর কাজ কম থাকে, তারা নানান ছুতোয় ভূমিসূতাকে ডাকার চেষ্টা করে। ভূমিসূতা তখন নিশ্চিন্তে অন্ধকারের মধ্যে দেয়ালে ঠেস দিয়ে বসে থাকে। যমজ ভ্রাতৃদ্বয় ভরতের হাতে একদিন গলা ধাক্কা খেয়ে আর এদিকে আসতে সাহস পায় না। যারা লেখাপড়ায় মোটেই এগোয়নি, তারা কলেজে-পড়া ছেলেদের ভয় পায়। শুধু শারীরিক আঘাতের ভয় নয়, কথার ভয়। কলেজের ছাত্রদের কথার তেজে গুরুজন শ্রেণীর লোকও কুঁকড়ে যায় ভয়ে। রান্নার ঠাকুররাও ভরতকে সমীহ করে। দেশে চিঠি পাঠাবার সময় ঠিকানা লেখাবার জন্য ভরতই তাদের ভরসা।

পড়তে পড়তে মাঝে মাঝে উঠে পায়চারি করা ভরতের স্বভাব। মাঝে মাঝে সে জোরে জোরে পাঠ্য বিষয় আবৃত্তি করে। শুধু কবিতা নয়, গদ্যও। ভাষা শিক্ষার জন্য গদ্য মুখস্থ করা খুব প্রয়োজনীয় মনে হয় তার কাছে। বাংলা ভাষার ব্যাকরণ বই বিশেষ নেই, বঙ্কিমের গদ্য রচনা মুখস্থ করে সে বাক্যের গড়ন শেখে। 'আনন্দমঠ' বইখানি খোলা থাকে, সে চোখ বুজে উচ্চারণ করে: "ভবানন্দ রঙ্গ দেখিতেছিল। ভবানন্দ বলিল, 'ভাই ইংরেজ ভাঙ্গিতেছে, চল একবার উহাদিগকে আক্রমণ করি।' তখন পিপীলিকা শ্রোতোবৎ সন্তানের দল, নতুন উৎসাহে পুল পারে ফিরিয়া আসিয়া ইংরেজদিগকে আক্রমণ করিতে ধাবমান হইল.....।" বলতে বলতেই ভরত ভাবে, 'ইংরেজদিগকে আক্রমণ করিল' না লিখে বঙ্কিম লিখেছেন, 'আক্রমণ করিতে ধাবমান হইল,' কত বেশি ভালো শোনায়। ছবিটা স্পষ্ট দেখা যায়।

প্রতিদিনই ভরত টের পায় যে ঘরের বাইরে অন্ধকারে ভূমিসূতা বসে আছে। সে কোনও শব্দ করে না বটে, কিন্তু একজন মানুষের অস্তিত্ব কিছুতেই গোপন থাকে না। চতুর্দিকে নিস্তব্ধ, এর মধ্যে কাপড়ের খসখসানি, মৃদু নড়াচড়া, নিঃশ্বাসের শব্দও এক এক সময় কানে আসে। ভরত কিছুতেই ও দিকে মন দেবে না ভাবলেও কখনও পড়তে পড়তে অন্যমনস্ক হতেই হয়। মেয়েটা ঘন্টার পর ঘন্টা কেন বসে থাকে? এ ভাবে বসে থাকাটা কি শোভন? শত নিষেধও ও শুনবে না।

কোনওদিন ভরতের মানসিক চাপ অসহ্য হয়। অন্ধকারে পোকা-মাকড়-টিকটিকি ঘোরে, একদিন একটা তেঁতুলে বিছে দেখা গিয়েছিল, তার মধ্যে বসে আছে মেয়েটি, এ কথা জানলে কি পড়াশুনোয় মন দেওয়া যায়?

ভূমিসূতাকে আরও কড়া বকুনি দেবার জন্য ভরত আচমকা দরজা খুলে ফেলে। তবু ধরা যায় না তাকে। সে যেন পাখির মতন ফুড়ৎ করে উড়ে যায়। কিংবা আঁধারে এক ঝলক বিদ্যুৎ। কিংবা রূপকথার রাজ্যের এক পরী। ভরত অপলকভাবে কিছুক্ষণ তাকিয়ে থাকে সেই দিকে।

॥ ৩১ ॥

দ্বারিকানাথ শেষ পর্যন্ত একদিন ভরতকে বঙ্কিমবাবুর বাড়িতে নিয়ে যেতে রাজি হল।

দিনটি সে ঠিক নির্বাচন করেনি। কয়েকদিন যাবৎ বঙ্কিমচন্দ্রের মেজাজ নানা কারণে বেশ খারাপ। তাঁর বই জাল হবার খবর আসছে। বঙ্গদর্শনের পাতায় তিনি বিজ্ঞাপন দিয়েছিলেন যে, যে-সব বইতে তাঁর কিংবা তাঁর দাদা সঞ্জীবচন্দ্রের স্বাক্ষর থাকবে না, সেগুলি যেন পাঠকেরা না কেনেন। তাতেও বিশেষ কাজ হচ্ছে না। তাঁর স্বাক্ষরের একটা মোহর চুরি গেছে বেশ কিছুদিন আগে, সেই স্বাক্ষর-ছাপ মারা নকল বই এখনও বাজারে আসছে। পটলডাঙার ক্যানিং লাইব্রেরি নামে নামকরা দোকানটিতে এই রকম জাল বই ধরা পড়েছে।

থিয়েটারের দলগুলির ওপরেও তিনি চটে আছেন। বছরের পর বছর প্রধানত তাঁর উপন্যাসগুলির নাট্যরূপ দিয়েই পেশাদারি মঞ্চগুলি দর্শক আকৃষ্ট করেছে। এখন হঠাৎ তারা ঝুঁকেছে পৌরাণিক নাটকের দিকে। বেদ-পুরাণ সম্পর্কে ধারণা নেই। যে-সে কোনও রকমে একটা নাটক খাড়া করে তার মধ্যে প্রচুর ভক্তি আর কান্না মিশিয়ে দিতে পারলেই হল! তাঁর

প্রিয় উপন্যাস আনন্দমঠ একেবারেই জমাতে পারেনি ন্যাশনাল থিয়েটার। তাঁর ধারণা নাট্যরূপই অতি দুর্বল। আর অভিনেতাগুলিও এমন, ভাঁড়ামি-ফাজলামি দিয়ে আসর মাত করতে শিখে গিয়ে বীররসের অভিনয় ভুলেই গেছে। বঙ্কিম এখন এক এক সময় ভাবেন, তিনি নিজেই এবার উপন্যাসের বদলে একটি নাটক লিখবেন!

সাংসারিক ব্যাপারেও অশান্তি কম নয়। তাঁর বড় ভাই তাঁকে পৈতৃক বাড়ির অংশ দিতে চান না। বাবাও কেমন যেন দুর্বল। এতে বঙ্কিমের মন এমনই বিরক্ত হয়ে ওঠে যে এক এক সময় তিনি ঠিক করেন, জীবনে কখনও কাঁঠালপাড়ায় পদার্পন করবেন না। সবাই এখন তাঁর টাকা দেখে। সবাই মনে করে, বই বিক্রি করে তাঁর এখন অনেক টাকা। তাঁর যে কত খরচ, তা লোকে বোঝে না। মেজদাদা সঞ্জীবচন্দ্র তো খাঁটি একটি উড়নচণ্ডী, তাঁর উপার্জনের কোনও স্থিরতা নেই। বঙ্গদর্শনের ভার তাঁকে দেওয়া হল, তিনি চালাতে পারলেন না। তাঁর ছেলে জ্যোতিষও একটি অকাল কুষ্মাণ্ড, তার খরচও টানতে হয় বঙ্কিমকে। সে ছোকরা তার মায়ের সঙ্গে প্রায়ই খারাপ ব্যবহার করে, আর এমনই তার বাবুয়ানি যে মোটা চালের ভাত রান্না হলে নাক সিটকোয়।

এ ছাড়া বঙ্কিমের অফিস নিয়ে ঝঞ্ঝাট তো লেগেই আছে।

বৈঠকখানা ঘরে বঙ্কিম এক ব্যক্তির সঙ্গে দাঁড়িয়ে দাঁড়িয়ে কোনও কাজের কথা বলছেন। বাড়ির মধ্যে তিনি খালি গায়েই থাকেন। খুবই ফর্সা গায়ের রং, তাঁর মুখখানি যেন তত গৌরবর্ণ নয়, একটু কালো ছায়া আছে। গভীর, মর্মভেদী দুই চক্ষু, গাঢ় ভুরু, সমুন্নত নাসিকা। ওষ্ঠের রেখায় দৃঢ়তা।

দ্বারিকানাথ এবং ভরত ঘরে ঢুকেই ঢিপ ঢিপ করে বঙ্কিমের পায়ে হাত দিয়ে প্রণাম করলেন।

বঙ্কিম এক পলক তাকালেন মাত্র। কোনও কথা বললেন না, অন্য ব্যক্তিটির কথা শুনতে লাগলেন। সে একজন ছাপাখানার লোক, বঙ্কিমের কোনও উপন্যাস প্রকাশের জন্য কাগজের দাম, মুদ্রণ ও বাঁধাই খরচের হিসেব দিচ্ছে।

দ্বারিকানাথ বললেন, খুড়োমশাই, আমার এক বন্ধুকে আপনার সঙ্গে পরিচয় করাতে নিয়ে এসেছি। এর নাম ভরত।

বঙ্কিম গম্ভীরভাবে বললেন, এখন ব্যস্ত আছি। পরে এসো।

দ্বারিকানাথ বলল, বেশিক্ষণ সময় নেব না। মাত্র কয়েকটা প্রশ্ন করব।

বঙ্কিম এবার প্রায় ধমক দিয়ে বললেন, বললাম না ব্যস্ত আছি ! অন্য একদিন এসো।

দ্বারিকানাথ তাতে ঘাবড়াবার পাত্র নয়। বোঝা যায়, এই ধরনের ধমক খেতে সে অভ্যস্ত। সে ভরতের দিকে চক্ষু সঙ্কুচিত করে একটা ইঙ্গিত জানাল। ভরত তাকে মুরগির ঝোল খাওয়াবার প্রতিশ্রুতি দিয়েছে, ভরতের সঙ্গে সে বঙ্কিমচন্দ্রের কথা বলিয়ে দেবে ঠিকই।

ভরত অপলক মুগ্ধতায় তাকিয়ে আছে তার আরাধ্য দেবতার দিকে। তার যেন নিশ্বাসও পড়ছে না। ইনিই বিষবৃক্ষ, চন্দ্রশেখর, কৃষ্ণকান্তের উইলের স্রষ্টা ? সাধারণ মানুষের মতন অনাবৃত শরীরে দাঁড়িয়ে আছেন তার সামনে ! এঁর ভ্রু দুটি কুঞ্চিত, মুখে রাগী রাগী ভাব, অথচ ইনিই লিখেছেন কমলাকান্তের রঙ্গ-রসিকতা ? এত বড় একজন লেখক, তাকে এত কাছ থেকে দেখা, তাতেই ভরতের জীবন ধন্য হয়ে গেছে। কথা বলার দরকার কী ! তা ছাড়া ভরত অতি সামান্য মানুষ, সে এই অসামান্য লেখকের সঙ্গে কী-ই কথা বলবে ! ওঁর সময় নষ্ট করতেও সে চায় না।

অন্য লোকটি একবার কথা থামাতেই সেই ফাঁকে দ্বারিকানাথ বলল, খুড়োমশাই, আমাদের কলেজের ছাত্ররা জিজ্ঞেস করে, বঙ্গদর্শন তো বন্ধ হয়ে গেল, এখন তা হলে আমরা 'দেবী চৌধুরানী' কী করে পড়ব ? ধারাবাহিক বেরুচ্ছিল, মাঝপথে বন্ধ হয়ে গেল।

বঙ্কিম দ্বারিকার দিকে না তাকিয়েই অবহেলার সঙ্গে উত্তর দিলেন, পুস্তকাকারে শিগগিরই বেরুবে। ততদিন ধৈর্য ধরে থাকো।

দ্বারিকা বলল, আর একটা প্রশ্ন আছে, 'আনন্দমঠে' আপনি যে আদর্শ প্রচার করেছেন, 'দেবী চৌধুরানী-তেও তো সেই একই আদর্শ.....মানে 'দেবী চৌধুরানী''আনন্দমঠ'-এর পরিপূরক ?

বঙ্কিম বললেন, আঃ, বলছি যে এখন বিরক্ত করো না। দেখছ এঁর সঙ্গে কাজের কথা বলছি !

দ্বারিকা ভরতের দিকে আবার চোখের ইঙ্গিত করল যাতে ভরতও টপ করে একটা প্রশ্ন করে ফেলে। ভরত পাল্টা চোখের ইঙ্গিতে বলতে চাইল, চল, এখন আমরা চলে যাই। ইনি সত্যি ব্যস্ত আছেন, এখন বিরক্ত করা উচিত নয়।

দ্বারিকা তা গ্রাহ্য না করে বসে পড়ল একটি চেয়ারে।

একটু পরে সেই ঘরে আরও দু'জন মানুষ এল। দু'জনেই বঙ্কিমের চেয়ে বয়েসে কিছু ছোট। এরা প্রণাম করতেই বঙ্কিম ব্যস্ত হয়ে একজনের দিকে তাকিয়ে জিজ্ঞেস করলেন, কী হে, তোমার স্ত্রীর খবর কী ? শুনলাম, তার কিছু কঠিন ব্যারাম হয়েছে ?

লোকটি বলল, ব্যারাম মানে ফোঁড়া। এমন ফোঁড়া বাপের জম্মে দেখিনি, ঘাড়ের কাছে এই এত বড়।

বঙ্কিম বললেন, কার্বাঙ্কল নয় তো ?

লোকটি বলল, হতে পারে, নাও হতে পারে। চিকিৎসক ঠিক বুঝতে পারছেন না। বলছেন, কেটে দেখলে বোঝা যাবে। আমার স্ত্রী কাঁটা-ছেঁড়া করতে খুব ভয় পান, শুনেই মুর্ছা যাবার জোগাড়।

বঙ্কিম বললেন, সার্জারি না করেও ফোঁড়ার ওপর মেসমেরাইজ করার মতন আঙুল চালনা করলে স্বস্তি বোধ হয়। তবে কর্পূর মাখিয়ে নিতে হয় আঙুলে। তুমি নগেন চাটুজ্যেকে চেন ?

সেই ব্যক্তি বলল, আজ্ঞে না।

বঙ্কিম বললেন, নগেন্দ্রবাবু মেসমেরাইজ করতে জানেন। অনেকের উপকার হয়েছে...আর একটা কথা আছে, তুমি স্নান করে শুধু ফলমূল খাবে, আর কিছু খেও না। সমস্ত দিন একমনে চিন্তা করো কিসে তোমার পরিবারের ভালো হবে। শরীর ও মন পবিত্র রেখো, মনে পাপ-চিন্তা যেন না আসে। সন্ধ্যার সময় তার বিছানার পাশে বসে একবার তাকে স্পর্শ করো.....

ভরত হাঁ করে সব শুনছে। এই সবই সাধারণ মানুষের মতন কথা। সাহিত্যের মধ্যে এরকম সংলাপ সে দেখেনি। একজন লেখক যখন কাগজ-কলম নিয়ে বসেন, তখনি বুঝি তিনি অসাধারণ হয়ে ওঠেন। তবু, যত সামান্য কথাই হোক, বঙ্কিমের কণ্ঠস্বর শুনতে শুনতেই সে রোমাঞ্চিত হতে লাগল।

একটু পরে বঙ্কিম আবার দ্বারিকার দিকে তাকিয়ে বললেন, তোমরা এখন এসো। আমি স্নান করতে যাব।

দ্বারিকা মরিয়া হয়ে বলে উঠল, খুড়োমশাই, আমার এই বন্ধুটি আপনার এত ভক্ত যে আপনার উপন্যাসের পাতার পর পাতা মুখস্থ বলতে পারে। আপনি একটু শুনবেন ?

বঙ্কিম বললেন, আমার এখন সময় নেই।

ভরত লজ্জায়, মরমে মরে যাচ্ছে, সে পালিয়ে যাবার জন্য ব্যস্ত। তার প্রিয় লেখকের এমনভাবে সময় নষ্ট করা মহাপাপ।

কিন্তু অন্য দুই ব্যক্তির মধ্যে একজন কৌতূহলী হয়ে বললেন, তাই নাকি ? গদ্য মুখস্থ বলতে পারে ?

অপর ব্যক্তি বললেন, ওঁর লেখা স্থানে স্থানে অপূর্ব কবিত্বময়। এক-দু'বার পড়লেই মনে থেকে যায়।

দ্বারিকা আর দেরি করল না। এক কোণে টেবিলের ওপর বঙ্কিমের কিছু বই রাখা আছে, সদ্য দফতরিখানা থেকে এসেছে। তার একটা বই টপ করে তুলে নিয়ে দ্বারিকা বলল, এই তো আনন্দমঠ। মিলিয়ে দেখুন। এই ভরত, শুরু কর, শুরু কর, কোন পৃষ্ঠা বলবি? আনন্দমঠ থেকে তোর মুখস্থ তো দু'দিন আগেই শুনেছি।

ভরত মাথা ঝাঁকাতে ঝাঁকাতে বলল,না, না, আমি সে রকম কিছু পারি না। দ্বারিকা, এখন চল, উনি স্নান করতে যাবেন....

দ্বারিকা বলল, পাঁচ মিনিট ! পাঁচ মিনিট ! একটা পাতা বল। আপনারা দেখবেন, ও একটা শব্দ, কমা, দাঁড়িও ভুল করবে না।

দ্বারিকার পেড়াপিড়িতে ভরতকে অগত্যা শুরু করতেই হল। বঙ্কিম কিছুটা অপ্রসন্ন মুখে, কিছুটা কৌতুহলের সঙ্গে ভরতের দিকে তাকিয়ে রইলেন।

আধ পৃষ্ঠার মতন বলে ভরত থেমে গেল।

যে-ব্যক্তিটি বই মিলিয়ে দেখছিল, তার ভুরু দুটি ঈষৎ কুঞ্চিত। সে বলল, হ্যাঁ, মোটামুটি ঠিকই আছে, কিন্তু কয়েকটি শব্দে ভুল আছে। এই শব্দগুলি কি তুমি ইচ্ছে করে বদলে দিলে? তুমি বললে, 'ভবানন্দ বলিল, 'ভাই, ইংরেজ ভাঙ্গিতেছে, চল একবার উহাদিগকে আক্রমণ করি।' বইতে আছে, 'ভাই, নেড়ে ভাঙ্গিতেছে, চল একবার উহাদিগকে আক্রমণ করি।' আর এক জায়গায় তুমি বললে, 'অকস্মাৎ তাহারা ইংরেজের উপর পড়িল। ইংরেজ যুদ্ধের আর অবকাশ পাইল না।' বইতে রয়েছে দেখছি 'অকস্মাৎ তাহারা যবনের উপর পড়িল। যবন যুদ্ধের আর অবকাশ পাইল না।'

ভরত হকচকিয়ে গেল, এরকম ভুল তো তার হতেই পারে না। লাইন ভুলে যেতে পারে, কিন্তু শব্দ বদলাবে কেন?

এতক্ষণ পর বঙ্কিমের ওষ্ঠে ক্ষীণ হাসি ফুটে উঠেছে।

তিনি ভরতকে বললেন, তোমার মুখস্থ শক্তি অসাধারণই বলতে হবে। তুমি ঠিকই বলেছ।

পরীক্ষকটি বলল, তা হলে বইয়ের সঙ্গে কয়েকটি শব্দের অমিল কেন?

বঙ্কিম বললেন, তুমি যেটি দেখেছ, সেটি দ্বিতীয় সংস্করণ। এই যুবকটি প্রথম সংরক্ষণ পড়েছে। ওর মুখস্থ ঠিকই আছে।

দ্বারিকা জিজ্ঞেস করলেন, আপনি আনন্দমঠের দ্বিতীয় সংস্করণে অনেক কিছু বদলেছেন!

বঙ্কিম বললেন, অনেক নয়, কিছু পরিবর্তন করতেই হয়েছে। আনন্দমঠ লেখার ফলে সাহেবরা আমার ওপর চটেছে। খামোখা উড়িষ্যায় বদলি করে দিল !

ভরত যেন হতবুদ্ধি হয়ে গেল। এই উপন্যাস থেকে ইংরেজ কেটে নেড়ে কিংবা যবন বসানো হয়েছে? কেন? আমাদের আসল প্রতিপক্ষ কে, ইংরেজ নয়? মুসলমানরাও তো এই দেশের মানুষ ! তার বন্ধু ইরফান আলি, বঙ্কিমচন্দ্রের খুব ভক্ত। সেও আনন্দমঠ পড়ে উচ্ছসিত। দ্বিতীয় সংস্করণ তার চোখে পড়লে সে কষ্ট পাবে না?

বঙ্কিম তার প্রশংসা করেছেন, এ জন্য ভরতের আনন্দে অধীর হবার কথা ছিল, কিন্তু হঠাৎ তার মনটা দমে গেছে।

দ্বারিকা বলল, খুড়োমশাই, আমি একটা এই বই নেব?

বঙ্কিম শুধু মাথা নাড়লেন, নাম সই করে দিলেন না।

এবার সত্যিই যেতে হবে। দু'জনে বাইরে এসে জুতো পরতে লাগল।

একটা ফিটন গাড়ি এসে থামল বাড়ির সামনে। তার থেকে নামল কোঁচানো ধুতি, কুর্তা ও মেরজাই পরা এক রূপবান তরুণ যুবা। তার চক্ষুদুটি এমনই স্নিগ্ধ ও উজ্জ্বল যে সেই মুখের দিকে একবার তাকালে সহসা চোখ ফেরানো যায় না।

ভরত জিজ্ঞেস করল, ইনি কে রে, চিনিস ?

দ্বারিকা খানিকটা অবহেলার সঙ্গে বলল, হ্যাঁ, চিনি। ভারতী গোষ্ঠীর একজন লেখক।

দ্বারিকা এমনই বঙ্কিম-ভক্ত যে সে অন্য কোনও লেখককে পাত্তাই দেয় না। ভরত কিন্তু বঙ্গদর্শন ও ভারতী এই দুটি পত্রিকাই পড়ে।

ভরত আবার জিজ্ঞেস করল, ভারতী গোষ্ঠীর কে ? জ্যোতিরিন্দ্রনাথ ?

দ্বারিকা বলল, না, তাঁর ছোট ভাই। রবীন্দ্রবাবু। 'বউ ঠাকুরাণীর হাট' নামে একটা নবেল লিখেছেন, পড়িসনি ?

ভরত বলল, সেখানা পুরো পড়া হয়নি। কিন্তু এঁর 'প্রভাত সঙ্গীত', অপূর্ব সুন্দর কাব্য!

দ্বারিকা এ কথার গুরুত্ব না দিয়ে বলল, আমাদের বঙ্কিমের প্রথম নবেল 'দুর্গেশনন্দিনী', সেই তুলনায় 'বউ ঠাকুরাণীর হাট' কী ? কিছুই না।

ভরত আর তর্ক করল না। নেমে এল রাস্তায়। আবার তার মনে পড়ল, ইরফান যদি আনন্দমঠের দ্বিতীয় সংস্করণ দেখে ; ইরফানকে এমনিতেই অনেকে নেড়ে নেড়ে বলে ক্ষ্যাপায়।

কলেজের ছাত্রদের মধ্যে খাস কলকাতার ছেলেদের সংখ্যাই বেশি। তারা প্রায়ই বাঙালদের মাথায় চাঁটি মারে। বাঙালরা তাদের ভাষা গোপন করতে পারে না। বিশেষত সিলেট, চিটাগাঙ, কুমিল্লার ছেলেদের উচ্চারণ বোঝা বেশ শক্ত, তারা মুখ খুললেই কলকাতার ছেলেরা ভেংচি কাটে। ভরত অবশ্য কলেজে ভর্তি হবার আগে প্রায় এক বছর এই শহরে থেকেছে, সে এখানকার ভাষা অনেকটা রপ্ত করে নিয়েছে, তবু তাকেও মাঝে মাঝে ওরা চাঁটি মারে কৌতুকছলে।

প্রেসিডেন্সি কলেজে মুসলমান ছাত্রের সংখ্যা খুবই কম। ভরতের ক্লাসে মাত্র পাঁচ জন। নবাব আবদুল লতিফের মতন ধনী পরিবারের ছেলেদের কেউ ঘাঁটাতে সাহস করে না, গরিব মুসলমান ছাত্ররা বাঙালদের মতনই জড়োসড়ো হয়ে থাকে। ইরফানের সঙ্গে প্রায় প্রথম দিন থেকেই ভরতের ভাব হয়েছে, কিন্তু কিছু ব্যাপারে দু'জনের চিন্তার বেশ মিল আছে।

দ্বারিকানাথ ভরতকে নিয়ে গেছে বঙ্কিমচন্দ্রের বাড়িতে, তাঁর সঙ্গে আলাপ করিয়ে দিয়েছে, বঙ্কিমচন্দ্র ভরতের মুখস্থ বিদ্যার প্রমাণ পেয়ে প্রশংসা করেছেন, এ যে আশার অতিরিক্ত পাওয়া। কৃতিত্বের গর্বে উদ্ভাসিত হয়ে সে বলল, চল শালা, আজ উইলসনের হোটেলে আমাকে খাওয়াতে হবে !

উইলসন সাহেবের হোটেলের সামনে দিয়ে কয়েকবার যাওয়া-আসা করলেও ভরত কোনওদিন ভেতরে ঢোকেনি। হোটেলে খাওয়ারই অভ্যেস নেই তার। বড় জোর বউবাজারের মোড়ের রাস্তার দোকান থেকে কখনও কাবাব কিনে খেয়েছে। এখনও দোকান থেকে একটু দামি কিছু কিনতে গেলে তার হাত কাঁপে, হাসিও পায়। কিছুদিন আগেও যে সে কালীঘাটের কাঙালিদের মতন রাস্তা থেকে পয়সা কুড়োত, তা বন্ধুরা কেউ জানে না।

এখন অবশ্য মাসে মাসে সে দশ টাকা করে জমায়।

অলি-গলি দিয়ে লাল দিঘির দিকে যেতে যেতে এক সময় সে দ্বারিকাকে জিজ্ঞেস করল, হ্যাঁ রে, মেসমেরিজ্‌ম বলে সত্যি কিছু আছে ?

দ্বারিকা বলল, বাঃ, আজব কথা বললি ! বঙ্কিমবাবু যখন বললেন, তখন তা সত্যি না হয়ে পারে ? মেসমার সাহেবের নাম শুনিসনি ? মেসমেরিজম কী জানিস, তুই আমার দিকে চেয়ে থাকবি, আমি তোর চোখের সামনে হাত ঘোরাব, হাত ঘোরাব, এইরকম হাত ঘোরাব,

তাতেই তুই এক সময় ঘুমিয়ে পড়বি। তারপর আমি তোর সব মনের কথা টেনে বার করব। ওই অবস্থায় মানুষ ঘুমের মধ্যেও কথা বলে।

—ওরকম করলে রোগ সারে ?

—আলবাত সারে ! সঞ্জীবচন্দ্র-জ্যাঠার কাছে শুনেছি, উনিও এরকম পারেন। কত মৃগী রুগী সারিয়েছেন। অনেক সাধু-সন্নিসী, জানিস তো, এই বিদ্যেটা শিখে নেয়, তারপর ভক্তদের বশ করে।

—তুই সাধু-সন্ন্যাসী মানিস ?

—তেমন তেমন সাধু পেলে নিশ্চয়ই মানব। দক্ষিণেশ্বরের রামকৃষ্ণ পরমহংসের ওপর আমার খুব ভক্তি। শ্যামপুকুরের এক বাড়িতে ওঁকে দেখেছিলাম। খাঁটি যোগী পুরুষ। নেহাৎ বিয়ে করে ফেলেছি, না হলে আমি ওঁর চেলা হতাম !

—বিয়ে করলে বুঝি ওঁর চেলা হওয়া যায় না ?

—গৃহী মানুষদের উনি তেমনভাবে আপন করে নেন না শুনেছি। আমি তো মহেন্দ্র গুপ্ত মাস্টারমশাইয়ের কাছে পড়েছি, ওঁর কাছেই শুনেছি, উনি যখন প্রথম বার দক্ষিণেশ্বরে যান, উনি বিবাহিত শুনেই রামকৃষ্ণদেব বলে উঠেছিলেন, এই রে, বিয়ে করে ফেলেছে !

—আমি ওঁকে কখনও দেখিনি !

—চলে যা একদিন দক্ষিণেশ্বর । সেখানে তো শুনেছি অবারিত দ্বার, যে-সে গিয়ে ওঁর কাছে বসতে পারে। তুই যাদুগোপালের সঙ্গে অত মিশিস কেন ? ব্রাহ্মদের সঙ্গে বেশি ঘেঁষাঘেঁষি করিস না, রামকৃষ্ণদেবের কাছে যা, শশধর তর্কচূড়ামণির বক্তৃতা শোন, অনেক কিছু শিখতে পারবি।

ভরত চুপ করে গেল।

উইলসন হোটেলের গেটের দু'পাশে দু'জন তাগড়া চেহারার দারোয়ান দাঁড়িয়ে আছে। তাদের কোমরবন্ধে তলোয়ার, হাতে পেতল দিয়ে বাঁধানো লাঠি। দেখলেই বুক কাঁপে। দ্বারিকানাথও যদিও এই প্রথম আসছে, তবু খুব চেনা ভাব দেখিয়ে ঢুকে গেল অকুতোভয়ে।

সিঁড়ি দিয়ে উঠতে উঠতে ভরত চুপি চুপি জিজ্ঞেস করল, হ্যাঁ রে, ইংলিশে অর্ডার দিতে হবে ?

দ্বারিকা হেসে বলল, কেন, ইংলিশ বলতে শিখিস নি ?

ভরত বলল, কোন খাবারের কী নাম তা যে জানি না !

দ্বারিকা বলল, আন্দাজে ঢিল মারব। সাহেবের দোকানের সব খাবারই অতি উত্তম !

দোতলায় এক ফিরিঙ্গি তাদের দেখে মাথা ঝুঁকিয়ে বলল, গুড আফটারনুন, বাবু, হাই মেনি পার্সনস ?

দ্বারিকা আঙুল তুলে বলল, টু !

ফিরিঙ্গি একটি মুসলমান খানসামাকে ডেকে বলল, এদের একটা ক্যাবিনে নিয়ে গিয়ে বসাও !

খানসামাটির পোশাকও বেশ জমকালো । লাল মখমলের লম্বা জামা। মাথায় পাগড়ি, তাতে পায়রার পুচ্ছের মতন ঝুঁটি। কোমরে তকমা আঁটা বেল্ট। মুখভর্তি দাড়িওয়ালা সেই খানসামাটি এমন ভারিক্কী চালে ওদের দু'জনকে নিয়ে গেল, যেন দুটি শিশুকে হাঁটতে শেখানো হচ্ছে।

কাঠের পার্টিশান দেওয়া ক্যাবিনটিতে চার জনের বসার জায়গা, ওরা দু'জন বসল মুখোমুখি। কোথায় যেন টুং টুং করে পিয়ানো বাজছে, পাশের ক্যাবিন থেকে শোনা গেল হাসির হররা। বাতাসে নানারকম খাদ্যের গন্ধ।

খানসামাটি প্রথমে ওদের পাশে সাজিয়ে দিল অনেকগুলি ছুরি কাঁটা চামচ। তারপর মেলে ধরল খাদ্য তালিকা। দু'জনে মাথা ঝুঁকিয়ে নাম পড়ে দেখার চেষ্টা করল। ভিণ্ডালু, পর্ক কাটলেট, বীফ স্টেক, শাটুব্রিয়াঁ, অর দ্যভর, লেগ্যুম....এর কোনওটারই মানে জানে না ওরা।

দ্বারিকা ঢালাও ভাবে বলল, যা যা ভালো আছে সব একটা করে নিয়ে এসো !

ভরত আঁতকে উঠে জিজ্ঞেস করল, কত টাকা লাগবে ?

খানসামাটি বুঝেছে, এরা একেবারেই উটকো, নাবালক। গম্ভীর ভাবে জানতে চাইল, জেব মে কিৎনা হ্যায় ?

ভরত বলল, বিশ, পঁচিশ রূপেয়া ?

খানসামাটি মাথা নেড়ে বলল, হো জায়েগা !

ভরত নিজের পকেটে হাত দিল। সব সুদ্ধু সে পঁয়তিরিশ টাকা এনেছে। অনেক খরচ হয়ে যাবে একদিনে। তা হোক, আজ একটি স্মরণীয় দিন। বঙ্কিমবাবুকে সশরীরে দেখেছে। আর যদিও কথা বলা হল না, তবুও অনিন্দ্যকান্তি রবীন্দ্রবাবুকেও দেখা গেল এক ঝলক।

খানসামাটি খাবার আনতে গেছে, ভরত বন্ধুকে জিজ্ঞেস করল, এই সব ছুরি-কাঁটা-চামচ দিয়ে কী করে খাব? কোনটা কোন হাতে ধরে ?

জিনিসগুলো ঘাঁটাঘাটি করতে করতে দ্বারিকা বলল, এর আবার ডান হাত, বাঁ হাতের ব্যাপার আছে। কোনটা কোন হাতে ধরে কে জানে ! আমরা হিন্দুরা বাঁ হাত এঁটো করি না। ম্লেচ্ছদের ব্যাপারই আলাদা। আরে দূর দূর, পয়সা দিয়ে খাচ্ছি, অত পরোয়া করার কী আছে। শুধু হাত দিয়ে খাব। দেখলি না, ফিরিঙ্গি ম্যানেজারটা কেমন কোমর ঝোঁকাল আমাদের দেখে। পয়সা দিলে সব হয়।

ভরত বলল, না বুঝে খাবার দিতে বললাম, যদি গরু-শুয়োর দেয় ? তুই হিন্দুর ছেলে হয়ে সেসব খাবি ?

দ্বারিকা এক গাল হেসে বলল, আমার ঠাকুর্দা গরুর মাংসের কাবাব খেয়েছিলেন সেই কতকাল আগে, আমি তো কোন ছার। আমার ঠাকুর্দা দক্ষিণা মুখুজ্যে, রাজনারাণ বোসদের সহপাঠী ছিলেন। এখন গো-মাংস খাওয়া এমন আর কি মর্ডান ব্যাপার ? আমার ঠাকুর্দারা অতদিন আগে খেয়েছিলেন তাদের তো জাত যায়নি। রাজনারাণ বোস এখন বরং বেশি বেশি হিন্দু হয়েছেন !

একটু থেমে সে জিজ্ঞেস করল, তুই ওসব খাস ? তোদের বাড়িতে মুরগির মাংসও ঢোকে না বলেছিলি।

ভরত বলল, ওটা তো আমার বাড়ি নয়। শিশু বয়েস থেকে যার বাপ-মা থাকে না, তার কি কোনও জাত থাকে? রাস্তার যে কাঙালিগুলো সবজাতের এঁটো-কাঁটা খুঁটে খায়, তারা হিন্দু না মুসলমান ?

দ্বারিকা বলল, শিশু বয়েসে বাপ-মা হারা অনাথরা খ্রিস্টান হতে পারে অনায়াসে। তুই বুঝি কোনও পাদ্রির সুনজরে পড়িসনি ?

খানসামা প্রথম এক প্রস্থ খাদ্য নিয়ে এল। সুদৃশ্য রুপোর রেকাবিতে সাজানো। রুপোর গেলাসে ক্যাওড়া মিশ্রিত পানীয় জল।

দ্বারিকা বলল, ও আগে বলতে ভুলে গেছি। ড্রিংকস দাও। রম্। দু পাত্তর রম্।

ভরত বলল, না,না, আমি না, আমি না !

দ্বারিকা বলল, শালা, এই মাত্র বললি তোর কোনও জাত নেই। মদ খেতে আপত্তি কী?

ভরত ত্রিপুরার রাজপ্রসাদে অনেক রকম বিলাসিতা দেখেছে, কিন্তু মদ্যপান দেখেনি। মহারাজের কঠোর নিষেধ ছিল। শশিভূষণও মদ্যপান ঘৃণা করেন। তাই ভরতের মনে মদ্যপান সম্পর্কে বিতৃষ্ণার ভাব আছে।

দ্বারিকা বলল, আমার গুরু নিয়মিত পান করেন, এ কখনও খারাপ হতে পারে ? মদ্যপান করলে চিন্তাশক্তি বাড়ে।

ভরত দু'হাত তুলে বাধা দেবার চেষ্টা করলেও দ্বারিকা কিছুতেই শুনল না। একটা গেলাস তার ঠোঁটের কাছে তুলে ধরে বলল, খা শালা, খেয়ে দেখ ! একটা চুমুক দিয়ে দেখ কেমন লাগে !

শশিভূষণের কাছে ভরত একদিন প্রতিজ্ঞা করেছিল, সে কখনও মদ স্পর্শ করবে না। কিন্তু প্রেসিডেন্সি কলেজের ছাত্ররা প্রায় সবাই মদ্য পান করে ও চুরুট ফোঁকে। এমনকি যাদুগোপাল কট্টর ব্রাহ্ম হয়েও এ ব্যাপারে আপত্তি করে না। বন্ধুদের সঙ্গে খোস গল্পের আসরে ভরত শত উপরোধেও পান করতে রাজি হয়নি। কিন্তু দ্বারিকা একেবারে নাছোড়বান্দা, সে জোরাজুরি শুরু করে দিল।

প্রতিজ্ঞা ভাঙলে কি পাপ হয় ? যদি কেউ জানতে না পারে ? একটুখানি খেলে কী এমন ক্ষতি। ভরত মনের দ্বিধা কাটাতে পারছে না, দ্বারিকা অনবরত বলছে, খা শালা, খালি একটুখানি চেখে দেখ....

বাধ্য হয়ে শেষ পর্যন্ত ভরত গেলাসে ওষ্ঠ স্পর্শ করল।

তার মনে পড়ে গেল, জঙ্গলের মধ্যে তার সেই মাটিতে গেঁথে যাবার দৃশ্য। এক পায়ে ছিল গভীর ক্ষত, উদরে খিদের জালা, মাথার ওপর বাদুড়ের মতন ঘুরপাক খাচ্ছিল মৃত্যু। যে-কোনও মুহূর্তে তার প্রাণবায়ু নির্গত হলেই সেই বাদুড়টা হাঁ করে শুষে নিত।

সেই অবস্থান থেকে কত দূর চলে এসেছে ভরত। সে হেসে উঠল আপন মনে।

॥ ৩২ ॥

বালিকা বধূটিকে কোন স্কুলে পাঠানো হবে, তাই নিয়ে সরলা ও বিবির মধ্যে টানাটানি শুরু হয়ে গেল। সরলা পড়ে বেথুন স্কুলে, বিবি লোরেটো হাউজে। দু'জনেরই ধারণা, যার যার নিজের স্কুলটিই বেশি ভালো। বেথুন স্কুল বাঙালি পাড়ায় বাংলা-মাধ্যম, আর লোরেটো হাউজ সাহেব পাড়ার ইংরেজি স্কুল, সেখানে বাঙালি ছাত্রীর তুলনায় ফিরিঙ্গি ছাত্রীই বেশি। বেথুনের অনেক ছাত্রী এখন সমাজের নাম-করা মহিলা। এই তো গত বছরেই বেথুনের একটি ছাত্রীকে নিয়ে হইচই পড়ে গিয়েছিল। প্রবেশিকা পরীক্ষায় ভালোভাবে উত্তীর্ণ হয়ে অবলা দাস নামে মেয়েটি ঠিক করেছিল ডাক্তারি পড়বে। কিন্তু কলকাতার মেডিক্যাল কলেজে ছাত্রীদের নেওয়া হয় না। কিন্তু অবলার দাবি, কেন সে ডাক্তারি পড়তে পারবে না? শেষ পর্যন্ত তাকে পাঠিয়ে দেওয়া হল মাদ্রাজের মেডিক্যাল কলেজে। অবলার জেদ দেখে বাংলা সরকার তার জন্য কুড়ি টাকার মাসিক বৃত্তিরও অনুমোদন করেছে। দেশের কোথায় কি আন্দোলন হয়, বেথুন কলেজে তার প্রভাব পড়ে। ইলবার্ট বিলের সময় সাহেবরা যখন এ-দেশীয় মানুষদের বিদ্যো-বুদ্ধি নিয়ে যা-তা কথা প্রচার করতে লাগল, তখন কামিনী সেন নামে একটি তেজস্বিনী ছাত্রীর নেতৃত্বে বেথুনের মেয়েরা বিক্ষোভ জানিয়েছিল। সুরেন বাঁড়ুজ্যের যেদিন জেল হল, সেদিন বেথুনের সব ছাত্রী হাতে কালো ফিতে বেঁধে এসেছিল স্কুলে।

লোরেটো হাউজে এসব কিছুই হয় না। সেখানে স্বদেশিয়ানা নিষিদ্ধ। প্রভু যিশুর জয়গান করে নিয়মিত প্রার্থনা করতে হয়। ছাত্রীরা ভালো ইংরেজি শেখে। বিলিতি আদব-কায়দায় রপ্ত হয়, পাস করার পর তারা বড় বড় সিভিলিয়ান বা ব্যারিস্টারের পত্নী হিসেবে বেশ মানিয়ে যায়।

বিবির বয়েস এখন দশ বছর, সরলার এগারো। এই মামাতো-পিসতুতো দুই বোনের মধ্যে যেমন বেশ ভাব, তেমন মাঝে মাঝে তর্কও হয় খুব। এই বয়েসেই সরলার মনে ইংরেজ শাসন সম্পর্কে রাগ-রাগ ভাব এসেছে। প্রায়ই সে আবৃত্তি করে, স্বাধীনতা হীনতায় কে বাঁচিতে চায় রে, কে বাঁচিতে চায় !

নতুন বউ ওদেরই বয়েসী, কিন্তু এই পরিবারের নিয়ম অনুযায়ী তাকে কাকিমা বা মামী বলতে হবে। এক এক সময় বিবি আর সরলা তার কাছে ছুটে গিয়ে দু'জনে দুই হাত ধরে বলে, তুমি কার ইস্কুলে ভর্তি হবে বলো ! আমারটা ভালো নয় ?

নতুন বউয়ের আড়ষ্টতা এখনও কাটেনি। এমনকি তার বিবাহ-উত্তর নাম যে মৃণালিনী তাও মনে থাকে না, এখনও যেন সে যশোরের গ্রাম্য মেয়ে ভবতারিণী। এত বড় একটা প্রাসাদ, এত মানুষজন, এত দাস-দাসী, এর মধ্যে তার দিশেহারা অবস্থা। ঠিক যেন রূপকথার মতন, কুঁড়েঘর থেকে সে রাজবাড়ির বধূ হয়ে চলে এসেছে। রাজপুত্রেরই মতন রূপবান তার স্বামী, তবু তার সঙ্গে এখনও ভালো করে ভাবই হল না। হেমেন্দ্রনাথের স্ত্রী নীপময়ীর কাছে তার থাকার ব্যবস্থা হয়েছে, নীপময়ী তাকে এ বাড়ির রীতিনীতি শেখাচ্ছেন।

বিয়ের দিনের পরেও কয়েকদিন উৎসবের রেশ থাকার কথা, কিন্তু বাড়িতে এখন শোকের ছায়া। রবির বিবাহের রাত্রেই শিলাইদহে তার বড় জামাইবাবু সারদাপ্রসাদ গাঙ্গুলির হঠাৎ হৃদরোগে মৃত্যু হয়। বড় দিদি সৌদামিনী রবির প্রায় মায়ের মতন, তিনিই এই সংসারের কর্ত্রী। তিনি আবার এই সময়টায় ছিলেন সত্যেন্দ্রনাথের কাছে, খবর পেয়ে তিন দিন আগে পৌঁছেছেন। মূর্ছা যাচ্ছেন ঘন ঘন। বাড়িতে সবাই এখন ফিসফিস করে কথা বলে। একমাত্র বাচ্চারাই -এ নিয়ম মানে না।

রবির স্ত্রী কোথায় শিক্ষা গ্রহণ করবে, তা নিয়ে বিবি-সরলার তর্কের তো কোনও মূল্যই নেই। আসল সিদ্ধান্ত নেবেন জ্ঞানদানন্দিনী। তিনি নিয়েও ফেলেছেন। এবারে তাঁদের জন্য সার্কুলার রোডে আরও বড় একটি বাড়ি ভাড়া নেওয়া হয়েছে, মৃণালিনী সেখানেই তাঁর কাছে থাকবে। সে বাড়ি থেকে লোরেটো হাউজ বেশি দূর নয়, বিবির সঙ্গেই যেতে পারবে এক গাড়িতে । শাড়ি-টাড়ি চলবে না, উত্তম বিলিতি কাপড় কিনে স্কার্ট বানানো হতে লাগল তার জন্য।

এ ব্যবস্থা অনেকেরই মনঃপুত হল না।

কাদম্বরীর বড় সাধ ছিল রবির স্ত্রী তার সঙ্গিনী হবে। তিনি তাঁর মনের মতন করে মেয়েটিকে গড়ে তুলবেন। রবির জন্য আলাদা একটি মহল নির্দিষ্ট হয়েছে। সাজানো-গোছানোও হয়েছে বেশ সুন্দর ভাবে, নতুন বউ সেখানে না থেকে অন্য বাড়িতে চলে যাবে কেন ? বেথুন স্কুলে এ বাড়ির আরও তিনটি মেয়ে পড়তে যায়, এখানে থেকে ওই স্কুলে পাঠানোর তো কোনও অসুবিধে ছিল না ! জ্ঞানদানন্দিনীর নিজের ছেলে-মেয়ে আছে, কাদম্বরীর যে আর কেউ নেই, রবির বউকেও কেড়ে নেবেন জ্ঞানদানন্দিনী ?

বাড়ি ভর্তি মানুষ এখন গমগম করছে, রবির সঙ্গে নিভৃতে কথা বলার সুযোগ নেই। অন্যদের সামনেই কাদম্বরী রবিকে সহজভাবে জিজ্ঞেস করলেন, রবি, ছোট বউকে বেথুনে পড়ালেই ভালো হত না ? তুমি বাংলার কবি, তোমার বউ যাবে ইংরেজি ইস্কুলে ?

রবি বিব্রতভাবে বললে, মেজ বউঠান যে ঠিক করলেন....

নীপময়ীও সেখানে উপস্থিত। তিনি বললেন, ও রবি, তোর বউ যে একটি অক্ষরও ইংরেজি জানে না। আমি কথা বলে দেখছি তো, প্রাইমারি ইস্কুলে বাংলা একটু-আধটু শিখেছে বটে, ইংরেজির অক্ষরজ্ঞানও নেই। ও লোরেটোর ফিরিঙ্গি মেয়েদের সঙ্গে বসে পড়াশুনো করতে পারবে ? এক্ষুনি ইস্কুলে পাঠাবারই বা দরকার কী ? আমাদের কাছেই থাক না, আমরাই প্রথমটা শিখিয়ে–পড়িয়ে দেব।

রবি বলল, তোমরা একটু মেজ বউঠানকে বুঝিয়ে বলো না এ কথা ?

নীপাময়ী ঝংকার দিয়ে বলে উঠলেন, তোর বউয়ের ব্যাপারে আমরা বলতে যাব কেন রে ? তুই নিজের বলতে পারিস না ?

রবির মুখ দেখেই বোঝা গেল, জ্ঞানদানন্দিনীর কাছে এরকম প্রস্তাব তোলার সাহস সে সঞ্চয় করতে পারবে না।

কাদম্বরী নিঃশব্দে একটা ছায়ার মতন সরে গেলেন সেখান থেকে।

বেথুন স্কুল বাংলার গর্ব। কত বিরোধিতা অগ্রাহ্য করে এ দেশের মেয়েদের শিক্ষার জন্য এর প্রতিষ্ঠা হয়েছিল। বিদ্যাসাগর মশাই এর সঙ্গে যুক্ত ছিলেন, স্বয়ং দেবেন্দ্রনাথ তাঁর এক কন্যাকে এখানে ভর্তি করে দিয়ে এসেছিলেন !

সেই দেবেন্দ্রনাথও এখন জ্ঞানদানন্দিনীর ব্যবস্থাপনাকে অগ্রাহ্য করেন না। রবির বিয়ের সময় তিনি আসেননি, কিন্তু বড় জামাইয়ের মৃত্যুসংবাদ পেয়ে তিনি চলে এলেন শান্তিনিকেতন থেকে। সম্পত্তির বিলিব্যবস্থা করতে হবে। কনিষ্ঠা পুত্রবধুর মুখ দেখলেন আনুষ্ঠানিকভাবে। বাড়িতে পৌঁছনো মাত্রই, কই রবির বউ কই, এরকম চাঞ্চল্য প্রকাশ করা তাঁর স্বভাব নয়। পৌঁছবার দ্বিতীয় দিনে তিনি গোধূলির আলোয় নিজের ঘরের আরামকেদারায় বসে খবর পাঠালেন। রবি তার নবোঢ়া পত্নীকে সঙ্গে নিয়ে এসে বাবামশাইকে প্রণাম করল।

দেবেন্দ্রনাথ ভয় ও লজ্জায় জড়সড় বালিকাটির হাতে চারটি মোহর দিলেন। এই তাঁর যৌতুক, পুত্রবধূর রূপ সম্পর্কে কোনও মন্তব্য করলেন না, হাত তুলে, চক্ষু বুজে আশীর্বাদের একটি মন্ত্র পাঠ করলেন। তারপর রবিকে জিজ্ঞেস করলেন, বধূমাতার শিক্ষার কী ব্যবস্থা করেছ ?

রবি মৃদুকণ্ঠে বলল, মেজ বউঠান ব্যবস্থা করেছেন। খ্রিস্টমাসের ছুটির পরে লোরেটো হাউজে ভর্তি করে দেওয়া হবে।

দেবেন্দ্রনাথ কয়েক মুহূর্ত নীরবে চিন্তা করার পর বললেন, বেশ ! সেই ভালো। তবে, প্রথমেই কি অন্যান্য বালিকাদের সঙ্গে বসে পাঠ নিতে পারবে ? ব্যবস্থা করো, কিছুদিন ওই বিদ্যালয়ে ছোট বধূমাতাকে যেন পৃথকভাবে শিক্ষা দেওয়া হয়। শিক্ষিকারা শুধু ওকেই পড়াবেন। এর জন্য যা খরচ লাগে খাজাঞ্চিখানা থেকে নেবে। আমি বলে দিয়ে যাচ্ছি।

এর থেকে ভালো ব্যবস্থা আর হয় না।

দেবেন্দ্রনাথ আজকাল আর জোড়াসাঁকোর বাড়িতে থাকতে চান না। এ কালের ছেলেমেয়েদের পোশাক-আশোক, আচার-ব্যবহার সব তাঁর মনঃপূত হয় না, আবার এটাও বোঝেন যে কঠিন নিষেধের গণ্ডি টেনে এত বড় পরিবারে সকলকে বেঁধে রাখা যাবে না। তাই তিনি দূরে চলে গিয়ে সংসার থেকে খানিকটা বিযুক্ত থাকেন। চুঁচড়োয় একটা বাড়ি ভাড়া নিয়ে দু'দিন পরেই আস্তানা নিলেন সেখানে।

বাইরে থেকে যারা এসেছিল, তারাও ক্রমে ফিরে যেতে লাগল। সত্যেন্দ্রনাথ সপরিবারে চলে গেলেন সার্কুলার রোডের অট্টালিকায়। সরলা তার মা-বাবার সঙ্গে ফিরে গেল কাশিয়াবাগানের বাড়িতে।

জ্ঞানদানন্দিনী শুধু নববধূকেই সঙ্গে নিলেন না, রবিকেও বললেন কিছুদিন তাঁদের সঙ্গে

গিয়ে থাকতে। রবি বাধ্য ছেলের মতন চলে গেল। অবিলম্বেই মৃণালিনীকে ভর্তি করে দেওয়া হল লোরেটো হাউজে, সেখানে তাকে শুধু ইংরেজি শিক্ষাই নয়, পিয়ানো বাজনা ও পাশ্চাত্য সঙ্গীত শেখানোরও ব্যবস্থা হল । বাড়িতে জ্ঞানদানন্দিনী প্রতি পদে পদে তাকে বোঝাতে লাগলেন, কিভাবে লোকজনের সামনে হাঁটতে হয়, কি ভাবে দাঁত না দেখিয়ে হাসতে হয়, কি ভাবে সুলুপ সুলুপ শব্দ না করে চা খেতে হয়। এত শিক্ষার চাপে বালিকাটির নিশ্বাস ফেলারও অবসর রইল না।

রবির নতুন কবিতার বই বেরুবে, তার প্রুফ দেখা নিয়ে সেও ব্যস্ত। এই কাব্যটির নাম দিয়েছে সে 'ছবি ও গান'।

সাধারণত জ্ঞানদানন্দিনীর বাড়িতেই আড্ডার টানে সন্ধেবেলা অনেকে আসে। জ্যোতিরিন্দ্রনাথের তো প্রতিদিন একবার আসা চাই-ই । কিন্তু সম্প্রতি আড্ডার কেন্দ্রটি স্থানান্তরিত হয়েছে অনেক দূরে, উল্টোডাঙ্গায়, স্বর্ণকুমারীর বাড়িতে।

দেবেন্দ্রনাথের কন্যারা বিবাহের পর বাপের বাড়িতেই থাকে, তাদের স্বামীরা ঘর-জামাই, এটাই রেওয়াজ। একমাত্র ব্যতিক্রম স্বর্ণকুমারীর স্বামী জানকীনাথ ঘোষাল। নদীয়ার জয়রামপুরের জমিদার বংশের সন্তান জানকীনাথ তেজস্বী পুরুষ। প্রথম যৌবনেই তিনি রামতনু লাহিড়ী ও যদুনাথ রায় প্রমুখের সংস্পর্শে এসে জাতিভেদ প্রথাকে অস্বীকার করে উপবীত ছিঁড়ে ফেলে দেন। তাঁর বাবা এজন্য তাঁকে ত্যাজ্যপুত্র করেছিলেন। দেবেন্দ্রনাথ একবার কৃষ্ণনগরে গিয়ে এই সুদর্শন যুবাকে দেখে তাঁর এক কন্যার সঙ্গে বিবাহের প্রস্তাব দিলেন। তাঁর কন্যা স্বর্ণকুমারীও অসাধারণ রূপসী। জানকীনাথ রাজি হলেন, কিন্তু শর্ত দিলেন যে তিনি জোড়াসাঁকোর বাড়িতে থাকবেন না। এবং আনুষ্ঠানিকভাবে ব্রাহ্ম ধর্মে দীক্ষা নেবেন না।

শ্বশুরবাড়ির অদূরে সিমলেপাড়ায় সংসার পেতেছিলেন জানকীনাথ। এর মধ্যে তাঁর পিতার সঙ্গে সদ্ভাব হয়ে গেছে। আবার তিনি জমিদার-তনয়। কাঞ্চন-কৌলীন্য অব্যাহত রইল। ধনী-কন্যা স্বর্ণকুমারীকে কোনও অভাবের মধ্যে পড়তে হল না।

ওঁদের এক পুত্র, তিন কন্যা। পরিণত বয়েসে জানকীনাথ বিলেতে ব্যারিস্টারি পড়তে গেলেন। সেই সময় স্ত্রী-পুত্র -কন্যাদের রেখে গেলেন শ্বশুরবাড়িতে। তাঁর কনিষ্ঠা কন্যাটি জ্যোতিরিন্দ্রনাথের স্ত্রী কাদম্বরী দেবীর খুব ন্যাওটা হয়ে ওঠে। সে সব-সময় কাদম্বরীর কাছেই থাকত। নিঃসন্তান কাদম্বরীও তাকে বুকে আঁকড়ে ধরেছিলেন। কিন্তু একদিন তিনতলার সিঁড়ি দিয়ে নামতে গিয়ে ছ' বছরের বালিকাটি পা পিছলে পড়ে গেল, মাথায় গুরুতর আঘাত লাগায় সে অনেক চিকিৎসাতেও বাঁচল না। লন্ডনে জানকীনাথ তখন ব্যারিস্টারির অনেকগুলি পরীক্ষাই পাস করেছেন, কিন্তু শেষ পরীক্ষা দেওয়া হল না, কন্যার মৃত্যুসংবাদ পেয়ে তড়িঘড়ি দেশে ফিরে এলেন।

আবার যাবেন ভেবেছিলেন, তা আর হয়ে উঠল না, কিন্তু নানাবিধ সামাজিক কর্মে নেতৃত্ব দিয়ে জানকীনাথ কলকাতার এক বিশিষ্ট নাগরিক হিসেবে গণ্য হলেন। কাশিয়াবাগানে তাঁর বাগানবাড়িটি একটি দর্শনীয় স্থান এবং বহু লব্ধপ্রতিষ্ঠ ব্যক্তির সমাগম হয় সেখানে।

স্বর্ণকুমারী এক বিচিত্র রমণী। তাঁর রূপ ও ব্যবহারে মহারানী, মহারানী ভাব, ব্যক্তিত্বময়ী, তা ছাড়া তাঁর শিক্ষার গর্ব আছে। তিনি স্বশিক্ষিতা । পিত্রালয়ে এবং স্বামীগৃহে এসেও তিনি যথেষ্ট পড়াশুনো করেছেন, বিজ্ঞানের প্রতিও তাঁর আগ্রহ আছে। লেখনী ধারণা করেও তিনি খ্যাতি অর্জন করেছেন, ভারতী পত্রিকায় তার রচনা নিয়মিত প্রকাশিত হয়। স্বর্ণকুমারীর ধারণা লেখক-লেখিকাদের সংসারের প্রতি মনোযোগ দেওয়া মানায় না। চাল-ডাল তেলের হিসেব রাখেন না তিনি, রান্নাঘরের খবর জানেন না। কয়েকটি পুত্রকন্যার জন্ম দিয়েছেন বটে কিন্তু তাদের নিয়ে আদিখ্যেতা করার পক্ষপাতী নন তিনি। প্রতিটি সন্তানের

জন্য একজন করে পরিচারক বা পরিচারিকা নিযুক্ত আছে। তারাই সর্বক্ষণ ছেলেমেয়েদের ওপর নজর রাখে। অন্য জননীদের মতন সময়ে সময়ে ছেলেমেয়েদের কাছে ডাকা, তাদের গায়ে হাত বুলোনো বা চুমো খেয়ে আদর করা, ওসব স্বর্ণকুমারীর ধাতে নেই। ছেলেমেয়েদের সঙ্গে প্রতিদিন তাঁর দেখাও হয় না।

একবার, তাঁর তৃতীয়া কন্যা সরলা যখন বেশ ছোট, ছাদের মার্বেল সিঁড়ি দিয়ে গড়াতে গড়াতে পড়ে গিয়েছিল একতলায়। মুখের দুটো দাঁত ভেঙে রক্তারক্তি কাণ্ড, সারা বাড়িতে হইচই, সরলার নিজস্ব দাসীটি কেঁদেকেটে বলতে লাগল, তার কোনও দোষ নেই....। ওপরতলার এক ঘরে বসে তখন সাহিত্য রচনা করছিলেন স্বর্ণকুমারী, তিনি একটুক্ষণ কান পেতে শুনলেন ও কোলাহলের কারণটা বুঝলেন, তবু নীচে নেমে মেয়েকে দেখতে গেলেন না। সাহিত্য রচনা এক প্রকার সাধনা, যখন-তখন মনঃসংযোগ নষ্ট করলে এ সাধনার ফল পাওয়া যায় না। মেয়ে আহত হয়েছে তো কী এমন ব্যাপার, তাকে দেখার জন্য একগাদা কর্মচারি রয়েছে, যদি চিকিৎসার দরকার হয় তার ব্যবস্থা করবেন বাড়ির পুরুষ মানুষটি, তাঁর স্বামী।

কাশিয়াবাগানের এই বাগানবাড়িটি বিশাল। দেওয়াল দিয়ে ঘেরা প্রায় পাঁচ বিঘের চৌহদ্দি, গৃহটির সামনে-পিছনে উদ্যান, এক পাশে একটি মিষ্টি জলের পুকুর। এই পুকুরটি এমনই বিখ্যাত যে পাড়া-প্রতিবেশিরা এখান থেকে কলসি ভরে খাবার জল নিয়ে যায়, জানকীনাথ তাতে আপত্তি করেন না। কাছেই উল্টোডাঙ্গার খাল, পূর্ববঙ্গ থেকে চাল নিয়ে বড় বড় নৌকো এখানে এসে ভেড়ে, একটা ছোটখাটো গঞ্জের পরিবেশ। এ বাড়িতে প্রতি অপরাহ্নেই আত্মীয়-বন্ধু সমাগম হয়, সাহিত্য আলোচনা চলে, স্বর্ণকুমারী নিজের নতুন রচনা পাঠ করে শোনান। এরকম পরিবেশ তিনি পছন্দ করেন। তাঁর দুই ভাই জ্যোতি ও রবির মতন সাহিত্যজগতে তাঁর অগ্রগমন অব্যাহত।

রবির বিয়ের কিছুদিন পরই কাশিয়াবাগানের এ বাড়িতে আর একটি বিয়ের প্রস্তুতি শুরু হয়ে গেল। ঘোষাল পরিবারে জ্যেষ্ঠা কন্যা হিরণ্ময়ীর বিবাহ, পাত্রটি পূর্ব পরিচিত। হিরণ্ময়ীর পিসেমশাইয়ের ভাই ফণিভূষণ মুখুয্যে এ বাড়িতে নিয়মিত যাওয়া-আসা করত, দু'জনেই পরস্পরকে পছন্দ করেছে। পাত্রটিও উচ্চ শিক্ষিত।

সাধারণ, সংসারী, কন্যার মায়েদের মতন, বিয়ের সময় কী কী শাড়ি কেনা হবে, কত সেট গয়না আসবে কিংবা নিমন্ত্রিতদের তালিকা কতটা দীর্ঘ হবে, এ নিয়ে মোটেই মাথা ঘামাতে চান না স্বর্ণকুমারী। ওসব তো ঠিকই হয়ে যাবে। বিয়ের উৎসবটা কী ভাবে অভিনব করা যাবে, তা নিয়েই তাঁর প্রধান চিন্তা। সে রাতে একটা নাটকের অভিনয় করলে কেমন হয়? তাঁর এই প্রস্তাবে অনেকেই সম্মতি জানাল। তবে বেশি দিন দেরি নেই, সংলাপ মুখস্থ করার, রিহার্সালের তত সুযোগ পাওয়া যাবে না। গীতি-নাট্য হলে বেশ হয়। সংলাপ মুখস্থ করার চেয়ে গান শেখা সহজ। তা ছাড়া কিছু কিছু গান তো আড়াল থেকেও গেয়ে দেওয়া যায়।

কে রচনা করবে গীতি-নাটক? সময় সংক্ষেপের জন্য সবাই মিলে লিখলেই তো হয়। একবার যেমন 'বাল্মীকি-প্রতিভা' তৈরি হয়েছিল অনেকের গান নিয়ে। যে-যে গান লিখতে পারে লিখে ফেলবে, একসঙ্গে বসে সুর দেওয়া হবে, আর গানগুলি জুড়ে দেবার জন্য একটা ক্ষীণ কাহিনীসূত্র থাকলেই হল। স্বর্ণকুমারী স্বয়ং গান রচনা করেন, আছেন জ্যোতিরিন্দ্রনাথ, পিয়ানোয় বসে নতুন নতুন সুর তৈরি করায় তাঁর জুড়ি নেই, রবিকে বললেই সেই সুরে কথা বসিয়ে দিতে পারে, তা ছাড়াও ডেকে আনা হল কবি অক্ষয় চৌধুরীকে।

বৈঠকখানাঘরে প্রতিদিন বসতে লাগল গান-রচনার আসর। গৃহকর্ত্রী এখানেই ব্যস্ত থাকেন, বিয়ের যাবতীয় ব্যবস্থাপনা করছেন তাঁর স্বামী। গান রচনায় বড় আমোদ। কখনও

কখনও এক একটি পঙক্তি অতি ব্যক্তিগত হয়ে যায়, তখন হাসির হর-রা ওঠে। নতুন নুতন সুরের একটা মায়া আছে। ক্লান্তি আসে না। আসর ভাঙতে ভাঙতে অনেক রাত হয়ে যায়। এর মধ্যে অবশ্য পানাহারের বন্দোবস্ত থাকে ঠিকই।

বয়স্কদের আড্ডায় ছোটরা কক্ষনও ধারেকাছে ঘেঁষতে পারবে না, স্বর্ণকুমারীর এরকম কঠোর নির্দেশ আছে। কিন্তু এখন সেই নির্দেশ শিথিল করা হয়েছে। হিরণ্ময়ীর বন্ধু ও ঠাকুরবাড়ির অন্য মেয়েরাই তো অভিনয় করবে। বয়স্করা থাকবেন অন্তরালে। এক একটা গান তৈরি হলে শিখিয়ে দেওয়া হচ্ছে মেয়েদের। অন্য কোনও নামের বদলে এই নাটিকার নাম রাখা হয়েছে 'বিবাহোৎসব'।

রবিকে সব দিন এখানে পাওয়া যায় না।

'ছবিও গান' বইটি ছাপা নিয়ে রবি বেশ ব্যস্ত। নির্ভুল করার জন্য সে প্রেসে গিয়ে প্রুফ দেকে। কবিতার একটি শব্দও ভুল ছাপা হলে কবির শরীরে যেন ছুরির আঘাত লাগে। সামান্য একটা আকার বা ইকার বাদ গেলেও যে ছন্দপতন হয়, তা তো পাঠকদের ডেকে ডেকে বোঝানো যায় না।

'ছবি ও গান' ছাপা শেষ হয়ে গেল, এখন উৎসর্গপত্র বাকি। কাকে উৎসর্গ করবে, রবি ঠিক ভেবে পাচ্ছে না। 'প্রভাত-সঙ্গীত ' দিয়েছে বিবিকে। এই বইখানি কি নিজের স্ত্রীকে দেওয়া উচিত? সে এই কবিতাগুলির মর্ম কী বুঝবে? তা ছাড়া এত তাড়াতাড়ি নিজের স্ত্রীকে কাব্য উৎসর্গ করলে সবাই যদি তা নিয়ে বিদ্রুপ করে?

আসলে রবির সবকটি বই-ই শুধু একজনকে দিতে ইচ্ছে করে। সে-ই তো তার প্রতিটি কবিতা পড়ে, প্রশংসায় উচ্ছ্বসিত হয়, আবার অপছন্দের কথা জানাতেও দ্বিধা করে না! মান-অভিমান, রঙ্গ-কৌতুকে সে-ই তো এতদিন মাতিয়ে রেখেছে, এই কাব্যটির প্রায় প্রতিটি কবিতা রচনার সঙ্গে রয়েছে তার ব্যক্তিগত স্মৃতি। কিন্তু একাধিক বই তাকে উৎসর্গ করলেও যদি অন্য কেউ কিছু মনে করে? 'ভগ্নহৃদয়ে'র শ্রীমতী হে যে কে, তা অনেকেই বুঝে ফেলেছে।

কিন্তু এই বইখানি আর কারুকেই দেওয়া যায় না।

রবি প্রথমে লিখল, 'গত বৎসরকার বসন্তের ফুল লইয়া এ বৎসরকার বসন্তে মালা গাঁথিলাম।'

একটু ভেবে সে আবার যোগ করল, 'যাঁহার নয়ন কিরণে প্রতিদিন প্রভাতে এই ফুলগুলি একটি একটি করিয়া ফুটিয়া উঠিত, তাঁহারি চরণে ইহাদিগকে উৎসর্গ করিলাম।'

বাঁধাবার পর প্রথম কপিটি তো তাঁর হাতেই তুলে দিতে হবে।

ব্রাহ্মসমাজ প্রেস থেকেই রবি সোজা চলে এল জোড়াসাঁকোয়। ফেব্রুয়ারি মাস, শীত শেষ হয়ে গেছে, কিন্তু বসন্ত টের পাওয়া যায় না, এর মধ্যেই গরম পড়তে শুরু করেছে। বিকেলবেলায় আকাশে দেখা যায়, ঝাঁকে ঝাঁকে উড়ে যাচ্ছে বিদেশি হংস।

কাদম্বরীর ঘরের দরজা খোলা। তিনি একটা জানলার পাশে বসে আছেন বাইরে তাকিয়ে। ঘর একটু একটু অন্ধকার, কিন্তু বাইরে এখনও শেষ সূর্যের আলো আছে। এই জানলা দিয়ে বাগানের অনেকখানি দেখা যায়। একেবারে কাছেই একটা বড় বকুল গাছ, সেখানে কিচির-মিচির করছে অসংখ্য পাখি, বাগানের অন্য গাছের তুলনায় এই গাছটাকে পাখিরা বেশি পছন্দ করে।

রবি ডাকল, নতুন বউঠান।

কাদম্বরী ফিরে তাকালেন। কিন্তু ত্রস্তে উঠে দাঁড়ালেন না, ছুটে রবির হাত ধরলেন না, তার নামে কোনও অনুযোগ করলেন না, কিছুই না। শুধু একবার তাকালেন মাত্র।

রবি কয়েক পা এগিয়ে এসে জিজ্ঞেস করল, তোমার শরীর ভালো আছে।

কাদম্বরী মাথা হেলিয়ে বললেন, হ্যাঁ।

রবি আবার জিজ্ঞেস করল, ঘরে বাতি জ্বালোনি ?

কাদম্বরী উত্তর না দিয়ে এমনভাবে চেয়ে রইলেন, যাতে মনে হয়, বাতি জ্বালা না-জ্বালায় কিছু আসে যায় না।

রবি বলল, নতুন বউঠান, এই আমার ছবি ও গান।

কাদম্বরী হাত বাড়িয়ে সেটা নিলেন। অলসভাবে ওলটালেন কয়েকটি পৃষ্ঠা, উৎসর্গের লেখাটি পড়ে শুধু বললেন, গত বৎসর ! তারপর রেখে দিলেন বইটি এক পাশে।

এর আগে রবির অন্য যে-কোনও বই পেলে তিনি উৎফুল্ল হয়ে প্রথমেই গন্ধ শুঁকতেন। প্রতিটি পৃষ্ঠা দেখতেন, কেন কোন কবিতাটি আগে দেওয়া হয়েছে, কোনটি শেষে, তা নিয়ে প্রশ্ন করতেন। এখন যেন তাঁর কোনও উৎসাহই নেই।

কেন যে এই অনাসক্তি, তার কারণটা রবি জানে, সেইজন্যই প্রশ্ন করতে সাহস করল না। জ্ঞানদানন্দিনী যে এঁর কাছ থেকে জোর করে রবিকে সরিয়ে নিচ্ছেন। এঁর স্বামীকে নিজের দিকে টেনেও নিরস্ত হননি, রবিকেও তাঁর চাই। কাদম্বরীকে নিঃসঙ্গতার শাস্তি দিয়েই তাঁর আনন্দ ! নতুন বউঠানেরও দোষ আছে, তিনি শুধু শুধু বাড়িতে বসে থাকেন কেন, স্বামীর সঙ্গে বেরুতে পারেন না ?

নতুন বউঠান দিনের পর দিন এই ঘরে একা একা বসে থাকবেন, প্রতিদিন এরকম বিকেল-সন্ধেবেলা রবি কি তাঁকে সঙ্গ দিতে পারে এখন? তার ইচ্ছে থাকলেও পারবে না। সারা বাড়িতে ফিসফাস শুরু হয়ে যাবে। তা ছাড়া রবিরও তো এখন বাইরে অনেক কাজ। আগের মতন, কাদম্বরীর অভিমান ভাঙাবার মতন অনন্ত অবসর যে তার নেইই। চন্দননগরে মোরান সাহেবের বাগানবাড়ির দিনগুলি এখন নিতান্তই এক সুখস্বপ্ন !

রবি বলল, নতুন বউঠান, এখন স্বর্ণদিদির বাড়িতে রোজ কত মজা হয়, কত গান হয়, তুমি সেখানে আস না কেন ?

কাদম্বরী ক্লিষ্ট স্বরে বললেন, ওখানে আমার যেতে নেই। আমি যে অপয়া।

রবি তীব্র প্রতিবাদ করে বলল, যাঃ, এ কী বলছ তুমি, ছি ছি ছি !

কাদম্বরী বললেন, ঠাকুরঝি'র মেয়ে ঊর্মিলা, আমার কাছে আসত, আমার হাতে খেত, আমার এখানেই শুয়ে থাকত। আমি তাকে মেরে ফেলেছি। সবাই বলে, আমি আঁটকুড়ি, তাই হিংসেয় আমি স্বর্ণদিদির মেয়েটাকেও খেয়ে ফেলেছি !

রবি বলল, ইস, ছি ছি, এমন কথা কক্ষনও আর উচ্চারণ করবে না। ওটা তো একটা দুর্ঘটনা। তোমার নামে অমন কথা কেউ কক্ষনও বলে না।

কাদম্বরী একটা দীর্ঘশ্বাস ফেলে বললেন, বলে না বুঝি? কী জানি ! আমি যেন সর্বক্ষণ শুনতে পাই, আমার আড়ালে এ বাড়ির সবাই গুজগুজ করে বলছে, অপয়া ! অপয়া ! ওই বউটা অপয়া !

রবি কাতরভাবে বলল, ভুল, ওটা তোমার মনের ভুল ! তুমি সর্বক্ষণ ঘরে বসে থাক.....বাইরে বেরোও, সবার সঙ্গে মিশে দেখো, কতজন তোমাকে ভালোবাসে, স্বর্ণদিদির বাড়িতে গান-বাজনার মধ্যে গিয়ে পড়লে তোমার নিশ্চয়ই ভালো লাগবে !

কাদম্বরী বললেন, যদি ওরা আমাকে...আমার যেতে ইচ্ছে করে না রবি, আমার মন চায় না। তুমি যাও—

তিনি আবার জানলার বাইরে চোখ ফেরালেন। এখন বাইরেও প্রায়ান্ধকার।

রবি কাছে এসে কাদম্বরীর কাঁধে হাত রেখে ব্যাকুল হয়ে বলল, নতুন বউঠান, চলো, আমার সঙ্গে চলো, তোমাকে দেখলে সবাই খুশি হবে।

রবিকে হাত দিয়ে ঠেলে দূরে সরিয়ে দিয়ে কাদম্বরী ঠাণ্ডা গলায় বললেন, তুমি যাও, রবি! তোমার দেরি হয়ে যাচ্ছে।

রবির পক্ষে সত্যি আর থাকার উপায় নেই। এখানে আর কাকুতিমিনতি করেও লাভ হবে না বোঝা যাচ্ছে। ওখানে দেরি হলে সে কী কৈফিয়ত দেবে?

কাশিয়াবাগানের বাড়িতে সেই সন্ধ্যায় সবাই বিশেষ করে রবির জন্য অপেক্ষা করছে। নাটকের এক জায়গায় একটা মোচড়ের জন্য, নায়িকাকে দেখে নায়কের মোহিত হয়ে যাওয়া বোঝাবার জন্য একটা গান দরকার। কোনও গানই পছন্দ হচ্ছে না। স্বর্ণকুমারী বা অক্ষয় চৌধুরী দু'-চার লাইন বলছেন, তা বাতিল করে দিচ্ছেন জ্যোতিরিন্দ্রনাথ।

জ্যোতিরিন্দ্রনাথ বসেছেন পিয়ানোতে। মেঝেতে কার্পেট পাতা, তাতে বসেছে হিরণ্ময়ীর সমবয়সী আট দশটি মেয়ে। স্বর্ণকুমারী ও অক্ষয়চন্দ্র বসেছেন দুটি সোফায়। সবার সামনে সামনে খাবারের প্লেট।

রবি ঢুকতেই সবাই হইহই করে উঠল।

জ্যোতিরিন্দ্রনাথ বললেন, কোথায় ছিলি, রবি? আমরা চাতক পাখির মতন তোর জন্য বসে আছি!

জুতো-মোজা খুলে রবি কার্পেটে এসে বসল। ছোটরা তাকে পছন্দ করে। তার গান বেশি ভালোবাসে, কারণ, রবির গান সহজ, সবাই বুঝতে পারে। অন্যদের গানের কথা বড় খটোমটো।

স্বর্ণকুমারী অক্ষয়চন্দ্রকে আদেশ করলেন, ওকে সিচুয়েশানটা বুঝিয়ে দিন।

জোড়াসাঁকো থেকে উল্টোডাঙ্গা পর্যন্ত আসতে আসতে রবির চোখের সামনে শুধু একটাই ছবি ভেসে আছে। মন ভরে গেছে বিষাদে। তার পক্ষে অন্য ভাব আনা এখন সম্ভব নয়।

জ্যোতিরিন্দ্রনাথ পিয়ানো ছেড়ে এস্রাজ নিয়ে বললেন, এই মিশ্র খাম্বাজের সুরটা কেমন দেখ তো?

রবি আচ্ছন্নের মতন বলল, ওই জানালার কাছে বসে আছে, করতলে রাখি মাথা.....তারপর এস্রাজের সুরের সঙ্গে সঙ্গে গেয়ে যেতে লাগল :

....চোখের উপরে মেঘ ভেসে যায়,
উড়ে উড়ে যায় পাখি
সারাদিন ধরে বকুলের ফুল
ঝরে পড়ে থাকি থাকি....

রবির চোখ ফেটে জল বেরিয়ে আসতে চাইছে। এমন আর কখনও হয়নি, নতুন বউঠান একা বসে আছেন, সে তাঁর পাশে বসে সঙ্গ দিতে পারল না। কিছুদিন আগেও এটাই তো ছিল তার শ্রেষ্ঠ আনন্দ। অন্য সব কাজ তুচ্ছ। অন্যে কে কী ভাববে, এমন কথা তো তার আগে ছিল তার শ্রেষ্ঠ আনন্দ। অন্য সব কাজ তুচ্ছ। অন্যে কে কী ভাববে, এমন কথা তো তার আগে কখনও মনে আসেনি। আজ নতুন বউঠান তাকে দূরে ঠেলে দিলেন। সেও তো চঞ্চল হয়ে চলে এল।

এখানে সবাই কত আনন্দ করছে, কেউ তো একবারও জিজ্ঞেস করে না, কাদম্বরী আসে না কেন? জ্যোতিদাদা জাহাজ নিয়ে সারা দিন ব্যস্ত, সেখান থেকে সরাসরি চলে আসেন এ বাড়িতে। গাড়ি পাঠিয়েও তো নতুন বউঠানকে আনানো যেত, কারুর মনে পড়ে না সে কথা! তিনি অন্ধকার ঘরে চুপ করে একা বসে আছেন।

ওই জানালার কাছে বসে আছে, করতলে রাখি মাথা.....

॥ ৩৩ ॥

বিনোদিনীকে নিয়ে সুষ্ঠু ভাবে রিহার্সাল পরিচালনা করাই মুশকিল হয়ে দাঁড়িয়েছে। সে ঠিক সময় আসে না, তার বাড়িতে লোক পাঠালেও সে বিরক্ত হয়। গিরিশচন্দ্র অন্য নট-নটীদের নিয়ে রোজ কিছুক্ষণ মহড়া চালাবার পর গালে হাত দিয়ে বসে থাকেন। বিনোদিনীর প্রধান ভূমিকা, তার সঙ্গে অন্য অনেকগুলি চরিত্রের সংলাপ থাকে, বিনোদিনী না এলে কাঁহাতক আর প্রক্সি দিয়ে চালানো যায়? রাগে গিরিশের গালের চামড়া চকচক করে, ব্র্যান্ডির বোতল খুলে তিনি জল না মিশিয়েই ঢকঢক করে খানিকটা ঢেলে দিলেন গলায়।

বিনোদিনী যখন আসে, তখনও তার বায়নাক্কার শেষ থাকে না। পার্ট বলতে বলতে হঠাৎ থেমে গিয়ে বলে, চক্ষে আলোর ছররা লাগছে। ওই বাতিটা সরিয়ে দাও না গা ! কিংবা, কাশি হয়েছে, কেউ একটু আদা কুচিয়ে এনে দেবে ? কিংবা, হ্যাঁ যাদুকালী, তোর কাপড়ে কিসের গন্ধ ? আমার যে বমির ভাত উঠে আসছে। যা, যা, শাড়িটা বদল করে আয় !

এইভাবে মহড়ার বিঘ্ন হয়। এমন কী বিনোদিনী যা কোনওদিন সাহস করেনি, এখন সে গিরিশচন্দ্রকে দু'-একটা সংলাপ বদল করে দিতে বলে। আদেশের সুরে নয় অবশ্য, মিনতির সুরে, হাত জোড় করে অনুরোধ জানায়, এই জায়গাটা বড্ড খটোমটো লাগছে, একটু সহজ করে দিলে হয় না ?

কিন্তু সেই অনুরোধই হুকুমের মতন শোনায় !

অভিনেতা-অভিনেত্রীরা বেগড়বাঁই করলে তাদের ধাতস্থ করতে পারে থিয়েটারের মালিক অথবা পরিচালক। এক্ষেত্রে মালিক গুর্মুখ রায়ের প্রশ্রয়েই তো বিনোদিনী সকলকে অগ্রাহ্য করতে শুরু করেছে। গুর্মুখের সঙ্গেই সে আসে, রিহার্সালের সময় আগাগোড়া গুর্মুখ বসে থাকে এক পাশে, আবার গুর্মখের সঙ্গেই চলে যায়। গুর্মুখের সামনে স্বয়ং গিরিশচন্দ্রও বিনোদিনীকে শাসন করার সাহস পান না, কারণ গুর্মুখের মুখের কোনও রাশ নেই, সকলের সামনেই সে গিরিশচন্দ্রকে অপমান করে বসবে।

এতগুলো বছর কাটল, গিরিশচন্দ্রের হাতে অনেক অভিনেত্রীই তৈরি হয়েছে। নানান অস্থান-কুস্থান থেকে মেয়েগুলিকে তুলে আনা হয়, চেহারাটা একটু চলনসই হলেই হল, ভালো করে কথা বলতে পারে না, অনেক বাংলা শব্দের মানে বুঝতে পারে না, হাঁসের মতন চলন, প্যাঁচার মতন চাউনি।সেই থেকে গড়ে-পিটে নিতে হয়, এক একজন একেবারেই উতরোয় না, এক একজন দাঁড়িয়ে যায়। কাদার তাল থেকে তৈরি হয় জীবন্ত মূর্তি। গিরিশচন্দ্র শুধু অভিনয় শেখান না, তাদের রামায়ণ-মহাভারতের কাহিনী শোনান, বিলেতের রঙ্গমঞ্চের নট-নটীদের জীবনের নানান গল্প বলেন। তাদের লেখাপড়া শেখাবার জন্য মাস্টার নিয়োগ করেন। চিন্তার প্রসারতা না এলে, নিজের গণ্ডির বাইরের জগৎটাকে না চিনলে নানা রকম চরিত্রের বৈশিষ্ট্যও বোঝা যায় না।

একদিন গুটিপোকা প্রজাপতি হয়, মঞ্চে হাততালি পেতে শুরু করে। যে যত বেশি ক্ল্যাপ পায়, তার তত কদর। পর পর কয়েকটি নাটক জনপ্রিয় হলেই অনেক অভিনেতা-অভিনেত্রীর মাথা ঘুরে যায়। তখন শুরু হয় নানা রকম বায়নাক্কা। কার কটা সিনে অ্যাফিয়ারেন্স, ডায়লগ

কার কম কার বেশি, ড্রেস চেঞ্জ কতবার, এইসব নিয়ে ওজর আপত্তি। মাইনে বাড়াবার দাবি, দল ছেড়ে অন্য দলে যোগ দেবার হুমকিও যোগ হয়। গুরুর কথা আর মনে থাকে না।

গিরিশচন্দ্র এমন অনেক দেখেছেন। কিন্তু বিনোদিনী কখনও এমন ছিল না। মাত্র কুড়ি বছর বয়েসেই সে প্রচুর খ্যাতির অধিকারিণী, কিন্তু গিরিশচন্দ্রকে সব সময় মান্য করে এসেছে। এখন তার এ বিনয়ের কারণটাও বুঝতে পারেন গিরিশচন্দ্র। থিয়েটারের স্বার্থে সবাই মিলে জোর করে ঠেলেঠুলে বিনোদিনীকে গুর্মুখের মতন এক বর্বরের অঙ্কশায়িনী হতে বাধ্য করা হয়েছে। তাই বিনোদিনী যেন প্রতিশোধ নিতে চাইছে এখন,তার ভাব-ভঙ্গির মধ্যে সর্বক্ষণ ফুটে ওঠে : স্টার থিয়েটার তৈরি হয়েছে আমার ইজ্জতের মূল্যে, আমার ইচ্ছেমতন এখানে সব কিছু চলবে।

এখন নাটক চলছে 'নল–দময়ন্তী', রিহার্সাল দেওয়া হচ্ছে পরবর্তী নাটক 'কমলে-কামিনী'র। গিরিশচন্দ্র নিজে আর অভিনয় করছেন না, নাটক রচনা ও পরিচালনাতেই তাঁকে সর্বক্ষণ ব্যস্ত থাকতে হয়। 'নল দময়ন্তী' জমজমাট ভাবে চলছে, দময়ন্তীর ভূমিকায় বিনোদিনীর তুলনা নেই। তা ছাড়া এই নাটকে মঞ্চে অনেক চমকপ্রদ ব্যাপার ঘটে। একটা পদ্মফুল থেকে সহসা অপ্সরাদের আত্মপ্রকাশ, নলের পরিধেয় বস্ত্র নিয়ে একটি পাখি আকাশে উড়ে যায়, এমনটি আগে কেউ দেখেনি।

স্টার থিয়েটারে লাভ হচ্ছে যথেষ্ট, কিন্তু গুর্মুখ তা নিয়ে বিশেষ মাথা ঘামায় না, আয়ের চেয়ে সে বেশি ব্যয় করে। তার আনন্দ প্রতাপচাঁদ জহুরীর ন্যাশনাল থিয়েটারকে জব্দ করা গেছে। ওদের মঞ্চ এখন টিমটিম করে। 'নল-দময়ন্তী'র এখনও যথেষ্ট জনপ্রিয়তা, তবু গুমুর্খ চায় ওটা থামিয়ে নতুন নাটক নামাতে। গিরিশচন্দ্র দ্রুত রচনা করেছেন 'কমলে-কামিনী' । কিন্তু তাতে বিনোদিনীর কোনও চরিত্র পছন্দ নয়। দময়ন্তীর মতন আর একটি জোরালো চরিত্র চাই। সব নাটক কী একরকম হতে পারে? কমলে-কামিনীতে বিনোদিনীকে দুটো ভূমিকা দেওয়া হল, দেবী চণ্ডী ও খুল্লনা, তবু বিনোদিনী ঠোঁট ওলটায়।

রাগ কমাবার জন্য গিরিশচন্দ্রের দুটি উপায় আছে। গুর্মুখের সামনে বিনোদিনীকে ধমক দিতে পারেন না বলে তাঁর অহং আহত হয়। বুকের মধ্যে বজ্রপাত হতে থাকে। তখন তিনি নিঃশব্দে উঠে চলে যান। মঞ্চের পিছনে একটি অন্ধকার স্থানে গিয়ে আসনপিঁড়ি হয়ে বসে শ্যামা-মায়ের নামে একটি স্তোত্র আবৃত্তি করেন। ক্রমশ তাঁর স্বর উচ্চ থেকে উচ্চতর গ্রামে ওঠে, চক্ষু দিয়ে জল গড়ায়,এই সময় কেউ তাঁর কাছে যেতে সাহস পায় না। এরকম সময়ে অবশ্য মদ্যপানে কোনও বাধা নেই।

একদিন তাঁর ওই রকম সাধনার অবস্থায় দেখা করতে এলেন ডাক্তার মহেন্দ্রলাল সরকার।

অতিশয় ব্যস্ত ডাক্তার, বিজ্ঞান সমিতির জন্যও তাঁকে অনেক সময় ব্যয় করতে হয়। তবু তিনি নিয়মিত থিয়েটার দেখতে আসেন। থিয়েটারে তাঁর নেশা ধরে গেছে। ঘোর নাস্তিক তিনি, অথচ 'ধ্রুব চরিত্র' নাটকের ভক্তিরসের গানগুলি শুনে তিনি অশ্রু সংবরণ করতে পারেন না। 'নল-দময়ন্তী' দেখতে দেখতেও সেই একই অবস্থা। দর্শকরা অনেকেই ডাক্তার মহেন্দ্রলাল সরকারকে চেনে। তারা অবাক হয়ে লক্ষ করে, এই বদমেজাজি জাঁদরেল মানুষটিও নাটকের অভিনয় দেখতে দেখতে কেঁদে ফেলেন !

কিন্তু ভক্তিগীতি শুনে মুগ্ধ হওয়া আর ভক্ত হওয়া এক কথা নয়। মহেন্দ্রলাল এখনও ভক্তিবাদ থেকে অনেক দূরে। এক রাত্রে তিনি নাটক দেখার পর নাট্যকারের সঙ্গে সাক্ষাৎ করতে চাইলেন। গিরিশকে তিনি চেনেন অনেকদিন ধরে।

ড্রপসিন পড়ে যাবার পর মহেন্দ্রলাল মঞ্চের পাশের সিঁড়ি দিয়ে উঠতে উঠতে হেঁকে বললেন, গিরিশ কোথায় হে, গিরিশ ?

আজও গিরিশের মেজাজ বেশ খারাপ। বিনোদিনী একটা গোলমাল করেছে। পোশাক পরিবর্তনের অছিলায় বিনোদিনী একটি সিনে প্রবেশে করেছে সাত মিনিট দেরি করে। দর্শক বুঝতে পারেনি, সহ-অভিনেতারা তাৎক্ষণিক সংলাপ যোগ করে চালিয়ে দিয়েছে, বিনোদিনীও প্রবেশের পর অভিনয়ে কোনও খুঁত রাখেনি, কিন্তু নাট্য পরিচালক তা মানবেন কী করে ? গিরিশচন্দ্রের অন্তরাত্মা পর্যন্ত জ্বলে উঠেছিল। এর আগে এমন বেয়াদবি দেখলে তিনি বিনোদিনীকে ঠাস ঠাস করে চড় লাগাতেন, কিন্তু বিনোদিনীর অভিনয়ের সময় উইংসের পাশে দাঁড়িয়ে থাকে গুর্মুখ। তার রক্ষিতার গায়ে কেউ হাত তুললে সে তাকে গুলি করে মেরে ফেলবে।

গিরিশচন্দ্র তাই মঞ্চের পেছনে অন্ধকারে বসে শ্যামা-মায়ের স্তোত্র উচ্চারণ করছেন। অন্য কোনও লোককে এ সময় গিরিশচন্দ্রের কাছে যেতে দেওয়া হত না, কিন্তু মহেন্দ্রলালকে আটকায় কার সাধ্য !

মহেন্দ্রলাল গিরিশচন্দ্রের কাছে গিয়ে থমকে দাঁড়ালেন। দারুণ অবাক হয়ে চেয়ে রইলেন একটুক্ষণ। গিরিশচন্দ্র চক্ষু বুজে দুলে দুলে স্তোত্র আওড়াচ্ছেন।

মহেন্দ্রলাল বললেন, হা কপাল ! একেও দেখছি কালীতে খেয়েছে !

চোখ মেলে গিরিশচন্দ্র বললেন, ডাক্তার মশাই! আসুন, বসুন !

মহেন্দ্রলাল বললেন, ঢঙ করছিলে ? নাটক করছিলে ? না সত্যি সত্যি ভক্ত হয়েছ?

গিরিশচন্দ্র বললেন, চেষ্টা তো করছি, কিন্তু সত্যিকারের ভক্ত এখনও হতে পারলাম কই?

মহেন্দ্রলাল বললেন, ঘোষের পো, তোমাকে তো আমি অন্যরকম জানতাম। ঠাকুর-দেবতায় ভক্তি কখনও দেখিনি। কোঁৎ-এর মত মানতে। বিজ্ঞানে ঝোঁক ছিল। তোমার এসব হল কবে থেকে ?

এ প্রশ্নের সরাসরি উত্তর না দিয়ে গিরিশচন্দ্র জিজ্ঞেস করলেন, প্লে-টা কেমন লাগল, বলুন।

মহেন্দ্রলাল বললেন, প্লে তো বেশ জমিয়েছ ! আমার ধারণা ছিল কী জান, যেমন পতিতা মেয়েমানুষদের শিখিয়ে পড়িয়ে তুমি সতী-সাধ্বী, স্বর্গের দেবীর পার্ট করাচ্ছ, তেমনি তুমি নাস্তিক হয়েও ভক্তিরসের কাহিনী লিখে ফাটাচ্ছ ! নাট্যকারও একজন অভিনেতা !

গিরিশচন্দ্র বললেন, ডাক্তারমশাই, আপনি ঠিকই বলেছেন, আগে আমি কিছুই মানতাম না। কিন্তু আমার জীবনে একটা অলৌকিক অভিজ্ঞতা হয়েছে। সেই থেকে আমি...

মহেন্দ্রলাল ব্যগ্রভাবে বললেন, অলৌকিক অভিজ্ঞতা ? কী, শুনি, শুনি!

এই সময় বিনোদিনীকে বগলদাবা করে গুর্মুখ সেখানে এসে উপস্থিত হল।

গিরিশচন্দ্র একটা দীর্ঘশ্বাস ফেলে বললেন, এখানে হবে না। সেসব কথা আপনাকে আমি আর একদিন বলব !

মহেন্দ্রলাল বুঝলেন, এখানে এখন ওদের কাজের কথা হবে। তিনি আর দাঁড়ালেন না। গিরিশের এই রূপান্তরের কাহিনীটি জানার জন্য তাঁর মনে কৌতূহল রয়ে গেল।

কাজের কথা কিছু নয়, গুর্মুখ গিরিশের সঙ্গে বসে দু' পাত্তর সুরা পান করতে চায়। সে সর্বক্ষণই সঙ্গে বোতল রাখে, দিনের বেলা থেকেই তার চক্ষু রঙিন।

গিরিশচন্দ্রের হঠাৎ যেন আজ জেদ চেপে গেল। এ ছোকরা কতটা পান করতে পারে দেখা যাক। দু' দিনের কাপ্তান ! গিরিশের বয়েস এখন চল্লিশ, গুর্মুখ এখনও কুড়িতেও পৌঁছয়নি। গেলাসের পর গেলাস উড়ে যেতে লাগল, বোতলের পর বোতল। গুর্মুখের জেদ চেপে গেছে, সে এই বুড়োর কাছে হার স্বীকার করবে না। রাত যখন প্রায় শেষ হয়ে এসেছে, তখন হঠাৎ এক সময় গুর্মুখ ধপাস করে পড়ে অজ্ঞান হয়ে গেল, গিরিশচন্দ্র তখনও নীলকণ্ঠের মতন সোজা হয়ে বসে আছেন। বিনোদিনী ঘুমিয়ে পড়েছে অনেক আগেই। হাতের গেলাসে

যে-টুকু বাকি ছিল, তা শেষ করে একটা রাম ঢেঁকুর তুললেন গিরিশচন্দ্র। তারপর হেঁকে বললেন, ওরে, কে আছিস, এই পেঁচি মাতালটাকে বাড়ি পৌঁছে দিয়ে আয় !

গুর্মুখ সে-ই যে শয্যা নিল, দশ দিন আর উঠতে পারল না শয্যা ছেড়ে । তখন বোঝা গেল, তার শরীরে নানান রোগ। গুর্মুখের জননী তাঁর ছেলের উচ্ছৃঙ্খলতা কিছুতেই সামলাতে পারছিলেন না, এবার ছেলের অসুস্থতায় ভয় পেয়ে লাহোর থেকে তাঁর এ ভাইকে আনালেন জরুরি তলব দিয়ে। গুর্মুখের সেই মামা এক বিশালদেহী, ব্যক্তিত্বসম্পন্ন পুরুষ। তিনি এসেই সংসারের হাল ধরলেন, এবং হুকুম জারি করলেন যে, বিনোদিনীর সঙ্গে গুর্মুখের কোনও সম্পর্ক রাখা চলবে না এবং থিয়েটারের ব্যবসা অবিলম্বে বন্ধ করে দিতে হবে।

কোনওক্রমে একটু সুস্থ হয়ে, দুর্বল শরীর নিয়ে গুর্মুখ একদিন উপস্থিত হল স্টারে। সকলকে সমবেত করে সে প্রস্তাব দিল, বিনোদিনীকে সে এই থিয়েটারের অর্ধেক মালিকানা লিখে দেবে। বাকি অর্ধেক যে-কেউ কিনে নিতে পারে।

কেউ কিছু বলার আগেই গিরিশচন্দ্র প্রতিবাদ জানালেন। প্রথমে তিনি বিনোদিনীর দিকে তাকিয়ে নরম গলায় বললেন, তোর কাছে এই প্রস্তাব যতই লোভনীয় হোক, তবু তোর ভালোর জন্যই বলছি, বিনোদ, তুই রাজি হোস না ! তুই শিল্পী, তোকে সব সময় অভিনয়ের উন্নতির কথা ভাবতে হবে, নাটক যাতে সর্বাঙ্গসুন্দর হয়, সেই চিন্তা করতে হবে, মঞ্চের ব্যবসা চালানো কি তোর কাজ ? সর্বক্ষণ টাকা-পয়সার চিন্তা মাথায় রাখতে পারবি ? রাখতে যদি পারিস, তাহলে তুই আর শিল্পী থাকতে পারবি না ! কোন্‌টা চাস তুই? ওসব আমাদের কাজ না, বিনোদ ! আমায় যদি কেউ বিনা পয়সাতেও দেয়, তাহলেও আমি কোনও থিয়েটারের মালিক হব না।

তারপর গুর্মুখের দিকে তাকিয়ে গরমভাবে বললেন, তুমি যদি বিনোদকে মালিকানা দাও, তাহলে কালই দল ভাঙবে। স্টার নষ্ট হয়ে যাবে। বিনোদ একজন নটী, তার অধীনে অন্য নট-নটীরা কাজ করতে চাইবে না।

গুমুর্খের আর সে তেজ নেই। গলার স্বর চিঁ-চিঁ করছে। পারিবারিক তাড়নায় সে যত তাড়াতাড়ি সম্ভব থিয়েটারের দায় থেকে মুক্ত হলে বাঁচে। এখনই সে সব কিছু বিক্রি করে দিতে চায়। বহু ব্যয়ে নির্মিত এই রঙ্গমঞ্চ, শেষ পর্যন্ত দরাদরি করে রফা হল মাত্র এগারো হাজার টাকায়। সঙ্গে সঙ্গে কয়েকজন টাকা জোগাড় করে নিয়ে এল। গিরিশচন্দ্রেরই মনোনীত চার জনকে স্বত্বাধিকারী নির্দিষ্ট করে রেজিস্ট্রি হবার পর স্টার হল শিল্পীদের নিজস্ব রঙ্গমঞ্চ।

গিরিশচন্দ্র ঠিকই বুঝেছিলেন যে বিনোদিনীকে মালিকানা দিলে তার দেমাকের চোটে টেঁকা যেত না, অন্য নট-নটীরা অচিরেই বিদ্রোহ ঘোষণা করত। কিন্তু বিনোদিনী যে এত সহজে মেনে নিল গিরিশচন্দ্রের কথা, তাতেও তার জয় হল একপ্রকার। যারা বিনোদিনীর প্রতি ঈর্ষান্বিত ছিল, এখন তারাই সহানুভূতি দেখাতে লাগল। সকলেরই মনের ভাবখানা এইরকম, আহা, মেয়েটা এত টাকার সম্পত্তি ছেড়ে তো দিল ! এই মাগ্যিগণ্ডার বাজারে কেউ ছাড়ে ?

বিনোদিনী এখন আর কথায় কথায় দর্প প্রকাশ করে না বটে তবে অভিমান দেখাতে ছাড়ে না। কারুর সঙ্গে সামান্য মতান্তর হলেই বলে ওঠে, আমারই জন্য তো এই থিয়েটারের প্রতিষ্ঠা, এখন তোমরা যদি আমাকে বাদ দিতে চাও তো দাও !

অনেকদিন পর বিনোদিনী কোনও বাঁধা বাবু থেকে মুক্ত হয়েছে, এখন রাত্তিরের দিকে মাঝে মাঝে গিরিশচন্দ্র দু'-একজন সঙ্গীসাথী নিয়ে তার বাড়িতে গল্পগাছা করতে যান। এরা নাটুকে মানুষ, নাটকের কথাই ঘুরে ফিরে আসে। বিয়ার ও ব্র্যান্ডি পান করতে করতে

গিরিশচন্দ্র নতুন নাটকের গান ও দু'-একটা দৃশ্যও রচনা করে ফেলেন। বিনোদিনীর এখনও ধারণা, পরবর্তী নাটকে সে উপযুক্ত ভূমিকা পায়নি। সব সময় তার ভয় অন্য কোনও নটী না তার চেয়ে বেশি জনপ্রিয় হয়ে ওঠে। বনবিহারিনী ন্যাশলাল ছেড়ে স্টারে যোগ দিয়েছে, তাকে বিনোদিনী সহ্য করতে পারে না। গিরিশচন্দ্রের কাছে অনুযোগ জানাতে গেলে এখন সে ধমক খায়। তবু এক রাতে গিরিশচন্দ্রের হাতে সুরার পাত্র তুলে দিতে দিতে সে কাতরভাবে বলল, মহড়া দেখে সবাই বলাবলি করছে, 'কমলে কামিনী' প্লে-তে ভুনি আমার চেয়ে বেশি ক্ল্যাশ পাবে!

গিরিশচন্দ্র বললেন, পাগল নাকি ! তুই চণ্ডীর সাজে যখন প্রথম দেখা দিবি, সারা অডিটোরিয়াম হাততালিতে ফেটে পড়বে ! এ আমি বাজি রেখে বলতে পারি।

বিনোদিনী বলল, সে তো আমার সাজ দেখে হাততালি দেবে। আর ভুনি হাততালি পাবে গান শুনিয়ে। কত সুন্দর সুন্দর গান। ওই পার্টটা আমায় দিলে না কেন ?

গিরিশচন্দ্র বললেন, ওটা তো পুরুষের পার্ট। শ্রীমন্ত সওদাগর। ভুনির বয়েস হয়েছে, তাই তাকে পুরুষের পার্ট দিয়েছি। ও পার্ট তোকে মানাবে কেন ?

বিনোদিনী এবার তেজের সঙ্গে বলল, কেন, আমি পুরুষের পার্ট করতে পারি না ?

গিরিশচন্দ্র বললেন, তা পারবি না কেন ? তোর ক্ষমতা আছে, যে-কোনও পার্টই তুই ফোটাতে পারিস। কিন্তু লোকে তো মদ্দার সাজে বিনোদিনীকে দেখতে আসে না। তারা বিনোদিনীর ছলাকলা, চোখ-মুখ ঘোরানো, নাচ-গান দেখতে আসে। দর্শক হল লক্ষ্মী !

বিনোদিনী বলল, তবু একবারটি আমায় শ্রীমন্তর পার্ট করতে দাও। গান আমি শিখে নেব।

গিরিশচন্দ্র এবার ধমক দিয়ে বললেন, ঘ্যান ঘ্যান করিসনি বিনোদ। আজ বাদে কাল প্লে নামচে বোর্ডে, এখন আমি বদলাব? ভুনিই বা রাজি হবে কেন?

বিনোদিনী ফোঁস করে বড় দীর্ঘশ্বাস ছেড়ে বলল, বেশ, আমায় তবে একেবারেই বাদ দাও!

গিরিশচন্দ্র একদৃষ্টিতে তাকিয়ে রইলেন বিনোদিনীর দিকে। হঠাৎ তাঁর মাথায় একটা নতুন চিন্তা এল। তিনি নতুন উৎসাহের সঙ্গে বললেন, তুই সত্যিই পুরুষের পার্ট করতে চাস? আর একটা সাবজেক্ট আমার মাথায় দানা বাঁধছিল...তুই যদি রাজি থাকিস, তা হলে লিখে ফেলি। তোকে পুরুষ সাজতে হবে, আগাগোড়া পুরুষ, ফচকেমি-ফাজলামি নেই, পারবি?

বিনোদিনী বলল, কেন পারব না ?

গিরিশচন্দ্র বললেন, ঠিক আছে। তা হলে লিখতে শুরু করি। পুরুষের পার্ট না। শক্ত পার্ট। আগাগোড়া তোকেই টানতে হবে। মনে রাখিস, এটাই হবে তোর জীবনের সবচেয়ে কঠিন পরীক্ষা।

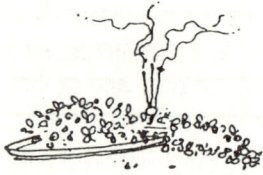

॥ ৩৪ ॥

সকালবেলা বাগান থেকে ফুল তুলে এনে ছাদের ঠাকুরঘরে অনেকক্ষণ ধরে সেই ফুল সাজায় ভূমিসূতা। এই কাজটি তার সবচেয়ে মনের মতন। পুজোর ঘরে এক বিশেষ স্নিগ্ধতা আছে। ঘরটি শ্বেতপাথরের । লক্ষ্মী-জনার্দনের মূর্তি, জয়পুর থেকে আনা পাথরের মূর্তি, চক্ষুগুলি সোনার। ভূমিসূতা সারা ঘরখানিই ফুল দিয়ে সাজিয়ে রাখে, গুনগুন করে আপন মনে গাইতে গাইতে শ্বেত ও রক্তচন্দন তৈরি করে। বাড়ির কর্তা-গিন্নিরা বিশেষ বিশেষ তিথি ছাড়া প্রায় দিনই কেউ এই ঘরে আসে না। একজন পুরতমশাই এসে পুজো সেরে যান। পুজোর সব মন্ত্র এবং অনুষ্ঠান ভূমিসূতার মুখস্থ, সে ঠিক ঠিক সময়ে পুরুতমশাইকে ঘন্টা, কোষাকুষি, শাঁখ, গঙ্গাজল এগিয়ে দেয়। নারীদের পৌরোহিত্যের অধিকার নেই, থাকলে, ভূমিসূতা একাই পুরুতমশাইয়ের সব কাজ চালিয়ে দিতে পারত।

এই ঠাকুরঘরের ভূমিসূতা অনেকখানি সময় কাটায় বটে, কিন্তু তার দেবতা অন্য। এই ছাদের এক অংশ থেকে, এমনকি ঠাকুর ঘরের জানলা দিয়েও দেখা যায় ভরতের ঘরখানি, সংলগ্ন অলিন্দ এবং নীচের দিকে যাবার সিঁড়ির কয়েকটি ধাপ। দিনের বেলা ভরতের বকুনির ভয়ে সে কাছাকাছি যায় না, এখান থেকে তৃষিতের মতন তাকিয়ে থাকে। যদি এক পলকের জন্যও তাকে দেখা যায়। ভরত যখন ঘরের মধ্যে বসে পড়াশুনো করে, তখন তাকে দেখতে পাবার উপায় নেই। কখনও সখনও সে বারান্দায় আসে, তার এক কোণে রান্নার উদ্যোগ করে, সেই সময় তার পিঠ কিংবা মুখের এক পাশ দেখতে পেলেই ভূমিসূতা ধন্য হয়। ভরত কিছুই টের পায় না। ইদানীং সে চুরুট টানা অভ্যেস করেছে, কলেজের ছাত্ররা প্রায় সকলেই তামাক খায়, ভরত অবশ্য নিজের বাড়িতে হুঁকো-তামাকের ব্যবস্থা রাখেনি, মাঝে মাঝে সে চুরুট ধরিয়ে বারান্দায় দাঁড়ায়, তখন সে পথের দৃশ্য দেখে, এদিকের ছাদ বা ঠাকুরঘরের দিকে দৃষ্টিপাত করার কোনও প্রয়োজন তার ঘটে না।

ঠাকুরঘরে পুজোর সব ব্যবস্থা করা ছাড়াও ভূমিসূতার অন্য আরও কাজ আছে। বড় তরফের গিন্নি ও ছেলেমেয়েদের বিছানা তুলতে হয়, এরা দেরি করে ওঠে, পুজোর কাজ সেরে ভূমিসূতা এক ফাঁকে এসে বালিশের ওয়াড় বদলায়, সুজনি চাদর কাচতে নেয়, তোশক রোদ্দুরে দেয়। এ ছাড়া তাকে কাঁথা সেলাই করতে হয়, ভূমিসূতা সুচিশিল্প জানে, কাঁথার ওপর সে নানারকম নকশা ফুটিয়ে তোলে। পান সাজার দায়িত্বও অনেকটা তার। জাঁতি দিয়ে এত সরু সরু করে সুপুরি কাটতে তার মতন আর কেউ পারে না। দুপুরবেলা গিন্নিমা পানের বাটা সামনে নিয়ে পা ছড়িয়ে বসেন, ভূমিসূতা সুপুরি, চুন, খয়ের, লবঙ্গ, এলাচ সঠিক পরিমাণে সাজিয়ে দেয়, গিন্নিমা নিজের হাতে খিলি করেন। ভূমিসূতার এতসব গুণ পছন্দ করেন বড় তরফের গিন্নি, তা বলে কোনও বিশেষ প্রশংসা বা পুরস্কার সে পায় না। সে তো টাকা দিয়ে কিনে আনা একটি দাসী, তাকে যা যা হুকুম করা হবে, সব কিছুই পালন করতে সে বাধ্য। ভূমিসূতার ভবিষ্যৎ নিয়ে কারুর কোনও মাথাব্যথা নেই, সে যেমন আছে তেমনই থাকবে, চিরকাল এরকম কাজ করে যাবে, এটাই যেন স্বাভাবিক।

পান সাজার আসরে বড় গিন্নির সঙ্গে আরও দু'একজন মহিলা এসে যোগ দেয় মাঝে মাঝে। মুখরোচক পরনিন্দার সঙ্গে সঙ্গে নানা রকম বিয়ের সম্বন্ধ নিয়েও আলোচনা হয়। আত্মীয়স্বজন, পাড়া-প্রতিবেশীদের মধ্যে কোন বাড়িতে বিয়ের যুগ্যি কন্যা আছে আর কোন বাড়ির ছেলে লায়েক হয়েছে, তাদের বিয়ের চিন্তায় এই সব মহিলাদের খুব মাথাব্যথা। রামাই দত্তদের বাড়ির একটি বারো বছরের মেয়ে এখনও অনূঢ়া, সে কি লজ্জার কথা ! অমন ধিঙ্গি মেয়ের কপালে কি আর বর জুটবে এর পরে ?

কাছেই বসে ভূমিসূতা এক মনে সুপুরি কাটে, তার বয়েস প্রায় ষোলো, তার শরীরে যৌবনের সব লক্ষণ দেখা দিয়েছে, তার বিয়ের কথা কিন্তু এই মহিলাদের একবারও মনে পড়ে না। সে যে দাসী! কাছে একটা বিড়াল বসে থাকলে যেমন গোপন কথা বলতে বাধা নেই, এই মহিলারা সেরকম গ্রাহ্যই করে না ভূমিসূতার উপস্থিতি।

ভূমিসূতা কান খাড়া করে সব শোনে। তার ভারি আশ্চর্য লাগে, বড় গিন্নি এবং তাঁর সঙ্গিনীদের অধিকাংশ চটুল নিন্দেই অন্য মেয়েদের সম্পর্কে। মেয়েরাই যেন মেয়েদের প্রধান শত্রু। কৃষ্ণভামিনীর এক দিদির পুত্রবধু, তার নাম নয়নতারা, সেই মেয়েটির প্রসঙ্গ ওঠে রোজ একবার। তারা থাকে জানবাজারে। সেই নয়নতারা নাকি শাশুড়ির মুখে মুখে কথা বলে, হাই হিল জুতো পরে মন্দিরে পুজো দিতে যায়, নাটক-নভেল পড়ে, স্বামী-শ্বশুরের সেবা না করে নিজেদের পল্লীর কতকগুলো হতভাগা ছেলেকে জুটিয়ে তাদের পড়াশুনো শেখায়, রান্না ঘরে মন নেই, এই রকম তার অনেক দোষ। এ বাড়ির এক বুড়ি পিসি ছড়া কেটে বলেন, 'হলুদ জব্দ শিলে, বউ জব্দ কিলে, পাড়াপড়শী জব্দ হয় চোখে আঙুল দিলে'! হ্যাঁ লা, ভামিনী, তোর দিদি ওই বউটাকে ঝ্যাটা পেটা করে না কেন ? অমন মেয়ের থোঁতা মুখ ভোঁতা করে দিতে হয়। পড়ত যদি আমাদের হাতে—

নয়নতারা নামের মেয়েটিকে কখনও দেখেনি ভূমিসূতা, তবু তার জন্য কষ্ট হয়।

একদিন জানা গেল, সেই নয়নতারা গায়ে আগুন দিয়ে তার সব জ্বালা জুড়িয়েছে। তাতে মহিলামহলের কী আনন্দ ! যাক, আপদ বিদায় হয়েছে। 'অভাগার ঘোড়া মরে, ভাগ্যবন্তের মাগ মরে!' বীরেশ্বরের আবার একটি ভালো দেখে বিয়ে দিতে হবে । পাত্রী তো তৈরিই আছে, ওই রামাই দত্তের কন্যা। রামাই দত্তের নজর খুব উঁচু, এক একটি মেয়ের বিয়েতে লক্ষ টাকার সোনা-দানা দেয়।

এদের এই পরচর্চার আসর থেকে ভূমিসূতা যখন তখন সরে পড়তে পারে। অন্য সব কাজই সে করে। কিন্তু কোনও কাজেই তার মন নেই। যখন তখন সে চলে যায় ছাদে, ভরতের ঘরের দিকে ব্যাকুল নয়নে চেয়ে থাকে।

ভূমিসূতার এই দেবতাটিও পাথরের। কোনও সময়েই একটুও সাড়া দেয় না।

ভরত যখন কলেজে চলে যায়, তখন ভূমিসূতা অনেকটা স্বাধীনতা পায়। দরজায় তালা দেয় না ভরত, শুধু শিকল তুলে চলে যায়, নীচের সদর দরজা তো বন্ধই থাকে। ভূমিসূতা নির্জন দুপুরে শিকল খুলে চোরের মতন নিঃশব্দে ভরতের ঘরে ঢোকে। ভরতের চেয়ারে বসে, ভরতের পাঠ্য বই চোখের সামনে খুলে ধরে। ভরতের খাটেও একবার শুয়ে নেয় চট করে। এই ভাবে সে ভরতের স্পর্শ পায়।

ভরতের ঘরের বই সে নিয়ে যেতে সাহস করে না, কিন্তু কোনও কোনও বই রোজ দুপুরে পড়ে যায় খানিকটা করে। এইভাবে সে বঙ্কিমচন্দ্রের বেশ কয়েকটি রচনা পড়ে ফেলেছে।

একদিন সকালবেলা ভূমিসূতা ছাদ থেকে দেখল, এ বাড়ির বিপরীত দিকে, রাস্তার ওপারে যে খানিকটা জঙ্গলাকীর্ণ স্থান পড়ে আছে, সেখানে কী যেন করছে ভরত। সঙ্গে তার দু'জন বন্ধু। ভূমিসূতা কৌতূহলে ছটফট করতে লাগল। একটু বাদে সে দেখল, ইট দিয়ে

একটা উনুন বানিয়েছে ওরা, তাতে কাঠ গুঁজে আগুণ ধরাবার পর প্রথম কিছুক্ষণ গলগল করে ধোঁয়াই বেরোল শুধু, এক সময় জ্বলে উঠল একটা শিখা।

ওরা বন-ভোজন করবে !

একদিন ভূমিসূতা আড়াল থেকে শুনেছিল, ভরতের এক বন্ধু মুরগির মাংস খেতে চাওয়ায় ভরত বলেছিল যে, এটা বৈষ্ণববাড়ি, এ বাড়িতে মুরগি রান্না সম্ভব নয়। সেই জন্য ওরা জঙ্গলের মধ্যে রান্নার ব্যবস্থা করেছে। ভূমিসূতার ইচ্ছে করল, এক ছুটে ওদের কাছে চলে যেতে।

ভূমিসূতার মনে পড়ে, তার বাবা যখন জীবিত ছিলেন, তখন দু'তিনটি পরিবার মিলে একবার যাওয়া হয়েছিল উদয়গিরি। সেখানে ঘোর জঙ্গল, পাহাড়ের ওপর বহুকালের পুরনো মন্দির। সেই পাহাড়ে আবার অনেকগুলি গুহা আছে, ভেতরে অন্ধকার, উঁকি দিলেই গা ছমছম করে। বাবা তবু জোর করে তাদের ঠেলে দিয়েছিলেন একটা গুহার মধ্যে। একটা জ্বলন্ত চ্যালা কাঠ নিয়ে দেখিয়েছিলেন, সেই গুহার দেয়ালে কী সব ছবি আঁকা আছে। সব কথা মনে নেই, কিন্তু জঙ্গলের মধ্যে সেদিন খিচুড়ি রান্না হয়েছিল, সেই আনন্দের কথা স্পষ্ট মনে আছে। আর কিছু না, শুধুই খিচুড়ি, তার মধ্যে আলু আর পেঁয়াজ। কে জানে কোথা থেকে জোগাড় হয়েছিল কলাপাতা, ভূমিসূতার বয়েসি ছেলেমেয়েরা আগে থেকেই পাত পেতে গোল হয়ে বসে গিয়েছিল মাটিতে, তখনও খিচুড়ি নামেনি উনুন থেকে, টগবগ করে ফুটছে, কী খিদে পেয়েছিল ওদের, আর ধৈর্য ধরতে পারছে না, কী দারুণ গন্ধ বেরুচ্ছে.....। তারপর সেই গরম গরম খিচুড়ি, আঃ কী অপূর্ব স্বাদ, যেন অমৃত !

সেবারের সেই বনভোজনে ভূমিসূতার এক মামাও গিয়েছিলেন। মা-বাবা দু'জনেই হঠাৎ কলেরায় মরে যাবার পর, সেই মামাই ভূমিসূতাকে বিক্রি করে দেয়।

ভূমিসূতার চোখ দিয়ে টপ টপ করে জল পড়তে থাকে।

ভূমিসূতার ওপর কঠোর নির্দেশ আছে, বাড়ির বাইরে সে কক্ষনও একপাও বাড়াতে পারবে না। একবার শুধু বড় গিন্নির সঙ্গে গঙ্গা স্নানে যাওয়া ছাড়া সে এই কলকাতা শহরের কিছুই দেখেনি। গিয়েছিল ঘোড়ার গাড়িতে, দু' পাশে পর্দা ফেলা, সেই পর্দার ফাঁক দিয়ে দেখা টুকরো টুকরো দৃশ্য। গঙ্গা নদী তার কাছে এমন কিছু আহামরি মনে হয়নি, সে সমুদ্র দেখেছে।

এতদূর থেকে স্পষ্ট দেখা যায় না। ওরা হাঁড়ি-কড়া-খুন্তি জোগাড় করল কোথা থেকে? ভরত তো ছোট্ট একটি ডেকচিতে ভাত রাঁধে। মশলাপাতি বাটবেই বা কেমন করে ? ছাদের পাঁচিল ধরে ঝুঁকে ভূমিসূতা ছটফট করে। তার ইচ্ছে করে, পাখি হয়ে ওখানে উড়ে যেতে।

ভরত যদিও আজকের বন-ভোজনের ব্যবস্থা করেছে, কিন্তু রান্নার ভার নিয়েছে দ্বারিকা। তেল-মশলা সে-ই জোগাড় করে এসেছে, ভোরবেলা তাদের মেসের ঠাকুরকে দিয়ে তিন-চার রকম মশলা বাটিয়েছে। দ্বারিকা আজ অভিনব কিছু পাক-প্রণালী দেখাবে। ভরত তার অন্য দুই বন্ধু যাদুগোপাল আর ইরফানকেও নেমন্তন্ন করেছে, সে আর ইরফান আলু কেটে, পেঁয়াজ কুচিয়ে সাহায্য করছে দ্বারিকাকে। যাদুগোপাল আগে থেকেই বলে দিয়েছে, সে কোনও কাজ করতে পারবে না। সে রান্না বান্নার কিছুই জানে না, শিখতেও চায় না।

ভরতের ঘর থেকে একটা মাদুর এনে পাতা হয়েছে ঘাসের ওপর। তার ওপর কাত হয়ে শুয়ে আছে যাদুপোগাল। যাদুগোপাল সাধারণ ব্রাহ্মসমাজের সদস্য, দ্বারিকা গোঁড়া হিন্দু আর ইরফান আলি সুন্নি মুসলমান, কিন্তু একটা ব্যাপারে এদের মিল আছে, খাদ্য সম্পর্কে এদের কোনও শুচিবাই বা বাছ-বিচার নেই। সব মানুষের মধ্যেই কিছু কিছু বৈপরীত্য থাকে, যাদুগোপাল নিষ্ঠাবান ব্রাহ্ম, কিন্তু সে পছন্দ করে রসের গান, তার গলাটিও বেশ সুরেলা। দ্বারিকা কট্টর হিন্দু হলেও সে খুব ভালোবাসে ইরফানকে। একদিন সে ইরফানকে বলেছিল,

তুই শালা মোছলমানের ঘরে জন্মালি কেন ? তুই হিন্দু হলে তোর সঙ্গে আমার বোনের বিয়ে দিতাম। ইরফান কথা বলে কম, তার মনের গঠনটাই এমন যে কোনও কিছু সম্পর্কেই তার তিক্ততা বোধ নেই, সে যে-কোনও ঘটনাই তার সামগ্রিক পরিপ্রেক্ষিত নিয়ে বিচার করে।

ইরফানের সঙ্গে ভরত নিজের অনেকটা মিল খুঁজে পায়। সে মুর্শিদাবাদের এক অতি দরিদ্র পরিবারের সন্তান, অল্প বয়েসেই পিতৃহীন। লেখাপড়া শেখার এত তীব্র টানেই সে এক নগণ্য গ্রাম থেকে কলকাতা শহরে এসে পৌঁছেছে। নবাব আবদুল লতিফের এক কর্মচারির বাড়িতে আশ্রিত হয়ে থাকে। নবাব আবদুল লতিফের পরিবারের দুটি ছেলে প্রেসিডেন্সি কলেজের ছাত্র। তারা ধনীর দুলাল, তারা তাচ্ছিল্যের সঙ্গে ইরফানকে তাদের মধ্যে মেশার উপযুক্ত মনে করে না। তবু ওদের প্রতিও ইরফানের কোনও অভিযোগ নেই।

যাদুগোপাল গুনগুনিয়ে একটা গান ধরল :

বেলগাছিয়ার বাগানে হয় ছুরিকাঁটার ঝনঝনি
খানা খাওয়ার মজা আমরা তার কী জানি ?
জানেন ঠাকুর কোম্পানি......

দ্বারিকা উনুনের সামনে দাঁড়িয়ে মাংস কষতে গিয়ে গায়ের জামা খুলে নিয়েছে। ধুতি পরা, খালি গা, কোমরে জড়িয়ে নিয়েছে একটা গামছা, গলায় ঝোলানো পৈতে, মাথায় ঝাঁকড়া চুল, তাকে যজ্ঞিবাড়ির রান্নার ঠাকুরের মতনই দেখাচ্ছে অনেকটা। সে মুখ ফিরিয়ে বলল, এ আবার কী গান, কখনও শুনিনি তো !

যাদুগোপাল বলল, তুই তো আজ আমাদের খানা খাওয়াচ্ছিস, তাই মনে পড়ে গেল দ্বারকানাথ ঠাকুরের কথা। বেলগাছিয়ায় দ্বারকানাথের যে মস্তবড় বাগানবাড়ি ছিল, সেখানে প্রায়ই খুব খানাপিনা হতো। সে বেলগাছিয়া ভিলা অবশ্য এখন বিক্রি হয়ে গেছে। ঠাকুরদের আর নেই। সিংহীরা কিনে নিয়েছে।

দ্বারিকা বলল, তা জানি । দেবেন ঠাকুর যখন দেউলে হল, তখন ও সব বিক্রি হয়ে গিয়েছিল। তা ও গান কে বাঁধলে ?

যাদুগোপাল বলল, বোধহয় রূপচাঁদ পক্ষী। এখনও বাগবাজারে মাঝে মাঝে শোনা যায়।

দ্বারিকা বলল, আর নেই ? বাকিটা শোনা !

যাদুগোপাল আবার গাইল :

কী মজা আছে রে লাল জলে
জানেন ঠাকুর কোম্পানি
মদের গুণাগুণ আমরা কী জানি
জানেন ঠাকুর কোম্পানি......

দ্বারিকা চোখ বড় বড় করে, জিভ কেটে বলল, এই রে, দারুণ ভুল হয়ে গেছে ! লাল জলের তো ব্যবস্থা করা হয়নি ! দু' পাত্তর না টানলে মাংস খাওয়া জমবে কী করে?

ভরত তাড়াতাড়ি বলে উঠল, না, ভাই, ওসব এখানে চলবে না। কাছেই রাস্তা দিয়ে লোক যাওয়া-আসা করছে, বেশি বাড়াবাড়ি হয়ে যাবে।

যাদুগোপাল ভরতকেই সমর্থন করে সহাস্যে বলল, ওসব কি আর দিনের বেলা জমে। সূর্য ডুবুক আগে !

ইরফান বলল, আর একখানা গান শোনাও, যাদু !

যাদুগোপাল বলল, এই গানটা তোরা শুনেছিস?

আজব শহর কলকেতা
রাঁড়ি বাড়ি জুড়ি গাড়ি মিছে কথার

কী কেতা!

হেথা ঘুঁটে পোড়ে গোবর হাসে, বলিহারি

ঐক্যতা

আজব শহর কলকেতা

যাদুগোপাল হঠাৎ থেমে যেতেই দ্বারিকা অট্টহাসি করে উঠল। খুন্তি হাতে নিয়ে নাচের ভঙ্গি করে বলল, থামলি কেন, থামলি কেন, পরের টুকু গা।

যাদুগোপাল বলল, পরের দিকে বড় অশ্লীল!

দ্বারিকা বলল, পরের লাইনে তোদের বেহ্মদের খোঁচা আছে, তা বুঝি জানি না? তাই চেপে যাচ্ছিস শালা।

যাদুগোপাল বলল, তোদের হিন্দুদেরও ছাড়েনি হুতোম প্যাঁচা।

ভরত বলল, আমরা আগে শুনিনি। শোনাও ভাই, সবটা শোনাও।

যাদুগোপাল গাইল :

হেথা ঘুঁটে পোড়ে গোবর হাসে বলিহারি

ঐক্যতা

যত বক বিড়ালে ব্রহ্মজ্ঞানী, বদমাইসির

ফাঁদ পাতা।

পুঁটে তেলির আশা ছড়ি, শুঁড়ি সোনা

বেনের কড়ি

খ্যামটা খানকির খাসা বাড়ি, ভদ্রভাগ্যে

গোলপাতা

হদ্দ হেরি হিন্দুয়ানি, ভিতর ভাঙা ভড়ং

খানি

পথে হেগে চোকরাঙ্গানি, লুকোচুরির

ফের গাঁতা.....

ইরফান বলল, মোছলমানদের নিয়ে কিছু লেখেনি?

যাদুগোপাল বলল, হিঁদুরা মোছলমানদের ধর্ম নিয়ে খোঁচা মারতে ভয় পায়। তোদের মোছলমানদের মধ্যে কেউ নিজেদের ধর্ম নিয়ে ঠাট্টা-ইয়ার্কি করে গান বাঁধেনি?

ইরফান বলল, ওই একটা ব্যাপার নিয়ে ঠাট্টা-ইয়ার্কি করার সাহস কোনও মোছলমানের নেই। আমি অন্তত সেরকম কিছু কখনও শুনিনি।

যাদুগোপাল জিজ্ঞেস করল, হ্যাঁরে, তোদের মুসলমানদের মধ্যে নাস্তিক আছে?

দ্বারিকা বলল, মোছলমান আবার নাস্তিক? এ যে বাবা কাঁঠালের আমসত্ত্ব!

ভরত বলল, দ্বারিকা, আঁচ নিভে গেল যে!

দ্বারিকা আবার উনুন নিয়ে ব্যস্ত হয়ে পড়ল।

ফুরফুরে হাওয়া দিচ্ছে। বসন্তের বাতাস। এমন বাতাসে খোলা জায়গায় উনুন জ্বালিয়ে রান্না করা খুবই কষ্টকর। মাঝে মাঝেই আঁচ কমে যাচ্ছে। এখনও মাংস সেদ্ধ হয়নি, ভাত-ডাল বাকি। মধ্যাহ্ন পার হয়ে গেছে অনেকক্ষণ।

দ্বারিকা মাটিতে শুয়ে পড়ে ফুঁ দেয়। নতুন কাঠ গোঁজে, তবু আঁচ চাঙ্গা হতে চায় না।

দ্বারিকার রন্ধনকুশলতা সম্পর্কে যাদুগোপালের কোনও ভরসা নেই। সে টিপ্পনি কেটে বলল, আজ কি খাওয়ার কোনও আশা আছে? পেটে যে ছুঁচোয় ডন মারছে।

দ্বারিকা বলল, হবে, হবে। গান গাইছিলি, গান গেয়ে যা।

যাদুগোপাল বলল,অন্নচিন্তা চমৎকারা, এই সময় আর গান-কবিতা আসে না।

দ্বারিকা নানা রকম চেষ্টা করতে লাগল, কিন্তু আগুন ক্রমশই ঝিমিয়ে আসছে।

ভরত বলল, একটা চাদর এনে এদিকটায় ঝুলিয়ে দেব। তাতে যদি বাতাস আটকায়।

যাদুগোপাল হাসতে হাসতে বলল, চাদর টাঙিয়ে কি আর বসন্তের বাতাস আটকানো যায়? আজ যা বুঝছি, দখিনা পবনেই পেট ভরাতে হবে।

এই সময় কাছেই একটা ঝোপে খচর মচর শব্দ হল।

সকলেই চমকে উঠে তাকাল সেদিকে। যাদুগোপাল বলল, ওখানে আবার কী, শেয়াল নাকি? এবার শেয়ালের পাল ধেয়ে এলেই সোনায় সোহাগা হবে।

আর একবার শব্দ হতেই ভরত এগিয়ে গেল ঝোপের দিকে।

তাকে দেখেও লুকোল না, ঝোপের ওপাশে দাঁড়িয়ে আছে এক কিশোরী। অনেকক্ষণ ধরেই সে এদের দেখছে।

ভরত ভুরু কুঞ্চিত করে বলল, তুমি? তুমি এখানে কেন এসেছ?

ভূমিসূতা এগিয়ে এল সামনের দিকে।

ভরত আবার ধমক দিয়ে বলল, তোমাকে এখানে কে আসতে বলেছে?

যাদুগোপাল জিজ্ঞেস করল, কে এই মেয়েটি?

দাসী কথাটা উচ্চারণ করতে পারল না ভরত। সে বলল, আমি যে বাড়িতে থাকি, সেই বাড়িতেই ও থাকে।

ভূমিসূতা কোনও কথাবার্তা না বলে বসে পড়ল উনুনের সামনে।

যাদুগোপাল বলল, হ্যাঁ উনুনটা ধরিয়ে দাও তো বাছা। এসব কাজ ওরাই ভালো পারে, এ কি পুরুষ মানুষের কম্মো!

ভূমিসূতা ক্ষিপ্র হাতে কয়েকটি চ্যালা বার করে নিল। দ্বারিকা বেশি বেশি কাঠ গুঁজেছিল।

ভূমিসূতা চ্যালাগুলি আবার সাজিয়ে নিজের আঁচল দিয়ে বাতাস করতে লাগল জোরে জোরে। একটু পরেই ফিরে এল আগুন।

যাদুগোপাল বলল, বা বা বা বা! বলেছি না, ওরাই ভালো পারে!

ভূমিসূতা হাঁড়ির ঢাকনা খুলে দেখছে, ভরত বলল, ঠিক আছে, এবার তুমি বাড়ি যাও!

যাদুগোপাল বলল, কেন, ও থাকুক না। দ্বারিকাকে সাহায্য করুক।

দ্বারিকা বলল, এই সেই মেয়েটি, যে ভালো গান জানে? নাচ জানে?

যাদুগোপাল মহা বিস্ময়ের সঙ্গে বলল, নাচ? এ মেয়ে নাচতে জানে?

ভরত বলল, ও ঠিক বাঙালি নয়। ওর বাড়ি ছিল ওড়িষ্যায়। একটু আধটু লেখাপড়াও জানে। ওর কথা তোমাদের পরে বলব, এখন ওর এখানে থাকাটা ঠিক নয়।

যাদুগোপাল বলল, কেন? আমরা পিকনিক করছি, এ মেয়েটিও আমাদের সঙ্গে যোগ দিলে ক্ষতি কী?

দ্বারিকা বলল, রাস্তা দিয়ে লোকজন হাঁটছে। তারা এদিকে হাঁ করে তাকিয়ে থাকবে।

যাদুগোপাল বলল, তা থাক না, তাতে আমাদের ভারি বয়েই গেল। দেখ ভাই, আমাদের সাধারণ ব্রাহ্মসমাজে পুরুষের সঙ্গে নারীদেরও সমান অধিকার। পুরুষরা যা পারে, নারীরাও তা পারে। অন্দরমহল থেকে মেয়েদের মুক্তি না দিয়ে আর কতদিন আমরা তাদের অন্ধকারে আটকে রাখব?

দ্বারিকা ঝাঁঝিয়ে উঠে বলল, রাখো তোমার ওই সব বড় কথা! তোমাদের ওই সাধারণ ব্রাহ্মসমাজের নীতি কি সারা হিন্দু সমাজ মেনে নিয়েছে? তোমাদের ক'জন মোটে ব্রাহ্ম! হিন্দু মেয়ে গৃহকর্ম শিখবে, ঘরে বসেই কিছু লেখাপড়া শিখবে, পতি-পুত্রের সেবা করবে, সংসারে শ্রী আনবে, এটাই হিন্দু নারীর চিরকালের আদর্শ!

ভূমিসূতা ঘাড় ঘুরিয়ে এক দৃষ্টিতে চেয়ে রইল যাদুগোপালের দিকে। এই লোকটি যা বলল, সেই রকম কথা বলতেন তার বাবা। এখানে এসে আর কোনও পুরুষের মুখে সে এ পর্যন্ত এমন কথা শোনেনি।

যাদুগোপাল বলল, চিরকালের আদর্শ না কচু ! তুমি ইতিহাস কিছু পড়োনি !

কিন্তু ইতিহাসে কী আছে না আছে তা নিয়ে আর ক'জন মাথা ঘামায়! দ্বারিকার কথাই সত্যি হল, রাস্তা দিয়ে একটি ঘোড়ার গাড়ি যেতে যেতে হঠাৎ থেমে গেল। ভেতরের যাত্রীরা হাঁ করে তাকিয়ে রইল এদিকে। তারা ভূমিসূতাকেই দেখছে। বিশেষ বিশেষ উৎসবের দিনে অনেকে পতিতাপল্লী থেকে মেয়ে ভাড়া করে গঙ্গার ওপর নৌকোয় ফূর্তি করে, সেটা কিছু অস্বাভাবিক নয়। কিন্তু ভদ্রপল্লীর মধ্যে দিনের বেলায় কয়েকটি ছোকরা একটি মেয়েকে নিয়ে বেলেল্লা করছে, এ কী হল দেশের অবস্থা !

ক্রমে গুটি গুটি আরও কয়েকটি লোক দাঁড়িয়ে পড়ল সেখানে।

যাদুগোপাল বলল, দেখুক, ওরা যত ইচ্ছে দেখুক। আমরা গ্রাহ্য করব না। আমরা তো কিছু অন্যায় করছি না!

ভরত তবু আদেশের সুরে বলল, ভূমি, এক্ষুনি বাড়ি চলে যাও !

ভূমিসূতা তৎক্ষণাৎ হাতের খুন্তিটা নামিয়ে রেখে এক ছুটে ঢুকে পড়ল জঙ্গলের মধ্যে। এই দিক দিয়ে তাদের বাড়ির বাগানে ঢোকার বুঝি একটা পথ আছে!

যাদুগোপাল বলল, তোরা এত ভিতু কেন ? এই ভাবেই তো আস্তে আস্তে লোকের মন থেকে ভুল ধারণা কাটাতে হয়। লোকগুলো দেখত, আমরা এখানে মদ খেয়ে মাতালও হচ্ছি না, ওই মেয়েটির আঁচল ধরে টানাটানিও করছি না! শুধু এক সঙ্গে মিলে মিশে পিকনিক করছি, এতে দোষের কী আছে ?

দ্বারিকা বলল, এই তো মাংস হয়ে এল। এবার ভাত চাপাব। আমি রান্না করে খাওয়াব বলেছি, এর মধ্যে আবার একটা মেয়েছেলেকে আনার কী দরকার ?

যাদুগোপাল বলল, রোজ মেসের খাবার খাই, মাঝেসাঝে হোটেল–মোটেলে খাই, কতদিন কোনও মেয়ের হাতের পরিবেশন করা খাবার খাই না। মেয়েরা পরিবেশন করলে সে খাবারের স্বাদ অনেক ভালো হয়ে যায়।

দ্বারিকা বলল, পুজোর সময় দেশে যাবি, তখন মায়ের হাতে খাবি।

যাদুগোপাল দীর্ঘশ্বাস ফেলে বলল, পুজোর ছুটির এখনও কত দেরি !

তারপর সে ইরফানের দিকে ফিরে বলল, কী রে, ইরফান, তুই কিছু বলছিস না যে!

ইরফান মুখ নিচু করে মাটি থেকে ঘাস ছিঁড়ছে। ভূমিসূতা-প্রসঙ্গে সে একটাও মন্তব্য করেনি।

যাদুগোপাল জিজ্ঞেস করল, তুই যে পাড়ায় থাকিস, সেখানে যদি তোদের বাড়ির একটা মেয়ে এসে পিকনিকে যোগ দিত, তাহলেও কিছু গাড়ল হাঁ করে তাকিয়ে থাকত?

দ্বারিকা বলল, ওদের বাড়ির কোনও মেয়ে এরকম হুট করে বাইরে আসত ? তোর মাথা খারাপ হয়েছে ?

ইরফান বলল, তা ঠিক। আজকাল তবু হিন্দু বাড়ির কিছু কিছু মেয়ে বাইরে বেরোয়, মুসলমান মেয়েরা এখনও সে স্বাধীনতা পায়নি। তোমাদের একটা গল্প বলি শোনো। জান তো, আমি নবাব আবদুল লতিফ সাহেবের বাড়িতে থাকি। মস্ত বড় তিন মহলা বাড়ি। আমি সে বাড়ির কেউ না, নোকর-খিদমদগারদের কোয়ার্টারের একটা ঘর পেয়েছি কোনও রকমে। ভেতর মহলে আমার যাওয়া নিষেধ, বাড়ির স্ত্রীলোকদের কখনও চোখেও দেখিনি। তবু ভিতর মহলের কিছু কিছু খবর কানে আসে। একদিন সে বাড়ির মহিলাদের একটা কান্নার রোল

শুনেছিলাম। কারণটা কী জান? আন্দাজ করতে পারবে? পারবে না ! ও বাড়ির একটি মেয়ে লোরেটো ইস্কুলে ভর্তি হতে চেয়েছিল। সেই জন্য কান্না !

ইরফানের বন্ধুরা হাসি সামলাতে পারল না। দ্বারিকা বলল, মুসলমান ছেলেরাই তো ইংরেজি ইস্কুলে পড়তে চায় না, হঠাৎ একটা মেয়ের ওই শখ হল কী করে ?

ইরফান বলল, ও পাড়ায় খ্রিস্টানদের কয়েকটা বাড়ি আছে। সেইসব বাড়ির কয়েকটি বাচ্চা মেয়ে এ বাড়ির বাচ্চাদের সঙ্গে মাঝে মাঝে খেলতে আসে। খ্রিস্টান মেয়েরা সবাই লোরেটো ইস্কুলে পড়ে। তাদের কাছে ইস্কুলের গল্প শুনে এ বাড়ির একটি মেয়েরও ইস্কুলে পড়ার সাধ হল।

যাদুগোপাল বলল, আহা রে ! শেষ পর্যন্ত ভর্তি হতে পেরেছে ?

দ্বারিকা বলল, গল্পটা শোন না !

ইরফান বলল, মেয়েটির নাম ফতিমা । আট ন'বছর বয়েস। ফুটফুটে চেহারা। আমি তাকেও দেখিনি, ও বাড়িতে পর্দার খুব কড়াকড়ি, জুবেদা নামে এক বুড়ি নোকরানির কাছে সব শুনেছি। ফতিমা বাড়ির সবার খুব আদরের। সেও শুরু করে দিল কান্না, খাওয়া-দাওয়াও বন্ধ করে দিল। তার আবদার রক্ষা করাও যায় না, অথচ সে কিছু না খেলে সবার কষ্ট। তখন বাড়ির সব মহিলারা একটা আলোচনা সভা বসাল। সেখানে ডাকা হল একটি খ্রিস্টান মেয়েকে। তাকে জেরা করে সবাই জানতে চাইল সেই ইস্কুলের রীতি-নীতি। আলোচনা সভার প্রেসিডেন্ট হচ্ছেন দাদিমা। তাঁর দারুণ ব্যক্তিত্ব, গোটা সংসার চলে তাঁর হুকুমে। তিনি প্রথমেই জানতে চাইলেন, বোরখা পরে লোরেটো স্কুলে যাওয়া যায়?

খিস্টান মেয়েটির নাম জেনিফার। সে মাথা নেড়ে বলল, না। বোরখা চলবে না। স্কার্ট পরতে হবে। অনেক হিন্দু ছাত্রী আছে, তারাও শাড়ি পরে না, স্কার্ট পরে স্কুলে আসে।

মহিলারা সবাই চোখ কপালে তুললেন। প্রবলভাবে মাথা নাড়তে নাড়তে বললেন, খানদানি বংশের মেয়ে বোরখা ছাড়া বাড়ির বাইরে যাবে, তা হতে পারে না, হতে পারে না, হতে পারে না!

ফতিমা মেয়েটি খুব বুদ্ধিমতী। সে বলল, আমি বোরখা পরেই যাব। বাড়ির গাড়িতে যাব। একেবারে স্কুলের দরজার কাছে গিয়ে বোরখা খুলে রাখব গাড়িতে। তলায় থাকবে স্কুলের পোশাক।

দাদিমা তখন জিজ্ঞেস করলেন, ইস্কুলের দরজায় দারোয়ান থাকে ? সে পুরুষ না ?

জেনিফার বলল, হ্যাঁ থাকে, দু'জন পুরুষ দারোয়ান !

মহিলার দল বলে উঠলেন, পুরুষ দারোয়ান এ বাড়ির মেয়ের মুখ দেখবে ? তা হতে পারে না, হতে পারে না, হতে পারে না।

ফতিমা বলল, আমি গাড়ির মধ্যে বসে থাকব। যখন দেখব এক দঙ্গল মেয়ে এক সাথে ঢুকছে, তখন তাদের মধ্যে মিশে যাব। দারোয়ানরা আমাকে দেখতে পাবে না।

—ইস্কুলে কারা পড়ায়? পুরুষ মাস্টার, না দিদি মণি ?

—সব দিদিমণি।

—ভেতরে একজনও পুরুষ থাকে না ?

—অফিস ঘরে দু'জন থাকে। হিসেব পত্র রাখে। সেখানে না গেলেও চলে। অন্য মেয়েদের হাত দিয়ে মাইনে দেওয়া যায়।

—কোরান শরিফ পড়ানো হয় ?

—না, বাইবেল। তবে ইচ্ছে করলে সে ক্লাসে না গেলেও পারে। অনেক হিন্দু মেয়ে পড়ে না।

—আর কী কী পড়ায় ?

—আমি বলছি। প্রথমেই হয় প্রেয়ার। মানে প্রার্থনা। সেখানে সব মেয়েকেই যোগ দিতে হয়। তারপর

—কিসের প্রার্থনা ?

—যিশুর নামগান।

আবার সব মহিলা বললেন, না, না, না, মুসলমানের মেয়ে যিশুর নামগান করবে ? তা হতে পারে না, তা হতে পারে না, তা হতে পারে না।

ফতিমা বলল, দাদিমা, আমি প্রার্থনার সময় শুধু ঠোঁট নাড়ব। মনে মনে কোরান শরিফ বলব। কোনওদিন যিশুর নাম উচ্চারণ করব না।

যাদুগোপাল বলল, বাঃ, মেয়েটির তো খুব বুদ্ধি ? তা হলে পরীক্ষায় পাশ করে গেল! ভর্তি হয়েছে ?

ইরফান দু' দিকে মাথা নাড়ল।

সবাই অবাক হয়ে জিজ্ঞেস করল, কেন, আর কিসের আপত্তি ?

ইরফান বলল, সবাই যখন প্রায় রাজি হয়ে গেছে তখন জেনিফার অতি উৎসাহের সঙ্গে বোঝাতে লাগল তাদের স্কুল কত ভালো। স্কুল বাড়ির বর্ণনা দিতে দিতে বলে ফেলল, তাদের স্কুল বিল্ডিং-এর মধ্যে অনেক সুন্দর সুন্দর মূর্তি আছে। যিশু, মা মেরি, অনেক খ্রিস্টান সেইন্টের মূর্তি। অমনি মহিলাদের মধ্যে আবার কান্নার রোল পড়ে গেল। দাদিমারও প্রায় অজ্ঞান হয়ে যাবার মতন অবস্থা। এতক্ষন তিনি এ কথাটা শোনেননি, কী ভুল হতে যাচ্ছিল! মূর্তি ! ফতিমা তো স্কুলে সর্বক্ষণ চোখ বুজে থাকতে পারবে না। মুসলমান মেয়ে হয়ে সে মূর্তি দেখবে ? সে যে অতি পাপ! না না না, তা হতেই পারে না, হতেই পারে না, হতেই পারে না!

ভরত জিজ্ঞেস করল, ফতিমা তার পরেও কান্নাকাটি করে না?

ইরফান বলল, তাকে লখনৌ পাঠিয়ে দেওয়া হয়েছে।

যাদুগোপাল ইরফানের পিঠে একটা চাপড় মেরে বলল, তোদের মুসলমানদের মধ্যে একজন বিদ্যাসাগর দরকার। ইরফান, তুই একটা আন্দোলন শুরু করে দে !

ইরফান বলল, বিদ্যাসাগর মশাই অতি মহান। কিন্তু ভাই, একটা কথা জিজ্ঞেস করি, তোমরা তাঁকে কতটুকু মানো ? আমাদের মধ্যে বিধবা মেয়ের বিয়ের কোনও সমস্যা নেই। হিন্দু বিধবাদের দুঃখের জীবন দেখে বিদ্যাসাগর মশাই বিধবা বিয়ে চালু করার জন্য কত না কষ্ট সহ্য করলেন। তবু, এখনও কটা বিধবার বিয়ে হয় ? বুকে হাত দিয়ে বলো তো, তোমাদের নিজেদের বাড়িতে কেউ কোনওদিন বিধবা বিয়ে করেছে ? তোমরা নিজেরাও কি রাজি আছ ?

দ্বারিকা বলল, এখন বাজে তর্ক শুরু করো না। আমার রান্না প্রায় শেষ। পাত পাতার ব্যবস্থা করো। লবণ-লেবু দাও!

॥ ৩৫ ॥

সে দিন ভূমিসূতা মার খেল।

সে যে বাড়ির বাইরে গিয়েছিল, দিনের বেলা কয়েকজন পুরুষের সঙ্গে ঢলাঢলি করেছে, তা জানাজানি হতে বাকি রইল না। বাড়ির দারোয়ান দেখছে, অন্য দুটি দাসী দেখেছে, তারা মেজগিন্নিকে ডেকে জানলা দিয়ে দেখিয়েছে। অন্য দাসীদের খুব রাগ ভূমিসূতার ওপর। ভূমিসূতাও তো দাসীই, তবু সে পুরোপুরি দাসী হতে চায় না কেন?

খবরটা মণিভূষণের কানে গেল। তাঁর অবদমিত যৌন বাসনা রূপান্তরিত হল ক্রোধে। নিজের স্ত্রীর ভয়ে তিনি এখন আর ভূমিসূতার দিকে তাকান না। কিন্তু তিনি যাকে একদিন কামনা করেছিলেন, সে অন্য পুরুষের কাছে যাবে, সেটাই বা তাঁর সহ্য হবে কেন?

কোনও রকম কৈফিয়ত না চেয়েই মণিভূষণ একটা চাবুক নিয়ে ভূমিসূতাকে পেটাতে শুরু করলেন। দাঁতে দাঁত চেপে বলতে লাগলেন, হারামজাদি, নষ্ট মাগী! বাড়ির বাইরে যেতে তোকে নিষেধ করা হয়েছে, তোর সব ছেনালি আজ ঘুচিয়ে দেব। দুধ-কলা দিয়ে কাল সাপ পুষছি বাড়িতে।

দু' তরফের গিন্নিরাই একটু দূরে দাঁড়িয়ে দেখছেন, প্রতিবাদ করার কোনও প্রশ্ন নেই। ভূমিসূতার অপরাধ যে অমার্জনীয়। এই সুযোগে দাসীরা ফিসফিস করে জানিয়ে দিতে লাগল যে ভূমিসূতা প্রায়ই ভরতের ঘরে যায়। নিভৃতে সেখানে পিরীতের খেলা চলে। এই সংবাদ আরও ক্রোধের ইন্ধন জোগাল। শশিভূষণ ওই ভরত নামে ছোকরাকে এ বাড়িতে চাপিয়ে দিয়ে গেছে, সে কারুর সঙ্গে মেশে না, ভালো করে কথা বলে না। নেহাত শশিভূষণের জন্যই তাকে মেনে নেওয়া হয়েছে, তা বলে এ বাড়ির কোনও দাসীর সঙ্গে আশনাই করার অধিকার তার নেই।

মার খেতে খেতে মেঝেতে গড়াগড়ি দিতে লাগল ভূমিসূতা। তার শাড়ি বিস্রস্ত হয়ে গেল, সারা শরীর থেকে ঝরতে লাগল রক্ত। ভূমিসূতা দু' হাতে মুখটা চাপা দিয়ে আছে, সেই হাতের ওপর মণিভূষণ চাবুক চালাতে লাগলেন বারবার। শেষে নিজেই ক্লান্ত হয়ে থামলেন।

মৃতের মতন নিস্পন্দ অবস্থায় বেশ কিছুক্ষণ ভূমিসূতা পড়ে রইল বারান্দার এক কোণে। তারপর দু'জন দাসী ধরাধরি করে তাকে তার ঘরে নিয়ে গিয়ে শুইয়ে দিল। রাত্তিরে সে কিছুই খেতে পাবে না।

পরদিন সকালে মণিভূষণ আবার চাবুক হাতে নিয়ে তার ঘরের সামনে দাঁড়িয়ে বললেন, যদি বাঁচতে চাস, তা হলে আর কোনওদিন ওই ভরতের কাছে যাবি না। তার সঙ্গে কথা বলবি না। কোনও পুরুষের সঙ্গেই কথা বলা চলবে না। আবার যদি বাড়ির বাইরে যাবার চেষ্টা করিস, তা হলে তোকে ধরে গলায় কাপড় বেঁধে ঝুলিয়ে দেওয়া হবে।

বাতাসে তিনি দু'বার শপাং শপাং শব্দ করলেন চাবুকের। তারপর তিনি গেলেন ভরতের ঘরের দিকে, তখন অবশ্য চাবুকটা সঙ্গে নিলেন না।

ভূমিসূতা চারদিন ঘর থেকে বেরোতেই পারল না। সারা শরীরে অসহ্য ব্যথা, চাবুকের লম্বা লম্বা দাগ। দু'হাতের আঙুলের চামড়া ছিঁড়ে দগদগে ঘা হয়েছে, কিন্তু মণিভূষণ তার

মুখখানি বিকৃত করে দিতে পারেননি। এই ক'দিন কেউ তাকে কিছু খেতেও দেয়নি। শুয়ে শুয়ে সে অনবরত ভাবে, নয়নতারা নামের সেই বধূটির মতন সেও কি গায়ে আগুন দিয়ে সব জ্বালা জুড়োবে ? এ জীবন আর রেখে লাভ কী ? সারা জীবন তাকে এই বাড়িতে এক বন্দিনী দাসী হয়ে থাকতে হবে। একবার সে যখন এ বাড়ির গিন্নিদের কুনজরে পড়েছে, তখন লাথি-ঝাঁটা খেতে হবে অনবরত। নাঃ, এ ভাবে আর বাঁচতে চায় না সে। সে বাবা-মায়ের কাছে চলে যাবে। স্বর্গ থেকে কি বাবা আর মা দেখতে পাচ্ছেন তার কষ্ট ?

তবু মরতে পারল না ভূমিসূতা । খিদের জ্বালাতেই তাকে ঘর থেকে বেরুতে হল।

ঠাকুরঘরে ফুল আর পুজোর উপকরণ সাজাবার দায়িত্ব তার চলে গেছে। এক মধ্যবয়েসী বিধবা নিযুক্ত হয়েছে সে কাজে। ভূমিসূতা এখন ঘর-বারান্দা মুছবে,কাপড় কাচবে, বাসন মাজবে। তাই-ই সে করে যেতে লাগল মুখ বুজে। সে আর মার খেতে চায় না। বাবা-মা বেঁচে থাকতে সে কখনও মার খায়নি।

বিকেলের দিকে সে খানিকটা সময় পায়। সন্ধের পর সকলের বিছানা ঠিক মতন পেতে দিলে তারপর আর বিশেষ কেউ তার খোঁজ খবর করে না। ভূমিসূতা মাঝে মাঝেই ছাদে চলে যায়। খোলা আকাশের দিকে কিছুক্ষণ অন্তত না তাকালে সে বাঁচতে পারবে না।

ভরতের ঘরের দিকে সে আর যায়নি একবারও। সে জানে, অন্য দাসীরা নজর রাখে তার ওপর। দুই মহলের গিন্নিই ভরত সম্পর্কে নানান কটু-কাটব্য করে মাঝে মাঝে, ভূমিসূতা আড়াল থেকে শুনতে পায়। এর মধ্যে দু'তিনবার মণিভূষণের সঙ্গে ভরতের জোর কথা কাটাকাটি হয়ে গেছে। ভরত শশিভূষণের অংশের টাকা পয়সার হিসেব নিয়ে প্রশ্ন তুলেছে।

ভূমিসূতা ভরতের ঘরের কাছাকাছিও আর যায় না বটে। তবু ভরত তাকে টানে। সে এক সাজ্ঘাতিক তীব্র টান। শুধু ভরতের জন্যই নয়, ভরতের ঘরের বইগুলির জন্যও। কপালকুণ্ডলা বইখানির সে অর্ধেক পড়েছে মাত্র। বাকি অর্ধেক আর পড়া হবে না ? সমুদ্রের ধারে শুধু ফুলের বসন পরে ঘুরে বেড়াত যে কিশোরী, শেষ পর্যন্ত তার কী হল, তা আর জানা যাবে না কোনওদিন। এ বাড়িতে আর কেউ বই পড়ে না। ছাদের আলসে ধরে সে ভরতের ঘরের দিকে নির্নিমেষে চেয়ে থাকে কিছুক্ষণ। তার দীর্ঘশ্বাস পড়ে। ভরত কেন প্রথম থেকেই অপছন্দ করল তাকে ? কোনওদিন তার সঙ্গে একটুও ভালো করে কথা বলেনি। সে কি এতই খারাপ ? তা হলে সেই দুই যমজ বদমাস ভাইয়ের অত্যাচার থেকে ভরত তাকে বাঁচাতে গিয়েছিল কেন ?

ছাদ থেকে উঁকি ঝুঁকি মারে বটে, কিন্তু ভরতকে দেখলেই সে সরে যায়। ভরত তাকে লক্ষ করে না, তবু ভূমিসূতা নিজেই চলে যায় আড়ালে। দু' এক পলক দেখাই যথেষ্ট। বেশিক্ষণ ভরতকে দেখলে তার বুক মোচড়ায়।

এর মধ্যে একদিন একটা বিপরীত ব্যাপার ঘটে গেল। বিকেলবেলা কলেজ থেকে ফিরে সিঁড়ি দিয়ে দোতলায় উঠছে ভরত। শেষ ধাপে এসে হঠাৎ ছাদের পাঁচিলের এক অংশের দিকে তার দৃষ্টি গেল। একটা ছায়ার মতন সরে গেল ভূমিসূতা, ভরত তাকে দেখেছে ও চিনেছে, সে দাঁড়িয়ে রইল সিঁড়িতেই। কৌতূহল দমন করতে না পেরে, একটু পরে ভূমিসূতা আর একবার মুখ বাড়াতেই ভরতের সঙ্গে তার চোখাচোখি হল। ভরত হাতছানি দিয়ে ডেকে বলল, এই, এদিকে শোনো ! এখানে এসো একবার ।

ভূমিসূতা এক ছুটে নেমে এল ছাদ থেকে। ভরতের ঘরের দিকে যেতে হলে দোতলার বারান্দা পেরিয়ে ওদিকের একটা দরজা খুলে যেতে হয়। যে-কেউ দেখে ফেলতে পারে। কিন্তু ভরত নিজে থেকে ডেকেছে, এখন ভূমিসূতা পৃথিবীর কোনও কিছুই গ্রাহ্য করে না।

ভরত একটা চুরুট ধরিয়ে পায়চারি শুরু করেছে। ভূমিসূতা হাঁপাতে হাঁপাতে এসে সিঁড়ির রেলিং ধরে মুখ নিচু করে দাঁড়াল।

ভরত চলতে চলতেই নীরস গলায় বলল, তোমার সঙ্গে স্পষ্টাস্পষ্টি কিছু কথা বলা দরকার। আমি তোমার সম্পর্কে মোটামুটি জানি। তুমি কোথা থেকে এসেছ, কী ভাবে এসেছ তা শুনেছি। তুমি কি আমার সম্পর্কে কিছু জান ? আমারও মা-বাবা নেই, এই দুনিয়ায় আমার কোনও সহায়-সম্বল নেই। দৈবাত আমি এ বাড়িতে আশ্রয় পেয়েছি। কলেজে পড়ার সুযোগ পেয়েছি। তুমি স্ত্রীলোক হয়ে জন্মেছ, তুমি সেই সুযোগ থেকে বঞ্চিত। আমি এ বাড়ি থেকে বিতাড়িত হলে পথের ভিখারি হব, লেখাপড়া চালাতে পারব না, কিন্তু আমাকে অন্তত গ্র্যাজুয়েট হতেই হবে।

একটু থেমে, ভূমিসূতার দিকে তাকিয়ে সে আবার বলল, তোমার সমস্যা আমি বুঝি। কিন্তু তোমাকে সাহায্য করার সামর্থ্য আমার নেই। এই ব্যাপারে জড়িয়ে পড়লে তোমারও কোনও সুরাহা হবে না, আমিও বিপদে পড়ে যাব। মেজকর্তা মণিভূষণ আমাকে শাসিয়ে গেছে। তোমার নাম জড়িয়ে আমাকে অকথা-কুকথা বলেছে। এই ছুতোয় ওরা তোমার ওপরেও অত্যাচার করবে। সেই জন্যই আমি তোমাকে বলছি, তুমি কক্ষণও আর এদিকে আসবে না। ছাদে দাঁড়িয়ে উঁকি দেবে না। আমার সঙ্গে যোগাযোগ রাখলে তোমার ক্ষতি ছাড়া কোনও উপকার হবে না। আমি যা বলেছি, সব বুঝেছ ?

ভূমিসূতা মাথাটা আর একটু নোয়াল।

ভরত আবার বলল, আমি তো তোমাকে কখনও আসতে বলিনি। তুমি নিজে থেকে আসবে কেন ? তোমার স্থান অন্দরমহলে, এই বারমহলে তুমি আসবে কেন ? বাড়ির কত্তাদের তো রাগ হতেই পারে। এটা তোমাকে মানায় না। আর কখনও আসবে না, মনে থাকবে ?

ভূমিসূতা আবার তার মাথা নোয়াল।

ভরত চুরুটে দু'তিনটি টান দিয়ে অন্যদিকে মুখ ফিরিয়ে বলল, আর একটা ব্যবস্থা হতে পারে। যদি তোমার সাহস থাকে, ...তুমি সে ঝুঁকি নিতে পারবে কি না ভেবে দেখ। এরা তোমাকে উড়িষ্যা থেকে টাকা দিয়ে কিনে এনেছে, তবু সারাজীবন তোমাকে ক্রীতদাসী করে রাখতে পারে না। ব্রিটিশ রাজত্বে মানুষ কেনা-বেচা নিষিদ্ধ। তুমি যেখানে ইচ্ছে চলে যেতে পারো। এরা বাধা দিতে চাইলে, কোতোয়ালিতে খবর দিলে তুমি পুলিশের সাহায্য পাবে। আমার এক বন্ধু, সেদিন সেও এসেছিল, তার নাম যাদুগোপাল, সে তোমার জন্য একটা ব্যবস্থা করে দিতে পারে। কলুটোলার এক ব্রাহ্মবাড়িতে কিছু অনাথা মহিলার জন্য একটা আশ্রমের মতন খোলা হয়েছে। সেখানে তাদের হাতের কাজ শেখানো হয়, বাড়ির মধ্যেই লেখাপড়া শেখাবারও ব্যবস্থা আছে। মন দিয়ে কাজ শিখলে নিজের পায়ে হয়তো দাঁড়াতে পারবে একদিন। সেখানে যাবে ?

এই প্রস্তাব শুনতে শুনতেই ভূমিসূতা মুখ তুলেছে। তার সারা মুখে ঝলমল করছে আলো, চক্ষু দুটি বিস্ফারিত। ভরত কথাটা শেষ করার সঙ্গে সঙ্গে সে বলল, হ্যাঁ, যাব।

ভরত বলল, চিরকালের জন্য এ বাড়ি ছেড়ে চলে যেতে পারবে?

ভূমিসূতা বলল, হ্যাঁ পারব।

ভরত বলল, যাদুগোপালের কাছে যতদূর শুনেছি, সেখানে গেলে তুমি ভালোই থাকবে। খাওয়া পরার চিন্তা করতে হবে না। কেউ মারধোর করবে না। ব্রাহ্মরা মেয়েদের গায়ে হাত তোলে না। এ বাড়ির লোকরা বোষ্টম, নিরামিষ খায়, অথচ একটা মেয়েকে চাবুক মারে। এরা ধার্মিক না পাষণ্ড ! ওই আশ্রমে গেলে তোমাকে বোধহয় ব্রাহ্ম ধর্মে দীক্ষা নিতে হবে। ব্রাহ্ম ধর্ম কাকে বলে জানো ?

ভূমিসূতা দু'দিকে মাথা নাড়ল।

ভরত বলল, ওখানে গেলে জেনে যাবে। ব্রাহ্মরা নারীশিক্ষার পক্ষপাতী । ওদের মেয়েরা পুরুষদের সঙ্গে বাইরে যায়। তা হলে তুমি রাজি ?

ভূমিসুতা স্পষ্ট ভাবে বলল, হ্যাঁ, আমি যাব।

ভরত বলল, এদের অনুমতি নিতে গেলে ঝঞ্ঝাট হবে। যেতে হবে গোপনে। একবার তুমি চলে গেলে এরা আর জোর করে তোমায় ফিরিয়ে আনতে পারবে না। তবে একটা কথা বলে রাখি, আমি শুধু সেখানে তোমাকে পৌঁছে দেব। তারপর আর আমার কোনও দায়িত্ব থাকবে না। আমার সঙ্গে তোমার আর দেখা হবে না।

এর দু'দিন পরে সন্ধ্যার অন্ধকারে গৃহত্যাগ করল ভূমিসুতা। ভরত আগে থেকেই বেরিয়ে দাঁড়িয়ে ছিল পথের মোড়ে। একটা ছোট পুঁটুলি সম্বল করে বাগানের পেছনের ভাঙা পাঁচিল দিয়ে বেরিয়ে এল ভূমিসুতা, ভরত তাকে নিয়ে দ্রুত পায়ে চলে এল ভাড়া গাড়ির আড্ডায়। কালীঘাট মন্দিরের তীর্থযাত্রীরা এইপথ দিয়ে যায়। একটা কেরাঞ্চি গাড়িতে ওরা উঠে বসল, আরও দু'জন যাত্রী নেবার পর চলতে শুরু করল সেই গাড়ি।

ভূমিসুতা একটা গোলাপি-ডুরে শাড়ি পরেছে, ইচ্ছে করে ঘোমটায় ঢেকে রেখেছে অনেকখানি মুখ। ভরত চুপ করে থাকলেও তার বক্ষ জুড়ে আছে উদ্বেগ। যাদুগোপালের পেড়াপিড়িতেই সে এই ঝুঁকি নিতে রাজি হয়েছে। যাদুগোপাল নারী-উদ্ধারের জন্য ব্যস্ত। ভূমিসুতাকে যখন খুঁজে পাওয়া যাবে না, তখন মণিভূষণদের সব সন্দেহ পড়বে ভরতের ওপর। একটা কিছু তুলকালাম কাণ্ড বাধাবে, নালিশ জানাবে শশিভূষণের কাছে? শশিভূষণের কাছে তার চরিত্রের বদনাম দেবে? শশিভূষণ কি বিশ্বাস করবেন যে এ পর্যন্ত ভরত এই মেয়েটির সামান্য অঙ্গ স্পর্শও করেনি?

কেরাঞ্চি গাড়িটা যাবে গঙ্গার ধারে ফেরিঘাট পর্যন্ত। ভরত রাস্তার দিকে লক্ষ রাখছে, তারা অত দূর পর্যন্ত যাবে না। একটা বেতো ঘোড়া টানছে গাড়ি, নড়বড় করে দুলছে। মাঝে মাঝে গাড়োয়ান রাস্তার লোকদের সরাবার জন্য চিৎকার করছে, হটো, হটো! গড়ের মাঠে এই সময় মাতাল গোরারা ঘুরে বেড়ায়, তারা যখন তখন গাড়ি থামিয়ে দিতে পারে, যাত্রীদের সোনা-দানা-ইজ্জত লুট করলেও তাদের শাস্তি দেবার কেউ নেই।

জানবাজারের মুখটায় এসে ভরত নেমে পড়ল।

কলুটোলার মোড়ে যাদুগোপাল দাঁড়িয়ে থাকবে। ভরত আশ্রম বাড়িটি চেনে না, তা ছাড়া যাদুগোপাল পরিচয় করিয়ে না দিলে তারা পাত্তাই বা দেবে কেন? যে-কোনও একটা পথের মেয়েকে তো ব্রাহ্মরা আশ্রয় দেবে না!

কলুটোলা পর্যন্ত হেঁটে যেতে হবে। এদিকে পথে লোক চলাচল আছে বটে, কিন্তু পথ বড় অন্ধকার। আজ আকাশেও আলো নেই। ঘোমটায় মুখ ঢাকা অবস্থায় ভূমিসুতা বারবার হোঁচট খাচ্ছে। ভরত বলল, সাবধানে হাঁটো। অতখানি ঘোমটা দেবার আর কী দরকার, এখানে তোমাকে কে চিনবে? পগারে পড়ে গেলে বিপদ আছে।

ভূমিসুতা কথা বলছে না একটাও। তার মনের মধ্যে কী ঝড় বইছে কে জানে! মাথার কাপড় একটু টেনে সে দেখছে কলকাতার রাস্তা। কিছুই প্রায় দেখা যায় না। অন্য লোকের পিছু পিছু হাঁটতে হয় আন্দাজে। মাঝে মাঝে হইহই শব্দ করে যাচ্ছে ঠেলা গাড়ি, জুড়ি গাড়ি। দু' একটি দোকানে টিম টিম করে জ্বলছে সেজবাতি। দু' একটা মাতাল পড়ে আছে রাস্তার ধারে।

হঠাৎ হাড়কাটার গলি থেকে অট্ট চিৎকার করতে করতে বেরিয়ে এল একদল মানুষ। তাদের কয়েক জনের হাতে মশাল, কয়েক জনের হাতে খোলা তলোয়ার। তারা কিছু লোককে তাড়া করে এসেছে, তলোয়ারের কোপ খেয়ে একজন মাটিতে পড়ে বিকট আর্তনাদ করতে লাগল।

এক দঙ্গল মানুষ ছুটে আসছে এদিকে। তাদের গতি দেখেই মনে হয়, তারা ঠেলে চলে যাবে। ভরত পেছন ফিরে ভূমিসুতাকে বলল, দৌড়োতে হবে, পারবে তো? উল্টো দিকে দৌড়োও!

কিন্তু ওরা বেশি-দূর যেতে পারল না। মলঙ্গার গলির দিক থেকে আবার বেরিয়ে এল আর এক দঙ্গল মানুষ। এদেরও হাতে লাটি-সোটা আর মশাল। সেই দঙ্গলটি তেড়ে আসছে এদিকে। এবার ওরা কোথায় যাবে? ভরত ভূমিসূতার হাত ধরে একদিকে সরে যাবে ভাবল, কিন্তু তার আগেই কয়েকজন লোক এক ধাক্কায় তাকে ছিটকে ফেলে দিল। তার পিঠের ওপর দিয়ে চয়ে গেল কয়েকজন।

ভরত কোনও ক্রমে আবার উঠে দাঁড়িয়ে এদিক ওদিক তাকাল। ভূমিসূতা কোথায়? এই হুড়োহুড়ির মধ্যে ভূমিসূতাকে আর দেখতে পাওয়া যাচ্ছে না। দুই পল্লীর লোকেরা উন্মত্তের মতন মারামারি শুরু করেছে, রাস্তার সাধারণ মানুষ ঢেউয়ের মতন ছুটেছে এক একবার এক একদিকে। দাঁড়িয়ে থাকার উপায় নেই, ভরতকেও দৌড়াতে হচ্ছে তাদের সঙ্গে।

এরই মধ্যে এসে গেল অশ্বারোহী পুলিশ। দুম দাম করে বন্দুকের শব্দ হতে লাগল। ভরত এক সময় টের পেল, সে বউবাজারের রাস্তা ধরে ছুটে যাচ্ছে শেয়ালদার দিকে। এ কোন দিকে যাচ্ছে সে? কোনও উপায়ও নেই, উল্টো দিকে ফিরতে গেলে মরতে হবে। ভূমিসূতা রাস্তাঘাট কিছুই চেনে না। কিন্তু সে তো নির্বোধ নয়, বেশির ভাগ লোক যেদিকে যাচ্ছে, সেদিকেই তার যাওয়া উচিত। ভরত অন্য লোকের মুখ দেখার চেষ্টা করল। ভিড়ের মধ্যে দু' চারজন স্ত্রীলোকও আছে। ভদ্র-গৃহস্থবাড়ির রমণীদের এ সময় রাস্তা দিয়ে হাঁটার প্রশ্নই ওঠে না। শিকার ধরার জন্য কিছু কিছু স্ত্রীলোক রাস্তায় ঘোরে। মেথরানি, দাসী জাতীয়ও রয়েছে কয়েকজন। তাদের মধ্যে ভূমিসূতাকে দেখা যাচ্ছে না।

পুলিশ এক পক্ষকে ঠেলে সরিয়ে দিলে অন্য পক্ষ তেড়ে আসে। পুলিশের ঘোড়ার মুখ সেদিকে ফিরলে পেছনের গলি দিয়ে বেরিয়ে আসে আগের দল। ক'জন মরল তা বোঝা না গেলেও আহত হয়ে কাতরাচ্ছে বেশ কয়েকজন। এরকম কিছু ঘটলে মৃতদেহগুলি সারা রাত রাস্তাতেই পড়ে থাকে, সকালবেলা মুদ্দোফরাসরা এসে টেনে নিয়ে যায়।

প্রায় এক ঘন্টা চলল এই তাণ্ডব। ঠিক যেখানে গোলমাল শুরু হয়েছিল, ভরত ফিরে এল সেখানে। ভূমিসূতার চিহ্নমাত্র নেই। ভরত যে মানুষের ধাক্কায় রাস্তায় পড়ে গিয়েছিল, তা কি ভূমিসূতা দেখেনি? সে গেল কোথায়?

রণক্ষেত্রে নিহতদের কাছে গিয়ে আত্মীয় স্বজনেরা যেমন আপনজনের মুখ চেনার চেষ্টা করে, সেই রকম ভাবে ভরত রাস্তায় পড়ে থাকা মানুষগুলোর কাছে গিয়ে দেখল। না, এদের মধ্যে কোনও স্ত্রীলোক নেই। অনেকদিন বৃষ্টি হয়নি, পগারগুলো শুকনো। তাতে পড়ে গেলে বড় জোর হাত-পা ভাঙতে পারে, মরে তো যাবে না। ভরত চিৎকার করে কয়েকবার ভূমিসূতার নাম ধরে ডাকল।

পথ এখন শুনশান। মনে হয় যেন ঘোর রাত্রি। ভরতের বুক ঢিপ ঢিপ করছে। ভূমিসূতা হারিয়ে গেল? কাছেই পতিতাপল্লী, ভূমিসূতার মতন একটি মেয়েকে দেখে গুণ্ডারা সেখানে ধরে নিয়ে যেতে পারে। শেষপর্যন্ত ভূমিসূতার এই পরিণতি হবে? না, তা হতেই পারে না। কলুটোলা নামটা ভূমিসূতা অনেকবার শুনেছে, লোককে জিজ্ঞেস করে সে সেখানে গিয়ে থাকতে পারে। ভরত প্রাণপণে ছুটল।

কলুটোলার মোড়ে যাদুগোপাল নেই। একে তো অনেক দেরি হয়ে গেছে, তা ছাড়া সে গোলমালের কথাও টের পেয়েছে নিশ্চয়ই, তাই ধরে নিয়েছে ভরতরা আজ আর আসবে না। ভূমিসূতা তা হলে কোথায় যেতে পারে? হারা-উদ্দেশে ছুটতে লাগল ভরত। সানকিভাঙা, কলাবাগান, ঠনঠনে পেরিয়ে পান্তির মাঠে পর্যন্ত দেখে এল সে, কোথাও কেউ নেই। পাগলের মতন ভরত একবার এদিকে যাচ্ছে, একবার অন্যদিকে যাচ্ছে। মাঝে মাঝে ডাকছে, ভূমি, ভূমি, ভূমিসূতা!

আড়াল থেকে কে যেন একবার তাকে বলল, এই ছোঁড়া বাড়ি যা। আবার পুলিশ এসে তোকে ধরবে।

কিন্তু ভুমিসূতাকে না নিয়ে ভরত একলা ফিরবে কী করে ? মেয়েটাকে একবার পথে ফেলে গেলে সে চিরকালের মতন পথেই হারিয়ে যাবে !

অনেকক্ষণ দৌড়োবার পর হঠাৎ ভরতের মনে হল, কলুটোলার কাছেই একটা বন্ধ দোকানের ওপরের সিঁড়িতে কে যেন বসে আছে। মানুষ, না কুকুর ? ভরত কাছে গিয়ে দেখল, দোকানের দরজায় ঠেস দিয়ে, সামনে পা ছড়িয়ে বসে আছে একটি শাড়ি পরা মূর্তি। ডুরে শাড়িটা দেখেই সে চিনল। হ্যাঁ, ভূমিসূতা।

ভরতের সারা শরীর ঘর্মাক্ত। তবু স্নিগ্ধ হয়ে গেল শরীর। অদ্ভুত এক আনন্দের আবেগে ভরে গেল বুক। ভূমিসূতাকে সে ফিরে পেয়েছে।

খানিকটা দম নিয়ে সে বলল, ভূমি, ভূমি, তোমার কিছু হয়নি তো ?

ভূমিসূতা কোনও উত্তর দিল না। তার চক্ষুদুটো যেন জ্বলছে। সেই জ্বলন্ত চোখে সে স্থিরভাবে চেয়ে রইল ভরতের দিকে।

ভরত বলল, তুমি, তুমি এখানে বসে আছ। আমি এই পথ দিয়ে কতবার গেলাম, তুমি আমায় দেখতে পাওনি ?

ভূমিসূতা তবু কোনও উত্তর দিল না।

ভরত বলল, এসো, উঠে এসো।

ভূমিসূতা এবার তীব্র গলায় বলল, না !

ভরত হকচকিয়ে গিয়ে বলল, না মানে ? এখন যাবে না ?

ভূমিসূতা বলল, কেন যাব ? তুমি আমাকে বেড়াল-পার করতে চেয়েছিলে। যে-কোনও একটা জায়গায় ছেড়ে দিতে চেয়েছিলে! এবার তুমি বাড়ি যাও। আমি রাস্তাতেই থাকব।

ভরত যেন আহত হয়ে বলল, এ কী কথা বলছ, ভূমি ? আমি তোমাকে ইচ্ছে করে ছেড়ে দিয়েছি ? আমি পড়ে গিয়েছিলাম , তুমি দেখতে পাওনি ?

ভূমিসূতা বলল, আমাকে নিয়ে আর তোমাকে চিন্তা করতে হবে না। আমি ভিক্ষে করে খাব। আমার জন্য তোমার কত অসুবিধে হয়েছে, আমি আর কোনও দিন তোমাকে জ্বালাতন করব না। যাও, যাও, নিশ্চিন্তে চলে যাও !

ভরত বলল, তুমি বিশ্বাস করো, আমি ইচ্ছে করে তোমায় ছেড়ে দিইনি। আমি অনেকক্ষণ ধরে তোমায় খুঁজছি!

ভূমিসূতা বলল, কেন খুঁজছিলে ? আমি মরি বা বাঁচি, তাতে তোমার কী আসে যায় ! আমার কেউ নেই, আমি রাস্তাতেই থাকব।

হঠাৎ ভরতের বুকে একটা মোচড় লাগল, জ্বালা করে উঠল দু' চোখ। আমার কেউ নেই, এ যে তারও জীবন-বাক্য, ভূমিসূতা তো ঠিক তারই মতন। এ পর্যন্ত বরাবর সে ভূমিসূতার সঙ্গে কঠোর বা নির্লিপ্ত ব্যবহার করেছে, কিন্তু এই যে এতক্ষণ সে ভূমিসূতার খোঁজে উন্মত্তের মতন দৌড়োদৌড়ি করছিল, তখন সে ভাবছিল, ভূমিসূতাকে শেষ পর্যন্ত না পেলে সেও আর বাড়ি ফিরবে না!

ভরত একটুক্ষণ চুপ করে দাঁড়িয়ে রইল। একবার তার মনে হল, এই অবমানিতা মানবীর কাছে তার হাঁটু গেড়ে বসে ক্ষমা চাওয়া উচিত। কিন্তু এখন এই রাস্তার ওপর তা করা যায় না। দূরে পুলিশের ঘোড়ার শব্দ শোনা যাচ্ছে। সে ঝুঁকে পড়ে নরম গলায় বলল, ভূমি, তোমাকে ছেড়ে আমি কোথ্থাও যাব না। এসো, আমার সঙ্গে চলো। আমার হাতটা ধরো।

এই প্রথম ভূমিসূতাকে স্পর্শ করল ভরত।

॥ ৩৬ ॥

কাদম্বরীর শয়নকক্ষে দরজার পিছন দিকে একটি পূর্ণাঙ্গ আয়না লাগানো আছে। অতি মূল্যবান বেলজিয়ান গ্লাস। দরজাটি খোলা থাকলে এ আয়না দেখা যায় না। আবার দরজা বন্ধ করলে, ঘরের মধ্যে একজন মানুষ দু'জন হয়ে যায়।

সদ্য স্নান সেরে এসে সেই আয়নার সামনে দাঁড়িয়ে চুল আঁচড়াচ্ছেন কাদম্বরী, গান গাইছেন গুনগুনিয়ে। আজ তাঁর মনে বেশ একটা লঘু প্রসন্নতা ছড়িয়ে আছে। সারা সকাল তিনি বই পড়েছেন। আজ তাঁকে বই পড়ার নেশায় পেয়ে বসেছিল, সময়জ্ঞান ছিল না, এক সময় হঠাৎ খেয়াল হল যে মধ্যাহ্ন পেরিয়ে গেছে। তাঁর দাসী এসে স্নানের তাড়া দিয়ে গেছে দু'বার। কাদম্বরী একতলায় মেয়েদের স্নানের ঘরে যান না, তিনতলায় তাঁর মহলেই স্নানের ব্যবস্থা করে নিয়েছেন, ভৃত্যেরা কয়েক ঘড়া জল তুলে দিয়ে যায়।

কাদম্বরী শুধু একটা জাম রঙের শাড়ি পরে আছেন, মাথার চুলে একটি বেশ বড় আকারের নতুন চিরুনি। যশোর থেকে তার বাপের বাড়ির একজন এনে দিয়েছে। যশোরে এটাকে বলে কাঁকুই, এখানে সবাই বলে চিরুনি। কাদম্বরী বিয়ের পর প্রথম প্রথম কাঁকুই বলে ফেলতেন, তা শুনে এ বাড়ির অনেকেই হাসত। তাঁর স্বামী অবশ্য বলতেন, এতে হাসির কিছু নেই, সংস্কৃতে কঙ্কতিকা, তার থেকে কাঁকুই। চিরুনিটাই গ্রাম্য লোকদের বানানো। তাঁর বিদ্বান স্বামী সে সময় কত কিছু শেখাতেন তাঁকে !

আয়নার ভেতরের কাদম্বরী দেখছেন মানুষ কাদম্বরীকে।

অনেকদিন পর তিনি সম্পূর্ণ সুস্থ বোধ করছেন, মুছে গেছে চোখের নীচের কালিমা, ত্বকে এসেছে মসৃণ ঔজ্জ্বল্য। অসুখ আর অসুখ, ভালো লাগে না ! আজ খুব যত্ন করে সাজগোজ করতে হবে।

বাইরে থেকে তাঁর নিজস্ব দাসী জিজ্ঞেস করল, বউদিদিমণি, ঠাকুররা এসেছে, ক'জনের খাবার রাখব !

ঠিক বেলা একটার সময় ঠাকুররা আসে। বার মহলের প্রকাণ্ড রান্নাঘরে দশ-বারোজন ঠাকুর সকাল থেকে রান্নার কাজে লেগে যায়। প্রতিদিনই যেন যজ্ঞি বাড়ির রান্না। বিভিন্ন উনুনে ভাত, ডাল ও পঞ্চ ব্যঞ্জন চাপে। মেঝেতে ফর্সা কাপড় পেতে ঢালা হয় ভাত। ক্রমশ তৈরি হয় এক ভাতের পাহাড়। মাছ ভাজা হয় শয়ে শয়ে। কর্তাদের এক একজনের বিশেষ অভিরুচি অনুযায়ী ঝোল ও কালিয়া-কোপ্তা। কোন মহলে কতজন মানুষ তার হিসেব রাখে ঠাকুররা, সেই অনুযায়ী শ্বেতপাথরের থালা ও বাটিতে ভাত-ডাল -তরকারি সাজিয়ে নির্দিষ্ট সময়ে দিয়ে আসা হয় ঘরে ঘরে। এ ছাড়াও প্রত্যেক মহলে আলাদা রান্নার ব্যবস্থা আছে, গৃহিণীরা নিজেদের শখ ও মর্জিমতন বিশেষ কিছু রান্না করে নেন।

দিনের বেলা ভাত, রাত্তির বেলা লুচি। কাদম্বরীর মহলে কাল রাত্রে ঠাকুররা যে লুচি তরকারি দিয়ে গিয়েছিল, তা অভুক্ত হয়ে পড়ে আছে। অনেক দিন কাদম্বরী নিজেও কিছু রান্না করেননি। জ্যোতিরিন্দ্রনাথ এবং রবি, দু'জনেই ভোজন-রসিক। জ্যোতিরিন্দ্রনাথ বাড়িতে থাকলে দু'চারজন বন্ধুকেও খাওয়ার নেমন্তন্ন করবেনই, তখন কাদম্বরী কোমরে আঁচল জড়িয়ে

নিত্যনতুন পদ রান্না করতে লেগে যান, রাঁধতে তাঁর ভালোও লাগে। অনেক দিন সে রকম কিছু হয় না।

কিছুদিন আগেও প্রতিদিন সকালে ভাঁড়ার ঘরের সামনের বড় বারান্দাটাতে কুটনো কোটার আসর বসত। এ বাড়ির সমস্ত বউ ও মেয়েরা এক একখানি বঁটি নিয়ে বসে যেত আলু-পটল-কুমড়ো নিয়ে। তরকারি কোটার ছলে কত গল্প, কত হাস্য-পরিহাস হত। এখন আর কাদম্বরীর সেখানে ডাক পড়ে না। সেই আসরটাই যেন ভেঙে গেছে, ঘর-জামাইরা তাদের স্ত্রীদের নিয়ে একে একে চলে গেল অন্য বাড়িতে, পুত্রবধূদের মধ্যেও আর তেমন প্রাণের টান নেই। এই যে রবির বিয়ে হল, বাড়িতে একটি নতুন বউ এল, তার সঙ্গে তো অন্য জা-দের ভালো করে পরিচয়ই হল না। জ্ঞানদানন্দিনী তাকে এ বাড়ি থেকে সরিয়ে রেখে দিলেন সার্কুলার রোডের বাড়িতে, নিজের কাছে।

কাদম্বরীর নিজস্ব পুরনো দাসী সম্প্রতি বিদায় নিয়েছে, নতুনটির নাম হলধরের মা, সে নাম সংক্ষেপ করা হয়েছে হলোর মা। সে এখনও সব রীতিনীতিতে অভ্যস্ত হয়নি। ঠাকুরেরা খাবার দিয়ে যাবে, সে রেখে দেবে। জিজ্ঞেস করার কী আছে? যা নষ্ট হবার হবে। এ বাড়িতে কত জনের জন্য রান্না হয়, আর কতজন খায়, তার হিসেব কর্তারাও রাখেন না।

হলোর মায়ের প্রশ্ন শুনে কাদম্বরী অন্যমনস্কভাবে শুধু বললেন, রাখ!

চিরুনির ডগায় সিঁদুর মাখিয়ে সিঁথিতে লাগাতে লাগাতে কাদম্বরী হঠাৎ চক্ষুদুটি ঘুরিয়ে মুচকি হাসলেন। আয়নার সামনে বেশিক্ষণ দাঁড়ালেই নানা রকম ছেলেমানুষী করতে ইচ্ছে যায়। যেবারে তিনি স্বামী ও কনিষ্ঠ দেবরটির সঙ্গে অলীকবাবু নাটকে হেমাঙ্গিনী সেজেছিলেন, তাতে এই রকম একটি ভঙ্গি ছিল। জ্যোতিরিন্দ্রনাথ তখন বলতেন, তুমি আয়নার সামনে দাঁড়িয়ে রোজ কিছুক্ষণ পার্ট বলবে, তা হলে দেখবে অভিব্যক্তিগুলো ঠিক হবে। আয়নার সামনে এরকম পার্ট অভ্যেস করার সময় রবি এসে মাঝে মাঝে দাঁড়াত পেছনে। এই চোখ মুখ ঘোরানো ও ওষ্ঠ-টেপা হাসিটি দেখেই সে পরে লিখেছিল " 'কটাক্ষে মরিয়া যায়, কটাক্ষে বাঁচিয়ো উঠে/ হাসিতে হৃদয় জুড়ে, হাসিতে হৃদয় টুটে.........'।

এ কথা মনে পড়তেই কাদম্বরীর আরও হাসি পেয়ে গেল। কী ছেলেমানুষই না তখন ছিল রবি। সব সময় ছায়ার মতন লেগে থাকত তাঁর সঙ্গে। কাদম্বরীই মাঝে মাঝে বলতেন, রবি, তুমি ছেলেদের সঙ্গে মেশো না কেন? তোমার বাইরের কোনও বন্ধু নেই?

সেই রবির আর এখন দেখাই পাওয়া যায় না। তার অনেক বন্ধু।

আজ দেখা হবে। অনেক দিন বাদে আজ সবাই মিলে এক সঙ্গে আমোদ-আহ্লাদ করা হবে।

কেশসজ্জা শেষ করে কাদম্বরী দরজা খুলে দেখলেন, হলোর মা এক কোণে চুপ করে দাঁড়িয়ে আছে। সে সব সময় কিছু না-কিছু কাজ চায়। কিন্তু বাড়ির কর্তা অনুপস্থিত থাকলে তেমন তো কিছু কাজ থাকে না। একজন কেউ কাছাকাছি সব সময় ঘুর ঘুর করবে, এটা কাদম্বরীর পছন্দ নয়। পুরনো দাসীটা তাঁর স্বভাব জানত, সে চুপটি করে বাইরের সিঁড়ির কাছে শুয়ে থাকত। ডাকলেই পাওয়া যেত তাকে, অন্য সময় তার উপস্থিতি টের পাওয়া যেত না।

হলোর মা জিজ্ঞেস করল, বউদিদিমণি, কালকের লুচিগুলো কী হবে?

কাদম্বরী বললেন, কী আর হবে, ফেলে দিবি! ফেলে দিয়ে এঁটো বাসন নীচে দিয়ে আয়!

হলোর মা প্রায় আর্তনাদ করে উঠল, ফেলে দেবে কী গো! বাসি লুচি খুব ভালো হয়!

কাদম্বরী বললেন, তুই খাবি? তো খেয়ে নিগে যা!

কাদম্বরী বাটির ঢাকনাগুলো তুলে গন্ধ শুঁকলেন। নাকটা কুঁচকে বললেন, তরকারিগুলো পচে গেছে, লুচিগুলো দেখ যদি খেতে পারিস।

হলোর মা এমন ব্যগ্রভাবে থালাবাটিগুলো গুছিয়ে কোলে তুলে নিল যে মনে হল সে তরকারিও ফেলবে না। বাইরে গিয়ে সব গপগপ করে খাবে।

কাদম্বরী মাঝে মাঝে ভাবেন, মানুষের উদর কি বিভিন্ন মাপের হয় ? দু'খানা লুচি খেলেই তাঁর পেট ভরে যায়, আর হলোর মায়ের মতন অনেকেই দু'দিস্তে লুচি দিব্যি খেয়ে নিতে পারে। এরপর আবার ভাত খাবে। হলোর মা বলে, লুচি কিংবা রুটি খেলে ওদের নাকি পেটই ভরে না, ওগুলো জলখাবার, ভাতই ওদের আসল খাদ্য !

অধিকাংশ রাতে কিছুই খেতে ইচ্ছে করে না কাদম্বরীর। জ্যোতিরিন্দ্রনাথ না ফিরলে তো তাঁর একার খাওয়ার প্রশ্নই নেই। না খেয়েও তো তাঁর শরীর ভাঙে না !

আজ অবশ্য তাঁর বেশ খিদে খিদে পাচ্ছে । আজ তাঁর মন ভালো থাকলেই খিদেয় শরীর চনমন করে। ঠাকুররা আজ দিয়ে গেছে ভাত, উচ্ছে-বড়ি ভাজা, কাঁচা মুগের ডাল, পটল-পোস্ত, ছাঁচি কুমড়োর ঘন্ট, দুটি খুব বড় গলদা চিংড়ি।

মাটিতে আসন পেতে, সামনে জল ছিটিয়ে তারপর থালা-বাটি সাজিয়ে খেতে বসাই ছিল বরাবরের রেওয়াজ। জ্ঞানদানন্দিনী বিলেত ঘুরে আসার পর টেবিল-চেয়ারে খাওয়ার রীতি প্রবর্তন করেছিলেন নিজের মহলে, জ্যোতিরিন্দ্রনাথেরও সেটাই পছন্দ। এখন কাদম্বরীও টেবিলেই খেয়ে নেন। আলাদা থালায় দু' মুঠো ভাত নিয়ে কাদম্বরী প্রথমে তেতো ও তারপর ডাল দিয়ে মাখলেন, একটুখানি ছাঁচি কুমড়ো দিয়ে দু' গরাস ভাত মুখে দিতেই একটা কথা মনে পড়ে গেল। ও মা, কী ভুল হয়ে যাচ্ছিল। তাঁর স্বামী বলে গেছেন, আজ রাত্তিরে প্রচুর খানাপিনা আছে, তাঁর স্টিমারে সাহেবি হোটেল থেকে সব কিছু যাবে। দুপুরে বেশি খেয়ে পেট ভরা থাকলে সেসব কোনও কিছুরই স্বাদ নেওয়া হবে না। কাদম্বরী তক্ষুনি উঠে পড়লেন। পেটে খিদে রয়ে গেল, তা থাক, সেই তো ভালো।

এই বড় বড় চিংড়ি মাছ সমেত সব কিছুই হলোর মায়ের ভোগে যাবে। তা যাক, ওরা খেতে ভালোবাসে, খাক না!

কাদম্বরী একটা পান মুখে দিয়ে বারান্দায় এসে দাঁড়ালেন।

এখানে সারি সারি ফুলের টবে বহুরকম ফুলগাছ। সব কাদম্বরীর নিজের হাতে লাগানো। আগে সন্ধেবেলা এখানে যখন গান-বাজনা ও কাব্য পাঠের আসর বসত, তখন বাইরের অতিথিরা বলত নন্দনকানন।

এত বড় বাড়িতে কিছু না কিছু হইচই লেগেই থাকে সব সময়, আজ যেন নিস্তব্ধ। বড় বেশি নিস্তব্ধ। তার কারণ আছে, গতকাল দেবেন্দ্রনাথ চুঁচড়ো থেকে এ বাড়িতে এসে রয়েছেন। এমন তিনি হঠাৎ হঠাৎ চলে আসেন, খাজাঞ্চিখানার কর্মচারিদের ডাক পড়ে তাঁর ঘরে। তিনি পুঙ্খানুপুঙ্খভাবে হিসেব পরীক্ষা করেন। ছেলেদের ওপর সব ভার দেওয়া আছে বটে, তবু তিনি নিজের রাশ আলগা করেননি। হিসেবের ভুল দেখলে তিনি শাস্তি না দিয়ে উপদেশ দেন, সেই উপদেশকেই সবাই বেশি ভয় পায়।

কর্তামশাই বাড়িতে থাকলে কেউ একটু টু শব্দ করতেও সাহস করে না। গোলমাল তিনি সহ্য করতে পারেন না একেবারে। অথচ তাঁর সেবার জন্য নানা রকম ব্যবস্থা নিতে হয়। যেমন কাল সন্ধে থেকে এ বাড়ির একটি বৃহৎ ভাগলপুরি গাভীকে দফায় দফায় গুড় খাওয়ানো হচ্ছে। দেবেন্দ্রনাথের ধারণা, গরুকে অনেকটা গুড় খাওয়ালে তার দুধের স্বাদ সুমিষ্ট হয়। গঙ্গা থেকে টাটকা জল বয়ে আনা হয় তাঁর স্নানের জন্য। জেলেদের খবর দেওয়া হয়েছে কাল রাতে, তারা প্রতিদিন এমন রুই মাছ ধরে আনবে, যার ওজন তিন সেরের কম নয়, সাড়ে তিন সেরের বেশি হলেও চলবে না, এবং সেই রুই মাছ উঠোনে পড়ে লাফাবে। তাঁর সুখসাচ্ছন্দ্যের ভার তাঁর জ্যেষ্ঠা কন্যার ওপর। ঘরে ফিরে এসে কাদম্বরী পালঙ্কে আধ শোওয়া

হয়ে একখানি বই খুললেন। তাঁর স্বামী তাঁকে নিতে আসবেন ঠিক ছ'টার সময়, এখনও ঢের দেরি আছে।

বইখানি রবির 'সন্ধ্যা সঙ্গীত'। পাতা ওল্টাতে ওল্টাতে অনেক কথা মনে পড়ে গিয়ে কাদম্বরীর হাসি এসে যাচ্ছে। এক একদিন রবিকে রাগিয়ে দিয়ে তিনি বেশ মজা পেতেন। রবি যখন লেখে তখন যেন উদ্দাম এক আবেগে সে ভেসে যায়। চন্দননগর, সদর স্ট্রিটের বাড়িতে, দার্জিলিঙে যে-কোনও লেখাই কিছুটা লিখে সে নতুন বউঠানকে শোনাবার জন্য ব্যস্ত হয়ে পড়ত। সে এমনই স্পর্শকাতর যে বিন্দুমাত্র সমালোচনা সহ্য করতে পারত না। এই যে এই কবিতাটা, 'কেন গান গাই', এটা শুনতে শুনতে কাদম্বরী বলেছিলেন, না, রবি, ঠিক হচ্ছে না।

রবি আহত ভাবে বলেছিল, কেন? বোঝা যাচ্ছে না ?

কাদম্বরী বলেছিলেন, তুমি আবার পড়ো !

রবি আবার শুনিয়েছিলেন :

সংসারে যে দিকে ফিরে চাই
এমন কি কেহ তোর নাই
তোর দিন শেষ হলে, স্মৃতি খানি নিয়ে কোলে
শোয়াইয়া বিষাদের কোমল শয়নে,
বিমল শিশির-মাখা প্রেম ফুলে দিয়ে ঢাকা
চেয়ে রবে আনত নয়নে ?

কাদম্বরী বাধা দিয়ে বলেছিলেন, কেন অমন লিখেছ ? 'তোর দিন শেষ হলে', তারপর তোমায় কেউ আদর করবে ? কেন এর মধ্যেই মৃত্যুর কথা ? এখনই বুঝি কেউ তোমাকে ভালোবাসতে পারে না ?

রবি একটা বড় দীর্ঘশ্বাস ফেলে বলেছিলে, কে ? তাই তো আমি লিখেছি,'কেহ না, কেহ না !'

তা শুনে কাদম্বরী এমন হেসেছিলেন যে রবির একেবারে অপ্রতিভ অবস্থা।

এর পরই সে আর একটা কবিতা লিখল, 'কেন গান শুনাই'।

এসো সখি, এসো মোর কাছে
কথা এক সুধাবার আছে।

কাদম্বরী কিছু না বোঝার ভান করে জিজ্ঞেস করেছিলেন, কোন্ সখীকে ডাকছ তুমি ? কী নাম তার ?

বিষণ্নভাবে একটুক্ষণ চুপ করে থেকে রবি ফের শুনিয়েছিল :

চেয়ে তব মুখপানে বসে এই ঠাঁই
প্রতিদিন যত গান তোমারে শুনাই
বুঝিতে কি পার সখি, কেন যে তা গাই ?....

কাদম্বরী আবার কৌতুক করে বলেছিলেন, তোমার সখী বুঝি কিছুই অনুভব করতে পারে না ?

বুঝ না কি হৃদয়ের
কোন খানে শেল ফুটে
তব প্রতি কথাগুলি
আর্তনাদ করি উঠে !

কাদম্বরী থামিয়ে দিয়ে বলেছিলেন, আর না, রবি, আর না। আমি সবই বুঝি, কিন্তু এমন কবিতা লিখো না। অন্য লোকে ভুল বুঝবে !

বারবার পড়া এই কবিতাগুলিই আবার পড়তে লাগলেন কাদম্বরী। চোখের সামনে ফিরে এল পুরনো সেই দিনগুলি। যতই এইসব ছবি মনে আসে, ততই যেমন আনন্দও হয়, তেমনি চক্ষু দিয়ে অশ্রুও গড়ায়।

এক সময় একটু ঘুমিয়ে পড়েছিলেন কাদম্বরী, আবার জেগে উঠলেন কোকিলের ডাকে। ক'বার ডাকল কোকিল, পাঁচ বার ! ধড়মড় করে উঠে বসে কাদম্বরী তাকালেন দেয়ালের দিকে। এক দিকের দেয়াল অনেকখানি জুড়ে রয়েছে একটি সুইস ঘড়ি। প্রতি ঘন্টায় তার তলার দিক থেকে বেরিয়ে আসে একটি কলের কোকিল এবং অবিকল আসল কোকিলের মতন ডাক দিয়ে সে সময় জানিয়ে দেয়।

সত্যিই তো পাঁচটা বাজে। কাদম্বরী ছুটে স্নানঘরে গিয়ে তোলা জলে মুখ চোখ প্রক্ষালন করলেন। সাজগোজ শেষ করতে হবে তাড়াতাড়ি, আর কিছুক্ষণের মধ্যেই নিতে আসবেন তাঁর স্বামী।

বহু পরিশ্রম ও অর্থ ব্যয়ের পর জ্যোতিরিন্দ্রনাথের প্রথম জাহাজ জলে ভেসেছে। সাধ করে নাম রেখেছেন 'সরোজিনী', তাঁর সবচেয়ে বিখ্যাত নাটকটির নামে। আর কয়েক দিনের মধ্যেই জাহাজটি বাণিজ্যিক যাতায়াত শুরু করবে পূর্ববঙ্গে, আজ গঙ্গাবক্ষে জ্যোৎস্না রাতে সেখানে হবে এক পারিবারিক উৎসব। রবি কয়েক দিন ধরেই সেই জাহাজে রয়েছে, জোয়ার-ভাটার সময় সেটি ঠিক চলাচল করছে কিনা তা পরীক্ষা করে দেখা হচ্ছে। খুব তাড়াতাড়ি খুলনা পর্যন্ত যাত্রী ও মালপত্র পরিবহনের কাজ শুরু করার জন্য জ্যোতিরিন্দ্রনাথ ব্যস্ত হয়ে পড়েছেন। জাহাজের ব্যবসায় শুরু করার পরিকল্পনা যখন তাঁর মাথায় এসেছিল,তখন তাঁর কোনও প্রতিদ্বন্দ্বী ছিল না। কিন্তু তিনি গোপনীয়তা রক্ষা করেননি, ঠাকুর বাড়ির যে-কোনও উদ্যোগ সম্পর্কেই অনেকেই কৌতূহলী। কথা বাতাসে ছড়ায়। এর মধ্যেই ফ্লোটিলা কোম্পানি নামে একটি বিদেশি জাহাজ প্রতিষ্ঠান খুলনা ও বরিশালের মধ্যে বাণিজ্য শুরু করে দিয়েছে।

জ্ঞানদানন্দিনীও গত পরশু থেকে ওই জাহাজের একটি কেবিনে আস্তানা গেড়ে আছেন। জাহাজটির অভ্যন্তরীণ সাজসজ্জা হচ্ছে তাঁর নির্দেশে, তিনি শেষ পরিদর্শন করছেন। জ্যোতিরিন্দ্রনাথ নিজের পত্নীর ওপর এ ভার দেননি, যদিও কাদম্বরীর গৃহসজ্জার রুচির এ যাবৎ প্রশংসা করেছেন সকলেই । কাদম্বরী তাঁর অভিমানের কোনও প্রকাশ্য ইঙ্গিত না দিলেও জ্যোতিরিন্দ্রনাথ আগে থেকেই খানিকটা কৈফিয়তের সুরে জানিয়েছিলেন যে, বিলেতি কোম্পানির সঙ্গে পাল্লা দিতে হবে, জ্ঞানদানন্দিনী বিলেত ফেরত, সুতরাং সরোজিনীকে কেমন সাজাতে হবে, তা তিনিই ভালো বুঝবেন। দু'দিন ধরে ওই জাহাজে জ্ঞানদানন্দিনী, রবি ও জ্যোতিরিন্দ্রনাথ রয়েছেন, ওঁরা কাজে ব্যস্ত ঠিকই, কিন্তু এক সঙ্গে কাজ করার একটা আমোদও তো আছে, তার থেকে বাদ পড়েছেন কাদম্বরী, এই চিন্তার যন্ত্রণা তাঁর বুকে কাঁটার মতন বিঁধে আছে। কিন্তু কে আর সে কাঁটার খোঁজ রাখে ! এমনকি যে কবি তাঁকে শুনিয়েছিল, 'বুঝ না কি হৃদয়ের/কোনখানে শেল ফুটে', সেও তো আর এই হৃদয়ের কথা বুঝতে চায় না।

তবু কাদম্বরী ঠিক করেছেন, আজ আর কোনও গ্লানি রাখবেন না। আজ জ্যোৎস্না রাতের উৎসবে তিনি যোগ দেবেন সম্পূর্ণ খোলা মনে। জাহাজটি রয়েছে শ্রীরামপুরের কাছাকাছি। শুধু তাঁকে নিয়ে যাবার জন্যই তাঁর স্বামী আসবেন এতটা পথ উজিয়ে।

যত্ন করে শরীর ধুয়ে নিয়ে কাদম্বরী শাড়ি বদলাতে লাগলেন। কত শত মূল্যবান শাড়ি জমে আছে, পরাই হয় না। বাড়ি থেকে না বেরুতে হলে এইসব জমকালো শাড়ি আর কে পরে ! কাদম্বরী শেষ বাড়ি থেকে বেরিয়েছন মাস খানেক আগে, স্বর্ণকুমারীর বড় মেয়ের বিয়েতে। স্বর্ণকুমারীর বাড়িতে তাঁর যেতে ইচ্ছে করে না, কিন্তু বিয়ের দিন যেতেই হয়েছিল। রবির পরিচালনায় বাড়ির অনেক ছেলেমেয়েরা মিলে বিবাহোৎসব নাটক করল, অনেক মজা হল। বিয়ের কনে হিরণ্ময়ীর বয়েস ষোলো, এত বয়েস পর্যন্ত সে অবিবাহিতা ছিল তার কারণ

পাত্র তো ঠিক করা ছিল আগে থেকেই। পাত্র ফণিভূষণ ওদের আত্মীয়ের মতন, ও বাড়িতে যাতায়াত করতে করতে হিরণ্ময়ীকে পছন্দ করেছিল, কিন্তু যোগ্য হবার জন্য সে বিলেত ঘুরে ডিগ্রি নিয়ে এল। হ্যাঁ, সে বিয়ের দিন আমোদ আহ্লাদ হয়েছিল খুবই, তবু যেন কাদম্বরী অনুভব করেছিলেন, অনেকেই যেন তাঁর সঙ্গে ভালো করে কথা বলছে না। তিনি এক কোণে দাঁড়িয়ে ছিলেন, কেউ তাঁকে ডাকেনি কেন্দ্রস্থলে আসতে। তিনি আর একটা ব্যাপার লক্ষ করেছেন, রবি যখন নিভৃতে তাঁর কাছে থাকে, তখন রবি তাঁর কত আপন, কিন্তু যখন অনেকের মধ্যে দেখা হয়, তখন রবি যেন তাঁর দিকে স্পষ্ট করে তাকাতেও সঙ্কোচ বোধ করে।

জ্যোৎস্না রাতে নীল রং মানায়। অনেক শাড়ি ঘাঁটাঘাঁটি করে শেষ পর্যন্ত কাদম্বরী পছন্দ করলেন গাঢ় নীল রঙের নয়ন সুখ সিল্কের শাড়ি। আলতা-দাসীকে আগে থেকেই খবর দেওয়া ছিল, সে এসে দু'পায়ে আলতা পরিয়ে দিয়ে গেল। তারপর কাদম্বরী একসঙ্গে বারোটি ধুপ জ্বালিয়ে সেই ধুপের ধোঁয়া লাগালেন তাঁর চুলে ও দুই স্তনের মাঝখানে। ভুরুতে দিলেন কাজল, সুর্মা আঁকলেন চোখে। দুই বগলের নিচে বেশ কিছুক্ষণ চেপে ধরে রইলেন কয়েকটি করে চাঁপাফুল। আতর কিংবা বিলিতি সুগন্ধের চেয়ে এই সবই কাদম্বরীর পছন্দ।

সাজ শেষ করে, খোঁপায় যুঁইয়ের একটা মালা জড়িয়ে কাদম্বরী আবার দাঁড়ালেন আয়নার সামনে। নিজের রূপ নিয়ে গুমোর করতে নেই। কিন্তু কাছাকাছি কেউ নেই, একা, খুব সন্তর্পণে, দর্পণের দিকে তাকিয়ে নিজেকে কার না ভালো লাগে? কাদম্বরীর মনে পড়ল, বেশ কিছুদিন আগে রবি তাঁকে একবার সাজতে দেখে বলে উঠেছিল :

অশোক বসনা যেন আপনি সে ঢাকা আছে
আপনার রূপের মাঝার,
রেখা রেখা হাসিগুলি আশেপাশে চমকিয়ে
রূপেতেই লুকায় আবার।.....

আজও কি সেইরকম সাজ হয়েছে? বেশি বেশি হয়ে যায়নি তো? রূপের মধ্যে রূপ লুকিয়েছে ?

ভাবতে ভাবতে তিনি দারুণ চমকে উঠলেন। আবার কোকিল ডেকে উঠল, ছ'বার । তা হলে তো সময় হয়ে গেছে। সিঁড়িতে কি শোনা যাচ্ছে তাঁর স্বামীর পদশব্দ ? দরজা খুলে তিনি বললেন, হলোর মা, দেখ দেখি, কেউ এল ?

না, সিঁড়ি দিয়ে কেউ উঠে আসছে না এখনও। তবু কাদম্বরীর দৃঢ় বিশ্বাস, একটু দেরি হলেও জ্যোতিরিন্দ্রনাথ এসে পড়বেন যে-কোনও মুহূর্তে। কোনও কাজের অছিলা দেখিয়ে আজ তিনি রবিকে পাঠালে কাদম্বরীর খুব রাগ হবে। না,আজ তিনি রবির সঙ্গে যাবেন না। জ্ঞানদানন্দিনীর সামনে তিনি আজ তাঁর স্বামীর পাশাপাশি থাকতে চান।

কোকিল, নির্দয় কোকিল, সে খালি ডেকেই চলে। বসন্ত শেষ হয়ে গেছে, তবু সে ডাকে। ঘড়ির মধ্যে কলের কোকিল আবার দিন রাত্রি মানে না, সে ক্লান্তও হয় না, ডাকবেই সে প্রতি ঘন্টায়। সাতটা, আটটা, নটা, দশটা । কাদম্বরী ছটফটিয়ে বারবার ঘর আর বার করতে লাগলেন। কখনও দাঁড়ালেন বারান্দায়, কখনও জানলায়। জ্যোতিরিন্দ্রনাথ আজ আসবেন না, এ তিনি বিশ্বাসই করতে পারছেন না। আসবেন, তিনি ঠিকই আসবেন, যতই দেরি হোক।

হলোর মাকে ছুটি দিয়েছেন তিনি, সারা বাড়ি ক্রমশ অন্ধকার ও স্তব্ধ হয়ে এল। এগারোটা বেজে গেল, এর পর আর জাহাজে পৌঁছনো যাবে কী করে? আজকের মতন কি জ্যোৎস্না রাতের উৎসব বাতিল ? তা হলে সবাই ফিরে এল না কেন? কিংবা সবাই কাদম্বরীর কথা ভুলে গেছে ? আসবেন না, তাঁর স্বামীও আজ সত্যি আসবেন না ?

এ ঘরে তিরিশটি বাতিদানের বৃহৎ ঝাড়লন্টনটি জ্বালানো হয়েছে। উজ্জ্বল আলোকময় কক্ষ। আয়নায় একজন, ঘরের মধ্যে আর এক কাদম্বরী। একজন যেন আর একজনকে বিদ্রুপ করছে। আয়নার নারীটি বলছে, ওরে, তুই এমন অভিসারিকার মতন সাজগোজ করলি কার জন্য ? তোকে যে বীভৎস প্রেতিনীর মতন দেখাচ্ছে !

দু'হাতে মুখ চাপা দিয়ে কাদম্বরী ঝাঁপিয়ে পড়লেন বিছানায়। এতক্ষণ তাঁর কেশ চর্চা নষ্ট হয়ে যাবে বলে তিনি একবারও শয্যায় গা এলাননি। এখনও কিন্তু তাঁর কান্না আসছে না, চক্ষু দুটি শুষ্ক, শরীরে অসহ্য ছটফটানি। একটু পরেই আবার উঠে পড়ে তিনি একটি গান গেয়ে উঠলেন :

বুঝি বেলা বহে যায়
কাননে আয় তোরা আয়.....
সাধ ছিল যে পরিয়ে দেব মনের মতন মালা গেঁথে
কই সে হল মালা গাঁথা, কই সে এল হায়.....

এখনও তো কান্না পাচ্ছে না, গাইতে গাইতেই হি হি হি হি করে হেসে উঠলেন কাদম্বরী। আবার আয়নায় নারীটির দিকে চোখ পড়ল। সে কিছু বলার আগেই কাদম্বরী চোখ পাকিয়ে বললেন, তুই এখনও রয়েছিস কেন মুখপুড়ী ! যা, বিদেয় হ ! ইস, আবার সাজের ঘটা দেখ!

দেয়ালের কোণে জ্যোতিরিন্দ্রনাথের একটি রুপো বাঁধানো ছড়ি রাখা আছে। ছুটে গিয়ে সেটা এনে কাদম্বরী ঠাঁই ঠাঁই করে মারতে লাগলেন তাঁর এতকালের সাধের দর্পণে। ঝনঝন শব্দে চুর্ণবিচুর্ণ হয়ে মেঝেতে ছড়িয়ে গেল কাচ। তাতে কাদম্বরী খুব তৃপ্তি বোধ করলেন। যাক, আর কোনওদিন ওই আয়নায় ঠিক নিজের মতন এক নারীকে দেখতে হবে না। নিজের সঙ্গে আর তার দেখাই হবে না।

এমনিতে কেউ শত অনুরোধ করলেও গান শোনাতে চান না কাদম্বরী। এখন, এত রাত্রে, কেউ অবাক বা বিরক্ত হবে কিনা না ভেবেই বেশ জোরে জোরে আপন মনে গান করতে লাগলেন ;

দেখে যা, দেখে যা, দেখে যা লো তোরা সাধের কাননে মোর
আমার সাধের কুসুম উঠেছে ফুটিয়া, মলয় বহিছে সুরভি লুটিয়া রে......

মাঝপথে গান থামিয়ে, তিনি কাল্পনিক কোনও শব্দ শুনে চেঁচিয়ে উঠলেন, কে ? কে?

কোনও সাড়া নেই। তিনি বাজপাখির মতন তীক্ষ্ণ, কুটিল চোখে চেয়ে রইলেন বন্ধ দরজার দিকে।

তারপর আপন মনে বললেন, কেউ না, বুঝি বাতাস ? আজ থেকে বাতাস, তুমি আমার কেউ না ! মধ্যরাতের জ্যোৎস্না ? তুমি আমার কেউ না ! বারান্দায় যত ফুল ফুটে আছ, তোমরা আমার কেউ না !

আর কাকে কাকে ছাড়তে হবে। একটুক্ষণ ঘাড় বেঁকিয়ে, লক্ষ্মী ট্যারা হয়ে তিনি ভাবতে লাগলেন। ভাবতে ভাবতে তাঁর মাথায় অন্য একটা চিন্তা এল। সরোজিনী জাহাজে নিশ্চয়ই এখন গানের আসর বসেছে, ফুর্তির ফোয়ারা বইছে। তিনি নিজে যদি তার মধ্যে সহসা হাজির হন। তা হলে কেমন হয় ? কিন্তু যাওয়া যাবে কী করে ? কাদম্বরী তো পথ চেনেন না। বঙ্গললনাদের পক্ষে একা একা কোথাও যাওয়ার যেন প্রশ্নই ওঠে না। ঠাকুরবাড়ির কয়েকজন যুবা তাঁদের স্ত্রীদের নিয়ে পথে বেরিয়ে যথেষ্ট সাহসের পরিচয় দিয়েছিলেন, কত লোক সে জন্য কটু কথা বলেছে, এমনকি এ পরিবারের কর্তামশাই, ঋষিতুল্য দেবেন্দ্রনাথও ভ্রূ কুঞ্চিত করেছেন। কিন্তু এ পর্যন্তই । ওই সব প্রগতিশীল স্বামীরাও তো তাঁদের স্ত্রীদের একা একা পথে বেরুতে দেবার কথা ভাবেননি।

এখন যদি সোজা বেরিয়ে গিয়ে, পাল্কি-বেহারাদের জাগিয়ে তুলে বলা যায়, আমায় শ্রীরামপুর নিয়ে চলো, তারা আঁতকে উঠবে। এমন কি কখনও হতে পারে না?

কাদম্বরী অসহিষ্ণুভাবে মাটিতে পা ঠুকে ঠুকে বলতে লাগলেন, কেন হবে না? হ্যাঁ, আমি যাব, আমি যাব, আমি যাব! ওদের আনন্দ উৎসবের মধ্যে গিয়ে আমি জোর করে বসব। ইচ্ছেমতন পাখি হতে পারলে কত সুবিধে ছিল। একবার আকাশে উড়াল দিলে পথ চেনার কোনও সমস্যাই নেই। পাখিদের সমাজে লোকলজ্জা বলেও কিছু নেই। এমন হলে তো বেশ হয়, শরীরটা আর রইল না, আত্মাটা পাখির মতন সর্বত্র পরিভ্রমণ করতে লাগল।

কাদম্বরী ছুটে গেলেন পাশের ঘরে। চাবি দিয়ে খুললেন দেয়াল-আলমারি। তার ভেতরের একটি গুপ্ত স্থান থেকে বার করলেন একটি গয়নার বাক্স, চন্দন কাঠের তৈরি, ওপরে হাতির দাঁতের কারুকাজ করা। এই পেটিকায় স্বর্ণালঙ্কার নেই, শুধু হীরে-চুনী-পান্না-মুক্তোর মালা। সেগুলি সরিয়ে সরিয়ে তলা থেকে বার করলেন একটা কাগজের মোড়ক। এর মধ্যে রয়েছে চারখানা কালো রঙের বড়ি, এই বড়ি খেলে পাখি হয়ে উড়ে যাওয়া যায়। বিশু নামে এক কাপড়উলির কাছ থেকে এগুলো সংগ্রহ করে রেখেছেন কাদম্বরী। কাপড় বেচতে আসে বটে, কিন্তু এই বিশু একজন দেয়াসিনী, অনেক জড়ি-বুটি, শিকড়-বাকড়ের গুণ জানে। সে ঘুমের ওষুধ দেয়। একটু ঘুম, বেশি ঘুম, গহন ঘুম, মরণ ঘুম!

এই গয়নার বাক্সের মধ্যেই সযত্নে রক্ষিত আছে তিনখানি চিঠি। এর মধ্যে একখানি কাদম্বরী পেয়েছিলেন ধোপার কাছে কাচতে দেবার আগে জ্যোতিরিন্দ্রনাথের এক জোব্বার পকেটে, অন্য দুটি এক বৃহদাকার অভিধানের ভাঁজে। তিনটি চিঠিই একই মেয়েলি হস্তাক্ষরে লেখা, সম্বোধনে প্রাণাধিকেষু, তলায় কোনও নাম নেই। এ চিঠির কথা কাদম্বরী তাঁর সর্বগুণান্বিত, ব্যস্ত, বিখ্যাত স্বামীকে কখনও বলেননি।

তিনখানি চিঠিই তিনি পড়লেন আবার। তাঁর ঘন ঘন নিশ্বাস পড়তে লাগল, অত্যুজ্জ্বল হল দুই চক্ষু, সমস্ত রোমকূপে জ্বালার অনুভূতি। চিঠিগুলি মেঝেতে ছুঁড়ে ফেলে দিয়ে তিনি এক সঙ্গে চারটি কালো বড়িই খেয়ে ফেললেন। জল পান করলেন দু' গেলাস।

আঃ, শান্তি, শান্তি! এখন আর একা একা যে-কোনও জায়গায় যাওয়ার কোনও বাধা নেই।

পাখির ডানার মতন দু হাত ছড়িয়ে তিনি দৌড়তে লাগলেন সারা ঘরে। ভাঙা কাচ তাঁর পায়ে বিঁধে যাচ্ছে, কোনও খেয়াল নেই, তাঁর মুখ হাসিতে উদ্ভাসিত। বিশু একটা মোটে পুরিয়া খেতে বলেছিল, চারটি খেয়ে শরীর কী হাল্‌কা লাগছে।

পা দিয়ে ফোঁটা ফোঁটা রক্ত পড়ছে, তাতে যেন আলপনা আঁকা হয়ে যাচ্ছে সাদা মারবেল পাথরে। কাদম্বরী আজ নাচছেন, কেউ কোনওদিন তাঁর নাচ দেখেনি। খুলে ফেললে শাড়ি। পরনে রইল শুধু সেমিজ। নাচতে নাচতেই ছুঁড়ে ফেলতে লাগলেন হাতের কঙ্কন, গলার হার, কানের দুল, খোঁপার ফুল। গাইতে লাগলেন একটা গান, তা খুবই অস্পষ্ট, কথা বোঝাই যায় না।

একটু ক্লান্ত হয়ে বসলেন একটা চেয়ারে। এ ঘরের একটি টেবিলও রয়েছে, জ্যোতিরিন্দ্রনাথ অনেক সময় এখানে বসে লেখাপড়া করতেন। অনেক দিন বসেননি, এখনও কিছু কাগজপত্র ছড়ানো রয়েছে।

কাদম্বরী ভ্রু কুঞ্চিত করে ভাবলেন, যাবার আগে একটা চিঠি লিখে যাবেন? কিন্তু কাকে, রবিকে না তাঁর স্বামীকে? তাঁর স্বামী হয়তো একখানা চিঠি পাঠ করারও সময় পাবেন না। রবিকে কত কথা বলার ছিল, রবি এক সময় কত কথা বলেছে, তার উত্তর দেওয়া হয়নি।

কলম তুলে নিয়ে রবির নামটি লিখতে গিয়েও তিনি থেমে গেলেন। রবি তো আর আগের মতন নেই। তাঁর সর্বক্ষণের ছায়া-সহচর যে এখন অনেক দূরে সরে গেছে। সে এখন

পরিপূর্ণ যুবক, বিবাহিত, বাইরের পৃথিবীর সঙ্গে যুক্ত। না, রবিকে আর তিনি কাছে টানতে চান না। টানতে গেলে ব্যথা পেতে হবে, রবি আর কিছুতেই তাঁর একার হবে না।

রবি এখন মেজ বউঠানের বাড়িতেই থাকে, তার বালিকা বধূটিও সেখানে। এই জোড়াসাঁকোর বাড়ির রবির ঘরটি একদিন সাফসুতরো করতে গিয়েছিলেন কাদম্বরী। তার এলোমেলো ছড়ানো পাণ্ডুলিপির মধ্যে দু' লাইনের একটি অসমাপ্ত কবিতা তিনি দেখতে পেয়েছিলেন। লাইন দুটি পড়ে কাদম্বরীর বুকে একটা প্রচণ্ড আঘাত লেগেছিল। এমন তো রবি আর কখনও লেখেনি। এই অসমাপ্ত কবিতাটির কথা বলেওনি তাঁকে। লাইন দুটি তাঁর এখন আবার মনে পড়ে গেল।

হেথা হতে যাও, পুরাতন !
হেথায় নতুন খেলা আরম্ভ হয়েছে....

কী নিদারুণ সত্যি কথা ! নতুন খেলা শুরু হলে পুরাতনের আর স্থান কোথায়, তাকে সরে যেতেই হয়। কিন্তু নতুন কত দিনে পুরাতন হয় ? নারীই পুরাতন হয়ে যায়। পুরুষ হয় না বুঝি ? পুরুষের যে বাইরের জগৎ আছে, আছে অসীম বিশ্ব, তাই সে নিত্যনতুন ?

না, রবিকে নয়, স্বামীকেই চিঠি লিখে যাবেন তিনি। এর আগে কখনও চিঠি লেখার অবকাশ হয়নি। কী সম্বোধন করবেন ? 'প্রাণাধিকেষু' আর একজন নিয়ে নিয়েছে, তাহলে পরাণ প্রিয় ? প্রিয়তম ?

বেশ শব্দ করে আপন মনে হেসে উঠলেন কাদম্বরী। কী অর্থ আছে, এই সব শব্দের? যে আর ফিরেও চায় না, সে কি ওই সব সম্বোধনে ভ্রুক্ষেপ করবে ? যে-নারী কোনও সন্তানের জন্ম দিতে পারে না, কোন পুরুষ তাকে বেশিদিন চায় ? অন্য যে-একজন তীব্রভাবে তাঁর সাহচর্য চাইত, সেও এখন নতুন খেলার সাথী পেয়েছে। সে মেতে থাকুক ওই খেলায়, সে সুখী হোক, আরও বড় হোক, পুরাতন সরে যাচ্ছে তার চোখের আড়ালে।

পরাণ প্রিয় সম্বোধনেই স্বামীকে চিঠি লিখতে শুরু করলেন কাদম্বরী। বেশি লিখতে পারলেন না, চোখ অন্ধকার হয়ে আসছে। সংক্ষিপ্তভাবে শেষ করলেন দ্রুত। তলায় লিখলেন, ইতি তোমার জন্য জন্ম জন্মান্তরের এক কাঙালিনী।

উঠে দাঁড়িয়ে পাশের ঘরটিতে যেতে যেতে অস্ফুট কণ্ঠে আবার বললেন, হেথা হতে যাও, পুরাতন ! হেথায় নতুন খেলা আরম্ভ হয়েছে। কেউ চায় না, পুরাতনকে কেউ চায় না, আমায় আর কেউ চায় না। অচ্ছুতের মতন সবাই আমাকে ঠেলে দিয়েছে ঘরের কোণে।

এই প্রথম এক উচ্ছ্বসিত জলপ্রপাতের মতন কান্নায় আন্দোলিত হলেন কাদম্বরী। আর্ত স্বরে বলতে লাগলেন, রবি, রবি, আমি চলে যাচ্ছি ! তোমার কবিতা, তোমার গানই আমাকে বাঁচিয়ে রেখেছিল। তোমার রচনার মধ্যেই আমি নিজেকে খুঁজে পেয়ে ধন্য হয়েছি। রবি, আমি চলে যাচ্ছি, নতুন বউঠান এখন পুরাতন হয়ে গেছে, সেই পুরাতন আজ বিদায় নিচ্ছে...

আর দাঁড়াতে পারলেন না কাদম্বরী। তাঁর শরীরটা দুমড়ে মুচড়ে ভেঙে পড়ল কঠিন পাথরে। জোর শব্দে তাঁর মাথা ঠুকে গেল।

ঝাড়লণ্ঠন জ্বলতেই লাগল। প্রতি ঘন্টায় ডেকে গেল কোকিল। খোলা জানলা দিয়ে বাতাস ঢুকে খেলা করতে লাগল এক নিস্পন্দ শরীর ঘিরে।

কাদম্বরীর ভোরে ওঠা স্বভাব। প্রতিদিন তিনি নিজের হাতে ঝারি নিয়ে তাঁর টবের গাছগুলিকে জলসিক্ত করেন। এদিন অনেক বেলা হয়ে গেল, তবু দ্বার খোলে না। হলোর মা কয়েকবার ফিরে গেল ডাকাডাকি করে । ক্রমে আরও বেলা বাড়ল, তারপর দাস-দাসীদের মধ্যে কানাকানি শুরু হয়ে গেল। দাস-দাসীরাই খবর ছড়িয়ে দিল বিভিন্ন মহলে। অন্যান্য বধূরা উঁকি-ঝুঁকি মেরে গেলেন, কিছুই বোঝা গেল না। ভেতরে কোনও সাড়াশব্দ নেই।

পাশের বাড়ি, হিন্দু ঠাকুরদের একটা অংশ থেকে জ্যোতিরিন্দ্রনাথের মহলটি দেখা যায়।

সেখানে গিয়ে ভিড় করল অনেকে। হ্যাঁ, দেখা যাচ্ছে বটে জানলা খোলা, পালঙ্কটি শূন্য, ঘরে তো কেউ নেই। কোথায় গেলেন কাদম্বরী? একটা বড় টুল এনে তার ওপর চাপিয়ে দেওয়া হল গুণেন্দ্রনাথের ছোট মেয়ে সুনয়নীকে। সবাই জিজ্ঞেস করছে, কী দেখছিস, কী দেখছিস? সুনয়নীর কণ্ঠ দিয়ে স্বর বেরুচ্ছে না, মুখখানি ভয়ে বির্বণ হয়ে গেছে, এই প্রথম সেই বালিকা মৃত্যু দর্শন করছে। মেঝেতে অস্বাভাবিকভাবে পড়ে থাকা নতুন কাকিমার দেহটি দেখলেই মৃত্যুকে চেনা যায়।

এর পর দরজা ভাঙা ছাড়া গত্যন্তর নেই। কিন্তু কাদম্বরীর স্বামী অনুপস্থিত, ও ঘরের দরজা ভাঙার দায়িত্ব কে নেবে?

অবিলম্বেই দেবেন্দ্রনাথের কাছে তাঁর অন্য পুত্ররা এই মমার্ন্তিক সংবাদ পৌঁছে দিল। দেবেন্দ্রনাথ ধ্যানে বসেছিলেন, তার মাঝখানেই তাঁকে শুনতে হল সব। তাঁর মুখের একটি রেখাও কাঁপল না, তিনি পাথরের মূর্তির মতন বসে রইলেন। যেন তাঁর মন বহু দূরে চলে গেছে।

কয়েক মিনিট পরে তিনি একটা দীর্ঘশ্বাস ফেলে ফিরে এলেন বাস্তব পারিপার্শ্বিকে। ছেলেদের চলে যাবার ইঙ্গিত করে তিনি বললেন, কিশোরীকে ডেকে দিয়ে যাও।

কিশোরী তাঁর সর্বক্ষণের বিশ্বস্ত ও দক্ষ অনুচর। সে পারে না এমন কাজ নেই। ঘরের দরজা বন্ধ করে কিশোরী দেবেন্দ্রনাথের একেবারে সামনে এসে হাঁটু গেড়ে বসল, দেবেন্দ্রনাথ একটু একটু থেমে থেমে তাকে নির্দেশ দিতে লাগলেন।

তিনি প্রথমে বললেন, নতুন বধূমাতার কী হয়েছে, তুমি শুনেছ? ছেলেরা সন্দেহ করছেন যে তিনি আত্মঘাতিনী হয়ে থাকতে পারেন। লোকজন নিয়ে গিয়ে তুমি দরজা ভাঙাও। কিন্তু তুমি ছাড়া অন্য কোনও ব্যক্তিকেই, এমনকি আমার পুত্রদেরও ভিতরে যেতে দেবে না। ঘরের ভিতরের অবস্থা তুমি দেখবে, সন্দেহজনক যাবতীয় কিছু পরিষ্কার করে ফেলবে।

একটু চিন্তা করে তিনি আবার বললেন, এ বাড়ির কোনও বধূর মৃতদেহ মর্গে পাঠানো যেতে পারে না, কিছুতেই না। করোনার কোর্টকে বাড়িতে ডেকে এনে বসাবে, যত টাকা লাগে লাগুক। কেমিক্যাল এগজামিনার যেন লিখে দেয়, এ মৃত্যু স্বাভাবিক।

তিনি একবার চক্ষু মুদিত করলেন। খোলার পর বললেন, এ দেশের কোনও সংবাদপত্রে, বাংলা বা ইংরেজি, দিশি বা বিদেশি, কোনওটিতেই যেন এ সংবাদ প্রকাশ না পায়। তুমি সবকটি সম্পাদককে এক জায়গায় ডেকে আমার এ অনুরোধ জানাবে। খাজাঞ্চিখানা থেকে তুমি আপাতত এক হাজার টাকা তুলে নাও, পরে হিসাব দিও। যাও, পরম করুণাময়ের আশীর্বাদে তোমার সর্ব কার্য সিদ্ধি হোক!

কিশোরী চারজন জওয়ান ভৃত্যকে ডেকে নিয়ে উঠে এল তিনতলায়। মেহগনি কাঠের দরজা সহজে ভাঙে না, তবু ভাঙল এক সময়। কিশোরী বারান্দা ও সিঁড়ি থেকেও সরিয়ে দিল সকলকে। তারপর ভেতরে পা দিয়ে দেখল, চতুর্দিকে আয়না ভাঙা কাচের মধ্যে চিত হয়ে পড়ে আছে কাদম্বরীর সেমিজ পরা শরীর। একটি হাত ছড়ানো, একটি হাত বুকের ওপর রাখা, চক্ষু বোজা, মুখে কোনও যন্ত্রণার চিহ্ন নেই, ছড়িয়ে আছে এক রাশ চুল, মুখখানি যেন মেঘভাঙা জ্যোৎস্না মাখা, লাবণ্যময় তনু, আলতা পরা দু'খানি পা, পায়ের নীচে শুকনো রক্ত।

কিশোরীর এখন রূপ দর্শনের সময় নেই। বিছানা থেকে একটা চাদর টেনে নিয়ে সে কাদম্বরীর শরীর ঢেকে দিল। তীক্ষ্ণ নজরে সে চোখ বোলাতে লাগল ঘরের সব কিছুর ওপর। আয়না ভাঙা কাচগুলো পরিষ্কার করে ফেলতে হবে। এ ছাড়া এ ঘরে সন্দেহজনক কিছু নেই। মাঝখানের দরজা দিয়ে দেখা যাচ্ছে পাশের ঘরের মেঝেতে কাগজ ছড়ানো। দৌড়ে গিয়ে সে চিঠি তিনখানি তুলে নিয়ে দু-এক লাইন মাত্র পড়ল। সঙ্গে সঙ্গে কুচি কুচি করে ছিঁড়ে টুকরোগুলো রাখল নিজের পকেটে। টেবিলের ওপর চাপা দেওয়া, জ্যোতিরিন্দ্রনাথের উদ্দেশে

লেখা চিঠিটি সে পড়ল পুরোই। এখানিও ছিঁড়ে ফেলতে সে দ্বিধা করল না। আলমারি খোলা, গহনার বাক্স রয়েছে টেবিলের এক কোণে। এত সব মূল্যবান অলংকার দেখেও কিশোরীর লোভ হল না, বাক্সটি আলমারিতে তুলে, তালা বন্ধ করে, চাবিটি রাখল নিজের কাছে।

অন্য কক্ষটিতে ফিরে এসে সে কাচ পরিষ্কার করার জন্য একটা কিছু খুঁজছে, অকস্মাৎ একটা শব্দ শুনে লাফিয়ে উঠল সে। ভয় যেন মুগুর পিটতে লাগল তার বুকে। এখানে দীর্ঘশ্বাস ফেলল কে? পিছন দিকে তাকিয়ে আরও সাঙঘাতিক ভয়ে সে কাঁপতে লাগল। মৃত শরীরটি জেগে উঠেছে। কাদম্বরী এক পাশ ফিরে জ্বলজ্বলে চোখে সোজা তাকিয়ে আছেন কিশোরীর দিকে।

কয়েক পলক মাত্র, তারপরই আবার চোখ বুজে গেল কাদম্বরীর।

কিশোরী বহু অভিজ্ঞ ও সাহসী পুরুষ। ভূত-প্রেত সম্পর্কে একটা বহুকালের সংস্কার রয়ে গেছে, তা কিছুতেই তাড়ানো যায় না। একটুক্ষণের মধ্যেই কিশোরী ধাতস্থ হয়ে হাঁটু গেড়ে বসে পড়ে কাদম্বরীর একটা হাত তুলে নিল। অতি ক্ষীণ হলেও নাড়ি আছে। কাদম্বরীর মৃত্যু হয়নি।

আনন্দে চিৎকার করতে করতে ছুটে বেরিয়ে এল কিশোরী।

এর পর সব কিছুই বদলে গেল। বাড়ি থেকে মুছে গেল শোকের থমথমে ছায়া। কাদম্বরীর ননদ ও জায়েরা এসে লেগে গেলেন সেবায়। একজন সাহেব ডাক্তার ও তিনজন বাঙালি ডাক্তারকে ডেকে আনা হল প্রায় সঙ্গে সঙ্গে।

এর মধ্যে সরোজিনী জাহাজে খবর দেবার জন্য দূত চলে গেছে। জাহাজ ছেড়ে সকলে তিনখানা দ্রুতগামী জুড়িগাড়িতে ফিরে এল জোড়াসাঁকোয়। জ্যোতিরিন্দ্রনাথ ও রবি বসল কাদম্বরীর শিয়রের দু'পাশে। কাদম্বরীর দেহে প্রাণ আছে বটে, কিন্তু তাঁর বাকরোধ হয়ে গেছে, জ্ঞানও ফিরছে না। ডাক্তাররা যমের সঙ্গে লড়াই চালিয়ে যেতে লাগলেন, তিনজন চিকিৎসককে রাত্তিরেও বাড়ি ফিরতে দেওয়া হল না, তাঁরা সারা রাত জেগে রইলেন পর্যবেক্ষণে।

রবি ও জ্যোতিরিন্দ্রনাথের দিকে আর চক্ষু মেলে চাইতে পারলেন না কাদম্বরী, সেই অবস্থায় দু'দিন পর তাঁর শেষনিঃশ্বাস বেরিয়ে গেল।

আগে থেকেই ব্যবস্থা করে রেখেছিল কিশোরী, কাদম্বরীর মৃত্যুর কথা নিশ্চিতভাবে ঘোষিত হতেই সে করোনার কোর্টের দু'তিনজন কেরানি ও কেমিক্যাল এগজামিনার সমেত ম্যাজিস্ট্রেট সাহেবকে ডেকে আনল বাড়িতে। তাদের জন্য সাহেবি হোটেলের উত্তম উত্তম খাদ্য ও ব্রান্ডির বোতল আনা হল, তারা খানাপিনা করে উপযুক্ত রিপোর্ট দিয়ে গেল, এই লাশ মর্গে পাঠাবার প্রয়োজন নেই।

হেমচন্দ্র বিদ্যারত্নকেও আনিয়ে নেওয়া হয়েছে। তিনি শ্মশানে অন্ত্যেষ্টিক্রিয়া পরিচালনা করবেন। প্রচুর চন্দন কাঠ, কয়েক হাঁড়ি গব্য ঘৃত ও ধূপ-ধুনো সংগ্রহে ত্রুটি হল না। কিন্তু শ্মশানে কে কে যাবে? পুত্রহীনা কাদম্বরীর মুখাগ্নি করার কথা তাঁর স্বামীর। কিন্তু জ্যোতিরিন্দ্রনাথ অত্যন্ত ভেঙে পড়েছেন। শেষ দেখাও হল না! সেদিন সন্ধেবেলা ভাটার জন্য জাহাজ আটকে গিয়েছিল, জোয়ার সেই মধ্যরাত্রে, সেইজন্যই কাদম্বরীকে নিতে আসা হয়নি। দু'একজন অবশ্য বলেছিল, জাহাজ যদি যেতে না পারে, তা হলে ঘোড়ার গাড়ি পাঠিয়ে কাদম্বরীকে শ্রীরামপুরে আনিয়ে নিলেই তো হয়। কিন্তু তখন গানবাজনা শুরু হয়ে গেছে, কেউ আর সে উদ্যোগ নেয়নি। জ্যোতিরিন্দ্রনাথ ভেবেছিলেন, আজ সন্ধেবেলা হল না, আগামীকাল তাঁর পত্নীকে অবশ্যই আনাবেন। কিন্তু এর মধ্যে যে তাঁর পত্নী প্রচণ্ড অভিমানে

এমন একটা সাঙ্ঘাতিক কাণ্ড বাধিয়ে বসবেন, তা অনুমান করতে পারলে কি জ্যোতিরিন্দ্রনাথ সেদিনই আসতেন না ?

সেই ক্ষোভে, ধিক্কারে, গ্লানিতে জ্যোতিরিন্দ্রনাথ আর দাঁড়িয়ে থাকতেই পারছেন না, মুখ গুঁজে শুয়ে আছেন বিছানায়, এই অবস্থায় তাঁর পক্ষে শ্মশানে যাওয়া অসম্ভব। অগত্যা রবিকেই সব দায়িত্ব নিতে হল। জ্ঞানদানন্দিনী প্রায় জোর করে জ্যোতিরিন্দ্রনাথকে নিয়ে গেলেন নিজের বাড়িতে। এখন ওঁরই চিকিৎসা ও শুশ্রুষা দরকার।

রবি একটা আচ্ছন্ন অবস্থার মধ্যে রয়েছে, ঠিক কান্নাও আসছে না তার। নতুন বউঠান নেই, এ কথা সে বিশ্বাসই করতে পারে না। চোখের সামনে সে দেখছে বটে, যে নতুন একটা পালঙ্কে লম্বমান কাদম্বরীর মৃতদেহ, পুরোহিতরা মন্ত্র পড়ছেন, ওদিকে চিতা সাজানো হচ্ছে, তবু তার মনে হচ্ছে, এ সব কিছুই অলীক। নতুন বউঠান রবির অস্তিত্বের অবিচ্ছেদ্য অঙ্গ, রবি রয়েছে আর তিনি চলে গেছেন, এ কখনও হতে পারে ? না, না, অসম্ভব !

মুখাগ্নির জন্য অবশ্য রবিকে যন্ত্রণা দেওয়া হল না। ঠাকুরবাড়ির অন্যান্য সকলেই জানে, কাদম্বরীর সঙ্গে রবির কতখানি ঘনিষ্ঠ সম্পর্ক ছিল। বড়দাদার ছেলে দিপুবাবু সে কাজটি সেরে দিলেন।

কিশোরী শ্মশানে যায়নি। নিমতলা ঘাটের চিতায় ঘি খাওয়া আগুনের লেলিহান শিখায় যখন কাদম্বরীর শরীর পুড়ছে, তখন কিশোরী কলকাতার সবকটি দৈনিক ও সাময়িক পত্রের সম্পাদকদের জড়ো করছে উইলসন হোটেলে। সেখানে ঢালাও খাদ্য ও পানীয় পরিবেশিত হল। সকলকে করজোড়ে আপ্যায়ন করতে করতে কিশোরী মহামান্য দেবেন্দ্রনাথের অনুরোধটি জানাল, আপত্তি তুলল না কেউ।

শ্মশানে থেকে ফিরে রবি মুখে নিমপাতা ছুঁইয়ে নতুন বস্ত্র পরিধান করল। এর পরেও আরো অনেক পারলৌকিক ক্রিয়াকর্ম আছে। সবই ঘটে যাচ্ছে, অথচ রবি যেন এসব কিছুই দেখছে না। সেই বৈঠকখানা ঘরের একটা মাদুরের ওপর বসে আছে দেয়ালে ঠেস দিয়ে। কেটে যাচ্ছে ঘন্টার পর ঘন্টা। রবির চোখের সামনে দিয়ে ভেসে যাচ্ছে ছবির পর ছবি। মোরান সাহেবের বাগান বাড়ি,ভোরবেলা এক সঙ্গে ফুল কুড়োনো, এক দোলনায় পাশাপাশি বসা, নতুন গানে সুর দিয়েই ওঁকে শোনানো, আর কেউ নেই, শুধু নতুন বউঠান, তাঁর গভীর একাগ্র দৃষ্টি, সদর স্ট্রিটের বাড়ির ছাদে জ্যোৎস্নালোকে হাত ধরে বসে থাকা, নীরবতার মধ্যে অজস্র কথা, এক একদিন নতুন বউঠান সকালবেলা তার ঘুম ভাঙিয়েছেন, বসেছেন শিয়রের কাছে, তাঁর কোলে মাথা রেখেছে রবি, এ সবই তো জীবন্ত।

এক সময় রবির শরীরে একটা ঝাঁকুনি লাগল। সে অন্যমনস্ক হয়ে পড়েছিল। শেষ কিছুক্ষণ সে অন্য কথা ভাবছিল। তার নতুন বই 'প্রকৃতির প্রতিশোধ' প্রায় তৈরি হয়ে আছে। শেষ কয়েকটি পাতার প্রুফ দেখা বাকি, ওর মধ্যে আর একটি গান কি ঢোকানো যায়, 'মরি লো মরি আমায় বাঁশিতে ডেকেছে কে' গানটির একটা-দুটো শব্দ বদলাতে হবে। এরই মধ্যে নতুন বউঠানের মুখ মন থেকে সরিয়ে দিয়ে সে তার বইয়ের কথা চিন্তা শুরু করেছিল? এমনও হয়!

রবির দু'চোখ দিয়ে টপ টপ করে ঝরে পড়তে লাগল জল।

॥ ৩৭ ॥

দত্ত পরিবারের জ্যেষ্ঠ পুত্র নরেন্দ্র। পিতৃবিয়োগের পর তার কাঁধেই সংসার চালাবার সব দায়িত্ব এসে পড়েছে। নরেন্দ্র লেখাপড়া শিখেছে, প্রাচ্য ও পাশ্চাত্যের অসীম জ্ঞানভাণ্ডারের দ্বার তার কাছে উন্মুক্ত। সঙ্গীতের প্রতি তার তীব্র আকর্ষণ। সে জীবনের মর্ম সন্ধান করতে চায়। সাধারণ মানুষের মতন চাকরি-বাকরি ও গৃহের গণ্ডির মধ্যে আবদ্ধ থেকে জীবন কাটিয়ে দেওয়ার মতন মানসিকতা তার তৈরিই হয়নি। সে বুদ্ধির জগতের পরিব্রাজক, বুদ্ধি থেকে জ্ঞান, তার থেকেও উপলব্ধিতে পৌঁছতে চায়। টাকা-পয়সার মতন সামান্য বিষয় নিয়ে তাকে এখন সর্বক্ষণ ব্যাপৃত থাকতে হবে?

এই সচ্ছল, সমৃদ্ধ, বিলাসী সংসারটি আসলে তাসের সংসার। বিশ্বনাথ দত্ত জীবিত অবস্থায় বুঝতেই দেননি যে এ-সংসারের অবস্থা ভেতরে ভেতরে এতখানি অন্তঃসারশূন্য হয়ে গেছে। অথচ এতদিন পর্যন্ত বিলাসিতার কোনও ঘাটতি ছিল না, বিশ্বনাথ প্রায়ই বন্ধুবান্ধবদের ডেকে পান-ভোজন করাতেন, স্ত্রী-পুত্র-সন্তানদের বসন-ভূষণ ও শিক্ষার ব্যাপারে কার্পণ্য করেননি, অথচ সবই চলছিল ঋণের ওপর। তিনি উপার্জন করতেন যথেষ্ট, ব্যয় করতেন আরও বেশি। এক বন্ধু তাঁর বিশ্বাসের সুযোগ নিয়ে তাঁকে প্রতারিত করেছে, অ্যাটর্নি ফার্মটি নিঃস্ব হয়ে গেছে। এত তাড়াতাড়ি যে চোখ বুজতে হবে তা বিশ্বনাথ কল্পনাই করেননি, ভেবেছিলেন আবার পরিশ্রম করে সব সামলে নেবেন, সেইজন্যই স্ত্রী কিংবা জ্যেষ্ঠপুত্রকে জানাননি কিছুই।

কয়েক মাস আগেও অর্থ-উপার্জনের ব্যাপারটিকে তেমন গুরুত্বই দিত না নরেন্দ্র। নিজস্ব চুরুট-নস্যির জন্য সামান্য পয়সা ছাড়া তার প্রয়োজন ছিল খুবই কম। বেশভূষায় চাকচিক্যের দিকে তার কোনওদিনই আগ্রহ নেই, পায়ে হেঁটে ঘুরতেই সে অভ্যস্ত, সারা দিনে দশ-বারো মাইল সে অনায়াসে হাঁটতে পারে। পিতার কাছ থেকে সে যথেষ্ট হাত-খরচ পেত। বি এ পাস করার পর একটা কিছু করতে হবে ঠিকই, সেই জন্য সে অ্যাটর্নি অফিসে শিক্ষানবিসি শুরু করেছিল বটে, কিন্তু তাতেও খুব একটা মন ছিল না।

কিন্তু এখন যে মাথায় একেবারে আকাশ ভেঙে পড়ার মতন অবস্থা। সঞ্চয় তো কিছুই নেই, বরং শুরু হয়ে গেছে পাওনাদারদের তাড়না। মা ও ছোট ছোট ভাইবোনদের গ্রাসাচ্ছাদনের ব্যবস্থা করাটাই সমূহ সমস্যা। বাবার এক কাকা মামলা করে আগেই বসতবাড়ি-ছাড়া করেছেন, এখন থাকতে হয় ভাড়া বাড়িতে, সেই ভাড়ার টাকা আসবে কোথা থেকে, প্রতিদিনের বাজার খরচ জোগাবে কে?

একটা চাকরি পাওয়া যে এত শক্ত, তাও ধারণা ছিল না নরেন্দ্রর। ইংরেজ সরকার শিক্ষা বিস্তারের ব্যবস্থা করেছে, দিকে দিকে স্কুল-কলেজ খোলা হচ্ছে, কিন্তু এই শিক্ষা ব্যবস্থা তো কেরানি উৎপাদনের জন্য। এর মধ্যেই প্রয়োজনের তুলনায় উৎপাদন বেশি হয়ে গেছে, এখন বিভিন্ন অফিসের দরজায় শিক্ষিত বেকাররা মাথা কোটে। নরেন্দ্রর পরিচিতের সংখ্যা কম নয়, অনেকেই তাকে ভালোবাসে, কিন্তু কেউ একটা চাকরির সন্ধান দিতে পারে না।

ইংরেজি বই অনুবাদ শুরু করল নরেন্দ্র, কিন্তু তাতেই-বা ক'পয়সা পাওয়া যায় ? অগতির গতি মাস্টারি। দক্ষিণেশ্বরে পরিচয় হয়েছে মহেন্দ্র গুপ্তর সঙ্গে, তিনি মেট্রোলিটান ইনস্টিটিউশানের একটি শাখার প্রধান শিক্ষক। তিনি নরেন্দ্রকে বেশ পছন্দ করেন, নরেন্দ্রকে সেই স্কুলে ঢুকিয়ে দিলেন। কয়েকটা মাস কোনও ক্রমে চলল।

বিদ্যাসাগর মশাইয়ের মেট্রোপলিটান ইনস্টিটিউশানের নতুন নতুন শাখা খোলা হচ্ছে শহরের বিভিন্ন অঞ্চলে। চাঁপাতলায় একটি নতুন শাখা খোলা হতে নরেন্দ্রকে সেখানকার হেডমাস্টার হিসেবে নিযুক্ত করা হল । সদ্য বি এ পাস এই উৎসাহী তরুণটিকে পছন্দ করলেন বিদ্যাসাগর।

কিন্তু নরেন্দ্রর নিয়তি তাকে স্কুল শিক্ষক হিসেবে সারা জীবন কাটাবার জন্য মনোনীত করেনি।

নতুন স্কুল, উৎসাহী হেডমাস্টারটি নানা রকম নিয়ম-কানুন চালু করতে লাগল। শুধু পড়াশুনো নয়, ছেলেরা খেলাধুলো করবে, গান শিখবে, পৃথিবীটাকে জানবে। পরীক্ষায় পাস করাটা বড় কথা নয়, সম্পূর্ণ মানুষ হয়ে ওঠাটাই আসল কথা। এই স্কুলের সেক্রেটারি আবার বিদ্যাসাগর মশাইয়ের জামাতা। সেক্রেটারির সঙ্গে প্রধান শিক্ষকের মতান্তর শুরু হয়ে গেল। সেক্রেটারিই স্কুলের নীতি নির্ধারক, হেডমাস্টার তো তাঁর অধীনস্থ একজন কর্মচারি মাত্র। মতান্তর থেকে ব্যক্তিত্বের সংঘাত। নরেন্দ্রকে বাধ্য করা যাচ্ছে না দেখে সেক্রেটারি নালিশ জানালেন বিদ্যাসাগর মশাইয়ের কাছে।

বিদ্যাসাগর অসুস্থ, পেটের পীড়ার জন্য মন প্রসন্ন থাকে না। এখন আর নিজে তিনি স্কুল পরিদর্শনে যেতে পারেন না। নালিশ শুনে বিরক্ত হয়ে তিনি জিজ্ঞেস করলেন, অন্য কথা বাদ দাও, নরেন ছেলেটি পড়ায় কেমন ?

সেক্রেটারি বললেন, পড়ায় কোথায়, সে ছাত্রদের সঙ্গে মিলে গান করে।

সেক্রেটারি উঁচু ক্লাসের কয়েকটি ছাত্রকে শিখিয়ে-পড়িয়ে নিয়ে এলেন। তারা জানাল যে হেডমাস্টার ভালো পড়াতে পারেন না।

যদি শরীর ভালো থাকত, তা হলে বিদ্যাসাগর নরেনকে ডাকিয়ে তার বক্তব্য শুনতেন। কিন্তু এখন আর এসব তুচ্ছ ঝঞ্ঝাটে তাঁর মন দিতে ইচ্ছে করে না।

বিদ্যাসাগর সেক্রেটারিকে বললেন, ত হলে নরেনকে বলো। সে যেন আর না আসে!

বিদ্যাসাগর মশাইয়ের স্কুল থেকে যে বরখাস্ত হয়, তার পক্ষে অন্য কোনও স্কুলে কাজ পাওয়া প্রায় অসম্ভব। কিন্তু নরেন্দ্রর যে দিন-আনি-দিন -খাই অবস্থা। একদিন তার বন্ধু হরমোহন হন্তদন্ত হয়ে এসে বলল, ওরে নরেন, সিটি স্কুলের একজন মাস্টার কাল মরেছে। তুই ছুটে যা, শিবনাথ শাস্ত্রীকে তো তুই চিনিস, ওঁকে ধরলে তোর হয়ে যাবে।

চাকরি-বাকরির এমনই অবস্থা যে অনেক বেকার যুবক এখন শ্মশানঘাটগুলিতে গিয়ে সারা দিন কাটায়। কোনও পুরুষ মড়া এলেই তারা সাগ্রহে গিয়ে জিজ্ঞেস করে, কোন হৌসে কাজ করতেন ? কেরানি না দারোগা ? তারপর তারা দরখাস্ত পাঠায় এই বয়ানে : সার, লারনিং ফ্রম দা বারনিং ঘাট দ্যাট এ পোস্ট ইজ লাইইং ভেকান্ট ইন ইয়োর অফিস........

নরেন ছুটে গেল শিবনাথ শাস্ত্রীর কাছে। সনির্বব্ধ অনুরোধ জানাল, সিটি স্কুলের এই কাজটা তাকে পেতেই হবে।

শিবনাথ নরেনকে চেনেন ঠিকই। সাধারণ ব্রাহ্ম সমাজের অনেক অনুষ্ঠানে গান গেয়েছে। শিবনাথ আশা করেছিলেন, এই প্রাণবন্ত যুবকটি হবে সাধারণ ব্রাহ্ম সমাজের একজন উৎসাহী কর্মী। কিন্তু বেশ কিছুদিন ধরে নরেন তো সমাজের কোনও উৎসবে যোগ দেয় না। গানের দলে, প্রার্থনা সভায়, কোথাও দেখা যায় না তাকে। শিবনাথ শুনেছেন, নরেন এখন দক্ষিণেশ্বরে রামকৃষ্ণ ঠাকুরের কাছে প্রায়ই যাতায়াত করে। সে রামকৃষ্ণের খপ্পরে

পড়েছে। রামকৃষ্ণ ঠাকুর মানুষটি ভক্তিমান, বেশ আকর্ষণীয় ব্যক্তিত্ব, সরল সুন্দরভাবে কথা বলতে পারেন, এ সবই ঠিক। কিন্তু তিনি তো একজন প্রতিমাপূজক, সাকারবাদী হিন্দু ! রামকৃষ্ণ ঠাকুর ব্রাহ্ম সমাজের ছেলেদের ভাঙিয়ে নেবেন, এটা কী করে মেনে নেওয়া যায় ? নরেনের মতন আরও কিছু কিছু যুবক সাধারণ ব্রাহ্ম সমাজ ছেড়ে রামকৃষ্ণ ঠাকুরের প্রতি আকৃষ্ট হচ্ছে।

ব্রাহ্ম সমাজে কি বেকারের অভাব আছে! ত হলে ব্রাহ্মদের স্কুলের এই চাকরিটি একজন রামকৃষ্ণের চ্যালাকে দেওয়া হবে কেন।

শিবনাথ তাই সুমিষ্ট ভাবে বললেন, নরেন, তোমার মতন গুণী ছেলে, অন্য কোনও চাকরি পেলে না ? মাস্টারিতে কি তোমার সংসারের অতগুলি মানুষের ভরণ–পোষণ সম্ভব ? চেষ্টা করো, নিশ্চয়ই ভালো কিছু কাজ পেয়ে যাবে।

কিন্তু কেউ তো জানে না যে নরেন্দ্রর অবস্থা এখন সমুদ্রে নিমজ্জমান মানুষের যে-কোনও খড়-কুটো আঁকড়ে ধরার মতন! প্রতিদিন সকালবেলা সে বেরোয়, তারপর সন্ধের দিকে তার বাড়ি ফিরতেই ভয় করে । যদি দেখতে হয় যে ছোট ছোট ভাইবোনেরা না খেয়ে আছে, তার মধ্যে সে খালি হাতে দাঁড়াবে কী করে ? সে নিজে প্রায়ই বাড়িতে খায় না, নেমন্তন্ন আছে বলে বেরিয়ে আসে, রাস্তায় জল খেয়ে পেট ভরায়। এর মধ্যে আবার বাড়ি ভাড়া বাকি পড়েছে। শেষ পর্যন্ত কি সপরিবারে পথে বসতে হবে? আত্মাভিমান বিসর্জন দিয়ে সে যে কিছুতেই কারুর কাছে সাহায্যের জন্য হাত পাততে পারবে না !

বাঙালি হিন্দু যুবকের হঠাৎ বেশ কিছু টাকা উপার্জনের একটাই পথ খোলা আছে। সে উচ্চ বংশীয় কায়স্থের সন্তান, বি এ পাস করেছে, স্বাস্থ্যবান ও সুর্দশন, বিয়ের বাজারে এখনও তার মূল্য যথেষ্ট। নিজস্ব রোজগার নাই বা থাকুক, তাকে ঘরজামাই করতেও অনেকে আগ্রহী। আত্মীয় রাম দত্ত এখনও বিয়ের জন্য সাধাসাধি করেন নরেন্দ্রকে। রামকৃষ্ণ দেবের বিশেষ অনুগত, বিত্তবান বলরাম বসুও তাঁর এক কন্যার সঙ্গে নরেন্দ্রর বিয়ে দিতে চান। নরেন্দ্র একবার মাথা হেলালেই এক সালঙ্কারা বধূ ও প্রচুর পণের টাকা ঘরে আসতে পারে।

সাধারণ ব্রাহ্ম সমাজ তো ছেড়েছেই নরেন্দ্র, এখন সে আর দক্ষিণেশ্বরেও যায় না। ব্রাহ্মদের সভায় কিংবা দক্ষিণেশ্বরে ঈশ্বর কিংবা ধর্মতত্ত্ব বিষয়ে যে আলোচনা হয়, তা সবই এখন নরেন্দ্রর কাছে অবান্তর বলে বোধ হয়। গরিবের আবার ঈশ্বর কী ? ক্ষুধার্তের কাছে ধর্মের আবার কী প্রয়োজন ? ধর্মের কথায় পেট ভরে ? এখন আর গান গাইতেও ইচ্ছে করে না !

জুতো ছিঁড়ে গেছে কবে, এখন নরেন্দ্র খালি পায়ে ঘোরে। গায়ের জামার অবস্থাও শোচনীয়। প্রখর গ্রীষ্মকাল, দুপুরের কর্কশ রোদে সে চাকরির সন্ধানে এ-দরজায় সে-দরজায় যায়। দু'দিন খাওয়াদাওয়া নেই, পায়ে ফোস্কা পড়ে গেছে, এই অবস্থায় হঠাৎ দু'জন বন্ধুর সঙ্গে দেখা। তাদের তো নিজের অবস্থা কিছুই জানাবে না নরেন্দ্র। বন্ধু দু'জন অনেকদিন পর নরেন্দ্রকে পেয়ে বলল, আয় একটু বসি, গল্প করি।

গড়ের মাঠে মনুমেন্টের ছায়ায় বসল ওরা।

অদূরেই হোয়াইটওয়ে লেডল নামে বিশাল বিপণিটির সামনে এসে থামছে ফিটন, জুড়ি গাড়ি। সাহেব মেমরা আসছে ওই দোকানে সওদা করতে। তার পাশেই নির্মিত হচ্ছে একটি নতুন হর্ম্য, দেশি মিস্তিরিদের তত্ত্বাবধান করছে এক ফিরিঙ্গি । দুটি রাখাল একপাল ছাগল চরাতে নিয়ে যাচ্ছে কালীঘাটের দিকে।

নরেন্দ্রর বন্ধু দাশরথি বলল, নরেন, অনেকদিন তোর গান শুনি না, হো-হো করে হাসি শুনি না, কী ব্যাপার বল তো ! মুখখানি শুকিয়ে গেছে !

নরেন বলল, হাসির ব্যাপার ঘটেছে নাকি কিছু ?

দাশরথি বলল, তুই বরানগরে সাতকড়ির বাড়িতে নেমন্তন্ন খেতেও এলি না এই শনিবার।

নরেন গম্ভীর ভাবে উত্তর দিল, ওদিকে আর যাওয়া হয় না।

কথাবার্তা জমছে না দেখে দাশরথি অন্য বন্ধুটিকে বলল, তুই একখানা গান ধর। তোর গান শুনে নরেন যদি গায়।

সেই বন্ধুটি শুরু করল : বহিছে কৃপাঘন ব্রহ্ম নিঃশ্বাস পবনে......

সে গানের প্রতিক্রিয়া হল সাংঘাতিক । নরেন্দ্রর চক্ষু যেন জ্বলে উঠল, শ্বাস পড়তে লাগল দ্রুত। দু'-লাইন গান শুনতে না-শুনতেই নরেন্দ্র তীব্র ভাবে বলল, নে, নে, চুপ কর ! কৃপাঘন ব্রহ্ম নিঃশ্বাস না কচু ! কোথায় কৃপা ?

নরেন্দ্রর ক্রোধ-রক্তিম মুখ দেখে হতভম্ব হয়ে গেল দুই বন্ধু। নরেন্দ্র কিছুটা নাস্তিকতা-ঘেঁষা হলেও এই ধরনের গান সে ভালোবাসে, অনেক সময় নিজেও গায়।

নরেন্দ্র আবার বলল, ব্রহ্ম, ব্রহ্ম, ব্রহ্ম ! শুনতে শুনতে কান ঝালাপালা হয়ে গেল ! নিরাকার, না সাকার ! নিরাকার হলে তাঁর নিঃশ্বাস থাকবে কী করে, কৃপাই বা বিলোবেন কী করে! আর যদি সাকার হন, তা হলে তিনি দরিদ্র, অসহায় মানুষদের দেখতেই পান না। খিদের তাড়নায় যাদের নিকটজন কষ্ট পায় না, যারা নিজেরা কখনও গ্রাসাচ্ছাদনের কষ্ট সহ্য করেনি, টানা পাখার হাওয়া খেতে খেতে তাদের কাছে ওই সব কল্পনা মধুর লাগতে পারে। এক সময় আমারও লাগত। এখন আমি বুঝেছি, কঠোর বাস্তব কাকে বলে। সাকার-নিরাকারের ওই সব ব্যাপার আসলে গরিবদের অন্ধ বিশ্বাসে ভুলিয়ে রাখার জন্য আর ধনীদের বিলাসিতার জন্য !

বন্ধুদের ওপর রাগ করে নরেন্দ্র হনহন করে চলে গেল।

বন্ধুরা এরপর কোনও হোটেলে গিয়ে খাওয়ার প্রস্তাব করলে নরেন্দ্রকে অপ্রস্তুত হতে হত। তার পকেটে একটি আধলাও নেই । অন্যের দয়াদাক্ষিণ্যে সে কক্ষনও কিছু খেতে চায় না।

নরেন্দ্র নিজেই একদিন অবাক বনে গেল তার মায়ের রূপান্তর দেখে।

ভুবনেশ্বরী বরাবরই ভক্তিমতী। প্রতিদিন পুজো-আচ্চা না করে জল স্পর্শ করেন না। দশটি পুত্র-কন্যার জন্ম দিয়েও তাঁর স্বাস্থ্য অটুট আছে, বৈধব্য দশায় বিপদে পড়ে তিনি কোনওক্রমে সংসার সামলাচ্ছেন, কিন্তু তাঁর মনোবল ভাঙেনি। ছেলে-মেয়েদের তিনি বাল্যকাল থেকেই ধর্মশিক্ষা দিয়েছেন। ঘুম থেকে ওঠার পর তারা ঠাকুরের নাম করে মাটিতে পা দেয়। নরেন্দ্রও অভ্যেসবশে এখনও সে রকম করে যায়।

একদিন সকালবেলা ঘুম থেকে উঠে হাই তুলতে তুলতে নরেন্দ্র বলল, দুর্গা দুর্গা, নারায়ণ, নারায়ণ।

পাশের ঘর থেকে ভুবনেশ্বরী ধমক দিয়ে বলে উঠলেন, চুপ কর ছোঁড়া ! খালি ভগবান আর ভগবান ! ভগবান তো আমাদের সব কল্লেন!

নরেন্দ্র বিমূঢ় অবস্থায় মায়ের কাছে এসে দাঁড়াল। এই পৃথিবীতে সে তার মাকেই সব চাইতে বেশি ভালোবাসে। অন্নাভাবের চিন্তায় তার মায়েরও বিশ্বাস টলে গেল ? অন্তঃপুরের কোনও নারীর মুখে এই ধরনের কথা যেন অবিশ্বাস্য। মা তো হার্বার্ট স্পেনসার কিংবা স্টুয়ার্ট মিলের লেখা পড়েননি !

নরেন্দ্রর মনে পড়ল, সে যখন আহম্মদ খাঁ নামে এক ওস্তাদের কাছে এক সময় গলা সাধতে যেত, সেই ওস্তাদ প্রায়ই কথায় কথায় বলতেন, 'ভাত এমন চিজ, খোদার সঙ্গে উনিশ-বিশ!' এই প্রবচনটির অর্থ তখন ঠিক বুঝতে পারেনি নরেন্দ্র, এখন মর্মে মর্মে অনুভব করল।

নরেন্দ্র বলল, মা —

ভুবনেশ্বরী অভিমান মিশ্রিত ক্রোধের সঙ্গে বললেন, লোকে যে এত জপ -তপ-প্রার্থনা করে, তা কি কেউ শোনে ? কেউ শোনে না, কেউ না ! না হলে, কোনও উত্তর পাওয়া যায় না কেন ?

নরেন্দ্রর বুক মোচড়াতে লাগল। সে বেরিয়ে গেল বাড়ি থেকে। সে অসহায়। তার শরীরে শক্তি আছে, শিক্ষাগত যোগ্যতা আছে, তবু সংসারের অভাব মোচন করার কোনও উপায় খুঁজে পাচ্ছে না। মা ও ভাইবোনদের এই দুর্দশা সে আর চোখে দেখতে পারছে না, অদূর ভবিষ্যতেও কোনও আশার ছবি নেই।

নরেন্দ্র ঠিক করল, সে সন্ন্যাসী হয়ে যাবে।

নাঃ। আর কিছু ভালো লাগছে না। তার সামনে এখন দুটি মাত্র পথই খোলা। হয় বিবাহ করে সাময়িকভাবে অর্থ সঙ্কটের নিবারণ, অথবা সব কিছু ছেড়ে ছুড়ে নিরুদ্দেশ হয়ে যাওয়া। ছেলেবেলা থেকে সাধু-সন্ন্যাসীদের প্রতি তার আকর্ষণ আছে। সন্ন্যাসীরা দূর দূর দেশ, অরণ্য পর্বতে ঘুরে বেড়ায়, এই ভ্রমণের ব্যাপারটাই তার ভালো লাগে।

নরেন্দ্রর নিজের ঠাকুর্দা দুর্গাপ্রসাদ সংসার-বিরাগী সন্ন্যাসী, ছেলেবেলায় নরেন্দ্র ঠাকুর্দা সম্পর্কে অনেক গল্প শুনেছে। এখন তার রক্তেও লেগেছে সেই টান।

এই দুর্দশার মধ্যে মা ও ভাইবোনদের ছেড়ে চলে গেলে লোকে তাকে পলায়নবাদী বলবে। তা বলুক না। সন্ন্যাসীর তো পিছটান থাকতে নেই। নরেন্দ্র এখানে উপস্থিত থেকেও কোনও সমস্যার সমাধান করতে পারছে না। সে না থাকলে এমন আর কী ক্ষতিবৃদ্ধি হবে !

গৃহত্যাগ করার জন্য উপযুক্ত সুযোগ খুঁজতে লাগল নরেন্দ্র, দু'চারজন বন্ধুকে এই সংকল্পের কথা জানিয়েও ফেলল। ক্রমে এ কথা পৌঁছল দক্ষিণেশ্বরে রামকৃষ্ণ ঠাকুরের কানে।

এর আগে নরেন্দ্রর চরিত্র সম্পর্কে অনেকে নানান অকথা-কুকথা বলেছে রামকৃষ্ণ ঠাকুরের কাছে, তিনি আমলই দেননি। কিন্তু ইদানীং দুটি সংবাদ শুনে তিনি বিচলিত বোধ করেন। নরেন্দ্রর বিবাহের জন্য খুব চাপাচাপি চলছে, এমনকি তাঁর ভক্তদের মধ্যেই কেউ কেউ নরেন্দ্রকে জামাতা করতে চায়, এ বড় ভয়ের কথা। একবার সংসারে বাঁধা পড়লে ও ছেলেকে দিয়ে আর কোনও বড় কাজ হবে না।

নরেন্দ্র বিয়ে না করে সন্ন্যাসী হতে চায়, এ কথা শুনেও উতলা হয়ে পড়লেন রামকৃষ্ণ। স্বার্থপরের মতন ও কোনও নির্জন গিরি-কন্দরে গিয়ে লুকিয়ে থাকবে ? ও যে সপ্তর্ষির একজন, ওর আলোকে অনেকে আলোকিত হবে। নরেন শিক্ষে দেবে !

রামকৃষ্ণ ঠাকুরের দূত মাঝে মাঝেই আসে, নরেন্দ্র আর যায় না। কালী পূজা কিংবা কোনও প্রতিমা পূজাতেই তার বিশ্বাস নেই। বুদ্ধির বিচারে সে ঈশ্বর কিংবা কোনও সর্বশক্তিমানের অস্তিত্বও মানতে পারে না। রামকৃষ্ণ ঠাকুর তাকে এক একবার ছুঁয়ে দিলে তার শরীর ঝনঝন করে, কী যেন এক ব্যাখ্যার অতীত অনুভূতি হয়, কয়েক দিন সে ঘোরের মধ্যে থাকে। সেই ঘোর কেটে গেলেই আবার তার বিচারবুদ্ধি ফিরে আসে, আবার সে সংশয়বাদী হয়। তবু রামকৃষ্ণ ঠাকুরের নিছক ভালোবাসার টানে সে আবদ্ধ। মানুষটিকে দিন দিনই তার বেশি ভালো লাগছে। দক্ষিণেশ্বরের পরিবেশেও সে স্বস্তি ও আরাম পায়। গান বাজনা ও বহুরকম হাসি-মস্করা হয়, রামকৃষ্ণ ঠাকুর সবাইকে মাতিয়ে রাখেন।

নরেন্দ্র সম্প্রতি আর সেখানে যায় না, কারণ সে নিজের দারিদ্র্য ও অর্থকষ্টের কথা জানিয়ে অন্যদের ভারাক্রান্ত করতে চায় না। নিজে সে ওই চিন্তা থেকে মুক্ত হতে পারবে না, গান-বাজনা-রসিকতা উপভোগও করতে পারবে না। তা ছাড়া, রামকৃষ্ণ ঠাকুরের অর্থবান কয়েকজন ভক্ত নরেন্দ্রর বিবাহ দেবার জন্য যতটা ব্যস্ত, সেই তুলনায় নরেন্দ্রর একটা

জীবিকার ব্যবস্থা করে দিতে তাদের কিছুই উদ্যম নেই, সে কারণে নরেন্দ্রর অভিমানও জন্মেছে।

একদিন নরেন্দ্র শুনল, তাদের পল্লীর কাছেই এক ভক্তের বাড়িতে রামকৃষ্ণ আসছেন। যাক ভালোই হল। এই মানুষটি তাকে এত ভালোবাসেন, এঁর সঙ্গে এখানেই শেষ দেখা করে নরেন্দ্র নিশ্চিন্তে সন্ন্যাস নিয়ে বেরিয়ে পড়তে পারবে।

চুম্বকের প্রতি লৌহখণ্ডের মতন নরেন্দ্র গেল রামকৃষ্ণ সন্নিধানে।

ঘর ভরা অত শিষ্য, রামকৃষ্ণ শুধু নরেন্দ্রকে দেখেই অস্থির হয়ে উঠলেন । তার দু' হাত ধরে বারবার বলতে লাগলেন, তুই এতদিন পরে এলি? এমন করে ভুলে যেতে হয় ? তোর কোনও অজুহাত আমি শুনব না। তোকে আজ আমার সঙ্গে দক্ষিণেশ্বরে যেতেই হবে !

গাড়িতে বসে কোনও কথা হল না। অনেক দিন অদর্শনের ফলে নরেন্দ্র যেন কিছুটা আড়ষ্ট। দক্ষিণেশ্বরে পৌঁছেও রামকৃষ্ণ তাকে বিশেষ কিছু বললেন না। নরেন্দ্র অন্য ভক্তদের মধ্যে বসে রইল। টুকিটাকি কথা হচ্ছে, এমন কিছুই না, নরেন্দ্র উসখুস করতে লাগল, এবার তো বাড়ি ফিরে গেলেই হয়।

হঠাৎ রামকৃষ্ণ উঠে দাঁড়ালেন, তাঁর শরীর হয়ে গেল ত্রিভঙ্গ ঊর্ধ্বনেত্র, হাত দুটিতে নাচের মুদ্রা। তাঁর ভাবাবেশ হয়েছে দেখে সসম্ভ্রমে চুপ করে গেল সবাই। নরেন্দ্র বসে রইল মাথা নিচু করে, তার এসব ভালো লাগছে না।

স্খলিত চরণে রামকৃষ্ণ এসে দাঁড়ালেন তাঁর সামনে। নরেন্দ্রর হাত দুটি ধরে দাঁড় করালেন। নরেন্দ্রর শরীর এখনও শক্ত। সে রামকৃষ্ণের দিকে সরাসরি তাকাচ্ছে না।

রামকৃষ্ণ এবার গান গেয়ে উঠলেন :

কথা কহিতে ডরাই না কহিতেও ডরাই
আমার মনে সন্দ হয় বুঝি তোমায় হারাই, হা রাই !
আমরা জানি যে মন তোর দিলাম তোকে সেই মন্তর
এখন মন তোর ; আমরা যে মন্ত্রে বিপদেতে তরী তরাই

নরেন্দ্র দেখল, গান গাইবার সময় রামকৃষ্ণের দু'চোখ দিয়ে অঝোরে জল ঝরছে। সে বিস্মিত হয়ে ভাবল, ইনি কাঁদছেন কিসের জন্য ?

তার পরই নরেন্দ্রর সমস্ত অন্তরস্থল মথিত হতে লাগল। সে বুঝতে পারল, ইনি কাঁদছেন তার কষ্ট অনুভব করে। ইনি সব জানেন। কী করে জানলেন ? এ পর্যন্ত আর তো কেউ নরেন্দ্রর জন্য এমন সমব্যথা দেখায়নি !

আর নরেন্দ্র নিজেকে সামলাতে পারল না। হু হু করে বেরিয়ে এল তার অশ্রু।

তারপর একবার রামকৃষ্ণ নরেন্দ্রকে জড়িয়ে ধরে আকুলভাবে কাঁদেন একবার নরেন্দ্র ওঁকে জড়িয়ে ধরে কাঁদে। কেউ কারুকে ছাড়ছেন না, এদিক ওদিক ঘুরে ঘুরে কেঁদেই চলেছেন। আর কোনও কথা নেই, তবু যেন অনেক কথার আদান-প্রদান হয়ে চলেছে, অশ্রু বিন্দুগুলিই সংলাপ। আর যে কেউ ধারে-কাছে আছে, সে জ্ঞানও ওঁদের নেই।

অন্যরা সবাই দূরে সরে গিয়ে হতবাক। রামকৃষ্ণের ভাবাবেগ আগে অনেকেই দেখেছে, কিন্তু এমন ধারা কারুকে জড়িয়ে ধরে ওঁকে কাঁদতে দেখেনি কেউ। তেজী, উদ্ধত, অবিশ্বাসী নরেন্দ্ররই বা আজ এ কী হল !

এক সময় রামকৃষ্ণের বাহ্যজ্ঞান ফিরে এল। নরেন্দ্রকে ছেড়ে দিতেই সে বসে পড়ল ভুঁয়ে। রামকৃষ্ণ অন্য ভক্তদের দিকে তাকিয়ে দেখতে পেলেন, সবকটি চোখেই কৌতুহল ও প্রশ্ন লেখা আছে।

তিনি মুচকি হেসে বললেন, ও আমাদের একটা হয়ে গেল !

বারবার এরকম হয় নরেন্দ্রর। রামকৃষ্ণ ঠাকুরের আন্তরিকতায়, তাঁর স্পর্শে সে আপ্লুত হয়ে পড়ে। অন্য কিছু মনে থাকে না, নিয়ম-নিগড়ের বাইরে চলে যায় চেতনা। এক রকমের সুখানুভূতি, কিংবা তার চেয়েও বেশি, উল্লাস বোধ হয় যাকে দিব্য বলে মনে হয়।

কিন্তু এই বোধও দু'একদিনের বেশি থাকে না। আবার সংসারের জাঁতাকল, আবার ভাত-কাপড় জোটাবার মতন অতি সাধারণ অথচ অমোঘ সমস্যার মধ্যে এসে পড়লে ওই সব উল্লাস-টুল্লাস মাথায় ওঠে। নরেন্দ্রকে আবার নানা রকম উঞ্ছবৃত্তি করে টাকা সংগ্রহে লেগে পড়তে হয়। আবার দুপুর রৌদ্রে ঘোরাঘুরি, বিভিন্ন জায়গায় প্রত্যাখ্যান। গৃহত্যাগও আর হল না, সেদিন রামকৃষ্ণ তাকে নিভৃতে ডেকে কাতর গলায় বলেছিলেন, আমি সব বুঝি, তুই বেশিদিন এ সংসারে থাকবি না, কিন্তু আমি যতদিন আছি, তুই আমাকে ছেড়ে যাসনি !

এখন সঙ্কোচ কেটে গেছে, এখন নরেন্দ্র আবার দক্ষিণেশ্বরে যাওয়া-আসা শুরু করেছে। প্রতিবারই অবশ্য রামকৃষ্ণ ঠাকুরের তেমন ভাবাবেগ হয় না, নরেন্দ্রও সেই দিব্য অনুভূতি বোধ করে না। ঠাকুরের সঙ্গে তার তর্ক হয়, ঈশ্বরের মহিমার প্রকাশের ব্যাপারটা সে উড়িয়ে দেয়। রামকৃষ্ণ ঠাকুরের মুখের ওপর নরেন্দ্রর মতন এমন চ্যাটাং চ্যাটাং কথা আর কেউ বলে না। অন্য ভক্তরা শুধু বিস্মিত নয়, কেউ কেউ বিরক্তও হয়। দু-একজন মৃদু প্রতিবাদ করে।

রামকৃষ্ণ কক্ষনও নরেন্দ্রর ওপর রাগ করেন না। অন্য ভক্তদের অসন্তোষ দেখলে তিনি এক এক সময় কৌতুকের সঙ্গে নিজের বুকের দিকে আঙুল দেখিয়ে বলেন, এর ভেতর যেটা রয়েছে, সেটা মাদী, আর নরেনের ভেতরে যেটা আছে সেটা মদ্দ। ও হচ্ছে আমার শ্বশুর ঘর!

একদিন দক্ষিণেশ্বরে এসে নরেন্দ্র ফস করে বলে বসল, মশাই, আপান তো বলেন যে আপনি আপনার ওই মন্দিরের মায়ের সঙ্গে কথা বলেন। তিনি আপনার কথা শোনেন। তিনি প্রত্যক্ষ । তা হলে আপনি তাঁকে গিয়ে বলুন না, তিনি যেন আমার মা-ভাই-বোনদের দুঃখকষ্ট ঘুচিয়ে দেন।

রামকৃষ্ণ হা-হা করে হেসে উঠলেন।

নরেন্দ্র বলল, না, উড়িয়ে দিলে চলবে না। আপনাকে বলতেই হবে। আপনি যে গান করেন, 'আমি জানি গো ও দীন দয়াময়ী, তুমি দুর্গমেতে দুঃখ হরা', তা হলে তিনি আমার বাড়ির লোকদের দুঃখ হরণ করছেন না কেন ?

রামকৃষ্ণ বললেন, ওরে, আমি যে মায়ের কাছে কিছু চাইতে পারি না। আমার মুখে আসে না। তুই যা না কেন ? তুই নিজে চেয়ে দেখ !

নরেন্দ্র বলল, আমি কী করে চাইব ! আমি তো আপনার মাকে জানি না। আমি তাঁর সঙ্গে কী করে কথা বলব ? না, আপনাকেই বলতে হবে। আজ ছাড়ছি না। আপনার জগজ্জননী কত দয়াময়ী তা দেখতে চাই। আপনি বলুন, একটা কিছু ব্যবস্থা করে দিতেই হবে।

রামকৃষ্ণ বললেন, তুই যে মাকে মানিস না, তাই তোর এত কষ্ট। ওরে, আমি মায়ের কাছে গিয়ে অনেকবার বলেছি,মা নরেনের বড় বিপদ। ওর একটা কিছু ব্যবস্থা হয় না ! তুই মাকে মানিস না, সেইজন্যই তো মা শোনেন না। আজ মঙ্গলবার, আজ তুই নিজে গিয়ে যা চাইবি, মা তোকে সব দেবেন !

গভীর রাত্রে রামকৃষ্ণ প্রায় এক প্রকার ঠেলেই নরেন্দ্রকে পাঠালেন মন্দিরের দিকে।

দ্বিধাজড়িত পায়ে এগোতে লাগল নরেন্দ্র।

জ্ঞানমর্গী নবীন ভারত এগোতে লাগল ভক্তিবাদের উদ্দেশে। যুক্তি আত্মসমর্পণ করতে চলেছে বিশ্বাসের কাছে। অলৌকিক উপলব্ধির জন্য এক তীব্র আকুতি মস্তিষ্ক থেকে সরিয়ে দিচ্ছে বিচারবোধ।

মন্দিরের গর্ভগৃহে একটি মাত্র প্রদীপে তেলের বাতি জ্বলছে। চতুর্দিকে ফুল-বেলপাতা ছড়ানো। আবছায়ার মধ্যে অস্পষ্টভাবে দেখা যাচ্ছে কালীমূর্তি। দিগম্বরী এক রমণী, গলায় নৃমুণ্ড মালা, এক হাতে রক্তাক্ত খড়গ, লকলক করছে জিহ্বা। সোনার চক্ষু দুটি যেন নরেন্দ্রর দিকেই এক দৃষ্টে চেয়ে আছেন।

নরেন্দ্র হাঁটু গেড়ে বসল। এক একবার সে মূর্তির মুখ দর্শন করছে, আবার চোখ ফেরাচ্ছে মাটিতে। এই মূর্তিকে ঈশ্বর কিংবা ঐশ্বরিক শক্তির প্রতীক হিসেবে সে মানবে কী করে ? এ তো মাটি আর খড় দিয়ে গড়া এক পুতুল। এই মূর্তিকে জগন্মাতা হিসেবে বহু লোক কল্পনা করে, কল্পনায় কোনও বাধা নেই, কিন্তু এই মূর্তির পক্ষে কোনও প্রার্থনা শোনা কি সম্ভব?

নরেন্দ্র তো জানেই যে এই কালী মূর্তি পৌরাণিক নয়, এমন কিছু প্রাচীনও নয়। রামায়ণ-মহাভারতের যুগেও কালীমূর্তি ছিল না। হিন্দুরা মন্দির বানিয়ে মূর্তিপূজা শুরু করল এই তো সেদিন। আগমবাগীশ নামে এক পণ্ডিত কোনও আদিবাসী রমণীর শরীরের গড়ন দেখে এই মূর্তির রূপ দিয়েছিলেন। তন্ত্রবিশ্বাসী বাঙালিরা ছাড়া বাকি ভারতীয় হিন্দুরা এই নগ্নিকা মূর্তিকে এখনও দেবী হিসেবে গ্রহণ করেনি।

কিন্তু মন্দিরের মধ্যে প্রদীপের মৃদু আলোয় নরেন্দ্রর এক একবার মনে হতে লাগল যেন সেই কালীমূর্তি হাসছেন। যেন দুলে উঠছেন। যেন নরেন্দ্রর মতন এক দুরন্ত শিশুকে বশ করতে পেরে তিনি খুশি হয়েছেন। জানা তথ্যগুলি মিলিয়ে যেতে লাগল নরেন্দ্রর মন থেকে। রামকৃষ্ণের স্পর্শে তার সর্বাঙ্গে তরঙ্গ বইছে, চোখে ঘোর লেগেছে। এই রহস্যময় আলো-আঁধারির মধ্যে জীবন্ত হয়ে উঠেছে মাটির মূর্তি।

নরেন্দ্র হাত জোড় করে প্রণাম জানাল।

এত চেষ্টা করেও তো সংসারের অভাব-দুঃখ ঘোচানো গেল না। তা হলে এই মাতৃমূর্তির কাছেই চেয়ে দেখা যাক। মামলায় জিতে যদি পৈতৃক বাড়িটি উদ্ধার করা যায়, আর মা-ভাই-বোনদের দু'বেলার খাওয়া-পরার ব্যবস্থা করা যায়, তা হলে নরেন্দ্র মুক্ত হয়ে যেতে পারে। নিছক সংসারী হয়ে সে কিছুতেই থাকতে পারবে না। ইনি সেই ব্যবস্থা করে দিতে পারবেন? রামকৃষ্ণ বলেছেন, আগে বিশ্বাসী হতে হবে, বিশ্বাস না করলে কিছু পাওয়া যাবে না।

নরেন্দ্র অস্ফুট স্বরে ডাকল, মা !

সেই ডাকে তিন তিনটি ব্রাহ্ম সমাজের পরাজয় সূচিত হল, সেই ডাকে রামকৃষ্ণের জয়ধ্বনি শোনা গেল দিকে দিকে। নরেন্দ্র আবার ডাকল, মা!

কিন্তু সে ঠিক কী চাইবে ?

ইনি বিশ্বমাতা, এঁর কাছে কি সামান্য চাকরি, কিংবা চাল-ডালের ব্যবস্থা চাওয়া যায়? রাজার দাক্ষিণ্য পেলে কেউ কি লাউ-কুমড়ো ভিক্ষে করে ? নরেন্দ্রর মুখে ওসব কথা এলই না। সে ব্যাকুলভাবে বলতে লাগল, মা, আমায় জ্ঞান দাও, বিবেক দাও, বৈরাগ্য দাও, আর কিছু চাই না !

কালীমূর্তির মুখে সেইরকমই স্থির হাসি আঁকা রইল, কোনও উত্তর এল না।

চাতালের এক কোণে দাঁড়িয়ে আছেন রামকৃষ্ণ । নরেন্দ্র বেরিয়ে আসতেই তিনি ব্যস্ত হয়ে জিজ্ঞেস করলেন, কী রে, অভাব-টভাব দূর করার কথা ঠিকঠাক বলেছিস তো ?

নরেন্দ্র বিহ্বলভাবে বলল, না পারিনি। ওসব কথা আমার মুখ দিয়ে বেরুল না।

রামকৃষ্ণ ধমক দিয়ে বললেন, দূর ছোঁড়া ! নিজেকে একটু সামলে নিয়ে ওসব বলবি তো। যা, যা, আবার যা !

তিন তিনবার মন্দিরের মধ্যে গেল, প্রত্যেকবারই সে অভাবের কথা না জানিয়ে ফিরে এল। ভাত-কাপড়ের মতন তুচ্ছ জিনিস সে চাইতে পারবে না কিছুতেই!

নরেন্দ্র রামকৃষ্ণকেই ধরে বসল, আপনি গিয়ে আমার হয়ে বলুন। আপনি বললেই হবে!

কিন্তু রামকৃষ্ণও ওসব বলবেন না। তখন তিনি গান ধরলেন। নরেন্দ্রও সব ভুলে গেল, গানে মাতোয়ারা হয়ে পড়ল। আত্মসমর্পনের এক নিগুঢ় আনন্দ আছে। ভক্তি তার স্নায়ুগুলিকে সুস্থির করে দিয়েছে।

এক সময় বারান্দাতেই ঘুমিয়ে পড়ল নরেন্দ্র। পরদিন অনেক বেলাতেও তার ঘুম ভাঙে না। দুপুর গড়িয়ে প্রায় বিকেল হয়ে এল, তবু রামকৃষ্ণ অন্যদের বারণ করলেন তাকে ডাকতে। আজ রামকৃষ্ণের আহ্লাদের শেষ নেই। বৈকুণ্ঠ সান্যাল নামে এক ভক্ত এসেছে। রামকৃষ্ণ বারবার উৎফুল্লভাবে তাকে বলছেন, ওরে দেখ, ওই যে ছেলেটি ঘুমোচ্ছে, বড় ভালো ছেলে। আগে মাকে মানত না, কাল রেতে মেনেছে। নরেন কালী মেনেছে, বেশ হয়েছে—না? নরেন মাকে মেনেছে, বড় ভালো হয়েছে রে !

বিকেল চারটের সময় নরেন্দ্রর ঘুম ভাঙল। সে চোখ মুছতে মুছতে রামকৃষ্ণের ঘরে আসতেই তিনি এক বিচিত্র ব্যাপার করলেন। নরেন্দ্রর কাছে ছুটে তিনি তাকে মাটিতে বসালেন, নিজে তার প্রায় কোলের ওপর বসে পড়ে, এক হাত নিজের গায়ে, অন্য হাত নরেন্দ্রর গায়ে দিয়ে দুলতে দুলতে বলতে লাগলেন, দেখছি কী, এই যে এটা আমি, আবার ওটাও আমি। সত্যি বলছি, কিছু তফাত বুঝতে পারছি না। যেমন গঙ্গার জলে একটা লাঠি ফেলায় দুটো ভাগ দেখাচ্ছে, আসলে তো একটাই—

একটু পরে বললেন, তামাক খাব।

বৈকুণ্ঠ সান্যাল ছুটে গিয়ে রামকৃষ্ণের নিজস্ব হুঁকোটিতে তামাক সেজে আনল।

রামকৃষ্ণ কয়েক টান দিয়েই বললেন, হুঁকো থাক, শুধু কল্কেতে খাব।

তারপর হাত বাড়িয়ে নরেন্দ্রকে বললেন, খা, তুই আমার হাতে খা। আমি ধরে আছি।

নরেন্দ্র না না বলে মুখ সরাবার চেষ্টা করতেই রামকৃষ্ণ ধমক দিলেন, তোর তো ভারি হীনবুদ্ধি। তুই আমি কি আলাহিদা ? এটাও আমি, ওটাও আমি। খা, তামাক খাবি, আমার হাতে খা।

অগত্যা নরেন্দ্রকে টানতেই হল। রামকৃষ্ণ কল্কে ধরে আছেন, নরেন্দ্র তামাক খাচ্ছে। ভক্তরা কেউ কোনওদিন এরকম দৃশ্য দেখেনি। নরেন্দ্ররও খুব সঙ্কোচ হচ্ছে, দু'তিনবার টেনেই সে সরিয়ে নিল মুখ। রামকৃষ্ণ এবার কল্কেতে মুখ দিতে যেতেই নরেন্দ্র বলল, আপনি হাত-টাত ধুয়ে নিন। আমার এঁটো হয়ে গেছে।

রামকৃষ্ণ বললেন, দুর শালা, তোর তো ভারি ভেদ বুদ্ধি!

নরেন্দ্র উঠে পড়ল। তাকে বাড়ি ফিরতে হবে। সেখানকার অবস্থা এখন কী রকম কে জানে! গতরাত্রে রামকৃষ্ণ এক সময় বলেছিলেন, যা, তোর পরিবারের একটা মোটা ভাত-কাপড়ের ব্যবস্থা হয়ে যাবে। ও নিয়ে আর চিন্তা করতে হবে না।

কিন্তু ব্যবস্থাটা হবে কবে ? আজ কী ভাবে বাড়িতে উনুন জ্বলবে ? নরেন্দ্রর আবার ঘোর কেটে যাচ্ছে। মা কালী আকাশ থেকে পুষ্পবৃষ্টির মতন তো টাকা-পয়সা ছড়িয়ে দেবেন না!

মাস্টারমশাই মহেন্দ্র গুপ্ত ওর মনের অবস্থাটা বুঝতে পেরে নিরালায় ডেকে কিছু টাকা দিয়ে বললেন, দেখ, এতে যদি কিছুদিন চলে —

সেই-টাকায় চাল কিনে নিয়ে নরেন্দ্র বাড়িতে ফিরল।

॥ ৩৮ ॥

ত্রিপুরা থেকে শশিভূষণ হঠাৎ এসে উপস্থিত হয়েছেন কলকাতায়। বেশ ব্যস্তসমস্ত ভাব। মহারাজ বীরচন্দ্র মাণিক্য তাঁর কিশোরী পাটরানীকে সঙ্গে নিয়ে ভারতের রাজধানী পরিভ্রমণে আসবেন, তাঁর বসবাসের সুবন্দোবস্ত করতে হবে, হাতে সময় বেশি নেই। মহীশুর, জয়পুর, পাতিয়ালা ইত্যাদি দেশীয় রাজ্যের মহারাজদের প্রত্যেকেরই নিজস্ব প্রাসাদ রয়েছে এই কলকাতায়। স্বাধীন ত্রিপুরার মহারাজ যে-সে বাড়িতে থাকতে পারেন না।

বর্ষাকারেল ত্রিপুরায় নানা প্রকার পোকামাকড়ের উপদ্রব হয়। এক এক সময় গুমোট গরমে প্রাণ হাঁসফাস করে, বর্ষার সূচনাটি সেখানে তেমন মনোরম নয়। শোনা যাচ্ছে, ইংরেজরা নাকি কলকাতার শহরে মশা দমন করেছে, রোগ-ভোগ কমেছে, ওলাউঠা-ডাকিনী ইংলণ্ডেশ্বরীর রাজত্বে উৎপাত করার সাহস পায় না। সাহেব চিকিৎসকদের সব রকম রোগই ডরায়, দেশীয়দের মধ্যে ডাক্তার রাজেন দত্ত, মহেন্দ্রলাল সরকার মৃতপ্রায় রুগীদেরও বাঁচিয়ে তুলছেন।

মহারাজ বীরচন্দ্র মাণিক্য তাঁর নবতমা পত্নীকে ব্রিটিশ রাজত্বের চাকচিক্য দেখাবার প্রতিশ্রুতি দিয়েছেন বলেই কলকাতায় আসতে চান বলে জানিয়েছেন। আর একটি গূঢ় কারণ হল, কিছুকাল হল তিনি পেটের ব্যামোয় বেশ কষ্ট পাচ্ছেন, তাঁর ব্যক্তিগত চিকিৎসকদের অভিমত, কিছুদিন জল-হাওয়া বদল হলে তিনি উপকার পাবেন। সেই জন্যই বীরচন্দ্র ঠিক করেছেন, তিনি বর্ষাকালের প্রথম মাসটা অন্তত এখানেই কাটাবেন।

এত দ্রুত মহারাজের সম্মানের উপযোগী প্রাসাদ নির্মাণ করা সম্ভব নয়। ভালো পল্লীতে একটি সুদৃশ্য বাড়ি ভাড়া নিতে হবে, তেমন তেমন প্রয়োজন হলে ক্রয় করাও যেতে পারে।

কলকাতায় পৌছবার পরদিন থেকেই শশিভূষণ গৃহ সন্ধানে বার হতে লাগলেন। ভরত তাঁর সঙ্গী।

ভরত বরাবরই শশিভূষণের সঙ্গে যোগাযোগ রক্ষা করে এসেছে। শশিভূষণের ভাগের সম্পত্তি তদারকি করে সে মূলধন বাড়িয়েছে, এবং এখানকার ব্যবসায়ীদের হুণ্ডি মারফত সে শশিভূষণকে টাকা পাঠিয়েছে নিয়মিত। ভরতের ব্যবস্থাপনায় শশিভূষণ খুবই সন্তুষ্ট, ভরত যে এখন প্রেসিডেন্সি কলেজে পড়াশুনো করছে, তাও তিনি জানেন। কিন্তু অনেক দিন পর ভরতকে দেখে তিনি রীতিমতন বিস্মিত। এ যেন এক সম্পূর্ণ পরিবর্তিত মানুষ। সেই লাজুক, ভিতু, বিহ্বল কিশোরটি কোথায় হারিয়ে গেছে। বয়েস বেশি না হলেও এখন সে এক লম্বাচওড়া যুবক, তার কপাল ও ওষ্ঠে আত্মবিশ্বাসের ভঙ্গি স্পষ্ট। তার গায়ের রং শ্যাম, কিন্তু অনেকের মধ্যে সে প্রথমেই দৃষ্টি আকর্ষণ করে, সে অবশ্যই একজন সুপুরুষ। রাজপরিবারের অনুপযুক্ত নয় সে।

ভরতকে দেখে শশিভূষণ একটা গোপন আনন্দ বোধ করেন।

এ যুবকটি যেন তাঁরই সৃষ্টি। ভরতের তো বাঁচার কথাই ছিল না। সেই গঞ্জের হাটে ভরতকে যে অবস্থায় তিনি দেখেছিলেন, দৈবাৎ দেখতে পেয়েছিলেন, যদি না দেখতেন, তা

হলে ভরত প্রাণে বাঁচলেও উন্মাদ হয়ে যেত, পথে পথে ভিক্ষে করে বেড়াত। ভরতের কি মনে আছে, সে শুধু বিকারের ঘোরে পাখি সব করে রব, পাখি সব করে রব বলত ? এখন সে স্পষ্ট উচ্চারণে শেক্সপিয়ার পাঠ করে।

এ পৃথিবীতে যদি একটি প্রাণও রক্ষা করা যায়, তারও তো মূল্য কম নয়। কত প্রাণই তো অযত্নে, অবহেলায় বিনষ্ট হয় !

শশিভূষণ অকস্মাৎ এসে পড়ে ভরতকে যেন আরও একবার রক্ষা করেছেন। সেই দাঙ্গাহাঙ্গামার রাতে ভরত ভূমিসূতাকে নিয়ে আবার এ বাড়িতেই ফিরতে বাধ্য হয়েছিল। আর কোথায়ই বা যাবে ! তার আশঙ্কা হয়েছিল, বাড়ির মেজকর্তা মণিভূষণ এবারে আর ভূমিসূতার নির্যাতনের শেষ রাখবেন না। গোধূলিবেলায় চুপি চুপি গৃহত্যাগ করেছিল ভূমিসূতা, ফিরে এসেছিল মধ্যরাত্রে। এ শুধু হুকুমের অবাধ্যতা নয়, তার দুশ্চরিত্রতার অকাট্য প্রমাণ। এই সঙ্গে ভরতের অনুপস্থিতি টের পেয়ে যদি দুই আর দুইয়ে চার করা হত, তা হলে আর দু'জনেরই হেনস্থার অবধি থাকত না।

ভরত অবশ্য সে রাতে মনে মনে তৈরি হয়েছিল। সে জানত, শশিভূষণের বিনা নির্দেশে এই বাড়ি থেকে তাকে বহিষ্কার করার অধিকার কারুর নেই। ভূমিসূতার ওপর বেশি অত্যাচার করা হলে ভরত তাকে বার মহলে, নিজের ঘরের পাশে বারান্দাটিতে আশ্রয় দিত। তারপর যা হবার তা হত।

কিন্তু সেরকম কিছুই ঘটল না। সেই রাতেই শশিভূষণ ফিরেছেন, তাঁকে নিয়ে অন্দরমহলে আদিখ্যেতা চলেছিল অনেকক্ষণ, বিপত্নীক বা অবিবাহিত দেবরকে সব ভ্রাতৃবধূই পছন্দ করে, তাকে নিয়ে দুই বউদিদি খাতিরের প্রতিযোগিতায় মেতেছিলেন। ভূমিসূতার খোঁজ পড়েনি তেমন ভাবে। বাগানের পিছন দিকের দরজা দিয়ে ভূমিসূতাকে ঢুকিয়ে দিয়ে ভরত ফিরেছিল আরও পরে।

শশিভূষণ জানতেও পারলেন না, ভরতকে তিনি আবার কোন বিপদ থেকে উদ্ধার করলেন।

সার্কুলার রোডে অনেক বড় বড় বাড়ি তৈরি হয়েছে। পারসি ও আর্মেনিয়ানরা সেইসব বাড়ি ভাড়ার ব্যবস্থা করে। জানবাজার থেকে বউবাজার পর্যন্ত তৈরি হচ্ছে নতুন রাস্তা, সেখানেও গৃহনির্মাণ শুরু হয়েছে। উত্তর কলকাতায় শোভাবাজার রাজবাড়ির আশেপাশেও কিছু ভাড়ার বাড়ি আছে। শশিভূষণ নানান বাড়ি দেখছেন ঘুরে ঘুরে।

ভরতের সঙ্গে তাঁর অনেক গল্প হয়। ভরতকে তিনি এখন মাস্টারমশাই বলতে নিষেধ করে দিয়েছেন। অনেক দিনই তিনি ভরতের শিক্ষক নন, তা ছাড়া ষোলো বছরের বেশি বয়েস হয়ে গেলে পুত্রের সঙ্গেও বন্ধুর মতন আচরণ করতে হয়। ভরত অবশ্য সব সময় তা মনে রাখতে পারে না, মাঝে মাঝেই সে দাদা বলে ডাকার বদলে স্যার বা মাস্টারমশাই সম্বোধন করে ফেলে।

জানবাজার দিয়ে হাঁটতে হাঁটতে শশিভূষণ জিজ্ঞেস করলেন, হ্যাঁ রে, ভরত, কলকাতা শহরে এখন নতুন কী হুজুগ চলছে বল তো !

ভরত কী বলবে ভেবে পায় না।

এর মধ্যে তার প্রেসিডেন্সি কলেজের গল্প বলা হয়ে গেছে অনেকবার। তার বন্ধুদের মেসের গল্প শুনিয়েছে। বঙ্কিমবাবুর সঙ্গে সে যে দেখা করতে গিয়েছিল, তারও পুঙ্খানুপুঙ্খ বিবরণ দিয়েছে। কিন্তু হুজুগ কাকে বলে ?

গত মাসে ফড়েপুকুর নামে এক স্থানে এক ধনী তেলীর বাড়িতে একজন গুরুদেব এসেছিলেন। তাঁর বুক ছাড়ানো লম্বা সাদা দাড়ি, মাথায় জট, ভুরু পর্যন্ত সাদা, তাঁর নাকি বয়েসের গাছপাথর নেই, সেই পরিবারের তিন পুরুষের তিনি গুরুদেব, যদিও বহুকাল

আসেননি, সম্প্রতি বদরিকাশ্রম থেকে তিনি সমতলে নেমে এসেছেন। সেই গুরুদেবকে নিয়ে যাগযজ্ঞের খুব ধুমধাম চলছিল, হঠাৎ একদিন আরতির ধুনুচির আগুন লেগে গেল তাঁর দাড়িতে। ভয়ে ও যন্ত্রণায় গুরুদের নিজেই তাঁর দাড়ি ধরে টান দিতেই সবটা উপড়ে এল। তখন বোঝা গেল, তাঁর দাড়ি নকল। রসিক ছোকরারা তাঁর জটা ধরে টানাটানি করতেই বেরিয়ে পড়ল দিব্যি তেরি কাটা চকচকে মাথা। তাঁর ভুরুতেও চকখড়ি।

অবিলম্বে আবিষ্কার করতে বিলম্ব হল না ওই ছদ্ম গুরুদেব আসলে ওই তেলী বাড়ির এক পুত্রবধূর পিসতুত দাদা। বধূটির সঙ্গে আগে থেকেই তার অবৈধ সম্পর্ক ছিল, সেই টানে সে বিপদের ঝুঁকি নিয়েও চলে এসেছিল। গুরুদেবের ছদ্মবেশ ধরে সে এমন ভাব দেখাত যেন সে নারী-পুরুষের তফাতই বোঝে না। কিন্তু মামাতো বোনটির সেবা নেবার ছলে সে কয়েকবার তার সঙ্গে শয্যায় মিলিত হয়েছে।

এ নিয়ে কয়েকদিন খুব হইচই চলল, ধনী বাড়ির কুৎসা সব সময়ই খুব মুখরোচক হয়। প্রেসিডেন্সি কলেজে ভরতের বন্ধুরা তর্ক করতে লাগল, ভণ্ড সাধুটিকে না হয় বিচারের জন্য আদালতে পেশ করা হয়েছে, কিন্তু ওই নববধূটির বরাতে কী আছে? সেই রমণীটি সত্যিই অপরাধিনী কিনা, তার প্রমান পাওয়া যাবে কী ভাবে? এই বিতর্ক এখনও চলছে। অন্যান্য বাড়িতেও কিছু কিছু গুরুদেবের ওপর হেনস্থা শুরু হয়ে গেছে। একজন গুরুদেবের সত্যিকারের কাঁচাপাকা দাড়ি পরীক্ষার ছলে টেনে ছিঁড়ে দিয়েছে কয়েকটি কলেজ পড়ুয়া যুবক।

এই ব্যাপারটি একটি হুজুগ হিসেবে গণ্য হতে পারে, কিন্তু ভরত তার মাস্টারমশাইয়ের সামনে এই কাহিনী বিবৃত করার যোগ্য মনে করল না।

শশিভূষণ আবার বললেন, ব্রাহ্মরা যেন অনেকটা ঝিমিয়ে পড়েছে মনে হচ্ছে, তাই না? ভরত, তুই কোনও ব্রাহ্ম সমাজে যাতায়াত করিস নাকি?

ভরত বলল, না আমাকে টানে না।

শশিভূষণের আমলে ছাত্ররা কোনও না কোনও সামাজিক প্রতিষ্ঠানের প্রতি আকৃষ্ট হত। নিছক কলেজ আর বাড়ি, এইটুকু গণ্ডির মধ্যে তারা আবদ্ধ থাকত না। সেই জন্য তিনি জিজ্ঞেস করলেন, তা হলে কোথায় যাস তুই?

ভরত বলল, আমি ডাক্তার মহেন্দ্রলাল সরকারের বিজ্ঞান সভায় মাঝে মাঝে লেকচার শুনতে যাই।

শশিভূষণ বললেন, হুঁ, ডাক্তার সরকারের সঙ্গে আমাকেও একবার দেখা করতে হবে। তুই দক্ষিণেশ্বরের রামকৃষ্ণ সাধুকে দেখেছিস নাকি? ইন্ডিয়ান মিরার কাগজে প্রায়ই ওঁর কথা লেখে।

ভরত বলল, হ্যাঁ, দাদা, গত মাসে পরপর দু'বার গেছি আমার এক বন্ধুর সঙ্গে। রামকৃষ্ণ ঠাকুরের সঙ্গে আমার সরাসরি কোনও কথা হয়নি, ওঁর মুখের গল্প শুনেছি, গ্রাম্য লোকের ভাষায় কথা বলেন, সব ঠিক বুঝি না। তবে ওখানে নরেন নামে একটি ছেলেকে আমার খুব ভালো লেগেছে। আমার থেকে বয়েসে বেশ কিছুটা বড়। কিন্তু সে যেন এক জ্যোতিষ্ক। সে কোনও কিছুই যাচাই না করে মেনে নেয় না। এমনকি প্রায়ই রামকৃষ্ণ ঠাকুরকে যাচাই করে।

শশিভূষন বললেন, নরেন? কোন বাড়ির ছেলে?

ভরত বলল, তা আমি ঠিক জানি না। তার নাম নরেন দত্ত, শুনেছি সিমলেপাড়ার দিকে থাকে।

শশিভূষণ বললেন, এবার কলকাতায় থাকব। এখন আস্তে আস্তে সকলের সঙ্গে চেনাপরিচয় হবে।

সকালে এক প্রস্থ বাড়ি দেখা হয়, তারপর দুপুরের দিকে ওরা দু'জন আহারাদির জন্য ফেরে। ভরতের এখন গ্রীষ্ম অবকাশ, তাই কলেজে যাবার দায় নেই।

শশিভূষণের মহল আলাদা হলেও কৃষ্ণভামিনী তাঁকে নিজের কাছে বসিয়ে খাদ্য পরিবেশন করেন। শশিভূষণ সেখানেও সঙ্গে নিয়ে যান ভরতকে। পাশাপাশি পাত পাতা হয় দু'জনের । এতদিন পর্যন্ত এ বাড়ির অন্দরমহলে ভরতের প্রবেশ-অধিকার ছিল না, এখন ভরতের গতিবিধি অবাধ। ভরত সম্পর্কে শশিভূষণের মেজদাদার অনেক অভিযোগ আছে, কিন্তু এখন তিনি তা উত্থাপন করেন না। ভরতের প্রতি শশিভূষণের দুর্বলতা দেখে তিনি নিরস্ত হন। ব্যবসায়ের প্রয়োজনে ছোট ভাইয়ের কাছ থেকে বেশ কিছু টাকা ঋণ চাইবেন বলে মনস্থ করেছেন মণিভূষণ।

দুই মহলে যাতায়াতের পথে ভূমিসূতার সঙ্গে এখন প্রায়ই দেখা হয় ভরতের। কথা হয় না বিশেষ। দু'জনে দু'জনের চোখের দিকে চায়। ভূমিসূতার দৃষ্টির আড়ালে যে বিষণ্নতা, তা অনুভব করে ভরত প্রতিবারই ভাবে, এই দুঃখী মেয়েটিকে সে আর দুঃখ পেতে দেবে না, কথা দিয়েছে। কিন্তু এর ভবিষ্যৎ সম্পর্কে সে এখনও কিছু চিন্তা করে নি। শশিভূষণ এসে পড়ায় সব কিছু মুলতুবি আছে।

ভূমিসূতার আস্তে আস্তে একটু সাহস বেড়েছে, সে আবার গোপনে গোপনে ভরতের ঘরে আসে। অবশ্য যখন ভরত থাকে না। সে আসে বই পড়ার টানে, বই পড়ার সঙ্গে সঙ্গে ভরতের ঘরের সব কিছু গুছিয়ে রাখে নিপুণ হাতে। ভরত সে কোমল হস্তের স্পর্শ টের পায়। এখন আর সে বিরক্ত হয় না। টেবিলের ওপর একটি ছোট্ট রেকাবিতে সুপুরির কুচি ও মৌরি ভাজা রেখে গেছে ভূমিসূতা । ভরত সেদিকে তাকিয়ে থাকে অনেকক্ষণ, হঠাৎ তার গলার কাছে একটু বাষ্প জমে যায়।

ভূমিসূতাকে নিয়ে সে স্বপ্ন দেখতে শুরু করেছে। এতদিন তার কল্পনায় ভবিষ্যতের কোনও স্পষ্ট ছবি ছিল না, এখন তার একটি আকাঙ্ক্ষাই প্রতিদিন স্বপ্ন হয়ে আসে, স্বপ্নটি ফুলের মত একটু একটু করে পাপড়ি মেলেছে। এ স্বপ্নের কথা ভূমিসূতাকে এখনও জানানো হয়নি। সেরকম সুযোগ পাওয়া যায়নি।

অবশেষে সার্কুলার রোডেই একটি বাড়ি পছন্দ হয়। দেড় বিঘে জমি পাঁচিল দিয়ে ঘেরা, মধ্যে বাগান ও পুরনো বড় বড় গাছ রয়েছে, গৃহখানি দুটি ভাগে বিভক্ত। সামনের অংশটি দোতলা, মোট ছ'খানি ঘর আছে, একতলার তিন দিকেই টানা বারান্দা। পিছনের দিকটি সামনের তুলনায় অনেক বেশি মূল্যবান সরঞ্জামে নির্মিত, ইটালিয়ান মার্বেল পাথরের মেঝে, প্রতি ঘরের জানলায় কাচ ও কাঠের দু'রকম পাল্লা।

বাড়িটির এ রকম আকৃতিই উপযোগী । সস্ত্রীক আসবেন মহারাজ, তাঁর বসবাসের জন্য খোলামেলা বাড়ি, সামনের থেকে সব দেখা যায়, এমনটি মানাত না। একটা অন্দরমহল দরকার। এই বেশ হল, সামনে দিকে শশিভূষণ থাকবেন, তাঁকে পাকাপাকিই এখানে থাকতে হবে, এরকমই মহারাজের নির্দেশ, একতলায় ত্রিপুরা রাজ্য-সরকারের একটি দফতরও খোলা হবে। পিছনের দিকটি হবে মহারাজের অন্দরমহল।

বাড়িটি পুরোপুরি পরিদর্শন করার পর ছাদে এলেন শশিভূষণ। এক দিকে দেখা যায় আগাছা ভরা প্রান্তর ও জলাভূমি, খানিক দূরেই বড় টানা জালে মাছ ধরছে কয়েকজন জেলে। তার কাছেই ধানের খেত। আর সার্কুলার রোডের অন্য পারে অগণ্য নতুন নতুন গৃহ, এক একটি তিনতলা বাড়ি যেন আকাশচুম্বী। দশ-পনেরো বছর আগেও কলকাতায় এত উঁচু বাড়ি ছিল না।

ভরতের কাঁধে হাত রেখে শশিভূষণ বললেন, এবার তোর জন্য একটা থাকার জায়গা ঠিক করতে হবে।

ভরত চমকে উঠে বলল, আমার জন্য? আমি এই বাড়িতে থাকব?

শশিভূষণ হেসে বললেন, তোর কি মাথা খারাপ হয়েছে? এ বাড়িতে তোর আর পা দেওয়া দূরে থাক, এখানকার ত্রিসীমানার মধ্যেও তুই কখনও আসবি না। ত্রিপুরা থেকে কিছু কর্মচারি এসে এখানে থাকবে। তারা তোকে দেখলে চিনে ফেলতে পারে। আর মহারাজের নজরে পড়লে তোর ভাগ্যে আবার কী ঘটবে কে জানে! ত্রিপুরায় সরকারি ভাবে তুই মৃত, তা জানিস তো? অন্যান্য রাজকুমারদের মুখে আমি সেরকমই শুনেছি। তোর নামটা এখানে এসে বদল করলেই ভালো হত।

একটু থেমে তিনি আবার বললেন, আমি আরও একটা কথা চিন্তা করছি, ভরত। আমার বাড়িতেও বোধ হয় তোর আর থাকাটা ঠিক হবে না। মহারাজ খামখেয়ালি মানুষ, রাজকীয় রীতিনীতি অনেক সময়েই মানেন না। তিনি হয়ত-বা, কিংবা নিশ্চিতই কখনও আমার পৈতৃক বাড়ি দেখতে যেতে চাইবেন।

ভরত বলল, তখন আমি লুকিয়ে থাকব?

শশিভূষণ বললেন, মহারাজ, কবে বা কখন যাবেন, তার তো কোনও নিশ্চয়তা নেই। আমার আমন্ত্রণের তোয়াক্কা না করে নিজেই যদি হঠাৎ কোনও সকালে উপস্থিত হন? তুই মহারাজের চোখে না পড়লেও আমার সঙ্গে তোর সম্পর্কে রয়েছে, এটা কোনওক্রমে জানাজানি হয়ে গেলে তোর বা আমার পক্ষে তা সুখকর হবে না। তুই অনেক দূরে, বাগবাজার-শ্যামবাজারের দিকে বাসা-ভাড়া করে থাকতে পারবি?

ভরত তৎক্ষণাৎ কোনও উত্তর দিতে পারল না।

শশিভূষণ বললেন, তোকে অর্থচিন্তা করতে হবে না। যতদিন পড়াশুনো চালিয়ে যেতে চাস চালিয়ে যাবি। তার পরও যতদিন না তোর নিজস্ব জীবিকার ব্যবস্থা হয়, ততদিন তুই বৃত্তি পাবি। তোর বাসা ভাড়াও আমি দিয়ে দেব।

স্বাধীনভাবে ভরত একটি নিজস্ব বাড়িতে থাকবে, এতে তার খুশি হওয়ারই কথা। মণিভূষণের সঙ্গে তার বনিবনা হবে না কোনও দিন, শশিভূষণ না থাকলেই আবার যখন-তখন সংঘর্ষ বাধবে। ভরতের নিজস্ব বাড়ি হলে বন্ধুরা আসতে পারবে বিনা বাধায়, ইচ্ছেমতন রান্না করে খেতে পারবে। বাড়ির কাজের জন্য একটি লোক রেখে দিলেই চলবে।

তবু ভরতের মনটা দমে গেল। ভূমিসূতার কী হবে? ভরত কথা দিয়েছিল, সে ভূমিসূতাকে ছেড়ে যাবে না। কিন্তু ভূমিসূতাকে সঙ্গে নিয়ে যাবেই বা কী করে? তা যে অসম্ভব!

পরদিন থেকেই ভরতের জন্য বাসার খোঁজ শুরু হল। ভরত নিজেই একবার প্রস্তাব দিয়েছিল, মুসলমান পাড়া লেনের মেস বাড়িতে সে ভর্তি হয়ে যেতে পারে। কিন্তু শশিভূষণের মেস বাড়ি পছন্দ নয়, তা ছাড়া শিয়ালদা অঞ্চলটি বেশ কাছাকাছি হয়ে যায়।

একজন উত্তর কলকাতায় বিড্‌ন স্ট্রিটের কাছে হরি ঘোষের গলিতে একটি ছোট বাড়ির সন্ধান দিল। একতলায় মশলার গুদাম, সেখানে সন্ধের পর একজন দারোয়ান ছাড়া আর কেউ থাকে না, দোতলায় দু'খানি ঘর, অল্প একটু খোলা ছাদ। অতিশয় ভদ্র পল্লী। কাছাকাছি কয়েকটি স্কুল ও কলেজ, সুন্দর পরিবেশ। বাড়িটির ভাড়াও তেমন বেশি নয়, আট টাকা। আগে যে পরিবারটি সেখানে ভাড়া থাকত, তাদের মহিম নামে ভৃত্যটি বেকার, সে আশেপাশে ঘুরঘুর করছিল। তাকেই কাজের জন্য নিযুক্ত করা হল।

সব কিছুই ঘটে গেল খুব দ্রুত।

দু'দিনের মধ্যেই বাক্স-প্যাঁটরা গুছিয়ে চলে যেতে হবে ভরতকে। ভূমিসূতা এখনও কিছুই জানে না। কী করে জানাবে তাকে? অন্দরমহল থেকে ভূমিসূতাকে ডেকে পাঠানোর প্রশ্নই ওঠে না। শশিভূষণ সব সময় কাছাকাছি থাকেন বলে ভূমিসূতাও কাজের ছলে ভরতের

সামনে আসে না। ভূমিসূতাকে কিছু না জানিয়েই সে চলে যাবে? এই অসহায় মেয়েটির হাত ধরে ভরত বলেছিল, আমি তোমার পাশে থাকব। এখন কাপুরুষের মত ভরত দূরে সরে যাবে?

বই খাতা-পত্র বাণ্ডিল করে ভরত দড়ি দিয়ে বাঁধছে আর মনে মনে বলছে, এই সময় ভূমিসূতা তাকে সাহায্যে করার জন্য এলেও তো পারত। ভূমিসূতা লেখাপড়া জানে, তাকে ঠিকানা দিয়ে গেলে সে চিঠি লিখতে পারবে। কিন্তু হঠাৎ কেন এসে পড়ছে না ভূমিসূতা!

শশিভূষণের পাশাপাশি খেতে বসেছে ভরত, কৃষ্ণভামিনী পরিবেশন করছেন। একটু দূর থেকে ব্যঞ্জনের পাত্রগুলি এগিয়ে দিচ্ছে ভূমিসূতা। ভরত মাঝে মাঝে আড়চোখে তাকাচ্ছে তার দিকে, চোখাচোখি হলেও ভূমিসূতা কয়েক মুহূর্তেই বেশি দৃষ্টি নিবদ্ধ রাখতে সাহস পায় না। এই বাঘের বাসার মধ্যে কি শুধু দৃষ্টি বিনিময়েও কথা বলা যায়? কৃষ্ণভামিনীর নজর অতি তীক্ষ্ণ।

আঁচাবার সময় ভূমিসূতা শশিভূষণের হাতে জল ঢেলে দিল। সেটাই স্বাভাবিক। ভরত নিজেই জল নিচ্ছে, সে দেখতে পাচ্ছে ভূমিসূতার মুখের একটা পাশ।

অনেক রাত পর্যন্ত বারান্দায় পায়চারি করল ভরত, যদি ছাদের কার্নিশে দেখা যায় ভূমিসূতাকে। কিন্তু পাশের ঘরে মণিভূষণ তাঁর ছোট ভাইয়ের সঙ্গে বিষয়-সম্পত্তি নিয়ে আলোচনা করছেন, তাই ভূমিসূতা এদিক পানে আসতেই ভরসা পায় না। ভূমিসূতা আশা করে আছে, শশিভূষণ নতুন বাড়িতে চলে গেলেই ভরতের সঙ্গে তার নিশ্চিন্তে দেখা হবে।

পরদিন সকালেই ভরতের চলে যাবার কথা। বাড়ির মধ্যে এ কথাটা ঘোষণাও করা হয়নি। এ আর এমন কি ব্যাপার, একজন আশ্রিত ছিল, এখন সে বিদায় নিচ্ছে। মণিভূষণ শুধু জানেন। দাস-দাসীরা টের পাবে কয়েকদিন পর।

ভরতের জন্য ঘোড়ার গাড়ির ব্যবস্থা হয়েছে। শশিভূষণ আজ ভরতের সঙ্গে যেতে পারবেন না, ত্রিপুরার এক কর্মচারি এসে পৌঁছবে দুপুরে। ভরতের বিছানাপত্র বাঁধা শেষ, তবু সে বারবার এসে দাঁড়াচ্ছে বারান্দায়। সত্যি সত্যি ভূমিসূতাকে কিছু না জানিয়ে সে চলে যাবে? অথচ এই সময় বাড়ির ভেতর থেকে একজন বিশেষ দাসীকে ছলছুতোয় ডেকে পাঠানো যায়?

হঠাৎ ভরত দেখল, অন্দরমহল থেকে তিনজন মহিলা ঘোমটায় পুরো মাথা ঢেকে নেমে গেলেন নিচে। সদর গেটের কাছে অপেক্ষা করছে একটি পালকি। কোনও গিন্নি গঙ্গাস্নানে যাচ্ছেন, আজ চন্দ্রগ্রহণ। ওই তিন রমণীর মধ্যে একজন ভূমিসূতা নয়? এমনই সর্বাঙ্গ আচ্ছাদিত যে বোঝার উপায় নেই, তবু চলার ভঙ্গিতে মানুষকে চেনা যায়। ভূমিসূতা গঙ্গাস্নানে যাচ্ছে, তা হলে তো আর দেখাই হবে না।

তিন রমণী যখন পালকির কাছে পৌঁছে গেছে, তখন ভরত মরিয়া হয়ে ডেকে উঠল,ভূমি, ভূমি!

ভূমিসূতা হয় শুনতে পায়নি, অথবা শুনলেও তখন সাড়া দেবার উপায় নেই। শেষ কালে সে ঢুকল পালকিতে, একবার ঘোমটা সুদ্ধ মুখ ফেরাল এদিকে, ভরত তার চোখ দেখতে পেল না, তবু সে একটা হাত তুলল, সেই হাতের মুদ্রায় বলতে চাইল, আমি আছি, তোমার জন্য আমি আছি কিন্তু ভূমিসূতা বুঝতে পারল কিনা কে জানে!

ভরতের বুকটা একেবারে খালি হয়ে গেল! এ কী করল সে! যে-কোনও উপায়ে গতকাল ভূমিসূতার সঙ্গে দুটো একটা কথা বলা অবশ্যই উচিত ছিল তার! অবান্তর কিছু বললেও চলত, তবু কথা বলা হত। কিছুই বলল না সে!

ভূমিসূতার নামে একটা চিঠি লিখে যাবে? যদি অন্য কারুর হাতে পড়ে! সে সম্ভাবনা খুব বেশি। ভরত চলে যাবার পর এ ঘরে যে-কেউ এসে ঢুকতে পারে। চিঠি পেয়ে কেউ তুলকালাম করতে পারে।

ইচ্ছে করে খাটের নীচে দুটি বই ফেলে দিল ভরত। ওই বই নেবার ছুতোয় তাকে আর একদিন আসতেই হবে। এই বই দেখে ভূমিসূতা কিছু বুঝতে পারবে না।

শশিভূষণ তাড়া দিলেন, ভরতকে সব জিনিসপত্র গাড়িতে তুলতেই হল। এ বাড়ির দ্বার তার জন্য বন্ধ হয়ে গেল, সে পা বাড়াচ্ছে অনিশ্চিতের দিকে। শশিভূষণকে প্রণাম করল ভরত।

গাড়ি চলতে শুরু করার পর ভরতের বারবার মনে হতে লাগল, সে একজন প্রতারক। ভূমিসূতাকে সে মিথ্যে আশ্বাস দিয়েছিল। এত সঙ্কোচ কিসের, ভূমিসূতাকে সে জোর করে নিজের সঙ্গে নিয়ে যেতে পারত না? কিন্তু শশিভূষণ কি তা সর্মথন করতেন ? সমাজ কি তা মেনে নিত! শশিভূষণের ওপর এখনও সে সম্পূর্ণ নির্ভরশীল, তাঁর দাক্ষিণ্য না পেলে সে অনাথ।

ভরতের চক্ষু জ্বালা করতে লাগল।

এর পর শশিভূষণ সার্কুলার রোডের বাড়ি সাজাবার কাজে ব্যস্ত হয়ে পড়লেন। মহারাজ খবর পাঠিয়েছেন, তিনি শীঘ্র আসছেন। নতুন নতুন আসবাব লাগবে। পালঙ্ক, আলমারি, আয়না থেকে শুরু করে পাপোশ পর্যন্ত সব কিছুর অর্ডার দেওয়া হয়ে গেছে, শশিভূষণ নিজে তদারক করছেন। এক সময় তিনি অনুভব করলেন, গৃহসজ্জায় কিছুটা মেয়েলি স্পর্শের প্রয়োজন। পালঙ্কটি ঘরের কোন দিকে রাখা হবে, আলমারির আয়নায় রোদ্দুর পড়লে তা তাড়াতাড়ি নষ্ট হয়ে যায়, জানলায় কোন রঙের পর্দা মানায়, তা মেয়েরা ভালো বোঝে।

সে জন্য তিনি কৃষ্ণভামিনীর সাহায্য চাইলেন।

বাড়ি সাজাতে মেয়েরা সব সময়েই ভালোবাসে। হোক না তা পরের বাড়ি। এ বাড়িতে এসে শশিভূষণের ব্যবস্থাপনা দেখে তিনি হেসেই বাঁচেন না। অনেক কিছুই আনিয়েছেন শশিভূষণ, কিন্তু ঘরগুলো দেখলে মনে হয় যেন জিনিসপত্রের গুদোম।

সব কিছুই আবার সরাবার আদেশ দিলেন তিনি। রাস্তা থেকে ধাঙড় ডেকে বাড়ির সব আবর্জনা পরিষ্কার করিয়েছেন শশিভূষণ, কিন্তু শয়নকক্ষগুলি কি ধাঙড়ের ঝাঁটায় শ্রী পেতে পারে। নিজের দাসদাসীদের আনিয়ে নিলেন কৃষ্ণভামিনী, তারা সারা বাড়ি ধোওয়ামোছা করতে লাগল। কোথাও একটু ঝুলকালির চিহ্নমাত্র রইল না, মেঝের পাথরের পালিশ ফিরে এল।

কয়েকদিনের মধ্যেই বাড়িটির রূপ ফিরে গেল। হ্যাঁ, এখন রাজা-মহারাজদের বসবাসের যোগ্য হয়েছে বটে।

সামনের দিকের দোতলায় হবে শশিভূষণের নিজস্ব আস্তানা। কৃষ্ণভামিনী এবার সেখানে মন দিলেন। ভবানীপুরের পৈতৃক বাড়িতে সব ব্যবস্থা থাকতেও শশিভূষণকে থাকতে হবে এখানে। রান্নাঘর, স্নানের ঘর, শয়ন ঘর সবই ঠিকঠাক করা দরকার। রান্নার একজন ঠাকুর নিযুক্ত হয়েছে, সে কোন পদের রাঁধুনী তা কে জানে। কৃষ্ণভামিনীর খালি মনে হয়, তাঁর দেবরটির সুখ-সাচ্ছন্দ্যের অনেক ঘাটতি হবে এ বাড়িতে।

বাড়ির অন্যান্য দাস-দাসীদের মধ্যে ভূমিসূতারও এখানে আসে কাজ করতে। একদিন কৃষ্ণভামিনী শশিভূষণকে বললেন, ঠাকুরপো, এই মেয়েটিকে আমি তোমার কাছে রেখে যাচ্ছি। রান্নাবান্না জানে, ঘরের কাজ জানে, তোমার অনেক সাহায্য হবে।

শশিভূষণ ভূমিসূতার দিকে তাকালেন। এখন তার মাথায় ঘোমটা নেই, সে দরজার একটি পাল্লা ধরে আড়ষ্ট হয়ে দাঁড়িয়ে আছে।

শশিভূষণ ভূমিসূতার নাম ভুলে গেছেন, একদিন প্রবল জ্বরের ঘোরে এই মেয়েটিকে দেখেই যে তাঁর অলৌকিক কিছু মনে হয়েছিল, তাও বিস্মৃত হয়েছেন।

বাড়ির কাজে তো অনেক দাস-দাসী রাখতেই হবে, তাই তিনি বললেন, বেশ তো ! ও যদি এখানে কাজ করতে চায় তো থাকুক।

কৃষ্ণভামিনী বললেন, চাইবে না আবার কী! আমরা যেখানে বলব সেখানে থাকবে। ওকে মাইনেও দিতে হবে না, শুধু খোরাকি দিলেই চলবে।

শশিভূষণ একটু বিস্মিত হয়ে জিজ্ঞেস করলেন, কেন বিনা মাইনেতে কাজ করবে কেন?

কৃষ্ণভামিনী বললেন, ওকে সারা জীবনের বেতন দেওয়া আছে। একটু-আধটু লিখতে পড়তেও জানে, তোমার হিসেবপত্রও রাখতে পারবে, দেখো যেন টাকা-পয়সা নয়-ছয় না হয়!

ভূমিসূতাকে এখানে খাররা একটা স্বার্থও আছে কৃষ্ণভামিনীর। তিনি এই মেয়েটিকে তাঁর স্বামীর দৃষ্টি থেকে দূরে রাখতে চান। পুরুষের মন, একবার উচাটন হয়েছিল, আবার যে হবে না তার ঠিক কি ! এক সরাবার উপায় খুঁজছিলেন তিনি। তাঁর স্বামীও মেয়েটির বেশি বেশি সেবা চান। তিনি আর আপত্তি করতে পারবেন না, তাঁদের এস্টেটের টাকায় কেনা এই ক্রীতদাসী তাদের পরিবারের একজনের কাছেই তো থাকছে।

কৃষ্ণভামিনী বললেন, বুমি, তুই আজ থেকেই এখানে রয়ে যা। তোর জামা-কাপড়, বিছানাপত্তর আমি পাঠিয়ে দেবখন। মন দিয়ে কাজ করবি। রাজবাড়ির কাজ, ভুলচুক হলে গর্দান যাবে। এখন যা এখান থেকে।

ভূমিসূতা সেখান থেকে সরে যেতেই কৃষ্ণভামিনী ভ্রুভঙ্গি করে বললেন, কী গো, ওকে পছন্দ হয়েছে?

শশিভূষণ ভুরু তুলে বললেন, পছন্দ-অপছন্দের কী আছে? তুমি রাখতে বলছ, তোমাদের কাছে অনেক দিন কাজ করেছে।

কৃষ্ণভামিনী বললেন, ওর অনেক গুণ। ও মেয়ে বিদ্যেধরী। দেখো বাপু, যেন মাথা ঘুরে না যায় !

॥ ৩৯ ॥

বিলেত থেকে ফ্লোটিলা কোম্পানি এসে জাহাজ চালাতে শুরু করে দিয়েছে। এই কোম্পানির জাহাজে যাত্রীরা চলাচলে অভ্যস্ত হয়ে গেলে তাদের আর ফেরানো মুশকিল হবে। জ্যোতিরিন্দ্রনাথের 'সরোজিনী' জাহাজ প্রস্তুত হয়ে পড়ে আছে, আর দেরি করা যায় না, এমনিতেই দেরি হয়ে গেছে যথেষ্ট।

কথা ছিল, প্রথমবারের যাত্রায় জ্যোতিরিন্দ্রনাথ শুধু অন্তরঙ্গ সুহৃদ অক্ষয় চৌধুরী আর রবিকে সঙ্গে নেবেন। আগের দিন রাত্রে জ্ঞানদানন্দিনী হঠাৎ জেদ ধরলেন, তিনিও যাবেন। অত দূরের পথ পাড়ি দিচ্ছে ঠাকুরবাড়ির নিজস্ব স্টিমার, এই অভিযানের উত্তেজনার আঁচ থেকে তিনি দূরে থাকতে চান না। জ্যোতিরিন্দ্রনাথ মৃদু আপত্তি তুলে বলেছিলেন, জাহাজটির সব কলকজা ভালো করে পরীক্ষা করে দেখা হয়নি, অত দূরের পথ পাড়ি দিতে পারবে কি না এখনও ঠিক বলা যায় না, পথে কোনও বিপদ ঘটতে পারে, মেজবউঠান না হয় এর পরের বার যাবেন ! বিপদের সম্ভাবনার কথা শুনে জ্ঞানদানন্দিনীর উৎসাহ আরও বেড়ে গেল। তিনি

একা মহাসমুদ্র পাড়ি দিয়ে ইংল্যান্ড ঘুরে এসেছেন, তিনি ডরাবেন এই সামান্য নদীপথকে ? তাঁর ছেলেমেয়ে সুরেন আর ইন্দিরাও নেচে উঠেছে, ওদেরও বাদ দেওয়া যাবে না।

শুক্রবার ভোরবেলা দু'খানি ঘোড়ার গাড়ি যাত্রা শুরু করল জোড়াসাঁকোর বাড়ি থেকে। এখনও শহর ভালো করে জাগেনি। দুটি একটি দোকান খুলতে শুরু করেছে চিৎপুরের রাস্তায়, কেউ কেউ দোকানের সম্মুখ অংশটুকু ঝাঁট দিচ্ছে । গ্যাসের বাতিগুলি নেবানো হয়নি। তার ওপর পড়েছে সূর্য-রশ্মি, শিস দিতে দিতে চলে গেল একটি ঘোড়ায় টানা ট্রামগাড়ি, তাতে যাত্রীর সংখ্যা যৎসামান্য। একটি দোকানের পাটাতনের ওপর বসে আছেন এক বৃদ্ধ, তাঁর দাড়ির রং লাল, চোখে চশমা, নিবিষ্টভাবে পাঠ করছেন একটি ফারসি কেতাব। সামনের মসজিদের সিঁড়ির ওপর হাত পেতে দাঁড়িয়ে এক অন্ধ ভিখারি সকলের আগে শুরু করে দিয়েছে তার জীবিকার অন্বেষণ।

প্রথম গাড়িতে জ্যোতিরিন্দ্রনাথ ও জ্ঞানদানন্দিনী, দ্বিতীয় গাড়িতে অক্ষয়বাবু ও রবির পাশে দুই কিশোর-কিশোরী। অক্ষয়বাবুর মুখে লম্বা চুরুট, প্রতিদিন ঘুম থেকে উঠে এক গেলাস জল পান করার আগেই তিনি চুরুট ধরিয়ে ফেলেন। সেই চুরুটের ছাই তাঁর জামায় খসে খসে পড়ে, তিনি খেয়াল করেন না। মে মাসের গরমেও সুরেন পরে এসেছে কোট-প্যান্ট, বারো বছর বয়েসেই তার মধ্যে একটা ভারিক্কী ভাব এসেছে। ইন্দিরা পরে আছে একটি গোলাপি রঙের ফ্রক, এখনও সে শাড়িতে ঠিক অভ্যস্ত হয়নি।

খানিক পরেই গাড়ি দুটি গঙ্গার ধারে কয়লাঘাটে এসে উপস্থিত হল। গাড়ি থেকে নামতে না-নামতেই তীর্থস্থানের পাণ্ডাদের মতন ওদের ঘিরে ধরল মাঝিরা। চোখে সোনার ফ্রেমের চশমা, সিল্কের কামিজ ও কোঁচানো ধুতি পরা জ্যোতিরিন্দ্রনাথকে দেখলেই বোঝা যায় তিনি এই দলটির নেতা, মাঝিরা তাঁকেই ঘিরে ধরে তারস্বরে নিজের নিজের নৌকোর গুণাগুণ জানাতে লাগল। ভিড় এড়িয়ে সুরেন আর ইন্দিরাকে নিয়ে রবি নেমে এল ঘাটের সিঁড়িতে, সামনে অনেকগুলি ছইওয়ালা নৌকো দুলছে। গঙ্গা-স্নানের পুণ্য অর্জনের জন্য কোমর জলে দাঁড়িয়ে মন্ত্র পাঠ করছে বেশ কিছু মানুষ। ইন্দিরা বলল, রবিকা, নৌকোগুলোকে মোচার খোলার মতন মনে হয় না ?

রবি বলল, তোর তাই মনে হল ? ভালো করে দেখ তো বিবি, ছইওয়ালা নৌকোগুলোকে দৈত্যদের পায়ের বড় মাপের চটিজুতোর মতন দেখায় না?

উপমাটা শুনে খিলখিল করে হেসে উঠল ইন্দিরা।

শেষ পর্যন্ত একটা নৌকো ঠিক হল। ছইয়ের বাইরে, জ্ঞানদানন্দিনীকে মাঝখানে বসিয়ে তাঁকে ঘিরে রইল অন্যরা। একখানা জমকালো ঘি রঙের বেনারসি শাড়ি পরে এসেছেন জ্ঞানদানন্দিনী, মাথার মস্তবড় খোঁপায় হীরের ফুল, তাঁর স্বর্ণাভ মুখে এসে পড়েছে রোদের রেখা, তাঁকে দেখাচ্ছে রাজেন্দ্রানীর মতন। অন্য নৌকোয় যাত্রীরা পাশ দিয়ে যেতে যেতে তাঁকে দেখে হাঁ হয়ে যাচ্ছে। কোনও সম্ভ্রান্ত পরিবারের নারী দিনের বেলা নৌকোর খোলা জায়গায় বসে না, কিন্তু জ্ঞানদানন্দিনীর ভ্রুক্ষেপ নেই।

এক একটি স্টিমার যাবার সময় বিশাল বিশাল ঢেউ ওঠে, নৌকোটি যাত্রীসমেত একবার ওপরে ওঠে একবার নীচে নামে, সুরেনের মুখ আড়ষ্ট, ইন্দিরা ভয় পেয়ে রবির জানু চেপে ধরে। জ্ঞানদানন্দিনী হাসতে হাসতে বললেন, তোদের এত ভয় কিসের, সাঁতার শিখেছিস না? তা হলে ভয় কী ?

অক্ষয় চৌধুরী বিড়বিড় করে বললেন, আমি যে কেন ছাই সাঁতারটাও শিখিনি ! পুকুর-টুকুরে ডুব দিয়ে স্নান করাও আমার পছন্দ নয়।

জ্যোতিরিন্দ্রনাথ ও রবি দু'জনেই সাঁতারে দক্ষ। অক্ষয়চন্দ্রকে আরও ভয় দেখাবার জন্য জ্যোতিরিন্দ্রনাথ বললেন, জোয়ারের টান দেখেছেন ? আপনাকে উদ্ধার করার সুযোগই পাব না। পড়া মাত্র ভাসিয়ে নিয়ে যাবে।

অক্ষয়চন্দ্র চোখ কপালে তুলে বললেন, ও কি ও কি, ও জ্যোতিবাবুমশাই, একখানা জাহাজ যে সোজা এদিকে আসছে, আমাদের গুঁড়িয়ে দেবে ?

জ্যোতিরিন্দ্র পেছন ফিরে দেখেই ধড়মড় করে উঠে দাঁড়িয়ে বললেন, ওই তো আমার সরোজিনী ! ওরে রাখ রাখ, থাম থাম !

মাঝিরা বলল, ভয় পাবেন না কত্তা, আমার ঠিক জাহাজ ধরিয়ে দেব !

কয়লাঘাটে জেটি নেই বলে 'সরোজিনী' তীরে ভিড়তে পারেনি, মাঝগঙ্গায় ছিল। ধপধপে সাদা রং করা হয়েছে অর্ণবপোতটিকে, তার দু'পাশে বাঁধা দুটি জীবনতরী। নৌকোটি সেই জাহাজের এক পাশে ভিড়ল, ওপর থেকে নামিয়ে দেওয়া হল দড়ির সিঁড়ি। সেই সিঁড়ি দিয়ে কিশোর-কিশোরী দুটি উঠে গেল অনায়াসে। কিন্তু জ্ঞানদানন্দিনী উঠবেন কী করে ? তিনি অবশ্য কিছুতেই পিছ-পা নন। আঁচল জড়িয়ে নিলেন কোমরে, জুতো খুলে ফেলে তাঁর স্থলপদ্মের মতন কোমল পা রাখলেন সিঁড়িতে, জ্যোতিরিন্দ্রনাথ ও রবি তাঁকে ধরে রইল দু'দিকে। তিনি মুচকি হেসে বললেন, এক সময় আমি গাছে চড়তে পারতাম, তা জানো না বুঝি?

এর পর বেশ সাবলীলভাবেই তিনি উঠে গেলেন ডেকে। অক্ষয়চন্দ্রকে ওপরে তোলাই বরং কষ্টকর হল। তিনি বারবার সভয়ে বলতে লাগলেন, পড়ে যাব, পড়ে যাব, ওরে বাবা, সিঁড়িটা দোলে যে !

জাহাজটির নীচের তলা সাধারণ যাত্রীদের জন্য। ওপর তলায় রয়েছে তিনটি ক্যাবিন ও প্রশস্ত ডেক, এ যাত্রায় সম্পূর্ণ ওপর তলাটিই মালিকদের জন্য সংরক্ষিত। ডেকের ওপর রয়েছে কয়েকটি বড় বড় রঙিন ছাতা ও অনেকগুলি চেয়ার। আগের রাতেই কয়েকজন ভৃত্য ও পাচককে পাঠিয়ে দেওয়া হয়েছিল। এরা সবাই ওপর তলার ডেকে সুপ্রতিষ্ঠিত হবার একটু পরেই ভৃত্যরা গরম গরম নিমকি ও চা নিয়ে এল।

জাহাজ চলতে শুরু করতেই ঝাপটা মারল প্রবল বাতাস। আজ যেন বাতাসের বেগ বেশি প্রবল। পোশাক সামলে রাখাই অসম্ভব হয়ে পড়ল, ধুতি ফুলে ওঠে, জামা ওপরের দিকে উঠে যায়। সবচেয়ে অসুবিধেয় পড়লেন জ্ঞানদানন্দিনী, তিনি প্রাণপণে শাড়ি সামলাচ্ছেন, এর মধ্যে তাঁর খোঁপা খুলে গিয়ে চুলগুলি দাপাদাপি করতে লাগল নাগিনীর মতন। অক্ষয়বাবুর মুখের চুরুট উড়ে গিয়ে পড়ল জলে। এই সব কিছুই প্রবল কৌতুকের, হেসে একেবারে গড়াগড়ি দিতে লাগল সবাই।

এই আমোদে আর একজন যোগ দিতে পারত, কিন্তু সে নেই। এই জাহাজটিকে মনের মতন সাজাবার যার বড় সাধ ছিল, সে নেই। স্বামীর এই দুঃসাহসিক উদ্যোগে যে সঙ্গিনী হতে চেয়েছিল, সে কোথায় হারিয়ে গেছে। কাদম্বরীর মৃত্যু হয়েছে ঠিক এক মাস আগে, এর মধ্যেই যেন তাঁর স্মৃতি নিশ্চিহ্ন হয়ে গেছে সকলের মন থেকে। কাদম্বরীর কেউ নামও উচ্চারণ করছে না একবারও।

জাহাজের খালাসিরা মালিকপক্ষের এই দলটিকে দেখে বুঝতেই পারবে না, এক মাস আগে কত বড় একটা শোকের ঝড় বয়ে গেছে এই পরিবারে। এঁরা অ্যারিস্টোক্র্যাট, বাইরের লোকদের সামনে এঁরা কখনও শোক-দুঃখের প্রকাশ ঘটান না। সাধারণ মানুষদের সামনে কোনও আবেগ বা উচ্ছ্বাস দেখানোও অভিজাতদের স্বভাব নয়, এঁরা সব সময় অচঞ্চল। জন্ম-মৃত্যু সম্পর্কেও এঁদের মূল্যবোধ পৃথক। মৃত্যু তো একটি অমোঘ ঘটনা, যা কিছুতেই ফেরানো যায় না, তা নিয়ে অনর্থক দিনের পর দিন হা-হুতাশ করে চলে নিতান্ত পাঁচপেঁচি ধরনের লোকেরা।

একটি মৃত্যুর জন্য অন্য সব কিছু থেমেও থাকতে পারে না।

জাহাজের ব্যবসায়ে অতি গভীরভাবে জড়িয়ে পড়েছেন জ্যোতিরিন্দ্রনাথ । মাত্র সাত হাজার টাকায় নিলামে ডেকে এই জাহাজের খোলটি কিনে ভেবেছিলেন বুঝি খুব সস্তায় পেয়েছেন। কিন্তু মেরামতি করাতে গিয়ে দেখলেন, ঢাকের দায়ে মনসা বিকোনোর মতন অবস্থা। এর মধ্যেই লক্ষাধিক মুদ্রা ব্যয় হয়ে গেছে। আরও কিছু যন্ত্রপাতির প্রয়োজন, কিন্তু বিলম্ব করার আর উপায় নেই। কাদম্বরীর আকস্মিক মৃত্যুতে কয়েক দিনের জন্য সব কাজে ছেদ পড়েছিল, আরও দিন নষ্ট হলে সমস্ত উদ্যোগটাই পণ্ড হয়ে যাবে।

কলকাতা থেকে খুলনা পর্যন্ত রেললাইন পাতা হয়েছে, এখন খুলনা থেকে বরিশাল পর্যন্ত যাত্রী ও মালবহনের চাহিদা অত্যন্ত বেড়ে গেছে, এই জলপথে জাহাজ চালালে প্রচুর লাভ হবার কথা। জ্যোতিরিন্দ্রনাথের হিসাবটা ঠিকই ছিল, কিন্তু এর মধ্যে একটা বিলিতি কোম্পানি এসে পড়ল। এখন প্রতিযোগিতায় সেই বিলিতি ফ্লোটিলা কোম্পানিকে হঠিয়ে দেওয়া ছাড়া গত্যন্তর নেই। একখানা জাহাজে হবে না, সেই জন্য জ্যোতিরিন্দ্রনাথ আরও চারখানা জাহাজ কেনার জন্য বায়না দিয়েছেন। তাঁর প্রায় সর্বস্ব এখন এই ব্যবসায়ে নিয়োজিত।

এক হাতে মাথার চুল চেপে ধরে ডেকের রেলিং ধরে দাঁড়িয়ে আছে রবি। চলন্ত জাহাজ থেকে গঙ্গাতীরের শোভা অতি অপরূপ। মাঝে মাঝে চোখে পড়ে স্নানের ঘাট, গাছপালার ফাঁক দিয়ে একটা পায়ে চলা পথ এসে মিশেছে ঘাটে, গ্রামের মেয়েরা কলসি কাঁখে জল নেবার জন্য জলে নামছে শাড়ি ভিজিয়ে, বাচ্চারা দাপাদাপি করছে হাঁটু জলে-কাদায়, পাশেই একটা ভাঙা মন্দির, তার চাতারে বসে আছে একতারা হাতে এক বৈরাগী। কোথাও পরপর কয়েকটি গাছপালা ছায়া কুটির, নিশ্চিন্তে ঘাস খেয়ে চলেছে গরু, কোথাও একদল নারী পুরুষ কোমরে হাত দিয়ে কোন্দল করছে, কিন্তু এ সবই নিঃশব্দ ছবি। জাহাজের ইঞ্জিনের প্রবল ধক-ধক শব্দে অন্য সব শব্দ চাপা পড়ে যায়।

তটরেখায় মনুষ্য বসতির তুলনায় ফাঁকা জায়গাই বেশি। এক এক জায়গায় শুধু নিঃস্ব প্রান্তর, আবার কোথাও অসংখ্য গাছ জড়ামড়ি করে আছে। যেন নিবিড় বন। রবি এইসব দৃশ্যের দিকে তাকিয়ে আছে। রবি এইসব দৃশ্য দেখছে না। এমনও হয়, মানুষ কোনও বস্তুর দিকে চেয়ে থাকে, দেখে অন্য কিছু । স্থান ও কালের মধ্যে বিভ্রম ঘটে।

এই গঙ্গার দু তীরের রূপ রবি আগেও দেখেছে। নৌকোয়, বিকেলের পড়ন্ত আলোয়। সে নৌকোতে থাকতেন কাদম্বরী, আলগা সাজ, দীপ্তিময়ী মুখ, চোখ দুটি বিস্ময়-মুগ্ধ। গাছপালার প্রতি ছিল তাঁর প্রগাঢ় ভালোবাসা। মাঝে মাঝে হঠাৎ বলতেন, দেখো, দেখো, রবি, একটা গাছ কতখানি জলের ওপর ঝুঁকে আছে, যেন নদীকে কোনও গোপন কথা জানাচ্ছে কানে কানে। সেই কাদম্বরী আর নেই, তা কি হতে পারে? রবি যেন কাদম্বরীর চোখ দিয়েই এখন দেখছে তীরের বৃক্ষরাজি। যেন ওইসব গাছের আড়ালে হঠাৎ দেখতে পাওয়া যাবে মোরান সাহেবের বাগানবাড়ি। উদ্‌গত অশ্রু বাষ্প হয়ে আটকে আছে তার গলার কাছে, চিলের তীক্ষ্ণ স্বরের মতন বুকের মধ্যে সে চিৎকার করে ডাকছে, নতুন বউঠান, নতুন বউঠান!

জ্ঞানদানন্দিনী রবির পাশে এসে দাঁড়ালেন। আবার খোঁপা বেঁধে আধ–ঘোমটা দিয়েছেন মাথায়। রবি অনেকক্ষণ কোনও কথা বলছে না দেখে তিনি কিছু একটা বুঝেছেন। রবির বাহু ছুঁয়ে তিনি বললেন, ভারি সুন্দর লাগছে। তাই না রবি ?

রবি মুখ ফেরাল। হাসল জোর করে।

জ্ঞানদানন্দিনী জিজ্ঞেস করলেন, ওই যে অনেক পালতোলা নৌকো, একই রকম দেখতে উল্টো দিকে যাচ্ছে, মানুষ ভর্তি, ওরা কোথায় যাচ্ছে ? এদিকে কোনও মেলা-টেলা আছে নাকি?

রবি বলল, না, ওগুলো অফিসের পান্‌সি, আজকাল অনেক মানুষ দূর-দূর থেকে এইসব পান্‌সিতে চেপে কলকাতায় অফিস করতে যায়।

জ্ঞানদানন্দিনী বললেন, আর ওই যে বড় বড় থুমবো থুমবো জিনিসগুলো, ওগুলো বুঝি গাধাবোট ?

রবি ঘাড় নেড়ে সম্মতি জানাল।

জ্ঞানদানন্দিনী আবার বললেন, রবি, তোমাকে কিন্তু এই যাত্রার বিবরণ লিখতে হবে। সেই যে আগে একবার ইওরোপ যাবার সময় জাহাজের কথা লিখেছিলে !

সুরেন আর ইন্দিরা ডেকের আনাচে-কানাচে ঘুরছিল। এই সময় ইন্দিরা এসে বলল, মা, আমরা একবার নীচে যাব ? য়ুরো জাহাজটা দেখে আসব ?

জ্ঞানদানন্দিনী বললেন, যাও, রবিকাকার সঙ্গে যাও। রবি, তুমি ওদের একটু ঘুরিয়ে দেখিয়ে আনো।

জ্ঞানদানন্দিনী চোখের ইঙ্গিত করলেন। বাধ্য ছেলের মতন রবি ভাইপো-ভাইঝি দু'জনকে নিয়ে নেমে গেল নিচে।

বাতাসের উৎপাতে অক্ষয়চন্দ্র আগেই নীচে গিয়ে যাত্রীদের সঙ্গে বসেছেন। ওপরে চুরুট টানার আরাম নেই। এখানকার ডেক এখন ফাঁকা । জ্যোতিরিন্দ্রনাথ একটা ক্যাবিনে ঢুকে শুয়ে পড়েছেন।

জ্ঞানদানন্দিনী ধীর পায়ে সেই ক্যাবিনে প্রবেশ করলেন।

দুগ্ধ-শুভ্র বিছানায় চিত হয়ে শুয়ে আছেন জ্যোতিরিন্দ্রনাথ। গ্রিক দেবতার মতন রূপবান এই যুবার মুখখানি শুধু বিমর্ষ। চক্ষু দুটি খোলা, শূন্য দৃষ্টি। জ্ঞানদানন্দিনী তাঁর পাশে এসে দাঁড়াতেও তিনি কোনও কথা বললেন না।

জ্ঞানদানন্দিনীও বললেন না কিছু। তাঁর ব্যক্তিত্ব ও উপস্থিতির উত্তাপ দিতে লাগলেন দেবরকে। নিঃশব্দে কাটল কয়েক মিনিট। তারপর তিনি জ্যোতিরিন্দ্রনাথের কপালে তাঁর নরম হাতখানি রাখতেই জ্যোতিরিন্দ্রনাথ আর্ত কণ্ঠে বলে উঠলেন, এ কী হয়ে গেল, মেজ বউঠান ! ও কেন চলে গেল ? আমায় আগে কিছু জানায়নি, কোনও ইঙ্গিত দেয়নি, আমি ভাবতাম, ও আপন মনে থাকে। হঠাৎ.....কেন....সবাই আমার দিকে এমনভাবে তাকায়.....

জ্ঞানদানন্দিনী সঙ্গে সঙ্গে কিছু উত্তর দিলেন না। তিনি তাঁর এই সমবয়েসী, প্রিয় দেবরটিকে আরও কিছুক্ষণ বিলাপ করতে দিলেন। ওর মধ্যে যা আছে সব মুক্ত করে দিক। একজনকে তো সব বলতে হবে, ওর যে আর কেউ নেই।

খানিক বাদে তিনি মৃদু অথচ দৃঢ় গলায় বললেন, ও ভুল করেছে। ও নিজের সর্বনাশ করেছে। ও আমাদের পরিবারে আরও বিপর্যয় ঘটাতে পারত। চলে গিয়ে বরং বেঁচেছে!

জ্যোতিরিন্দ্রনাথ উঠে বসলেন, স্থির দৃষ্টিতে তাকিয়ে রইলেন ভ্রাতৃজায়ার মুখের দিকে। দুর্গা প্রতিমার মতন সেই মুখ, প্রায় জোড়া ভুরু, গভীর দুটি চোখ,তপ্ত কাঞ্চনবর্ণ কপোল, ঈষৎ হাসি মাখানো রক্তিমাভ দুই ওষ্ঠ। এই রমণী স্থির-যৌবনা।

জ্ঞানদানন্দিনী দু' হাত বাড়িয়ে জ্যোতিরিন্দ্রনাথের মুখখানি টেনে এনে চেপে ধরলেন তাঁর বুকে। বাঁধভাঙা বন্যার মতন চোখের জলে জ্যোতিরিন্দ্রনাথ ভেজাতে লাগলেন সেই কোমল আশ্রয়।

জ্ঞানদানন্দিনী তাঁর মাথায় চুলে আঙুল চালাতে চালাতে বলতে লাগলেন, আমি তোমাকে কিছুতেই ভেঙে পড়তে দেব না, নতুন। যে-গেছে সে তো গেছেই, আমি তো আছি তোমার জন্য। তোমাকে শক্ত হতে হবে। তোমার মেজদাদা দূরে দূরে থাকেন, বড়দাদা আপনভোলা মানুষ, বাবামশাই সবচেয়ে বেশি ভরসা রাখেন তোমার ওপর, সমাজের দায়িত্ব তোমাকে দিয়েছেন, তা ছাড়া এখন তুমি যে-কাজে নেমেছ, সাহেবদের সঙ্গে প্রতিযোগিতায় তোমাকে জয়ী হতেই হবে। আমি সর্বক্ষণ আছি তোমার পাশে।

জ্যোতিরিন্দ্রনাথ কান্না থামাতে পারছেন না। এক মাস পরে এই প্রথম তিনি শিশুর মতন কাঁদছেন। জ্ঞানদানন্দিনী তাঁর থুতনি ধরে মুখটা উঁচু করলেন, অতি যত্নের আঙুল দিয়ে মুছে দিতে লাগলেন অশ্রু। দু'জনের দৃষ্টিতে একই বাসনার সেতুবন্ধন।

একটু পরে অক্ষয়চন্দ্র হন্তদন্ত হয়ে সিঁড়ি দিয়ে ধুপধাপ করতে করতে উঠে এলেন ওপরের ডেকে। তিনি চিৎকার করে বলছেন, ও জ্যোতিবাবুমশাই, সর্বনেশে কাণ্ড, এ জাহাজে কাপ্তান নেই, এ যে কর্ণধারহীন তরণী, আমরা কি নিরুদ্দেশে যাচ্ছি নাকি ? ও জ্যোতিবাবুমশাই.....

জ্যোতিরিন্দ্রনাথ নিজেকে সংযত করে দ্রুত বেরিয়ে এলেন ক্যাবিন থেকে। রবিরাও ওপরে উঠে আসছে, তাদের কাছে জিজ্ঞাসাবাদ করে জানলেন, সত্যিই এ জাহাজের ক্যাপ্টেন পলাতক। জ্যোতিরিন্দ্রনাথ নিজের কপালে একটা চাপড় মারলেন।

এ জাহাজের ক্যাপ্টেন বা কমান্ডার একজন ফরাসি। সে কাজে অতি দক্ষ। ইওরোপের বিভিন্ন দেশ থেকে অনেক ভাগ্যন্বেষীই ভারতে আসে জীবিকার সন্ধানে। ভারত অতুল সম্পদ আর সম্ভাবনার দেশ। ঝাঁকে ঝাঁকে শ্বেতাঙ্গরা এদেশে এসে কিছু না-কিছু চাকরি পেয়ে যায়। ফরাসিদের প্রতি জ্যোতিরিন্দ্রনাথের কিছুটা দুর্বলতা আছে। একসময় তাঁদের বাড়িতে একজন ফরাসিকে রাঁধুনি হিসেবে রাখা হয়েছিল। সে যেমন ভালো ভালো রান্না খাওয়াত ; তেমন ফরাসি ভাষাও শেখাত। জাহাজের জন্য যে ফরাসিটিকে রাখা হয়েছে, সে অনেক রকম কাজ জানে, জাহাজের যে-কোনও কলকব্জা মেরামত করে ফেলতে পারে। অনেক গুণের মধ্যে লোকটির একটি মাত্র দোষ, মাসে একবার সে সাঙ্ঘাতিক মাতাল হয়। তখন আর তার বাহ্যজ্ঞান থাকে না, অন্তত দু'দিনের আগে তার নেশাও কাটে না। আজ সরোজিনীর সত্যিকারের যাত্রা শুরু হবে, এই আনন্দে নিশ্চয়ই সে গতকাল রাতে কোনও পানশালায় গিয়ে প্রচুর মদ্যপান করে অজ্ঞান হয়ে আছে।

এখন আর ফেরা যায় না। অথচ সকলেরই মুখ শুকিয়ে গেছে ভয়ে। ক্যাপ্টেন ছাড়া জাহাজ তো দিশাহারা। জ্যোতিরিন্দ্রনাথ অন্যান্য কর্মচারিদের সঙ্গে কথাবার্তা বললেন। কয়েকজন তাঁকে আশ্বাস দিল যে তারা ক্যাপ্টেনের কাছ থেকে কাজ শিখে নিয়েছে, তারা অনায়াসে জাহাজ চালিয়ে নিয়ে যেতে পারবে !

করুণাময় পরমব্রহ্মকে স্মরণ করে জ্যোতিরিন্দ্র বললেন, তা হলে চলুক !

ইঞ্জিনে গর্জন তুলে, ধুম উদ্গিরণ করতে করতে নদীর বুক ধরে এগিয়ে চলল এই অর্ণবপোত। দ্বিপ্রহর নির্বিঘ্নে পার হল বটে, কিন্তু বিকেলের দিকে শুরু হয়ে গেল মহা কোলাহল। সকলের গলা ছাপিয়ে কে যেন ভয়ার্ত স্বরে চিৎকার করতে লাগল, এই এই, রাখ রাখ, থাম থাম !

ডেক থেকে স্পষ্ট দেখা যাচ্ছে, নদীর মাঝখানে একটি কালো রঙের লোহার বয়া ছুটে আসছে জাহাজটির দিকে। অর্থাৎ, জাহাজটিই গোঁয়ারের মতন সেই স্থির বয়াটির প্রতি সোজা ধেয়ে চলেছে। কিছুতেই জাহাজের মুখ ঘোরানো যাচ্ছে না। ওই লোহার বয়াটির ওপর যেন বসে আছেন নিয়তি ঠাকুরুন, একবার ধাক্কা মারলেই সব শেষ। সকলের চক্ষু কপালে উঠেছে, ভয়ে কণ্ঠ এমন শুষ্ক হয়ে গেছে যে চিৎকার করতেও পারছে না। দেখতে দেখতে সত্যিই প্রবল জোরে একটি সংঘর্ষ হল বয়াটির সঙ্গে। দুরে উঠল জাহাজ, ঝনঝন শব্দে পড়ল পেয়ালা-পিরিচ, অক্ষয়চন্দ্র রেলিং আঁকড়ে ধরেও সামলাতে পারলেন না, হুমড়ি খেয়ে পড়লেন ডেকে, সুরেন আর ইন্দিরা রবিকে চেপে ধরে আছে !

এর পর বুঝি সলিল-সমাধি! জাহাজটি থরথর করে কাঁপছে বটে কিন্তু এখনও হেলে পড়েনি। জ্যোতিরিন্দ্রনাথ আগে থেকেই ছিলেন ইঞ্জিন ঘরে। খানিক বাদে ফিরে এসে বললেন, খুব বড় রকম একটা বিপদ এড়ানো গেছে। জাহাজের খোল ফুটো হয়নি, তবে এই

ধাক্কায় ইঞ্জিনের জোড় খুলে গেছে দু' এক জায়গায়। সে সব আবার জোড়া লাগিয়ে কালকেই আবার যাত্রা শুরু করা যাবে। আপাতত এখানেই নোঙর ফেলা হল।

গঙ্গা এখানে বেশ চওড়া, গোধূলিবেলায় দুই তীর অস্পষ্ট হয়ে গেছে। বাতাস আর প্রবল নয়, এখন মধুর। সন্ধ্যাকালটি গান-বাজনা করে নিশ্চিন্ত আনন্দে কাটানো যায়। বিকেলের জলখাবার এল, মোহনভোগ, গরম লুচি, পাতলা ক্ষির। তার পর এল সুরার পাত্র। অক্ষয়চন্দ্র একটার পর একটা চুরুট টেনে ছোটদের নানারকম গল্প শোনাচ্ছেন, জ্যোতিরিন্দ্র সিগারেট ধরিয়েছেন। অক্ষয়চন্দ্রের অনেক অনুরোধেও রবি সুরার পাত্র নেয়নি, ধূমপানেও তার রুচি নেই। পশ্চিম গগনে এখন সূর্যাস্তের ঘনঘটা। রবি সেদিকে একদৃষ্টিতে চেয়ে আছে। সে ফিরে গেছে মোরান সাহেবের বাগানবাড়িতে। এক একদিন জ্যোতিদাদা থাকতেন না, রবি আর কাদম্বরী নদীর ঘাটে বসে সূর্যাস্ত দেখত। এখনও যেন নতুন বউঠান ঠিক তার পাশেই বসে আছেন। রবি হাত বাড়ালেই ছুঁতে পারবে। একদিন এইরকম সূর্যাস্ত দেখতে দেখতে কাদম্বরী রবিকে ভানু বলে ডেকেছিলেন, ডেকে অনুরোধ করেছিলেন, ভানু, তুমি একটা গান শোনাও, নতুন গান। রবি তৎক্ষণাৎ বানাতে বানাতে গেয়েছিল, 'মরণ রে তুঁহু মম শ্যাম সমান.....'।

ঘোর ভাঙিয়ে দিয়ে জ্ঞানদানন্দিনী বললেন, কী ভাবছ, রবি ? শোনো, আজ সারা দিন যা যা হল, তুমি আজ রাত্তিরেই লিখে ফেলবে। আমরা সবাই শুনব !

অক্ষয়চন্দ্র বললেন, দেবী, আজ আমরা আর একটু হলেই স্বখাত সলিলে ডুবতে বসেছিলাম। লেখাটেখা সব মাথায় উঠত! খবরের কাগজে চার লাইন খবর বেরুত!

জ্ঞানদানন্দিনী হাসতে হাসতে বললেন, মাত্র চার লাইন ! এত বড় একটা জাহাজ—

অক্ষয়চন্দ্র বললেন, তা ছাড়া আর কি ! এরকম অহরহ কত জাহাজডুবি হচ্ছে ! জ্যোতিবাবুমশাই বিখ্যাত ব্যক্তি, তাঁর নামটি ছাপা হত, আমরা সবাই 'অন্যান্য'!

জ্ঞাননন্দিনী বললেন, কেন, রবির নাম ছাপা হত না বলছেন ? রবিও তো একজন গ্রন্থকার !

অক্ষয়চন্দ্র বললেন, ওরকম কত গ্রন্থকার আছে ! আজকাল তো যে দু'পাতা লেখাপড়া শেখে, সে-ই কাব্যরচনা শুরু করে। না, না, রবি, তুমি রাগ করো না, তোমার কবিতা খারাপ বলছি না, তবে এখনও তো তোমার বই কেউ কেনে না, বিশেষ কেউ তোমার নাম জানে না—

অক্ষয়চন্দ্রের কথার ভঙ্গিতে সবাই হেসে কুটিকুটি।

জ্ঞানদানন্দিনী বললেন, চৌধুরীমশাই, কাগজে না হয় না-ই ছাপা হত, কিন্তু আমরা সবাই মিলে মরলে আমাদের চেনা মানুষেরা কী বলত ? মৃত্যুর পরে আমাদের সম্পর্কে কে কী বলে, তা খুব জানতে ইচ্ছে করে।

অক্ষয়চন্দ্র বললেন, আমি মানুষ চিনি। কে কী ভাবে তা বুঝি! বলব ? আগে নিজের সম্পর্কে বলি ! আমার গৃহিনী স্বস্তির নিশ্বাস ফেলে বলতেন, গেছে, আপদ গেছে ! অনেক দিন ধরেই আমার বিধবা হয়ে আবার বিয়ে করার বাসনা ছিল, এবার সেই সাধ মেটানো যাবে!

জ্ঞানদানন্দিনী জিজ্ঞেস করলেন, আমার সম্পর্কে বন্ধু-বান্ধবরা কী বলত ?

অক্ষয়চন্দ্র বললেন, খুব দুঃখ করত সবাই। আপনি যে দেদার খরচ করেন, সবাইকে খাওয়ান। দুঃখ করবে না ? হা-হুতাশ করে সবাই বলত, আহা, অত বড় মানুষটা চলে গেল! ওর বেশ দেমাক ছিল বটে, নাকটাও উঁচু

জ্যোতিরিন্দ্রনাথ উঁচু গলায় হেসে বললেন, বটে, বটে, আমার সম্পর্কে এই আপনার ধারণা ? আর রবি সম্পর্কে ?

অক্ষয়চন্দ্র বললেন, রবি সম্পর্কে বলত,আহা, অমন মহদাশয় মানুষটি চলে গেল। এমনটি আর হবেনা ! না হলেই বা ক্ষতি কী ! সময় হয়েছে চলে গেছে! কী যে সব পদ্য লিখত, ধোঁয়া ধোঁয়া, ভাবালুতায় ভরা—

জ্ঞানদানন্দিনী বললেন, আমার সম্বন্ধে ? আমার সম্বন্ধে ?

অক্ষয়চন্দ্র ভুরু তুলে বললেন, দেবী, শুনে রাগ করবেন না তো !

জ্যোতিরিন্দ্রনাথ বললেন, তোমার যা কথা .....তা শুনে কেউ রাগ করতে পারে ? বল, বল....

অক্ষয়চন্দ্র ছদ্ম গাম্ভীর্যের সঙ্গে বললেন, আপনার জন্য কত মানুষ যে কেঁদে ভাসাত, তার ঠিক নেই। কেঁদে গড়াগড়ি দিতে দিতে বলত, ইন্দ্রপতন হয়ে গেল গো ! দোষে গুণে মিলিয়ে মানুষটা ছিল—যেমন তেমন হোক তবু তো ঘরটা জুড়ে ছিল ! আহা কত দয়া ছিল, আবার মেজাজ হলে একসঙ্গে তিনটে ব্যাটাছেলের মুণ্ডু নিয়ে গেণ্ডুয়া খেলতে পারত...মেয়ে তো নয়, রায়বাঘিনী, এমন অসময়ে সংসার শূন্য করে কি যেতে হয়.....

হাসির কলরোল ছাপিয়ে গেল অন্যসব শব্দ। হাসি আর থামতেই চায় না। মৃত্যু নিয়ে বিশুদ্ধ কৌতুক।

হঠাৎ একসঙ্গে চুপ করে গেলেন সবাই। এঁরা সবাই বেঁচে আছেন বলেই মৃত্যু নিয়ে এমন রঙ্গ করতে পারছেন। কিন্তু একজন সত্যি সত্যি নেই্। এক অভিমানিনী অনিবারণীয়ভাবে অদৃশ্য হয়ে গেছে, এই আসরে যার উপস্থিত থাকার কথা ছিল। সকলেরই যেন মনে পড়ল সেই অভিমানিনীর মুখ, কিন্তু তার সম্পর্কে কেউ একটি কথাও উচ্চারণ করল না।

॥ ৪০ ॥

শেষ পর্যন্ত ভালোয় ভালোয় 'সরোজিনী' খুলনা হয়ে পৌঁছল বরিশাল শহরে। সেখানে এক অভাবনীয় দৃশ্য দেখে রবির বুক ভরে গেল।

জাহাজঘাটায় কাতারে কাতারে মানুষ জমা হয়েছে। তাদের মধ্যে রয়েছে বহু ছাত্র, উকিল-মোক্তার, হাকিম-জমিদার, দোকানদার-মহাজন, সবাই সহর্ষে স্বাগত অব্যর্থনা জানাচ্ছে। এই সব লোকদের এত উৎসাহের কারণ কী ? কলের জাহাজ তো অভূতপূর্ব কিছু নয় ! ফ্লোটিলা কোম্পানি কয়েক মাস আগে থেকেই স্টিমার চালাচ্ছে, তাতে যাত্রীরাও যাতায়াত করছে নিয়মিত। কিন্তু 'সরোজিনী' যে স্বদেশি জাহাজ, বাঙালি জাহাজ, বাঙালির গর্ব !

ডেকের রেলিং ধরে দাঁড়িয়ে আছেন জ্ঞানদানন্দিনী, তিনি অভিভূত গলায় বললেন, নতুন, তোমার স্বপ্ন সার্থক !

সাধারণ মানুষের এই অযাচিত ভালোবাসার নিদর্শন দেখে জ্যোতিরিন্দ্রনাথের চোখ ঝাপসা হয়ে এসেছে। তিনি মুখ নিচু করে চশমা মোছার ছল করতে করতে বললেন, ওই সাহেব ব্যাটাদের আমি ঘায়েল না করে ছাড়ব না !

ফ্লোটিলা কোম্পানির জাহাজ লেগে আছে নদীর অন্য পাড়ে। জলি বোটে করে যাত্রীদের নিয়ে যাওয়া হচ্ছে সেখানে। হঠাৎ একদল ছাত্র ছুটে এসে সেই ছোট নৌকাগুলোর সামনে সার বেঁধে দাঁড়িয়ে পড়ে হাত জোড় করে বলতে লাগল, দাদা-ভাইরা, আমাদের কথা একবার শুনুন। তারপর যে-জাহাজে ইচ্ছে হয় যাবেন। আপনারা বাঙালি, বাঙালির জাহাজ থাকতে আপনারা ইংরেজের জাহাজে যাবেন কেন ? দেশের টাকা কেন দেবেন বিদেশিদের ? সাহেবরা কি আমাদের মানুষ বলে মনে করে ? কত রকম অপমান করে, মনে করে দেখুন ! আমাদের মঙ্গলের জন্যই ঠাকুরবাবুরা এখানে জাহাজ এনেছেন। তবু কি বিদেশির জাহাজে যেতে আপনাদের মন চায় ?

কিছু যাত্রী দোনামোনা করতে লাগল। কিছু যাত্রী ব্যস্ততার ভান করে চড়ে বসল নৌকোয়। সাহেবদের জাহাজ নিয়মিত নিরাপদে পৌঁছে দিচ্ছে। স্বদেশি জাহাজের ওপর কি সেই আস্থা রাখা যায় ? মাঝপথে যে ডুবে যাবে না তার ঠিক কী ?

ছাত্ররা অনেক যাত্রীর হাত ধরে মিনতি করতে লাগল, কারুর কারুর পায়েও আছড়ে পড়ল। কয়েকখানা নৌকো এর মধ্যে মানুষ বোঝাই করে ছেড়ে দিয়েছে। একটি বারো-তেরো বছরের লুঙ্গি পরা ছেলে নদীতে নেমে পড়ে হাঁটু জলে দাঁড়িয়ে চিৎকার করতে লাগল, সাহেবগো জাহাজ থিকা আমাগো জাহাজ অনেক পেল্লায়.....সাহেবগো জাহাজ দুলদুল করে, আমাগো জাহাজ কত শক্ত, ওই জাহাজ ঝড়ে ডুইব্যা যাবে, আমাগো জাহাজ ঝড়-তুফান গ্রাহ্য করে না, ও কত্তারা, ওই জাহাজে গ্যালে একদিন না-একদিন পরানডা যাবে ।

ছেলেটির কাণ্ড দেখে অনেকে হাসছে। রবির মনে হচ্ছে অন্য কথা। ইংরেজের সঙ্গেও যে প্রতিযোগিতায় নামা যায়, সাধারণ মানুষের মধ্যে এই চেতনা জাগল কী করে? সিপাহি অভ্যুত্থান ব্যর্থ হয়ে যাবার পর এ দেশের মানুষের মধ্যে বদ্ধমূল ধারণা জন্মে গিয়েছিল যে ইংরেজরা অপরাজেয়। শ্বেতাঙ্গ শাসকরা মহা শক্তিধর, তারা সব দিক দিয়েই কালো মানুষদের চেয়ে শ্রেষ্ঠ। আবার কি সেই ভুল ভাঙাছে ? একটি সাধারণ কিশোরও সাহসের সঙ্গে সেই কথা বলতে পারছে।

'সরোজিনী'র ওপরের ডেকে যেমন দাঁড়িয়ে আছে ঠাকুরবাড়ির মালিকপক্ষ, সেইরকম ফ্লোটিলা কোম্পানির জাহাজের ডেকেও দাঁড়িয়ে রয়েছে দুটি ইংরেজ। একজন বিলেত থেকে সদ্য আগত, অন্যজন স্থানীয়। প্রথম ইংরেজটি মুখে পাইপ কামড়ে ধরে জিজ্ঞেস করল, তোমার কী মনে হয়, নেটিভরা ব্যবসা করতে পারবে?

দ্বিতীয় ইংরেজটি মুখ থেকে অনেকখানি অবজ্ঞার বাতাস ছেড়ে শব্দ করল, ফিউ ! তারপর বলল, ব্যবসা করবে বাঙালিরা ? এরা দালালি আর জমিদারগিরি ছাড়া আর কিছু জানে না। ব্যবসা করতে গেলে ধৈর্য লাগে, সেটাই বাঙালিদের নেই যে ! এরা চাকরি খুঁজে নিশ্চিন্ত হতে চায়।

প্রথম সাহেবটি বলল, আমাদের ব্যস্ততার কিছু নেই। দেখা যাক, ওদের দৌড় কতখানি!

দ্বিতীয় সাহেবটি বলল, ওরা আড়কাঠি লাগিয়ে আমাদের যাত্রীদের ফেরাবার চেষ্টা করছে। পুলিশে খবর দিই, কয়েক ঘা ঠ্যাঙানি খেলেই এই নেটিভরা কুত্তার মতন পালায়।

প্রথম সাহেবটি বলল, না, না, পুলিশ ডাকবার কথা মনেও স্থান দিও না। তাতে উত্তেজনা বাড়বে, আমাদের জাহাজ একেবারে বয়কট করার ডাক দিয়ে ফেলতে পারে। এখন কিছুটা লাফালাফি করছে, করতে দাও !

শেষ পর্যন্ত দেখা গেল, ফ্লোটিলার জাহাজের অর্ধেক যাত্রীই চলে এল 'সরোজিনী'র দিকে। প্রথম দিনের পক্ষে এটা একটা বিরাট জয় বলতে হবে। সগৌরবে ভোঁ বাজাতে বাজাতে 'সরোজিনী' চলল খুলনার দিকে।

দু'দিন পর বরিশালের এক সভায় সংবর্ধনা জানানো হল জ্যোতিরিন্দ্রনাথকে। হিন্দু-মুসলমান নির্বিশেষে বহু মানুষ সেখানে উপস্থিত। দেবদারু গাছের পাতা দিয়ে সুন্দর করে সাজানো হয়েছে দ্বার। ছাত্ররা শহরে হ্যান্ডবিল বিলি করেছে, স্বতঃপ্রবৃত্ত হয়েও এসেছে অনেকে দূর দূর থেকে। বিভিন্ন বক্তা জ্যোতিরিন্দ্রনাথকে ফুলের মালা পরিয়ে অভিনন্দন জানালেন। অভিভূত জ্যোতিরিন্দ্রনাথ উত্তর দিতে গিয়ে আবেগমথিত গলায় বললেন, আপনারা যে অনেকেই এই মনোভাব ব্যক্ত করেছেন যে এটা আপনাদেরই জাহাজ, তাতেই আমি ধন্য। সত্যিই এটা আমার জাহাজ নয়, এটা আমার স্বদেশবাসীর জাহাজ !

এই উপলক্ষে গানও বাঁধা হয়েছে। একদল সমবেত স্বরে নগর সংকীর্তনের সুরে গাইল :

(ও ভাই) দেখ, সব ঘুমিয়ে অচেতন হয়ে
দেশের দশা একবার করে না স্মরণ
(একবার চায় না রে কেউ নয়ন মেলে
এ কী রে কাল নিদ্রা এল)
(মোরা) সবারে জাগাব, দুর্দশা ঘুচাব
নিদ্রাগত প্রাণে আনিব চেতন...

ফরাসি ক্যাপ্টেনটি এসে কাজে যোগ দিয়েছে, নিয়মিত যাতায়াত করতে লাগল 'সরোজিনী', যাত্রীসংখ্যা রোজই বাড়ছে, 'স্বদেশী' ও 'বঙ্গলক্ষ্মী' নামে আরও দুটি জাহাজ চলে এল। এই সব জাহাজ যখন যায়, নদীর দু'ধারে সারবন্দি হয়ে দাঁড়িয়ে থাকে মানুষ, দেশের নামে জয়ধ্বনি দেয়।

ছেলে-মেয়েদের স্কুল খুলে যাবে, জ্ঞানদানন্দিনী আর দেরি করতে পারবেন না। জ্যোতিরিন্দ্রনাথ স্বয়ং সব কিছু তত্ত্বাবধান করবেন বলে 'সরোজিনী'র ক্যাবিনেই আস্তানা গাড়লেন, রবিকে সঙ্গে নিয়ে কলকাতায় ফিরে এলেন জ্ঞানদানন্দিনী।

এবার রবি আর মেজো বউঠানের সঙ্গে সার্কুলার রোডের বাড়িতে গেল না, সে এল জোড়াসাঁকোয়। বাবামশাইয়ের নির্দেশে তাকে জমিদারির কাজকর্ম দেখতে হবে। এখন জ্যোতিরিন্দ্রনাথও এখানে থাকতে পারবেন না, সুতরাং রবির দায়িত্ব আরও বেশি। প্রতিদিন সেরেস্তায় বসে সে হিসেবপত্র বুঝে নিতে লাগল। সেইসঙ্গে চলল তার লেখালেখি ও নতুন বইয়ের প্রুফ দেখা।

কাদম্বরীর মৃত্যুর সঙ্গে সঙ্গে 'ভারতী' পত্রিকারও মৃত্যু হতে যাচ্ছিল। দ্বিজেন্দ্রনাথ ও জ্যোতিরিন্দ্রনাথ দু'জনেই জানিয়ে দিয়েছিলেন, তাঁরা আর ও পত্রিকা চালাতে পারবেন না। তখন স্বর্ণকুমারী এগিয়ে এলেন, তিনি ওই পত্রিকার ভার নিতে চান। সংবাদপত্রে ঘোষণা করে 'ভারতী'র মালিকানা দিয়ে দেওয়া হল স্বর্ণকুমারীকে। রবিকে তো প্রতি সংখ্যায় লিখতেই হবে আগের মতন।

আগে জোড়াসাঁকোর বাড়িতে রবির জন্য বরাদ্দ ছিল একখানি ঘর। বরিশাল থেকে ফিরে এসে সে দেখল, দোতলায় মিস্তিরি লেগে গেছে, রবির জন্য নিজস্ব একটি বৈঠকখানা ঘর প্রস্তুত হচ্ছে, সেইসঙ্গে একটু রান্নার জায়গা ও স্নানের জায়গা এবং খানিকটা বারান্দা। দেবেন্দ্রনাথের সন্তানরা বিবাহের পর এরকম একটি পৃথক মহলের অধিকারী হয়।

ঘরের মধ্যে মিস্তিরিরা ঘোরাঘুরি করলে লেখাপড়ার অসুবিধে হয় খুবই। তিনতলায় জ্যোতিরিন্দ্রনাথের মহলটা খালি পড়ে আছে, আগে রবি যখন-তখন ওখানেই চলে যেত, এখন একবারও যায় না। মিস্তিরিরা দেয়াল রং করছে, মেঝেতে ম্যাটিং আঁটছে, তারই একপাশে রবি চেয়ার-টেবিল পেতে প্রুফ দেখে। রাত্তিরে মশারি না টাঙিয়েই ঘুমিয়ে পড়ে। রবির স্ত্রী মৃণালিনী এখনও জ্ঞানদানন্দিনীর কাছে থেকে লরেটো স্কুলে পড়তে যাচ্ছে। সুরেন-

ইন্দিরার সমবয়েসী হলেও সে লেখাপড়ায় অনেক পিছিয়ে, তার ওই ইংরেজি স্কুলে যেতে ভালো লাগে না, রবিও এ কথাটা শুনেছে কিন্তু কোনও প্রতিক্রিয়া দেখায়নি। মৃণালিনী এখন এ বাড়িতে এসে কী করবে ? মেজো বউঠান তাকে মানুষ করতে চান, দেখুন চেষ্টা করে !

কাদম্বরী নেই, একসময় এই বাড়িতে কাদম্বরীই ছিলেন রবির প্রধান অবলম্বন, এখন তাঁর অনস্তিত্ব যে রবির মনে কতখানি শূন্যতা সৃষ্টি করেছে, তা সে নিজেই যেন জানে না। প্রকাশ্যে হুতাশের তো প্রশ্নই ওঠে না, বিরলেও রোদন করে না সে। আত্মঘাতিনী রমণী তার সংসারে কলঙ্ক দিয়ে যায়, সে জন্য তার প্রসঙ্গ তোলাই যেন এ বাড়িতে নিষিদ্ধ হয়ে গেছে, রবিও তা মেনে নিয়েছে। নিজেকে সে নানা কাজে ব্যস্ত রাখে।

তার মধ্যেও মাঝে মাঝে অন্যমনস্ক হয়ে যায় রবি। কাদম্বরীর শরীর সে শ্মশানে পুড়তে দেখেছে। যে-নারীকে ঘিরে ছিল রবির কত শত কবিতা, সেই বরবর্ণিনীকে পুড়িয়ে ছাই করে দিল আগুন, তবু রবির মনে হয়, তিনি আছেন, কোথাও না কোথাও রয়েছেন এখনও। বিশ্বাস-অবিশ্বাসের অনেক ঊর্ধ্বে এই অনুভূতি, এক এক সময় রবির মনে হয় মুখ তুলে তাকালেই সে দেখতে পাবে নতুন বউঠানের কৌতুক-হাস্য মাখা মুখখানি। রবির এই অন্যমনস্কতা অন্য কেউ লক্ষ করলেই সে সচেতন হয়ে যায়, জোর করে আবার মন দেয় কাজে।

রবির মুখে এখন নবীন তৃণের মতন অল্প অল্প দাড়ি, সাজ-পোশাকের দিকে মন নেই, ধুতির ওপর একটা উড়নি জড়িয়ে রাখে গায়ে। এক এক সময় সেই ভাবেই বেরিয়ে পড়ে রাস্তায়, থ্যাকার স্পিংসের দোকানে গিয়ে এক গাদা বই কেনে। প্রখ্যাত ঠাকুরবাড়ির কনিষ্ঠ পুত্রটি এরকম অতি সাধারণ পোশাকে পথ দিয়ে হেঁটে যাচ্ছে দেখে চেনাশুনো কেউ অবাক হয়ে থমকে দাঁড়ায়, রবি ভ্রুক্ষেপ করে না। মাঝে মাঝে স্নান করতে, খেতেও সে ভুলে যায়। ভৃত্যরা খাবার নিয়ে সাধাসাধি করলে সে সামান্য কিছু মুখে দিয়েই পাত্রটি সরিয়ে দেয়, আহারে তার একেবারেই রুচি নেই।

একমাত্র নিজের বইয়ের প্রুফ দেখার সময়ই রবির আর অন্য কোনও কথা মনে পড়ে না। কবিতাই তার আসল সত্তা, কবিতার মধ্যেই সে বসবাস করে। কবিতার এক একটি শব্দ তাকে ঘন্টার পর ঘণ্টা মাতিয়ে রাখে, আবার কোনও শব্দের সঠিক প্রয়োগ না হলে রক্তক্ষরণের মতন একটা যন্ত্রণা হয়, যতক্ষণ না মনোমতন একটা শব্দ আসে, ততক্ষণ সেই যন্ত্রণা থেকে নিষ্কৃতি নেই। প্রুফ দেখতে বসে রবি অনবরত কাটাকুটি করে, তখন তার বাহ্যজ্ঞান পর্যন্ত থাকে না ।

কাদম্বরীর মৃত্যুর ঠিক সাত দিন পর রবির বই বেরিয়েছিল 'প্রকৃতির পরিশোধ'। ছাপার কাজ সব আগেই শেষ হয়ে গিয়েছিল, উৎসর্গপত্রতে লেখা ছিল শুধু 'তোমাকে দিলাম', কিন্তু সে বই রবি নতুন বউঠানের হাতে তুলে দিতে পারেনি ! তখন কাদম্বরীর শ্রাদ্ধের ব্যবস্থা চলছে।

এর মধ্যে 'নলিনী' নামে আর একটা চটি নাটকের বই বেরিয়ে গেছে, তারপর ছাপা শুরু হয়েছে"শৈশব সঙ্গীত'। রবির কাব্যচর্চায় একেবারে শুরুর নিদর্শন কবিতাগুলি স্থান পেয়েছে এই বইতে। কয়েকদিন একটানা প্রুফ দেখার পর তার চিন্তা জাগল, এই গ্রন্থটি উৎসর্গ করা হবে কাকে? রবির যে সব বই-ই নতুন বউঠানকে দিতে ইচ্ছে হয়। মৃত কারুকে কি বই উৎসর্গ করা যায় ? তারপর সব বই একজনকে দিলে অন্যরা কেউ কিছু ভাববে ? সাঁটে লিখলেও সকলে বুঝে যায়। কিন্তু এই কবিতাগুলির সঙ্গে যে নতুন বউঠানের অবিচ্ছেদ্য সম্পর্ক!

রবি একটা সাদা কাগজে প্রথমে লিখল : এ কবিতাগুলিও তোমাকে দিলাম।

একটুক্ষণ সে দিকে তাকিয়ে থেকে সে আবার লিখল, বহুকাল হইল, তোমার কাছে বসিয়াই লিখিতাম, তোমাকেই শুনাইতাম।......তুমি যেখানেই থাক না কেন, এ লেখাগুলি তোমার চোখে পড়িবেই।

হঠাৎ কী মনে হল, কাগজপত্র সব ফেলে রেখে রবি তরতর করে সিঁড়ি বেয়ে উঠে এল তিনতলায়। শিকল খুলে সে হাট করে ছিল দরজা। কাদম্বরী চলে যাবার পর রবি আর এখানে আসেনি। ভাঙা কাচগুলি শুধু পরিষ্কার করা হয়েছে, তা ছাড়া পাশাপাশি ঘর দুটি যেমন যেমন সাজানো ছিল তেমনই আছে। বাগানের দিকে যে জানলা, সেই জানলার পাশে কাদম্বরী প্রায়ই বসে থাকতেন। পালঙ্কটিতে এখনও বিছানা পাতা রয়েছে। টেবিলের ওপর রবিরই বই, 'বউঠাকুরাণীর হাট' অর্ধেক খোলা।

রবি অস্ফুট স্বরে ডাকল, নতুন বউঠান !

বিকেল শেষ হয়ে এসেছে, ঘরের মধ্যে একটু একটু অন্ধকার। অনেক দিন এ মহলে আর বাতি জ্বলে না।

রবি এ-ঘর ও-ঘর ঘুরতে লাগল, হাত বুলোতে লাগল নানান আসবাবে, আর মাঝে মাঝে ডাকতে লাগল, নতুন বউঠান, নতুন বউঠান!

রবির মনের একটা অংশ জানে, কেউ সাড়া দেবে না। সে যে শ্মশান দেখে এসেছে। তবু তার ডাকতে ইচ্ছে করছে। মনের অন্য একটা অংশ যেন বলছে, অসম্ভবের পরেও তো আরও অসম্ভব থাকে, সেই চরম অসম্ভব কি কখনও বাস্তব-সম্ভব হয় না ?

বারান্দায় সার-সার ফুলগাছের টব। এই সব গাছ কাদম্বরীর নিজের হাতে লাগানো, এর মধ্যে অনেক গাছ শুষ্ক, বিবর্ণ হয়ে গেছে, অনেকদিন কেউ জল দেয় না। রবিকে দেখে কয়েকটি গাছ যেন দুলে দুলে অভিযোগ জানাতে লাগল। স্নানের ঘরের একটা গামলায় এখনও পুরনো জল রয়ে গেছে, তার ওপর পাতলা ধুলোর সর পড়েছে। হয়তো এই জলেই কাদম্বরী শেষবার স্নান করেছিলেন। জ্যোতিদাদাও তো তারপর আর একদিনও এখানে থাকেননি।

সেই গামলাটি ধরে এনে রবি সব টবে একটু একটু জল দিল। এই গাছগুলিতে কাদম্বরীর হাতের স্পর্শ আছে, এক একটা গাছে হাত বুলিয়ে রবি সেই স্পর্শ পেতে চায়। এই বারান্দায় কত হাসি, কত গান, কত কৌতুকের স্মৃতি। কখনও একসঙ্গে অনেকে মিলে, বিহারীলাল চক্রবর্তী থেলো হুঁকো টানতেন অনবরত, সেই হুঁকো টানতে টানতেই নতুন কবিতা পাঠ করে শোনাতেন। অক্ষয় চৌধুরী চুরুটের ছাই ছড়াতেন চতুর্দিকে, জ্যোতিদাদা পা ছড়িয়ে লম্বা হয়ে শুয়ে বলতেন, রবি, সেই গানটা ধর তো, মূলতান আড়খেমটা, 'বুঝি বেলা বহে যায়, কাকনে আয় তোরা আয়..... ।'

আর এক একদিন, প্রায়ই, অন্য কেউ থাকত না, শুধু রবি আর নতুন বউঠান, এই নন্দনকানন ভরে যেত কুসুম গন্ধে। কাদম্বরীর বিকেলবেলাও স্নান করা চাই, ভিজে চুল, ভিজে ভুরু, কানের লতিতে আতর ছোঁয়ানো....

রবি আস্তে আস্তে শুয়ে পড়ল সেখানে। আবার ডাকল, নতুন বউঠান, তুমি আর আসবে না !

সারা রাত রবি শুয়ে রইল সেই বারান্দার মেঝেতে। মাঝখানে ঝেঁপে বৃষ্টি এল একবার, রবির সর্বাঙ্গ ভিজিয়ে দিল, তবু সে উঠল না। মাঝে ঘুম ও জাগরণ, নতুন বউঠান আসবেন না সে জানে, তবু এখানে শুয়ে থাকতে তার ভালো লাগছে, সে যেন নতুন বউঠানের অতীন্দ্রিয় স্পর্শ পাচ্ছে।

সকালের দিকে রবির গায়ে জ্বর এসে গেল, তবু তার মনে একটা খুশি খুশি ভাব। নীচে নেমে গিয়ে, জ্বর অগ্রাহ্য করে সে মেতে গেল কাজে।

জ্বরটা অবশ্য সহজে ছাড়ল না, দু'দিন বাদে রবিকে শয্যা নিতে হল। কিন্তু তার মন থেকে যেন একটা পাষাণ ভার নেমে গেছে। সেদিন বারান্দায় শুয়ে থেকে একটা নতুন উপলব্ধিও হয়েছে তার। নতুন বউঠানের বিচ্ছেদ এখনও সে কল্পনা করতে পারে না। তিনি অত্যাগসহন, তবু তিনি যেন মুক্তি দিয়ে গেছেন রবিকে। শেষের দিকে, কাদম্বরীর একাকিত্ব তাঁর মন-খারাপ দেখে রবির অপরাধবোধ হত, কিন্তু কাদম্বরীর অঞ্চল ছায়া ছেড়ে বাইরের জগতে যাবার জন্য যে রবির ডাক এসে গেছে, এই দু' দিক সে সামলাতো কী করে ? নতুন বউঠান আর বাস্তবে নেই, স্মৃতির মধ্যে নতুন বউঠান এখন   যেন আরও প্রিয় হয়ে উঠেছেন।

শুয়ে শুয়ে একটা বই পড়ছে রবি। খুট করে একটা শব্দ শুনে সে চোখ তুলে তাকাল। দরজার কাছে দাঁড়িয়ে আছে একটি কিশোরী, জবরজং শাড়ি পরা, তাকে দেখাচ্ছে একটি রঙিন পুঁটুলির মতন। এ কে ?

একটু নজর করেই রবি বুঝল, এ তো তারই বিবাহিতা পত্নী ! ভালো করে এখনও পরিচয়ই হয়নি এর সঙ্গে। মৃণালিনীর মুখে ভিতু ভিতু ভাব, আড়ষ্ট হয়ে দাঁড়িয়ে আছে দরজার সামনে, যেন ভেতরে আসতে সাহসই করছে না।

রবি জিজ্ঞেস করল, তুমি ? তুমি কখন এলে ?

মৃণালিনী কাঁপা কাঁপা গলায় বলল, আমাকে বলুদাদা নিয়ে এল। আমার ও বাড়িতে থাকতে আর ভালো লাগে না।

রবি বলল, কেন, ভালো লাগবে না কেন ? ওঁরা সবাই তোমাকে ভালোবাসেন ! তা ছাড়া ইস্কুল যাওয়ার সুবিধে ওখান থেকে।

মৃণালিনী বলল, আমার ইস্কুল ভালো লাগে না !

রবি হাসল। সে নিজে ইস্কুল-পালানো ছেলে। তার স্ত্রীও কি সেইরকমই হবে ? ইস্কুল বিষয়ে উপদেশ দেওয়া কি তার সাজে ? তবু সে বলল, তা বললে কী হয় ! বিবি, সরলা এরা সবাই ইস্কুলে যায়....

মৃণালিনী তাড়াতাড়ি বলে উঠল, ইস্কুল এখন ছুটি !

রবি জিজ্ঞেস করল, এখন কিসের ছুটি? এই তো সামার ভ্যাকেশন শেষ হল !

মৃণালিনী বলল, তা জানি না। এখন ছুটি। হ্যাঁ, সত্যি ছুটি, ছুটি।

রবি পালঙ্ক থেকে নেমে এল দরজার কাছে। বালিকা-বধূর সামনে দাঁড়িয়ে রইল কয়েক মুহূর্ত। বিয়ে করেছে, তবু এই মেয়েটিকে সে এখনও চেনে না। এই মেয়েটির তো কোনও দোষ নেই। ওরও হয়তো অনেক স্বপ্ন আছে তাকে ঘিরে।

রবি আঙুল দিয়ে তার থুতনি তুলে বলল, ছুটি, ছুটি, ভারি মিষ্টি শোনাচ্ছে তোমার গলায়। আজ থেকে তোমার ডাকনাম দিলাম ছুটি।

॥ ৪১ ॥

ভবানীপুর অঞ্চলের তুলনায় উত্তর কলকাতায় হরি ঘোষের নামের রাস্তাটির পরিবেশের অনেক তফাত। ভবানীপুরের ফাঁকা ফাঁকা জায়গায় এক একটি বাড়ি, প্রত্যেক বাড়ি সংলগ্ন কিছুটা বাগান, নিরালা পথে গাড়ি-ঘোড়া চলে কম, মাঝে মাঝে এঁদো পুকুর ও ঝোপজঙ্গল। আর উত্তর কলকাতা জনবহুল, গা ঘেঁষা-ঘেঁষি বাড়ি, রাস্তা দিয়ে অনবরত হেঁকে যাচ্ছে হরেক রকমের ফেরিওয়ালা, এক বাড়ির জানলায় দাঁড়িয়ে স্ত্রীলোকেরা চেঁচিয়ে চেঁচিয়ে অন্য বাড়ির জানলার সঙ্গে হেঁশেলের আলোচনা করে।

সকালবেলা ছোট্ট একটি ঝুল বারান্দায় দাঁড়িয়ে ভরত পথের অবিরাম লোক চলাচল দেখে। এখানে এসে সে কলকাতা শহরটিকে নতুনভাবে চিনছে। ভোর থেকেই গোয়ালা, মাছওয়ালা, মুড়িওয়ালারা প্রতিটি বাড়ির সদরে এসে ডাকাডাকি করে। অধিকাংশ মানুষই পরস্পরকে চেনে, নাম ধরে ডাকে, মুখোমুখি দাঁড়িয়ে একটুক্ষণ খোসগল্প করে। কিছু কিছু রমণীকেও পায়ে হেঁটে যেতে দেখা যায়, তারা অবশ্য সাধারণ গৃহস্থ বাড়ির নয়। কেউ আলতা দাসী, কেউ কাচের চুড়ি বিক্রি করে, আবার দু'তিনজন একসঙ্গে হেদোর পুকুরে স্নান করে এই পথ দিয়ে কোথায় যায়, কে জানে!

ভরতের এই বারান্দা থেকে একটু দূরে একটি বিশাল অট্টালিকা দেখা যায়। যাঁর নামে এই রাস্তা, সেই হরি ঘোষের বাড়ি। তিনি গত হয়েছেন বহু বৎসর আগে। ইস্ট ইন্ডিয়া কোম্পানির মুঙ্গের দুর্গের দেওয়ান ছিলেন এই হরি ঘোষ, যেমন প্রচুর অর্থ উপার্জন করেছেন, তেমনই স্বভাবটি ছিল দিলদরিয়া। দূর দূর গ্রামাঞ্চল থেকে এসে গরিব ছাত্ররা তাঁর কাছে আশ্রয় চাইলেই তিনি নিজের বাড়িতে রেখে দিতেন। আবার ছাত্র সেজে বহু ফেরেব্বাজও বিনি পয়সায় থাকা খাওয়ার সুযোগ নিত এখানে। ও বাড়ির মস্ত বড় বৈঠকখানায় তিরিশ-চল্লিশটা হুঁকোয় তামাক পুড়ত অনবরত। লোকে তাঁর বৈঠকখানার নাম দিয়েছিল হরি ঘোষের গোয়াল। এখন অবশ্য শরিকী বিবাদে সে রকম বোলবোলাও আর নেই, ছাত্ররাও আশ্রয় পায় না, প্রাসাদটির দেওয়াল থেকে খসে পড়ছে চলটা।

ভরত বারান্দায় দাঁড়িয়ে মানুষজন দেখে, কিন্তু সে নিজেও যে বিশেষ দ্রষ্টব্য, তা সে জানে না। সে একজন সুঠাম, স্বাস্থ্যবান তরুণ, তার সম্পর্কে পাড়াপড়শিদের কৌতূহল তো থাকবেই। সে কোথা থেকে এল, তার পিতৃপরিচয়, জাত-ধর্ম এসব না জানলে যেন অন্যদের স্বস্তি নেই। আশপাশের বাড়ির জানলার ফাঁক-ফোকর কিংবা ছাদের কার্নিশের আড়ালে দাঁড়িয়ে মেয়েরাও তাকে লক্ষ করে। নতুন ভাড়াটে নিজেই যেচে কাছাকাছি বাড়ির লোকদের সঙ্গে আলাপ-পরিচয় করে, এটাই নিয়ম, কিন্তু ভরত সে নিয়ম জানে না, অচেনা লোকদের সঙ্গে তো চট করে কথা বলতেও পারে না।

মাসখানেকের মধ্যে ভরত তার নতুন সংসার কোনওক্রমে গুছিয়ে নিয়েছে। আসবাবপত্র তার কিছুই নেই, একটি ঘরের মেঝেতে সতরঞ্চির ওপর একখানা বালিশ, এই তার বিছানা। অন্য ঘরটিতে একটি মাদুর পাতাই থাকে সব সময়, বাইরের কেউ এলে এখানে বসে। রান্নার সামান্য কিছু সরঞ্জাম কিনে নিয়েছে সে। লেখাপড়ার জন্য একটি টেবিলের অভাব সে খুব

অনুভব করে, হাতে কিছু পয়সা জমলে টেবিল ও একখানা অন্তত চেয়ার কিনতে হবে। রান্না ও গৃহকর্মের জন্য সে মহিম নামে একটি লোককে প্রথমে এনে নিযুক্ত করেছিল, কিন্তু সে অতি ধড়িবাজ চোর। এক টাকার বাজার করতে দিলে তার থেকে এক সিকি সরাত, তার ওপর আবার বেড়ালে মাছ খেয়ে গেছে বলে ভরতকে প্রায়ই মাছ দিত না। এর মধ্যে শশিভূষণ একবার পরিদর্শনে এসে মহিমকে বরখাস্ত করে গেছেন, এখন ভরত নিজেই রান্না করে নেয়। একটা সুবিধে এই যে বাইরে থেকে জল আনতে হয় না, এ বাড়িতে কলের জলের ব্যবস্থা আছে।

একতলায় মশলার গুদাম, দিনের বেলা লোকজন থাকে সেখানে, ভরত তখন সিঁড়ির দরজাটা বন্ধ করে রাখে। চাকরি-বিচ্যুত মহিম এর মধ্যে একদিন চুপিসারে ঢুকে পড়ে রান্নাঘর থেকে থালা-বাসন সরাবার উপক্রম করেছিল। ভরত দেখে ফেলার পর তাড়া করতেই সে পালাল বটে, কিন্তু তার উপদ্রব থেকে সহজে নিস্তার পাওয়া যাবে না, তা বোঝা যাচ্ছে। মাঝে মাঝে দু একটি ফেরিওয়ালাও উঠে এসে সিঁড়ির দরজায় ধাক্কা দেয়। আগের ভাড়াটে এদের কাছ থেকে নিয়মিত জিনিসপত্র কিনত, সুতরাং ভরতকেও কিনতে হবে, এই তাদের দাবি। আগে ছিল সাত-আটজনের একটি পরিবার, কোনওরকমে মাথা গুঁজে থাকত এই দুটি ঘরে, আর ভরত মোটে একা। তা ছাড়া তিলকুটো-চন্দ্রপুলি-নারকোল নাড়ু কিংবা কাশীর বেগুন আর রাঁচির ফুলকপি তার কতই বা লাগতে পারে!

ভরতের কলেজের বন্ধুরা আসে মাঝে মাঝে, এক চমকপ্রদ আগন্তুকও এসে পড়েছিল একদিন।

এ বাড়িতে এসে পড়াশুনোর প্রতি মনোযোগ অনেকটা নষ্ট হয়ে গেছে ভরতের। সব সময় তার মনের মধ্যে একটা অপরাধবোধ কাজ করে। সেই বোধের জন্য যেন তিলে তিলে দগ্ধ হচ্ছে তার অন্তঃকরণ। সে ভূমিসূতাকে কিছুই না জানিয়ে বিদায় নিয়ে চলে এসেছে। অথচ সে কথা দিয়েছিল সব রকম বিপদে-আপদে ভূমিসূতার পাশে দাঁড়াবে। ভূমিসূতা নিশ্চয়ই ভাববে যে, সেই অঙ্গীকার রক্ষা করার সাহস নেই ভরতের, সে পালিয়ে এসেছে কাপুরুষের মতন!

ভূমিসূতার সঙ্গে দেখা করার যে কোনও উপায় নেই তার। এর মধ্যে শশিভূষণের কাছ থেকে সে শুনেছে যে ভূমিসূতা এখন ত্রিপুরার মহারাজের জন্য সার্কুলার রোডের ভাড়াবাড়িতে নিযুক্ত হয়েছে পরিচারিকা হিসেবে। ভবানীপুরের বাড়িতে যদি বা গোপনে কোনওক্রমে সাক্ষাৎ করার চেষ্টা করা যেতে পারতো, মহারাজের বাড়ি তো সিংহের গুহা! ত্রিপুরা থেকে কর্মচারি এসেছেন কয়েকজন, তাঁরা ভরতকে দেখলেই চিনতে পারবেন এবং আঁতকে উঠবেন। ভরতের তো বেঁচে থাকার কথাই নয়!

ভরতের আরও একটা ভয়, মহারাজই তো স্বয়ং একটি সিংহ, তিনি নিজেই ভূমিসূতাকে গ্রাস করে ফেলতে পারেন। মহারাজ সুন্দরের উপাসক, সুন্দরী যুবতীদের তিনি আপন করে নিতে চান। ভরতের মনে আছে, দু একটি রূপসী দাসীকেও মহারাজ এসময় রক্ষিতার সম্মান দিয়েছিলেন, রাজবাড়িতে যাদের বলে কাছুয়া। ভরতের মাও ছিলেন সেইরকমই একজন। ভূমিসূতা গান জানে, নাচতে জানে, দৈবাৎ যদি তার এই সব গুণ মহারাজের কাছে প্রকাশ হয়ে পড়ে, তা হলে আর রক্ষা নেই! ভূমিসূতাকে মহারাজের নিভৃত কক্ষে দণ্ডায়মান অবস্থায় দৃশ্যটি কল্পনা করা মাত্র, ভরতের রক্ত চঞ্চল হয়ে ওঠে।

অথচ শশিভূষণকে যে মুখ ফুটে কিছুই বলতে পারে না ভরত। শশিভূষণ এর মধ্যে একবার মাত্র এসেছিলেন এ বাড়িতে। তিনি ভরতকে তাঁর সঙ্গে দেখা করতে নিষেধ করেছেন, তিনি নিজেই সময়-সুযোগমতন খোঁজ নিতে আসবেন। ভূমিসূতাকে যে এর মধ্যে সার্কুলার রোডের বাড়িতে স্থানান্তরিত করা হবে, তা কল্পনাও করতে পারেনি ভরত!

ভবানীপুরের বাড়িতে মণিভূষণের লুব্ধ দৃষ্টি থেকে ভূমিসুতাকে রক্ষা করার জন্য নজর রাখতেন মণিভূষণের স্ত্রী, কিন্তু মহারাজের গ্রাস থেকে তাকে রক্ষা করবে কে ? ভরতের পক্ষে অগম্য এক প্রাসাদে যেন বন্দিনী হয়ে রয়েছে ভূমিসূতা। সে প্রাসাদ যে কেন ভরতের কাছে অগম্য, ভূমিসূতা তাও তো জানতে পারবে না!

শশিভূষণকে কী বলবে ভরত? সে এখনও বেঁচে আছে শশিভূষণের কৃপায়। তার নিজস্ব উপার্জন কিচ্ছু নেই, শশিভূষণ এই সংসার পাতা ও কলেজে পড়ার খরচ না দিলে তাকে রাস্তার কাঙালিদের মধ্যে আশ্রয় নিতে হত।

বইয়ের পৃষ্ঠা খোলা থাকে, ভরতের মাঝে মাঝে মনে হয়, আর কলেজে লেখাপড়া শিখে কী হবে ? তার বদলে চাকরি খোঁজাই উচিত। স্বাবলম্বী হতে না পারলে তার ইচ্ছের কোনও স্বাধীনতাও থাকতে পারে না। পরাশ্রয়ী পুরুষের আবার পৌরুষ কী ?

এক সন্ধেবেলা ভরত কাঠের উনুন জ্বালিয়ে একটা কেতলিতে জল গরম করার জন্য চাপাল। ইদানীং তার খুব চায়ের নেশা হয়েছে, সে ঘন ঘন চা খায়। চায়ে খিদে কমে। বন্ধুরা কেউ এলে ভরতের বানানো চায়ের তারিফ করে। জল ফুটে উঠলে ভরত কেতলির মধ্যেই খানিকটা দুধ, চায়ের পাতা আর চিনি ফেলে দেয়, তারপর গেলাসে ঢালার সময় ছেঁকে নেয় এক টুকরো ন্যাকড়ায়। এক একবারে তার তিন গেলাস চা হয়।

হারিকেন জ্বালেনি ভরত, বাড়ির কাছেই রাস্তায় একটা গ্যাসের বাতি জ্বলে, তার খানিকটা আভা আসে তার ঘরে। পড়াশুনো করার সময় ছাড়া অন্যসময় হারিকেন না জ্বেলে ভরত কেরোসিনের খরচ বাঁচায়।

হঠাৎ একটা শব্দ শুনে ফিরে তাকাতেই ভরতের বুক কেঁপে উঠল। দরজার কাছে দাঁড়িয়ে আছে একটি মানুষের মতন ছায়ামূর্তি। মানুষ, না অন্য কিছু? মানুষ কী করে হবে, মানুষ কী করে আসবে এখানে ? একটু আগে ভরত নিজের হাতে দোতলায় ওঠার সিঁড়ির দরজা বন্ধ করে দিয়ে এসেছে। টিনের দরজা, খোলা-বন্ধ করার সময় ঝ্যান ঝ্যান শব্দ হয়। সে রকম শব্দও শোনা যায়নি।

ভরতের একমাত্র অস্ত্র একটা দরজার আলগা খিল। মাঝে মাঝে বেড়াল তাড়াবার জন্য সেটা ব্যবহার করতে হয়। দুর্বল গলায় কে ? কে ? বলতে বলতে ভরত খিলটা খুঁজতে লাগল।

ছায়ামূর্তি ঘরের মধ্যে ঢুকে এসে বলল, নমস্কার গো দাদা, নমস্কার। ভালো চ্যায়ের গন্ধ পেয়ে চলে এলুম গো !

এবারে ভরত দেখতে পেল, একটি বেশ রোগা আর লম্বা লোক তার দিকে তাকিয়ে হাসছে। ভূত-প্রেত যদি না হয়, তাহলে ভরতের সঙ্গে গায়ের জোরে সে পারবে না।

লোকটি বলল, কী গো ! ভয় পেলে নাকি গো দাদা?

ভরতের ভয় কমে গেছে কিন্তু বিস্ময়ের ঘোর কাটছে না। সে জিজ্ঞেস করল, আপনি কে? এখানে এলেন কী করে ?

লোকটি বলল, বাঃ ! নেতাইবাবু আপনাকে বলে যায়নি ? আমি তো মাঝে মাঝেই আসি।

—নিতাইবাবু কে ?

—আগের যিনি ভাড়াটে ছিলেন, আমায় বড্ড স্নেহ করতেন গো! তেনার পত্নীকে আমি বড় মামি বলে ডাকতুম। পাশের বাড়িতেই থাকি তো, পিঠোপিঠিও বলতে পারেন।

—আপনি কী করে এলেন, সেটাই আমি বুঝতে পারছি না।

—ওঃ হো, সেটা বোঝেননি বুঝি ? ছাদ টপকে চলে আসি, বেশ সুবিধে হয়।

—এ বাড়িতে তো ছাদ নেই !

—কী যে বলেন, দাদা, ছাদ ছাড়া কি বাড়ি হয় ? ছাদের সিঁড়ি নেই, তাই বলুন। ন্যাড়া ছাদ। আমার বাড়ি থেকে এক পা বাড়ালেই এ বাড়ির ছাদ, তারপর পাঁচিলের খাঁজে পা দিয়ে আপনার ভেতর-বারোন্ডায় নামা তো খুব সোজা। যাবার সময় দেখিয়ে দেবোখন। তা দাদা একটু চ্যা খাওয়াবেন না ?

ভরত হারিকেনটি জ্বালল। লোকটির বয়েস তিরিশের বেশি নয়, রং বেশ ফর্সা, খাড়া নাক, দাড়ি গোঁফ নেই, মাথার সামনের দিকটা কামানো, পেছন দিকে গোছা করে টিকি। গায়ে জামা নেই, ধুতির খুঁটটাই জড়ানো, ঠোঁটে একটা স্থায়ী হাসি আঁকা।

ভরত আর একটি গেলাসে চা ঢালল। তাতে সুরুত সুরুত করে চুমুক দিয়ে লোকটি বলল, আঃ ! বড় ভালো, বড় ভালো, খেয়ে যেন প্রাণটা জুড়োল। আমাদের বাড়িতে চ্যা হয় না, কী দুঃখের কথা দাদা বলবো আপনাকে, বাড়িতে ইচ্ছেমতন কিছু খেতে পারি না। কথায় কথায় গিন্নির মুখঝামটা। আমার নাম বাণীবিনোদ ভট্টচার্যি, ঠাকুর্দার দেওয়া নাম, পাড়ার লোকে অবশ্য আমায় ঘন্টা ভট্চাজ বলে, পুরুতগিরি করে খাই তো ! এ পাড়ার ছোঁড়ারা আমায় মান্যি করে না, কিন্তু যজমানদের কাছে খুব ভক্তি-শ্রদ্ধা পাই, বুঝলেন, কায়স্থবাড়ির মোটা মোটা বাবুরা আমার পায় হাত দিয়ে পেন্নাম করে। শোভাবাজারে যে বসাকদের বাড়ি আছে, সে বাড়ির গিন্নি আমার পা ধোওয়া জল পর্যন্ত খায় ! তবেই বুঝুন !

এই অনাহূত অতিথিটিকে পছন্দ-অপছন্দ করার কোনও প্রশ্নই নেই। নিজের থেকেই সে গলগল করে কথা বলে যেতে লাগল এবং একটু পরেই সে আর এক গেলাস চা দাবি করল। লোকটির কথা বলার ভঙ্গিতে বেশ কৌতুক বোধ করা যায়, ভরতের শুনতে খারাপ লাগছে না।

রান্নাঘরের কল খুলে ভরত কেতলিতে জল ভরতে যেতেই পুরুত ঠাকুরটি আঁতকে উঠে বলল, আরি সর্বনাশ ! আগেরবারের চাও এই জল দিয়ে বানিয়েছিলেন ? আপনি আমার জাত মেরে দিলেন যে গো দাদা, হায় হায় হায়, এমন জানলে কি খেতুম গো ! এর চেয়ে যে বিষ খাওয়া ভালো ছিল। ম্লেচ্ছদের জল খেতে হল বামুনের ছেলেকে!

ভরত ঘাবড়ে গিয়ে বলল, ম্লেচ্ছদের জল মানে ?

বাণীবিনোদ খেঁকিয়ে উঠে বলল, তাও বোঝেন না ? সাহেব ব্যাটারা তো হিঁদুদের জাত মারবার জন্যই ঘরে ঘরে এই জল পাঠাচ্ছে। আর মনে মনে বলছে, খা শালারা, এই গরু শুয়োরের চর্বি মেশানো জল খা ! এই জল খেয়ে নরকে যা !

ভরত বলল, কলের জল পাঠাবার ব্যবস্থাটা সাহেবরা করেছে বটে, কিন্তু তাতে গরু-শুয়োরের চর্বি মেশানো থাকবে কেন ? দেখুন না,পরিষ্কার জল।

—পরিষ্কার না ছাই ! ফিটকিরি দিয়ে দেয়, এই জল তোলে কোথা থেকে তা জানেন ? পলতা থেকে। কেন, আমাদের আহিরীটোলায় গঙ্গা নেই ? ম্লেচ্ছ ব্যাটারা পলতার কাছ থেকে গঙ্গাজল তোলে, তার কারণ ওখানে গো-ভাগাড় আছে। সব ষড়যন্ত্র বুঝলেন, ষড়যন্ত্র !

—ভটচার্যিমশাই, আমি খবরের কাগজে একটা আর্টিকেল পড়েছি। গঙ্গার জল এখানে নোনতা, একমাত্র পলতার কাছেই জলে নুনের ভাগ কম, সাহেবেরা টেস্ট করে দেখেছে, তাই ওখান থেকে জল তোলার ব্যবস্থা হয়েছে।

—ওসব বুজরুকি, বুঝলেন ! লম্বা লম্বা পাইপে করে যে জল আনে, সেই পাইপগুলো জোড়ো মুখে গরুর চর্বি দেয় কিনা, তা আপনার ওই আর্টিকেলে লেখেনি ?

—প্রথম প্রথম দিত বোধহয়। এখন দেয় না

—আপনার দেশ কোথায় ? কলকাতার মানুষ যে নন, তা তো বুঝতেই পারছি।

—আমার বাড়ি......আমার বাড়ি আসামে।

—বাঙাল দেশের ওপারে তো ! বাঙাল দেশের ছেলেরা জাত ধম্মো মানে না, কলকাতায় এসে শোর-গরু খায়, মদ গেলে, আবার দেশে ফিরে সাধু সাজে।

— আপনি তো আগের ভাড়াটেদের কাছেও চা খেতে আসতেন ।

— তখন এসব কল মল ছিল না। বাড়িওলা নতুন জলের লাইন নিয়েছে, তাতে আমাদের বাড়িসুদ্ধু অপবিত্র হয়ে গেছে ।

—ভটচার্যিমশাই, আপনার তা হলে গঙ্গার জলের পবিত্রতায় বিশ্বাস নেই ? আমি তো শুনেছিলাম, গঙ্গার জলে সব কিছু শুদ্ধ হয়ে যায়। কত পাপী-তাপী উদ্ধার পায়, আর এই ম্লেচ্ছদের বসানো পাইপ শুদ্ধ হবে না ?

এবারে বাণীবিনোদ ভট্টাচার্য এক গাল হেসে বলল, এটা আপনি ঠিক বলেছেন দাদা ! পলতার ঘাট হোক আর আহিরীটোলার ঘাট হোক, গঙ্গার জল হচ্ছে শিবের জটা থেমে নেমে আসা মা জাহ্নবীর জল। কত গরু-মোষ-মানুষের মড়া এই জলে ভেসে যায়। নিন, আবার চা বসান।

এরপর প্রায়ই সন্ধের দিকে চায়ের লোভে বাণীবিনোদ ছাদ টপকে আসে ভরতের কাছে। এই বয়েসেই তার দুটি স্ত্রী ও সাতটি সন্তান ; তার মধ্যে প্রথম স্ত্রী ও চারটি সন্তান থাকে হালিশহরে, কলকাতায় দ্বিতীয় সংসার। লোকটি লেখাপড়া বিশেষ শেখেনি, সংস্কৃত উচ্চারণ শুদ্ধ নয়, কিন্তু টুকটুকে ফর্সা চেহারা, মাথায় অত বড় শিখা, গলায় ধপধপে পৈতে, তার ওপর নামাবলি গায়ে দিলে বেশ আকর্ষনীয় ব্যক্তিত্ব মনে হয়। কলকাতার অনেক ধনী পরিবারে তার যাতায়াত আছে, একমাত্র পুরুতঠাকুরের পক্ষেই যে কোনও রক্ষণশীল হিন্দু পরিবারের একেবারে অন্দরমহলে প্রবেশ করা সম্ভব। অভিজাত অসূর্যম্পশ্যা রমণীরাও এই একটি পুরুষ মানুষের কাছাকাছি বসার অধিকার পায়। সেই সব অন্দরমহলের অনেক রসালো কাহিনী জানে বাণীবিনোদ। ভরত শুনতে না চাইলেও তার কোনও উপায় নেই, বাণীবিনোদ বলে যাবেই।

দুটি সংসার চালাবার জন্য বাণীবিনোদ পয়সা উপার্জনের কোনও পন্থাই ছাড়ে না। ভরত একদিন শুনে আশ্চর্য হল যে, পুরুতগিরির একটি উপরি আয়ের পন্থা হল চিঠি চালাচালি করা। অন্তঃপুরের অনেক রমণীই স্বামীসোহাগ বঞ্চিতা, তাদের কারুর কারুর উপপতি থাকে, কোনও কোনও গৃহিণী স্বামীকে লুকিয়ে সোনা-দানার বন্ধকী কারবার করে, বাইরের সঙ্গে যোগাযোগের জন্য সবচেয়ে নির্ভরযোগ্য উপায় হচ্ছে পুরুতঠাকুরের মারফত চিঠি বা জিনিসপত্র আদান-প্রদান। কোনও এক মিত্তিরবাড়ির কর্তামশাই প্রায়ই ইয়ার-বক্সিদের নিয়ে বহরমপুরে যান, তিন-চারদিন ফেরেন না, সে বাড়ির তরুণী বধূটি সেই সময় পুরুতের হাতে তার প্রেমিকের কাছে চিঠি পাঠায়, সেই কটি রাত প্রেমিকপ্রবরই কর্তামশাইয়ের খাট দখল করে থাকে।

এই সব শুনতে শুনতে ভরতের মাথায় একটি চিন্তার উদয় হয়। সে জিজ্ঞেস করল, ভটচার্যিমশাই, আপনার কি সব যজমান বাঁধা ? নতুন যজমান নেন না ?

বাণীবিনোদ বলল, বাঁধা যজমানে তেমন লাভ নেই রে, দাদা ! যাদের বাড়িতে বিগ্রহ আছে, তাদের বাড়ি রোজ ঘন্টা নেড়ে, ফুল-বেলপাতা ছিটিয়ে এলে মাসে মোটে দু তিন টাকা দেয়। বিয়ে-পৈতে-শ্রাদ্ধ কাজ পেলে তবে না মোটা কিছু আসে ! সে রকম আর কটা হয় !

ভরত বলল, কলকাতায় অনেক রাজা-মহারাজা এখন বাড়ি করছেন। জয়পুরের রাজা, মহীশূরের রাজা, পাতিয়ালার রাজা, এঁদের কত বড় বড় বাড়ি, কত মানুষজন, কিছু না কিছু তো লেগেই থাকবে সেখানে। সে রকম কোনও রাজবাড়িতে কাজের ব্যবস্থা করতে পারেন না?

বাণীবিনোদ বলল, সে রকম পেলে তো বর্তে যাই। তবে কি জান, কলকাতা শহরে আমার মতন পুরুত তো কম নেই ! এক ফোঁটা রসের গন্ধ পেলেই সব শালা মাছির মতন ঝাঁক বেঁধে সেদিকে ছোটে। এই তো গত বেস্পতিবারে জানবাজারে রাণী রাসমণির বাড়িতে বামুন খাওয়াল। অবারিত দ্বার, বুঝলে, যার গলায় পৈতে থাকবে, সেই গেলে খেতে পাবে, দক্ষিণে পাবে। গিয়ে দেখি কী, ওরে বাপ রে বাপ, গলায় মোটা মোটা পৈতে ঝুলিয়ে প্রায় হাজার খানেক বামুন গিয়ে সেখানে পাত পেতে বসেছে। দেখে তো আমার চক্ষু চড়কগাছ ! এত বামুনের সঙ্গে কমপিটিশান, দিন দিনই তো আমার কাজ কমে আসবে, মাগ-ছেলেপুলেকে খাওয়াব কী ?

ভরত বলল, আমি আপনাকে একটা খবর দিতে পারি। ত্রিপুরার মহারাজ কলকাতায় সদ্য সদ্য একটা বাড়ি নিয়েছেন। মহারাজের দেবদ্বিজে খুব ভক্তি। আপনি দেখুন না। যদি সেখানে কোনও কাজ পান।

বাণীবিনোদ বলল, কেমন দরের মহারাজ ? ত্রিপুরাটা আবার কোথায় ?

ভরত বলল, ত্রিপুরা একটা স্বাধীন রাজ্য, আপনি নামই শোনেননি ? মহারাজ খুব দিলদরিয়া, আপনার ওপর সন্তুষ্ট হলে হয়তো আপনাকে নিজের হাত থেকে হীরের আংটি খুলে দিয়ে দেবেন।

বাণীবিনোদ এবার উৎসুক হয়ে বলল, কোথায় ? সে বাড়িটা কোথায়? তা হলে একবার চেষ্টা করে দেখতে হয়। এনারা কি বাংলায় কথা বলেন ?

ভরত বলল, হ্যাঁ। বাংলা তো বটেই। মহারাজ বৈষ্ণবপদাবলি পড়তে ভালোবাসেন, কিছু মুখস্থ করে নেবেন।

বাণীবিনোদ বলল, তবে তো মার দিয়া কেল্লা ! আমি চণ্ডীমঙ্গল গড়গড় করে মুখস্থ বলতে পারি, শুনবে ?

ভরত ধরেই নেয়, বাণীবিনোদ ভট্টাচার্য সার্কুলার রোডের বাড়িতে পুরোহিত হিসেবে নিযুক্ত হবে এবং অন্দরমহলের প্রবেশ অধিকার পেয়ে যাবে। তা হলে ভূমিসূতার সঙ্গে ওর দেখা হবে অবশ্যই। ভবানীপুরের বাড়িতে ভূমিসূতাই এক সময় ঠাকুরঘর সাজাত, ভোরবেলা পুজোর ফুল তুলতে যেত বাগানে। শশিভূষণ জানেন সে কথা। রাজবাড়িতেও নিশ্চয়ই ভূমিসূতাকেই ঠাকুরঘরের ভার দেওয়া হবে। পুরুতমশাইয়ের হাত দিয়ে ভূমিসূতাকে চিঠি পাঠাবে ভরত।

কল্পনায় সে দেখতে পায়, শুভ্র বসন পরে সিঁড়ির ওপর দাঁড়িয়ে আছে ভূমিসূতা, হাতে তার ফুলের সাজি। ভূমিসূতার মুখখানিও সদ্য প্রস্ফুটিত কুসুমের মতন, বিস্ময়মাখা দু চোখের পল্লব, তার চুলে বিন্দু বিন্দু শিশির। সে ছবিটির দিকে তাকিয়ে ভরত তখনই পত্ররচনা শুরু করে দেয় ; ভূমি, তুমি আমাকে ভুল বুঝিও না, আমাকে নীতিহীন মিথ্যাবাদী ভাবিয়া ঘৃণা করিও না। আমি অসহায়, অপরের ইচ্ছা অনুযায়ী আমাকে চলিতে হয়, তবু আমি একদিন না একদিন অবশ্যই তোমার পাশে গিয়া দাঁড়াইব......

॥ ৪২ ॥

মেছুয়াবাজার থেকে ব্যান্ড পার্টি ভাড়া করে এনেছেন শশিভূষণ। বাড়ির সামনের লোহার গেট ফুলমালা দিয়ে সাজানো। ভেতরে সুরকি ঢালা পথের দু পাশে হাত জোড় করে দাঁড়িয়ে আছে জনাদশেক কর্মচারি। সমস্ত বাড়িটি ধুয়ে মুছে সাফসুতরো করা হয়েছে। সবাই প্রস্তুত।

জুড়িগাড়িটি দ্বারের সামনে এসে থামতেই বেজে উঠল কেট্‌ল ড্রাম ও ভেঁপু। 'হি ইজ আ জলি গুড ফেলো' গানটির সুর। শশিভূষণ গাড়ির দরজা খুলে দিয়ে দু হাত যুক্ত করে বললেন, স্বাগতম, মহারাজ, স্বাগতম।

গাড়ি থেকে প্রথমে নামলেন মহারাজ বীরচন্দ্র মাণিক্য, তাঁর পোশাক কিন্তু রাজোচিত নয়। ধুতির ওপর ফতুয়া, তার ওপর একটি মুগার চাদর জড়ানো। নগ্ন মস্তক। সাজপোশাকের ব্যাপারে মহারাজ নিয়মকানুন মানেন না। তাঁর মুখমণ্ডলে দীর্ঘ পথযাত্রার ক্লান্তি। তিনি বাড়িটি এবং সংলগ্ন উদ্যানের দিকে একবার চোখ বুলিয়ে দুবার মাথা নাড়লেন। তারপর গাড়ির মধ্যে হাত বাড়িয়ে বললেন, আয়!

মহারাজের হাত ধরে এবারে নামল পাটরানী মনোমোহিনী, সোনার জরি বসানো অতিশয় দামি শাড়ি পরা, মুখ ঘোমটায় একেবারে ঢাকা। ভেতরের পথ দিয়ে হাঁটতে লাগলেন দুজনে, কর্মচারিরা উচ্চকণ্ঠে প্রণাম জানাতে লাগল, ইংরেজি বাজনা বাজতেই লাগল।

অন্য একটি ঘোড়ার গাড়ি থেকে নামলেন মহারাজের সচিব রাধারমণ ঘোষ এবং কুমার সমরেন্দ্রচন্দ্র।

বাড়ির ভেতরে একটি বসবার ঘরে কয়েকটি তাকিয়া মখমলের চাদর দিয়ে ঢাকা। সস্ত্রীক মহারাজ সেই ঘরে প্রবেশ করার পর শশিভূষণ জিজ্ঞেস করলেন, মহারাজ, এখুনি কি নিজের মহলে যাবেন, না এখানে একটু বসে বিশ্রাম করবেন?

মনোমোহিনী মুখের ঘোমটা একেবারে সরিয়ে ফেলে বলল, আমি জল খাব, আমার খুব তেষ্টা পেয়েছে।

সেই ঘরেই জলের পাত্র, কয়েকটি রুপোর গেলাস ও কিছু মিষ্টান্ন রাখা আছে। একজন ভৃত্য ট্রে-তে করে সেসব নিয়ে এল কাছে। মনোমোহিনী ঢক ঢক করে জল খেয়ে ফেলল দু গেলাস।

মহারাজ বাঁ হাতখানা বাড়িয়ে রইলেন পাশে। তাঁর দিকে জলের গেলাস এগিয়ে দেওয়া হতে তিনি মাথা নাড়লেন। তিনি জলপান করতে চান না। তিনি শশিভূষণের দিকে চোখের ইঙ্গিত করে বললেন, কই?

মহারাজ যে কী চাইছেন, তা বুঝতে পারলেন না শশিভূষণ। তিনি বিব্রত হয়ে এদিক ওদিক তাকাতে লাগলেন।

মহারাজ মুচকি হেসে বললেন, মাস্টার, তোমার ব্যবস্থাপনা তো বেশ ভালোই দেখছি। কিন্তু একটু ত্রুটি হয়ে গেছে যে!

এই সময় ঘোষমশাই ঘরে এসে বললেন, কই হে শশী, হুঁকোবরদার রাখোনি? মহারাজ অনেকক্ষণ তামাক খাননি!

এইবার শশিভূষণ তাঁর ভুল বুঝতে পারলেন। মহারাজ যে তামাক ছাড়া বেশিক্ষণ থাকতে পারেন না, সে কথাটা তাঁর মনেই ছিল না। তৎক্ষণাৎ তামাকের ব্যবস্থার জন্য ছোটাছুটি পড়ে গেল।

মনোমোহিনী উঠে দাঁড়িয়ে জিজ্ঞেস করল, আমার ঘর কোনটা ?

সিঁড়ি দিয়ে ওঠার সময় রাজরানীসুলভ ব্রীড়া ত্যাগ করে সে তরতর করে উঠতে লাগল, মাটিতে গড়াতে লাগল তার আঁচল। এখনও সে প্রমাণ আকারের শাড়ি সামলাতে পারে না। শুধু নিজের মহল নয়, সারা বাড়িটাই ঘুরে দেখল সে। আবার নীচের ঘরে এসে বলল, ঘোড়া কোথায় ? বাগানে তো ঘোড়া নেই !

শশিভূষণ মহারাজের দিকে তাকিয়ে বললেন, বেশ কয়েকটি ঘোড়া দেখা হয়েছে, মহারাজ। আপনি আগে পছন্দ করবেন, তাই এখনও কেনা হয়নি।

মহারাজ বললেন, বেশ। আপাতত দু একদিনের মধ্যে প্রয়োজনও নেই। দিন দু-এক আমি বিশ্রাম নেব। তবিয়ত বিশেষ ভালো নেই হে !

একটুক্ষণ তামাক টানার পর তিনি ঘর থেকে বেরুতে গিয়ে থমকে গেলেন। তাঁর মুখ কুঁচকে গেল।

ঘোষমশাই জিজ্ঞেস করলেন, কী হল, মহারাজ !

মহারাজ জোরে জোরে দুবার নিশ্বাস টেনে বললেন, হঠাৎ হঠাৎ পেটে একটা ব্যথা হয়। ওখানকার ডাক্তার-বদ্যিরা তো কিছুই করতে পারল না। এখানে ভালো ডাক্তার জোগাড় করো।

শশিভূষণ বললেন, হোমিওপ্যাথি চিকিৎসা করাবেন ?

মহারাজ বললেন, সেটা আবার কী বস্তু ? শুনিনি কখনও।

শশিভূষণ বললেন, আজ্ঞে, নতুন ধরনের চিকিৎসা। খুব ভালো কাজ হয়। তা হলে আমি ডাক্তার মহেন্দ্রলাল সরকারকে ডাকতে পারি। সবাই বলে, তিনি ধন্বন্তরী।

ঘোষমশাই বললেন, হ্যাঁ, মহেন্দ্রলাল সরকারকেই ডেকে আনো, উনি তো অ্যালোপ্যাথি হোমিওপ্যাথি দুটোই জানেন!

মহারাজ বীরচন্দ্র বললেন, আর ঠাকুরবাড়ির সেই ছোকরা কবিটি, কী নাম যেন, হ্যাঁ, রবীন্দ্রবাবু, তুমি যার খুব সুখ্যাতি কর, তাকে একবার খবর দিও, যদি আসে। ডাক্তারের ওষুধে যদি কাজ না হয়, ওর কাব্যপাঠ শুনে হয়তো রোগ সারতে পারে !

সিঁড়ি দিয়ে উঠতে মহারাজের যে বেশ কষ্ট হচ্ছে তা বোঝা গেলেও তিনি রসিকতা করতে লাগলেন নানারকম।

এ বাড়ির দুটি মহল পৃথক করা, দোতলার একটি ঝুলন্ত বারান্দায় সংযোগ। সেই বারান্দার প্রান্তে এসে অন্যরা থেমে গেল, অন্দরমহলে কর্মচারিরা কেউ যাবে না। পুরুষ ভৃত্যও কেউ নেই সেখানে, রয়েছে তিনটি দাসী।

মহারাজ শশিভূষণকে বললেন, আমার পেটের ব্যথা শুনে যেন আমাকে কাঁচকলা-সিঙ্গি মাছের ঝোল খাইয়ো না। রুগীর খাদ্য আমার পেটে সয়না। কলকাতায় এসেছি, ইলিশ মাছ খাব না, তা কি হয় ? বাগবাজারের ঘাট থেকে ইলিশ আনিও। আর নবীন ময়রার রসগোল্লা।

কুমার সমরেন্দ্র এবং রাধারমণ ঘোষের ঘর বারমহলে। শশিভূষণ তাদের আলাদা আলাদা ঘর দেখিয়ে দিলেন। রাধারমণের তখুনি বিশ্রাম নেবার কোনও ইচ্ছে নেই। তিনি এসে বসলেন শশিভূষণের ঘরে।

নিজের বাড়ি থেকে শশিভূষণ তাঁর পালঙ্ক ও কিছু আসবাব আনিয়েছেন। তাঁর ঘরটি বেশ বড়, পাশে একটি প্রশস্ত বারান্দা, সেখানে বসার ব্যবস্থা আছে। রাধারমণ একটা বেতের চেয়ারে বসে বললেন, ত্রিপুরা থেকে কলকাতায় আসার যা ধকল, তাতে অনেকখানি আয়ু

খরচ হয়ে যায়। এইজন্যই আমি আসতে চাই না। তুমি মহারাজকে নাচিয়েছ, তাই আসতেই হল। তা শশী, এতবড় বাড়ি ভাড়া নিয়েছ, গুচ্ছের কর্মচারি রেখেছ, এর তো খরচ কম নয়! এই খরচ জোগাবে কে?

শশিভূষণ হাসি মুখে বললেন, আপনি জোগাবেন!

রাধারমণ বললেন, রাজকোষ তো ঢনঢন, টাকা জোগাড় করতে করতে আমার প্রাণ বেরিয়ে যায়। ইংরেজরা ব্যবসা করার নামে ত্রিপুরায় ঢুকতে চাইছে, টাকার লোভ দেখায়, তাদেরও সামলাতে হয়। মহারাজেরও ইচ্ছে, ইংরেজদের বিভিন্ন পাহাড় ইজারা দেওয়া হোক, আমি কিন্তু ইংরেজদের হুড়হুড় করে ঢুকে পড়তে দিতে চাই না, এজন্য মন্ত্রীমশাই তো আমার ওপর অসন্তুষ্ট। কিন্তু জান তো, ব্যবসার জন্য হোক আর যে জন্যই হোক, যেখানে ইংরেজ, সেখানেই রাজনীতি! ত্রিপুরার মুকুটটির ওপরেই ওদের নজর।

শশিভূষণ গম্ভীরভাবে বললেন, আমি আপনার সঙ্গে একমত। ইংরেজদের প্রশ্রয় দেবেন না। ওদের ন্যায়-নীতি বলে কিছু নেই।

রাধারমণ বললেন, তুমি খুব ইংরেজবিরোধী জানি। কিন্তু তুমি যে বলেছিলে, ইংরেজ রাজত্বে বসবাস করবে না বলেই তুমি ত্রিপুরায় চলে গিয়েছিলে। তাহলে আবার কলকাতায় ফিরে এলে কেন।

—ইংরেজ রাজত্বে তো আসিনি! স্বাধীন ত্রিপুরা রাজ্যের প্রতিনিধি হয়ে এখানে আছি। মনে করুন, এটা একটা দূতাবাস।

—বল কী হে! তোমার উচ্চাকাঙক্ষা তো কম নয়! দূতাবাস না ছাই! আমি যা বুঝেছি, ইংরেজ সরকার আস্তে আস্তে আমাদের মহারাজকে ওদের হাতের একটা পুতুল বানাবে। তা রোধ করার সাধ্য আমাদের নেই। থাক ওসব কথা। আমার জানতে ইচ্ছে করছে, তুমি ছিলে মাস্টার, এখন স্বেচ্ছায় হয়ে গেলে মহারাজের কলকাতার আস্তানার গোমস্তা। এ কাজ তোমার পছন্দ হল কেন?

—ঘোষমশাই, এটা শুধু মহারাজের আস্তানা নয়। আমি দেখেছি, কলকাতার মানুষ অনেকেই ত্রিপুরা সম্পর্কে কিছু জানে না। আমি ত্রিপুরাকে ভালবেসে ফেলেছি। আমি ঠিক করেছি, এখানে মাঝে মাঝে ছোটখাটো উৎসবের ব্যবস্থা করব। ত্রিপুরার শিল্প, সেখানকার নাচ-গান, হাতের কাজ এখানকার মানুষ দেখবে, ত্রিপুরা সম্পর্কে জানবে—

—সেই সব উৎসবের খরচ জোগাবে কে?

—আপনার খালি টাকার চিন্তা! এমন কিছু খরচ লাগবে না।

—চিনি জোগাবেন চিন্তামণি, অ্যাঁ? তোমার এখানে চায়ের ব্যবস্থা আছে? একটু চা খাওয়াবে নাকি?

শশিভূষণ হাঁক দিয়ে চায়ের কথা বলে দিলেন। তারপর দুটি চুরুট এনে একটি এগিয়ে দিলেন রাধারমণের দিকে।

রাধারমণ বললেন, ধুমপান আমি ছেড়ে দিয়েছি। চাকরিটাও এখন ছাড়তে ইচ্ছে হয়। ভাবছি নবদ্বীপে গিয়ে থাকব।

শশিভূষণ বললেন, সেখানে গিয়ে বোষ্টম হয়ে মালা জপ করবেন? সে আপনার দ্বারা হবে না! মহারাজেরও আপনাকে ছাড়া চলবে না।

রাধারমণ বললেন, চুরুট দেখে মনে পড়ল কৈলাস সিংহীর কথা। তার সঙ্গে দেখাটেখা হয়? সে তো শুনেছি আদি ব্রাহ্মসমাজে গিয়ে জুটেছে, দেবেন ঠাকুরের আশ্রয়ে আছে।

শশিভূষণ বললেন, না, দেখা হয় না। তাঁর লেখাটেখা দেখি।

—তাকে যেন হুট করে এখানে আসতে দিও না। তাকে দেখলেই মহারাজের মেজাজ ক্ষিপ্ত হয়ে যাবে।

—না, না, তিনি এখানে আসবেন কেন ?

— কবি রবিবাবুকে যদি এখানে ডাকো, তা হলে তাঁর লেজুড় হয়ে কৈলাস চলে আসতে পারে। মহারাজকে খুঁচিয়ে সে আনন্দ পায়।

ভূমিসূতা এই সময় দুটি সুদৃশ্য কাপে চা নিয়ে এল। নীল ডুরে শাড়ি পরা, ঘোমটায় অনেকখানি ঢাকা মুখ, তাকে সাধারণ পরিচারিকাই মনে হবে, কিন্তু তার দু পায়ে আলতার রেখা, চলার সময় তার পায়ের লাল ঝিলিক চোখে পড়ে।

চায়ের কাপ দুটি ওঁদের সামনে রেখে ফিরে যেতে যেতেও সে দরজার কাছে থেমে গেল, আঁচল দিয়ে সে একটি আলমারির কাচের কাল্পনিক ধুলো মুছতে লাগল, কেননা সে হঠাৎ ভরতের নাম শুনতে পেয়েছে।

রাধারমণ জিজ্ঞেস করলেন, আর সেই ছেলেটির কী খবর ? পড়াশুনো করছে সে, না গোল্লায় গেছে ?

শশিভূষণ বললেন, ভরত ? সে এখন প্রেসিডেন্সি কলেজে পড়ে, ভালো ছাত্র। লেখাপড়ার দিকে তার বরাবরের ঝোঁক।

রাধারমণ ভূমিসূতার আলতা মাখা পায়ের দিকে চেয়ে রইলেন। শশিভূষণ অনুভব করলেন, তাঁদের কথার সময় ঘরের মধ্যে অন্য কারুর উপস্থিতি অবাঞ্ছিত। তিনি বললেন, ও মেয়ে, তুমি পরে এসে কাপ দুটি নিয়ে যেও। এখন যাও !

ভূমিসূতা দ্রুত বেরিয়ে গেল ঘর থেকে।

শশিভূষণ বললেন, আমি এমন ব্যবস্থা করেছি, যাতে মহারাজের ত্রিসীমানাতেও ভরত কখনও আসবে না। আমার সঙ্গে তার কোনও প্রত্যক্ষ যোগাযোগও নেই।

রাধারমণ বললেন, একে সামান্য কাছুয়ার ছেলে, তায় হারিয়ে যাওয়াটা অতি তুচ্ছ ব্যাপার। কারুর মনে রাখার কথা নয়। কিন্তু এখনও তার প্রসঙ্গ ওঠে, সেটাই ছেলেটার দুর্ভাগ্য। আমি খোঁজখবর নিয়ে জেনেছি, ছেলেটি কোনও দোষ করেনি। আমাদের ছোটরানীর সঙ্গে তার কোনও নিবিড় যোগাযোগ ছিল না। বিয়ের আগে মনোমোহিনী বালিকাসুলভ চাপল্যে ভরতের সঙ্গে কৌতুক করত, তাকে ভয় দেখাত। অতি নিরীহ ব্যাপার। কিন্তু কেউ একজন মহারাজের কানে তুলেছিল যে ওই ভরত মনোমোহিনীকে বিয়ে করতে চায়। তাতেই চটে উঠে মহারাজ বলেছিলেন, ওকে সরিয়ে দাও। এ কথার মানে কী হয়, তা তো জানোই। মহারাজের ধারণা, ওর মুণ্ডু কেটে জঙ্গলে পুঁতে দেওয়া হয়েছে। কিন্তু সেই কান-ভারি করা লোকটি ভরতকে আরও নির্মম শাস্তি দিতে গিয়েই গোলমাল পাকিয়েছে। সে যাই হোক, মুশকিল হয়েছে কী, মনোমোহিনী তো কিছুই জানে না। সে মাঝে মাঝে সরল কৌতূহলে জিজ্ঞেস করে, ভরত কোথায় ? তাকে দেখি না কেন ? আর ওই নাম শুনলেই মহারাজ তেলে-বেগুনে জ্বলে ওঠেন !

শশিভূষণ জিজ্ঞেস করলেন, সেই লোকটি কে ? তার নাম জানতে পারেননি ?

দীর্ঘশ্বাস ফেলে রাধারমণ বললেন, তাও জেনেছি । জানলেও তাকে শাস্তি দেবার কোনও উপায় নেই।

শশিভূষণ দাঁতে দাঁত চেপে বললেন, আমাকে বলুন তার নাম। আমি নিজে তাকে শাস্তি দেব।

রাধারমণ ঝুঁকে শশিভূষণের কাঁধে চাপড় মেরে বললেন, শান্ত হও, বৎস, শান্ত হও ! রাজনীতিতে ওরকম দু একটা মুণ্ডু গড়াগড়ি যায়ই মাঝে মাঝে। যদি কখনও সময় আসে, সে ব্যক্তিটিরও মুণ্ডু মাটিতে গড়াবে !

বিকেলবেলায় শশিভূষণ গেলেন মহেন্দ্রলাল সরকারের চেম্বারে। অনেক রোগী অপেক্ষায় বসে আছে, কিন্তু ডাক্তারবাবু অনুপস্থিত। ডাক্তার হিসেবে মহেন্দ্রলালের এখন দারুণ চাহিদা,

কিন্তু তিনি এখন মেতে আছেন বিজ্ঞান নিয়ে। তাঁর প্রতিষ্ঠিত বিজ্ঞান পরিষদে এখন নিয়মিত বিজ্ঞান চর্চা ও বিজ্ঞান শিক্ষা দেওয়া হয়। দেশি-বিদেশি বিশিষ্ট বিজ্ঞানীরা এসে সেখানে বক্তৃতা দেন, শুনতে আসে অনেকে, মহেন্দ্রলাল নিজে সব সময় সেখানে উপস্থিত থাকেন। এদিকে রোগীরা ফিরে যায়।

কিছুক্ষণ অপেক্ষা করার পর শশিভূষণের একটা ভয়ের কথা মনে পড়ল। মহেন্দ্রলাল সরকার মেজাজী মানুষ, টাকাপয়সার দিকে ঝোঁক নেই, রাজামহারাজার কথা শুনেও হয়তো অবজ্ঞায় ঠোঁট ওল্টাবেন। এদিকে মহারাজ বীরচন্দ্রের কাছে শশিভূষণ এই ডাক্তারের নাম বলে ফেলেছেন, এখন ইনি যদি যেতে না চান, তাহলে মহারাজ নিশ্চিত রুষ্ট হবেন। যে ভাবেই হোক, ডাক্তার মহেন্দ্রলাল সরকারকে রাজি করাতেই হবে।

মহেন্দ্রলাল এলেন প্রায় চল্লিশ মিনিট পরে, শশিভূষণ প্রথমে কোনও কথাই বললেন না। একে একে অন্য রোগীরা বিদায় নিতে লাগল। সব শেষে শশিভূষণ মহেন্দ্রলালের ঘরে ঢুকে বললেন, নমস্কার, কেমন আছেন ?

শশিভূষণের ধারণা ছিল মহেন্দ্রলাল তাঁকে চিনতে পারবেন। এক সময় তিনি নিয়মিত আসতেন, মহেন্দ্রলালের সঙ্গে তাঁর বেশ হৃদ্যতা জন্মেছিল। কিন্তু মহেন্দ্রলাল নমস্কারের উত্তর না দিয়ে বললেন, আমার হাতে বেশি সময় নেই। ধানাই পানাই না করে রোগের লক্ষণগুলি শুধু বলুন।

শশিভূষণ বললেন, আজ্ঞে, আমি নিজেই চিকিৎসা করাতে আসিনি। আমার নাম শশিভূষণ সিংহ, আপনার কাছে এসেছি একটি বিশেষ প্রয়োজনে।

মহেন্দ্রলাল এবার সরাসরি তাকিয়ে বললেন, শশিভূষণ, ও হ্যাঁ হ্যাঁ, ত্রিপুরা, ত্রিপুরা, তোমার তো মাথার ব্যামো হয়েছিল, তাই না ? আবার কিছু গোলমাল শুরু হয়েছে নাকি ?

শশিভূষণ বললেন, আজ্ঞে না। আপনার চিকিৎসায় খুবই ভালো আছি। আর কোনওদিন কোনও উপসর্গ দেখা দেয়নি !

মহেন্দ্রলাল বললেন, বিয়ে করেছ নিশ্চয়ই ? শুধু ওষুধে তো এত ভালো ফল হয় না!

শশিভূষণ বললেন, আজ্ঞে না, এখনও করে উঠতে পারিনি।

মহেন্দ্রলাল বললেন, অত আর আপনি-আজ্ঞে করতে হবে না। বসো। তুমি হঠাৎ এসে হাজির হলে, এ তো ভারি মজার ব্যাপার । দু তিনদিন আগেই আমি তোমার কথা ভাবছিলাম। তুমি নাটুকে গিরিশ ঘোষকে চেন ?

শশিভূষণ বললেন, তাঁর মতন বিখ্যাত ব্যক্তির নাম কে না শুনেছে। আমার সঙ্গে সাক্ষাৎ পরিচয় নেই।

মহেন্দ্রলাল বললেন, গিরিশ আমাকে একটা বড় আশ্চর্যির কথা শুনিয়েছে। তোমার সঙ্গে অদ্ভুত মিল। সাড়ে সাতটার সময় গিরিশের এখানে আসার কথা আছে। এক্ষুনি এসে পড়বে, তোমার সঙ্গে আলাপ করিয়ে দেব। তুমি জান কি না জানি না, এক সময় এই গিরিশ ছিল মহা নাস্তিক। বেন্থাম, মিল, কান্ট পড়েছে, যুক্তি দিয়ে বিচার করতে চাইত সব কিছু। এখন সে খুব কালী ভক্ত হয়েছে, প্রায়ই মা-মা করে । এর কারণ কী জান। একবার সে খুব কঠিন রোগে পড়েছিল। রোগের জ্বালা বড় জ্বালা, অনেকেরই মনের জোর কমে যায়। অনেক ওষুধ খেয়েও কোনও ফল হয়নি, তাই গিরিশ তারকেশ্বরের মন্দিরে হত্যে দিতে গিয়েছিল।

শশিভূষণ বললেন, এতখানি পরিবর্তন !

মহেন্দ্রলাল বললেন, হয়, হয়, মানুষের হয়। আসল কথাটা শোনো। তারকেশ্বরে গিয়ে কিছু লাভ হয়নি। তারপর হঠাৎ একদিন স্বপ্নে সে তার মাকে দেখতে পেল। গিরিশ অবশ্য বলে, সেটা স্বপ্ন নয়। সে সত্যি মাকে দেখেছে, তাঁর কথা শুনেছে, তাঁর স্পর্শ পেয়েছে। মা

এসে যে ওষুধের কথা বলে দিলেন, তাতেই তার রোগ সেরে গেল! ঠিক তোমার মতন ব্যাপার না ?

শশিভূষণ দুবার মাথা ঝোঁকালেন।

মহেন্দ্রলাল বললেন, তা হলে কি ধরে নিতে হবে, মরা মানুষ মাঝে মাঝে ফিরে আসে? কোনও কোনও মা ছেলের কাছে এসে অসুখের ওষুধ বাতলে দেন ? মরার পর মায়েরা সবাই ডাক্তার হয়ে যান ? অ্যাঁ ? কী বল হে ?

শশিভূষণ মৃদু গলায় বললেন, না, তা হতে পারে ন। মরা মানুষ ফেরে না। পরে আমি বুঝেছি, ওটা ছিল আমার স্বপ্ন। অসুস্থ অবস্থায় স্বপ্নটা খুব তীব্র মনে হয়েছিল।

মহেন্দ্রলাল বললেন, অটো সাজেস্‌শান ! তখন আমি তোমার ভুল ভাঙাইনি । তুমি অসহায় অবস্থায় পড়ে নিজেই মাতৃমূর্তি তৈরি করেছিলে।

তারপর হঠাৎ হা-হা করে হেসে উঠে মহেন্দ্রলাল বললেন, কিন্তু মায়েরা বারবার আসে না ! তা হলে আমাদের মতন ডাক্তারদের ভাত মারা যেত ! আবার অসুখ বাধিয়েছে, এখন মায়ের বদলে সে এই ডাক্তারের কাছেই আসে !

একটু পরেই প্রসেনিয়ামের পাশ থেকে মঞ্চে নায়কের প্রবেশের মতন দরজার পর্দা সরিয়ে ঘরের মধ্যে ঢুকে পড়লেন গিরিশচন্দ্র । চক্ষু লাল, টলটলায়মান শরীর, মুখ দিয়ে ভুর ভুর করে বেরুচ্ছে গন্ধ। উদাত্ত কণ্ঠে বললেন, ওহে ডাক্তার, কী এলেবেলে ওষুধ দাও, অ্যাঁ? রোগ সারে না। পরশু আবার পেট ব্যাথায় অজ্ঞান হবার মতন অবস্থা।

মহেন্দ্রলাল বললেন, তুমি বোতল বোতল মদ ওড়াবে, আমার ছোট ছোট হোমিওপ্যাথিক গুলির সাধ্য নেই তোমার রোগ সারাবার ! কতবার তো তোমাকে বলছি!

গিরিশ বললেন, একটু না খেলে যে ব্যথা কমে না। যখন ওষুধে কাজ হয় না, তখন একটু খেলে কষ্ট দূর হয়।

মহেন্দ্রলাল বললেন, একটু! তা হলে বেশি কাকে বলে ? মদ খেলে তোমার ব্যথা সাময়িকভাবে কমলেও রোগটা বাড়বে।

গিরিশ বলল, তুমি মদ মদ করছ কেন ? আমি সুরা পান করি না, সুধা খাই জয় কালী বলে ! মা, মা !

মহেন্দ্রলাল বললেন, চারদিকে তো দেখছি কালীর নামে লোকে কুসংস্কার আর অন্ধবিশ্বাসের গরল পান করছে, আর তুমি বলছ সুধা ! হেঃ !

গিরিশ টেবিলে এক চাপড় মেরে বললেন, তোমার অত কথায় দরকার কী হে ? ডাক্তারের ফিস দেব, ডাক্তার ওষুধ দেবে, ব্যাস !

মহেন্দ্রলাল ধমকে বললেন, আমাকে তেমন ডাক্তার পাওনি। আমাকে হাজার টাকা ফিস দিলেও আমি সব রুগী দেখি না !

গিরিশ এবার ফুরফুর করে হাসতে লাগলেন। দুষ্টু ছেলের মতন দু দিকে মাথা নাড়তে নাড়তে বললেন, দেবে না, আমাকে ওষুধ দেবে না, ডাক্তার !

মহেন্দ্রলাল বললেন, দেব ! তোমাকে দুটি শর্ত মানতে হবে। তোমার মদের অভ্যেস আমি ছাড়াতে পারব না। কিন্তু আমার ওষুধ যে-কদিন খাবে, সেই কদিন অন্তত বোতলে হাত ছোঁয়াতে পারবে না। আর প্রতিদিন সকালে তোমার বাড়ি থেকে গঙ্গা পর্যন্ত হেঁটে যাবে, গোটাকতক ডুব দেবে

গিরিশ বলল, বেশ। ডুব দেবার সময় যদি মন্ত্র পড়ি, তাতে তোমার আপত্তি নেই তো! তুমি তো আবার মন্ত্র-টন্ত্র কিছুই মানো না।

মহেন্দ্রলাল বললেন, তা তুমি যা খুশি মন্ত্র পড় কিংবা শেকসপিয়ার আবৃত্তি কর, তাতে কিছু আসে যায় না। তোমার কিছু ব্যায়াম করা দরকার। তোমার নতুন প্লে-টা তো খুব জমেছে শুনছি। কবে যাব?

গিরিশ বললেন, এই শনিবারেই এসো। বক্স রিজার্ভ করে রেখে দেব।

মহেন্দ্রলাল এবার শশিভূষণের দিকে আঙুল দেখিয়ে বললেন, এও আমার সঙ্গে যাবে। একে দেখে রাখো। এই শশিভূষণ তোমার স্বপ্নতুতো ভাই!

॥ ৪৩ ॥

বিডন স্ট্রিটের স্টার থিয়েটারে চৈতন্যলীলা নাটকের জয়জয়কার। শুধু কলকাতা নয়, গ্রাম-গ্রামাঞ্চল থেকেও লোকে ছুটে আসছে এই নাটক দেখার জন্য। দু মাস ধরে চলছে এই নাটক, এর গান ও সংলাপ লোকের মুখে মুখে, হিন্দু সমাজ আবার কৃষ্ণপ্রেমে মাতোয়ারা। স্টার থিয়েটারের মঞ্চে যেন প্রেমের ঠাকুর শ্রীগৌরাঙ্গ স্বয়ং আবার আবির্ভূত হয়েছেন।

দক্ষিণেশ্বরে রামকৃষ্ণ ঠাকুরের ভক্তমণ্ডলির মধ্যেও মাঝে মাঝে এই নাটকের কথা ঘুরেফিরে আসে। এই ভাবোম্মাদ কালীসাধক সব সময় যে ধর্মতত্ত্ব আলোচনা করেন তা তো নয়, ইয়ার্কি-ঠাট্টা ও চটুল মশকরাও করেন প্রায়ই, এঁর সামনে সব রকম কথাই বলা যায়। ভক্তদের মুখে শুনে শুনে রামকৃষ্ণ ঠাকুরেরও ওই থিয়েটার দেখার সাধ হল।

এক ধর্মাত্মা কামিনীকাঞ্চনত্যাগী সাধক যাবেন রঙ্গালয়ের কৃত্রিম হাসি-কান্নার পালা দর্শন করতে, এ এক অদ্ভুত প্রস্তাব। সেখানে দর্শকদের মধ্যে কতরকম ভোগী-ভণ্ড-লুচ্চা-মাতাল থাকে, তার চেয়ে ভয়ংকর কথা, নটীরা সব বেশ্যা আর নটগুলির চরিত্র রক্ষার কোনও বালাই নেই। স্বয়ং নাট্যকার ও পরিচালক গিরিশ ঘোষ এক প্রখ্যাত মাতাল এবং প্রায়ই কোনও অভিনেত্রীর বাড়িতে রাত্তিরে পড়ে থাকে এবং সেসব কথা প্রকাশ্যে জানাতেও লজ্জা বোধ করে না।

রামকৃষ্ণ ঠাকুরের ভক্তদের মধ্যে মতভেদ আছে, একদল এই বহু আলোচিত নাটকটি দেখার জন্য খুবই উৎসাহী, আর একদল বারাঙ্গনা-সংসর্গে কলুষিত রঙ্গালয়গুলির ধারকাছও মাড়ান না। বেশ্যাদের প্রতি ঘৃণায় দেশের গণ্যমান্য অনেকেই এখনও থিয়েটার বর্জন করে রয়েছেন। নারীদের প্রতি অবিচার ও বঞ্চনায় যাঁর মন সদা কাতর, সেই ঈশ্বরচন্দ্র বিদ্যাসাগরও বেশ্যাদের নটীবৃত্তি অবলম্বন করার ব্যাপারে সহানুভূতি দেখাতে পারেননি, তিনি সাধারণ রঙ্গমঞ্চগুলির সঙ্গে সংস্রব ত্যাগ করায় তাঁর অনুগামীরাও কেউ আসে না। কেশব সেন ও শিবনাথ শাস্ত্রীর দল এইসব থিয়েটার দেখা অতি পাপ মনে করে। কিন্তু রামকৃষ্ণ ঠাকুর, যিনি শুকনো সন্ন্যাসী নন, যিনি রসে বশে থাকতে চান, তিনি এই বেশ্যা প্রসঙ্গ শুনে ঘৃণায় নাসিকা কুঞ্চন করলেন না, তিনি বললেন, আমি তাদের মা আনন্দময়ী দেখব!

তারপর তিনি আরও বললেন, শোলার আতা দেখলে সত্যকার আতার উদ্দীপন হয়। একবার সেই ওরা গড়ের মাঠে বেলুন দেখতে আমায় নিয়ে গেসল। তখন দেখি কি একটি

সাহেবের ছেলে একটা গাছে ঠেসান দিয়ে ত্রিভঙ্গ হয়ে দাঁড়িয়ে রয়েছে। দেখাও যা, অমনি কৃষ্ণের উদ্দীপন হল; অমনি সমাধিস্থ হয়ে গেলুম !

মহেন্দ্র মুখুজ্যে নামে এক ভক্তের ঘোড়ার গাড়িতে রামকৃষ্ণ ঠাকুর থিয়েটার দেখতে যাবেন, সঙ্গে আরও কয়েকজন জুটেছে, কিন্তু নরেন্দ্র নেই তাদের মধ্যে। নরেন্দ্র যাবে না?

কে একজন বলল, নরেনের পেটের কী ব্যামো হয়েছে, সে বেশ কিছুদিন আসে না। পেটের ব্যামোটা সাময়িক, নরেন্দ্র দক্ষিণেশ্বরে আর ঘন ঘন আসতে পারে না অন্য কারণে। সেই যে এক রাতে নরেন্দ্র রামকৃষ্ণ ঠাকুরের বারংবার অনুরোধে মন্দিরের মধ্যে একাকী ঢুকে কালীমূর্তিকে মা বলে সম্বোধন করেছিল, তার পরেও তার বিশ্বাস দৃঢ় হয়নি। সেই রাত্রে পাথরের মূর্তিকে তার ক্ষণিকের জন্য জীবন্ত মনে হয়েছিল, চক্ষে লেগেছিল ঘোর, সর্বাঙ্গে ছিল শিহরন। রামকৃষ্ণ ঠাকুর তাকে ছুঁয়ে দিলে কিংবা তাঁর সংস্পর্শে থাকলে নরেন্দ্রর এরকম ঘোরের মতন হয়, কিন্তু কিছু পরেই তো সে ঘোর কেটে যায়। আবার ফিরে আসে বাস্তব জ্ঞান। যে ভাব-বিহ্বলতা সাময়িক, তা তো কোনও উচ্চস্তরের উপলব্ধি হতে পারে না। সেই উচ্চস্তরে উঠতে না পারলে নিছক সাময়িক অলৌকিক অভিজ্ঞতায় নরেন্দ্রর আস্থা নেই।

তা ছাড়া, এখনও এই প্রশ্নটা নরেন্দ্রর মনে ঘুরেফিরে আসে, যে ধর্ম বা যে ঈশ্বর কোনও বিধবার দুঃখ দূর করতে পারে না, কিংবা কোনও অনাথ শিশুর মুখে অন্ন জোগাতে পারে না, সে ধর্ম বা সে ঈশ্বরের প্রয়োজন কী ?

তবে, একটা ব্যাপারে নরেন্দ্রর আস্থা যেন আর কখনও দুর্বল হবে না, তা হল রামকৃষ্ণ ঠাকুরের প্রাণঢালা ভালোবাসা। নরেন্দ্রকে দেখার জন্য তাঁর অহৈতুকী ব্যাকুলতা। তবু নরেন্দ্র দক্ষিণেশ্বরে আর নিয়মিত আসে না, কারণ তার সদ্য বিধবা জননী ও পিতৃহীন ছোট ছোট ভাইবোনগুলির গ্রাসাচ্ছাদনের চিন্তা সে মুছে ফেলবে কী করে ? নরেন্দ্রর মধ্যে সবসময় রয়েছে এই দোলাচল, সব বন্ধনমুক্ত হয়ে দক্ষিণেশ্বরের পরিবেশে পড়ে থাকতে তার ভালো লাগে, আবার সাংসারিক দায়িত্বের বন্ধন সে স্বেচ্ছায় গলায় জড়িয়ে রাখে। নিজের আনন্দের জন্য সে মাকে কিছুতেই দুঃখ দিতে পারবে না। কালীমূর্তিকে সে মা বলে ডেকেছিল, তা বলে নিজের মাকে ডাকবে না মা বলে ?

চাকরি-বাকরির চেষ্টা ছেড়ে নরেন্দ্র এখন অন্যভাবে অর্থ উপার্জনের চেষ্টা করে। ইংরেজি থেকে বই অনুবাদ করতে শুরু করেছে সে, হার্বার্ট স্পেনসারের একটি বই অনুবাদ করতে করতে সে দু'একটি বিষয়ের সমালোচনা করে স্পেনসারকে চিঠি লিখেছিল, স্পেনসারসাহেব তার যুক্তি মেনে নিয়ে একটা উত্তরও দিয়েছেন। এ ছাড়া সে আর এক বন্ধুর সহযোগে একটি গানের সংকলন বই প্রস্তুত করার ব্যাপারেও ব্যস্ত।

কে যেন একজন বলল, নিজের মায়ের প্রতি নরেনের এত বেশি টান, তাই সে দক্ষিণেশ্বরের মাকে দর্শন করার জন্য আসার সময় পায় না।

নরেন্দ্রর প্রতি কোনও কটাক্ষ রামকৃষ্ণ ঠাকুর সহ্য করতে পারেন না। তিনি অমনি তেড়ে উঠে বললেন, মা বাপ কি কম জিনিস গা ? তাঁরা প্রসন্ন না হলে ধর্মটর্ম কিছুই হয় না। চৈতন্যদেব তো প্রেমে উন্মাত্ত; তবু সন্ন্যাসের আগে কতদিন ধরে মাকে বোঝান। বললেন, মা আমি মাঝে মাঝে এসে তোমায় দেখা দিয়ে যাব !

হঠাৎ তিনি মহেন্দ্র মাস্টারের দিকে ঘুরে তাকালেন। মাস্টার এখন পৈতৃক বাড়ি ছেড়ে নিজের স্ত্রী-পুত্র নিয়ে আলাদা সংসার করেছেন। সেটা রামকৃষ্ণ ঠাকুরের পছন্দ নয়। এখন সে কথা মনে পড়ায় তিনি ধমক দিয়ে বললেন, আর তোমায় বলি, বাপ-মা কত যত্নে মানুষ করলে, এখন নিজের মাগ নিয়ে বেরিয়ে আসা ! বাপ-মাকে ফাঁকি দিয়ে ছেলে তার মাগ নিয়ে বাউল-বৈষ্ণবী সেজে বেরোয় ! তোমার বাপের টাকা পয়সার অভাব নেই বলে, তা না হলে আমি তোমাকেও বলতুম, ধিক ! কতকগুলি ঋণ আছে, বুঝলে ! দেবঋণ, ঋষিঋণ আবার

মাতৃঋণ, পিতৃঋণ, স্ত্রীঋণ।.....হরিশ নিজের স্ত্রীকে ত্যাগ করে এখানে এসে রয়েছে ! যদি তার স্ত্রীর খাবার জোগাড় না থাকত, তা হলে তাকে বলতুম, ঢ্যামনা শালা !

মহেন্দ্র মুখুজ্যে বলল, পাঁচটা প্রায় বাজে। এবার গাড়িতে উঠবেন না ?

মহেন্দ্র মুখুজ্যে ধনী ব্যক্তি, হাতিবাগানে তার একটি ময়দার কল আছে। ঠিক হয়েছে যে দক্ষিণেশ্বরে থেকে সেখানে গিয়ে সবাই মিলে কিছুক্ষণ বিশ্রাম নেওয়া হবে। থিয়েটার শুরু হতে হতে তো সেই রাত নটা। গাড়ি চলতে শুরু করতেই রামকৃষ্ণ ঠাকুরের চোখ দুটি আবিষ্ট হয়ে এল, মাথা একটু একটু দুলছে। গুনগুন করে গাইতে লাগলেন :

যার মায়ায় ত্রিভুবন বিভোলা
মাগীর আপ্তভাবে গুপ্ত লীলা
সে যে আপনি ক্ষেপা, কর্তা ক্ষেপা
ক্ষেপা দুটো চেলা.......

গান গাইতে গাইতে তাঁর ভাবসমাধি হল।

এই সময় ভক্তরা চুপ করে বসে থাকে। রামকৃষ্ণের একপাশে মহেন্দ্র মাস্টার, উল্টোদিকে মহেন্দ্র মুখুজ্যে। একটু আগে ওরা থিয়েটারে গিয়ে কত দামের টিকিট কেনা হবে তা নিয়ে আলোচনা করছিলেন। মহেন্দ্র মুখুজ্যের ইচ্ছে, সে তার গুরুকে নিয়ে যাচ্ছে, সবচেয়ে দামি বক্সের টিকিট কাটবে। রামকৃষ্ণ আগেই জানিয়ে দিয়েছেন যে অত দামি টিকিটের দরকার নেই। এখন মহেন্দ্র মুখুজ্যে আবার ফিসফিস করে মাস্টারকে বলল, বক্সে না বসলে, ওনাকে কি পাঁচপেঁচি লোকের মধ্যে বসাটা মানায় ?

রামকৃষ্ণ অপ্রাসঙ্গিকভাবে বিড়বিড় করে বললেন, হাজারা আবার আমাকে শেখায় ! শ্যালা !

একটু পরে আবার বললেন, আমি জল খাব !

এই জল খাওয়ার কথাটা শুনলেই মাস্টারের মতন ভক্তরা বুঝতে পারেন যে রামকৃষ্ণ সমাধি অবস্থা থেকে মনটাকে বাস্তব জগতে ফেরাবার চেষ্টা করছেন।

মাস্টার ব্যস্ত হয়ে বললেন, ওঁর জন্য একটু জলের ব্যবস্থা করতে হবে যে !

মহেন্দ্র মুখুজ্যে বলল, শুধু জল ? তা হলে কিছু খাবারও আনলে হয় না ?

মাস্টার বললেন, উনি এখন কিছু খাবেন না। জল দরকার।

রামকৃষ্ণ আধা ঘোরের মধ্যে বললেন, হ্যাঁ, আমি খাব। বাহ্যে যাব।

ঘোড়ার গাড়ি প্রায় হাতিবাগানে পৌঁছে গেছে। মহেন্দ্র মুখুজ্যের নিজস্ব বড় বাড়ি বাগবাজারে মদনমোহন মন্দিরের পাশে। কিন্তু তার বাবা সাধুসন্ন্যাসী মানেন না। সেই ভয়ে রামকৃষ্ণ ঠাকুরকে সে নিজের বাড়িতে না নিয়ে এই ময়দার কলে বসাল। এখানে পান-তামাকের ব্যবস্থা নেই। সে সব জোগাড় করার জন্য হুড়োহুড়ি পড়ে গেল।

পান খেয়ে রামকৃষ্ণ আবার জানালেন, তিনি বাহ্যে যাবেন।

মহেন্দ্র মুখুজ্যে ভক্তিভরে জল ভর্তি গাড় নিয়ে মাঠের দিকে চলল তাঁর সঙ্গে । কয়েক পা এগোবার পর রামকৃষ্ণ থমকে দাঁড়িয়ে অন্যমনস্কভাবে বললেন, তোমার নিতে হবে না। গাড় টা মাস্টারকে দাও।

একটু পরে হাতমুখ ধুয়ে পরিচ্ছন্ন হয়ে রামকৃষ্ণ একটা ঘরের মধ্যে চৌকিতে বসলেন। তাঁর পরনে খাটো ধুতি, গায়ে ফতুয়া, কাঁধে চাদর। মাথার চুল পাতলা হয়ে এসেছে, কিছু কিছু পাক ধরেছে দাড়িতে। চোখ দুটি চঞ্চল, কেমন যেন অন্যমনস্ক ভাব। এক এক সময় বেশ স্বাভাবিকভাবে কথা বলছেন, আবার হঠাৎ হঠাৎ যেন চলে যাচ্ছেন নিছক বাস্তবতা ছাড়িয়ে অন্য কোথাও।

কেউ একজন তামাক সেজে এনে ধরল তাঁর সামনে। রামকৃষ্ণ হুঁকোটা নিতে গিয়েও থেমে গিয়ে বললেন, সন্ধে হয়েছে নাকি গো ? তা হলে আর তামাকটা এখন খাই না।

সন্ধের সময় সব কাজ ছেড়ে একটুক্ষণ ঈশ্বরের কথা স্মরণ করতে হয়। রামকৃষ্ণ কে কী উত্তর দিল শুনলেন না। জানলার বাইরে আকাশের অবস্থাও দেখার চেষ্টা করলেন না, তিনি নিজের একটা হাতের দিকে তাকালেন। সন্ধে হয়েছে কি না বোঝার জন্য তিনি নিজের হাতের লোম গোনার চেষ্টা করেন, অর্থাৎ যখন হাতের প্রতিটি লোম দেখা যায় না, তখনই সন্ধ্যা।

স্টার থিয়েটারের সামনের রাস্তায় আজ অনেক জুড়ি গাড়ি, ল্যান্ডো, ফিটন সার বেঁধে দাঁড়িয়ে আছে। আজ অনেক গণ্যমান্য দর্শক এসেছেন বোঝা যায়। টিকিটঘরের কাছে এখনও বেশ ভিড়।

বাইরের প্রাঙ্গণে পায়চারি করছেন গিরিশ। 'চৈতন্যলীলা' নাটকে তিনি কোনও পার্ট নেননি, মঞ্চে দাপাদাপি করতে এখন আর শরীর বয় না। নাটক শুরু হবার আগে টিকিটঘরের সামনের ভিড় দেখতে তাঁর ভালো লাগে, 'হাউসফুল' হলে বিশেষ তৃপ্তি হয়। বিশিষ্ট দর্শকদের তিনি ব্যক্তিগতভাবে অভ্যর্থনা জানান। আজ থিয়োসফি আন্দোলনের নেতা কর্নেল আলকট এসেছেন একটু আগে, এসেছেন সেন্ট জেভিয়ার্স কলেজের বিখ্যাত অধ্যাপক ফাদার লাফোঁ, সপারিষদ সন্তোষের রাজা, ব্রাহ্ম নেতা বিজয়কৃষ্ণ গোস্বামী। একটু আগে ডাক্তার মহেন্দ্রলাল সরকার ও শশিভূষণকে তিনি ভেতরে বসিয়ে দিয়ে এসেছেন।

আর একটি ঘোড়ার গাড়ি এসে থামল। মাস্টার, মহেন্দ্র মুখুজ্যে, বাবুরাম ও অন্যান্য ভক্তরা আগে নেমে গিয়ে সসম্ভ্রমে রামকৃষ্ণ ঠাকুরকে নামতে সাহায্য করল। দূর থেকে গিরিশ রামকৃষ্ণকে চিনতে পারলেন, যদিও এঁর সঙ্গে তাঁর আলাপ হয়নি। এর আগে দুবার রামকৃষ্ণকে দেখেও তেমন কিছু ভক্তিশ্রদ্ধা হয়নি গিরিশের।

মহেন্দ্র মুখুজ্যে দ্রুত এগিয়ে এসে গিরিশকে জিজ্ঞেস করল, আমাদের পরম পূজনীয় রামকৃষ্ণ পরমহংসদেব এসেছেন। তাঁর জন্য কি টিকিট কাটতে হবে ?

গিরিশ ভ্রুকুঞ্চিত করলেন। এত লোক ফ্রি পাস চেয়ে জ্বালাতন করে যে বাড়িতে, পাড়ায় তিষ্ঠোনো যায় না। থিয়েটারের জন্য কত পরিশ্রম, মঞ্চসজ্জার কত খরচ, নট-নটীদেরও যে ক্ষুধা তৃষ্ণা আছে, অন্তরালের কর্মীদের যে গ্রাসাচ্ছাদনের ব্যবস্থা করতে হয়, তা এইসব লোকেরা বোঝে না।

একজন সাধক মানুষ থিয়েটার দেখতে এসেছেন, এটা অবশ্য গিরিশের পক্ষে শ্লাঘার বিষয়। এতদিন যারা নিন্দামন্দ করত, তারা অনেকেই আসছে এখন। নদীয়া-শান্তিপুর থেকে বৈষ্ণব পণ্ডিতরাও ছুটে আসছে, এই পালা দেখতে। একজন কালীসাধককেও তা হলে আসতে হল। সাধুসন্ন্যাসীদের টাকা-পয়সা থাকে না তা ঠিক, এঁদের সঙ্গে যে অনেক চেলা-চামুণ্ডা থাকে। গৃহী ভক্তদের তো পয়সার অভাব নেই।

গিরিশ গম্ভীরভাবে বললেন, ওনার টিকিট লাগবে না, কিন্তু বাকিদের টিকিট কাটতে হবে।

রামকৃষ্ণ এর মধ্যে প্রাঙ্গণে ঢুকে পড়েছেন। গিরিশকে তিনি কী করে চিনলেন কে জানে, তাঁর দিকে রামকৃষ্ণ দু হাত তুলে নমস্কার করলেন আগে, গিরিশ প্রতিনমস্কার জানালেন। রামকৃষ্ণ আবার নমস্কার করলেন তাঁকে, সুতরাং গিরিশকেও নমস্কার ফেরত দিতে হয়, এইভাবে চলতেই লাগল। রামকৃষ্ণের একটা নমস্কার বেশি। কিন্তু শুরুর প্রথম ঘন্টা পড়ে গেছে, তাই গিরিশ শেষ নমস্কারটা মনে মনে জানিয়ে বললেন, চলুন ওপরে চলুন।

দোতলায় এসে একটি বক্সে রামকৃষ্ণকে বসালেন গিরিশ। নীচের তলাটা দর্শকে একেবারে ঠাসা। ওপরের বিভিন্ন বক্সে বসেছে বড় মানুষেরা। এরা বাড়ি থেকে আলবোলা

নিয়ে এসেছে, কারু কারু সঙ্গে সুরা ভর্তি ডিকান্টার ও গেলাসও থাকে, নিজস্ব বেহারা পেছনে দাঁড়িয়ে মস্ত পাখা দিয়ে বাতাস করে। সেপ্টেম্বর মাসের শেষ দিক, তবু বেশ গরম, রঙ্গালয়ের মধ্যে এত মানুষের নিঃশ্বাসে আরও গরম, রামকৃষ্ণের কপালে বিন্দু বিন্দু ঘাম। তা দেখে গিরিশ এঁদের হাওয়া করবার জন্য নিজস্ব বেহারাকে নিযুক্ত করে দিলেন। তারপর একটি প্রস্ফুটিত লাল গোলাপ এনে দিলেন রামকৃষ্ণের হাতে। রামকৃষ্ণ সেটা নিয়ে একটুক্ষণ তাকিয়ে রইলেন। তারপর ফিরিয়ে দিয়ে বললেন, ফুলের অধিকার দেবতার আর বাবুদের, আমি নিয়ে কী করব গো?

কনসার্ট বাজতে শুরু করেছে, এখুনি ড্রপসিন উঠবে, গিরিশ সরে এলেন সেখান থেকে। সিঁড়ি দিতে নামতে নামতে তাঁর সারা মুখ রেখায় ভরে গেল। আবার পেট ব্যথা শুরু হয়ে গেছে। তিনি মাথা ঝাঁকাতে ঝাঁকাতে বললেন, দূর ছাই! এই ব্যথা সহজে থামবে না। এখন তাঁর অসুস্থতার কথা কারুকে জানাবার কোনও মানে হয় না। দু মাস ধরে অভিনয় চলছে, এখন আর প্রতি রাতে তাঁর উপস্থিতি তেমন প্রয়োজনীয় নয়। তা ছাড়া অমৃতলাল তো আছেই, হঠাৎ কিছু অঘটন ঘটলে সে সামলে দেবে।

নীচে নেমে এসে গিরিশ একখানা গাড়ি ডেকে বাড়ি চলে গেলেন।

রঙ্গালয়ের মধ্যে এত লণ্ঠনবাতি, এমন আলোকোজ্জ্বল স্থানে রামকৃষ্ণ আগে কখনও আসেননি। একসঙ্গে এত মানুষ। রামকৃষ্ণ উঁকি মেরে দেখতে দেখতে বালকের মতন উচ্ছল হয়ে উঠলেন। মাথা নাড়তে নাড়তে বললেন, বাঃ বাঃ, এখানটা তো বেশ! এখানে এসে বেশ হল! অনেক লোক একসঙ্গে হলে উদ্দীপন হয়। তখন দেখতে পাই, তিনিই সব হয়েছেন!

তার পরই মুখ ফিরিয়ে জিজ্ঞেস করলেন, হ্যাঁ গা, এখানে যে বসালে, কত নেবে?

মাস্টার বললেন, আজ্ঞে। কিছু নেবে না। আপনি এসেছেন বলে ওদের খুব আহ্লাদ হয়েছে।

রামকৃষ্ণ মাথা দোলাতে লাগলেন। ড্রপসিন উঠতেই দর্শকদের গুঞ্জন থেমে গেল, প্রশস্ত মঞ্চের পেছনে বনপথের দৃশ্য আঁকা, ঠিক যেন গভীর বন বলেই মনে হয়, সামনে দিয়ে পথ।

ডাক্তার মহেন্দ্রলাল সরকার শশিভূষণকে নিয়ে বসেছেন নীচে, একেবারে প্রথম সারিতে। এই গরমেও কোট-প্যান্ট পরে আছেন মহেন্দ্রলাল, আর শশিভূষণ ধুতি ও কুর্তা। মহারাজ বীরচন্দ্র মাণিক্যকেও থিয়েটারে নিয়ে আসার ইচ্ছে ছিল শশিভূষণের, কিন্তু তিনি এখনও পুরোপুরি সুস্থ হননি।

প্রথম দৃশ্যে নদীয়ায় গৌরাঙ্গ জন্মেছে বলে বিদ্যাধরীরা আর মুনিঋষিরা ছদ্মবেশে সেই শিশুকে দর্শন করতে এসেছে। গৌরাঙ্গ ঈশ্বরের অবতার, তাই সেইসব দিব্যাঙ্গনা ও ঋষিরা স্তব শুরু করলেন। গান আরম্ভ হল :

কেশব কুরু করুণা দীনে, কুঞ্জকাননচারী
মাধব মনোমোহন, মোহন মুরুলীধারী
(সমবেত) হরিবোল, হরিবোল, হরিবোল, মন আমার......

মহেন্দ্রলাল ফিসফিসিয়ে শশিভূষণকে বললেন, এখানে যে খ্রিস্টানি টুকলিয়েছে গো!

শশিভূষণ বুঝতে না পেরে ভুরু তুললেন।

মহেন্দ্রলাল বললেন, বাইবেলে আছে না, যিশুর জন্মের সময় আকাশের একটি নতুন তারা দেখে তিনজন জ্ঞানী লোক ভগবানের বাচ্চা জন্মেছে মনে করে খুঁজতে খুঁজতে এল? এও ঠিক তেমন ধারাটি নয়? নিমাই জন্মাবার সময় কেউ কি ঘুণাক্ষরেও জানত, সে ভবিষ্যতে এক কেউকেটা মহাপুরুষ হবে? অনেকদিন পর্যন্ত ওই শচীর ব্যাটা তো ছিল একটা বয়াটে ছোঁড়া! গিরিশ এখানে কটা দাড়িওয়ালা ঋষিকে আমদানি করল কোথা থেকে?

মহেন্দ্রলাল আস্তে কথা বলতে জানেন না। তাঁর ফিসফিসানি আশেপাশের অনেকে শুনতে পাচ্ছে। কয়েকজন বিরক্ত হয়ে এদিকে ফিরে তাকাল, মহেন্দ্রলালের ভ্রুক্ষেপ নেই।

যে দৃশ্য দেখে মহেন্দ্রলাল এইসব উক্তি করলেন, সেই দৃশ্য দর্শনেই রামকৃষ্ণ ঠাকুরের প্রতিক্রিয়া সম্পূর্ণ অন্যরকম। সাধারণ অভিনেতারা মুনি-ঋষি সেজেছে, তাদের দেখেই তিনি ভক্তিভাবে বিভোর হয়ে গেলেন। গান শুনতে শুনতে তাঁর চোখ বুজে আসছে, শরীর দুলছে, তিনি সরে যাচ্ছেন বাস্তবতা থেকে, হঠাৎ বাহ্যজ্ঞান হারিয়ে তিনি সমাধিস্থ হয়ে গেলেন।

থিয়েটার দেখার তাঁর এত আগ্রহ, তবু তিনি সব দেখতে পাবেন না ভেবে এক অর্বাচীন শিষ্য ঠেলা দিয়ে তাঁকে জাগিয়ে দিতে গেল, মাস্টার সঙ্গে সঙ্গে তার হাত চেপে ধরে নিষেধ করলেন। কোনও কারণেই সাধকদের কখনও সমাধিভঙ্গ করাতে নেই।

প্রথম বিনোদিনীকে দেখা গেল কিশোর নিমাই বেশে। যারা অন্য অনেক নাটকে বিনোদিনীকে বহুবার দেখেছে, তারাও চিনতে পারল না। শুধু রূপসজ্জার কৌশলের জন্যই নয়, এ যেন অন্য বিনোদিনী। যে বিনোদিনীকে রঙ্গিনী, নৃত্য-গীত পটিয়সী হিসেবে সবাই জানে, সেই বিনোদিনীর পরিচয়টা মুছে ফেলার জন্য সে রীতিমতন সাধনা করেছে। সে এখন শ্রীচৈতন্যভাবে ভাবিতা, অভিনয়ের দিন ভোরবেলা গঙ্গাস্নান করে আসে, তারপর সারাদিন আর কারুর সঙ্গে দেখা করে না, একাগ্রচিত্তে শুধু শ্রীগৌরাঙ্গের ধ্যান করে। গিরিশচন্দ্রের কাছে জেদ করে সে পুরুষের ভূমিকা নিয়েছে। শুধু রূপের চটক দিয়ে নয়, অভিনয় কলাগুণে দর্শকদের মন জয় করতে হবে। বনবিহারিণীর সঙ্গে প্রতিযোগিতার কথাটাও বিনোদিনীর মনের এক কোণে বাসা বেঁধে আছে। এই নাটকে বনবিহারিণীও পুরুষ সেজেছে, সে নিত্যানন্দ। কিন্তু বিনোদিনীর পাশে সে এবার দাঁড়াতেই পারছে না।

বিনোদিনীকে অবশ্য নাট্যকারই জিতিয়ে দিয়েছেন। প্রথম থেকেই সে ঈশ্বরের অবতার। অধিকাংশ দর্শকের মন তাতেই দ্রব হয়ে গেছে। খ্রিস্টান মিশনারি ও নব্য খ্রিস্টানদের হিন্দু ধর্মের প্রতি কুৎসা-বিদ্রূপ, ব্রাহ্মদের খ্রিস্টান তোষণ, তরুণ শিক্ষিত সম্প্রদায় হিন্দু ধর্মকে কুসংস্কারাচ্ছন্ন মনে করে নাস্তিকতার আস্ফালন শুরু করায় সাধারণ হিন্দুরা অনেকখানি গুটিয়ে গিয়েছিল, প্রকাশ্যে নিজেদের হিন্দু বলে পরিচয় দিতে সঙ্কোচ বোধ করত, আজ তারা মঞ্চের চোখ-ধাঁধানো আলোয় দাপটের সঙ্গে হিন্দুত্বের জয়জয়কার দেখে যেন নব বলীয়ান হয়ে উঠল। মুহুর্মুহু জয়ধ্বনি। মঞ্চে যেন সত্যিই শ্রীগৌরাঙ্গকে প্রত্যক্ষ করছে সবাই।

সাধারণ দর্শক ছাড়াও আরও অনেকে মুগ্ধ। কর্নেল আলকট তাঁর পার্শ্ববর্তী ফাদার লাফোঁকে বললেন, অতি বিস্ময়কর ! আমি এতখানি নিপুণ অভিনয়-কৃতিত্ব আশা করিনি। আমি বিলাতে প্রখ্যাত অভিনেত্রী এলেন টেরির ডেসডিমোনা ও পোর্শিয়ার ভূমিকায় অভিনয় দেখেছি, সেই তুলনায় এই বাঙালি অভিনেত্রীটি কোনও অংশে কম নয়। ফাদার লাফোঁ চুপ করে রইলেন, তাঁর চক্ষু দুটি এখন যেন বেশি উজ্জ্বল। তিনি বিজ্ঞানের শিক্ষক, হিন্দু অধ্যাত্মবাদ নিয়ে তাঁর কোনও মাথাব্যথা নেই। কিন্তু তিনি ভারতপ্রেমিক, ভারতীয়দের কোনওরকম কৃতিত্ব দেখলেই তিনি আনন্দবোধ করেন। থিয়েটার পরিচালনায় বাঙালিরা যে ইংরেজদের সঙ্গে পাল্লা দেবার মতন কৃতিত্ব অর্জন করেছে, এতেই তিনি গর্ব বোধ করছেন।

রামকৃষ্ণ আবার বাস্তবে ফিরে এসেছেন, সাগ্রহে দৃশ্যের পর দৃশ্য দেখছেন। এখন নবদ্বীপের গঙ্গার ঘাটে নিমাইয়ের সেই পূজার নৈবেদ্য কেড়ে খাওয়ার দৃশ্য। বহু নারী-পুরুষ ভক্তিভরে পূজা দিতে বসেছে, দুরন্ত কিশোর নিমাই ঠাকুর দেবতা মানে না, তার খিদে পেয়েছে, সে নৈবেদ্য তছনছ করে, নাড়ু-বাতাসা তুলে তুলে খাচ্ছে। ক্রুদ্ধ ব্রাহ্মণরা শাপমন্যি করছে তাকে। এক ব্রাহ্মণ বলল, ওরে বেল্লিক, সর্বনাশ হবে তোর ! নিমাই ওসব গ্রাহ্য করে না, তার পেট ভরে গেছে। সে এখন চলে যাচ্ছে। কিন্তু নিমাই চলে গেলে যে সব কিছুই বিরস হয়ে যায়। সেই যে সব দৃশ্যের নায়ক। গঙ্গার ঘাটের স্ত্রীলোকেরা এত দুষ্টামি সত্ত্বেও

নিমাইকে ভালোবাসে, তারা ব্যাকুলভাবে বলতে লাগল, নিমাই ফিরে আয়, নিমাই ফিরে আয়!

তবু নিমাই ফিরছে না। সে বুড়ো আঙুল তুলে কলা দেখাচ্ছে।

একটি রমণী জানত নিমাইকে ফেরাবার মহামন্ত্র। সে চেঁচিয়ে বলে উঠল, হরিবোল, হরিবোল—

অমনি নিমাই ফিরে দাঁড়াল। সে দু হাত তুলে গাইতে লাগল হরিবোল, হরিবোল....। সঙ্গীত পরিচালক বেণীমাধব অধিকারী উইংসের পাশে দাঁড়িয়ে ঢ্যালা ঢ্যালা চোখ করে সব দেখছেন। এই সময় তাঁর নির্দেশে বাজনদাররা মৃদঙ্গ, খোল-করতালের বাজনা শুরু করে দিল। এই দৃশ্যে বিনোদিনী নাচবে, কিন্তু এ নাচ একেবারে অন্যরকম, অন্য নাটকের রঙ্গিলা নাচের সঙ্গে কোনও সম্পর্কই নেই, বিনোদিনীর শরীরের রমণীত্বও যেন একেবারে মুছে গেছে।

রামকৃষ্ণের চক্ষু ছলছল করছে, তিনি বারবার বলতে লাগলেন, আহা, আহা !

মাস্টারও আহা আহা করতে লাগলেন। অন্য একজন ভক্ত বেশ জোরে জোরে কেঁদে উঠল। পাশের বক্স থেকে এক মদ্যপায়ী বাবু হেঁকে বলল, সাইলেন্স ! গান শুনতে দাও। ওফ, বড্ড মজিয়েছে!

রামকৃষ্ণের চক্ষে আবার ঘোর লেগেছে। তিনি হঠাৎ উঠে দাঁড়াতে গিয়েও বসে পড়লেন। নিজেকে সংযত করার চেষ্টা করছেন। তারপর সঙ্গীদের দিকে তাকিয়ে বললেন, দেখ। যদি আমার ভাব কি সমাধি হয়, তোমরা গোলমাল করো না। ঐহিকেরা ঢং মনে করবে!

নীচের তলায় মহেন্দ্রলাল ওষ্ঠ উল্টে শশিভূষণকে বললেন, এ আবার কী মড়াকান্না শুরু হল হ্যা ? দিব্যি জমেছিল। হরিবোল, হরিবোল, এর মধ্যে হরি এল কোথ্‌ থেকে ? রাত্তিরবেলা যারা মড়া নিয়ে যায়, তারা হরিবোল বলে অ্যায়সা চ্যাঁচায়, আমার ঘুম ভেঙে যায় ! এদের হরি নামের ভগবানটা কি কানে কালা ?

শশিভূষণ নাট্যরসে নিমজ্জিত হয়ে এই গান ও নাচ বেশ উপভোগই করছিলেন, মহেন্দ্রলালের কথা শুনে হাসতে লাগলেন।

মহেন্দ্রলাল আবার বললেন, নিমাই, যাকে এখন সবাই চৈতন্য বলে, সে তো ক অক্ষরটা শুনলেই কৃষ্ণের কথা ভেবে পাগল হত, তাই না ? সেই কৃষ্ণ ব্যাটা ছিল রসিক নাগর, গোপীদের নিয়ে কত লীলেই না করেছে। সে খুব একটা মন্দ না। কিন্তু হরি ? শুনলেই মনে হয় রান্নার ঠাকুর! সাধে কি আর সাহেবরা হরিবোল শুনলেই বলে হরিব্‌ল !

শশিভূষণ জিজ্ঞেস করলেন, আপনার ভালো লাগছে না? সবটা দেখবেন না ?

মহেন্দ্রলাল বললেন, আলবাত দেখব। আমি কোনও কিছুরই শেষ না দেখে ছাড়ি না!

যে সব দর্শক আগে এই নাটক দু-তিনবার দেখেছে, তারা গানের সঙ্গে গলা মেলাতে লাগল। হঠাৎ একজন দর্শক চেয়ারের ওপর দাঁড়িয়ে উঠে নেচে নেচে ওই গান গাইতে শুরু করে দিল।

মহেন্দ্রলাল বললেন, আ মোলো যা ! এটা আবার কোন ভূত ? মদ খেয়ে চুর চুর হয়েছে, এটাকে দূর করে দিচ্ছে না কেন?

পেছন থেকে একজন দর্শক বলল, ছি, ছি, কী বলছেন মশাই ? উনি পূজ্যপাদ বিজয়কৃষ্ণ গোস্বামী !

মহেন্দ্রলাল বললেন, পূজ্যপাদ হোক বা আরও বড় কোনও বাতকর্ম হোক, লোকটা কে?

সেই দর্শকটি বলল, আপনি ওঁর নাম শোনেনি? উনি ব্রাহ্মদের একজন প্রসিদ্ধ নেতা।

মহেন্দ্রলাল বললেন, বেম্মোজ্ঞানী ! তারা তো নিরাকার নিয়ে লাফালাফি করে, এখানে হরি হরি বলে ভেউ ভেউ করে কেঁদে ভাসাচ্ছে কেন ?

অন্য একজন দর্শক বলল, বুঝলেন না দাদা, ঘরের ছেলে ঘরে ফিরছে। হিন্দু ধর্ম ছেড়ে যারা চলে গিয়েছিল, সবাইকেই আবার ফিরতে হবে।

মহেন্দ্রলাল বললেন, যারা খ্রিস্টান, মুসলমান হয়েছে, তারাও ফিরবে ? ফিরতে চাইলেও তাদের মেনে নিতে পারবে হিন্দুরা ? হ্যাঃ, যত্ত সব আজগুবি কথা !

শশিভূষণ হেসেই চলেছেন। তার দিকে ফিরে মহেন্দ্রলাল রাগত স্বরে বললেন, তুমি তখন থেকে শুধু হেসে যাচ্ছ কেন হে ছোকরা ?

শশিভূষণ বললেন, এত আনন্দ পাওয়া কি সহজে মানুষের ভাগ্যে ঘটে ? একদিকে দেখছি গিরিশবাবুর নাটক, আর একদিকে দেখছি আপনার নাটক। একসঙ্গে দুশো মজা!

একটি অঙ্কের পর পর্দা পড়ে গেছে। চানাচুর ও কুলপি-মালাইয়ের ফেরিওয়ালারা হল্লা শুরু করেছে ভেতরে। থিয়েটারের একজন কর্মী মহেন্দ্রলালের পাশে এসে বেশ উত্তেজিত কিন্তু বিনীতভাবে বলল, ডাক্তারবাবু, একটু গ্রিনরুমে আসবেন ? খুব জরুরি ব্যাপার।

মহেন্দ্রলাল উঠে পড়লেন।

গ্রিনরুমের দিকে এগোতে এগোতে লোকটি ঊর্ধ্বশ্বাসে বলতে লাগল, বিনোদ অজ্ঞান হয়ে গেছে, ডাক্তারবাবু। আপনি যে কোনও উপায়ে তাকে চাঙ্গা করে তুলুন, নইলে প্লে বন্ধ হয়ে যাবে !

মহেন্দ্রলাল বললেন, মুশকিল করলে, আমি কি ওষুধের বাক্স সঙ্গে এনেছি ? রাত্তির এগারোটার সময় কোনও দোকানও তো খোলা থাকবে না। চল গে দেখি !

মঞ্চের পেছন দিকে এক জায়গায় সমস্ত অভিনেতা ও নেপথ্য শিল্পীদের ভিড় জমে গেছে, সকলেরই মুখে দারুণ উদ্বেগের চিহ্ন। নাটক যেরকম তুঙ্গে উঠে আসে, এই অবস্থায় অভিনয় বন্ধ করে দিতে হলে দর্শকদের ক্ষেপে ওঠা স্বাভাবিক। আগের দৃশ্যে গান ও নাচের পর টলতে টলতে উইংসের এ পাশে এসেই বিনোদিনী দড়াম করে অজ্ঞান হয়ে গেছে। সম্পূর্ণ নাটকটি তাকে প্রায় একাই টেনে নিয়ে যেতে হয়, তার পরিশ্রম কম নয়। এই সঙ্কটে গিরিশবাবুও আবার উপস্থিত নেই।

ভিড় ঠেলে সামনে গিয়ে মহেন্দ্রলাল দেখলেন, এক দীর্ঘদেহী আলখাল্লা পরা পাদ্রি বিনোদিনীর মাথা কোলে নিয়ে বসে আছেন। ইনিই ফাদার লাফোঁ, মহেন্দ্রলালের সঙ্গে তাঁর পরিচয় আছে, মহেন্দ্রলালের দিকে চোখ তুলে তিনি একটা ইঙ্গিত করলেন। বিনোদিনীর মাথার চুল খুলে গেছে, গুচ্ছ গুচ্ছ কোঁকড়া চুল, এখন আর তাকে পুরুষ বলে মনে হয় না। চক্ষু দুটি নিমিলিত, ওষ্ঠ অল্প অল্প কাঁপছে। ফাদার লাফোঁ লম্বা লম্বা আঙুল দিয়ে বিনোদিনীর মাথা ম্যাসাজ করে দিচ্ছেন। একজনকে বললেন এক গেলাস জল আনতে।

মহেন্দ্রলাল বুঝলেন, আর বিশেষ কিছু করার দরকার নেই। বিনোদিনী অতিরিক্ত আবেগ সামলাতে পারেনি, একটু পরেই ধাতস্থ হয়ে যাবে। ফাদার লাফোঁ ঠিকই বুঝেছেন।

বিনোদিনী ফিসফিস করে বলতে লাগল, হা কৃষ্ণ! হা কৃষ্ণ !

এই দৃশ্যটিতে মহেন্দ্রলাল বেশ কৌতুক বোধ করলেন। এক রূপসী বারবনিতা শুয়ে আছে পা ছড়িয়ে, তার মুখখানা এমনই তীব্রতায় ক্লিষ্ট, যেন সে সত্যিই কৃষ্ণ উন্মাদিনী রাধা, কিংবা স্বয়ং শ্রীগৌরাঙ্গ। তার মাথা কোলে নিয়ে বসে আছে এক খ্রিস্টান সাধু। কৃষ্ণনাম বলতে বলতে চোখ মেলে বিনোদিনী প্রথমে দেখতে পাবে এক শ্বেতাঙ্গ দাড়িওয়ালা পুরুষকে।

তিনি ফিরে গিয়ে নিজের আসনে বসলেন, শশিভূষণ ব্যগ্রভাবে জিজ্ঞেস করলেন, কী হল ? কী হয়েছে ভেতরে ?

মহেন্দ্রলাল বললেন, নট-নটীরা স্টেজের ওপর রাজা-রাণী, স্বর্গের দেবদেবী সাজে। কিন্তু মুখস্থ কথা বলতে বলতে তারা যদি নিজেদেরও রাজা-রানী, দেবদেবী ভাবতে শুরু করে, তা হলেই তো চিত্তির ! ওরা যে আসলে ভজা-গজা, টেঁপি-খাঁদি তা ভুলে গেলে শেখানো বুলি ঠিকঠাক বলবে কী করে ? এখানে সবই তো নকল !

রামকৃষ্ণ ঠাকুরের এর মধ্যে দু-তিনবার ভাবসমাধি হয়ে গেছে। মাঝে মাঝে চোখ খুলে দেখছেন, আবার এক একবার বুজে যাচ্ছে চক্ষু। বিশেষত গানগুলি শুনলেই রোমাঞ্চ হচ্ছে তাঁর সর্বাঙ্গে, তিনি সঙ্গীতপ্রিয়, উচ্চ ভাবের গান শুনলে তাঁর আবেশ আসে। আবার শুরু হয়েছে অভিনয়, নিমাইয়ের গৃহত্যাগ আসন্ন, তার এখন পাগল পাগল দশা, কৃষ্ণনাম শুনলেই তার চোখ দিয়ে অশ্রু ঝরে, শচীমাতাও পুত্রের এই দশা দেখে কান্নাকাটি করছেন। শ্রীবাস এসেছেন বাড়িতে, তাঁকে দেখে নিমাই ছুটে গিয়ে গান গেয়ে উঠল :

কই প্রভু কই কৃষ্ণ ভক্তি হল
অধম জনম বৃথা কেটে গেল
বল প্রভু, কৃষ্ণ, কৃষ্ণ কোথা পাব.....

এই গান শুনে রামকৃষ্ণ ঠাকুর আরও আন্দোলিত হয়ে উঠলেন। মাস্টারের দিকে ফিরে বলতে গেলেন কিছু, কিন্তু শব্দ বেরুচ্ছে না, আবেগে তাঁর স্বর বুজে যাচ্ছে। চক্ষু দিয়ে অনবরত গড়াচ্ছে অশ্রু, উনি মোছার চেষ্টাও করছেন না, গণ্ডদেশ নয়নজলে ভাসছে।

এবারে তাঁর সমাধি হল না বটে, কিন্তু এরপর নিতাইয়ের সঙ্গে মিলনদৃশ্যে যখন গৌরাঙ্গ সম্পূর্ণ ঈশ্বর আবিষ্ট হয়ে ঘোরের মধ্যে কথা বলছে, শ্রীবাস ষড়ভূজ দর্শন করে স্তব করছে, তখন রামকৃষ্ণ ঠাকুরও মানসনেত্রে ভগবানের মূর্তি দেখতে পেলেন। নিতাই গান গেয়ে উঠল:

কই কৃষ্ণ এল কুঞ্জে প্রাণ সই!
দে রে কৃষ্ণ দে, কৃষ্ণ এনে দে, রাধা জানে
কি গো কৃষ্ণ বই !

রামকৃষ্ণ ঠাকুর আর বাস্তবে থাকতে পারলেন না, চক্ষু মুদে আবার চলে গেলেন ভাবজগতে।

অন্যান্য নাটকে অভিনয়ের তুঙ্গ মুহূর্তে দর্শকরা চটাপট চটাপট শব্দে হাততালি দেয়। থিয়েটারের ভাষায় যাকে বলে ক্ল্যাপ, কোন অভিনেতা বা অভিনেত্রী এক রাত্রির অভিনয়ে কতবার ক্ল্যাপ পেল, তা দিয়ে তার জনপ্রিয়তা যাচাই হয়। কিন্তু এই নাটকে দর্শকরা যেন ক্ল্যাপ দিতে ভুলে গেল, তারা ঘন ঘন অহো, অহো, আহা আহা ধ্বনি দিচ্ছে, কান্নার ফোঁসফোঁসানি শোনা যাচ্ছে, যারা রুমাল এনেছে সব এতক্ষণে ভিজে জবাবে হয়ে গেছে।

এই নাটকে যা কিছু দেখছে, তা অধিকাংশ দর্শকের কাছেই অভিনব। চৈতন্যদেবের সম্পূর্ণ জীবনকাহিনী অনেকের কাছেই অজানা। বহুদিনের অশিক্ষায় হিন্দুদের অতীত অস্পষ্ট, নিছক কিছু গাল-গল্প ছাড়া ইতিহাস কিংবা উচ্চাঙ্গের দর্শন সম্পর্কে অধিকাংশেরই কোনও ধারণা নেই। বেশির ভাগ হিন্দুই বেদ-উপনিষদ কখনও চক্ষে দেখেনি, গীতা গ্রন্থকারে পাওয়াই যায় না প্রায়। গিরিশ ঘোষের ভক্তিরসের নাটকগুলি যেন তাদের অতীত গৌরবের এক একটা অধ্যায় তুলে ধরছে। যেন একটা আবিষ্কারের আনন্দে সকলে বিহ্বল !

মহেন্দ্রলাল শশিভূষণকে জিজ্ঞেস করলেন, হ্যাঁ গো, এই কেষ্ট নামের লোকটার দেখা পাবার জন্য এই নাটকের সবাই এমন হেদিয়ে মরছে কেন ? ওই নাম শুনে এত হাপুস হুপুস কান্নার কী আছে ?

শশিভূষণ খুকখুক করে হেসে বললেন, কেষ্ট নামের লোকটা ? সবাই যে তাঁকে ভগবান বলে মানে।

মহেন্দ্রলাল বললেন, ঠিক আছে, ধরা গেল, সে একখানা বেশ জাঁহাবাজ ধরনের ভগবান। ষোলো হাজার গোপিনীর সঙ্গে লীলেখেলা করলেও সে ভগবান। বেশ। কিন্তু তার দেখা পাবার জন্য এমন আকুলি-বিকুলি কেন, দেখা পেলে কী এমন হাতি-ঘোড়া হবে ? কেষ্টর দেখা পেলে ওই লোকগুলোর পাগলামির অসুখ সেরে যাবে, মাগ-ছেলেপুলের পরার সমস্যা ঘুচবে?

শশিভূষণ বললেন, আপনার এ তো সংসারী লোকের মতন কথা। এখানে তো বৈরাগ্য আর ঈশ্বর সান্নিধ্যের ব্যাকুলতার ছবি আঁকছেন গিরিশবাবু !

মহেন্দ্রলাল ঘাড় ঘুরিয়ে দর্শকদের একবার দেখে নিয়ে বললেন, বৈরাগ্য না কচু ! এই যে লোকগুলো দেখছে, এরা একটা ভিখিরিকে একটাও পয়সা না দিয়ে যা যা ব্যাটা বলে খ্যাঁকাবে। বাড়িতে ঝি-চাকরদের কুকুর-বেড়ালের মতন লাথি-ঝাঁটা মারবে। প্রতিবেশীর সঙ্গে এক ছটাক জমির জন্য লাঠালাঠি করবে। আর এখানে বৈরাগ্যের কথা শুনে কেঁদে ভাসিয়ে সব ধুলো কাদা করে দিলে গা ? ভণ্ডামি আর কাকে বলে !

শশিভূষণ জিজ্ঞেস করলেন, আপনার কি এই নাটক একটুও ভালো লাগছে না ?

মহেন্দ্রলাল নাক চুলকোতে লাগলেন। তারপর খানিকটা লাজুকভাবে বললেন, গানগুলি বড় খাসা। বিনোদিনী মেয়েটা মঞ্চ মাতিয়ে রেখেছে, তা স্বীকার করতেই হবে। এটা হচ্ছে আর্ট। জান, যদি ভালো গান শুনি, তার মধ্যে ঠাকুর দেবতার কথা থাক বা নাই থাক, আমার বুক মুচড়োয়। গিরিশ বড্ড জমিয়েছে গো!

নাটক শেষ হবার পর রঙ্গালয়ে তুমুল শোরগোল পড়ে গেল। দর্শকরা কেউ আর বেরুতেই চায় না। 'হরিণ মন মজায়ে লুকালে কোথায়, আমি ভবে একা দাও হে দেখা, প্রাণ সখা রাখো পায়', এই গানের সঙ্গে সঙ্গে ব্যাকুল, উন্মাদিনীর মতন বিনোদিনীর নৃত্য যেন একটা ঝড় তুলে দিয়েছে, তার রেশ পর্দা পড়ার পরেও মিলিয়ে যায়নি। সবাই বিনোদিনীকে আবার দেখতে চায়।

বিনোদিনীর জন্য দু দুবার ড্রপসিন তোলা হয়েছে, সে মঞ্চের সামনে এসে দাঁড়িয়েছে, তবু দর্শকদের তৃপ্তি নেই, তারা চিৎকার করতে লাগল, এনকোর, এনকোর ! বিনোদিনী খুবই পরিশ্রান্ত, তার পক্ষে আর দাঁড়ানো সম্ভব নয়।

সবাই মিলে যাতে মঞ্চ পশ্চাতে হুড়মুড় করে ঢুকে না পড়ে, সেই জন্য পাহারাদাররা সিঁড়ির কাছে বেষ্টনী করে আছে। কিন্তু কিছু কিছু বিশিষ্ট লোককে যেতে দিতেই হয়, রাজা-মহারাজ কিংবা শহরের বড় বড় ধনী ব্যক্তিদের খাতির না করলে থিয়েটার চালানো যায় না, এবং এই সব ব্যক্তিরাও থিয়েটার দেখে চুপচাপ চলে যাবার পাত্র নন, নিজেদের উপস্থিতি জাহির করবেন অবশ্যই। সবচেয়ে আশ্চর্যের কথা, কয়েকজন মহামহোপাধ্যায়, নবদ্বীপের ন্যাড়ামাথা, কপালে ফোঁটা কাটা গায়ে নামাবলি জড়ানো টিকিধারী বৈষ্ণব নেতারাও বিনোদিনীকে আশীর্বাদ জানাবার জন্য ব্যাকুল, তাঁদেরও পথ ছাড়তে হয়।

দোতলার অন্যান্য বক্স খালি হয়ে গেলেও রামকৃষ্ণ ঠাকুর স্তব্ধ হয়ে বসে আছেন। তাঁর ঘোর কাটছে না। ভক্তরা ডাকতে সাহস পাচ্ছে না তাঁকে, তারা ফিসফিস করে কথা বলছে পরস্পরের সঙ্গে। রামকৃষ্ণ ঠাকুরের দু চোখের কোণে চিকচিক করছে অশ্রুবিন্দু।

একটু পরে তিনি আবার বললেন, গৌর হরি, গৌর হরি !

একজন ভক্ত বলল, এবার যে বাড়ি যেতে হয়।

রামকৃষ্ণ বললেন, শ্রীগৌরাঙ্গ ! আমি শ্রীগৌরাঙ্গের কাছে যাব !

উঠে দাঁড়িয়ে তিনি আবার বললেন, ওগো, আমাকে গৌরাঙ্গের কাছে নিয়ে চল—।

দোতলার সিঁড়ি দিয়ে সবাই নামছে, রামকৃষ্ণ এখনও যেন প্রত্যক্ষ জগতে পুরোপুরি ফেরেননি, তাঁর মুখে গভীর তন্ময়তা, তাঁর শরীর ঈষৎ দুলছে। নীচে এসে তিনি হন হন করে

এগিয়ে যেতে লাগলেন মঞ্চের দিকে, বেশ জোরে জোরে বলতে লাগলেন, গৌর হরি, গৌর হরি ! ভক্তরা তাঁকে পথ দেখিয়ে নিয়ে গেল পেছন দিকে, পাহারাদাররা তাঁকে না চিনেও সসম্ভ্রমে পথ ছেড়ে দিল।

অন্যান্য অভিনেতা-অভিনেত্রীরা বিনোদিনীকে ঘিরে থাকলেও অমৃতলাল বসু বসে আছেন একটু দূরে। এই নাটকে তাঁর দুটি ছোট ছোট ভূমিকা। যবনিকা পতনের পরই তিনি মদের বোতল খুলে ফেলেছেন। অন্যান্য নাটকের বেলায় অভিনয় শেষে তিনি আর গিরিশ বিনোদিনীর বাড়িতে গিয়ে বিয়ার ব্র্যান্ডি পান করতে করতে আড্ডা জমাতেন, কিন্তু 'চৈতন্যলীলা' শুরু হবার পর বিনোদিনীর বেশ পরিবর্তন ঘটে গেছে, সে আর নিজের বাসস্থানে মদের আসর বসাতে চায় না। আজ গিরিশও নেই এখানে, সুতরাং সুরাপাত্র হাতে অমৃতলাল নিজেই নিজের সঙ্গী।

গিরিশ অনুপস্থিত বলে অনেক অসুবিধে হচ্ছে। হোমরাচোমরা ব্যক্তিরা তাঁর খোঁজ করছে তো বটেই, তা ছাড়া এঁদের সঙ্গে উপযুক্তভাবে কথাবার্তাই বা বলবে কে ? নিবোদিনীর মুখ দিয়ে কথা সরছে না। অমৃতলালই সব দিক সামাল দিতে পারেন।

একজন অমৃতলালকে ডাকতে এলে তিনি ধমকে উঠে বললেন, যা যা, আমাকে বিরক্ত করিস না। থিয়েটারের মেয়েগুলো সব বেশ্যা, আর নটগুলো বিশ্ব বখাটে, দুশ্চরিত্র, তাই না! এতদিন তো ওরা এই কথাই বলে এসেছে। এখন বুঝুক শালারা ! দেখুক, এই বেশ্যা আর বখাটেরাই কীভাবে মানুষকে মাতাতে পারে। আমরা আজ এত লোককে কাঁদিয়ে ছেড়েছি ! একদিন দেখবি, জেলায় জেলায় ঘুরে ঘুরে আমরা এই চৈতন্যলীলা পালা করব, সারা দেশকে কাঁদাব, কাঁদতে কাঁদতে দেশের মানুষ জাগবে, নিজেদের চিনবে।

লোকটি বলল, দক্ষিণেশ্বরের কালীসাধক রামকৃষ্ণ ঠাকুর এসেছেন, তাঁকে একবার দর্শন করতে যাবেন না!

অমৃতলাল বললেন, আমার কিসের দায় রে ব্যাটা ? আমি কোনও ঠাকুরমাকুরের ভক্ত নই। এসেছেন তো আমার কী ? আমি মাতাল, সমাজের বার, লক্ষ্মীছাড়া, কালীসাধকের সামনে আমি যেতে যাব কেন ?

এদিকে রামকৃষ্ণ ঠাকুর এক সাঙ্ঘাতিক কাণ্ড করে ফেলেছেন। তিনি গৌরহরি গৌরহরি বলতে বলতে প্রায় ছুটে এসেছেন বিনোদিনীর কাছে। বিনোদিনী একটা টুলে বসেছিল, উঠে দাঁড়িয়ে হাত জোড় করল। সে অশুচি বারবনিতা, একজন সাধকের পা স্পর্শ করে প্রণামের অধিকার তার নেই। রামকৃষ্ণ ঠাকুরের দৃষ্টি এখনও আচ্ছন্ন, তিনি কান্নামিশ্রিত গলায় গৌরাঙ্গের নাম উচ্চারণ করে ঝাঁপিয়ে পড়লেন বিনোদিনীর পায়ের ওপর।

উপস্থিত সবাই ভয়ে আর্তনাদ করে উঠল। রামকৃষ্ণের পার্ষদদেরও আর সহ্য হল না। যিনি পরমহংস, তিনি নিজের পিতা-মাতারও পদস্পর্শ করেন না, তিনি এক চরিত্রহীনা নারীর পা ছুঁলেন! ভক্তরা সঙ্গে সঙ্গে রামকৃষ্ণকে ধরে দাঁড় করিয়ে দিল, ধমকের সুরে বলল, ঠাকুর, এ কী করছেন !

এতগুলি মানুষের হাতের স্পর্শে রামকৃষ্ণের বাহ্যজ্ঞান ফিরে এল পুরোপুরি। তিনি দেখলেন, তাঁর সামনে যে দাঁড়িয়ে আছে সে শ্রীচৈতন্য নয়, একজন নারী। এখন তার মাথার চুল খোলা, মুখে রঙ মাখা, ভুরুতে মাখা কাজল ঘামে একটু একটু গলে গেছে।

পাপের ভয়ে বিনোদিনী কাঁদছে, কাঁদতে কাঁদতেই বলল, প্রভু, আমায় আশীর্বাদ করবেন না ?

রামকৃষ্ণ এবার তার মাথায় দু হাত রেখে বললেন, মা, তোমার চৈতন্য হোক !

তার পরই তিনি প্রস্থানের জন্য ব্যস্ত হয়ে পড়লেন।

একজন জিজ্ঞেস করল, আজকের নাটক কেমন দেখলেন ?

রামকৃষ্ণ সম্পূর্ণ স্বাভাবিক গলায় হাসতে হাসতে বললেন, আসল নকল এক দেখলাম!

মহেন্দ্রলাল জানতেন না গিরিশচন্দ্র অনেক আগেই বাড়ি চলে গেছেন। গিরিশের খোঁজে মঞ্চের পেছনে এসে রামকৃষ্ণ-বিনোদিনী দৃশ্যটি দেখলেন তিনি। রামকৃষ্ণ সদলবলে নেমে যাবার সময় তিনি ও শশিভূষণ রাস্তা ছেড়ে সরে দাঁড়ালেন।

শশিভূষণ বললেন, ইনি দক্ষিণেশ্বরের সেই কালীসাধক রামকৃষ্ণ?

মহেন্দ্রলাল বললেন, হুঁ।

শশিভূষণ বললেন, আমি আগে কখনও দেখিনি। কেউ কেউ এঁকে অবতার বলতে শুরু করেছে।

মহেন্দ্রলাল বললেন, আমি অবতার-টবতার বুঝি না। মানুষ কখনও অবতার হতে পারে? মানুষ মায়ের পেটে যারা জন্মায়, তারা মানুষই। মানুষেরই মতন তাদের সুখ-সম্ভোগ, ক্ষুধা-তৃষ্ণা, রোগ-ভোগের কষ্ট থাকতে বাধ্য। তবে এ কথাও ঠিক, মুখখানি দেখে মনে হল, ইনি ঠিক আর পাঁচজন সাধারণ মানুষের মতন নন। অসাধারণ যে, তা মানতেই হবে।

তারপর তিনি বিনোদিনীর কাছে এগিয়ে গিয়ে বললেন, খুব ভালো করেছ আজ, তুমি খুব বড় আর্টিস্ট। গিরিশ তোমায় সার্থক গড়েছে। তবে, কাল থেকে স্টেজে নামার পর তুমি নিজেকে নদীয়ার নিমাই বলে ভেব না, সব সময় মনে রাখবে, তুমি বিনোদিনী দাসী, তুমি অভিনয় করছ। তা হলে তোমার দম ফুরোবে না, হঠাৎ অজ্ঞান হয়েও যাবে না।

একটু আগে একজন বড় সাধকের আশীর্বাদে বিনোদিনী মোহিত হয়ে আছে। ডাক্তারের কথাগুলি তার পছন্দ হল না, সে অন্য দিকে মুখ ফিরিয়ে রইল।

॥ ৪৪ ॥

মহারাজ বীরচন্দ্র মাণিক্য বললেন, আর তিন দিন, বুঝলি মোহিনী, আর তিন দিন পর আমি উঠে দাঁড়াব শুধু না, দপদপিয়ে হেঁটে বেড়াব। এই ডাক্তারটির ওপর আমার বেশ আস্থা হয়েছে। ওষুধেও কাজ হচ্ছে। এবারে তোকে নিয়ে আমি গঙ্গায় বজরা চেপে হাওয়া খেতে যাব।

মহারাজ পালঙ্কে অর্ধ-উলঙ্গ অবস্থায় হাত-পা ছড়িয়ে শুয়ে আছেন, দুটি দাসী গরমজলে গামছা ভিজিয়ে মুছে দিচ্ছে তাঁর সর্বাঙ্গ, মাথার কাছে একটা রুপোর হুঁকো হাতে নিয়ে দাঁড়িয়ে আছে মনোমোহিনী। এই অবস্থাতেও মাঝে মাঝে তামাকের ধোঁয়া না টানলে মহারাজ স্বস্তি পান না।

মনোমোহিনী বলল, ডাক্তারবাবুটি বাজ ডাকার মতন গুম গুম করে কথা বলেন!

মহারাজ বললেন, হুঁ, তেজ আছে! তুই দেখলি কী করে?

মনোমোহিনী বলল, পাশের ঘর থেকে। বাবাঃ, দেখলেই পিলে চমকে যায়!

মহারাজ হাসতে হাসতে বললেন, সে কি রে, তোর পিলে হয়েছে নাকি? ছেলে হল না, আগেই পিলে হয়ে গেল?

দাসীটি মহারাজকে পরিস্কার বস্ত্র পরিয়ে দিয়ে চলে গেল। মহারাজ আরাম করে তামাক টানাতে টানতে হঠৎ নাক ডাকতে শুরু করলেন, মনোমোহিনী হুঁকোটা সরিয়ে নিয়ে নিজেই একবার টান দিল!

খানিকবাদে একটা ঝন ঝন শব্দে তন্দ্রা টুটে গেল মহারাজের। তিনি ঘাড় ঘুরিয়ে তাকিয়ে আঁতকে উঠে বললেন, ও কী, ও কী করলি রে?

কক্ষের এক পাশে একটা টেবিলের ওপর রয়েছে দুটি বড় ক্যামেরা ও একটি পিতলের তেপায়া স্ট্যান্ড। সেই সব নিয়ে মোহিনী ঘাঁটাঘাঁটি করতে গিয়ে স্ট্যান্ডটা ফেলে দিয়েছে।

মহারাজ বললেন, হাত দিসনি, আমার ক্যামেরায় হাত দিসনি!

মনোমোহিনী বলল, আমি ছবি তুলব।

মহারাজ বললেন, আমি সেরে উঠি, তারপর তোকে শিখিয়ে দেব। ছবি তোলা কি সহজ নাকি?

মনোমোহিনী বলল, তা হলে আমি এখন কী করব?

মহারাজ বললেন, তুই তো বাংলা পড়তে পারিস। জানলার ধারে বসে বসে বই পড়।

মনোমোহিনী দু দিকে মাথা ঝাঁকিয়ে বলল, আমার সব সময় পড়তে ভালো লাগে না। আচ্ছা ওই যে শশী বাবু ছবি তোলেন, আমি ওঁর কাছে শিখতে পারি না?

এবার মহারাজ গম্ভীর হয়ে বললেন, সব সময় ছেলেমানুষী করবি না, মোহিনী! হুটহাট করে যেখানে সেখানে যাবি না!

ধমক খেয়েও দমল না মনোমোহিনী। সে ঠোঁট ফুলিয়ে বলল, আমি তা হলে কার সঙ্গে খেলব? আমার ভালো লাগছে না!

মহারাজ বীরচন্দ্র পাশ ফিরে শুলেন।

মনোমোহিনী পাশের ঘরে গিয়ে আলনা থেকে জামা-কাপড় টেনে টেনে ছড়াতে লাগল মেঝেতে। একটা বই খামচে ছিঁড়ে ফেলল কয়েক পাতা। দেওয়ালে মহারানী ভিক্টোরিয়ার একটি বাঁধানো ছবি রয়েছে, সে দিকে সে জিভ বার করে ভেংচি কাটল। তার শরীরে প্রথম যৌবনের চাঞ্চল্য, সারা দিন তার কোনও সঙ্গী নেই, কোনও কাজ নেই, এই অবস্থা তার অসহ্য লাগছে। মাত্র চার-পাঁচ খানা ঘরের অন্দর মহলে বন্দী হয়ে থাকতে সে কিছুতেই রাজি নয়।

মনোমোহিনী জানে, সে এখন ত্রিপুরার রাজ পরিবারের পাটরানী, বাইরের কোনও পুরুষের সঙ্গে কথা বলতে নেই। তা বলে সারাদিন মুখ বুজে থাকতেও রাজি নয় সে। এখানে তার আপনজন বলতে রয়েছে একমাত্র কুমার সমরেন্দ্রচন্দ্র, কিন্তু তারও ছবি তোলার খুব ঝোঁক, সে ফটোগ্রাফিক সোসাইটিতে যাওয়া-আসা শুরু করেছে, ক্যামেরা নিয়ে সারাদিন ঘুরে বেড়ায়, মনোমোহিনী তার পাত্তা পায় না।

একটু পরে মনোমোহিনী অন্দরমহল ছেড়ে পা বাড়াল বাইরে। বারমহলের সঙ্গে যুক্ত বারান্দাটা পার হলেই একটা সিঁড়ি নেমে গেছে ডান দিকে। একতলায় অনেক ঘর খালি পড়ে আছে, তার মধ্যে কোণের একটি ঘর একেবারে বাইরের রাস্তার কাছাকাছি। এ বাড়ির সীমানা উঁচু পাঁচিল দিয়ে ঘেরা, এই ঘরটির জানলায় দাঁড়ালে পথ চলতি মানুষ জন দেখা না-গেলেও স্পষ্ট শোনা যায় তাদের কথাবার্তা, ঘোড়ার ক্ষুরের শব্দ, টের পাওয়া যায় জীবনের স্রোত।

সেই দিকে যেতে যেতে মনোমোহিনী একটা গান শুনতে পেল। রাস্তায় কেউ গাইছে না, বাড়ির মধ্যেই, নারী কণ্ঠ। সেই গান অনুসরণ করে খানিকটা গিয়ে মনোমোহিনী একটি ঘরের ভেজানো দরজা ঠেলে খুলে ফেলল।

ঘরটি বেশ ছোট, একটু একটু অন্ধকার, স্যাঁতসেতে। এক পাশে একটি বিছানা পাতা, অন্য দিকে দেয়ালে ঠেসান দিয়ে রাখা একটি ছোট্ট, বিঘৎ-পরিমাণের আয়না। সেই আয়নার সামনে হাঁটু গেড়ে বসে একটি তরুণী চুল আঁচড়াচ্ছে আর আপন মনে গান গাইছে।

মনোমোহিনী একটুক্ষণ দাঁড়িয়ে সেই গান শুনল।

সে খুবই বিস্মিত হয়েছে। ঘরখানি দেখে মনে হয়, দাস-দাসীরাই এখানে থাকে। কিন্তু রাজবাড়ির কোনও দাসী গান গাইবে, এ যে অসম্ভব ব্যাপার। রাজবাড়ির দাস-দাসীরা কখনও উঁচু গলায় কথা বলে না পর্যন্ত। সব সময় ছায়ার মতন নিঃশব্দ। কোনও কাজের জন্য ডাকা না হলে তারা চোখের সামনে ঘোরাঘুরিও করবে না। গানের তো প্রশ্নই ওঠে না। যে গান জানবে, সে দাসী-বাঁদীর কাজ করতে যাবে কেন?

মনোমোহিনী নিজে গাইতে না পারলেও বুঝল যে এ রীতিমতন তৈরি গলার গান। তরুণীটি তন্ময় হয়ে গাইছে, তার উপস্থিতি টের পায়নি। গানটি শেষ হলে সে জিজ্ঞেস করল, এই, তুই কে রে?

মুখ ফিরিয়েই তরুণীটি জড়োসড়ো হয়ে গেল। সে এই কিশোরী রাণীকে চিনতে পেরেছে। গলায় আঁচল জড়িয়ে মাটিতে মাথা ঠেকিয়ে প্রণাম জানিয়ে বলল, আমার নাম ভূমিসূতা।

এই ক'দিন মনোমোহিনী সারা বাড়ি ঘুরে বেড়িয়েছে, কিন্তু ভূমিসূতাকে সে আগে দেখেনি। এ মেয়েটি যে একজন দাসী, তা এখনও সে বিশ্বাস করতে পারছে না। কলকাতা কি এমনই আজব শহর যে এখানকার দাসীরাও ভালো গান জানে?

সে জিজ্ঞেস করল, তুই কার বউ?

ভূমিসূতা দু দিকে মাথা নাড়ল।

মনোমোহিনী কোনও দাসীর ঘরের মধ্যে পা দেবে না, তাই সে হাতছানি দিয়ে বাইরে ডাকল ভূমিসূতাকে। ভালো করে দেখল। ভূমিসূতার ছিপছিপে শরীর, মনোমোহিনীর তুলনায় বেশ লম্বা, চক্ষু দুটি যেন কাজলটানা। একে বেশ পছন্দ হল মনোমোহিনীর।

সে বলল, তোর নাম কী বললি রে? ভূমির সুতো সুতো কারুর নাম হয়?

ভূমিসূতা কুণ্ঠিতভাবে বলল, সুতো নয়, সূতা।

মনোমোহিনী তবু বুঝতে না পেরে ভুরু কুঁচকিয়ে বলল, তুই কী গান গাইছিলি? শুনতে ভালো লাগছিল, কিন্তু কিছুই বোঝা যায়নি। আবার একটু বল তো!

ভূমিসূতা মৃদু গলায় শোনাল:

গগনে অব ঘন   মেহ দারুণ
সঘনে দামিনী ঝলকই
কুলিশ-পাতান-   শব্দ ঝন ঝন
পবন খরতর বলগই......

মনোমোহিনী বলল, গগন, গগন মানে আকাশ, তাই না; তারপর?

ভূমিসূতা বলল, মেহ হচ্ছে মেঘ, আর দামিনী মানে বিদ্যুৎ....।

মনোমোহিনী বলল, বাঃ, দামিনী, দামিনী মানে বিদ্যুৎ? কী সুন্দর। এই, তুই আমাকে গান শেখাবি?

পাটরানীর অনুরোধ মানেই আদেশ। মনোমোহিনী অবশ্য ভূমিসূতার কোনওরকম উত্তর দেবার অপেক্ষাই করল না, তার হাত ধরে টানতে টানতে দৌড়ে চলে এল নিজের মহলে।

ডাক্তার মহেন্দ্রলাল সরকারের ওষুধের গুণে সত্যিই আর দু-তিন দিনের মধ্যে পুরোপুরি সুস্থ হয়ে উঠলেন মহারাজ বীরচন্দ্র। কলকাতায় আসার পর তিনি এই প্রথম সিঁড়ি দিয়ে নামলেন নীচে। কথা বললেন কর্মচারিদের সঙ্গে, বাগানে বেড়িয়ে মুক্ত বাতাসে নিঃশ্বাস নিলেন।

মহারাজের একান্ত সচিব রাধারমণ কয়েক দিনের জন্য ছুটি নিয়ে নিজের বাড়িতে গেছেন, মহারাজ শশিভূষণের সঙ্গে তাঁর ভবিষ্যৎ কর্মসূচি নিয়ে আলোচনা করতে লাগলেন। ছোটলাটের সঙ্গে একবার সৌজন্যমূলক সাক্ষাৎকারে যেতে হবে। কয়েকটি ইংরেজ কোম্পানি

ত্রিপুরায় চা-বাগান শুরু করতে চায়, সেই সব কোম্পানির প্রতিনিধিদের সঙ্গে আলোচনায় বসার দরকার। কলকাতার সমাজের বিশিষ্ট ব্যক্তিদের আমন্ত্রণ জানাতে হবে এবার।

তারপর তিনি বললেন, শশীমাস্টার, আমার বয়েস হয়ে যাচ্ছে, শরীরে আর তেমন জুত নেই। এখন আর ঘোড়া দাবড়াতে পারব না। আমার ছোটরানীকে নিয়ে কেল্লার মাঠে ঘোড়ায় চড়ে বেড়াব বলেছিলাম, সেটা আর হবে না, বুঝলে? ঘোড়া কেনা-টেনার কথাও আর উচ্চারণ করো না। অন্য কিছু দিয়ে ছোটরানীকে ভোলাতে হবে। তুমি একটা বজরার ব্যবস্থা করো। গঙ্গাবক্ষে দু চারদিন ভেসে থাকব। এতবড় নদী তো মনোমোহিনী কখনও দেখেনি!

খানিকবাদে ওপরে উঠে এসে মহারাজ নিজের কক্ষে না ফিরে আর একটি কক্ষের দরজার সামনে দাঁড়ালেন। ভেতরে গান শোনা যাচ্ছে, বেশ সুরেলা গলার গান। আর মাঝে মাঝে মনোমোহিনীর খিলখিল হাসির শব্দ। দরজা ঠেলে মহারাজ দেখলেন, মেঝেতে কার্পেটের ওপর পা ছড়িয়ে বসে আছে মনোমোহিনী, আর একটি তরুণী আস্তে আস্তে মাথা দুলিয়ে দুলিয়ে গান গাইছে।

মনোমোহিনী মহারাজকে দেখে বলল, মহারাজ, এর নাম সুতো। আমি এর সঙ্গে সই পাতিয়েছি। ওর কাচে গান শিখছি।

ভূমিসূতা ভক্তি ভরে মহারাজকে প্রণাম জানাল।

মহারাজ তার মুখের দিকে এক দৃষ্টে তাকিয়ে রইলেন কিছুক্ষণ। তাঁর ললাটে ভাঁজ পড়ল। তিনি অস্ফুট স্বরে বললেন, একে আমি আগে দেখেছি। কোথায় দেখেছি? কোথায়? এই মেয়ে,তুই কি ত্রিপুরা থেকে এসেছিস?

ভূমিসূতা বলল, না, মহারাজ। আমি কখনও ত্রিপুরায় যাইনি।

মহারাজ বলল, কিন্তু আমি তোকে দেখেছি ঠিকই। তোর বাড়ি কোথায়?

ভূমিসূতা বলল, আমার বাড়ি উড়িষ্যায় মহারাজ। উড়িষ্যা থেকে কলকাতায় এসেছি, আর কোথাও যাইনি।

মহারাজ বীরচন্দ্রের ললাট তবু কুঞ্চিত হয়ে রইল, তিনি বললেন, তুই একটু উঠে দাঁড়া তো।

ভূমিসূতা উঠে দাঁড়িয়ে পড়েও চেয়ে রইল মাটির দিকে। মহারাজ বললেন, মুখ তোল, তাকা আমার দিকে।

আবার তিনি আপন মনে বললেন, হুঁ, আমার ভুল হয় না। এই মেয়েকে আমি অবশ্যই আগে কোথাও দেখেছি। এই মুখ আমার চেনা।

ভূমিসূতা খুব বিচলিত বোধ করল। মহারাজ বারবার এ কথা বলছেন কেন? এ বাড়িতে আসার আগে সে ত্রিপুরার এই মহারাজের অস্তিত্বের কথাই জানত না। সে নিশ্চিত জানে, মহারাজের সঙ্গে তার আগে কখনও দেখা হয়নি!

মহারাজ ভেতরে এসে একটা কেদারায় বসে পড়ে বললেন, শুনি তো একখানা গান। আমার স্নানের সময় হয়েছে, বেশিক্ষণ বসব না।

ভূমিসূতা রাজার আদেশে গাইল :

মাধব, বহুত মিনতি করি তোয়
দেহি তুলসী তিল দেহ সমর্পলু
দয়া জনি ছোড়বি মোয়
গণইতে দোষ গুণ লেশ না পাওবি
যব তুহুঁ করবি বিচার
তুহুঁ জগনাথ জগতে কহাওসি
জগ বাহির ন মুই ছার.....

মহারাজ এখনও ভুরু উঁচিয়ে আছেন। গানের সঙ্গে মাথা দোলাতে দোলাতে বললেন, বাঃ, বাঃ !

গান শেষ হলে তিনি জিজ্ঞেস করলেন, এ গান তোকে কে শেখাল ? এমন গান তো কারুকে গাইতে শুনি না।

ভূমিসূতা আবার মাটির দিকে চোখ রেখে বলল, আমার বাবা শিখিয়েছেন, মহারাজ !

মহারাজ উঠে দাঁড়িয়ে বললেন, আমার ক্ষুধা বোধ হচ্ছে, বিকেলে ভালো করে আবার তোর গান শুনব। তোর সঙ্গে আমার আগে কোথায় দেখা হয়েছিল, তোর মনে নেই ?

ভূমিসূতা দু দিকে মাথা নাড়ল।

দুপুরে দিবানিদ্রা দেবার পর বিকেলে মহারাজ আরও সুস্থ বোধ করলেন। দু খিলি পান ও কিছুক্ষণ তামাক খাওয়ার পর তিনি আজ একটু সাজগোজ করলেন। গায়ে জড়ালেন একটা রঙিন উড়ুনি, মাথায় পরলেন পাগড়ি। দোতলায় বারমহলেও একটি বৈঠকখানা সাজানো রয়েছে সোফা-কৌচ দিয়ে, সেখানে এসে বসে তিনি ডেকে পাঠালেন শশিভূষণকে।

শশিভূষণ এসে নমস্কার জানাতেই মহারাজ উৎফুল্ল স্বরে বললেন, ওহে শশী, বসো বসো ! আমার ছোটরানী আজ একটি রমনী রত্ন আবিষ্কার করেছে। সে এই বাড়িতেই লুকিয়েছিল। তুমি তার কথা আগে আমায় বলনি তো ?

শশিভূষণ বুঝতে না পেরে বললেন, লুকিয়েছিল !

মহারাজ বললেন, অবশ্যই। এই কদিন তার সন্ধান পাওয়া যায়নি। তার নাম বলল, ভূমিসূতা। এমন নামও আমি আগে শুনিনি। মেয়েটি বেশ সুশ্রী, মুখখানি খাসা। অতি চমৎকার গান করে। কোকিলকণ্ঠী বলতে পারো !

শশিভূষণ চমকে উঠলেন। ভূমিসূতা মহারাজের অন্দরমহলে গিয়েছিল, কেন গিয়েছিল ? ওই মেয়েটি তাঁর নিজস্ব পরিচারিকা, তাকে মহারাজের সেবার জন্য নিযুক্ত করা হয়নি।

মহারাজ বললেন, সে নাকি উড়িষ্যার মেয়ে। তার বাবা তাকে গান শিখিয়েছে। উচ্চারণ মার্জিত, দাঁড়াবার ভঙ্গিটি দেখলেই বোঝা যায় ভদ্র ঘরের মেয়ে। একটি সুন্দরী, কোকিলকণ্ঠী, ভদ্র পরিবারের কন্যা এ বাড়িতে বাঁদী হয়ে আছে, এ কী রহস্য বল তো ? ওহে শশী, তুমি কোনও কুলবধূকে ফুসলিয়ে এনে আমার বাড়িতে লুকিয়ে রাখনি তো ?

মহারাজ হাসতে লাগলেন।

শশিভূষণ স্ত্রী-জাতির প্রতি অনাসক্ত, তাই তিনি ভূমিসূতার প্রতি বিশেষ মনোযোগ দেননি। সে নিঃশব্দে ঘরের কাজ করে যায়, শশিভূষণের জন্য রান্না করে দেয়, বেশির ভাগ সময়েই আড়ালে থাকে। সে যে গান জানে, সে খবরও শশিভূষণ রাখেন না।

মহারাজ বললেন, কামিনীটিকে দেখেই আমার মনে হল, এই মুখ আমি আগে দেখেছি। ও কিছু বলে না। কিন্তু আমার চোখকে কি ফাঁকি দিতে পারবে ? অনেকক্ষণ মনে পড়ছিল না। দুপুরে একঘুম দেবার পর মনে এসে গেল। তুমি আমাকে গত বছর তোমার তোলা কতকগুলি ফটোগ্রাফ দেখিয়েছিলে না ? তার মধ্যে একটি ছবি দেখে আমি বলেছিলাম, এইটি অতি সুন্দর হয়েছে, এ ছবি প্রতিযোগিতায় পাঠানো যায় । সেটি ছিল ফুলবাগানে দাঁড়ানো এই মেয়েটির ছবি। ঠিক না ?

শশিভূষণ স্তম্ভিত হয়ে গেলেন। মহারাজের এমন স্মৃতিশক্তি, এক বছর আগে দেখা একটা ফটোগ্রাফের মুখ মনে রেখেছেন ?

মহারাজ গোঁফে তা দিতে দিতে জিজ্ঞেস করলেন, এবারে স্পষ্ট করে খুলে বলো তো, তুমি কি এই গায়িকাটিকে বিবাহ করেছ কিংবা করতে চাও কিংবা তোমার নিজের করে রাখতে চাও ?

শশিভূষণ বিব্রতভাবে তাড়াতাড়ি বলে উঠলেন, না মহারাজ, সেসব কিছুই না। ও একজন সাধারণ পরিচারিকা মাত্র। আমি ওর গান কখনও শুনিনি।

তারপর তিনি ভূমিসূতার পূর্ণ ইতিহাস সংক্ষেপে মহারাজকে জানালেন।

মহারাজ বললেন, বাঃ, বাঃ ! তোমার দাদা যে উড়িষ্যা থেকে একটি রত্ন কুড়িয়ে পেয়েছেন হে ! সেই রত্নকে কি অবহেলায় অন্ধকার ঘরে ফেলে রাখা চলে ? তাকে কণ্ঠে ধারণ করতে হয়। তোমাদের বাঙালিদের কী যে অদ্ভুত সংস্কার বুঝি না। এত জাতপাতের বিচার, একটু পান থেকে চুন খসলেই জাত নষ্ট ! বাঙালি হিন্দুরা হাজারে হাজারে মোছলমান হয়ে যাচ্ছে তো এই জাতপাতের অত্যাচার আর ছুঁতমার্গের জন্যই ! রূপবতী, গুণবতী রমণীরত্নের আবার জাত কী ? ও মেয়েটিকে তোমার অপছন্দ কিসের জন্য ? তুমি যদি ওকে বিবাহ করতে চাও, আমি সব বন্দোবস্ত করে দেব।

শশিভূষণ বললেন, পছন্দ-অপছন্দের প্রশ্ন নয় মহারাজ, জাতপাতের ব্যাপার নিয়ে আমি খুব যে মাথা ঘামাই তাও নয়। কিন্তু আমি বিবাহের কথা চিন্তা করি না। আমি ঝাড়া হাত-পা হয়ে বেশ আছি!

মহারাজ লঘুহাস্য করে বললেন, জিতেন্দ্রিয় পুরুষ! তুমি গান ভালবাসো না?

শশিভূষণ বললেন, এক মহাকবি বলেছেন, যে ব্যক্তি গান ভালোবাসে না, সে মানুষ খুন করতে পারে।

মহারাজ বললেন, এই তো তোমার মতন মাস্টারদের দোষ ! খালি অন্যদের কথা উদ্ধার কর! কবিরা তো কত রকম কথাই বলে, তুমি নিজের কথা বলতে পারো না। অহো, বৈষ্ণবপদকর্তাদের গান, তার তুল্য জগতে আর কী আছে ? সে যে রসের বারিধি ! শ্রবণ জুড়োয়, প্রাণ জুড়োয়, বেশিদিন বাঁচতে ইচ্ছে করে। 'আজু রজনী হম ভাগে গমায়লুঁ/পেখলুঁ পিয়া মুখ চন্দা/ জীবন যৌবন সফল করি মানলুঁ/ দশদিশ ভেল নিরদন্দা......

মহারাজ সুর করে গাইতে লাগলেন। তারপর হঠাৎ থেমে গিয়ে বললেন, অনেক দিন ধরে আমার সাধ কি জানো, শশী, রাত্তিরে যখন শুতে যাব, তখন আমার মাথার কাছে বসে একজন পদাবলি গান শোনাবে। গান শুনতে শুনতে সুখনিদ্রা, আহা ! আমার রানীগুলোন কেউ তো গানের গ-ও জানে না। আমি শিখোতে গেলেও ভয়ে সিঁটিয়ে থাকে। তবে হ্যাঁ, ছিল বটে আমার বড় রানী ভানুমতী, কী মিষ্ঠি গানের গলা, কতরকম মনিপুরি গান জানত, কত গুণ ছিল তার, সে আমাকে অকালে ছেড়ে চলে গেল ! ভুল বুঝেছে সে, তার ছেলে সমরকে কি আমি হেলাফেলা করেছি ?

অকস্মাৎ পুরনো কথা মনে পড়ায় শোকাভিভূত হয়ে মহারাজ বীরচন্দ্র দু হাতে মুখ ঢেকে ফেললেন।

কিন্তু এই শোক দীর্ঘস্থায়ী হল না, পুকুরের জলে তরঙ্গের মতন অচিরে মিলিয়ে গেল।

হাত সরিয়ে তিনি ব্যগ্রভাবে বললেন, এই মেয়েটি, এই যে ভূমিসূতা, ওকে আমি ত্রিপুরায় নিয়ে যাব। আমার ছোটরানীর সঙ্গে ওর ভাব হয়েছে, বেশ ভালোই হয়েছে, তার সঙ্গে সে থাকবে, রাত্রে আমার শিয়রে এসে গান শোনাবে। যাও তো শশী, মেয়েটিকে এখানে ডেকে আনো, ভালো করে তার গান শুনি।

শশিভূষণ একটু অন্যমনস্ক হয়ে পড়েছিলেন, মহারাজের শেষের আদেশটি শুনতে পেলেন না।

মহারাজ আবার বললেন, কালই তাকে দু জোড়া ভালো শাড়ি কিনে দিও। কাল থেকে সে ভেতর মহলে থাকবে। যাও, এখন তাকে একবার ডেকে আনো।

শশিভূষণ উঠে পড়লেন। মহারাজের কথাগুলি তাঁর মনঃপূত হল না। তাঁর মেজদাদা ভূমিসূতাকে নিয়ে এসেছেন পুরী থেকে, মেজবউঠানের আদিখ্যেতা করে ওকে এ বাড়িতে

পাঠাবার কী দরকার ছিল ? যে-কোনও একটি পরিচারিকা হলেই তো শশিভূষণের চলে যেত! মহারাজ ভূমিসূতাকে ত্রিপুরায় নিয়ে যেতে চাইছেন, এতে যদি মেজদাদা-মেজবউঠান আপত্তি করেন ? তখন এক ফ্যাসাদ হবে। আর ওই মেয়েটিকেও বলিহারি, সে হ্যাংলার মতন মহারাজের অন্দরমহলে গিয়েছিল কেন ? সেখানে তো তার যাবার কথা নয়। সে মহারাজের নজরে পড়েছে, এবারে তার ভাগ্য খুলে যাবে, এ রকমই বুঝি মতলব ছিল ওর মনে ? মহারাজ অবশ্য ওকে বিয়ে করবেন না, রক্ষিতা হয়ে থাকবে, সেও তো দাসীত্ব থেকে অনেকখানি পদোন্নতি। কিন্তু তাঁর দাদা-বউঠান ওকে ছাড়তে না চাইলে সে ঝঞ্ঝাট কে সামলাবে ? মহারাজ একবার ইচ্ছা প্রকাশ করলে তার কি অন্যথা হয় ?

নিজের ঘরে এসে শশিভূষণ গম্ভীরভাবে ডাকলেন, ভূমিসূতা, ভূমিসূতা !

একতলা থেকে দ্রুত সিঁড়ি বেয়ে উঠে এসে ভূমিসূতা দাঁড়াল দরজার কাছে। শশিভূষণ অপ্রসন্ন মুখে চেয়ে রইলেন তার দিকে। একটা ফ্যাকাসে হয়ে যাওয়া নীল রঙের শাড়ি পরা, তার কোথাও কোথাও পিজে গেছে, এক জায়গায় ভুষোকালির দাগ। খোলা চুল পিঠের ওপর ছড়ানো।

শশিভূষণ নীরস গলায় বললেন, তোমার এর থেকে আর ভালো কোনও কাপড় নেই ? একটা পরিষ্কার কাপড় পরে এসো। ওপরতলার বৈঠকখানায় মহারাজ বসে আছেন, তোমাকে ডাকছেন গান শোনাবার জন্য।

শশিভূষণের সঙ্গে ভূমিসূতার সরাসরি বেশি কথা হয়নি কখনও, তাঁর এরকম কণ্ঠস্বরও সে শোনেনি আগে। সে তাঁর মুখের দিকে চেয়ে রইল।

শশিভূষন আবার ধমক দিয়ে বললেন, দেরি করছ কেন ? এক্ষুনি কাপড় বদলে এসো। মহারাজ কতক্ষণ বসে থাকবেন ?

ভূমিসূতা বলল, আমি যাব না।

শশিভূষণ ভুরু কুঁচকে বললেন, যাবে না মানে ? মহারাজ ডেকেছেন, তুমি যাবে না ?

ভূমিসূতা বলল, আমি বাঈজীদের মতন বৈঠকখানা ঘরে বসে গান গাইতে পারব না ! না, না, আমি ওসব পারব না।

শশিভূষণ আরও জোর ধমকের সুরে বললেন, যাবে না মানে ? তা হলে তুমি লোভী বেড়ালীর মতন মহারাজের অন্দরমহলে সেঁধিয়েছিলে কেন ? মহারাজের সামনে গান গেয়ে তাঁর মন ভুলিয়েছ, এখন এসব কী নচ্ছারপনা হচ্ছে ? মহারাজ তাঁর শোবার ঘরে বসে গান শুনবেন না বৈঠকখানায়, সেটা তিনি ঠিক করবেন। যাও, শিগগির গিয়ে কাপড় বদলে এসো।

ভূমিসূতা পরিপূর্ণ চোখে শশিভূষণের দিকে একটুক্ষণ তাকিয়ে থেকে আস্তে আস্তে মাথা দুলিয়ে বলল, না, আমি যাব না!

শশিভূষণ খুবই বিরক্ত এবং ক্রুদ্ধ হয়ে থাকলেও এখন বিস্মিত হতে বাধ্য হলেন। এ মেয়ে পরিষ্কার উচ্চারণে কথা বলে। কোনও ঝি-চাকর যে তার মনিবের আদেশের উত্তরে এমন স্পর্ধার সঙ্গে না বলতে পারে, তা যেন অবিশ্বাস্য। এ মেয়ে সাধারণ দাসীর মতন নয় তা ঠিকই, ভদ্র ঘরে জন্ম, গান জানে, কিন্তু অনাথিনী এবং আশ্রিতা তো বটে, তবু এমন জোর পেল কোথা থেকে ?

শশিভূষণ মহারাজের স্বভাব জানেন। তিনি ভালো মানুষ ধরনের হলেও জেদি। তিনি বৈঠকখানা ঘরে বসে গড়গড়ার নল মুখে দিয়ে এই মেয়েটির গান শোনার জন্য অপেক্ষা করছেন, এখন যদি তাঁকে বলা হয় যে গায়িকাটি আসতে রাজি নয়, তা হলে তিনি রাগে ফেটে পড়বেন। রাজা-মহারাজারা কারুর মুখেই পারব না, যাব না শুনতে অভ্যস্ত নন। কিন্তু এই মেয়েটি যদি যেতে না চায়, তা হলে তাকে জোর করে নিয়ে যাওয়া হবে কী করে ? জোর

করে কি কারুকে দিয়ে গান গাওয়ানো যায় ? একটি মেয়েকে জোর করে টেনে নিয়ে যাওয়া শশিভূষণের পক্ষে কিছুতেই সম্ভব নয়।

তিনি এবারে খানিকটা মিনতির সুরে বললেন, বৈঠকখানায় মহারাজ ছাড়া আর কেউ নেই। তুমি একা ওঁকে গান শোনাবে, তাতে তোমার আপত্তি কিসের ? একবারটি চল—

শশিভূষণের সঙ্কটের কথা বুঝতে পেরেই যেন ভূমিসূতা ঈষৎ হেসে বলল, আপনি মহারাজকে গিয়ে জানিয়ে দিন যে আমার হঠাৎ অসুখ করেছে। দেহটা ভালো নেই, পেটে যাতনা হচ্ছে। আমি নীচে গিয়ে বিছানায় শুয়ে থাকব।

ভূমিসূতা আর দাঁড়াল না। নম্র পায়ে চলে গেল সিঁড়ির দিকে। শশিভূষণ দেখতে পেলেন তার দু পায়ের পাতায় আলতার ঝিলিক। তাঁর ছেলেবেলায় শোনা একটি মেয়েলি ছড়া মনে পড়ল। এলাটিং বেলাটিং সই লো ? কী খবর আইল ? / রাজা একটি বালিকা চাইল / কোন বালিকা চাইল ?/এই বালিকা চাইল /নিয়ে যাও, নিয়ে যাও বালিকাকে / নিয়ে যাও নিয়ে যাও বালিকাকে......

রাজা যখন কোনও বালিকাকে চান, তখন কি আর তাকে আটকে রাখা যায় ?

॥ ৪৫ ॥

শীতের ফিনফিনে বাতাস বইছে, আকাশে মেঘ নেই, কিন্তু নদীর ওপর দুলছে পাতলা কুয়াশা। স্টিমারের ডেকে দাঁড়িয়ে আছেন জ্যোতিরিন্দ্রনাথ, গায়ে একটি চমৎকার নকশা করা কাশ্মিরি শাল জড়ানো। তিনি সদ্য বিছানা ছেড়ে উঠে এসেছেন, তাঁর চোখে এখনও ঘুমের আবেশ। কীর্তনখোলা নদীর ওপর পাল তুলে চলেছে অনেক নৌকো, অধিকাংশই ধানে বোঝাই। এ জেলার জমি খুবই উর্বর, সোনার শস্য ফলে, এ বছর ফলন খুবই ভালো।

জ্যোতিরিন্দ্রনাথ যে-স্টিমারটিতে দাঁড়িয়ে আছেন, এর নাম 'বঙ্গলক্ষ্মী', এটি ছাড়বে দুপুর একটার সময়, এখন একেবারে খালি। বন্দর থেকে খানিকটা দূরে নোঙর করে রয়েছে। পশ্চিম দিক থেকে নদীর বুকে প্রচণ্ড আলোড়ন তুলে ভোঁ বাজাতে বাজাতে আসছে তাঁর আর একটি স্টিমার, 'স্বদেশী', সেটি যাত্রীতে একেবারে টইটম্বুর বোঝাই। জ্যোতিরিন্দ্রনাথ তৃপ্তির সঙ্গে সেদিকে তাকিয়ে রইলেন। তাঁর স্টিমারগুলির মধ্যে 'স্বদেশী'-ই সবচেয়ে নির্ভরযোগ্য ও শক্তিশালী, এর মধ্যে একবারও বিগড়োয়নি, সে বিলিতি কোম্পানির জাহাজগুলির সঙ্গে পাল্লা দিয়ে এগিয়ে যায়। 'স্বদেশী'র জয়যাত্রা অব্যাহত।

বড় বড় ঢেউয়ের ধাক্কায় নৌকোগুলো মোচার খোলার মতন দুলছে। একটি ছোট ডিঙ্গি নৌকো 'বঙ্গলক্ষ্মী'র কাছে এসে ভিড়ল, মালকোছা মারা ধুতি ও কালো রঙের চায়না কোর্ট পরা এক বাবু উঠে দাঁড়িয়ে বলল, নমস্কার জ্যোতিবাবুমশাই, একবার ওপরে আসতে পারি কি ?

জ্যোতিরিন্দ্রনাথ ব্যক্তিটিকে চিনতে পারলেন না।

এই স্টিমারের তিনতলায় একটি মাত্র ক্যাবিন, এখানে জ্যোতিরিন্দ্রনাথ একা থাকেন। ডেকের ওপরে কয়েকটি চেয়ার ছড়ানো। কালো কোট পরা লোকটি ওপরে এসে বলল, গুড মর্নিং, গুড মর্নিং, এ সময়ে এসে আপনার ব্যাঘাত ঘটালাম না তো ?

জ্যোতিরিন্দ্রনাথ লোকটিকে একটি চেয়ারে বসার অনুরোধ জানিয়ে নিজে বসলেন একটু দূরে। জিজ্ঞেস করলেন, আপনি চা-পান করবেন কী ?

লোকটি বলল, অবশ্যই। চায়ে আমার কখনও অরুচি নেই। দিনে অন্তত বিশ কাপ চা খাই। অধমের নাম অভয়চরণ ঘোষ, আমাকে আপনি চিনবেন না, আমি একজন সামান্য জুনিয়ার উকিল, তবে আমার সিনিয়ারকে অবশ্যই চিনবেন, তিনি হচ্ছেন প্যারীমোহন মুখুজ্যে।

জ্যোতিরিন্দ্রনাথের ভুরু দুটি ঈষৎ কুঞ্চিত ছিল, এবার সোজা হল। লোকটির ব্যবহারের মধ্যে খানিকটা ঔদ্ধত্যের ভাব আছে, এবার বোঝা গেল, উকিল, সেইজন্য। কিন্তু সকালবেলা একজন উকিল তাঁর কাছে আসবে কী জন্য !

তিনি বললেন, প্যারীমোহন মুখোপাধ্যায়কে বিলক্ষণ চিনি, উত্তরপাড়ার রাজা জয়কৃষ্ণ মুখোপাধ্যায়ের ছেলে তো ? তিনি কৃতবিদ্য, স্বনামধন্য ব্যক্তি, হঠাৎ আমাকে স্মরণ করেছেন কেন ?

এ প্রশ্নের সরাসরি উত্তর না দিয়ে অভয়চরণ বলল, আমি আপনাকে আগে দু-একবার দেখেছি। সোনার মতন বর্ণ ছিল আপনার, এখন রোদে ঝলসে যে তামার মতন হয়ে গেছে। আপনি মাসের পর মাস জাহাজেই কাটিয়ে দিচ্ছেন শুনেছি,কলকাতায় যান না একেবারেই, এত ধকল কি আপনার সইবে ?

জ্যোতিরিন্দ্রনাথ শুকনো গলায় বললেন, ব্যবসা চালাতে গেলে নিজেকেই দেখতে হয়। জাহাজে বসবাস করতেই আমার এখন ভালো লাগে।

অভয়চরণ বলল, কতদিন এই ব্যবসা চালাবেন?

জ্যোতিরিন্দ্রনাথ বিরক্তভাবে বললেন, তার মানে? আমি যতদিন বাঁচব, ততদিন চলবে। ব্যবসা আরও বৃদ্ধি পাবে, আরও জাহাজ কিনে বিভিন্ন লাইনেও চালাব।

অভয়চরণ বলল, পারবেন কি ? আপনারা জমিদারি চালাতে অভ্যস্ত। বঙ্গসন্তানরা ব্যবসা চালাতে শিখল কবে ? ব্যবসায়ে অনেক হ্যাপা, জমিদারির মতন আরাম তো তাতে নেই। বাড়ি ঘর ছেড়ে আপনিই বা এখানে কত দিন পড়ে থাকবেন ?

জ্যোতিরিন্দ্রনাথ এবার ধৈর্য হারিয়ে রূঢ়ভাবে কিছু বলতে যাচ্ছিলেন, তার আগেই অভয়চরণ আবার বলল, আমার সব কথাটা আগে শুনে নিন, জ্যোতিবাবু। আমাদের ল ফার্ম এর মক্কেল হচ্ছে ফ্লোটিলা কোম্পানি। সেই মক্কেলের কাছ থেকে আমি একটা প্রস্তাব নিয়ে এসেছি। আপনার এইসব জাহাজপত্তর, অতিরিক্ত যন্ত্রপাতি, মায় অফিস ঘরের চেয়ার টেবিল পর্যন্ত সব কিছুই আমাদের মক্কেল কোম্পানি কিনে নিতে রাজি আছে। ন্যায্য দামই দেবে। যদি চান, দামের ব্যাপারে দু-এক দিনের মধ্যেই সাহেবদের সঙ্গে আপনার বৈঠক হতে পারে।

জ্যোতিরিন্দ্রনাথ সবিস্ময়ে উকিলবাবুটির দিকে চেয়ে রইলেন কয়েক মুহূর্ত । যতই রাগ হোক, তবু শালীনতা বজায় রাখা তাঁদের বংশের রীতি। যদিও তাঁর বলতে ইচ্ছে করছিল, দূর হয়ে যাও, এই মুহূর্তে আমার চোখের সামনে থেকে দূর হয়ে যাও, কিন্তু কণ্ঠস্বর সংযত করে ধীরভাবে তিনি বললেন, এ রকম অযাচিত প্রস্তাবের মর্ম আমি বুঝতে পারছি না। কোনও বামনের হঠাৎ চাঁদ কেনার ইচ্ছে হতে পারে, মানুষের ইচ্ছেকে কেউ বাধা দিতে পারে না, কিন্তু আকাশের যিনি মালিক তিনি চাঁদটা বিক্রি করে দেবার জন্য ব্যস্ত না-ও হতে পারেন। আপনার মক্কেলকে জানাবেন, বিক্রি করে দেবার জন্য এই জাহাজগুলি আমি কিনিনি। নমস্কার।

অভয়চরণ মুচকি হেসে বলল, আপনি চা খাওয়াবেন বলেছেন, সুতরাং আমি আরও কিছুক্ষণ বসতে পারি। চা না খেয়ে উঠছি না। এই অবসরে আর একটি প্রশ্ন করি। আপনার যদি লাভ না-হয়, দিনের পর দিন লোকসান দিয়েও আপনি ব্যবসা চালাবেন ?

জ্যোতিরিন্দ্রনাথ বললেন, আমার লাভ-লোকসান নিয়ে অন্য কারুর মাথা না-ঘামালেও চলবে।

অভয়চরণ বলল, আপনার ব্যক্তিগত লাভ-লোকসান নিয়ে কৌতুহল প্রকাশ করা অশিষ্টতা তা আমি জানি, কিন্তু ব্যবসার ব্যাপারে প্রতিপক্ষ তো সবরকম খোঁজখবর নেবেই। এই জাহাজের ব্যবসায়ে আপনার আয়-ব্যয়ের খুঁটিনাটি পর্যন্ত আমরা জানি। এখন আপনার তেমন কিছু লাভ না হলেও ক্ষতির পরিমাণ তেমন কিছু বেশি নয়। এ ভাবেও আপনি বেশিদিন চালাতে পারবেন না। সামনের সপ্তাহ থেকে আপনার যাত্রীর সংখ্যা কমতে থাকবে। ফ্লোটিলা কোম্পানি যাত্রী ভাড়া দু পয়সা কমিয়ে দেবে।

জ্যোতিরিন্দ্রনাথ বললেন, সে কি ? ওরা স্বেচ্ছায় ক্ষতি স্বীকার করবে? এখন যা ভাড়া, তাতে জাহাজ পুরোপুরি ভর্তি না হলে ঠিক খরচ ওঠে না, তা সত্ত্বেও ওরা লোকসান দেবে ?

অভয়চরণ বলল, ওদের বড় কোম্পানি। অনেক দেশে ওদের স্টিমার চলে। ইংলন্ডে, আফ্রিকায়, ইন্ডিয়ায়। দু-এক লাখ টাকা ক্ষতি হলেও ওদের গায়ে লাগবে না। এক জায়গার লাভ নিয়ে অন্য জায়গার ক্ষতি পুষিয়ে নেবে। এই সব বিলিতি কোম্পানির কায়দাই হচ্ছে ব্যবসার ক্ষেত্রে প্রথমেই প্রতিযোগীদের হঠিয়ে দেওয়া। এখানে আপনি ওদের পথের কাঁটা। আপনাকে সরাতে পারলেই ওরা একচেটিয়া ব্যবসা করবে, তখন ইচ্ছেমতন ভাড়া বাড়াবে।

জ্যোতিরিন্দ্রনাথ বললেন, ওরা হঠিয়ে দিতে চাইলেই আমি হঠে যাব ? হেরে যাবার জন্য আমি ব্যবসায়ে নামিনি।

অভয়চরণ বললেন, দেখুন জ্যোতিবাবু, আপনারা উচ্চমার্গের মানুষ। আপনারা সব কিছুই দেখেন একটা ভাবের চশমা দিয়ে। আমরা সাধারণ লোক, এ দেশের মানুষদের খুব ভালো মতনই চিনি। টিকিটের দামের দু পয়সা তফাত হলে লোকে আপনার জাহাজ ফেলে ফ্লোটিলার জাহাজের দিকে ছুটে যাবে। মশাই, দু পয়সার জন্য এ দেশের মানুষ কী-ই না করতে পারে। হাট-বাজারে দু পয়সার জন্য লাঠালাঠি হয়। দু পয়সা বাঁচাবার লোভ লোকে সামলাতে পারবে না। সেই জন্যই আমি প্রস্তাবটা এনেছিলাম, যাতে আপনার বেশি ক্ষতি না হয়। আপনি সসম্মানে ব্যবসা গুটিয়ে নিতে পারেন।

জ্যোতিরিন্দ্রনাথ একদৃষ্টিতে অভয়চরণের দিকে চেয়ে রইলেন। রাগের বদলে তাঁর দুঃখবোধ হল। এরা তাঁকে ভাবে কী ? তিনি কলকাতার আরামের জীবন ছেড়ে, গান-বাজনা, থিয়েটার, নট-নটীদের সংসর্গ, সব রকম আমোদ-প্রমোদ ছেড়ে মাসের পর মাস এত কষ্ট করে এখানে পড়ে আছেন, তা কি এমনি এমনি ? শুধু নিজের লাভ বা স্বার্থসিদ্ধিই নয়, তাঁর জয়-পরাজয়ের সঙ্গে জাতীয় সম্মানের প্রশ্নও জড়িত।

ললাটের রেখা মুছে গেল, প্রবল আত্মাভিমানের সঙ্গে গম্ভীর গলায় তিনি বললেন, আমি গজদন্তমিনারে বসে ব্যবসা চালাতে আসিনি। প্রতিদিন সাধারণ মানুষদের সঙ্গে আমি সমানভাবে মিশি। মানুষের প্রতি আমি বিশ্বাস হারাতে পারি না, বরং বিশ্বাস আমার দৃঢ় হয়েছে। পরাধীন জাতি হলেও আমাদের মেরুদণ্ড একেবারে ভেঙে যায়নি, ইংরেজদের জাহাজে না উঠে তারা দিশি কোম্পানিকেই বাঁচিয়ে রাখতে চাইবে।

অভয়চরণ বলল, দেখুন, আমিও তো বাঙালি। আপনার জয় হলে আমারও গর্ব হবে। কিন্তু ইংরেজরা ধুরন্ধর বেনিয়ার জাত। আগামী পাঁচ বছরের হিসেব করে ওরা ব্যবসায় নামে। ওদের সঙ্গে এঁটে ওঠা বড় শক্ত, বুঝলেন, বড় শক্ত!

জ্যোতিরিন্দ্রনাথের বিশ্বাস অমূলক নয়। এই ক'মাসে সাধারণ মানুষের কাছ থেকে অভাবনীয় সহযোগিতা পেয়ে তিনি অভিভূত। বরিশালের ছাত্ররা স্বতঃপ্রবৃত্ত হয়ে নিয়মিত তাঁর হয়ে প্রচার চালাচ্ছে। গান বাঁধা হয়েছে তাঁর জাহাজগুলির নাম নিয়ে । বারো-তেরো

বছরের কিশোররা পর্যন্ত হাঁটুজল পর্যন্ত নেমে চিৎকার করে, স্বদেশি জাহাজ, স্বদেশি জাহাজ, আমাদের নিজস্ব জাহাজ, কেউ অন্য জাহাজে যাবেন না! আবার জাহাজ যখন দূর থেকে এসে বন্দরে ভেড়ে, তখন দলে দলে লোক ছুটে আসে তা দেখার জন্য। এই আবেগের টান ছাড়াও জ্যোতিরিন্দ্রনাথ তাঁর জাহাজগুলিতে যাত্রীদের সুখ-স্বাচ্ছন্দ্যের ব্যবস্থা করেছেন বিলিতি কোম্পানিরই সমান।

সত্যি ফ্লোটিলা কোম্পানির জাহাজ দু পয়সা ভাড়া কমিয়ে দিল। প্রথম কয়েকদিনে তার প্রতিক্রিয়া বোঝা গেল না, জ্যোতিরিন্দ্রনাথের জাহাজে যথারীতি প্রচুর যাত্রী। জ্যোতিরিন্দ্রনাথ ভাবলেন, তাঁর বিশ্বাসই জয়ী হয়েছে। দিন সাতেক বাদে দেখা গেল, বরিশাল থেকে তাঁর জাহাজগুলি যাত্রী বোঝাই হয়ে যাচ্ছে বটে, কিন্তু খুলনা থেকে ফেরার সময় তাতে যাত্রী সংখ্যা যথেষ্ট কম। বরিশালের ছাত্র-স্বেচ্ছাসেবকদের সামনে অনেকে চক্ষুলজ্জায় দিশি কোম্পানিতে যায়, ফেরার সময় দু পয়সা বাঁচাবার জন্য তারা বিলিতি কোম্পানিতে চাপে। ক্রমে চক্ষুলজ্জাও ঘুচে গেল, গরিব মানুষের দল স্বদেশি জাহাজের দিকে আসতে আসতে হঠাৎ দৌড়ে চলে যায় বিলিতি জাহাজের দিকে।

এক মাসের মধ্যে জ্যোতিরিন্দ্রনাথের ব্যবসা বড় রকমের একটা ধাক্কা খেল। যাত্রীতে টইটম্বুর হয়ে চলে যায় ফ্লোটিলা কোম্পানির জাহাজ, এদিকে স্বদেশি কোম্পানির কর্মচারিরা চেঁচিয়ে ডাকাডাকি করলেও সিকি পরিমাণ যাত্রীও মেলে না। একদিন জ্যোতিরিন্দ্রনাথ বিমর্ষ মুখে বসে আছেন অফিসঘরে, তাঁর ম্যানেজারবাবু এসে বলল, সার, আর তো চলে না। এবার আমাদেরও দু পয়সা ভাড়া কমাতেই হয়।

জ্যোতিরিন্দ্রনাথ দপ করে যেন জ্বলে উঠলেন। টেবিলের ওপর একটা ঘুঁষি মেরে তেজের সঙ্গে বলে উঠলেন, দু পয়সা কেন, আমি চার পয়সা কমাব। আজই নোটিস লটকিয়ে দিন ! দেখি, ওরা কী করে যাত্রী টানতে পারে।

এরপর শুরু হয়ে গেল এমন এক অদ্ভুত প্রতিযোগিতা, যা ভূ-ভারতে কেউ কোথাও দেখেনি।

জ্যোতিরিন্দ্রনাথ বেশি ভাড়া কমিয়ে দিতেই যাত্রীদের ঢেউ আবার চলে এল স্বদেশি কোম্পানির দিকে। ফ্লোটিলার জাহাজ খালি। কয়েকদিন পর ফ্লোটিলা আরও দু পয়সা কমাল, জ্যোতিরিন্দ্রনাথ আবার কমালেন চার পয়সা । শুধু তাই নয়, যাত্রীদের আম, কলা ও সন্দেশ খাওয়ানো হতে লাগল। লাভ-ক্ষতির প্রশ্নই আর নেই, এখন শুধু জেদ। ভাড়া যত কমতে থাকে, উপহারের পরিমাণ ততই বাড়ে। জ্যোতিরিন্দ্রনাথ গাঁঠরি গাঁঠরি ধুতি-লুঙ্গি-শাড়ি কিনে বিলোতে লাগলেন যাত্রীদের মধ্যে। যাত্রীদের তো দুশো মজা ! বরিশাল-খুলনায় এমন সুদিন আগে কখনও আসেনি। মাত্র চার আনার টিকিট কেটে জাহাজে উঠলেই একখানা কাপড় পাওয়া যায়। জ্যোতিরিন্দ্রনাথের নজর উঁচু, তিনি বাজে কাপড় মানুষকে দিতে পারেন না। লোকের কোথাও যাওয়ার প্রয়োজন থাক বা না থাক অতি শস্তায় জাহাজ ভ্রমণ ও উপহার লাভের জন্য দারুণ হুড়োহুড়ি পড়ে গেল, ভিড় সামলাবার জন্য রক্ষী নিয়োগ করতে হল।

এই প্রবল উত্তেজনার মধ্যে এল এক দারুণ দুঃসংবাদ । জ্যোতিরিন্দ্রনাথের 'স্বদেশী' জাহাজটি কলকাতা যাবার পথে ঝড়ের মুখে পড়েছিল, প্রায় কলকাতার কাছে পৌঁছে কিছুতে ধাক্কা লেগে সেটি ডুবে গেছে। জাহাজে যাত্রী ছিল না, মালপত্র বোঝাই ছিল, সারেং ও খালাসিরা কোনও ক্রমে বেঁচে গেলেও মালপত্র কিছুই উদ্ধার করা যায় নি।

জ্যোতিরিন্দ্রনাথ মাথায় হাত দিয়ে বসে পড়লেন। 'স্বদেশী' জাহাজের সলিল সমাধির সঙ্গে সঙ্গে স্বদেশি জাহাজ কোম্পানিরও ভরাডুবি হয়ে গেল। জাহাজখানা তো গেছেই, এখন ওইসব মালপত্রের জন্য জ্যোতিরিন্দ্রনাথের ক্ষতিপূরণ দিতে হবে বহু টাকা। জ্যোতিরিন্দ্রনাথ

নিজের যথাসর্বস্ব এবং আত্মীয়-বন্ধুবান্ধবদের কাছ থেকে যথেচ্ছ ধার করে এই ব্যবসা চালাচ্ছিলেন, এখন তিনি সর্বস্বান্ত হলেন।

এবারে স্বয়ং প্যারীমোহন মুখোপাধ্যায় দেখা করলেন জ্যোতিরিন্দ্রনাথের সঙ্গে। তিনি হাইকোর্টের প্রখ্যাত উকিল। তিনি জানালেন যে, ফ্লোটিলা কোম্পানি এখনও জ্যোতিরিন্দ্রনাথের বাকি জাহাজগুলি কিনে নিতে রাজি আছে। জ্যোতিরিন্দ্রনাথ যাতে উপযুক্ত মূল্য পান, প্যারীমোহন তা দেখবেন। এবারে আর প্রত্যাখ্যান করার মতন কোনও তেজ নেই, সব কিছু বেচে দিয়ে আহত, পরাজিত যোদ্ধার মতন জ্যোতিরিন্দ্রনাথ ফিরে এলেন কলকাতায়।

জোড়াসাঁকোর বাড়িতে না গিয়ে সোজা এসে উঠলেন মেজবউঠানের কাছে। এক সময় এ বাড়িতে আসতেন কর্ন্দপকান্তি জ্যোতিরিন্দ্রনাথ, পোশাকের কত বাহার, সমস্ত শরীর সুবাসিত, বৈদগ্ধ্য ও কৌতুকমণ্ডিত মুখ। আজ তিনি এলেন সামান্য পোশাক পরে, অতি ব্যবহৃত ধুতি ও পিরান, মলিন মুখমণ্ডল, কোটরগত চক্ষু, মুখে ভাষা নেই। জ্ঞানদানন্দিনী সমস্ত সংবাদই জেনেছেন, কিছু প্রশ্ন করলেন না, দেবেরের হাত ধরে নিয়ে গিয়ে ঘরে বসালেন।

জ্যোতিরিন্দ্রনাথ সেই যে স্তব্ধ হলেন, আর কোনও কথাই বলতে চান না কারুর সঙ্গে। দিনের পর দিন ঘরের দরজা বন্ধ করে রাখেন, ডাকাডাকি করলেও বেরুতে চান না। সুরি আর বিবি মাঝে মাঝে উঁকিঝুঁকি দিয়ে দেখতে পায়, তাদের কাকামশাই দেওয়ালের দিকে মুখ ফিরিয়ে বিড়বিড় করে কী যেন বলছেন। দাড়ি কামান না, স্নান করেন না, পোশাক বদলান না।

এতদিন জ্যোতিরিন্দ্রনাথ কাজের নেশায় মগ্ন হয়েছিলেন, সকাল থেকে রাত পর্যন্ত জাহাজের ব্যবসার চিন্তায় কেটে যেত, যে-সব কাজ স্বয়ং পরিদর্শন না করলেও চলত, তা নিয়েও মাথা ঘামাতেন তিনি। এখন যে-ই এক প্রবল শূন্যতার সৃষ্টি হল, অমনি ফিরে এল কাদম্বরীর আত্মহত্যাজনিত গ্লানিবোধ। এই প্রথম যেন তিনি সত্যিকারের উপলব্ধি করলেন যে কাদম্বরী নেই। সে অভিমানভরে আপন প্রাণঘাতিনী হয়েছে। সে জন্য কে দায়ী ? তিনি ? জ্যোতিরিন্দ্রনাথের বারবার মনে পড়ে কয়েক বছর আগেকার কথা। সেই মোরানসাহেবের বাগানবাড়ি, দার্জিলিং-এর দিনগুলি, এত কোমল, এত সংবেদনশীল, এত সূক্ষ্ম রুচিসম্পন্না, এত সেবাপরায়ণা, রূপ-গুণের এমন চমৎকার সম্মিলন হয়েছিল যে-নারীর মধ্যে, সে এমন অকালে পৃথিবী ছেড়ে চলে গেল ? জ্যোতিরিন্দ্রনাথ ধরেই নিয়েছিলেন সে বরাবর একই রকম থাকবে, এই ধরে নেওয়াটাই হয়েছিল চরম ভুল। আর কোনও দিন তার সঙ্গে দেখা হবে না ? মৃত্যুর পর মানুষ কি একেবারেই হারিয়ে যায় ?

মানুষের চিন্তা কখনও পুরোপুরি একমুখী হতে পারে না। কাদম্বরীর কথা ভেবে ভেবে জ্যোতিরিন্দ্রনাথ যেমন অনুতাপে দগ্ধ হন, তেমনি হঠাৎ হঠাৎ মনে পড়ে, তাঁর অত সাধের জাহাজগুলি এখন ফ্লোটিলা কোম্পানির নামে চলাচল করছে। ওরা জাহাজগুলির নাম বদলে দিয়েছে, তিনি নিজের থাকার জন্য ওপরের ডেকের যে ক্যাবিন সাজিয়েছিলেন, সেখানে থাকছে কোনও ইংরেজ। ওরা তাঁকে হারিয়ে দিল ! তিনি চেষ্টা বা পরিশ্রমের কোনও ত্রুটি করেননি, তবু হার মেনে নিতে হল !

নিজের ক্ষোভ ও গ্লানি নিয়ে ঘরের মধ্যে স্বেচ্ছাবন্দি হয়ে থাকতে চাইলেও বেশিদিন তা সম্ভব হল না। ক্রমে এ বাড়িতে এসে তাগদা দিতে লাগল পাওনাদারেরা। ফ্লোটিলা কোম্পানির কাছ থেকে জ্যোতিরিন্দ্রনাথ যে-টাকা পেয়েছিলেন, তাতেও ধার তো শোধ হয়নি, আরও অনেক বাকি পড়ে আছে। কোথায় যে কত ধার, কত ক্ষতিপূরণ দিতে হবে, তা জ্যোতিরিন্দ্রনাথ নিজেই সব জানতেন না। বিশেষ করে শেষ দিকে, যখন ভাড়া কমিয়ে,

উপহার বিলিয়ে তিনি যাত্রী টানার চেষ্টা চালিয়ে যাচ্ছিলেন, সেই সময় তাঁর কর্মচারিরাও দু হাতে চুরি করেছে। কর্মচারিরাও বুঝেছিল, এ কোম্পানি লাটে উঠতে আর বিশেষ দেরি নেই, তখন তারাও যে-কোনও উপায়ে আখের গুছিয়ে নিতে ব্যস্ত হয়ে পড়েছিল। জ্যোতিরিন্দ্রনাথ সব টাকাই দিয়ে দিয়েছেন, কিন্তু তাতে অন্য পাওনাদাররা ছাড়বে কেন ? জ্ঞানদানন্দিনীর সার্কুলার রোডের বাড়িতে রীতিমতন পাওনাদারদের উপদ্রব শুরু হয়ে গেল। তাদের কিছুতেই সামলানো যায় না।

জ্ঞানদানন্দিনী ভয়ে পেয়ে গেলেন অন্য কারণে। জ্যোতিরিন্দ্রনাথের ব্যবহার দিন দিন কেমন যেন অস্বাভাবিক হয়ে যাচ্ছে, চক্ষুদুটি উদ্‌ভ্রান্ত, এক দৃষ্টিতে কারুর মুখের দিকে তাকিয়ে থাকেন, কিন্তু কিছুই দেখেন না। মানুষটা শেষ পর্যন্ত পাগল হয়ে যাবে নাকি ? ঠাকুরবাড়িতে পাগলামির ধারা আছে, জ্যোতিরিন্দ্রনাথের দুটি ভাইয়ের মস্তিক সুস্থ নয়। সত্যেন্দ্রনাথ এখানে নেই, পিতা দেবেন্দ্রনাথকে কিছু জানানো হয়নি, জ্ঞানদানন্দিনী কার কাছে পরামর্শ নেবেন ? রবি ছেলেমানুষ, সে্ জ্যোতিরিন্দ্রনাথের সঙ্গে কথাবার্তা বলে তাঁর মন ফেরাবার চেষ্টা করেও ব্যর্থ হয়েছে। তখন জ্ঞানদানন্দিনী শরণাপন্ন হলেন পারিবারিক বন্ধু তারকনাথ পালিতের। তারকনাথ সত্যেন্দ্রনাথের সহপাঠী, বিলেত থেকে ব্যারিস্টার হয়ে এসে তিনি এখন প্রভূত অর্থ উপার্জন করছেন, দান-ধ্যানও করেন প্রচুর। তারকনাথ জ্যোতিকে আপন ছোটভাইয়ের মতন ভালোবাসেন, কর্মব্যস্ততার মধ্যেও সব শুনে তিনি ছুটে এলেন। সমস্ত পাওনাদারদের একসঙ্গে জড়ো করলেন তিনি, হিসেবনিকেশ করে প্রত্যেকের দেনা আস্তে আস্তে শোধ করে দেবার চুক্তি হল, জামিন রইলেন তিনি নিজে এবং বেশ কিছু টাকা তিনি তখনই দিয়ে দিলেন।

পাওনাদারদের সমস্যা মিটল বটে, তবু জ্যোতিরিন্দ্রনাথের মনের অবসাদ কাটে না। বাড়ি থেকে বেরুতে চান না, গান-বাজনার কথা যেন ভুলেই গেছেন, কেউ কোনও প্রশ্ন করলে দুটো-একটা উত্তর দেন, নিজে থেকে কোনও কথাই বলেন না। এমনভাবে কি একজন মানুষ বাঁচতে পারে ? আগেকার প্রাণবন্ত জ্যোতিরিন্দ্রনাথকে যারা দেখেছে, তাদের এখন কষ্টে বুক ফেটে যায়।

তারকনাথ পালিত নিয়মিত খোঁজখবর নেন। তিনি জ্যোতিরিন্দ্রনাথের এই অবস্থা দেখে একদিন বললেন, জ্যোতির এখন পরিবেশ পালটানো দরকার। কোথাও সে বেড়াতে যাক, পাহাড়ে বা সমুদ্রে অথবা কিছুদিন জোড়াসাঁকোর বাড়িতে গিয়ে থাকুক, সেখানে অনেক লোকজন, সেখানে তার মতি ফিরতে পারে।

অনেক পেড়াপিড়িতেও জ্যোতিরিন্দ্রনাথ বাইরে কোথাও যেতে রাজি হলেন না, তাঁকে পাঠিয়ে দেওয়া হল পৈতৃক ভদ্রাসনে। তিনতলায় তাঁর মহলটা এখনও খালি পড়ে আছে, কেউ এখানে আসে না। এ বাড়িতে এখনও মৃত্যুর ছায়া। কাদম্বরীর আত্মহত্যার কিছুদিন পরেই দেবেন্দ্রনাথের আর -একটি কৃতী সন্তান হেমেন্দ্রনাথ মারা যান। হেমেন্দ্রনাথ ছিলেন ব্যায়ামবীর, মাত্র চল্লিশ বছর বয়েসে তাঁর আকস্মিক মৃত্যুতে সবাই হতবাক। হেমেন্দ্রনাথের তিনটি পুত্র ও আটটি কন্যা। তাঁর মৃত্যুশোকে কাদম্বরীর কথা চাপা পড়ে গেছে। তা ছাড়া কাদম্বরীর আত্মহত্যার ঘটনাটা গোপন করা হয়েছে বলেই তাঁর কথা আর কেউ প্রকাশ্যে আলোচনা করে না।

জ্যোতিরিন্দ্রনাথ একা এসে বসলেন নিজের শয়নকক্ষে। দুপুরবেলা, সারা বাড়ি নিস্তব্ধ। জ্যোতিরিন্দ্রনাথ বসে রইলেন তো বসেই রইলেন একভাবে, চেয়ে আছেন বড় আলমারিটির দিকে। দরজার সঙ্গে যে আয়নাটি ছিল, সেটা আর নেই, কিন্তু আলমারির আয়নাটা এখনও অক্ষত আছে। এমন কতদিন হয়েছে, জ্যোতিরিন্দ্রনাথ এই পালঙ্কে উপুড় হয়ে শুয়ে শুয়ে লেখাপড়া করেছেন, কাদম্বরী ঘোরাফেরা করেছেন ঘরের মধ্যে, মাঝে মাঝে এসে এই

আলমারি খুলেছেন, চাবির শব্দ পেয়ে জ্যোতিরিন্দ্রনাথ মুখ তুলে স্ত্রীকে শুনিয়েছেন সদ্য রচিত কয়েকটি লাইন। কাদম্বরীর মতামতের মূল্য দিতেন তিনি। শেষের দিকে বেশ কিছুদিন জ্যোতিরিন্দ্রনাথ কিছু লেখেননি, লেখা থেকে তাঁর মন চলে গিয়েছিল, রবিই তার লেখা শোনাত কাদম্বরীকে। কাদম্বরীর মন্তব্য শুনে রবি তার অনেক কবিতার লাইন বদল করেছে। বিহারীলাল চক্রবর্তী এসে বসতেন ওই বারান্দায়, তাঁর সঙ্গে রবির তুলনা করে কতরকম কৌতুকে মেতে উঠতেন কাদম্বরী। বিহারীলালের জন্য কাদম্বরী সেই যে একখানা আসন বুনে দিলেন, সেটি পেয়ে ভদ্রলোক কী খুশি ! এই তো, এই ঘরের মধ্যে স্বর্ণকুমারীর একটি মেয়েকে নিয়ে কাদম্বরী কতদিন ছেলেমানুষের মতন খেলা করেছেন।

আলমারির আয়নাটার পাশে জ্যোতিরিন্দ্রনাথ দেখতে পাচ্ছেন কাদম্বরীকে। নীলাম্বরী শাড়িখানা পরা, চুল খোলা। জ্যোতিরিন্দ্রনাথের মস্তিষ্ক এখন দুর্বল, তবু তিনি বুঝতে পারছেন, তিনি তাঁর স্ত্রীর প্রেতমূর্তি দেখছেন না, এমনকি কোনও ছায়াও নয়, এ কাদম্বরী তাঁর মনের প্রতিচ্ছবি। ঠিক এইভাবে কাদম্বরীকে তিনি ওইখানে দাঁড়াতে দেখেছেন। এও সেই দেখা। তাই জ্যোতিরিন্দ্রনাথ ওই ছবিকে সম্বোধন করে কোনও কথা বলছেন না। তিনি শুধু চেয়ে আছেন কিন্তু তাঁর বুকের মধ্যে বড় বড় ঢেউ আন্দোলিত হচ্ছে। তিনি দেখছেন, কাদম্বরীর মুখখানা অসম্ভব বিষণ্ন, হ্যাঁ, এ কথা ঠিক, তিনি ওকে দুঃখ দিয়েছেন। কিন্তু সুখের দিনও কি ছিল না ? কাদম্বরীর রঙ্গিনী মুখ, হাস্যময়ী মুখ, আবদার-ভরা মুখ, গান গাইতে গাইতে চিবুকখানি উঁচু করে তোলা মুখচ্ছবি, সেসব গেল কোথায়! জ্যোতিরিন্দ্রনাথ যেন নিজের মনের কাছে মাথা খুঁড়ছেন, কিন্তু কিছুতেই এই বিষাদমাখা মুখ ছাড়া অন্য কোনও মুখ মনে করতে পারছেন না। আর সব ছবি মুছে গেল কী করে? এর পর বাকি জীবন তিনি কাদম্বরীর শুধু এই মুখটাই দেখতে পাবেন, আর সব মিথ্যে হয়ে গেছে ? এটাই কি কাদম্বরীর প্রতিশোধ ?

খাট থেকে নেমে দ্রুত সিঁড়ি দিয়ে নামতে লাগলেন জ্যোতিরিন্দ্রনাথ। মাথা ঝাঁকাতে ঝাঁকাতে বলতে লাগলেন, না, না, না, আমি আর কোনও দিন, জীবনে আর কখনও এখানে আসব না। আমি এখানে থাকতে পারব না!

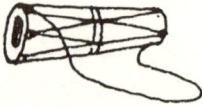

॥ ৪৬ ॥

যাদুগোপালের দিদি-জামাইবাবু থাকেন শিয়ালদা স্টেশনের কাছেই একটা ভাড়া বাড়িতে। জামাইবাবু রাখহরি দত্ত আবগারি বিভাগে চাকরি করেন, সম্প্রতি পাবনা থেকে বদলি হয়ে এসেছেন কলকাতায়। মানুষটি অত্যন্ত মজলিশি, পাবনার বদলে কলকাতাই তাঁর উপযুক্ত স্থান। প্রায় প্রতি সন্ধেবেলাতেই তাঁর বাড়িতে একটি গান-বাজনার আসর বসে, রাখহরি নিজে পাখোয়াজ বাজান, কীর্তন গানের সঙ্গে সঙ্গত করতে করতে তাঁর দুচক্ষু দিয়ে দরদর ধারে অশ্রু গড়ায়। তবে এই অশ্রু শুধুই ভক্তির কারণে নয়, কিছুটা দ্রব্যগুণেও বটে।

যাদুগোপালের দিদি সত্যভামা অতি দয়াবতী নারী, তাঁর নিজস্ব সাধ-আহ্লাদ শুধু একটিই, নানাপ্রকার রান্না করে অতিথিদের খাওয়ানো। সারাদিন রসুই ঘরে কাটিয়ে দিতেও তাঁর ক্লান্তি নেই, আনাজ, আমিষ ও মশলাপাতি দিয়ে তিনি রান্নার পদের নতুন নতুন সৃষ্টিকার্য করে চলেন। মানকচুর জিলিপি, মাংসর কিমার বরফি, লাউয়ের পায়েস, মুসুরির ডাল ও

চিংড়িমাছ বাটার চপ......এই সব তাঁর নিজের আবিষ্কার। কেউ কোনও খাবারের প্রশংসা করলে আর রক্ষে নেই, সত্যভামা তার পাতে আরও দু' গণ্ডা-চার গণ্ডা ঢেলে দেবেন। সত্যভামার এরকম বদান্যতার খবর রটে যাবার ফলে যাদুগোপালের বন্ধুদের মধ্যে হুড়োহুড়ি পড়ে গেল। মেস-হস্টেল নিবাসী এইসব ছাত্ররা উপোসী ইঁদুরের মতন যখন তখন এ বাড়িতে ছুটে আসে। দত্ত দম্পতি অপুত্রক, সে কারণেও সত্যভামা ছোট ভাইয়ের বন্ধুদের পরম যত্ন-আত্যি করেন।

ভরতও এখানে আসে মাঝে মাঝে। দ্বারিকা যখন তখন ভরতের ঘরে উপস্থিত হয়ে বলে, আরে বোকা, হাত পুড়িয়ে রেঁধে খাবি কেন, চল না, সত্যভামাদিদির কাছে গেলেই লুচি-মাংস জুটে যাবে। স্বভাব-লাজুক ভরত মুখ ফুটে কিছু চাইতে পারে না, কিন্তু দ্বারিকার জিভের কোনও আগল নেই, সে সটান রান্নাঘরে হাজির হয়ে সত্যভামার কাছে ফরমাস করে নানারকম।

জামাইবাবু রাখহরি যখন বাড়িতে থাকেন না, তখনই ভরত সচ্ছন্দ বোধ করে এ বাড়িতে। নানারকম খাদ্যদ্রব্য সাজিয়ে এনে সামনে বসে অনেকরকম গল্প করেন সত্যভামা। তাঁর খুব ভুতে বিশ্বাস, তাঁদের পাবনার বাড়িতে ভূত ছিল, একটা নয়, দুটো, সেই ভূতের কত রোমাঞ্চকর কাহিনী! সুযোগ বুঝে সত্যভামাকেও ভূতের উপদ্রবের গল্প শোনায় দ্বারিকা। তাদের মুসলমান পাড়া লেনের মেসের এক কাল্পনিক ভূতের নিত্য নতুন আখ্যান সে বানায়। এ ছাড়া পাবনার পুকুরের ঢেঁকির মতন আকারের গজাল মাছ, একই জবা গাছে লাল ও সাদা রঙের ফুল, এক বাড়িতে ডাকাতি করতে এসে একচক্ষু এক ডাকাত দরজার সামনে খাঁড়া হাতে জীবন্ত কালীমূর্তিকে দেখে ভয়ে আছাড়ি পিছাড়ি খেয়ে কী রকম রক্তবমি করেছিল, এক নাস্তিক ইস্কুল মাস্টারকে এক সন্ধেবেলা একটা অশ্বত্থ গাছের ডাল হঠাৎ নিচু হয়ে এসে কী মার মেরেছিল, এই সব গল্প সত্যভামা সরল বিশ্বাসে চোখ বড় করে বলে যান, ভরত মুগ্ধ হয়ে শোনে। কোনওদিন পেট ভর্তি বলে ভরত কিছু খেতে না চাইলে সত্যভামা যখন ঝোলা গুড় মাখানো লুচি জোর করে ভরতের মুখে গুঁজে দিতে যান, তখন তার চোখে জল এসে যায়। অতি শৈশবে মাতৃহীন ভরত কখনও নারীর স্নেহ-যত্ন পায়নি, মা-মাসি-পিসি ধরনের কোনও রমণীর সান্নিধ্যও পায়নি। একটু স্নেহ, একটু সঙ্গ পাবার জন্য তার মনটা বুভুক্ষ হয়েছিল। ভরতের মা-বাবা কেউ নেই শুনে তার প্রতি সত্যভামারও বেশি টান পড়ে গেছে।

রাখহরি উপস্থিত থাকলেই হই-চই শুরু হয়ে যায়। তিনি রোজই সঙ্গে দু'তিনজনকে নিয়ে আসেন। অনবরত খাবার বানাতে বানাতে সত্যভামা আর গল্প করার সময় পান না। তা ছাড়া সুরা পান শুরু হয়ে যায়। আবগারির দারোগার বাড়িতে মদের বোতলের অভাব নেই, রাখহরি নিজে তা পছন্দ করেনেই, অল্প বয়েসী ছাত্রদের মদে দীক্ষা দিতেও তাঁর খুব উৎসাহ। তাঁর নিজের শালক যাদুগোপালের ক্ষেত্রে তেমন সুবিধে করতে পারেননি, যাদুগোপাল ব্রাহ্মসমাজে নিয়মিত যাতায়াত করে, তার বামমার্গী জামাইবাবুর অনেক পীড়াপীড়িতেও সে এখন গেলাস স্পর্শ করে না। দ্বারিকা আবার এ ব্যাপারে বেশ পটু, সে দিন দিন নেশাগ্রস্ত হয়ে উঠছে, কলেজের আরও দু'চারটি বন্ধুকে সে দলে টেনেছে। ভরত যাদুগোপালের সঙ্গে সাধারণ ব্রাহ্ম সমাজের প্রার্থনা সভায় গেছে কয়েকদিন, কিন্তু দীক্ষা নেয়নি। মদের ব্যাপারে তার শুচিবাই নেই, সে ব্র্যান্ডি ও বিয়ার খেয়ে দেখেছে কয়েকবার, তার তেমন ভালো লাগে না। মদের নেশায় লোকে যখন আবোল-তাবোল বকে, তখন তার বিরক্ত বোধ হয়।

তা ছাড়া, ভরত ঠিক করে রেখেছে, সে সহায়-সম্বলহীন নিঃস্ব, শশিভূষণের দয়ায় পড়াশুনো চালাচ্ছে, এসব বড়লোকি নেশা তার মানায় না। তাকে যত শিগগির সম্ভব স্বাবলম্বী হতে হবে, কোনও রকম বিলাসিতার ফাঁদে পা দিলে চলবে না।

ছোট ভাইয়ের বন্ধুদের মদের নেশা ধরিয়ে দেওয়ার ব্যাপারটা সত্যভামারও একেবারেই পছন্দ নয়, তিনি বারবার আপত্তি জানালেও তাঁর স্বামী কর্ণপাত করেন না।

একদিন গান-বাজনা খুব জমে উঠেছে, বড় হলঘরটায় বোতল গড়াগড়ি যাচ্ছে কয়েকটা, দু-একটি মাতাল গেলাস উল্টে সতরঞ্জি ভিজিয়েছে, এরই মধ্যে এক গায়ক গাইছে :

ভাঙল না তোর মায়ার ঘুম
বিষয় মদে চক্ষু মুদে শুয়ে আছ বেমালুম
ঐশ্বর্যের মাৎসর্যে তুমি মনে কর বাদশারুম
ওই প্রপঞ্চে এক সাজ সেজেছ
ঠিক যেন ভাই হাতুম থুম
তোর সঙ্গের ছটা বড় ঠেঁটা, ওদের চটা বেমালুম.....

পাখোয়াজে চাঁটি দিতে দিতে গানের কথার সঙ্গে মিলিয়েই যেন মাঝে মাঝে রাখহরি ঢুলে পড়ছেন ঘুমে। গায়কের গলাও বেসুরো হয়ে যাচ্ছে এক একবার। রূপচাঁদ পক্ষী রচিত এই গানের মর্মও বুঝতে পারছে না ভরত, তার একটুও ভালো লাগছে না। সে এর মধ্যে কয়েকবার উঠে পড়বার চেষ্টা করলেও দ্বারিকা আঁকড়ে ধরছে তার জানু। ভরতকে সে আগে যেতে দেবে না।

ইদানীং দ্বারিকার অনেক পরিবর্তন ঘটেছে। আগে সে পড়াশুনোয় ভালো ছাত্র ছিল, সাহিত্য রচনায় উৎসাহী, দেশপ্রেম ফুটে উঠত তার কথাবার্তায়। মাস ছয়েক আগে সে আকস্মিকভাবে তার মামাদের জমিদারির উত্তরাধিকারী হয়েছে। দেশ থেকে এখন তার প্রতি মাসে এক হাজার টাকা হাত খরচ আসে। এত টাকা নিয়ে সে কী করবে ? এখন পড়াশুনোয় সে অমনোযোগী হয়ে পড়েছে, মন ছড়িয়ে গেছে অন্য নানা দিকে। ভরত লক্ষ করেছে, যাদের হাতে অনেক টাকা থাকে, তারা সব সময় ছটফট করে, কিছুতেই সুস্থির হয়ে বসতে পারে না।

একটু পরে দ্বারিকা নিজেই উঠে দাঁড়িয়ে বলল, চল ভরত ! এখানে আর মজা নেই।

ভরত এখান থেকে হেঁটেই নিজের বাসস্থানে যায়, দ্বারিকার মেসও কাছেই, কিন্তু সে ফস করে একটা ঘোড়ার গাড়ি ডেকে বসল। ভরতের কাঁদে চাপড় মেরে বলল, এখুনি ফিরবি কী, বাড়িতে তো তোর বউ বসে নেই, চল, আর এক জায়গায় তোকে নিয়ে যাব!

ভরতের ইচ্ছে নেই, নিজের বাসাবাড়ির নিভৃতিই তার পছন্দ, কিন্তু দ্বারিকা ছাড়বে না। তার খানিকটা নেশা হয়েছে, শরীরে চনমনে ভাব,সে চিবুক উঁচু করে বলল, বাঙালিদের এত দুর্দশা কেন জানিস ? তারা বড্ড ঘরকুনো। চব্বিশ ঘন্টার মধ্যে সতেরো-আঠারো ঘন্টাই তারা বাড়িতে বসে থাকে। আর ইংরেজদের দেখ তো, তারা মাত্র পাঁচ-ছ ঘন্টা ঘুমোয়, আর সর্বক্ষণ টো-টো করে ঘুরে বেড়ায়।

গাড়ি খানিকটা চলার পর দ্বারিকা জিজ্ঞেস করল, হ্যাঁ রে, মোছলমানটার খবর কী ? তাকে দেখি না অনেকদিন !

ইরফানের জন্য ভরতও চিন্তিত। হঠাৎ সে কলেজে আসা বন্ধ করেছে। ভরতের সঙ্গেই তার সবচেয়ে ঘনিষ্ঠ বন্ধুত্ব, অথচ ভরতকেও সে কিছু জানায়নি। ইরফানকে দ্বারিকাও বেশ পছন্দ করে। ইরফানের সঙ্গে ভরতের শেষ দেখা হয়েছিল মাস দেড়েক আগে। সেদিন বেশ মজা হয়েছিল। এর আগে ইরফান কখনও ভরতের ডেরায় আসেনি, সেদিন সে হরি ঘোষের গলিতে এসে ভরতের ঠিকানা খুঁজছিল, ভরতের প্রতিবেশী পুরুত ঠাকুরের সঙ্গে তার প্রথম দেখা। ইরফান অতি দরিদ্রের সন্তান, কিন্তু সেদিন তার অঙ্গে বিচিত্র পোশাক। গায়ে একটা বহুমূল্য কিংখাব, মখমলের ওপর জরির কাজ করা, পায়ে সাদা নাগরা, তাতে কয়েকটি রঙিন পাথর বসানো, মণিমুক্তোও হতে পারে। বাণীবিনোদ তাকে দেখে রাস্তা থেকে খাতির করে

নিয়ে এল ভরতের ঘরে। ভরত পয়সা জমিয়ে সদ্য একটা টেবিল ও চেয়ার কিনেছে, সেই চেয়ারের ধুলো ঝেড়ে বানীবিনোদ বিগলিত ভাবে বলতে লাগল, তশরিফ রাখিয়ে জনাব !

তারপর লম্বা একটা সেলাম ঠুকে আবার বলল, ফরমাইয়ে জনাব, আপনার সেবার জন্য কী করতে পারি ?

ইরফান চেয়ারে না বসে মিটিমিটি হাসছিল।

ভরত খালি গায়ে রান্না করছিল, সারা গা ঘামে ভেজা, সেই অবস্থায় রান্নাঘর থেকে বেরিয়ে এসে অবাক হয়ে বলেছিল, আপনি....কে...ওঃ হো, ইরফান ! কী ব্যাপার, হঠাৎ মিউনিসিপ্যালিটির লটারির ফার্স্ট প্রাইজ পেয়েছিস না কি ?

ইরফান বলল, কোনওদিন লটারির টিকিটই কাটিনি !

ভরত বলল, তোকে প্রথমে চিনতেই পারিনি। এমন নবাব বনে গেলি কী করে ?

ইরফান বলল, আমাকে মানিয়েছে কি না বল? রাস্তায় লোকেরা খাতির করে তাকাচ্ছিল।

ভরত বলল, বস, বস, তোর গল্প শুনি। চা খাবি না কি ?

বাণীবিনোদ এখন আর ভরতের ওপর নির্ভর করে না, এখানে এসে নিজেই চা বানিয়ে নেয়। সে তাড়াতাড়ি চায়ের জল চাপিয়ে দিল।

ইরফানের কাহিনীটি করুণ কৌতুকে মেশা। পিতৃহীন ইরফানের মা ও ভাইবোনেরা থাকে মুর্শিদাবাদে সোপোর গ্রামে তার চাচার আশ্রয়ে। সেই চাচা সম্প্রতি জানিয়েছেন যে তিনি আর অতগুলি পেটের দায়িত্ব নিতে পারবেন না। ইরফান বৈঠকখানার দুটি দফতরিখানায় খাতা লেখার কাজ নিয়েছে, সেই টাকা সে মা-ভাইবোনদের জন্য পাঠাবে। এর মধ্যে আর একটা বিপত্তি দেখা দিয়েছে। নবাব আবদুল লতিফ সাহেবের ভৃত্যমহলে তার একটা মাথা গোঁজার ঠাঁই ছিল, সে ঠাঁই তাকে ছাড়তে হবে, কারণ অন্য দুটি নবনিযুক্ত ভৃত্যের শোবার জায়গা হচ্ছে না। ইরফান তো আর ভৃত্য নয়, উটকো আশ্রিত। এখন তাকে অন্য কোনও জায়গায় থাকার ব্যবস্থা করতে হবে। ইরফান প্রতিজ্ঞা করেছে, যে-কোনও উপায়ে তাকে বি এ পাস করতেই হবে, তার আগে সে কলেজ ছাড়বে না।

গোয়াবাগানে কিছু মুসলমান গোয়ালা দল বেঁধে থাকে, সেখানে কোনও মতে আশ্রয় পাওয়া যায় কি না, সেই খোঁজে এসেছিল ইরফান, বিশেষ আশ্বাস পাওয়া যায়নি। কাছাকাছি ভরতের বাড়ি বলে সে দেখা করতে এসেছে।

ভরত জিজ্ঞেস করল, তা হলে তুই এসব নবাবি পোশাক জোটালি কোথা থেকে?

ইরফান দু'হাত তুলে দেখাল, দু'দিকেই বগলের তলায় পিঁজে গেছে। জুতো দুটোর হাফসোলে ফুটো।

সে বলল, নবাবরা তো রিপু কিংবা মেরামত করে কিছু পরে না, ফেলে দেয়। আমি কুড়িয়ে নিয়েছি। নিজের জামা নেই !

দুই বন্ধু হাসতে লাগল খুব। চোখ বড় বড় করে তাকিয়ে রইল বাণীবিনোদ।

ইরফান বলল, যাত্রার দলে যারা নবাব-বাদশা সাজে, তারাও তো এরকমই ফুটোফাটা পোশাক পরে, তাই না ? আমিও সেই রকম কোনও কাপ্তেন সেজেছি !

ভরত বলল, কিন্তু তুই এরকম সেজে গেলে গোয়ালারা তাদের বস্তিতে তোকে রাখতে চাইবে কেন ? আর কোথাও জায়গা না পেলে তুই আমার এখানে এসে থাকতে পারিস।

ইরফান বলল, তুই যে বললি, এটাই যথেষ্ট। তোর নিজেরই অনেক সমস্যা আছে ভরত, আমি জানি, আমি আর সমস্যা বাড়াতে চাই না। যতদিন না তাড়ায়, ততদিন তো ও বাড়ি ছাড়ছি না!

ইরফান চলে যাবার পর বাণীবিনোদ উৎকট মুখ করে বলেছিল, তোমার কি মাথা খারাপ হয়েছে ভরতচন্দর ? আপনি না পায় ঠাঁই শঙ্করাকে ডাকে! তুমি ওই ছোঁড়াটাকে এখানে

থাকতে দেবে ? খবর্দার দিও না। ও ওই গেলাসে চা খেয়েছে, এটা ফেলে দাও! কোনও দিন এই গেলাসটা আবার আমাকে দিলে আমার জাত যাবে !

ভরত বলল, সে কি! আপনিই তো খাতির করে ওকে এনে বসালেন, সেলাম ঠুকলেন, নিজে চা করে দিলেন, তখন বুঝতে পারেননি ও মুসলমান ?

বাণীবিনোদ বলল, তা বুঝব না কেন, তখন ভেবেছি কোনও আমির-উজির এসেছে, তোমাকে ডেকে নিয়ে বড় কাজ দেবে।

ভরত বলল, তার মানে আপনি ওর পোশাকটাকে খাতির করেছিলেন ?

বাণীবিনোদ বলল, এ যুগে পোশাকেরই তো কদর ভাই ! আসল মানুষটাকে আর কে দেখে!

ভরত মনে মনে বলেছিল, হায় ব্রাহ্মণ!

দ্বারিকাকে সে এখন বলল, ইরফানের থাকার জায়গা নিয়ে সমস্যা হয়েছে, সেইজন্যই বোধহয় সে কলেজে আসছে না।

দ্বারিকা বলল, থাকার জায়গার সমস্যা ? আমাকে বলেনি কেন ? আমি ব্যবস্থা করে দেব। ভাবছি, শিগগিরই একটা বড় বাড়ি ভাড়া নেব ! চল তো, ব্যাটাকে ধরে আনি !

মৌলা আলির মাজার থেকে আরও কিছুটা এগিয়ে নবাব সাহেবের বিশাল প্রাসাদ। দেউড়িতে গ্যাসের বাতি জ্বলছে। পাথরের মূর্তির মতন দু'দিকে দাঁড়িয়ে আছে দুই বন্দুকধারী দারোয়ান। বাড়িটার সামনের দিকটা তেমন জমকালো না, অনেকখানি ছড়ানো, দোতলার সব জানলা বন্ধ, ভেতরে নিশ্চয়ই দু'তিনটি মহল আছে।

দ্বারিকা গাড়ি থেকে নেমে এগিয়ে যেতেই এক বন্দুকধারী নড়ে চড়ে উঠল।

দ্বারিকা বলল, ইরফান হ্যায় ? ইরফানকো বোলাইয়ে।

দারোয়ানটি জিজ্ঞেস করল, ইরফান কৌন ? কেয়া কাম করতা ?

দ্বারিকার হিন্দী-উর্দুর জ্ঞান বিশেষ নেই, সে যত বোঝাবার চেষ্টা করে যে ইরফান এখানে কাজ করে না, সে ছাত্র, সে তাদের বন্ধু, দারোয়ানটি কিছুই বুঝতে না পেরে মাথা নাড়তে থাকে।

পাশে দাঁড়িয়ে ভরত মিটিমিটি হাসছে। সে বুঝতে পারছে অবস্থাটা । এ বাড়িতে এত বেশি লোকজন যে শুধু নাম শুনে কারুকে চেনা যাবে না। তাছাড়া ইরফান তো নেহাত এক আশ্রিত। ত্রিপুরায় রাজবাড়ির সিংহদ্বারে গিয়ে যদি কেউ জিজ্ঞেস করত ভরতের কথা, তা হলেও কেউ চিনতে পারত না ?

ইরফানের কাছে ভরত শুনেছিল যে, এ বাড়িতে সবাই উর্দুতে কথা বলে। একখানা সুদৃশ্য জুড়িগাড়ি এসে থেমেছে, তার থেকে নামলেন এক সুদর্শন প্রৌঢ়, সাদা সিল্কের শেরওয়ানি পরা, মাথায় ফেজ, দেখলেই মনে হয় খানদানি বংশের মানুষ। ইনিও কি কলেজে -পড়া ইরফানকে চিনবেন না ?

সে ইংরিজিতে সেই প্রৌঢ়কে জিজ্ঞেস করল, স্যার, আমরা প্রেসিডেন্সি কলেজের ছাত্র, আমরা আমাদের সহপাঠী ইরফান আলির সঙ্গে দেখা করতে এসেছি।

প্রৌঢ়টি একবার এই যুবক দুটির দিকে তাকালেন, তারপর দেখলেন ছ্যাকরা গাড়িটি। এই ধরনের ভাড়ার গাড়ি চেপে যারা আসে, তাদের তিনি বোধহয় কথা বলার যোগ্য মানুষ বলেই গণ্য করেন না। তিনি ওষ্ঠাধর সামান্য বক্র করে এমনভাবে ভরতের দিকে তাকালেন, যেন ভরতের শরীরটা স্বচ্ছ, সেই শরীর ভেদ করে তিনি দূরের কিছু দেখছেন। ভেতর থেকে একজন কর্মচারি বেরিয়ে এসেছে। তার দিকে বুড়ো আঙুলের ইঙ্গিত করে তিনি জুতো মশমশিয়ে চলে গেলেন বাড়ির মধ্যে। কর্মচারিটিও ইরফানকে চেনে না। অনেক খোঁজখবর

করার পর ভৃত্য মহল থেকে জানা গেল যে সেখানে ইরফান নামে একজন থাকে বটে, কিন্তু আপাতত সে নেই, দেশের বাড়িতে গেছে সাত দিন আগে।

দ্বারিকা এবং ভরতেরও প্রেসিডেন্সি কলেজের ছাত্র হিসেবে গর্ব আছে। অনেকের ধারণা, প্রেসিডেন্সি কলেজের ছাত্ররা রাস্তা দিয়ে হেঁটে গেলে লোকে তাকিয়ে তাকিয়ে দেখে। অথচ ইরফানকে এ বাড়ির কেউ গ্রাহ্যই করে না।

দ্বারিকা রাগ করে বলল, ইরফানের ভালো জায়গায় থাকার ব্যবস্থা আমি করব। চল ভরত, আর একটা জায়গায় যাই!

গাড়িটা ঘুরে গেল বউবাজারের দিকে। যে গলিতে হাড়ের বোতাম তৈরি হয়, সেই হাড়কাটা গলির একেবারে শেষ প্রান্তে একটি বাড়ির সামনে নেমে পড়ল দ্বারিকা, সদর দরজা খোলা। সিঁড়ি দিয়ে উঠতে উঠতে সে বলল, আমি এখানে মাঝে মাঝে রাত্তিরে এসে থাকি, বুঝলি! তুইও ইচ্ছে করলে আজ থাকতে পারিস। আমার বাবাও নাকি এককালে এ পাড়ায় আসতেন। আমার এক পিসতুতো দাদার কাছে গল্প শুনেছি, বাবার যখন বিয়ের ঠিক হয়, তখন তিনি হঠাৎ বেপাত্তা হয়ে গিয়েছিলেন। বাড়ির লোকজন খুঁজতে খুঁজতে এই হাড়কাটা গলির এক বাড়ি থেকে বাবাকে পাকড়াও করে নিয়ে গিয়ে সোজা বিয়ের পিঁড়িতে বসায়। আমি এখন মামাদের সম্পত্তি পেয়েছি, মানে মামারা বেঁচে থাকলে এই সম্পত্তি তাঁরই ভোগে লাগত, আমি পেতাম লবডঙ্কা। বাবা নেই তাই বাবার পদাঙ্ক অনুসরণ করছি।

ভরত তখনও বুঝতে পারেনি, এ বাড়ির ব্যাপারখানা ঠিক কী।

তিনতলার একটা ঘরের ভেজানো দরজা খুলে ফেলল দ্বারিকা। সে ঘরের চার দেয়ালে অন্তত আটটা দেয়ালগিরি বাতি আটকানো। সারা ঘর ঝলমল করছে আলোয়। মাঝখানে একটা বড় পালঙ্ক, তার মশারিদণ্ডগুলি কারুকাজ করা,পুরু তোশক পাতা, সেখানে শুয়ে আছে এক তরুণী, পরণে একটা ঝলমলে শাড়ি, দু'হাতে ও গলায় অনেক সোনার গয়না, পাতলা চেহারা, ফর্সা রঙ, সে শুয়ে আছে চিত হয়ে, চক্ষু দুটি বোজা। দরজা খোলার শব্দ হল, ওরা দু'জন ঘরের মধ্যে এসে দাঁড়াল, তবু মেয়েটি চোখ খুলল না।

প্রথম নজরেই ভরতের মনে হল, যেন এক ঘুমন্ত রাজকন্যা।

দ্বারিকা ভরতের দিকে তাকিয়ে হেসে ভ্রুভঙ্গি করল। তারপর , মুখটা ঝুঁকিয়ে নিয়ে গুনগুনিয়ে গেয়ে উঠল :

কুঞ্চিত-কেশিণী   নিরুপম বেশিণী
রস-আবেশিণী ভঙ্গিণী রে
অধর সুরঙ্গিণী   অঙ্গ তরঙ্গিণী
সঙ্গিণী নব নব রঙ্গিণী রে......

মেয়েটি আস্তে আস্তে চোখ মেলল, ধড়মড় করে উঠে বসল না, কোনও রকম ব্যস্ততা দেখাল না, নরম ভাবে তাকিয়ে থেকে গানটি শুনল, তারপরেও কোনও কথা বলল না।

দ্বারিকা বলল, ভরত, এর নাম বসন্তমঞ্জরী, আমার সখী। অতবড় নাম তো ডাকা যায় না, সবাই বলে বাসি। টাটকা আর বাসি, সেই বাসি নয়। তুমি আমাকে ভালোবাসো, তিন সত্যি করে বলো ? হ্যাঁ, বাসি, বাসি, বাসি ! সেই বাসি, বুঝলি ?

তারপর সে জিজ্ঞেস করল, হ্যাঁ গো, বাসি, তুমি এর মধ্যেই ঘুমিয়ে পড়েছিলে কেন ?

বসন্তমঞ্জরী এবার ছোট্ট একটি হাই তুলে বলল, আমার যে জ্বর হয়েছে!

দ্বারিকা তার কপালে হাত দিয়ে বলল, কই, এখন তো জ্বর নেই। তা তুমি এত সেজে গুজে, এত বাতি জ্বেলে ঘুমোচ্ছিলে ?

বসন্ত মঞ্জরী বলল, সাজতে আমার ভালো লাগে। ঘুমের মধ্যে, স্বপ্নের মধ্যে আমি কত জায়গায় যাই, কত মানুষের সঙ্গে দেখা হয়, সেই জন্যই তো সেজে থাকি ! সকালবেলা একটুও সাজি না, তখন তো আমায় কেউ দেখে না! তোমার সঙ্গে কে এসেছে ?

দ্বারিকা বলল, এই আমার বন্ধু ভরত। বড় ভালো ছেলে । ভাজা মাছটি উল্টে খেতে জানে না !

বসন্তমঞ্জরী হঠাৎ যেন গভীর বিস্ময়ে, খানিকটা যেন ভয় মেশানো চোখে কয়েক পলক তাকিয়ে বলল, তুমি কে ?

ভরতের বদলে দ্বারিকা বলল, বললুম তো, আমার কলেজের সহপাঠী, ওর নাম ভরত।

বসন্তমঞ্জরী বলল, চেনা চেনা লাগছে কেন ? তোমায় কি আমি আগে দেখেছি ?

ভরত নিঃশব্দে দু'দিকে মাথা নাড়ল।

দ্বারিকা বলল, ওকে তুমি আগে দেখবে কী করে?

বসন্তমঞ্জরী টেনে টেনে বলল, আগে দেখা না হলেও কারুকে কারুকে চেনা লাগে। তবে কি স্বপ্নের মধ্যে দেখা হয়েছে ?

দ্বারিকা সকৌতুকে বলল, হায় আমার পোড়া কপাল ! আমি এত টাকা পয়সা খরচা করে তোকে সাজিয়ে গুছিয়ে রেখেছি, আর আমার বন্ধু তোর স্বপ্নের মানুষ হয়ে গেল ? আমাকে আর পছন্দ হচ্ছে না, তুই বুঝি ওকে গাঁথতে চাস ?

বসন্তমঞ্জরী তবু সরল ভাবে জোর দিয়ে বলল, হ্যাঁ গো, ওকে আমি স্বপ্ন দেখেছি কখনও।

ভরত কেঁপে উঠল। প্রথমটায় সে অভিভূত হয়ে গিয়েছিল। এত কাছ থেকে সে কোনও সুসজ্জিত যুবতীকে আগে দেখেনি। সে চুম্বক আকৃষ্টের মতন তাকিয়েছিল বসন্তমঞ্জরীর দিকে। হঠাৎ তার ঘোর ভাঙল। মেয়েটির কথাবার্তা কেমন যেন রহস্যে মেশা। কী করে সে ভরতকে স্বপ্নে দেখবে ? দু'জন পুরুষকে দেখেও মেয়েটি উঠে বসছে না, একই রকম ভাবে শুয়ে আছে।

দ্বারিকা বলল, তোমার স্বপ্নের কোনও মাথা মুণ্ডু নেই !

বসন্তমঞ্জরী বলল, ওর মাথার ওপর একটা খাঁড়া ঝুলছে, মৃত্যু ওকে তাড়া করে। কী গো, তাই না ?

দ্বারিকা বলল, যাঃ কী আজে বাজে কথা বলিস ! প্রথম দিন এসেছে, অমনি তুই ভয় দেখাচ্ছিস ওকে। তুই কিছু মনে করিস না রে, ভরত। বাসি মাঝে মাঝে এরকম সব অদ্ভুত কথা বলে।

বসন্তমঞ্জরী বলল, আজে বাজে নয়, ওর মুখ দেখে বোঝা যায়, ওকে জিজ্ঞেস করো !

ভরত বলল, আমি যাই !

দ্বারিকা তার হাত চেপে ধরে বলল, কোথায় যাবি ? বোস ! এখন আমরা ব্র্যান্ডি খাব। এখানে আমার বোতল রাখা থাকে।

ভরত সবেগে মাথা নেড়ে বলল, না, আমি এখানে থাকব না!

তার নাক ফুলে গেছে, দ্রুত নিঃশ্বাস পড়ছে, অস্বাভাবিক দেখাচ্ছে চোখ মুখ। সে জোর করে দ্বারিকার হাত ছাড়িয়ে নিয়ে হুড়মুড় করে নেমে গেল সিঁড়ি দিয়ে। রাস্তায় নেমেও সে ছুটতে লাগল।

এর মধ্যে গুঁড়িগুঁড়ি বৃষ্টি নেমেছে। খানিকদূর যাবার পর তার মাথা ঠাণ্ডা হল। মনটা গ্লানিতে ভরে গেছে। ওই মেয়েটিকে দেখা মাত্র সে মুগ্ধ হয়ে গিয়েছিল, ওর দিক থেকে সে চোখ ফেরাতে পারছিল না, এজন্য নিজেকে ধিক্কার দিচ্ছে ভরত ! দ্বারিকা হঠাৎ ধনী হয়েছে,

ধনীর দুলালদের সব রকম কীর্তিকলাপে অভ্যস্ত হয়ে যাচ্ছে সে, ভরত কেন তার সঙ্গে তাল মেলাতে যাবে ?

এই বউবাজারের রাস্তাতেই কিছুকাল আগে ভূমিসূতাকে নিয়ে এক আশ্রমে পৌঁছে দিতে যাচ্ছিল ভরত। সব তার মনে পড়ে গেল। সে ভূমিসূতাকে কথা দিয়েছিল, কথা রাখেনি।

রাজপথ এখন নির্জন, প্রায় নিস্তব্ধ। ভরতের বাড়ি এখান থেকে অনেকটা দূরে। ভাড়ার গাড়ি পাবার আর আশা নেই, ভরতকে হেঁটেই ফিরতে হবে। তবু ভরত যাচ্ছে না, চুপ করে দাঁড়িয়ে আছে এক জায়গায়। তার বুকটা মোচড়াচ্ছে। ভূমিসূতাকে এক্ষুনি একবার দেখতে ইচ্ছে করছে তার। বসন্তমঞ্জরী নামে মেয়েটির রূপ তার রক্তে তরঙ্গ তুলে দিয়েছে, এখন আর বসন্তমঞ্জরী নেই, শুধু রূপ, সেই রূপ ভূমিসূতায় অর্পিত, ভরত অনুভব করল, ভূমিসূতার রূপ অনেক বেশি। ভূমিসূতার নির্বাক চক্ষু অনেক বেশি কথা বলে। সেই চোখ দুটি দেখার জন্য ছুটে যেতে চায় ভরত।

কিন্তু কোথায় যাবে সে ? মহারাজের জন্য যে বাড়ি ভাড়া নেওয়া হয়েছে, তার আশেপাশে ভরতকে যেতে বারংবার নিষেধ করেছেন শশিভূষণ। তবু ভরত গেল, অন্ধকার রাস্তার ধার ঘেঁষে ঘেঁষে চোরের মতন এগিয়ে সে সার্কুলার রোডের সেই বাড়িটির উল্টো দিকে একটা দেয়াল সেঁটে দাঁড়িয়ে রইল। রাস্তা পার হওয়া সত্যি বিপজ্জনক। মহারাজের সঙ্গে ত্রিপুরা থেকে নিশ্চয়ই আরও অনেকে এসেছে, তারা কেউ ভরতকে দেখলেই চিনবে। ভরতের অস্তিত্বটা একবার জানাজানি হলেই তার ভাগ্যে আরও অনেক দুর্ভোগ ঘনিয়ে আসবে, শশিভূষণও বিপদে পড়তে পারেন।

অত বড় বাড়িতে দু'দিকের দুটি মাত্র ঘরে আলো জ্বলছে এখন। ভূমিসূতা কোন দিকে থাকে, তাও জানে না ভরত। সে ব্যাকুল ভাবে তাকিয়ে রইল দুই জানলার দিকে। তার ইচ্ছে করছে এই বাড়িটা ভেঙে গুঁড়িয়ে দিয়ে এখনি ভূমিসূতাকে মুক্ত করে আনতে কিন্তু সে অসহায়, সে অতি সাধারণ এক যুবা, শুধু ইচ্ছেশক্তি দিয়ে সে এই অসম্ভবকে সম্ভব করতে পারবে না।

॥ ৪৭ ॥

দেবতারা যেমন স্বর্গে থাকেন, তাঁদের দেখা যায় না, সেই রকম ভারতের শ্বেতাঙ্গ শাসকরাও থাকেন আড়ালে, শহরের এমন অংশে, যেখানে দেশের সাধারণ মানুষরা কখনও যায় না। সেই সাহেবপাড়ায় পথ ঘাট বাঁধানো ঝকঝকে, বড় বড় থামওয়ালা সব সুদৃশ্য বাড়ি, যেন অমরাবতী! যারা এ দেশের মূল অধিবাসী, তাদের পল্লীগুলিকে ইংরেজরা নাসিকা কুঞ্চিত করে বলে 'ব্ল্যাক টাউন', সেখানকার মানুষগুলো তাদের ভাষায় 'ডার্কি সোয়ার্মস'!

ভারতীয়রা যতই শিক্ষিত হচ্ছে ততই ইংরেজ সম্প্রদায়ের সঙ্গে তাদের দূরত্ব বাড়ছে। ওকালতি, ডাক্তারি, মাস্টারি, সিভিল সার্ভিস, এমনকি ব্যবসা-বাণিজ্যেও ভারতীয়রা ইংরেজদের সঙ্গে পাল্লা দিতে আসছে দেখে তারা ক্রুদ্ধ হচ্ছে দিন দিন। অস্ত্রবলে এত বড় দেশটা তারা দখল করেছে কি এখানকার মানুষদের সঙ্গে প্রতিযোগিতায় নামবার জন্য, না তাদের পায়ের তলায় দাবিয়ে রাখার জন্য ? বাঙালিদের ওপরেই তাদের বেশি রাগ।

কলকাতা ব্রিটিশ ভারতের রাজধানী, এখানকার মানুষজনই শিক্ষাদীক্ষার সুযোগ পেয়েছে বেশি। খানিকটা লাই পেয়েই বাঙালিরা মাথায় চড়তে চায়। কিছু কিছু বাঙালি যখন তখন ইংল্যান্ড চলে যাচ্ছে, সে দেশ ঘুরে দেখছে যে টুপিওয়ালা সাদা চামড়ার দেশটা এমন কিছু আহামরি জায়গা নয়, লন্ডন শহরের সঙ্গে কলকাতা শহরের এমন কিছু তফাত নেই। ফিরে এসে তারা ইংরেজিতে সংবাদপত্র বার করছে, ইংরেজিতে বক্তৃতা দিয়ে জানাচ্ছে ভারত শাসনের ব্যাপারে ভারতীয়দের কিছু কিছু অধিকার থাকা উচিত। এক দরিদ্র, পরাজিত জাতির মুখে এমন স্পর্ধার কথা ! ইংরেজরা যখন তখন ভারতীয়দের অপমান করে বুঝিয়ে দিচ্ছে, কে প্রভু আর কে দাস !

অশালীন ভাষায় ভারতীয়দের আক্রমণ করার প্রধান মুখপত্র ইংলিশম্যান পত্রিকা। বছর দেড়েক আগে সেখানে এরকম বিজ্ঞাপন বেরিয়েছিল, " কর্মখালি। সৈয়দপুরের অধিবাসীদের জন্য কিছু ধাঙড়, পাখা-কুলি আর ভিস্তি চাই। এন্ট্রেন্স পাশ শিক্ষিত বাঙালিবাবু ছাড়া আর কারুর দরখাস্ত গ্রাহ্য হবে না। প্রাক্তন ডেপুটি ম্যাজিস্ট্রেটরা (বাঙালি) অগ্রাধিকার পাবে।"

ভারতীয়দের কুকুর আর বাঁদর বলে অভিহিত করা এবং বাঙালিদের জুতিয়ে সিধে করার প্রস্তাবও এই পত্রিকায় প্রায়ই স্থান পায়। আর ইংরেজরা যখন ভারতীয়দের প্রহার করে কিংবা রাগের মাথায় খুন করে ফেলে, সে সব সংবাদ এ পত্রিকায় স্থান পায় না।

ইংরেজরা যতই অপমান বা আঘাত করুক, তা প্রতিরোধ করার ক্ষমতা ভারতীয়দের নেই। আদালতে গেলে তারা সুবিচার পাবে না, তাদের হাতে অস্ত্রও নেই, অস্ত্র আইনের ফলে কোনও ভারতীয়দের অস্ত্র রাখা বা অস্ত্র বহন করা নিষিদ্ধ। বিদেশ থেকে আসা কোনও আফ্রিকান কিংবা চিনে বা জাপানি, এমনকি এদেশের অ্যাংলো ইন্ডিয়ানরাও অনায়াসে অস্ত্র নিয়ে ঘুরতে পারবে, কিন্তু ভারতের মাটিতে শুধু কোনও ভারতীয়ই অস্ত্র রাখতে পারবে না।

হায়দ্রাবাদ অঞ্চলের এক ছোটখাটো রাজা কিছুদিন আগে আগ্রা যাচ্ছিলেন সরকারি সফরে। তিনি ট্রেনের ফার্স্ট ক্লাসের যাত্রী, তাঁর প্রজারা স্টেশনে এসে ভিড় করে জয়ধ্বনি দিতে দিতে তাঁকে বিদায় সংবর্ধনা জানাল। সে এক রাজকীয় যাত্রা ! ফেরার নির্দিষ্ট দিনে তিনি কিন্তু নামলেন মুখ চুন করে এক তৃতীয় শ্রেণীর কামরা থেকে। তিনি আর কখনও প্রথম শ্রেণীতে চাপবেন না ঠিক করেছেন। কারণ, যাবার সময় তাঁর কামরায় ছিল দুটি বন্দুকধারী ইংরেজ, তাদের জুতো কাদামাখা, তারা কোনও জলা জায়গায় স্নাইপ শিকার করে ফিরছে। সেই ইংরেজ দু'জন রাজামশাইয়ের কান ধরে টেনে নিজেদের কাছে এনে বলেছে, ওরে নেটিভ, আমাদের জুতো খুলে দে, কাদা মুছিয়ে পা মালিশ কর। সে কাজ করতে বাধ্য হয়েছেন রাজা !

রাজাদেরই যখন এই অবস্থা, তখন সাধারণ মানুষদের আরও যে কত দুর্দশা হতে পারে তা সহজেই অনুমেয়। স্যার সৈয়দ আহমদ খানের মতন ব্রিটিশ-ভক্ত মানুষও সখেদে বলেছেন, বেশির ভাগ ইংরেজ কর্মচারিই মনে করে, 'কোনও নেটিভই ভদ্রলোক হতে পারে না'। মাদ্রাজ হাইকোর্টের বিচারপতি স্যার চার্লস টার্নার তাঁর সহকর্মী বিচারপতি মাহমুদকে নিয়ে একদিন মাদ্রাজ ক্লাবে গেছেন, দরজার কাছেই একজন সদস্য দৌড়ে এসে বলল, কোনও নেটিভকে এখানে ঢুকতে দেওয়া হবে না।

এই রকম ঘটনা প্রতিনিয়তই দেশের নানা অঞ্চলে ঘটছে।

দেবরাজ ইন্দ্রের মতন ভারত শাসক ইংরেজদের শিরোমণি অর্থাৎ ভাইসরয় এখন লর্ড রিপন। সাধারণ মানুষের চোখে তিনি অদৃশ্য। তিনি কখনও কলকাতায়, কখনও দিল্লিতে, কখনও সিমলায় থাকেন। সিপাহি বিদ্রোহের পর থেকেই ইংরেজ রাজপুরুষরা দেশীয় লোকদের সঙ্গে দেখাসাক্ষাৎ প্রায় বন্ধ করে দিয়েছিল। আগের দশকেই ভাইসময় লর্ড মেয়ো আন্দামান সফরে গিয়ে এক ধর্মোন্মাদ পাঠানের হাতে খুন হয়েছেন। রিপনের ঠিক আগের

ভাইসময় লর্ড লিটন ভারতীয় প্রজাদের যতটা ক্ষতি করে গেছেন, তেমনটি আর কেউ করেনি। প্রখ্যাত এক লেখকের সন্তান এই লর্ড লিটন এক ক্রূর রাজনীতিবিদ এবং রক্তচক্ষু শাসক। ভারতে যখন সাম্রাজ্য বিস্তার করতে আসা হয়েছে, তখন দয়ামায়ার কোনও প্রশ্নই ওঠে না। এই লিটনই জারি করে গেছেন অস্ত্র আইন, সমস্ত ভারতীয় ভাষায় পত্র-পত্রিকার ওপর চাপিয়ে গেছেন সেনসরশিপ। ল্যাঙ্কাশায়ারের কাপড়ের কলের মালিকদের স্বার্থে এদেশের তাঁতীদের সর্বনাশ করে গেছেন। সাঙ্ঘাতিক দুর্ভিক্ষে ভারতের পঞ্চাশ লক্ষ লোক মারা গেল, আর ভারতের প্রভু তখন দিল্লিতে এক দারুণ আড়ম্বরপূর্ণ ও ব্যয়বহুল দরবার বসালেন : বহুকাল ধরে দিল্লিতে ছিল মুঘল সম্রাটের রাজধানী, সেই দিল্লিতেই ঘোষণা করা হল যে মহারানী ভিক্টোরিয়া এখন ভারতের সম্রাজ্ঞী।

আফগানিস্তানে যুদ্ধ বাধিয়ে লিটন আর এক মারাত্মক ভুল করে গেছেন।

সমগ্র ভারত জয় করেও ইংরেজরা আফগানিস্তানকে সাম্রাজ্যভুক্ত করতে পারেনি। কয়েকবার চেষ্টা করে বোঝা গেছে, দুঃসাহসী আফগানরা কিছুতেই পরাধীনতা মেনে নেবে না। গায়ের জোরে দখল করা যেতে পারে, কিন্তু অশান্তি চলতেই থাকবে, আফগানদের হাত থেকে অস্ত্রও ছাড়ানো যাবে না, তাদের ওপর শাসন পদ্ধতিও চাপানো যাবে না। তাই আগফানিস্তানকে অনেকদিন ঘাঁটানো হয়নি। কিন্তু মাঝে মাঝেই রুশ জুজুর গুজব ছড়ায়। ইংরেজদের ধারণা, রাশিয়ার সম্রাটের ফৌজ হঠাৎ কোনওদিন ভারত আক্রমণ করে বসবে। ভারতের মতন এমন একটি সোনার হাঁসের সব ডিম শুধু ইংরেজরা ভোগ করবে, এটা অন্য ইওরোপীয়দের সহ্য হবে কেন? ওলন্দাজ, ফরাসি, পর্তুগিজরা এখানে পাল্লা দিয়ে হেরে গেছে, রাশিয়ার শক্তির সঙ্গে এখনও ইংরেজদের মুকাবিলা বাকি আছে। রাশিয়ানরা যদি আসে, তা হলে আসতে হবে আফগানিস্তানের ওপর দিয়ে, তাই আফগানিস্তানকে কব্জায় রাখতে ইংরেজদের প্রায়ই হাত নিশপিশ করে।

আফগানিস্তান যেন একটি নধর ভেড়া, যার ঘাড়ের ওপর লাফিয়ে পড়ার জন্য একটি সিংহ এবং একটি বিশাল ভাল্লুক সব সময় উদ্যত। কিন্তু ভাল্লুকের চেয়েও সিংহ অনেক বেশি ক্ষিপ্র, তাই আফগানিস্তানের আমির ব্রিটিশ সিংহের সঙ্গে আপোস-রফায় থাকতে চান, কিন্তু সিংহ এক-এক সময় ধৈর্য ধরতে পারে না।

লর্ড লিটন আফগানিস্তানের আমির শের আলির সঙ্গে খিটিমিটি লাগিয়ে দিলেন। কাবুলে তিনি জোর করে একজন ব্রিটিশ রাজপ্রতিনিধি পাঠাতে গেলেন, যুদ্ধ অনিবার্য হয়ে উঠল। সরাসরি যুদ্ধে আফগানিস্তান সেনাবাহিনী পারবে কেন, তারা পর্যুদস্ত হল, শের আলি সিংহাসন ছেড়ে পালালেন। ব্রিটিশ প্রধানমন্ত্রী ডিজরেলি অভিনন্দন জানালেন লর্ড লিটনকে। কিন্তু দুর্ধর্ষ কাবুলিরা এ অপমান বেশিদিন সহ্য করল না, হঠাৎ একদিন প্রকাশ্য রাজপথে ব্রিটিশ রাজপ্রতিনিধি এবং তার দেহরক্ষী খুন হয়ে গেল। সারা আফগানিস্তান জুড়ে শুরু হয়ে গেল। চোরা গোপ্তা আক্রমণ, ইংরেজ কর্মচারি ও ব্যবসায়ীদের প্রাণ সব সময় বিপন্ন, তারা পালাতে পারলে বাঁচে। শের আলির বদলে তার ভাইপো আবদুর রহমানকে সিংহাসনে বসিয়ে ব্রিটিশ সিংহ আবার লেজ গুটিয়ে আফগানিস্তান ছেড়ে চলে এল। প্রমাণিত হল যে আফগানিস্তান নিছক একটি নধর ভেড়া নয়, বরং বলা যায়, সর্বাঙ্গে কাঁটা ভর্তি সজারু।

এই অনর্থক আফগান যুদ্ধে যে কোটি কোটি টাকা খরচ হল, সেই ব্যয় বহন করতে হল ভারতের দরিদ্র মানুষদেরই। এটা তো ভারত সরকারেরই যুদ্ধ, অথচ ভারতীয়দের মতামতের কোনও দাম নেই।

লর্ড লিটন আরও নানা বিপত্তি ঘটাতে পারতেন, কিন্তু এর মধ্যে ইংলন্ডের রদবদল হয়ে গেল। ডিজরেলির বদলে প্রধানমন্ত্রী হয়ে এলেন গ্ল্যাডস্টোন। তিনি উদারপন্থী, আদর্শবাদী হিসেবে পরিচিত। ভারতে ইংরেজ শাসকশ্রেণীর ক্রমবর্ধমান অত্যাচারে ইংলন্ডের গণতান্ত্রিক

ভাবমূর্তি নষ্ট হচ্ছে বলে তিনি ক্ষুব্ধ। ভারত ব্রিটিশ সাম্রাজ্যের অন্তগর্ত থাকবে ঠিকই, শক্ত হাতে শাসন করতে গিয়ে মাঝে মাঝে একটু আধটু নরম সুরে কথা বললে ক্ষতি কী? কিছু কিছু ছোটখাটো স্থানীয় স্বায়ত্তশাসনে কিংবা বিচার ব্যবস্থায়-দু চারজন ভারতীয় প্রতিনিধি নিলে তারা খুশি থাকবে, বড় রকম আন্দোলনে যাবে না। নতুন প্রধানমন্ত্রী গ্লাডস্টোন লর্ড লিটনকে বরখাস্ত করে সেই পদে পাঠালেন তাঁর বিশ্বস্ত অনুগামী লর্ড রিপনকে।

লর্ড রিপন মানুষটি ভদ্র এবং ধর্মভীরু। তিনি সাম্রাজ্যের রক্ষক হলেও একেবারে প্রকট অবিচার দেখলে চক্ষুলজ্জা বোধ করেন। ভার্নাকুলার প্রেস অ্যাক্‌ট এই ঊনবিংশ শতাব্দীর মুক্ত চিন্তার প্রবাহে সত্যিই তো দৃষ্টিকটু। ইংরেজি ভাষায় প্রকাশিত পত্র-পত্রিকার ওপর কোনও বিধিনিষেধ নেই, অথচ বাংলা বা মারাঠি ভাষার পত্র-পত্রিকা থাকবে সরকারের কড়া নিয়ন্ত্রণে, এ আবার কেমন ব্যাপার! এখন অনেক বাঙালি, মারাঠি, পাঞ্জাবি, দক্ষিণ ভারতীয়রা ভালো ইংরেজি শিখে নিয়েছে, তারা ইংরেজি ভাষায় পত্রিকা প্রকাশ করে, সেগুলো তো ছোঁয়া যাবে না। লর্ড রিপন কুখ্যাত ভার্নাকুলার প্রেস অ্যাকট তুলে দিলেন।

কিন্তু অস্ত্র-আইন সংশোধন করতে গিয়ে তিনি প্রবল বাধার সম্মুখীন হলেন। কোনও আইন পাশ করাতে গেলে বা রদ করতে হলে তাঁকে সেক্রেটারি অব স্টেট এবং লেজিসলেটিভ কাউন্সিলের ওপর নির্ভর করতে হয়। কিছুদিনের মধ্যে দেখা গেল, কাউন্সিলের প্রায় সব প্রতিনিধি, রাজ-কর্মচারি এবং ইংরেজ ব্যবসায়ী শ্রেণী তাঁর এই উদারনীতির বিপক্ষে। স্থানীয় স্বায়ত্তশাসন সংস্থাগুলিতে ভারতীয় প্রতিনিধি নিতে চাইলেন তিনি, তা নিয়ে ইংলিশম্যানের মতন পত্র-পত্রিকায় গালাগালি শুরু হয়ে গেল। হতাশ হয়ে রিপন একদিন বলে উঠলেন, আমরা যদি বাঙালিবাবুদের নিজেদের ইস্কুল আর নর্দমা নিয়ে আলোচনা করার সুযোগ দিই, তাতে ব্রিটিশ সাম্রাজ্যের ভিত নষ্ট হয় না ! বরং তাতে সুফল হবে এই যে, বাঙালিবাবুরা এই সব নিরীহ বিষয় নিয়েই মাথা ঘামাবে, অন্য দিকে মন দেবে না।

নানারকম বাধা সত্ত্বেও লর্ড রিপন কিছু কিছু শাসন সংস্কার চালিয়ে যেতে লাগলেন। তিনি লক্ষ করেছিলেন, ভারতে এখন নিত্য-নতুন কল-কারখানা স্থাপিত হচ্ছে, অধিকাংশই ইংরেজ মালিকানায়, সেখানে নিয়ম শৃঙ্খলার কোনও ব্যাপারই নেই। ভারতীয় কুলিদের পশুর মতন খাটানো হয়, শ্রম-ঘন্টার কোনও হিসেব থাকে না, ছুটিছাটার বালাই নেই, দুগ্ধপোষ্য শিশুদেরও কাজে লাগানো হয়। ইংল্যান্ডে এরকম অবস্থা অকল্পনীয়! শিল্পবিপ্লবের পর সেখানকার শ্রমিক শ্রেণী দিন দিন সঙ্ঘবদ্ধ হচ্ছে। কৃষিনির্ভর ভারতেও কল-কারখানা বাড়বেই ক্রমশ, এবং শ্রমিকদের অসন্তোষ পুঞ্জীভূত হতে বাধ্য। রিপন এদেশে আসার কিছুদিন পরেই জারি করলেন ফ্যাকট্রি আইন। তাতে বলা হল যে, অন্তত একশো জন শ্রমিক যেখানে কাজ করে এবং যেখানে যন্ত্রের সাহায্যে নিয়ে উৎপাদন হয়, সেই সব ফ্যাকট্রি এই আইনের আওতায় আসবে। সাত বছরের কম কোনও বাচ্চাকে এখানে কাজ দেওয়া যাবে না, বারো বছরের কম বাচ্চাদের দিয়ে দিনে ন' ঘন্টার বেশি কাজ করানো যাবে না। প্রতিদিন কাজের মধ্যে এক ঘন্টা বিশ্রামের জন্য দিতে হবে আর মাসে চার দিন ছুটি।

রিপন বুঝেছিলেন যে, ব্যবসায়ী শ্রেণীকে চটিয়ে দেশ চালানো যাবে না। তাই তিনি অতি প্রাথমিক কিছু নিয়ম বেঁধে দিলেন মাত্র, আর বেশি দূর এগোলেন না। তাতেও প্রতিবাদের ঝড় উঠল।

পূর্ববর্তী বড়লাট লর্ড লিটন ভারতের নব জাগ্রত শিক্ষিত সমাজকে ঘোর অপছন্দ করতেন। ইংরেজ কর্মচারিরাও চাকরি-বাকরির ক্ষেত্রে ভারতীয়দের সঙ্গে জায়গা ভাগাভাগি পছন্দ করে না। এদিকে হাজার হাজার ছেলে বি এ, এম এ পাশ করে চাকরির ক্ষেত্রে যোগ্যতার দাবি করছে। বিলেত থেকে আই সি এস হয়ে এসে সরাসরি উঁচু পদে বসছে।. তাই ইংরেজ পক্ষ থেকে দাবি তোলা হচ্ছে, ভারতীয়দের আই সি এস পরীক্ষা দেওয়া বন্ধ

করে দেওয়া হোক। এখানকার কলেজগুলিতে সরকারি সাহায্য বন্ধ করে দিয়ে উচ্চশিক্ষার বাধা সৃষ্টি করা হোক। সামান্য কিছু ইংরিজি শিখিয়ে কেরানি তৈরি করাই তো ছিল স্কুল টুল স্থাপনের উদ্দেশ্য, এখন যে এরা অফিসার হতে চায়!

সাধারণ মানুষ সব সময় সরকারের সংস্কার ব্যবস্থাগুলির মর্ম বোঝে না। এ দেশের ইংরেজরা যখন চটে গিয়ে হাঙ্গামা শুরু করে, তখন অনেকে মজা পায়। তা হলে সব শ্বেতাঙ্গরাও এককাট্টা নয়! মহারানী তাঁর প্রজাদের ভালোই চান, এদেশে তাঁর চ্যালা চামুণ্ডারা ধারালো দাঁত আর নখ উঁচিয়ে থাকে। দুরকম ইংরেজের একটা অস্পষ্ট ধারণা অনেকের মনে দানা বাঁধে। ডেভিড হেয়ার, বেথুন, পাদ্রি লঙের স্মৃতি এখনও মিলিয়ে যায়নি। এখনও তো রয়েছেন ফাদার লাফোঁ, কর্নেল আলকটের মতন বেশ কিছু সাহেব, যাঁরা ভারতীয়দের ঘৃণা করে না।

সরকারের সব সংস্কার নীতি ভারতীয়রাও মেনে নিতে পারে না। একটা ছোট্ট ব্যাপার নিয়ে শহরে হুলুস্থুলু পড়ে গিয়েছে।

হেদোর মোড়ের জন্য পনেরো লোকের এক জটলার মধ্যে দাঁড়িয়ে মহা উত্তেজিত ভাবে হাত-পা নেড়ে চ্যাঁচামেচি করছে বাণীবিনোদ। শ্রোতারা সকৌতুকে তাকিয়ে আছে, তার কথা ঠিক বিশ্বাস করতে পারছে না।

বাণীবিনোদ একজনের দিকে কটমট করে তাকিয়ে বলল, আমি মিছে কথা বলছি? মানিকতলায় আমি নিজের চোখে দেখে এসেছি, আজ থেকে আর কালীপূজো হবে না, হবে না! সরকার কালীপুজো বন্ধ করে দিয়েছে!

তবু একজন অবিশ্বাসের সুরে বলল, হ্যাঃ! কী গুলিখোরের মতন কথা বলছ গো? কালীপুজো কখনও বন্ধ হতে পারে?

আর একজন বলল, ওগো ঘন্টা ঠাকুর, নিজের চোখে কী দেখলে সেটাই ভালো করে বলো না ছাই! মানিকতলার মন্দিরে পুজো হয়নি আজ?

বাণীবিনোদ বলল, কী করে হবে? সরকারের প্যায়দা দাঁড়িয়ে আছে, পাঁঠা বলি দিতে দেবে না!

—পুজো বন্ধ, না বলি বন্ধ?

—আ মোলে যা! পাঁঠা বলি বন্ধ হলে কালীপুজো হয় কী করে?

—পাঁঠা বলি কে বন্ধ করল?

—গভরমেন্ট গো, গভরমেন্ট! ম্লেচ্ছরা আমাদের জাত মারবে। পুজো আচ্চা সব বন্ধ করে দিয়ে এবার সবাই গির্জেয় গিয়ে যিশু-ভজনা করো গে!

একজন ছোকরা টিপ্পনি কেটে বলল, ঘন্টা ঠাকুর, তবে তো তোমার মহা বিপদ! পুজো বন্ধ হয়ে গেলে তুমি খাবে কী?

অন্যরা অবশ্য বিষয়টা এত লঘু ভাবে নিল না। কালীপুজো বন্ধ, না পাঁঠা বলি বন্ধ, এটা ঠিক বোঝা যাচ্ছে না। হঠাৎ পাঁঠা নিয়ে সরকারের মাথা ব্যথা হল কেন?

একটু দূরে দু'জন উকিলবাবু ভাড়ার গাড়ি ধরার জন্য এসে দাঁড়িয়েছে। তাদের পরনে মালকোছা মারা ধুরি, ও কালো কোট, পায়ে পাম্পশু। দু'জনেরই মুখে পান, এক জনের হাতের দু'আঙুলের টিপে ধরা নস্যি, অন্য জনের হাতে পানের বোঁটার ডগায় মাখা চুন। এই জনতা সেই উকিলবাবু দুটিকে ঘিরে ধরে আসল ব্যাপারটা জানতে চাইল।

একজন উকিল বলল, কে বলেছে, পাঁঠা বলি বন্ধ? আজ সকালেই তো আমি বাজার থেকে কচি পাঁঠার মাংস কিনে ঝোল খেয়ে এসেছি। পাঁঠার মাংস না খেলে বাঙালি বাঁচে?

ফোক্কড় ছোকরাটি বলল, এই যে আমাদের ঘন্টা ঠাকুর নিজের চক্ষে দেখে এসেছে যে মানিকতলায় কালী মন্দিরে সরকারের প্যায়দা এসে বলি বন্ধ করে দিয়েছে?

দ্বিতীয় উকিলটি জিভ বার করে তাতে চুন লাগিয়ে বলল, এও হয়, ও-ও হয়। পাঁঠার মাংস পাওয়া যাচ্ছে এটাও যেমন ঠিক, পাঁঠা বলি বন্ধ, এটাও ঠিক।

এই উকিলি বাক্যে আরও ধাঁধার সৃষ্টি হল। বলি যদি বন্ধ হয়, তাহলে কি জ্যান্ত পাঁঠার মাংস বিক্রি হচ্ছে নাকি?

দ্বিতীয় উকিলটি এবার একটু খোলসা করে বলল, যার খুশি যখন তখন পাঁঠা বলি দেবে, তা আর চলবে নাকো। চড় ইভাতি করতে গেলে, আর একটা ছাগল নিয়ে গিয়ে কেটে কুটে রান্না করলে, তা হলে জেল হবে!

—তা হলে বাজারে মাংস বিক্রি হবে কী করে?

—কসাইখানা থেকে আসবে। করপোরেশান নিয়ম জারি করেছে, পাঁঠা কাটতে গেলে লাইসেন্স নিতে হবে। মাংসের দোকানদাররা স্লটার হাউস থেকে পাঁঠা কাটিয়ে আনবে!

—সে কোন জাতের না কোন জাতের লোক কাটবে, তার ঠিক কি! তাদের ছোঁয়া খেতে হবে?

—কসাইরা কোন জাতের হয়? এতকাল তাদের ছোঁয়া মাংস খাওনি?

বাণীবিনোদ প্রবল ভাবে ঘাড় নেড়ে বলল, আমি কক্ষনও খাই না। ঠাকুরের সামনে যে পাঁঠা বলি হয়, সেই মাংস ছাড়া আমি অন্য কোনও মাংস খাই না!

ছোকরাটি বলল, অর্থাৎ কি না বিনা পয়সায় পাওয়া যায়!

অন্য একটি লোক বলল, লোকে যে কালী ঠাকুরের কাছে মানত করে, এখন আর সেই মানতের বলি হবে না?

একখানা ভাড়ার গাড়ি এসে গেছে। উকিলবাবুরা সেদিকে ছুটে যেতে যেতে একজন মন্তব্য ছুঁড়ে গেল, মা কালীকেও লাইসেন্স নিতে হবে!

করপোরেশনের আইনে প্রথম দিকে বিভ্রান্তির সৃষ্টি হল অনেক। আইনের উদ্দেশ্যটি ছিল সৎ। লোকে পাঁঠ-পাঁঠী, রুগ্‌ন ছাগল যা খুশি বলি দিয়ে বাজারে মাংস বিক্রি করে। বড় বড় কালী মন্দিরগুলি ছাড়াও পাড়ায় পাড়ায় নিত্য নতুন কালীমন্দির গজিয়ে উঠছে, সেসব মন্দিরের সামনে সকাল থেকে হাঁড়ি কাঠে পাঁঠা বলি চলতে থাকে, রাস্তা রক্তে থিক থিক করে, রক্ত চাটার জন্য মারামারি করে এক পাল কুকুর, কাক-চিলও ছোঁ মারতে আসে। সেই সব বলির মাংস পবিত্র-মাংস হিসেবে বাজারে একটু বেশি দামে বিক্রি হয়। করপোরেশনের স্বাস্থ্যসম্মত বিধি প্রণয়নেরই উদ্দেশ্য ছিল, কিন্তু বিধায়করা ধর্মীয় ব্যাপারটা খেয়াল করেননি। কালী মূর্তির সামনে পাঁঠা বলি দেওয়া যে হিন্দুদের ধর্মীয় অধিকারের মধ্যে পড়ে। মুসলমানদের যেমন কোরবানি।

মন্দিরের সামনে বলি বন্ধ হওয়ায় হিন্দুরা প্রবল সোরগোল শুরু করে দিল। করপোরেশন শেষ পর্যন্ত আইন কিছুটা সংশোধন করতে বাধ্য হল। কালীঘাটের মন্দিরে, ফিরিঙ্গি কালী, ঠনঠনের মতন কতকগুলি বিখ্যাত, সুপ্রতিষ্ঠিত মন্দিরের সামনে পাঁঠা বলি আগেকার মতন অব্যাহত রইল, কিন্তু যে-কোনও ছোটখাটো মন্দিরে বলি দেওয়া নিষিদ্ধই রইল, অনেক মন্দির রাতারাতি উঠেও গেল এই জন্য।

যে-কোনও আইনই পুরোপুরি প্রয়োগ করা সহজ নয়। লুকিয়ে-চুরিয়ে গলি ঘুঁজিতে পাঁঠার মাংস বিক্রি এর পরেও চলতে লাগল কিছু কিছু। কত জায়গায় আর পেয়াদারা গিয়ে বাধা দেবে? পেয়াদাদেরও তো ধর্ম ভয় আছে! তা ছাড়া হাতে একটা টাকা গুঁজে দিলে তাদের কর্তব্যজ্ঞান উপে যায়।

তবে অনেক মানুষ এখন সতর্ক হয়ে গেল! যে-কোনও মাংস খাওয়া যে স্বাস্থ্যসম্মত নয়, এই জ্ঞানটুকু অন্তত হল, লাইসেন্সের দোকানের পাঁঠা কিংবা বড় মন্দিরের বলিল পাঁঠার মাংস ছাড়া অন্য মাংস তারা কিনতে চায় না। বে-আইনি মাংস কেনা অপরাধ।

রামকৃষ্ণ ঠাকুর অসুস্থ। গলায় ব্যথা, কাশি হচ্ছে খুব, শরীর বেশ দুর্বল। দক্ষিণেশ্বর ছেড়ে তিনি এখন অন্য জায়গায় আছেন। মাঝে মাঝে একটু ভালো থাকেন, আবার হঠাৎ একটু ঠাণ্ডা লাগলেই তাঁর কাশি বেড়ে যায়। তাঁর স্ত্রী সারদামণিও তাঁর সঙ্গে এসে আছেন, তিনি নিজের হাতে রান্না করে স্বামীকে খাওয়ান।

নামকরা ডাক্তাররা এসে দেখে যাচ্ছেন। তাঁরা নির্দেশ দিলেন, রুগীকে কচি পাঁঠার মাংসের সুরুয়া খাওয়াতে হবে, না হলে দুর্বলতা কাটবে না। রামকৃষ্ণের মাংস খেতে আপত্তি নেই, কিন্তু ভক্তদের তিনি পই পই করে বলে দিলেন, দেখ, তোরা যে-দোকান থেকে মাংস কিনবি, দেখবি সেখানে কসাই কালীমূর্তি যদি না থাকে তা হলে কিনিসনি। যে-দোকানে কসাই কালী প্রতিমা থাকবে, সেই দোকান থেকে মাংস আনবি।

একজন ভক্ত প্রতিদিন সকালে সেরকম মাংস কিনে আনে। সারদামণি কাঁচা জলে সেই মাংস দিয়ে সেদ্ধ করেন কয়েক ঘন্টা। তাতে ক'খানা তেজপাতা ও অল্প মসলা দিয়ে তুলোর মতন সেদ্ধ হয়ে গেলে নামিয়ে নেন। তারপর কাপড়ে ছেঁকে শুধু সুরুয়াটুকু রামকৃষ্ণ ঠাকুরকে খাওয়ানো হয়।

তিনি আস্তে আস্তে একটু একটু চুমুক দেন। গলায় বড্ড ব্যথা।

॥ ৪৮ ॥

জোড়াসাঁকোর বাড়ির সামনের চত্বরে একটি ঝকঝকে নতুন জুড়িগাড়ি সাজানো হচ্ছে, সেখানে ভিড় জমিয়েছে দ্বারবান ও সহিসেরা। ঘোড়াদুটি তরুণ ও তেজস্বী, ঘাড় বাঁকিয়ে বুঝে নিচ্ছে নতুন পরিবেশ। আরও পাঁচ-সাতখানা গাড়ির ঘোড়াগুলিকে দলাই মলাই করা হচ্ছে অদূরে। এই পিঙ্গল রঙের গাড়িটির গায়ে নতুন বার্নিস, ভেতরে মরোক্কো চামড়ায় মোড়া গদির আসন। দাস-দাসীরা পাশ দিয়ে যেতে যেতে বলাবলি করছে, হ্যাঁ গা, এ গাড়িটে কার হল ? কোন বাবুর !

খানিক পরে খাজাঞ্চিখানার পাশের দরজা দিয়ে বেরিয়ে এল রবি। চব্বিশ বৎসর বয়স্ক এক সুঠাম যুবা, গালের দু পাশে সরু দাড়ি, মাথার চুল ঘাড় পর্যন্ত ঢেউ খেলানো। পায়ে মোজা ও পাম্প শু, পরনে কোঁচানো ধুতি ও বেনিয়ান, তার ওপর একটি চাদর জড়ানো। কাছে এসে সে গাড়িটিকে ভালো করে দেখল, মুখের রেখায় বোঝা গেল পছন্দ হয়েছে। মৃদু গলায় সহিসকে জিজ্ঞেস করল, আর কিছু বাকি আছে ? এখন যেতে পারবে ?

সহিস মাথা হেলাতে রবি উঠে বসল।

এই প্রথম রবির একটি নিজস্ব জুড়িগাড়ি হয়েছে। এটা তার পিতার উপহার। অবশ্য নিছক উপহার বলা যায় না, তার পদমর্যদার সঙ্গে সঙ্গতিপূর্ণ বলেই দেবেন্দ্রনাথ এই গাড়ির খরচ দিয়েছেন।

চুঁচড়োয় বসে দেবেন্দ্রনাথ তাঁর বংশের প্রতিদিনের খুঁটিনাটি ব্যাপারেরও খবর রাখেন। সবাই তাঁকে মহর্ষি বলে, সত্যিকারের প্রাচীন ঋষিদের মতনই তিনি যেন সব সুখ-দুঃখের ঊর্ধ্বে। আবার তিনিই অতীব হিসেবি ও সংসারী। গত এক-দেড় বৎসরের মধ্যে এই পরিবারে কত বিপর্যয়ই না ঘটে গেল ! পুত্রবধূ কাদম্বরী আচম্বিতে আত্মহত্যা করায় সবাই যখন বিহ্বল

তখন কোনওরকম পারিবারিক কেলেঙ্কারি যাতে বাইরে না ছড়াতে পারে তার সবরকম ব্যবস্থা দৃঢ়হাতে করেছেন দেবেন্দ্রনাথ। কাদম্বরী সম্পর্কিত যে-কোনও আলোচনাও তিনি নিষিদ্ধ করে দিয়েছেন। তাঁর দুই কন্যা সৌদামিনী ও সুকুমারী এর মধ্যে বিধবা হয়েছে। সবচেয়ে বড় শোক, বজ্রশেলের মতন আঘাত, তৃতীয় পুত্র হেমেন্দ্রনাথের অকালমৃত্যু, তাও পাহাড়ের মতন অটল থেকে নীরবে সহ্য করেছেন পিতা।

এতগুলি মৃত্যুর পরও যিনি সমুদ্বিগ্নমনা, তিনি অত্যন্ত বিরক্ত হয়েছেন জ্যোতিরিন্দ্রনাথের জাহাজি ব্যবসায়ের সমূহ ব্যর্থতায়। এ তো শুধু বিপুল পরিমাণ অর্থদণ্ড নয়, পারিবারিক সম্মানহানি, ঠাকুরদের ব্যবসায়-বুদ্ধি নিয়ে লোকে হাসাহাসি করছে। জ্যোতির ওপরেই দেবেন্দ্রনাথ সবচেয়ে বেশি ভরসা করতেন, তিনি ভেবেছিলেন এই পুত্রটিই হবে ঠাকুরপরিবারের কর্ণধার, সেই জ্যোতিই বারবার তাঁকে নিরাশ করেছে। এবার তিনি নির্দয়ভাবে জ্যোতিকে শাস্তি দিতে উদ্যত হয়েছেন, তাঁর হাত থেকে সব ক্ষমতা কেড়ে নিয়েছেন। জমিদারি আয়-ব্যয়ের হিসেব রক্ষার দায়িত্ব ছিল জ্যোতিরিন্দ্রনাথের, তাঁকে সরিয়ে দিয়ে সে দায়িত্ব আবার দেওয়া হয়েছে দ্বিজেন্দ্রনাথের ওপর। আদি ব্রাহ্ম সমাজের সম্পাদক পদ থেকেও তিনি চ্যুত। দু-একজন পার্ষদ অবশ্য দেবেন্দ্রনাথকে বোঝাবার চেষ্টা করেছিলেন যে, স্ত্রী-বিয়োগ ও ব্যবসায়ে সর্বস্বান্ত হওয়ার মতন দুটি এত বড় আঘাতে ভেঙে পড়েছেন জ্যোতিরিন্দ্রনাথ, এখন তাঁকে ব্রাহ্মসমাজের কাজ ও অন্যান্য দায়িত্বের মধ্যে রাখলে তিনি আবার ধীরে ধীরে স্বাভাবিক হয়ে উঠতে পারেন। কিন্তু দেবেন্দ্রনাথ এবারে ক্ষমাহীন।

আদি ব্রাহ্মসমাজের সম্পাদক পদে নিযুক্ত হয়েছে রবি। সম্পাদকই দলের প্রধান মুখপাত্র। সম্পাদককে অনেকরকম সামাজিকতা রক্ষা করতে হয়। সুতরাং তার নিজস্ব জুড়িগাড়ি না থাকলে মানায় না। দেবেন্দ্রনাথ রবির মাসোহারার টাকা বাড়িয়ে দিয়েছেন, তার পত্নীকেও আলাদা হাত খরচ দেওয়া হয়, ওদের জন্য আলাদা মহলটি অকৃপণভাবে সাজিয়ে দেবার জন্য খাজঞ্চিখানায় নির্দেশ দেওয়া আছে। রবি প্রতি মাসে চুঁচড়োয় এসে সমস্ত কাজকর্মের রিপোর্ট দেয়, দেবেন্দ্রনাথ তার দায়িত্বজ্ঞানে সন্তুষ্ট, তবু তিনি রবিকে আরও চাপের ওপর রাখতে চান, আরও ব্যস্ত রাখতে চান, যাতে সে ফাঁকা সময় না পায়! দু-একটা প্রশংসাবাক্যের সঙ্গে সঙ্গে তিনি ঈষৎ ভর্ৎসনাও করেন মাঝে মাঝে। সমাজের প্রার্থনা সভার জন্য রবি একটি নতুন হারমোনিয়াম কিনতে চায়, দেবেন্দ্রনাথ সঙ্গে সঙ্গে রাজি হয়ে বললেন, নতুন যন্ত্রের অবশ্যই প্রয়োজন, লও পাঁচশো টাকা। কিন্তু পুরনোটাকে মেরামতের জন্য পাঠালে কেন ? ওটা দিয়ে আর কী হবে ? এটা অপব্যয়। এদিকে খেয়াল রাখবে !

জুড়িগাড়িটি চিৎপুর ধরে চলল সার্কুলার রোডের দিকে। তিনটি ব্রাহ্মসমাজে এক করে মেলাবার জন্য সম্প্রতি একটা উদ্যোগ নেওয়া হয়েছে, সূত্রধার হয়েছেন নববিধান-এর ভাই প্রতাপচন্দ্র মজুমদার। ব্রাহ্মরা এখন সঙ্ঘবদ্ধ না হলে হিন্দু পুনর্জাগরণের বন্যায় যে ভেসে যাবে তা সবাই অনুভব করলেও মিলন অত সহজ নয়। সবাই মিলন চায়, কিন্তু নিজস্ব শর্তে, কেউ ছাড়তে পারে না আত্মম্ভরিতা। রবি তবু সেই আলোচনা চালাতেই চলেছে।

আদি ব্রাহ্ম সমাজের সম্পাদকের পদপেয়ে রবি প্রথম দিকে দারুণ অস্বস্তিতে পড়েছিল। এ কাজ তার পছন্দ, কিন্তু জ্যোতিদাদা এখন কলকাতায় রয়েছেন, আপাতত আর বাইরে কোথাও যাবেন না, তা সত্ত্বেও তাঁকে সরিয়ে দিয়ে রবিকে এই সম্মানের আসন দেওয়া হল ! রবি কী করে এটা স্বাভাবিকভাবে গ্রহণ করবে? অথচ পিতার আদেশ অমান্য করারও তো প্রশ্ন ওঠে না। রবি এখন পারতপক্ষে জ্যোতিদাদার সামনে যায় না, এড়িয়ে এড়িয়ে চলে।

খোলা গাড়িতে চলেছে রবি, কিন্তু পথের দু পাশে তার মন নেই।

গত সপ্তাহে সে চুঁচড়োয় গিয়েছিল, তখন দেবেন্দ্রনাথ নানান বিষয়ের মধ্যে হঠাৎ এমন একটা উক্তি করেছিলেন যার মর্ম সে বুঝতে পারেনি, মনের মধ্যে একটা খটকা রয়ে গেছে।

দেবেন্দ্রনাথের হাতে ছিল রবির একটি কবিতার বই 'শৈশব সঙ্গীত'। উৎসর্গের পৃষ্ঠাটি খোলা। বইয়ের দিকে চোখ রেখে দেবেন্দ্রনাথ বলেছিলেন, তুমি ব্রাহ্মযন্ত্রে বৎসরে তোমার কখানি বই ছাপাবে ঠিক করেছ ? তারপর উত্তরের অপেক্ষা না করে দেবেন্দ্রনাথ চলে গিয়েছিলেন অন্য প্রসঙ্গে।

পিতা বরাবরই এই কনিষ্ঠ পুত্রটির কবিত্ব-শক্তির অনুরাগী। সমাজের প্রার্থনা সভার জন্য, বিভিন্ন উৎসবের জন্য রবি গান রচনা করেছে, সেগুলি শুনে দেবেন্দ্রনাথ বিশেষ সন্তোষ প্রকাশ করেছেন। রবিকে তিনি পুরস্কার দিয়েছেন, তাকে উৎসাহিত করেছেন আরও নতুন গান রচনা করার জন্য। তবু দেবেন্দ্রনাথ ওই কথা বললেন কেন ? তবে কি ব্রহ্মসঙ্গীত ছাড়া প্রণয়ের কবিতাগুলি তাঁর পছন্দ নয় ! নিছক আধ্যাত্মিক গান আর মানুষ কত লিখতে পারে ! প্রেম ছাড়া কাব্য হয় !

বালক বয়েসে রবির কবিতাগুলি একত্র করে তার দাদারা উৎসাহ নিয়ে বই ছাপিয়ে দিত। ছাপাবার খরচ তো বিশেষ নেই ! আদি ব্রাহ্মসমাজের নিজস্ব প্রেস আছে, কাগজের দাম দাদাদের মধ্যে কেউ নিজস্ব তহবিল থেকে দিয়ে দিতেন। এখন দাদাদের সেই উৎসাহ স্তিমিত, রবিও তো আর বালকটি নেই! এখন সে নিজেই প্রকাশ করতে পারে। কিছু কবিতা জমে গেলেই রবির আর ফেলে রাখতে ইচ্ছে করে না, বই হিসেবে প্রকাশ করতে ইচ্ছে হয়। দুই মলাটের মধ্যে আবদ্ধ না হলে কবিতাগুলির যেন নিজস্ব রূপ খোলে না। পত্রপত্রিকায় ছাপা হলেও কেমন যেন একটা অস্থায়ী ভাব থাকে, কাব্যগ্রন্থের মধ্যে স্থান না পেলে তা যেন সামগ্রিক কাব্যপ্রবাহের অন্তর্গত হয় না।

রবি পরপর বই ছাপিয়ে চলেছে। গত তিন মাসে তার চারখানা বই বেরিয়েছে। তার কিছুদিন আড়ে বেরিয়েছিল ছবি ও গান। এত বই বুঝি আর কোনও কবির বেরোয় না ? এই চব্বিশ বছর বয়েসেই রবির গ্রন্থ সংখ্যা ষোল ! ব্রাহ্মসমাজ প্রেসে রবি এই যে পরপর নিজের বই ছাপিয়ে চলেছে, এ কি রবির স্বার্থপরতা ! সে এখন সমাজের সম্পাদক, কেউ কি বলবে, সম্পাদক হয়েছে বলেই সে নিজের যত ইচ্ছে বই ছাপিয়ে যাচ্ছে !

দেবেন্দ্রনাথ কি সেই ইঙ্গিতই দিলেন !

দেবেন্দ্রনাথ শৈশব সঙ্গীতের উৎসর্গের পৃষ্ঠাটি খুলেছিলেন। তা দেখে রবির বুক শিরশির করছিল। এই কবিতা পুস্তকগুলি সে পিতাকে দেখাতে চায় না, কিন্তু সব কিছুই তাঁর কাছে পৌঁছে যায় !

এই বইয়ের উৎসর্গও নতুন বউঠানকে। 'এ কবিতাগুলিও তোমাকে দিলাম। বহুকাল হইল তোমার কাছে বসিয়াই লিখিতাম, তোমাকেই শুনাইতাম.......'।

নতুন বউঠানের স্মৃতি আর সর্বক্ষণ আঁকড়ে থাকতে চায় না রবি। সে এখন নিজেকে সর্বক্ষণ ব্যস্ত রাখতে চায়। বাড়িতে বন্ধুবান্ধবদের ডেকে আনে। 'ভারতী' পত্রিকার ভার স্বর্ণকুমারী দেবী নিয়ে নিয়েছেন, তিনি ভাইদের ওপর নির্ভরশীল নন, এখন সম্পাদনায় তাঁর ব্যক্তিত্বের প্রতিফলন স্পষ্ট। আগে রবি একাই 'ভারতী'র অনেকগুলি পৃষ্ঠা লিখে ভরাত, এখন স্বর্ণকুমারী রবির কাছে বেশি লেখা চান না। জ্ঞানদানন্দিনী এখন 'বালক' নামে একটি নতুন পত্রিকা বার করছেন, তার প্রায় সবটাই দায়িত্ব নিতে হয়েছে রবিকে। ব্রাহ্ম সমাজের কাজ, পত্রিকার কাজ এই সব নিয়ে রবি খুবই ব্যস্ত, শোক নিয়ে বিলাসিতা করার তার সময় কোথায়!

কিন্তু বই ছাপার সময় উৎসর্গ করার জন্য যে আর কারুরই নাম মনে আসে না। কবিতাগুলির প্রুফ দেখার সময় অবধারিত ভাবে মনে পড়ে, কোন কবিতাটি কোথায় বসে কাদম্বরীকে পড়ে শুনিয়েছিল সে, শুনতে শুনতে তাঁর মুখের ভাব কেমনভাবে বদলে যেত, কখন তিনি হেসে উঠতেন, কখন সজল হয়ে উঠত তাঁর গভীর দুটি চোখ, হঠাৎ মাথা নেড়ে

নেড়ে বলতেন, না, না, এই শব্দটা ভালো লাগছে না, এখানটায় তুমি একটু বদলাও রবি........

এসব কবিতা কি অন্য কারুকে দেওয়া যায়! 'ছবি ও গান'-এর উৎসর্গে রবি লিখেছিল, 'গত বৎসরকার বসন্তের ফুল লইয়া এ বৎসরকার বসন্তে মালা গাঁথিলাম। যাঁহার নয়ন-কিরণে প্রতিদিন প্রভাতে এই ফুলগুলি একটি একটি করিয়া ফুটিয়া উঠিত, তাঁহারি চরণে ইহাদিগকে উৎসর্গ করিলাম।'

এরপর 'প্রকৃতির প্রতিশোধ'-এর উৎসর্গে আর এত কথা নয়, শুধু 'তোমাকে দিলাম।'

কিছু কিছু লোকের এমনই অসুস্থ কৌতুহল থাকে যে, তারা বারবার জিজ্ঞেস করে, 'তোমাকে'মানে কে? কেউ কেউ কিছু জিজ্ঞেস করে না। ঠোঁট টিপে হাসে।

এর পরের বই 'নলিনী'র উৎসর্গ পৃষ্ঠায় কিছু লিখতে গিয়ে রবি সাবধান হয়ে গেল। একবার ভেবেছিল, অন্য কারুর নাম দেবে ? কিন্তু কার নাম ? ওই সাদা পৃষ্ঠা জুড়ে রয়েছে যে নতুন বউঠানের মুখ! সে বইয়ের উৎসর্গ পৃষ্ঠায় কিছু লেখাই হল না শেষ পর্যন্ত। 'শৈশব সঙ্গীত' প্রকাশের সময় সে আবার ভাবল, ভাবের ঘরে চুরি করবে কেন ? কাদম্বরী উৎসাহ না দিলে এর অনেক কবিতা লেখাই হতো না। এ বই একমাত্র তাঁরই প্রাপ্য।

এর এক মাস পরেই 'ভানুসিংহ ঠাকুরের পদাবলী' প্রেসে গেল। রবি যথেষ্ট সচেতন যে পরপর সব বইগুলি মৃত নতুন বউঠানকেই প্রকারান্তরে উৎসর্গ করা হচ্ছে বলে চারপাশে একটা ফিসফিসানি শুরু হয়ে গেছে। জ্ঞানদানন্দিনী ভুরু কুঁচকেছেন, বাঁকা মন্তব্য করেছেন স্বর্ণকুমারী। কিন্তু এ বই তো অন্য কারুকে দেওয়ার প্রশ্নই ওঠে না। ভানু নামটাই যে তাঁর দেওয়া। এই কবিতাগুলি নিয়ে দুজনের মধ্যে কত গোপন কৌতুক ছিল, তা অন্য কেউ বুঝবেই না। নতুন বউঠান নেই, তবু তাঁর সঙ্গে বিশ্বাসঘাতকতা কী করে করবে রবি !

এ বইয়ের উৎসর্গ পৃষ্ঠাতেও রবি কোনও নাম লিখল না। শুধু লিখল, 'ভানুসিংহের কবিতাগুলি ছাপাইতে তুমি আমাকে অনেকবার অনুরোধ করিয়াছিলে। তখন সে অনুরোধ পালন করি নাই। আজ ছাপাইয়াছি, আজ তুমি আর দেখিতে পাইলে না।'

রাস্তার খন্দে চাকা পড়ে যাওয়ায় রবির যেন ঘোর ভাঙল। তার দু চোখ দিয়ে অশ্রুর ধারা গড়াচ্ছে। ইস, দিনের বেলা, পথের মানুষ দেখতে পেয়ে গেল নাকি? তাড়াতাড়ি সে মুখ মুছল। আজকাল এই হয়েছে, যখন তখন তার চোখ দিয়ে জলের রেখা নেমে আসে! বাড়িতে, পরিচিত লোকজনদের সামনে সে সচেতন থাকে, কিন্তু পথে, কিছুক্ষণের একাকীত্বে, তার কোনও সংযম থাকে না।

বাবামশাই ওই কথাটা বললেন কেন ? ব্রাহ্মসমাজ প্রেসে তার আর বই ছাপানো উচিত নয়? অন্য প্রকাশক তার বই চায় না। নিজে যে বইগুলি ছাপিয়েছে, তা রাশিকৃতভাবে জমে আছে, বিক্রি হয় অতি সামান্য। বঙ্কিমবাবুর বইগুলির দারুণ কাটতি, এমনকি জাল সংস্করণ পর্যন্ত বেরোয়। আর রবির লেখা পছন্দ করে না পাঠকেরা ! বিক্রিই যদি না হয়, তা হলে একটার পর একটা বই ছাপিয়েই বা লাভ কী ? পিপলস লাইব্রেরি, সংস্কৃত প্রেস ডিপোজিটাবি, ক্যানিং লাইব্রেরি এই সব দোকানে অনেক বই জমা দেওয়া আছে, তারা একটা পয়সাও দেবার নাম করে না।

হঠাৎ রবির মনে পড়ল, গুরুদাস চট্টোপাধ্যায় নামে এক ভদ্রলোক'বেঙ্গল মেডিক্যাল লাইব্রেরি' নামে একটা দোকান খুলেছেন, গল্প-কবিতার বইও সেখান থেকে বিক্রি করার কথা বলছিলেন একদিন। তবে খুচরো বিক্রেতা নন, তিনি হোলসেলার হতে চান। তাঁর সঙ্গে কথা বলা দরকার।

প্রতাপ মজুমদারের কাছে পরে গেলেও চলবে, রবি কোচোয়ানকে নির্দেশ দিল কলেজ স্ট্রিট যেতে। সে রাস্তার সাতানব্বই নম্বর বাড়িতে বেঙ্গল মেডিক্যাল লাইব্রেরির বেশ প্রশস্ত

দোকান। কাচের শো কেসে নতুন নতুন বই শোভা পাচ্ছে, বঙ্কিমবাবুর বইই জুড়ে আছে অনেকখানি স্থান, মাইকেল মধুসূদনের দু-তিনখানি, হেম বাঁড়ুজ্যের বৃত্রসংহার দু খণ্ড, হুতোম প্যাঁচার নকশা, তারক গাঙ্গুলির স্বর্ণলতা, এমনকি নবীন সেনের পলাশীর যুদ্ধ । রবি বাইরে দাঁড়িয়ে কাচের জানলায় সাজানো বইগুলি দেখল। তার একটি বইও নেই। পলাশীর যুদ্ধের পাঠক আছে। তার 'প্রভাত সঙ্গীত'-এর সমাদর করার মতন কেউ নেই। লোকে কি এখনও কাহিনীমূলক কাব্যই চায়, লিরিকের মর্ম বোঝে না ! কেউ কেউ রবিকে উপদেশ দেয়, তুমি মহাকাব্যের স্টাইলে একটি কিছু লেখো না কেন ?

গুরুদাসবাবু খাতির করে রবিকে নিয়ে ভেতরের একটি ছোট ঘরে বসালেন। হুঁকো-কলকে আনা হল তার জন্য, আর একটা পিরিচে কয়েক খিলি পান। লেখন হিসেবে তেমন কিছু দরের না হলেও দেবেন ঠাকুরের ছেলে তো বটে ! তা ছাড়া গায়ক হিসেবেও রবির বেশ নাম হয়েছে।

নানা কথার পর গুরুদাসবাবু এক অভিনব প্রস্তাব দিলেন। রবির বই তেমন বিক্রি হয় না, তিনি নিজস্ব উপায়ে, নিজের সুবিধেমতন দামে বিক্রির ব্যবস্থা করবেন, তবে কমিশনের ভিত্তিতে নয়, তিনি একসঙ্গে রবির সব কটি বইয়ের সমস্ত অবিক্রিত কপি কিনে নেবেন কিছু থোক টাকা দিয়ে। রবির ১৬টি বইয়ের মধ্যে কয়েকটি নেহাতই পুস্তিকা, ১২টি বেছে নেওয়া হল, ব্রাহ্মসমাজ প্রেসের গুদামে ও জোড়াসাঁকোর বাড়িতে কত বই জমে আছে তার একটা মোটামুটি হিসেব কষা হল, প্রায় আট হাজার বই, তার জন্য গুরুদাসবাবু দিতে চাইলেন দু হাজার তিনশো ন টাকা।

দরাদরির প্রশ্নই ওঠে না। লাভ-লোকসানেরও হিসেব কষার কোনও প্রয়োজন নেই, কারণ আর কিছুদিনের মধ্যেই তো এইসব ছাপানো পৃষ্ঠা উইপোকার খাদ্য হতো। তৎক্ষণাৎ চুক্তিপত্র স্বাক্ষরিত হল, রবির হাতে অগ্রিম হিসেবে দেওয়া হল নগদ এগারোশো টাকা।

রবির প্রায় বিহ্বল অবস্থা। এতগুলো টাকা ! তার বই বিক্রির টাকা ! এ পর্যন্ত লিখে সে কোনও জায়গা থেকে একটা পয়সাও পয়নি। রবি যেন কল্পনায় দেখতে পেল, এবার তার বইগুলি পৌঁছে যাচ্ছে পাঠকদের ঘরে ঘরে, দূর দূরান্তের মানুষ তার লেখা পড়ছে, নিজেদের মধ্যে আলোচনা করছে।

এই খবর সর্বপ্রথম যাঁকে দেওয়া যেত, যিনি সবচেয়ে খুশি হতেন, তিনি আজ কোথায় ? 'অসীমে সুনীলে শূন্যে/বিশ্ব কোথা ভেসে গেছে / তারে যেন দেখা নাহি যায়/ নিশীথের মাঝে শুধু/ মহান একাকী আমি। অতলেতে ডুবি রে কোথায়...'

এ টাকার সদ্‌ব্যবহার করতে হবে, বন্ধুবান্ধবদের ডেকে রবি একটা ভোজ লাগিয়ে দিল। প্রিয়নাথ সেন, শ্রীশ মজুমদার, অক্ষয় চৌধুরী এলেন, নগেন গুপ্তকে পাওয়া গেল না। তিনি করাচিতে একটি পত্রিকার সম্পাদনার চাকরি নিয়ে চলে গেছেন। রবির বালিকা বধূটি এর মধ্যেই রান্নার ব্যাপারে বেশ দক্ষতা দেখিয়েছে। জ্ঞানদানন্দিনীর কাছে সে আর ফিরে যায়নি, জোড়াসাঁকোর বাড়ি থেকেই সে রোজ ফ্রক পরে স্কুলে যায়, আবার বাড়িতে যখন সে শাড়ি পরে ঘুরে বেড়ায়, তখন আর তাকে তেমন ছোটটি মনে হয় না, রান্নাঘরের ঠাকুরদের সে পাকা গিন্নির মতন নির্দেশ দেয়।

আহারাদির আগে আড্ডা বেশ জমল সেদিন। কথায় কথায় বঙ্কিমচন্দ্রের প্রসঙ্গ এসে গেল। বঙ্গদর্শন বন্ধ হয়ে গেছে, বঙ্কিমবাবুর এক জামাই 'প্রচার' নামে একটি পত্রিকা শুরু করেছে শ্বশুরের পৃষ্ঠপোষকতায়, অক্ষয় সরকার বার করছেন 'নবজীবন', এই দুই পত্রিকায় প্রাবন্ধিক হিসেবে এক নতুন ভূমিকায় আবির্ভূত হয়েছেন বঙ্কিম, তিনি এখন ধর্মধবজ। ঠিক নতুন ভূমিকাও নয়, সদ্য প্রকাশিত হয়েছে 'দেবী চৌধুরানী' উপন্যাস, তার আগে 'আনন্দমঠ'-এও তিনি প্রচারকের ভূমিকা নিয়েছেন।

আজ বঙ্কিমকে সমালোচনা করার ব্যাপারে রবির কোনও আড়ষ্টতা নেই। তারও বই বিক্রি হয়েছে, ব্রাহ্ম সমাজের সম্পাদক হিসেবে সে হিন্দুত্বের প্রবক্তা বঙ্কিমের বিরুদ্ধে কলম শানাচ্ছে। দ্ব্যর্থহীন ভাষায় সে বলতে লাগল, আনন্দমঠকে মোটেই উৎকৃষ্ট উপন্যাস বলা চলে না। চরিত্রগুলি একঘেয়ে, সব 'আনন্দ'গুলিই যেন একরকম, রক্তমাংসের মানুষ নয়, সংখ্যা। 'আর শান্তিকে নিয়ে যে কী অতিনাটকীয় বাড়াবাড়ি করা হয়েছে, তার ঠিক নেই !

শ্রীশচন্দ্র আবার বঙ্কিমের প্রবল ভক্ত, তিনি শুরু করে দিলেন তর্কযুদ্ধ।

খাওয়াদাওয়া শেষ করতে করতে অনেক রাত হয়ে গেল। তিথিদের রাস্তা পর্যন্ত এগিয়ে দিয়ে এল রবি। ফেরার সময় সে দেখল, তাদের এত বড় বাড়ির কোনও মহলেই এখন আর বাতি জ্বলছে না। একদা জ্যোতিদাদার মহলে আরও অনেক রাত পর্যন্ত গান-বাজনা ও আমোদ চলত, এখন সেখানকার দ্বার বন্ধ। মাঝে মাঝে রবি সেই বন্ধ দ্বারের দিকে তাকায়, লক্ষ করে, সেখানে একটু একটু ধুলো জমছে।

নিজের মহলে এসে রবি দেখল, এর মধ্যেই ঘুমিয়ে পড়েছে মৃণালিনী। মস্ত বড় পালঙ্কের এক পাশে সে গুটিশুটি মেরে শুয়ে থাকে,তাকে প্রায় দেখাই যায় না। সে ঘুম-কাতুরে, প্রায় দিনই সে আগে আগে ঘুমোয়, রবির সঙ্গে তার প্রায় কথাই হয় না। ভোরে উঠেই আবার ইস্কুলে যাবার তাড়া থাকে। আজ তার বেশ ধকল গেছে। আজ সে অতিথিদের জন্য নিজের হাতে বাটিতে বাটিতে দ্বাদশব্যঞ্জন সাজিয়ে দিয়েছে।

রবির চক্ষে এখনও ঘুম নেই। ইদানীং ঘুম খুব কমে গেছে তার। অন্ধকারে বিছানায় জেগে থাকতে তার ভালো লাগে না, চক্ষে ভ্রম হয়, যেন সে নতুন বউঠানকে দেখতে পায়। কিন্তু যে মানুষটা চলে গেছে, তার ছায়ামূর্তি দেখে লাভ কী ! ছায়ার সঙ্গে কথা বলা যায় না, ছায়া কোনও সান্ত্বনাও দিতে পারে না।

রবি বারান্দায় চুপ করে দাঁড়িয়ে রইল কিছুক্ষণ।

> সহসা সমুখ দিয়া কে গেল ছায়ার মতো
> লাগিল তরাস
> কে জানে সহসা যেন কোথা কোন দিক হতে
> শুনি দীর্ঘশ্বাস।
> কে বসে রয়েছে পাশে ? সে ছুঁইল মোর দেহ
> হিমহস্তে তার ?
> ও কী ও ? এ কী রে শুনি ! কোথা হতে উঠিল রে
> ঘোর হাহাকার ?........

সত্যিই যেন পেছনে সে কার দীর্ঘশ্বাস শুনতে পায়। কে যেন চট করে সরে গেল একপাশে। গা ছমছম করে। নিজের ওপরেই সে বিরক্ত হয়। শেষ পর্যন্ত কী নতুন বউঠানকে ভয় পেতে শুরু করবে সে ! এত প্রিয় স্মৃতি, এত কান্না, এত অভিমান......

দ্রুত বিছানার কাছে চলে এল রবি। এ ঘরে একটা মৃদু গ্যাসের বাতি সারা রাত জ্বলে। স্বচ্ছ মশারি দিয়ে দেখা যায়, ছোট্ট একটি পাশ বালিশ জড়িয়ে এক পাশ ফিরে ঘুমিয়ে আছে মৃণালিনী,গোলাপি ডুরে শাড়ি পরা, খানিকটা চুল এসে পড়েছে মুখের ওপর, তার ফাঁক দিয়ে ঝিকমিক করছে কানের হীরের দুল।

মশারি তুলে ভেতরে ঢুকল রবি, অন্যদিন যাতে মৃণালিনীর ঘুম না ভাঙে তাই সে সন্তর্পণে অনেকটা দুরত্ব রেখে শোয়, আজ সে পাশে আঙুল দিয়ে সরিয়ে দিল ওর মুখের চুল। সেই সামান্য স্পর্শেই চোখ মেলে তাকাল মৃণালিনী, চমকে উঠল না, উৎসুক হয়ে তাকিয়ে রইল। রবি তার ঠোঁটে আঙুল বুলিয়ে দিল, তারপর তার নাক ও চোখের পাশে পাশে আঙুল দিয়ে যেন আঁকতে লাগল ছবি। মৃণালিনী তার আঙুলটা এক সময় চেপে ধরতেই রবি তাকে বুকে টেনে নিয়ে আদর করতে লাগল।

ছায়ার থেকে শরীর অনেক বেশি আপন হতে পারে। শরীর অনেক কিছু ভুলিয়ে দেয়, এমনকি শোকও ভুলিয়ে দেয়।

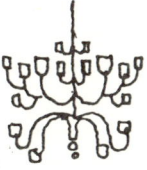

॥ ৪৯ ॥

বাংলার ছোট লাট স্যার রিভার্স টমসনের সঙ্গে সৌজন্যমূলক সাক্ষাৎ করতে গিয়েছিলেন মহারাজ বীরচন্দ্র। ফেরার পথে তিনি উৎকট গম্ভীর মুখ করে বসে রইলেন গাড়িতে। তাঁর জিভে একটা তিক্ত স্বাদ। লাটভবনে তাঁকে কোনও অপমান করা হয়নি, কোনওরকম রাজনৈতিক চাপ দেওয়া হয়নি, নিছক সাধারণ আলাপচারিতা ও চা-পান হয়েছে, মোট পঁচিশ মিনিট, তবু বীরচন্দ্রের মর্যাদা আহত হয়েছে, তাঁর চোখ ফেটে জল আসছে এখন।

মহারাজ বীরচন্দ্র ইংরেজিতে কথাবার্তা চালাতে পারেন, তবু তিনি শশিভূষণকেও সঙ্গে এনেছিলেন। একই গাড়িতে বসে আছেন শশিভূষণ, কয়েকবার মহারাজের সঙ্গে কথা বলার চেষ্টা করেও সক্ষম হলেন না, মহারাজ মুখ ফিরিয়ে রয়েছেন পথের দিকে। এমনিতে মহারাজ কৌতুকপ্রবণ, ত্রিপুরায় কখনও কখনও কোনও সাহেব-সুবো দেখা করতে এলে, তারা চলে যাবার পর তিনি নানারকম মশ্‌করা করেন তাদের চাল-চলন নিয়ে। যখন তিনি গম্ভীর থাকেন, তখন তিনি দুর্বোধ্য হয়ে যান।

লাটভবনে মহারাজের সঙ্গে মহারানীরও আমন্ত্রণ ছিল। কিন্তু চন্দ্রবংশের কোনও রাণী কখনও পরপুরুষের সামনে মুখ দেখায় না। মনোমোহিনী অবশ্য নেচে উঠেছিল, সে গড়ের মাঠ ও লাটপ্রাসাদ দেখতে চেয়েছিল, তাকে কিছুটা কঠোরভাবে নিবারণ করতে হয়েছে। ছোটলাট ঠিক জিজ্ঞেস করেছিল, আপনার পত্নী আসেননি? মহারাজের বদলে শশিভূষণ উত্তর দিয়েছিলেন, তিনি ইনডিসপোজ্‌ড।

ছোটলাটটি বেশ লম্বা, ঋজু শরীর। মহারাজের সামনে দাঁড়ালে তাকে প্রায় আধ হাত উঁচু মনে হচ্ছিল। মহারাজ বীরচন্দ্র কখনও খুব লম্বা লোকের কাছাকাছি দাঁড়ানো পছন্দ করেন না। তাঁকে মুখ তুলে কথা বলতে হয়। রিভার্স টমসন মাঝেমাঝেই তাকাচ্ছিল মহারাজের ভুঁড়ির দিকে, ঠোঁটে লেগেছিল সামান্য হাসি। না, কোনওরকম বিদ্রুপাত্মক মন্তব্য করেনি ভুঁড়ি সম্পর্কে,হাসিটাও প্রায় অদৃশ্যই ছিল, তবু বোঝা যায়, ওর নিজের চেহারা নিয়ে বেশ গর্ব আছে, ও নাকি একসময় ভালো ক্রিকেট খেলোয়াড় ছিল। নিজেই বলল সে কথা!

একটুক্ষণ থাকার পরই বীরচন্দ্রের মনে হয়েছিল, কেন এলাম ? লাট সাহেব ডাকলেই আসতে হবে ! যতই ছোট হোক তিনি একটি স্বাধীন রাজ্যের সিংহাসনের অধিকারী, আর এই টমসন সাহেবটি তো রানী ভিক্টোরিয়ার একজন কর্মচারি মাত্র, তার নিবাসে কেন আসতে বাধ্য হবেন তিনি ! ইংরেজ রাজপুরুষদের আমন্ত্রণ মানেই আদেশের সমতুল্য। এরা অস্ত্রবলে বলীয়ান, তাই এরা আদেশ করতে পারে। তুচ্ছ ছুতো করে ইংরেজ সরকার ত্রিপুরায় একজন পলিটিক্যাল এজেন্ট চাপিয়ে দেবার চেষ্টা করছে। রিভার্স টমসনের বিচ্ছিরি ঝোলা গোঁফ, বীরচন্দ্রের মতন বীরত্বব্যঞ্জক মোচ নয়, বীরচন্দ্র ওকে দেখিয়ে দেখিয়ে মোচের ডগা পাকালেন কয়েকবার, কিন্তু ইংরেজটি তা গ্রাহ্যই করল না।

অভিযোগ জানাবার কিছু নেই, কাকেই বা জানানো যাবে! ইংরেজ শক্তি ইচ্ছে করলেই যে-কোনও দিন বীরচন্দ্রের মাথা থেকে রাজমুকুটটা ছিনিয়ে নিতে পারে। এখনও নিচ্ছে না,

কিন্তু নিতে যে পারে, তা মাঝে মাঝেই বুঝিয়ে দেয়। আজকের আমন্ত্রণে সূক্ষ্ম অবজ্ঞা প্রদর্শন তারই নিদর্শন।

আমুদে স্বভাবের রাজা বীরচন্দ্রের মেজাজ যখন খারাপ হয়, তখন দু'তিন দিনেও মনের মেঘ কাটতে চায় না। সেদিন তিনি বাসস্থানে ফিরেও কথা বললেন না কারুর সঙ্গে। পরদিন কয়েকজন কবি ও গদ্যকারকে ডাকা হয়েছে, সাহিত্যপ্রেমিক মহারাজ নিজেই আগ্রহ প্রকাশ করেছিলেন। শিশিরকুমার ঘোষ, হরপ্রসাদ শাস্ত্রী, অক্ষয়চন্দ্র সরকার, রবীন্দ্রনাথ ঠাকুর, দীনেশচন্দ্র সেন প্রমুখ বেশ কয়েকজন এসেছেন, দোতলার বৈঠকখানায় মহারাজ মধ্যমণি হয়ে বসলেন বটে, কিন্তু মুখমণ্ডল ম্লান, কণ্ঠস্বরে একবারও পুলকের উচ্ছাস ফুটে উঠল না, তিনি শুষ্কভাবে সকলকে আপ্যায়ন করলেন, তারপর একসময় ভেতরে চলে গেলেন।

পরদিন শশিভূষণ ডেকে আনলেন কীর্তনিয়ার একটি দলকে। মহারাজ কীর্তন বিশেষ পছন্দ করেন, এই দলটি শোভাবাজার রাজবাড়িতে নিয়মিত আসর বসায়। মহারাজের মনের জড়তা কাটেনি, এমন চমৎকার গান, তাও পছন্দ হল না!

গায়করা গেয়ে যাচ্ছে, মহারাজের কাছ থেকে কোনও বাহবা নেই। তারা রসের গান, প্রেমের গান, ভক্তির গান কতরকম ঘুরিয়ে ঘুরিয়ে শোনাল, তারপর ধরল ইদানীং জনপ্রিয় এক শ্যামাসঙ্গীত।

জানো না রে মন, পরম কারণ
কালী কেবল মেয়ে নয়
মেঘের বরণ করিয়ে ধারণ
কখন কখন পুরুষ হয়।
হয়ে এলোকেশী, করে লয়ে অসি
দনুজতনয়ে করে.....

মহারাজ হাত তুলে সে গান থামিয়ে দিয়ে বললেন, হয়েছে, হয়েছে যথেষ্ট হয়েছে। এ আবার গান নাকি! 'কখন কখন পুরুষ হয়'। কী কথার ছিরি! তেমাদের মধ্যে এখানি কে রয়েছে?

অধিকারীটি জিভ কেটে বলল, আজ্ঞে না মহারাজ, আমরা লিখব, এমন কী ক্ষমতা আছে! এটি সাধক কমলাকান্তর রচনা!

মহারাজ শশিভূষণকে বললেন, এঁদের পাওনাগণ্ডা মিটিয়ে দাও।

গায়কের দল বিদায় নেবার পর মহারাজ একটুক্ষণ ভুরু কুঁচকে তাকিয়ে রইলেন শশিভূষণের দিকে। মনে মনে প্রমাদ গুণলেন শশিভূষণ। মহারাজের মেজাজ খুবই খারাপ। এখন এখানে আর কেউ নেই, মহারাজের মেজাজের সবটা ঝাল শশিভূষণের ওপরেই বর্ষিত হবে। কখনও কোনও ইংরেজ রাজপুরুষের সঙ্গে সাক্ষাৎ হলেই মহারাজের এরকম অপ্রসন্নতার পালা চলে কয়েকদিন।

মহারাজ বললেন, তোমাদের কলকাতায় এসব কী অরাজকতা চলছে! জগনমতা কালীকে নিয়ে এই সব ফচকেমির গান লেখা হয়, তোমরা তা সহ্য কর? কালী কেবল মেয়ে নয়, কখন কখন পুরুষ হয়,—এ সব কী যা-তা কথা! মা কালী কেন পুরুষ হবেন?

শশিভূষণ বুঝতে পারলেন, কমলাকান্ত কিংবা রামপ্রসাদের রচনার সঙ্গে পরিচিত নন মহারাজ। তিনি বৈষ্ণব পদাবলির অনুরক্ত। শাক্ত কবিরা কালীকে এমন আপন বোধ করেন যে, কালীকে 'ন্যাকা মেয়ে' বলতেও তাঁদের মুখে আটকায় না।

মহারাজকে এসব কথা সহজে বোঝানো যাবে না, বরং বকুনি খেতে হবে। শশিভূষণ বিনীতভাবে বললেন, পুরুষ মানে এখানে ঠিক পুরুষ বোঝানো হয়নি, পৌরুষের শক্তি। সবই তো একই শক্তির প্রকাশ।

মহারাজ আরও বিরক্ত হয়ে বললেন, একই শক্তি মানে ? কলকাতায় এসে শুনছি, কাগজে পড়ছি, ঈশ্বর নাকি এক ও নিরাকার। ঠাকুর-দেবতারা সব মিথ্যে ! এত বড় বড় মন্দির বানিয়ে কালী, দুর্গা, শিব, বিষ্ণুর পূজা করছি, তা সব মিথ্যের পূজা !

—আজ্ঞে ব্রাহ্মরা সে রকমই বলে বটে! ওঁরা মুর্তি পূজায় বিশ্বাস করেন না।

—ব্রাহ্মরা বিশ্বাস করে না, তুমি বিশ্বাস কর ?

—আমি ব্রাহ্মসমাজে এখন আর যাই না।

—তা জানতে চাইছি না। তুমি ঠাকুর-দেবতায় বিশ্বাস কর কি না, সেটা জানতে চাইছি। তোমার বাড়িতে গৃহদেবতার পুজা হয় ? তুমি মন্দিরে গিয়ে গড় কর ?

—মহারাজ, পারিবারিকভাবে আমরা বৈষ্ণব। সংস্কারবলে ঠাকুর-দেবতার মূর্তির সামনে বহুবার গড় করেছি তো বটেই। তবে, অপরাধ নেবেন না মহারাজ, আমার এখন মনে হয়, মূর্তিগুলি সব প্রতীক কালী, দুর্গা, লক্ষ্মী, সরস্বতী এঁরা সব এক একটি শক্তির প্রতীক।

—প্রতীক ? এসব নাস্তিকের কথা। প্রতীক না ছাই! উদয়পুরের ত্রিপুরাসুন্দরী জাগ্রত দেবী ! কালীঘাটের মন্দিরে হাজার বচ্ছর ধরে মানুষে পুজো দিচ্ছে কি এমনি এমনি ? আমি বৃন্দাবনে রাধা-কৃষ্ণ মন্দিরে মূর্তির চোখে জল দেখেছি। আমাদের দেবতাদের যারা মিথ্যে বলে, তারা কুলাঙ্গার । কলকাতার শহরে ম্লেচ্ছদের রাজত্ব, এখানে যে-যা খুশি বলতে পারে। আমার ত্রিপুরায় এমন কথা কেউ উচ্চারণ করে না। তোমরা ইংরেজদের পা চাটবে, একদিন সবাই খ্রিস্টান হয়ে যাবে !

একটুক্ষণ চুপ করে রইলেন মহারাজ। তাঁর ঘন ঘন নিঃশ্বাস পড়ছে, মুখখানি রক্তিম।

আবার শশিভূষণের দিকে তাকিয়ে তিনি ঈষৎ সংযত স্বরে বললেন, আচ্ছা শশী মাস্টার, আমাকে একটা জিনিস বুঝিয়ে দাও তো ! আমাদের হিন্দুদের ঈশ্বর যে নিরাকার, এটা বেরুল কার উর্বর মস্তিষ্ক থেকে ? আমাদের বাপ-ঠাকুর্দা, চোদ্দপুরুষ শিব, বিষ্ণু, কালী ঠাকুরের পুজো করে এল, তারা সব মূর্খ ছিল ?

শশিভূষণ খুব নিচু গলায় বললেন, মহারাজ, এ বিষয়টা তো আমি ভালো জানি না। তবে যতদূর যা পড়েছি, আমাদের উপনিষদে তো ঈশ্বরের কোনও রূপের কথা নেই। ব্রহ্মা, বিষ্ণু, শিব এই তিন প্রধান দেবতাও কখনও কখনও ধ্যানে বসেন। এঁরা যাঁর ধ্যান করেন, তিনিই পরমেশ্বর, তাঁর তো কোনও শরীর বা মূর্তির কথা কোথাও পাওয়া যায় না।

মহারাজ বললেন, বেশ ! হিন্দুর পরমেশ্বর নিরাকার। মোছলমান আর খ্রিস্টানরাও তো নিরাকারের ভজনা করে, তাই না ? এই তিন নিরাকার কি আলাদা আলাদা, না এঁরাও এক ? যদি এক হয়, তা হলে আলাদা আলাদা এতগুলি ধর্ম থাকার মানে কী ?

শশিভূষণ বললেন, সাধারণ বুদ্ধিতে মনে হয়, কোনও মানে নেই। মানুষ মাত্রেই ঈশ্বরের সন্তান, তা হলে সব মানুষেরই এক ঈশ্বর। ধর্মও এক হওয়া উচিত। কিন্তু মুশকিল হচ্ছে কি, তাহলে পুরুত, মোল্লা, পাদ্রিদের ব্যবসায় খুব অসুবিধে হয়। তাই তারা মানুষের মধ্যে এত বিভেদ তৈরি করে রাখে।

মহারাজ হঠাৎ অপ্রাসঙ্গিকভাবে জিজ্ঞেস করলেন, সেই মেয়েটি কোথায়?

শশিভূষণের মধ্যে বক্তৃতার আবেগ এসে গিয়েছিল, থতমত খেয়ে চুপ করে গেলেন।

মহারাজ আবার বললেন, সেই যে সুতো না দড়ি, কী নাম যেন মেয়েটির ? তাকে ডাকো, আজ রাতে সে আমার শিয়রে বসে গান শোনাবে। দিব্যি ওর গানের গলা।

শশিভূষণ ইতস্তত করে বললেন, মহারাজ, সে তো অসুস্থ হয়ে শুয়ে আছে।

মহারাজ বললেন, সে কি ! এখনও অসুস্থ ! ডাক্তার-কোবরেজ দেখাওনি ? অমন গুণী ছুকরিটাকে মেরে ফেলবে নাকি ? কী রোগ হয়েছে তার ?

শশিভূষণ বললেন, জ্বর। মাঝে মাঝে ছাড়ে, মাঝে মাঝে বেড়ে যায়—

মহারাজ মাথা নাড়তে নাড়তে বললেন, এতদিন ধরে জ্বর! উঁহু, মোটেই ভালো নয়, মোটেই ভালো নয় !

মহারাজ উঠে দাঁড়িয়ে বললেন, চলো, তাকে দেখে আসি !

শশিভূষণের মুখখানি বিবর্ণ হয়ে গেল। ভূমিসূতার অসুখের ব্যাপারে তাঁকে মিথ্যে কথা বলতে হয়েছে অনেক। মহারাজ নিজে গিয়ে দেখলেই সব বুঝে যাবেন।

মরিয়া হয়ে তিনি বললেন, মহারাজ, আপনি কেন যাবেন ? আমি বরং দেখি তাকে এখানে আনা যায় কি না।

মহারাজ বললেন, না, না, জ্বর গায়ে তাকে আসতে হবে না। আমি তার রোগটা একটু দেখে নিই, কিছু ওষুধও দিতে পারি।

শশিভূষণের ঘরের পাশ দিয়ে নীচে নামবার সিঁড়ি। মহারাজ জুতো খটখটিয়ে বারান্দা পার হয়ে সেই সিঁড়ির মুখে এসে থমকে দাঁড়ালেন। নীচের ভৃত্যমহল অন্ধকার, ওপর থেকে কিছুই দেখা যায় না।

শশিভূষণ বললেন, আমি একটা বাতি নিয়ে আসি বরং।

মহারাজ হেসে বললেন, বয়েস !

তিন দিন পর এই প্রথম মহারাজের ওষ্ঠে একটু হাসির রেখা দেখা গেল।

তিনি শশিভূষণের পিঠে একটা হাত রেখে হাসতে হাসতে বললেন, নিজের বয়েসটার কথা এখনও মাঝে মাঝে ভুলে যাই। বুঝলে মাস্টার, যৌবনকালে আমার খুব দৌরাত্ম্য ছিল, ভৃত্যমহলে গিয়ে প্রায়ই উঁকিঝুঁকি মারতাম। তেমন তেমন রূপসী দাসী দেখলে নিয়ে আসতাম ওপরে। কিন্তু যে-বয়েসে যা মানায়! এখন বুড়ো হচ্ছি, এখন একটা দাসীর ঘরে যাওয়াটা কি আমার পক্ষে শোভা পায় ! ঝোঁকের মাথায় যাচ্ছিলাম বটে, কিন্তু তুমি আমায় নিষেধ করোনি কেন ! যে-সে লোক তো নই, আমি একজন মহারাজ তো বটে, তোমার মনিব, আমি একটা ভুল করে ফেললে তোমার কি বাধা দেওয়া উচিত ছিল না? এই বয়েসে মান-সম্মানের ব্যাপারটা বড় হয়ে ওঠে হে !

কোনও উত্তর দেবার বদলে এখানে নীরব থাকাই শ্রেয়, শশিভূষণ ঘাড় হেঁট করে রইলেন।

মহারাজ তর্জনী তুলে বললেন, তিনদিনের মধ্যে মেয়েটিকে সারিয়ে তোল। ভালো চিকিৎসক দেখাও, পয়সাকড়ির ব্যাপারে কার্পণ্য করো না। অমন একটি রত্ন কেন ছাইগাদায় পড়ে থাকবে ? ওকে সুস্থ করে আমার ঘরে পাঠিয়ে দিও !

মহারাজ নিজের মহলে ফিরে যাবার পর শশিভূষণ স্বস্তির নিঃশ্বাস ফেললেন।

সাময়িকভাবে নিষ্কৃতি পাওয়া গেল বটে, কিন্তু ভূমিসূতা রীতিমতন একটা সংকট সৃষ্টি করে ফেলেছে। মহারাজ বীরচন্দ্রও ভূমিসূতার কথা ভুলে যাচ্ছেন না, ভূমিসূতাও কিছুতেই মহারাজের কাছে যাবে না। প্রথমে সে বলেছিল, বৈঠকখানা ঘরে সে গান শোনাতে যাবে না, এখন সে পুরোপুরি বেঁকে বসেছে। এখন সে বলছে, মহারাজের সামনেই সে আর যাবে না কখনও। এর মধ্যে সে নিশ্চয়ই মহারাজ সম্পর্কে অনেক কিছু জেনেছে।

কিন্তু মিথ্যে অসুখের কথা বলে আর কতদিন চালানো যাবে ? অন্য দাস-দাসীরা জানে। এমনকি মনোমোহিনীও জানে যে ভূমিসূতা অসুস্থ নয়। এ খবরটা কানে গেলে মহারাজ তো শশিভূষণের ওপরেই খড়্গহস্ত হবেন ! মিথ্যে ভাষণের জন্য দায়ী করবেন শশিভূষণকে।

ভূমিসূতা মেয়েটিও দারুণ জেদি। শশিভূষণ তাকে কিছু বোঝাতে গেলেই সে বলে, আমাকে অন্য কোথাও পাঠিয়ে দিন।

কিন্তু কোথায় পাঠানো যাবে ওকে ! শশিভূষণের পৈতৃক বাড়িতে ফিরিয়ে দিয়ে আসার অন্য কোনও অসুবিধে ছিল না। কিন্তু মহারাজের নেকনজরে পড়ে গেছে, মহারাজ ওর খবর জানতে চাইলে কী উত্তর দেওয়া যাবে ? এর মধ্যে মহারাজ একদিন শশিভূষণদের বাড়ি দেখতে গিয়েছিলেন। মেজ বউঠানের অনুরোধে রানী মনোমোহিনীকে একদিন ও বাড়িতে পাঠাবার কথা আছে। ওখানে ভূমিসূতাকে লুকিয়ে রাখা যাবে না। ভূমিসূতা এ বাড়ি ছেড়ে চলে গেছে, এ কথাটা বলা যেতে পারে, কিন্তু শশিভূষণেরই বাড়িতে তাকে আশ্রয় দেওয়া হয়েছে, এত বড় মিথ্যেটা ধর্মে সইবে না।

এই চিন্তাটা শশিভূষণের মনে সব সময় দংশন করে। ভূমিসূতা, ভূমিসূতা, সামান্য এক দাসী, তার কথা সারাদিন মনে রাখতে হবে কেন ! শশিভূষণ অনেকগুলি বছর কোনও রমণীর চিন্তাই মনে স্থান দেননি।

সুহাসিনী চলে গেছে সাড়ে ছ'বছর আগে। মাত্র পাঁচ বছরের বিবাহিত জীবন। কিন্তু সেই পাঁচ বছরেই নারী সম্পর্কে ধারণার বিপুল পরিবর্তন ঘটে গেছে শশিভূষণের জীবনে। সুহাসিনী রূপ-লাবণ্যময়ী, কিছু কিছু লেখাপড়াও জানত, বিয়ের সময় সে নিতান্ত বালিকা ছিল না, তখন সে পঞ্চদশী। শশিভূষণ প্রাণ ঢেলে ভালোবেসেছিলেন, সুহাসিনীর কোনও সাধ কখনও অপূর্ণ রাখেননি, তাকে নিয়ে বেড়াতে গেছেন দার্জিলিং, নেপাল। কাথবার্টসনের দোকানে বলা ছিল, নতুন কোনও ফরাসি সুগন্ধী এলেই বাড়িতে পাঠিয়ে দিতে। প্রতি রাতে শশিভূষণ স্ত্রীকে ইংরিজি ও সংস্কৃত কাব্য পাঠ করে শোনাতেন। একজন স্বামী তার স্ত্রীকে যতখানি দিতে পারে, তা সব যদি উজাড় করে দেয়, তার পরেও যদি সে স্ত্রীর মন না পায়, তা হলে মানুষের ওপর বিশ্বাস থাকে কী করে !

শুধু ভালোবাসা নয়, শশিভূষণের পৌরুষেও কোনও ঘাটতি ছিল না, অন্য নারীরা তাঁর প্রতি আকৃষ্ট হতো, কিন্তু তিনি সুহাসিনী ছাড়া আর কারুকে জানতেন না। তারপর যখন সুহাসিনীর হঠাৎ ভেদবমি শুরু হল, দু'দিনের মধ্যেই শেষ নিঃশ্বাস পড়ল, তখন কিন্তু শশিভূষণ কোনও শোক অনুভব করলেন না, তার আগেই তাঁর মন সুহাসিনীর প্রতি অসাড় হয়ে গিয়েছিল। মৃত্যুর তিন মাস আগে শশিভূষণ জানতে পেরেছিলেন, শুধু জানা নয়, স্বচক্ষে দেখেছিলেন, সুহাসিনী তার মামাতো ভাই অনঙ্গমোহনের প্রতি গভীরভাবে আসক্ত। গুপ্ত লীলা চলছিল তাদের মধ্যে।

প্রথম জানার পর আঘাতের তীব্রতায় সংজ্ঞাহীন হয়ে পড়েছিলেন শশিভূষণ। তারপর তিনি আর কখনও সুহাসিনীর মুখের দিকে তাকাননি। অনঙ্গমোহন তাঁর তুলনায় অতি সাধারণ একজন মানুষ, তবু সে রকম একজনের কাছে হেরে যাবার গ্লানি শশিভূষণ কখনও কাটিয়ে উঠতে পারেননি। নারী জাতি সর্ম্পকেই তাঁর বিতৃষ্ণা এসে গিয়েছিল।

সুহাসিনীর জামা-কাপড় ব্যবহৃত জিনিসপত্র সব বিলিয়ে দিয়েছেন। গয়নাগাঁটি বিক্রি হয়ে গেছে, ওর কোনও চিহ্নই আর রাখতে চাননি শশিভূষণ। সুহাসিনীর কোনও ছবিও নেই। শুধু শশিভূষণের বুকের মধ্যে রয়েছে একটা বিরাট ক্ষত। সে ক্ষতের কথা তিনি আর কারুকে জানতে দেননি, তাতে যে তাঁরই পরাজয়।

সেই অনঙ্গমোহন কিন্তু এখনও দিব্যি হেসে খেলে বেড়ায়। সুহাসিনীর জন্য সে কতটা শোক করেছে কে জানে, তবে অচিরকালের মধ্যেই সে যে সুহাসিনীর কনিষ্ঠা ভগ্নী তরঙ্গিনীর সঙ্গে একই রকম গোপন প্রণয় সম্পর্ক পাতিয়েছিল, তা শশিভূষণ স্পষ্ট টের পেয়েছিলেন। ওই তরঙ্গিনীর সঙ্গে আবার শশিভূষণের বিবাহের প্রস্তাব উঠেছিল! কী ভয়ঙ্কর ব্যাপার ! বিবাহের চিন্তা শশিভূষণ তাঁর মন থেকে একেবারে মুছে ফেলেছেন !

প্রথম দিকে ভূমিসূতাকে নিয়ে কোনও ঝঞ্ঝাট ছিল না। সে নিজে থেকে কোনও কথা বলে না, নিঃশব্দে ঘরের কাজ করে যায়। যথাসময়ে ঠিক ঠিক জিনিসটি গুছিয়ে রাখে

শশিভূষণের জন্য। শশিভূষণ কোনওদিনই দাস-দাসীদের সঙ্গে প্রয়োজনের অতিরিক্ত একটিও কথা বলেননি। ঘরের কাজ যে করে, সে দাস না দাসী, তাতেও কিছু আসে যায় না। বছর কয়েক আগেকার সেই বড় অসুখটার পর শশিভূষণ বেশি ঝাল বা তেল-মশলা দেওয়া খাবার খেতে পারেন না। তাঁর বড়বউঠান সেজন্যই ভূমিসূতাকে এখানে পাঠিয়ে দিয়েছিলেন, সে শশিভূষণের ঠিক উপযোগী খাদ্য রেঁধে দেয়। কিন্তু যার কাজ রান্না করা, তার আবার গান জানার দরকার কী ! মহারাজের মহলে গিয়ে গান শুনিয়েই তো মেয়েটি যত বিপত্তি বাধিয়েছে! রাঁধুনি বা দাসী থেকে মহারাজের রক্ষিতার পদ পেতে অনেকেই লালায়িত হয়, কিন্তু এ মেয়ের যে সেদিকেও ঝোঁক নেই।

রাত্তিরে এক গেলাস গরম দুধ দিতে আসে ভূমিসূতা। যথারীতি অন্যদিনের মতন একটি টিপয়ের ওপর গেলাসটি রেখে তার ওপর একটি রেকাবি ঢাকনা দিয়ে বেরিয়ে যাচ্ছে ভূমিসূতা, বিছানায় আধশোওয়া হয়ে শশিভূষণ বললেন, দাঁড়াও।

ভূমিসূতা থেমে গেল, শশিভূষণের ঠিক মুখোমুখি দাঁড়াল না, এক পাশ ফিরে রইল। নীল রঙের শাড়ি পরা, পায়ে আলতা । একজন ফটোগ্রাফারের চোখ দিয়ে মেয়েটির মুখ ও দাঁড়াবার ভঙ্গি লক্ষ করল শশিভূষণ। ফুলের বাগানে দাঁড় করিয়ে একদিন ওর ছবি তিনি তুলেছিলেন, তার চেয়ে এখন যেন বেশ কিছুটা পরিবর্তন ঘটে গেছে ওর শরীরে। কুসুমকলিটি এখন প্রস্ফুটিত হয়েছে।

শশিভূষণ বললেন, শোনো মহারাজ আজও তোমার খোঁজ করছিলেন। আর কতদিন অসুখের ছুতো করে কাটাবে ? মহারাজকে গান শোনাতে তোমার আপত্তি কী ?

ভূমিসূতা বলল, না, আমি পারব না।

তার কণ্ঠস্বর মৃদু অথচ দৃঢ়। যেন এর আর অন্যথা হবার নয়।

শশিভূষণ আবার বললেন, পারব না বললে কি চলে ! মহারাজের যখন ঝোঁক চেপেছে, একদিন না একদিন তো যেতেই হবে।

ভূমিসূতা বলল, আপনি আমাকে অন্য কোথাও পাঠিয়ে দিন।

শশিভূষণ বললেন, কোথায় পাঠাব?

ভূমিসূতা চুপ কর গেল পৃথিবীতে যার কেউ নেই, যে মেয়ে কোনও পথই চেনে না, সে কী করে জানবে, অন্য কোথায় তার আশ্রয় জুটবে?

শশিভূষণ বললেন, মহারাজকে আমি কতদিন আটকে রাখতে পারব জানি না। উনি তিন দিন সময় দিয়েছেন, কাল ডাক্তার এসে তোমায় পরীক্ষা করবে।

ভূমিসূতা এবার শশিভূষণের দিকে পুরোপুরি ঘুরে দাঁড়াল। দ্বিধাহীনভাবে তাঁর চোখে চোখ রেখে বলল, আমি একটা ছুরি জোগাড় করে রেখেছি। কেই যদি আমাকে গান গাইবার জন্য জোর করে, আমি আমার গলার নলিটা কেটে দেব !

শশিভূষণ স্তম্ভিতভাবে তাকিয়ে রইলেন।

ভূমিসূতা যে বাঙালি নয়, তা হঠাৎ হঠাৎ এক-একটি ঝলকে প্রকাশ পায়। কোনও সাধারণ ঘরের বাঙালি মেয়ে কি এমনভাবে কথা কইতে পারে ! পুরুষদের সামনে তো তাদের মুখই ফোটে না। বেশ কিছুক্ষণ অপলকভাবে তাকিয়ে রইলেন শশিভূষণ। যেন বহুকাল পরে তিনি একটি নারীকে পরিপূর্ণভাবে দেখছেন। এ মেয়ে যেন ছদ্মবেশে এখানে লুকিয়ে রয়েছে। এ তো দাসী হতে পারে না!

হাত বাড়িয়ে তিনি বললেন, কই ছুরিটা কোথায় আমায় দাও।

ভূমিসূতা বলল, সেটা লুকিয়ে রেখেছি।

আবার একটুক্ষণ চুপ করে রইলেন শশিভূষণ। একবার ভাবলেন, এক্ষুনি নীচে গিয়ে ওর ঘর থেকে ছুরিটা উদ্ধার করা উচিত। হুট করে যদি ঝোঁকের মাথায় কিছু করে বসে !

কিন্তু বিছানা থেকে নামলেন না শশিভূষণ। দ্বিতীয় চিন্তায় মনে হল, একটি ছুরি সঙ্গে থাকলেই যেন এই মেয়েকে মানায়।

আপন মনে বললেন, আমি কখনও তোমার গান শুনিনি। কেমন গাও তুমি? কার কাছে শিখেছ?

ভূমিসূতা বলল, আমার বাবার কাছে.....এখন নিজে নিজে শিখি।

শশিভূষণ বললেন, নিজে নিজে গান শেখা যায়? কেন শেখ? কার জন্য?

ভূমিসূতা মুখ নিচু করে খানিকটা দ্বিধার সঙ্গে বলল, ভগবানের জন্য। আর নিজের জন্য!

শশিভূষণ অবাক হয়ে মেয়েটিকে দেখলেন সম্পূর্ণ ভাবে।

তিনি বললেন, মহারাজাকে না হয় নাই শোনালে, তুমি আমাকে, শুধু আমাকে একটা গান শোনাবে, ভূমিসূতা? আমি জোর করব না।

॥ ৫০ ॥

সেই ভক্তিমতী রানী রাসমণিও নেই, অনুগত সেবক মথুরবাবুও নেই। এখনকার কর্তাদের জমিদারি মেজাজ, দক্ষিণেশ্বর মন্দির নিয়ে তাঁরা বিশেষ মাথা ঘামান না। রামকৃষ্ণ পরমহংস অসুস্থ হয়ে পড়লেও খোঁজখবর নিলেন না কর্তারা। দিন দিন ভক্তের সংখ্যা বাড়ছে, সারাদিন ধরে মানুষ আসে, তারা দর্শন চায়, তাদের সঙ্গে কথা বলতে হয়। কথা বলতে বলতে গান আসে, এক একসময় ভাবাবেশে মূর্ছা যান। ইদানীং রামকৃষ্ণ পরমহংসের শরীর কৃশ হয়ে আসছে, হঠাৎ হঠাৎ কাশির দমক আসে, তখন খুবই দুর্বলতা ও যন্ত্রণা বোধ করেন। একদিন ভাবাবিষ্ট অবস্থায় তাঁর ইষ্ট দেবীর উদ্দেশে বলে উঠেছিলেন, এত লোক কি আনতে হয়? একেবারে ভিড় লাগিয়ে দিয়েছিস! লোকের ভিড়ে নাইবার খাবার সময় পাই না। একটা তো ফুটো ঢাক, রাতদিন এটাকে বাজালে আর কদিন টিকবে?

মন্দিরের মালিকপক্ষ মনোযোগ না দিন, রামকৃষ্ণের অবস্থাপন্ন ভক্তরা চিকিৎসার ব্যবস্থা করেছেন। দু-একজন ডাক্তার দেখে বলেছেন, তেমন গুরুত্বপূর্ণ কিছু নয়, এ অসুখের নাম ক্লার্জিম্যানস সোর থ্রোট, বেশি কথা বললে এরকম হয়। কিন্তু ডাক্তারদের ওষুধে উপশম হয় না, ব্যথা বাড়ছেই ক্রমশ। একদিন তাঁকে গাড়িতে করে তালতলায় এনে বিখ্যাত ডাক্তার দুর্গাচরণ বন্দ্যোপাধ্যায়কে দেখানো হল। এই দুর্বল শরীরে তাঁকে বারবার কলকাতায় আনা যায় না, আর ব্যস্ত চিকিৎসকরাও দক্ষিণেশ্বরে যেতে চাইবেন না। দক্ষিণেশ্বরে রামকৃষ্ণের ঘরখানিও স্বাস্থ্যকর নয়, স্যাঁতসেতে, অবিরাম গঙ্গার জলো হাওয়া আসে। প্রাতঃকৃত্য সারবার জন্য তাঁকে অনেকটা দূরে যেতে হয়, তাতে তাঁর এখন কষ্ট হয়।

রামকৃষ্ণের উপযুক্ত চিকিৎসার জন্য ভক্তরা তাঁকে কলকাতায় এনে রাখবেন ঠিক করলেন। বাগবাজারে গঙ্গার ধারে বাড়ি ভাড়া নেওয়া হল। এক সকালবেলা দক্ষিণেশ্বর ছেড়ে চললেন রামকৃষ্ণ পরমহংস, প্রায় তিরিশ বছর যে ঘরটিতে ছিলেন সেখানে পড়ে রইল তাঁর টুকিটাকি জিনিসপত্র। মন্দিরের অন্যান্য সেবাইত ও কর্মচারিরা বেশ অবাক হয়ে সারবদ্ধ হয়ে দাঁড়িয়ে রইল। রামকৃষ্ণ ঠাকুর নিজের ঘরখানা ছেড়ে বাইরে থাকতে চাইতেন না কখনও। আজ যেন বেশ গরজ করে চলে যাচ্ছেন, একবারও পেছন ফিরে তাকালেন না।

বাগবাজারের বাড়িটি তাঁর পছন্দ হল না। গঙ্গার ধারেই বেশ নিরিবিলি পরিবেশে বাড়ি, কিন্তু সেখানে পা দিয়েই তিনি বললেন, এখানে থাকব না ! আমাকে কি গঙ্গাযাত্রা করতে এনেছে নাকি ?

হনহন করে তিনি বেরিয়ে গেলেন। তা হলে কোথায় যাওয়া যায়!

রামকান্ত বসু স্ট্রিটে রামকৃষ্ণের সংসারী ভক্তদের মধ্যে অগ্রগণ্য বলরাম বসুর বাড়ি। এ বাড়ি রামকৃষ্ণের চেনা, তিনি অনেকবার এসেছেন, এখানে অনেক লীলা হয়েছে। আপাতত সেখানেই থাকা হবে ঠিক হল। জমিদার বলরাম বসু আভূমি প্রণত হয়ে গুরুকে বরণ করলেন।

কাছাকাছি অনেক ভক্ত আছে, এখানেই যাওয়া-আসার সুবিধে। একশো নম্বর শ্যামপুকুর স্ট্রিটে বিদ্যাসাগরের মেট্রোপলিটান স্কুল, মহেন্দ্র মাস্টার সেখানকার প্রধান শিক্ষক, যখন তখন চলে আসতে পারেন, আর বাগবাজার থেকে হেঁটেই চলে আসেন গিরিশ।

নটচূড়ামণি গিরিশের মানসলোকে বিরাট পরিবর্তন ঘটে গেছে এর মধ্যে। সেই চৈতন্যলীলা দেখার পর রামকৃষ্ণ থিয়েটারে গেছেন বেশ কয়েকবার। তাঁর ব্যক্তিত্বের কিছু একটা মোহ আছে, চুম্বকের মতন তিনি টেনেছেন গিরিশকে। এককালের মহা নাস্তিক ও দাম্ভিক গিরিশ আস্তে আস্তে নরম হয়ে এসেছেন, ঈশ্বরের অস্তিত্বে বিশ্বাস হয়েছে, কিন্তু গুরুবাদ তাঁর দু চক্ষের বিষ। সবাই বলে ঠিকমতন গুরু না পেলে ঈশ্বরের কাছে পৌঁছনো যায় না। গুরুকেই ঈশ্বরজ্ঞান করতে হয়, তা শুনলেই গিরিশের গা জ্বলে ওঠে। মানুষ কী করে ঈশ্বর হবে ! সামান্য মানুষের পায়ের কাছে মাথা ঠোকা তো ভণ্ডামি!

একদিন তিনি রামকৃষ্ণকে জিজ্ঞেস করেছিলেন, গুরু কী ?

রামকৃষ্ণ মুচকি হেসে বলেছিলেন, তোমার গুরু হয়ে গেছে !

গিরিশ প্রথমে বুঝতে পারেননি। কে তাঁর গুরু, ইনিই নাকি? যতবার রামকৃষ্ণের সঙ্গে দেখা হয়, ততবারই তিনি গিরিশকে একটু একটু করে বাঁধছেন, তা গিরিশ টের পান, তবু তাঁর মন মানতে চায় না। মাতাল যেমন মাঝে মাঝেই মাথা ঝাঁকিয়ে নেশা কাটাতে চায়, তেমনই গিরিশও এক একবার বিশ্বাস ও আত্মসমর্পণ থেকে বেরিয়ে আসতে চেয়েছেন দারুণ দুরন্তপনায়। রামকৃষ্ণের সঙ্গে খারাপ ব্যবহার করেছেন, গভীর রাতে মদ খেয়ে হল্লা করেছেন দক্ষিণেশ্বরে গিয়ে, যা তা খিস্তি-খেউড় করেছেন রামকৃষ্ণের সামনে। একদিন তো নেশার ঝোঁকে রামকৃষ্ণের বাপান্ত করতেও ছাড়েননি, তবু সব মেনে নিয়েছেন রামকৃষ্ণ। উগ্র চণ্ড গিরিশকে এমন ক্ষমাসুন্দর চক্ষে তো আগে আর দেখেনি কেউ ! গিরিশের নাটক চালানো, মদ্যপান, বেশ্যা সংসর্গ এর কোনওটার ওপরেই নিষেধ আরোপ করেননি রামকৃষ্ণ। গিরিশকে তাঁর চাই, যে-কোনও শর্তে। গিরিশ তাঁকে বকলমা দিক, তাতেই তার সব পাপ কেটে যাবে, তাকে পূজা বা ধ্যানও করতে হবে না। এমন কথা কোনও সাধক আগে বলেছে ?

তারপর গিরিশ হঠাৎ গুরু বিষয়ে সংকটের একটা সহজ সমাধান করে নিলেন। মানুষ কখনও মানুষের আধ্যাত্মিক গুরু হতে পারে না, কোনও মানুষের পায়ে মাথা ঠেকানো যায় না, কিন্তু স্বয়ং ঈশ্বর যদি মানুষ রূপে অবতীর্ণ হন ? তা হলে তো আর সংশয় থাকে না! গিরিশ ঠিক করে নিলেন রামকৃষ্ণ পরমহংস সাধারণ মানুষ নন, তিনি ঈশ্বরের অবতার। যিনি রাম, তিনিই কৃষ্ণ, ইদানীং রামকৃষ্ণরূপে মর্ত্যধামে লীলা করতে এসেছেন। গিরিশ সেই অবতারের কাছে নিজেকে সম্পূর্ণ সঁপে দিয়েছেন।

নরেন্দ্র এবং আরও কয়েকজন ভক্ত অবশ্য রামকৃষ্ণের এই অবতারত্ব মানে না। তারা গুরুকে ভালোবাসে, তাঁকে একজন মহান মানুষ মনে করে, কিন্তু অবতার-টবতার কিছু না।

যিনি ঈশ্বরের অবতার, তিনি রোগভোগের কষ্ট পাবেন কেন? তিনি তো এসব কিছুর উর্ধ্বে। ঈশ্বর বা তাঁর অবতারদের দুটি স্পষ্ট লক্ষণ থাকে। তাঁরা কখনও বৃদ্ধ হন না। কোনও

ব্যাধি তাঁদের স্পর্শ করতে পারে না। হিন্দু দেবদেবীরা চিরযুবা, চিরযুবতী। শ্রীরামচন্দ্র কিংবা শ্রীকৃষ্ণের কখনও জ্বরজারি হয়েছে কিংবা পেটের ব্যথায় কাতরাতে হয়েছে, তা অকল্পনীয়। কিন্তু রামকৃষ্ণ বরাবরই পেটরোগা, যখন তখন বাহ্যে যান, কিছুদিন আগেই আছাড় খেয়ে একটা হাত ভেঙেছিলেন, প্লাস্টার করতে হয়েছিল। সবই সাধারণ মানুষের মতন। এখন তো গলার ব্যথায় এক এক রাত্তিরে ঘুমই হয় না।

বিশ্বাসটাই যাঁদের কাছে যুক্তি, সেই ভক্তরা মনে করেন, সবই প্রভুর লীলা। অসুখটাও লীলা। তিনি ইচ্ছে করেই রোগযন্ত্রণা ভোগ করছেন, এবং এরও কোনও তাৎপর্য আছে।

আজকাল খ্রিস্টানি মতের প্রভাব অনেকের ওপরেই পড়েছে। যিশুর সঙ্গে তুলনা এসেই যায়। যিশু যেমন অন্য মানুষের পাপ নিজে গ্রহণ করেছিলেন, রামকৃষ্ণও সেইরকম অন্যদের রোগ-ব্যাধি নিজের অঙ্গে ধারণ করেছেন। গিরিশের দৃঢ় ধারণা, রামকৃষ্ণ ইচ্ছে করলেই যে কোনওদিন সেরে উঠবেন।

রামকৃষ্ণ পরমহংস অনেকটা শিশুর মতন হয়ে গেছেন। ডাক্তার আসতে দেরি করলে উতলা হয়ে বলেন, ওগো, এখনও এল না? যাও না, তাকে খপর দাও ! নিজেই তিনি ওষুধ চেয়ে খান। কাছাকাছি যাকে দেখতে পান, তাকেই জিজ্ঞেস করেন, হ্যাঁ গা, আমার সারবে তো ?

অ্যালোপ্যাথিক ওষুধ তাঁর সহ্য হয় না, তাই নাম করা হোমিওপ্যাথ প্রতাপচন্দ্র মজুমদারকে ডাকা হয়েছে। ইনি ব্রাহ্ম নেতা প্রতাপচন্দ্র নন, শুধুই ডাক্তার। তাঁর ওষুধে সাময়িকভাবে ব্যথার নিবৃত্তি হয়, কিন্তু মূল রোগ বেড়েই চলেছে। এখন কাশির সঙ্গে রক্ত পড়ে, শক্ত কিছু খেতেই পারেন না রামকৃষ্ণ । নানান চিকিৎসকের অভিমত শুনে বোঝা যাচ্ছে, 'পাদ্রিদের গলার ব্যথা'র মতন সহজ রোগ এটা না।

একদিন একদল কবিরাজ এলেন তাঁকে দেখতে। তাঁদের মধ্যে প্রখ্যাত কবিরাজ গঙ্গাপ্রসাদও রয়েছেন। রোগের উপসর্গ শুনে ও রামকৃষ্ণের গলা পরীক্ষা করে তাঁরা গম্ভীর হয়ে গেলেন। গঙ্গাপ্রসাদ উঠে গিয়ে এক ভক্তকে বললেন, এ রোগের নাম রোহিণী, আমাদের চিকিৎসার অতীত।

ভক্তটি বুঝতে পারল না। রোহিণী আবার কী রোগ ?

গঙ্গাপ্রসাদ বললেন, আমরা যাকে রোহিণী বলি, ইংরেজ ডাক্তারা তাকেই বলে ক্যান্সার।

রামকৃষ্ণ গঙ্গাপ্রসাদকে কাছে ডেকে জিজ্ঞেস করলেন, এ রোগ সাধ্য না অসাধ্য ?

কবিরাজ চুপ করে রইলেন।

অধিকাংশ ভক্তই কবিরাজের এই রোগ নির্ণয় বিশ্বাস করেনি, তারা অন্য কথাবার্তা শুরু করে প্রসঙ্গটা চাপা দিয়ে দিল।

রামকৃষ্ণের কলকাতায় অবস্থানের খবর রটে যাওয়ায় এখানেও বহু কৌতূহলী মানুষ আসতে শুরু করেছে। একদিন এলেন পণ্ডিতপ্রবর শশধর তর্কচূড়ামণি। হিন্দু ধর্মের গৌরব পুনঃপ্রতিষ্ঠার ব্রত নিয়েছেন তিনি। রামকৃষ্ণের সঙ্গে তাঁর রঙ্গ-রসিকতার সম্পর্ক। তিনি অবশ্য অবতারতত্ত্বে বিশ্বাসী নন, রামকৃষ্ণকে তিনি একজন উচ্চশ্রেণীর সাধক বলে মনে করেন।

তর্কচূড়ামণি বললেন, এ কী ব্যাপার, আপনারও রোগ হয় ?

রামকৃষ্ণ বললেন, আমার তো রোগ না, এই দেহটার। চক্রবর্তী যে ছাড়ে না, দেহে রোগ সকলেরই।

তর্কচূড়ামণি বললেন, দেহটাকে শোধরানো আর এমন কি শক্ত ব্যাপার ?

রামকৃষ্ণ বললেন, বড় গর্ত করো, তাও পুরবে, এ দেহ আর পোরে না।

তর্কচূড়ামণি একটা উপায় বাতলালেন। আপনি সমাধিস্থ হয়ে থাকুন, আর আমি স্বস্ত্যয়ন করি—আপনি দেশ বেড়াবেন চলুন।

রামকৃষ্ণ হাসতে লাগলেন।

তর্কচূড়ামণি বললেন, আপনার বিশ্বাস হচ্ছে না ? মশাই, শাস্ত্রে পড়েছি আপনার ন্যায় পুরুষ ইচ্ছামাত্র শারীরিক রোগ আরাম করে ফেলতে পারেন। আরাম হোক মনে করে আপনার মনটা একাগ্র করে একবার অসুস্থ স্থানে কিছুক্ষণ স্থিরভাবে রাখতে পারলেই সব সেরে যাবে। এটা বিজ্ঞানসম্মত ব্যাপার। একবার ওরকম করলে হয় না!

রামকৃষ্ণ বললেন, তুমি পণ্ডিত হয়ে একথা কী করে বললে গো ? যে মন সচ্চিদানন্দকে দিয়েছি তাকে সেখান থেকে তুলে এনে এ ভাঙা হাড়মাসের খাঁচাটার ওপর দিতে কি আর প্রবৃত্তি হয় ?

কথাটা খুব মনঃপূত হল না শশধরের। ভাঙা হাড়মাসের খাঁচাটার প্রতি যদি এতই অবজ্ঞা, তা হলে আর ওষুধ খাওয়া কেন ? ডাক্তারের কাছে রোগের এত ব্যাখ্যান দেওয়াই বা কেন?

শশধরের ধারণা হল, অসুখের ধাক্কায় সাধক হিসেবে রামকৃষ্ণ খানিকটা নীচে নেমে এসেছেন। ইচ্ছের জোরে মনোময় কোষে উঠে আসার ক্ষমতা তাঁর আর নেই।

সাতদিন পরে বলরাম বসুর বাড়ি ছেড়ে ভক্তরা রামকৃষ্ণকে নিয়ে গেলেন এক ভাড়াবাড়িতে। পঞ্চান্ন নম্বর শ্যামপুকুরের স্ট্রিটে। বলরামবাবু পরম ভক্ত বটে, কিন্তু একটু কৃপণ। গুরুর চিকিৎসা ও সেবার জন্য তিনি অবশ্যই প্রস্তুত, কিন্তু নিজের বাড়িতে গুরুকে দিনের পর দিন রাখলে অনেক শিষ্যদের আনাগোনা চলবে, তাদের খাওয়া দাওয়ার ব্যবস্থা, বাড়িটা একটা হট্টমেলা হয়ে যাবে। নিজের বাড়িতে রাখলে চাঁদা তোলাটাও ভালো দেখায় না, তার থেকে ভাড়াবাড়িই সুবিধাজনক। কয়েকজন ধনী ভক্ত খরচপত্র ভাগাভাগি করে দেবে।

এক কৃষ্ণা নবমীর সন্ধ্যায় সদলবলে সে বাড়িতে চলে এলেন রামকৃষ্ণ। বৈঠকখানা ঘরে তাঁর জন্য শয্যা পাতা হয়েছে, দেওয়ালে টাঙানো হয়েছে কতকগুলো ছবি। রামচন্দ্র দত্ত একটা বাতি নিয়ে ছবিগুলো দেখালেন। একটা ছবিতে যশোদা ও বালগোপাল। পাশের ছবিটি সঙ্কীর্তনে মত্ত শ্রীগৌরাঙ্গের। সে ছবির সামনে একটুক্ষণ চুপ করে দাঁড়িয়ে রইলেন রামকৃষ্ণ। একজন ভক্ত ফিসফিস করে বলল, উনি নিজেই নিজেকে দেখছেন।

পরমুহূর্তেই রামকৃষ্ণ পেছন ফিরে বললেন, জানলা দিয়ে হিম আসবে না তো ?

আস্তে আস্তে এখানে পাতা হল নতুন সংসার। তরুণ ভক্তরা ঠিক করল তারা পালা করে দিন-রাত্রি জেগে সেবা করবে। তাদের খাওয়া দাওয়ার ব্যবস্থা ঠিকঠাক হয় কি না রামকৃষ্ণ তা নিজেই খোঁজখবর নেন। রান্নার জন্য আনানো হয়েছে সেবিকা গোলাপ মা-কে। সারদামণিই বা একলা একলা দক্ষিণেশ্বরে পড়ে থাকবেন কেন ? ওখানে তিনি নহবতখানায় আত্মগোপন করে থাকেন, পুরুষ ভক্তদের সামনে কখনও বেরোন না। এখন তাঁকে স্বামী-সেবা থেকে বঞ্চিত করা হবে কেন ? রামকৃষ্ণের ইচ্ছেতেই সারদামণিকেও নিয়ে আসা হল শ্যামপুকুরের বাড়িতে।

অসুস্থ রামকৃষ্ণ নরেন্দ্রের সব প্রশ্ন ভুলিয়ে দিলেন। এই একটি মানুষ, নিরহঙ্কার, নিরভিমান, সদানন্দ। অসুখের এত কষ্ট, তবু যখনই একটু ভালো থাকেন, তখনই হাস্যময়, কৌতুকপ্রবণ। সবাইকে কাছে নিয়ে জড়িয়ে মড়িয়ে থাকতে ভালোবাসেন। ইনি তো খ্যাতি চাননি, প্রতিষ্ঠা চাননি, বড় বড় সাধুদের মতন ধনী গৃহে গিয়ে নানারকম বায়নাক্কা করেননি, কোনও কিছুতেই তাঁর লোভ বা মোহ নেই, চমক দেখাবার কোনও প্রয়াস নেই, তিনি শুধু

ভালোবাসা চান। ভালোবাসার জন্য যিনি এমন কাঙাল, তাঁকে কি ভালোবাসা না দিয়ে পারা যায়? নরেন্দ্র ঠিক করল, এঁকে বাঁচিয়ে রাখতেই হবে।

শ্যামপুকুরের বাড়িতেই রামকৃষ্ণের শিষ্যমণ্ডলি আস্তে আস্তে দানা বাঁধতে লাগল। নরেন্দ্রর নেতৃত্বে কয়েকজন যুবক প্রতি রাত্রে জেগে গুরুকে পাহারা দেয়। আর নিরঞ্জন ঘোষ সর্বক্ষণের দ্বারপাল, যে-কোনও উটকো লোককে আর রামকৃষ্ণের কাছে যেতে দেওয়া হয় না।

অনেক ডাক্তারই তো দেখানো হচ্ছে, একবার মহেন্দ্রলাল সরকারকে ডাকার কথা ওঠে। ধন্বন্তরি বলে তাঁর নাম রটেছে। প্রতাপ মজুমদারেরও সেই মত।

কিন্তু রামকৃষ্ণ ওই নাম শুনেই বলে ওঠেন, না না, ওকে ডাকতে হবে না।

মাস্টার, প্রতাপচন্দ্র ও অন্য ভক্তরা একথা শুনে হেসে ওঠেন। এই হাসির কারণ আছে। মহেন্দ্রলাল সরকারের শাঁখারিটোলার বাড়িতে একবার নিয়ে যাওয়া হয়েছিল রামকৃষ্ণকে । ভক্তরা গদ গদ স্বরে বলেছিল, রামকৃষ্ণদেব এসেছেন, তিনি কষ্ট পাচ্ছেন.......

মহেন্দ্রলাল একবার দূর থেকে রামকৃষ্ণকে দেখেছেন, কিছু কিছু শুনেওছেন ওঁর সম্পর্কে। কিন্তু তিনি যে-কোনও রকম অলৌকিকত্বের ঘোর অবিশ্বাসী এবং পরমহংস ব্যাপারটাও বোঝেন না। যোগী পরমহংসই যদি কেউ হবেন, তা হলে তিনি দক্ষিণেশ্বরের মন্দিরে বছরের পর বছর গেড়ে বসে থাকবেন কেন, পরমহংসরা তো এত সংসারী মানুষের সংসর্গে থাকেন না। মহেন্দ্রলালের ধারণা, বড়লোকরা যেমন শখ করে অনেক কিছু পোষে, সেই রকম রাণী রাসমণির জামাই মথুরবাবু দক্ষিণেশ্বরে একটি পরমহংস পুষেছেন। তাই কোথাও রামকৃষ্ণের প্রসঙ্গ উঠলে ডাক্তার কৌতুকচ্ছলে বলতেন, ও, সেই মথুরবাবুর পরমহংস !

মহেন্দ্রলাল ডাক্তারের কাছে রুগী রুগীই, তা সে সাধুই হোক, রাজাই হোক বা নিঃস্বই হোক। তিনি আপনি-আজ্ঞের ধার ধারেন না, সবার সঙ্গেই তুমি তুমি বলে কথা বলেন।

রামকৃষ্ণকে সামনের চেয়ারে বসিয়ে তাঁর গলা পরীক্ষার জন্য বললেন, কই দেখি, হ্যাঁ করো !

ডাক্তারের এক সহকারি একটা লণ্ঠন উঁচু করে ধরে পাশে দাঁড়িয়ে আছে। রামকৃষ্ণ ছোট হাঁ করেছেন, মহেন্দ্রলাল ঠিক মতন দেখতে পাচ্ছেন না। তিনি বললেন, আরও বড় হাঁ করো।

সেই অবস্থায় রামকৃষ্ণ কিছু কথা বলতে যেতেই মহেন্দ্রলাল ধমক দিয়ে বলেছিলেন, জিভ নাড়লে আমি দেখব কী করে ?

তিনি রামকৃষ্ণের জিভটা চেপে ধরেছিলেন।

সেদিন খানিকটা যন্ত্রণা পেয়েছিলেন রামকৃষ্ণ। সেই প্রসঙ্গ উঠলেই তিনি বলেন, না না গরুর জিভ টানার মতন টেনেছিল !

সেই সময়কার অবস্থার থেকে এখন রোগের যাতনা অনেক বেড়েছে। গুরুর কষ্ট দেখলে ভক্তদেরও কষ্ট হয়। মহেন্দ্র মাস্টারের বিশেষ ইচ্ছে আর একবার মহেন্দ্রলাল সরকারকে দেখানো হোক। গিরিশও তাই চান। অন্য ডাক্তাররাও বলছেন, ডাক্তার সরকারের অভিমতটা জানা প্রয়োজন। রামকৃষ্ণের কানের কাছেও ব্যথা চলে এসেছে, গলার মধ্যে ছুরি বেঁধার ভাব, এর যে কোনও ওষুধ নেই।

মহেন্দ্র মাস্টারের নিজের সংসারেও এখন দারুণ দুর্যোগ। তাঁর বড় ছেলেটি মাত্র আট বছর বয়েসে মারা গেছে, তাঁর স্ত্রীর পাগল-পাগল অবস্থা। তবু তিনি দিনে দু'তিনবার এসে গুরুকে দেখে যান, কোনও রাতে বাড়িও ফেরেন না। যাতে ঘুম না আসে তাই দু'তিন খানা মাত্র রুটি খেয়ে রাত জেগে গুরুর সেবা করেন। নরেন, রাখালরা বাড়িতে খেয়ে দেয়ে রাত্তিরে পাহারা দিতে আসে, নরেন আইন পরীক্ষা দেওয়ার জন্য তৈরি হচ্ছে, সঙ্গে আনে পড়ার বই। গিরিশও সব কাজ ফেলে প্রায়ই ছুটে আসে, রামকৃষ্ণের সামনে বসে অঝোরে কাঁদে। কাঁদতে

কাঁদতে বলে, আপনি যখন নীরোগ থাকেন, তখন কত রকম দৌরাত্ম্য করি, সে এক, কিন্তু আপনাকে এ অবস্থায় দেখতে পারি না।

এরই মধ্যে রামকৃষ্ণ এক একসময় যেন রোগ-ব্যাধির কথা সব ভুলে যান। একদিন সকালবেলা স্নান সেরে আসার পর তিনি ফিক ফিক করে হাসতে লাগলেন। কেন তিনি হাসছেন, তা কেউ বুঝতে পারছেন না। হাসি আর থামে না। খেয়ে-দেয়ে একটু ঘুমোলেন। বিকেলবেলাও তাঁর সহাস্য মুখ, তিনি নিজেই বললেন, এত হাসি কখনও হাসিনি, ভেতর থেকে যেন উঠে আসছে!

খাট থেকে তিনি নেমে দাঁড়ালেন। দু' হাত তুলে এদিক ওদিক তাকাতে তাকাতেই তাঁর ভাবের ঘোর হল।

ভক্তরা নির্বাক। দক্ষিণেশ্বর ছাড়ার পর রামকৃষ্ণের এরকম ভাব আর হয়নি, তাঁর শরীরটি জড়বৎ, মন কোথায় নিরুদ্দেশ।

খানিক পরে তিনি আবার বাস্তবে ফিরে এলেন। হাসতে হাসতে বললেন, তোমরা গান গাও, সবাই হরিবোল বলো, তাতে যদি অসুখটা কমে।

সন্ধেটা কাটল বেশ মধুর ভাবে। রাত্রেই তাঁর আবার রক্তবমি হল। যন্ত্রণায় ছটফট করতে লাগলেন তিনি। একবিন্দু ওষুধও তাঁর গলা দিয়ে যাচ্ছে না।

এর পর মহেন্দ্রলাল সরকারকে না-ডাকলে একেবারে হাল ছেড়ে দিতে হয়। গিরিশ ও মহেন্দ্র মাস্টার বুঝিয়ে সুঝিয়ে রামকৃষ্ণকে রাজি করালেন।

মহেন্দ্রলালের এখন এমন পশার যে তিনি আর রুগী সামলাতে পারছেন না। তাঁর চেম্বার উপছে পড়ছে। যা হোক তা হোক ভাবে রুগী দেখা তিনি পছন্দ করেন না, আবার রুগীদের ফেরানোও যায় না। তারা কেউ যেতে চায় না। ভেতরে আর বসবার জায়গা নেই, অনেক রুগী দাঁড়িয়ে থাকে বাইরে রোদ্দুরে।

রামকৃষ্ণের নিজস্ব সেবক লাটুকে সঙ্গে নিয়ে এসেছেন মাস্টার। এত ভিড় দেখে তিনি ঘাবড়ে গেলেন। কতক্ষণ অপেক্ষা করতে হবে তার ঠিক নেই, মাস্টারকে আবার ইস্কুলে দৌড়তে হবে।

কুস্তিগির লাটুর সাহায্য নিয়ে তিনি ঠেলেঠুলে ভেতরে চলে এলেন। তাঁর ধারণা, রামকৃষ্ণ পরমহংসের নাম শুনলেই তিনি আগে আগে কিছু একটা ব্যবস্থা করবেন।

মহেন্দ্রলাল চিনতে পারলেন না মাস্টারকে। অন্যদের সরিয়ে তাকে সামনে আসতে দেখে তিনি এক দাবড়ানি দিলেন, কে হে তুমি? যাও, বাইরে যাও, বাইরে যাও!

কাঁচুমাচু হয়ে মাস্টারকে পিছিয়ে আসতে হল। একবার তিনি ভাবলেন,এই উগ্রচণ্ড ডাক্তারকে ডেকে কী কোনও লাভ আছে? তাঁর গুরুর সঙ্গে ইনি কী রকম ব্যবহার করবেন কে জানে!

কয়েক মিনিট পরে ডাক্তার চেয়ার ছেড়ে উঠে এলেন বাইরে। কোমরে হাত দিয়ে দাঁড়িয়ে তিনি দেখতে লাগলেন অপেক্ষমাণ ব্যক্তিদের। বাজখাঁই গলায় বললেন, অ্যাই, রোদে দাঁড়িয়ে আছ কেন সব? ওই দিকে ছায়া আছে দেখতে পাচ্ছ না? রোদে দাঁড়িয়ে রোগ বাড়াবে আর আমি তোমাদের ওষুধ গেলাব! কেন রে বাপু, কলকাতা শহরে কি আর ডাক্তার নেই?

তারপর মাস্টারের দিকে তাঁর চোখ পড়ল।

ভুরু নাচিয়ে জিজ্ঞেস করলেন, তুমি তো ঘোড়ায় জিন দিয়ে এসেছ? কারুর মুখে গঙ্গাজল....কী বৃত্তান্তটা শুনি?

মাস্টার তাঁর নিবেদন জানালেন।

মহেন্দ্রলাল বললেন, দেখছ তো এখন আমার মরার সময় নেই। বিকেলে এসো, এসে আমায় নিয়ে যেও!

বিকেলে আবার গেলেন মাস্টার। এবেলা ডাক্তারকে অনেকগুলি রুগী দেখতে হবে, এক ফাঁকে রামকৃষ্ণকে দেখে আসবেন ।

শ্যামপুকুরের বাড়ির দোতলার সিঁড়ি দিয়ে উঠে এলেন মহেন্দ্রলাল। বারান্দাওয়ালা ঘরটিতে একটা চৌকির ওপর বিছানায় বসে আছেন রামকৃষ্ণ, মেঝেতে শতরঞ্চি পাতা, সেখানে উপবিষ্ট কয়েকজন ভক্ত। ঘরে আর চেয়ারটেয়ার কিছু নেই।

মহেন্দ্রলাল দরজার কাছে দাঁড়াতেই রামকৃষ্ণ তাকে নমস্কার জানালেন হাত তুলে।

প্রতি নমস্কার জানিয়ে মহেন্দ্রলাল বললেন, কী হে, তুমি তো দক্ষিণেশ্বরের মথুরবাবুর পরমহংস। তুমি যে এখানে এসে জুটেছ ?

রামকৃষ্ণ বললেন, চিকিৎসার জন্য এরা এখানে এনেছে।

তারপর তিনি বিছানায় নিজের পাশে চাপড় মেরে ডাক্তারকে বসতে ইঙ্গিত করলেন সেখানে। প্যান্ট-কোট ও জুতো পরা অবস্থাতেই মহেন্দ্রলাল সেই খাটে বসলেন।

কয়েকজন ভক্ত শিউরে উঠলেন।

রামকৃষ্ণের বিছানায় কোনও ভক্ত কখনও বসে না, বাইরের লোকের তো প্রশ্নই নেই। সাধক পুরুষদের সব সময় পৃথক আসন। আর এই ডাক্তারটি জুতো পরে ওঁর পাশে বসে পড়ল ?

মহেন্দ্রলাল জিজ্ঞেস করলেন, তোমার কী কী কষ্ট হয় বলো তো !

রামকৃষ্ণ বললেন, কোনও কোনও স্থান গোল হয়ে ডোব হয়......হাওয়া গিয়ে ফিরে আসে ঢোঁকের পর।

—কাশি আছে?

—হ্যাঁ গো, রাত্রে কাশি হয়—যেন ক্যাস্টর অয়েল—পরে পুঁজ হয়ে ওঠে

—গলায় ব্যথা ?

—যেন ছুরি বেঁধা। ফোঁড়া ফাটিয়ে দেবার মতন যন্ত্রণা—রাত্তিরে ঘুম হয় না

—ঠিক আছে, এবার হাঁ করো, গলাটা দেখি

যেন শিশুর মতন ভয়ে ভয়ে রামকৃষ্ণ মুখটা ফাঁক করলেন। পুরো মুখ খুলতে পারেন না।

মহেন্দ্রলাল তাঁর স্বভাবসিদ্ধ ভঙ্গিতে ধমক দিয়ে বললেন, ভালো করে দেখাতে পারছ না, তুমি তো বড় আহাম্মক—না দেখালে কাকে দেখতে এসেছি !

যাঁর মুখ দিয়ে হাজার হাজার চমকপ্রদ উপমা ও লৌকিক কাহিনী বেরিয়ে এসেছে, ধর্মের সহজ, সরলতম ব্যাখ্যা দিয়েছেন যিনি, তাঁর রক্তাক্ত, রোগ-বিক্ষত কন্ঠনালির মধ্যে উঁকি দিলেন মহেন্দ্রলাল। আস্তে আস্তে বললেন, আমাকে ভয় পাচ্ছ কেন ? আমরা কি মানুষ মেরেই বেড়াই ?

অনেকক্ষণ ধরে পরীক্ষা করলেন মহেন্দ্রলাল। তাঁর যে অন্য রুগী দেখতে যাবার তাড়া আছে, তা যেন ভুলেই গেলেন। ডাক্তারের সিদ্ধান্ত কী তা জানার জন্য রামকৃষ্ণ উৎসুকভাবে তাকিয়ে থাকলেও মহেন্দ্রলাল সে বিষয়ে কোনও মন্তব্য করলেন না।

এক সময় যন্ত্রপাতি গোছাতে গোছাতে বললেন, ওষুধ দিয়ে যাচ্ছি, নিয়মিত খাবে। বেশি কথা বলবে না। এখন কিছুদিন উপদেশ-টুপদেশ বন্ধ রাখো।

মাষ্টার ও আরও দু'তিনজন ডাক্তারকে নিয়ে এলেন নীচে। ডাক্তার বাড়িটি দেখতে দেখতে জিজ্ঞেস করলেন, এটিও বুঝি রানী রাসমণির?

মাস্টার বললেন, আজ্ঞে না। ঠাকুরের ভক্তরা এই বাড়ি ভাড়া নিয়েছে।

মহেন্দ্রলাল বললেন, ভক্ত ? ওর আবার শিষ্যটিষ্য আছে নাকি ? আমি তো জানতুম, জানবাজারের ওরাই রেখেছে। কারা ওর ভক্ত শুনি ? তোমাকে সবাই মাস্টার বলে, তুমি কোথাকার মাস্টার ?

বিদ্যাসাগর মশাইয়ের স্কুলের একটি শাখার হেডমাস্টার যে এই ব্যক্তিটি, তা জেনে মহেন্দ্রলাল বেশ বিস্মিত হলেন। অন্য ভক্তদের মধ্যে রয়েছেন আর এক ডাক্তার রামচন্দ্র দত্ত, নেপালের রাজপ্রতিনিধি ক্যাপ্টেন বিশ্বনাথ উপাধ্যায়, সদ্য বি এ পাশ করা যুবক নরেন্দ্র দত্ত, এ ছাড়া রাখল, কালীপদ, শশী এরা সব কলেজে পড়া শিক্ষিত ছেলে।

মহেন্দ্রলাল খুঁটিয়ে খুঁটিয়ে সব ভক্তদের ব্যক্তিগত জীবনের কথা জানতে চাইলেন। যাঁর পরনের কাপড়ের ঠিক থাকে না, কথাবার্তা শুনলে আধ-পাগলা মনে হয়, সেই লোকটির চারপাশে একদল কলেজে-পড়া শিক্ষিত তরুণ কেন জুটেছে, কিসের টানে? বয়স্ক লোকেরা সাধু-সন্ন্যাসীদের ঘিরে থাকে নিজেদের পাপ আর দুষ্কর্ম ঢাকার জন্য, পরলোকে যাতে শাস্তি না পায় সেই আশায়, কিন্তু যুব সমাজের মধ্যে তো এমন স্বার্থবুদ্ধি থাকে না!

মহেন্দ্রলাল সবচেয়ে বিস্মিত হলেন গিরিশ ঘোষের বৃত্তান্ত শুনে। তার উচ্ছৃঙ্খলতা ও দুর্দান্তপনার কথা কে না জানে? সেই লোকেরও চরিত্রের এমন বদল হয়েছে, সে রামকৃষ্ণের পা জড়িয়ে ধরে কাঁদে? এই মানুষটি গিরিশের মনের এমন পরিবর্তন ঘটিয়ে দিলেন কী ভাবে? এই মানুষটিকে আরও ভালোভাবে জানতে হবে।

ডাক্তারের ফি আগে থেকেই জোগাড় করে রাখা ছিল, মাস্টার সেই টাকাটা বাড়িয়ে দিলেন।

মহেন্দ্রলাল গম্ভীরভাবে জিজ্ঞেস করলেন, আমাকে টাকা দিচ্ছ কী জন্য?

মাস্টার বললেন, আজ্ঞে, ঠাকুরের ভক্তরা ওঁর চিকিৎসার জন্য টাকাপয়সা সংগ্রহ করেছেন। ডাক্তারের ফি তো অবশ্যই দিতে হবে।

মহেন্দ্রলাল বললেন, শোনো, আমি ভক্ত-টক্ত নই। তবে যারা ওর চিকিৎসার জন্য টাকা দিচ্ছে, আমাকেও তাদের একজন বলে ধরে নিতে পারো। ওষুধের খরচাও লাগবে না। তোমরা তোমাদের গুরুকে সাবধানে রাখবে। বুঝতেই পারছ, এ রোগ অতি কঠিন রোগ। দেখো, যেন বেশি লোকজন ওকে জ্বালাতন না করে। পায়ের ধুলো টুলো দেওয়া বন্ধ রাখো, যত বেশি লোকের সঙ্গে কথা বলবে, তত ওর উত্তেজনা বাড়বে, কষ্টও বাড়বে।

মহেন্দ্রলাল চলে যাবার পর ভক্তরা বসে ঠিক করল, বাইরের লোকদের আর রামকৃষ্ণের কাছে যেতে দেওয়া হবে না। লোকদের তো প্রশ্নের শেষ নেই, তা ছাড়া অনেকেরই ধারণা হয়েছে, ওঁকে একটু স্পর্শ করলে, ওঁর পায়ের ধুলো নিলে মুক্তি পাওয়া যাবে। এখন ভক্তরাও পায়ের ধুলো নেওয়া বন্ধ রাখবে।

গিরিশ অবশ্য তাতে রাজি নয়। প্রতিদিন গুরুর পদবন্দনা না করলে সে সুস্থির থাকতে পারে না। তবে বাইরের লোক আসা বন্ধ করতে হবে অবশ্যই।

কিন্তু দেখা গেল কাজটা সহজ নয়। দক্ষিণেশ্বরে বেশি লোক যেত না, অনেকে রামকৃষ্ণের সম্পর্কে বিশেষ কিছু জানতই না। কলকাতা শহরে কিছু একটা ঘটলেই মুখে মুখে রটে যায়। একজন পরমহংস শ্যামপুকুরে এসে রয়েছেন, তাঁকে দেখার আকাঙ্ক্ষায় বহু লোক ছুটে আসে। সকলকে আটকানো যায় না। একেবারে অপরিচিতদের দরজা থেকে ফিরিয়ে দেওয়া গেলেও ভক্তদের পরিচিত ব্যক্তিরা সঙ্গে আসে, তাদের মুখের ওপর বলা যায় না কিছু।

একদিন কালী ঘোষ তার এক বন্ধুকে সঙ্গে নিয়ে এল। বন্ধুটি নিখুঁত বিলাতি পোশাক পরা, মাথায় টুপি, চোখে রিমলেস চশমা। পাহারাদার নিরঞ্জন ওদের আটকে দিল। কালী ঘোষ বলল, তার বন্ধুটি পশ্চিমদেশে থাকে, মাত্র কয়েক দিনের জন্য এসেছে। একবার রামকৃষ্ণকে দর্শন করে যাবে। নিরঞ্জন তবু রাজি নয়। তর্ক শুরু করে দিল কালী ঘোষ। সাহেবি কেতায় বন্ধুটি গম্ভীর মুখে তাকিয়ে রইল অন্যদিকে, যেন এসব তর্কে তার কিছু আসে যায় না। কেউ তাকে কোথাও আটকাতে পারে না।

শেষ পর্যন্ত নিরঞ্জনকে নরম হতেই হল।

ভেতরে এসে কালীর বন্ধুটি চোখ থেকে খুলে ফেলল চশমা। মাথা থেকে টুপি সরাতেই বেরিয়ে পড়ল গুচ্ছ গুচ্ছ কোঁকড়া চুল, আর্তবিলাপের স্বরে সে বলে উঠল, প্রভু, অপরাধ নেবেন না, আপনাকে শুধু একবার চোখের দেখা দেখতে এসেছি!

স্বর শুনেই রামকৃষ্ণ চিনতে পারলেন। এ তো অভিনেত্রী বিনোদিনী দাসী।

সেই 'চৈতন্য লীলা' দেখার পর থিয়েটার দেখার নেশা লেগে গিয়েছিল রামকৃষ্ণের। 'প্রহ্লাদ চরিত্র', 'বিল্বমঙ্গল' পালা দেখেছেন, অসুস্থ হয়ে পড়ার আগে পর্যন্ত বেশ কয়েক বার গেছেন, গ্রীনরুমে নিবোদিনী ও অন্যান্য নট-নটীদের আশীর্বাদ করেছেন।

রামকৃষ্ণের অসুস্থতার খবর পেয়ে বিনোদিনী ছটফট করছিল। সেই প্রথম দর্শনের দিন থেকেই বিনোদিনী এঁকে মহাপুরুষ বলে জেনেছে। রামকৃষ্ণের করুণাঘন চোখদুটি দেখার জন্য সে ছটফট করে। আজকাল প্রায়ই মনে হয়, তার অভিনেত্রী-জীবন শেষ হয়ে আসছে।

বিনোদিনীর ছদ্মবেশ ধরে আসার ব্যাপারটা দেখে রামকৃষ্ণ রাগ করার বদলে খুব মজা পেলেন, খল খল করে হাসতে লাগলেন তিনি। এ মেয়ে সাহেব সেজে অন্যদের চোখে ধুলো দিয়েছে। এ কী কম কথা ! একে বলে টান !

রামকৃষ্ণ হাসছেন, আর তাঁর রোগ-জর্জর শীর্ণ শরীর দেখে অনবরত কাঁদছে বিনোদিনী। সে বারবণিতা, এমন একজন সাধক পুরুষকে স্পর্শ করার অধিকার তার নেই, দূর থেকে মাটিতে মাথা ঠেকিয়ে প্রণাম জানাতে হয়। কিন্তু একবার কি সে ওই শ্রীচরণে মাথা ছোঁয়াতে পারবে না?

রামকৃষ্ণ পা বাড়ালেন, বিনোদিনীর চোখের জলে সেই পা ভিজে গেল।

বিনোদিনী ফিরল একলা। গিরিশবাবুকেও না জানিয়ে সে এসেছে, জানতে পারলে গিরিশচন্দ্র রাগ করবেন ! বিনোদিনী সে রাগ সহ্য করতেও রাজি আছে, তাকে আসতেই হতো।

ঘোড়ার গাড়িতে বসে একটা ছোট আয়না বার করে মুখ দেখতে লাগল বিনোদিনী। তার কান্না এখনও থামছে না। মুখে রঙ মেখে সে সেজে এসেছে, থুতনির কাছটা ঘষতে লাগল বারবার। রঙ ওঠার পর সেখানে বেরিয়ে পড়ল একটা সাদা দাগ। কুষ্ঠ না শ্বেতী ? কোন পাপে তার এমন হল ? গুরুর কৃপায় এ দাগ মুছে যাবে না? না যদি যায়, এ দাগ ক্রমশ ছড়ায়, তা হলে আর মঞ্চে নামবে না সে, এ কালামুখ দর্শকদের দেখাবে না। দর্শকদের হৃদয়ের রাণী ছিল সে, সেই ভাবেই বিদায় নিয়ে চলে যাবে।

॥ ৫১ ॥

এখন কৃষ্ণপক্ষ, কোনও কারণে আজ রাস্তার গ্যাসের বাতিও জ্বলেনি, সমস্ত নগরী অন্ধকার। ছোট বারান্দাটিতে দাঁড়িয়ে আছে ভরত, অন্যমনস্কভাবে একটা চুরুট ফুঁকছে। এই অন্ধকারের মধ্যেও পথ দিয়ে চলাচল করছে কিছু মানুষ, তাদের দেখাচ্ছে প্রেতলোকের ছায়ামূর্তির মতন। রাস্তার দু পাশে খোলা নর্দমা, পা পিছলে যে-কেউ পড়ে যেতে পারে, একজন কেউ পড়ে গেলে অন্যরা হাসে, হাসতে হাসতে পতিত ব্যক্তিটিকে টেনেও তোলে।

মধ্যে মধ্যে ঝমঝম শব্দ করে ছুটে যাচ্ছে ফিটন গাড়ি, কোচোয়ান চিৎকার করছে, সামালকে, সামালকে, হঠ যাও, হঠ যাও !

ভরত পথের দিকে তাকিয়ে আছে, অথচ কিছুই দেখছে না। কোনও শব্দও কানে যাচ্ছে না তার। কদিন ধরে গরম পড়েছে খুব, ভরতের ধুতি-পরা খালি গা, পিঠে বিন্দু বিন্দু ঘাম। খানিক আগে দ্বারিকা এসেছিল, তার নৈশ অভিযানে ভরতকে সঙ্গী হবার জন্য ঝুলোঝুলি করেছিল অনেকক্ষণ, ভরত রাজি হয়নি। সামনে পরীক্ষা, ভরত এখন সন্ধের পর বাইরে যেতে চায় না, তাকে ভাল রেজাল্ট করতেই হবে। দ্বারিকা প্রচুর সম্পত্তির অধিকারী হয়েছে, সে হয়তো আর পরীক্ষাই দেবে না। দ্বারিকা অনেকরকম প্রলোভন দেখিয়েছিল, এমন কথাও বলেছিল যে বসন্তমঞ্জরী ভরতকে দেখতে চেয়েছে, সে ভরতের জন্য ব্যাকুল ! ভরত যায়নি, কিন্তু বইয়ের পৃষ্ঠাতেও আর মন বসাতে পারছে না।

মানিকতলা বাজারের কাছে একটি বেশ বড় দোতলা বাড়ি ভাড়া নিয়েছে দ্বারিকা, হস্টেল থেকে দুজন বন্ধুকে আশ্রয় দিয়েছে সেখানে, ইরফান সে বাড়ির ম্যানেজার। শুধু বিলাসিতাতেই অর্থব্যয় করছে না দ্বারিকা, সাহায্য করছে অনেককে, দিলদরিয়া মেজাজের জন্য তাকে বেশ ভালই লাগে ভরতের, অথচ দ্বারিকার সংসর্গ সে এড়িয়ে থাকতেও চায়। ভরত নিজের কাছেই প্রতিজ্ঞা করেছে, সে কিছুতেই মদ্যপানে আসক্ত হবে না। দ্বারিকা প্রায়ই বন্ধুদের বড় বড় হোটেলে খাওয়াতে নিয়ে যায়, ভরত সংকোচবোধ করে, বারবার অন্যের পয়সায় অতি সুখাদ্যও তার মুখে রোচে না। সে গরিব, সবসময় সে মনে রাখে যে এসব হচ্ছে গরিবের পক্ষে ঘোড়া রোগ। দ্বারিকা তার মানিকতলার বাড়িতেও ভরতকে টেনে নিতে চেয়েছিল, সেখানে কয়েকটি ঘর খালি পড়ে আছে, ভরত কেন শুধু শুধু ভাড়া দিয়ে এই ছোট্ট জায়গায় থাকবে ? কিন্তু ভরতের সূক্ষ্ম আত্মসম্মানবোধ আছে, শশিভূষণের দেওয়া মাসোহারাতেই সে কষ্টেসৃষ্টে চালিয়ে দেয়, অনেক লোকজনের সঙ্গে থাকার চেয়ে এই নিরালা ছোট ঘরটিই তার পছন্দ।

বসন্তমঞ্জরী নাম্নী সেই রমণীটির কক্ষে ভরত আর একবারও যায়নি। কিন্তু তাকে সে ভুলতেও পারে না কিছুতেই । প্রথম দেখা সেই দৃশ্য, ঘরখানি আলোকোজ্জ্বল, মস্ত বড় একটা পালঙ্কে শুয়ে আছে এক যুবতী, ঘুমন্ত, সারা শরীরে প্রচুর অলঙ্কার, জরির চুমকি বসানো মূল্যবান শাড়ি পরা, দু গালে লাল রঙ। এমন সাজে কেউ ঘুমোয় না। দ্বারিকা গান গেয়ে তার ঘুম ভাঙাল, ঠিক যেন রূপকথার মতন। চোখ মেলে সেই মেয়েটি বলল, ঘুমের মধ্যে, স্বপ্নের মধ্যে আমি কত জায়গায় যাই, কত মানুষের সঙ্গে দেখা হয়, সেইজন্যই আমি সেজে থাকি ! এরকম কথা ভরত কখনও শোনেনি। ঘুমের মধ্যে ভ্রমণ, মানুষ যে-দিন যে-পোশাক পরে শুতে যায়, স্বপ্নে সেই পোশাকই দেখা যায় নাকি ? ভরতের কোনও স্বপ্নই মনে থাকে না।

বসন্তমঞ্জরী কুপল্লীতে থাকে, সে নষ্ট মেয়ে, তবু সে অমন সুন্দর কথা বলে কী করে ? তার মুখখানিও কলঙ্কিনীর মতন নয়, চতুর নয়, সারল্য মাখানো, এমন মেয়ে বিপথে আসে কিভাবে ? দ্বারিকা যেই বহু টাকাপয়সার মালিক হল, অমনই সে একটি মেয়ের সন্ধান পেয়ে গেল হঠাৎ ? ভরত ওখানে আর কোনওদিন যাবে না, বসন্তমঞ্জরীকে সে আর দেখতেও চায় না। তবু অল্পক্ষণের জন্য দেখা সেই মেয়েটির মুখ বারবার ফিরে ফিরে আসে চোখের সামনে। ভরত ওর সঙ্গে একটাও কথা বলেনি, কিন্তু তার সর্বাঙ্গে শিহরন হয়েছিল, তার দুই কানের লতিতে যেন অগ্নি-বিন্দুর ছ্যাঁকা লেগেছিল, হঠাৎ যেন তার শিরা-উপশিরায় প্রবাহিত হতে শুরু করেছিল উষ্ণতার স্রোত। ভরতের জীবনে এ এক সম্পূর্ণ নতুন অভিজ্ঞতা। সে কোনও মতেই ওই যুবতীর প্রতি একটুও আকৃষ্ট হয়নি, দ্বারিকা অমন একটা জায়গায় তাকে নিয়ে যাওয়ার জন্য সে বিরাগবোধ করছিল, অথচ শরীরে অমন ছটফটানির ভাব এল কেন? ভরতের কাছে এটা যেন একটা ধাঁধা।

মেয়েটি বলেছিল, সে ভরতকে আগে দেখেছে, অন্তত স্বপ্নে দেখেছে। এটা নিশ্চয়ই নিছক কথার কথা। ওর সবাইকেই এমন বলে। কিন্তু কথাটা শোনামাত্র ভরত কেঁপে উঠেছিল। তার মনে হয়েছিল, ভূমিসূতার সঙ্গে ওই বসন্তমঞ্জরীর মুখের আশ্চর্য সাদৃশ্য আছে, কণ্ঠস্বরও যেন একরকম ! ভূমিসূতাকে অমন জমকালো সাজপোশাকে কখনও দেখেনি ভরত, সে অনাথা, তার ওসব কিছুই নেই, তবু আবরণ-আভরণের অন্তরালের যে মানুষ, তাকে চিনতে পারা যায়, সেইখানে ওদের মিল। বসন্তমঞ্জরী তীব্রভাবে মনে পড়িয়ে দিয়েছিল ভূমিসূতার কথা। তারপর থেকে অনবরতই এক একবার বসন্তমঞ্জরীর মুখটা মনে আসছে, প্রায় সঙ্গে সঙ্গেই তা রূপান্তরিত হয়ে যাচ্ছে ভূমিসূতায়।

বসন্তমঞ্জরীর কাছে ভরত ইচ্ছে করলেই আবার যেতে পারে, কিন্তু সে যাবে না। আর শত ইচ্ছে থাকলেও ভূমিসূতার কাছে তার যাবার উপায় নেই।

অন্ধকার রাস্তার দিকে তাকিয়ে ভরত অস্ফুটভাবে বলল :

You did wish, that I would make her turn :
Sir, She can turn, and turn, and yet go on,
And turn again; and she can weep, sir, weep.....

দিন দিন ভরতের ধারণা হচ্ছে, মহারাজ বীরচন্দ্র মাণিক্যের নজরে পড়লে ভূমিসূতা আর কিছুতেই মুক্তি পাবে না। মহারাজ তাকে গ্রাস করবেন। বিশেষ কেউ না জানলেও ওই মহারাজ বীরচন্দ্র তার পিতা তো বটেই, তাঁর রক্ত আছে ভরতের শরীরে। সেই পিতাই ভরতের প্রধান প্রতিদ্বন্দ্বী, তিনি কেড়ে নেবেন ভূমিসূতাকে। তিনি ঈর্ষাপরায়ণ, মনোমোহিনীর প্রতি কখনও লালসার দৃষ্টিতে তাকায়নি ভরত, কখনও তাকে স্পর্শ করেনি, মনোমোহিনীকে শুধু একদিন জানলায় দাঁড়িয়ে কথা বলতে দেখেছিলেন মহারাজ, সেই অপরাধেই তিনি ভরতের মৃত্যুদণ্ড দিয়েছিলেন। হ্যাঁ, ভরত পরে অনেক ভেবে দেখেছে, মহারাজের সম্মতি ছাড়া কি আর কেউ তাকে জঙ্গলের মধ্যে পুঁতে রাখতে পারত ? মহারাজ তো ভরতের অস্তিত্বের কথা জানতেন, ভরত নিশ্চিহ্ন হয়ে গেল, তবু তিনি একবারও তার খোঁজ করলেন না?

ভরত আকাশের দিকে তাকাল। চাঁদ নেই, দু একটি নক্ষত্র দেখা যাচ্ছে। রাত্তিরবেলা ভরত আর আকাশ দেখতে চায় না। তাকালেই তার সেই ভয়ঙ্কর রাত্রিগুলির কথা মনে পড়ে। গলা পর্যন্ত মাটিতে গাঁথা, আহত, ক্ষুধার্ত, শেষের দিকে তার মাথার গোলমাল হয়ে আসছিল, কিছুই মনে রাখতে পারছিল না, কারা শেষ পর্যন্ত তাকে উদ্ধার করে গঞ্জে পৌঁছে দিয়ে গেল, তা সে আজও মনে করতে পারে না। তার বেঁচে থাকাটা এখনও অলৌকিক মনে হয়।

সেই রাতের মতন, ভরত মাথা নাড়তে নাড়তে বলতে লাগল, পাখি সব করে রব, পাখি সব, পাখি সব করে রব রাতি পোহাইল......।

কই, ভরতের জীবনের রাত্রির যে অবসান হচ্ছে না কিছুতেই। সে তার জন্ম কিংবা পিতৃপরিচয় মুছে ফেলতে চায়, কিন্তু মহারাজের সঙ্গে তার নিয়তি যেন বাঁধা। ভবানীপুরের বাড়ি ছেড়ে ভূমিসূতাকে মহারাজের প্রাসাদে যেতে হল কেন ? ভরতের ধারণা, মহারাজ ঠিক টের পেয়ে যাবেন তার বেঁচে থাকার কথা, এবার আর তিনি এই অপ্রিয় পুত্রটিকে নিষ্কৃতি দেবেন না। ভরত লেখাপড়া শিখে একজন স্বতন্ত্র মানুষ হতে চেয়েছিল। কিন্তু ভূমিসূতা তাকে তার পিতার সঙ্গে জড়িয়ে দিল !

রান্নাঘরের দিকে ধুপ করে একটা শব্দ হতেই ভরত পেছন ফিরে তাকাল। নিশ্চয়ই পাশের বাড়ি থেকে পুরুতঠাকুরটি এসেছে।

বাণীবিনোদ বলল, কী হে ভাইটি, সব অন্ধকার করে রেখেছ কেন, লণ্ঠন জ্বালনি ?

চুরুট খাওয়ার সময় দেশলাইটি ভরতের হাতেই থাকে। বারান্দা থেকে এসে সে একটা মোমবাতি জ্বালল। বাণীবিনোদকে দেখে সে খুশিই হয়েছে। এর সঙ্গে কিছুক্ষণ এলেবেলে কথা বললেও মনের ভার অনেকটা কেটে যেতে পারে।

সে বলল, বসুন দাদা, আমি চা বানিয়ে দিচ্ছি।

বাণীবিনোদের হাতে একটি ছোট্ট মাটির হাঁড়ি। সে বলল, একটু পরে চ্যা খাব। ভাইটি, তোমার জন্য মিষ্টি এসেছি, খাও, খেয়ে দেখ, বড় সরেশ জিনিস।

হাঁড়ির মধ্যে হাত ঢুকিয়ে বাণীবিনোদ একটি সন্দেশ বার করল। সাধারণ দোকানের সন্দেশের চেয়ে সেটি প্রায় চার গুণ বড়। ভরতের বিস্ময় দেখে বাণীবিনোদ হাসতে হাসতে বলল, হেঁ হেঁ হেঁ, বাপের জন্মে এরকম সন্দেশ দেখেছ কখনও। এ হল রাজবাড়ির জিনিস। এস্পেশাল অর্ডার দিয়ে তৈরি।

ভরত জিজ্ঞেস করল, আজ বুঝি আবার জানবাজারে রানী রাসমণির বাড়িতে ভোজ ছিল?

বাণীবিনোদ ঠোঁট উল্টে বলল, না হে না। ওনাদের মুঠো আঁট হয়ে গেছে, এরকম বঢ়িহা মাল আর খাওয়ায় না। ওরা রাজাও নয়। এ একেবারে বড় দরের রাজ-রাজড়াদের ব্যাপার। মহারাজের চেহারাখানাও কি জবরদস্ত, ইয়া বড় গোঁফ!

—নতুন যজমান পেয়েছ বুঝি?

—তুমিই তো সন্ধান দিয়েছিলে! বাঃ, তোমার মনে নেই, তুমি বলেছিলে ত্রিপুরার রাজবাড়ির কথা? আমি তক্কে তক্কে ছিলুম। বাড়িতে রাধা-কৃষ্ণ যুগল দেবতা আছে। পুরুতও ওনারা নিয়ে এসেছিলেন ত্রিপুরা থেকে। খপর এসেছে, সেই পুরুতের ছেলের খুব অসুখ, সে ফিরে যেতে না যেতেই গেটের সামনে আমি হাজির!

ভরতের বুকের মধ্যে দুমদুম শব্দ হচ্ছে। হঠাৎ যেন একটি সম্ভাবনার দ্বার খুলে গেল। যে বাড়িতে বন্দিনী আছে ভূমিসূতা, সেখানে অনুপ্রবেশ করতে পেরেছে বাণীবিনোদ। এবার ভূমিসূতার সঙ্গে যোগাযোগ করা অসম্ভব নয়।

অতি কষ্টে উত্তেজনা দমন করে ভরত জিজ্ঞেস করল, এত সহজে আপনার কাজটা জুটে গেল?

বাণীবিনোদ বলল, কেন, আমার চেহারা দেখলে আমায় সৎ ব্রাহ্মণ মনে হয় না? আমি কি মন্ত্র জানি না? পাশাপাশি লাইনে একশোটা পুরুতকে দাঁড় করাও তো। প্রথমে আমার দিকেই চোখ পড়বে। আমি আমার মায়ের মুখ পেয়েছি, বুঝলে, মাতৃমুখী ছেলে জীবনে উন্নতি করে। এইবার দেখ না কী হয়!

ভরত বলল, আগের পুরুতমশাই যে চলে যাবেন, তা আপনি টের পেলেন কী করে?

বাণীবিনোদ বলল, সেই পুরুতের সঙ্গে আমি আগেই ভাব জমিয়েছিলুম যে! হরনন্দন ভট্টাচার্যি, ডিগডিগে চেহারা, চোখে ছানি, দন্তের স আর তালব্য শয়ে তফাত করতে পারে না। তা লোকটি ভাল মানুষ, গ্যাঁজা টানার অভ্যেস আছে।

ভরতের এখনও বুক কাঁপছে। হরনন্দন ভট্টাচার্যের কথা তার মনে আছে, ওঁর সাত মেয়ের পর একটি ছেলে জন্মেছিল, রাজবাড়ির সবাই জানে, সেই ছেলের অসুখের সংবাদ পেয়ে উনি তো বিচলিত হবেনই। তাহলে বাণীবিনোদ একেবারে মন গড়া কথা বলছে না।

—দাদা, ঠাকুরঘর কি বাড়ির একেবারে ভেতরে?

—তা নয়তো কি হেঁজিপেঁজিদের মতন বাইরে হবে? এ হল গিয়ে রাজবাড়ি। ওনারা নতুন এসেছেন, এখনও তো মন্দির প্রতিষ্ঠে করেননি, অন্দরমহলে গৃহদেবতার পুজো হয়।

—রাজবাড়ির ভেতরটা কেমন দেখলেন?

—সে তুই বাপের জন্মে দেখিসনি। বারান্দায়, সিঁড়িতে সব জায়গায় লাল মখমল পাতা। মেঝেতে পা দিতেই হয় না। মেঝে অবশ্য শ্বেতপাথরের, ধুলোর ছিটেফোঁটাও নেই, তারপর ইয়া ইয়া সব ঝাড়লণ্ঠন।

—দাদা, আপনি প্রায়ই আমার বাপ তুলে কথা বলেন কেন?

—ওটা আমার কথার লব্জ। আমি নিজেকেও মাঝে মাঝে বাপ তুলি। তুই গাঁয়ের ছেলে, তোর বাপ যা দেখেছে শুনেছে, তুই তার থেকেও অনেক বেশি কিছু দেখবি, তোর ছেলেকে আর কেউ বাবা তুলবে না।

—ওটা তো ঠিক রাজবাড়ি নয়। সাহেববাড়ি ভাড়া নিয়েছেন, তাই না?

—তুই জানলি কী করে?

—ত্রিপুরার রাজা কলকাতায় বাড়ি ভাড়া করে এখানে আছেন, এ খবর কাগজে ছাপা হয়নি? অমৃতবাজার পত্রিকায় কত বড় করে লিখেছে। ঠাকুর ঘরখানি কেমন?

—তা মনে কর, তোর এই ঘরখানার আট ডবল। ধপধপে সাদা।

—আপনি একলাই পুজো করেন, না কেউ আপনাকে সাহায্য করে?

—দুটো মেয়েছেলে সবসময় আমার দু পাশে বসে থাকে। আমার কখন কী লাগবে, যা বলি, এক ছুট্টে এনে দেয়।

—তাঁরা বুঝি রানী?

—কী তোর বুদ্ধি! এই না হলে চাষা? রানী কেন ছুটোছুটি করে জিনিসপত্র আনবে? নাঃ, রানী ফানি কেউ আসে না। পুরুতঠাকুর চোখ বুজে ঘন্টা নাড়ে বটে, কিন্তু সব খপরই তার কানে যায়। শুনেছি, মহারাজের অনেক গণ্ডা রানী। কিন্তু তাঁর পাটরানী একটা কম বয়েসের ছুঁড়ি। তাকে দেখিনি। যে দুজন মেয়েছেলে ঠাকুরঘরে থাকে, তাদের মধ্যে একজন বুড়ি আর একজনের বয়েস, এই ধর বছর ত্রিশ-বত্রিশ হবে, খাসা মুখখানি, সে রানী না হলেও মাসি-পিসি ধরনের কেউ হবে, আমার পায়ে মাথা ঠেকিয়ে পেন্নাম করে।

ভরত অনেকখানি নিরাশ হয়ে গেল। ভূমিসূতা ঠাকুরঘরে আসে না? ভবানীপুরের বাড়িতে সেই-ই তো পুজোর সব ব্যবস্থা করত, ফুল তোলার দায়িত্বও ছিল তার। এখন সে ও বাড়িতে কী কাজ করে?

বাণীবিনোদ বলে চলল, তবে একটা কী জানো তো ভাইটি, ওই রাজপরিবারে পুরুতঠাকুরের মাইনে দেবার নিয়ম নেই। আমার যে একটা কিছু বাঁধা রোজগার হবে, তা নয়। এই চাল-কলা, সন্দেশ, গামছা, দুটো-একটা টাকা প্রণামী—এই সব জোটে, তাও মন্দ নয়।

ভরতের আর ওসব শোনবার উৎসাহ নেই। সে বাণীবিনোদের দিকে একদৃষ্টিতে চেয়ে রইল। ভূমিসূতার সঙ্গে দেখা না হলেও বাণীবিনোদ ভূমিসূতার খুব কাছাকাছি যায়, হয়ত বাণীবিনোদ যখন সিঁড়ি দিয়ে ওঠে, তখন ভূমিসূতা দাঁড়িয়ে থাকে দরজার আড়ালে, এই নৈকট্যের জন্যই বাণীবিনোদ তার চেয়ে অনেক বেশি ভাগ্যবান।

প্রথমদিনেই বেশি কৌতুহল দেখান ঠিক নয় ভেবে ভরত আর কোনও প্রশ্ন করল না। ভূমিসূতার সঙ্গে বাণীবিনোদের একদিন না একদিন দেখা হবেই।

পরদিন কলেজে যাদুগোপাল একটা প্রস্তাব দিল ভরতকে। আর কয়েকদিন পরই ক্লাস শেষ হয়ে যাবে, তারপর পরীক্ষার প্রস্তুতি। যাদুগোপাল হস্টেল ছেড়ে দিচ্ছে। সে তার দিদির বাড়িতে থাকতে পারে বটে, কিন্তু সেখানে সব সময় হইচই হট্টমেলা চলে, পড়াশুনোর সুবিধে হবে না।

কৃষ্ণনগর যাদুগোপালের মামাবাড়ি প্রায় ফাঁকা পড়ে আছে। ওর একমাত্র মামা সরকারি কাজ নিয়ে এখন সপরিবারে নৈনিতালে থাকেন, কৃষ্ণনগরে এক বুড়ি দিদিমা ছাড়া আর কেউ

নেই। সেখানে নিরিবিলিতে মন দিয়ে লেখাপড়া করা যাবে। ভরতকেও সে সঙ্গে নিয়ে যেতে চায়। একজন সহপাঠী থাকলে পরস্পরের সাহায্যও হয়।

ভরত সঙ্গে সঙ্গে প্রস্তাবটি লুফে নিল। সে কলকাতা শহরের বাইরে বাংলার আর কিছুই দেখেনি। কৃষ্ণনগরের বিদ্যাচর্চার খ্যাতি আছে। অনেক কৃতী মানুষ কৃষ্ণনগরে জন্মেছেন। যাদুগোপালের সংসর্গও ভরতের খুব পছন্দ। যাদুগোপাল রসিক, নানারকম গান জানে, কিন্তু তার নিজস্ব নীতিবোধ আছে।

কিছু জামাকাপড় ও বইপত্র একটা পঁটুলিতে বেঁধে দুদিন পরই সে যাদুগোপালের সঙ্গে বেরিয়ে পড়ল। শিয়ালদা স্টেশনে এসে টিকিট কাটার আগে যাদুগোপাল বলল, কী রে, ভরত, তোর টিকিট কাটার পয়সা আছে তো? আমার সঙ্গে যাচ্ছিস বলে যে আমার ঘাড়ে চাপবি, তা চলবে না। যাতায়াতের খরচা যার যার নিজের। পান-তামাকের খরচ নিজের নিজের। আমার মামাবাড়িতে যাচ্ছিস বলে যে রোজ রোজ দুধ-ভাত আর মণ্ডা-মিঠাই পাবি, তেমন খাতির যত্ন আশা করিস না। আমার মামাবাড়ির অবস্থা খুব সাধারণ। তবে হ্যাঁ, ডাল-ভাত জুটবে, সেজন্য তোর পয়সা লাগবে না।

ভরত হাসতে হাসতে বলল, বাঁচিয়েছিস, বেশি খাতির-যত্ন পাওয়া আমার অভ্যেস নেই। ডাল-ভাতই আমার অমৃত।

যাদুগোপাল বলল, রোজ ব্রাহ্ম মুহূর্তে বিছানা ছেড়ে উঠতে হবে। ওই সময়ে অধ্যয়নে পূর্ণ মনঃসংযোগ হয়। তোকে কেউ রাই জাগো, রাই জাগো গান গেয়ে ঘুম ভাঙাবে না। সকালের আহার শুধু সিদ্ধ ছোলা আর এখোগুড়। বেশি খাওয়াদাওয়া করলে মেধায় ভাটা পড়ে। আমাদের মুনি-ঋষিরা ওই জন্য স্বল্পাহারী ছিলেন।

ভরত বলল, শুনেছি রামমোহন রায় নাকি গোটা একটা পাঁঠার মাংস খেতে পারতেন? আর বঙ্কিমবাবুও........

যাদুগোপাল ধমক দিয়ে বলল, উদাহরণ টানবি না! যে-কোনও প্রসঙ্গে ঝট করে মহাপুরুষদের নাম টেনে আনতে নেই। ওঁরা ব্যতিক্রম। ওঁরা নমস্য। আমরা সাধারণ মানুষ, আমাদের আহার-সংযম দরকার। দৈনিক আঠেরো ঘন্টা পড়াশুনো আর ছ ঘন্টা ঘুম, এর মধ্যে খাওয়া-দাওয়ার মতন বাজে ব্যাপারে সময় ব্যয় করা অর্থহীন। একদিন অন্তর একদিন উপবাস করলেই ভাল হয়। ওখানে রেঁধে দেওয়ারও তো কেউ নেই, আমার দিদিমার বয়েস একাশি, তিনি তো আর রোজ রোজ আমাদের ভাত-ডাল রেঁধে দিতে পারবেন না। তুই তো রাঁধতে জানিস, তুই চাল-ডাল ফুটিয়ে নিবি!

॥ ৫২ ॥

এ সবই যে যাদুগোপালের রসিকতা, তা ভরত বুঝল কৃষ্ণনগরে পৌঁছে। স্টেশনে ওদের জন্য একটি ঘোড়ার গাড়ি মজুত ছিল। যাদুগোপালের মামার বাড়ির অবস্থা মোটেই সাধারণ নয়, নদীর ধারে রীতিমতন এক প্রাসাদ, অনেকদিন সংস্কার হয়নি বটে, তবু যথেষ্ট সুদৃশ্য। মামা অনুপস্থিত হলেও দাস-দাসীর সংখ্যা অনেক, জমিজমার আয় আছে বোঝা যায়।

ওরা পৌঁছে হাত-পা ধুয়ে বসতে না-বসতেই ওদের সামনে বড় বড় দুটি কাঁসার থালায় নানাপ্রকার ফল-মূল ও মিষ্ট দ্রব্য সাজিয়ে দেওয়া হল। সেই সঙ্গে এক গেলাস করে গরম দুধ।

ভরত যাদুগোপালের দিকে আড় চোখে তাকাতেই যাদুগোপাল বলল, কাল থেকে শুধু ছোলা আর গুড় !

খাওয়াদাওয়া শেষ করার পর যাদুগোপাল বলল, চল, আমার দিদিমার সঙ্গে দেখা করে আসি। উনি উকিল গিন্নি, আমার দাদামশাই ছিলেন নামকরা উকিল, ওঁর সঙ্গে কথায় পারবি না।

বাড়িটি দোতলা, একতলাতেই বেশি ঘর এবং অনেকখানি ছড়ানো। কয়েকটি দালান পার হয়ে ভেতরের দিকে একটা ঘরের দরজার কাছে ওরা দাঁড়াল। সন্ধে হয়ে এসেছে প্রায়, ঘরের মধ্যে দুটি দেয়ালগিরি জ্বলছে। একটা সিংহাসনের মতন বড়, মখমলের গদি আঁটা চেয়ারে বসে আছেন এক বৃদ্ধা, একটি পরিচারিকা মেঝেতে বসে তাঁর পা টিপে দিচ্ছে। বৃদ্ধাটির রঙ হাতির দাঁতের মতন, মাথার চুল সব সাদা, পরনে পাড়হীন সাদা থান, চোখের দৃষ্টি স্থির। হঠাৎ দেখে মনে হয় এক শ্বেত পাথরে মূর্তি।

কেউ কিছু বলার আগেই বৃদ্ধা জিজ্ঞেস করলেন, কে এল রে ? কে ?

যাদুগোপাল এক পা এগিয়ে গিয়ে বলল, আমি যাদু। নায়েবমশাই খবর দেননি যে আমি আজ আসব ?

বৃদ্ধা পরিচারিকাটিকে বললেন, সরো, তুই এবার যা !

তারপর দু হাত বাড়িয়ে ডাকলেন, আয়, কোলে আয় !

ভরত এইবার বুঝতে পারল, বৃদ্ধা একেবারে অন্ধ। কিন্তু তাঁর কণ্ঠস্বরে তেজ আছে। কণ্ঠস্বর শুনলেই মনে হয়, তিনি সারা জীবন আদেশ দিতে অভ্যস্ত। শরীর এখনও জীর্ণ হয়নি, অত বয়েস বোধ হয় না।

যাদুগোপাল একটি বাচ্চা ছেলের মতন দৌড়ে গিয়ে দিদিমার কোলে ঝাঁপিয়ে পড়ল। তিনি তাকে বেশ জোরে, চটাং চটাং করে থাপ্পড় মারতে মারতে বলতে লাগলেন, হারামজাদা ছেলে, এতদিন পর বুড়িকে মনে পড়ল ? চত্তির, বোশেখ, জষ্ঠি এই তিন মাস কেটে গেল, তার মধ্যেও ছেলের দেখা নেই ! কোন রাজকাজ্যে ব্যস্ত ছিলি, অ্যাঁ ?

যাদুগোপাল দিদিমার গলা দু হাতে জড়িয়ে ধরে বলল, হয়েছে, হয়েছে, অনেক মেরেছ, এবার আদর করো !,

নীপময়ী সঙ্গে সঙ্গে যাদুগোপালের মুখ চুমোয় ভরিয়ে দিতে লাগলেন। জানতে চাইলেন নানান খবরাখবর। একসময় বললেন, এবার অন্তত দিন দশ-বারো থাকবি তো ?

যাদুগোপাল বলল, যদি তার চেয়েও বেশিদিন থাকি ? এক মাস ? থাকতে দেবে তো?

নীপময়ী বললেন, হুকুম দিয়ে রাখব, আমি খালাস না-দিলে তোকে এখান থেকে কেউ যেতেই দেবে না।

যাদুগোপাল বলল, শোনো বুড়ি, এসেছি পড়াশুনো করতে। সামনেই পরীক্ষা। তোমার আদরের নাতিকে যে যখন তখন ডেকে পাঠাবে, তা চলবে না। সারাদিনে একবার শুধু তোমাকে দেখে যাব।

নীপময়ী বললেন, আর কত পরীক্ষা দিবি ? দুটো পাশ দিয়েছিস তো, এবার বেশি পড়ে কী হবে ? এবার এখানে এসে বোস, খাজাঞ্চিখানার কাজকম্মো বুঝে নে।

যাদুগোপাল বলল, ইস, আমি কলকাতা ছেড়ে আসতে গেছি আর কি ! এবার পাশ করে বিলেত যাব। তুমি তোমার ছেলেকে এখানে ধরে রাখতে পারনি কেন ?

এর কোনও উত্তর না দিয়ে নীপময়ী সামনের দিকে মুখ করে রইলেন কিছুক্ষণ, তারপর তীক্ষ্ণ স্বরে বললেন, ওখানে কে দাঁড়িয়ে ?

যাদুগোপাল বলল, দিম্মা, আমার এক বন্ধু সঙ্গে এসেছে। আমরা একসঙ্গে পড়াশুনো করব। ওর নাম ভরত।

ভরত এবার এগিয়ে গিয়ে নীপময়ীকে প্রণাম করতে গেল।

সম্পূর্ণ অন্ধ হলেও নীপময়ী যেন সব দেখতে পান। হাত তুলে বাধা দিয়ে বললেন, দাঁড়াও, তুমি কি বামুন ? একটু আগে স্নান করেছি, এখন আর অন্য জাতের ছোঁয়াছুঁয়ি হলে শরীর কিটকিট করে।

ভরত থমকে গিয়ে বলল, না, আমি বামুন নই।

যাদুগোপাল চঞ্চল হয়ে বলল, দিম্মা, তুমি এখনও জাতপাত নিয়ে.....তুমি আমার বন্ধুকে......

নীপময়ী নাতিকে থামিয়ে দিয়ে বললেন, তুই চুপ কর। তোরা বেহ্মজ্ঞানী হয়েছিস, তোরা অজাত-কুজাতের হাতে রান্না খাবি, তা বলে আমি তোদের মানব কেন ? আমার যা ভাল লাগে তাই করব। হ্যাঁ, বাবা, তুমি বামুন নও, তবে তুমি কোন জাতের ছেলে ?

ভরত ইতস্তত করতে লাগল। প্রথম প্রথম সে কলকাতায় এসে বলত যে সে ক্ষত্রিয়। কিন্তু বাঙালিরা ক্ষত্রিয় ব্যাপারটা ঠিক বোঝে না। বলে, ও, কায়স্থ ! বাঙালিদের মধ্যে ক্ষত্রিয় জাতি নেই। এখন ভরত নিজেকে আর ক্ষত্রিয়ও বলতে চায় না। যার পিতৃপরিচয় মুছে গেছে তার আবার জাত কি ?

ভরত বলল, আমার কোনও জাত নেই, আমি শুধু একজন মানুষ !

নীপময়ী ঠোঁট উল্টে বললেন, সে আবার কী গা ? মায়ের পেটে জন্মেছে, আকাশ থেকে তো পড়নি, বাপ-মায়ের জাত ছিল না ?

ভরত বলল, আমি অনাথ। অন্যের ঘরে পালিত হয়েছি। আমি আপনাকে ছোঁব না, দূর থেকে নমস্কার জানাচ্ছি !

যাদুগোপাল বলল, দিম্মা, এরপর থেকে আমিও আর তোমাকে প্রণাম করব না। আমারও তো জাত গেছে।

নীপময়ী বলল, তুই চুপ কর তো ছোঁড়া ! এই যে, তোমার কী নাম বললে, ভরত ? তোমার বাড়ি কোথায় ?

ভরত বলল, অনেক দূরে, ত্রিপুরায়।

নীপময়ী বললেন, সে কোথায়, জানিনে বাপু। তুমি যে উঁচু গলায় বললে, তোমার কোনও জাত নেই, তুমি শুধু মানুষ, তা কি সত্যি ? বাঁদর-টাঁদর নও কি না কী করে বুঝব?

যাদুগোপাল বলল, আঃ দিম্মা।

নীপময়ী আবার ধমক দিয়ে বললেন, চুপ কর, আমাকে বলতে দে ! এই যে ভরত, এগিয়ে এসো। তোমার একটা হাত বাড়াও তো, লজ্জা করো না, আরও কাছে এসো।

নীপময়ী ভরতের ডান হাতখানি ধরে গন্ধ শুঁকলেন। তারপর চেয়ার ছেড়ে উঠে দাঁড়িয়ে তিনি ভরতের মুখে, মাথায়, বুকে হাত বুলোতে লাগলেন। তাঁর প্রাচীন হাতটিতে যেন জমে আছে বহুদিনের স্নেহ। ভরতের শরীর শিরশির করতে লাগল।

এবার নীপময়ী ফিক করে হেসে ফেলে বললেন, হুঁ, বাঁদর-হনুমান নয় দেখছি। শোনো বাপু, মানুষ বললেই কি মানুষ হওয়া যায় ? সব বামুন-কায়েত কি মানুষ ? কত অপদার্থ গিসগিস করছে ! তুমি মানুষের মতন মানুষ হও !

যাদুগোপাল বলল, দিম্মা, তা হলে তুমি ওকে ছুঁয়ে দিলে ? আবার চান করতে হবে নাকি?

নাতির দিকে মুখ ফিরিয়ে ঝঙ্কার দিয়ে তিনি বললেন, ইস, খুব যে জাত মানিস না বলে গর্ব করিস ! বিয়ে করার সময় তো সেই বামুনের মেয়ে ! তাও আবার পিরিলির বামুন ! একটা চাঁড়ালের মেয়ে বিয়ে করে আনতে পারতিস তো বুঝতুম তোর মুরোদ !

দুই বন্ধুর জন্য ঘর নির্দিষ্ট হয়েছে দোতলায়। সিঁড়ি দিয়ে উঠতে উঠতে ভরত আবেগ জড়ানো কণ্ঠে বলল, যাদু, তোর দিদিমা এক অসাধারণ মহিলা। প্রথমে বললেন, আমাকে ছোঁবেন না, তারপর আমার মুখে হাত বুলিয়ে কত আদর করলেন। আমার চোখে জল এসে যাচ্ছিল।

যাদুগোপাল বলল, প্রথমে তোর সঙ্গে মজা করছিলেন। উনি আসলে জাত-টাত মানেন না বহুদিনই। আমার দিদিমা সত্যিই অসাধারণ। থাকতে থাকতে আরও দেখবি । এ দেশের নারী জাতির মধ্যে যে কত মহৎ, অসাধারণ হৃদয় রয়েছে, তা কজন জানে ? আমার চার মাসি আর একটা মাত্র মামা। আমার সেই মামা বিদ্যাসাগর মশাইয়ের চ্যালা, বিধবা বিয়ে করেছেন। তা নিয়ে আত্মীয়-স্বজনের মধ্যে কি শোরগোল, অনেকেই তাঁকে একঘরে করেছে। কিন্তু সবচেয়ে প্রথমে কে সেই বিয়ে মেনে নিয়েছিল জানিস ? আমার এই দিদিমা ! আমি জন্মের পর আট ন' বছর এই দিদিমার কাছেই মানুষ। কী সুন্দর চোখ ছিল ওঁর। এই তো কবছর আগে হঠাৎ সাঙ্ঘাতিক বসন্ত রোগ হয়ে চোখ দুটোই নষ্ট হয়ে যায়। কিন্তু তাতেও একটুও যেন দমে যাননি ! এই বাড়িঘর সব উনি সামলাচ্ছেন।

দোতলায় তিনখানি ঘর খালি পড়ে আছে। এবং প্রশস্ত ছাদে অনেক ফুলের টব। যাদুগোপালের প্রমাতামহ যখন এই প্রাসাদটি তৈরি করেছিলেন, তখন দেশে ইংরেজ কোম্পানির রাজত্ব বেশ ভালভাবে প্রতিষ্ঠিত হয়ে গেছে। অরাজকতা দূর হয়ে গেছে অনেকখানি, লোকে ধন-মান-জন রক্ষা সম্পর্কে নিশ্চিন্ত বোধ করছে। এই পরিবারের অধিপতি মনে করেছিলেন, ভবিষ্যতে একদিন এই গৃহ পুত্র-কন্যা-নাতি-নাতনিতে ভরে যাবে, তাই অনেক ঘর বানিয়েছিলেন। কিন্তু সে রকমটি হয়নি। ইংরেজি শিক্ষা চালু হওয়ার পর সচ্ছল পরিবারের সন্তানরাই প্রথম সেই সুযোগ গ্রহণ করে, সেই শিক্ষা তাদের শহরের দিকে টানে। উচ্চশিক্ষিতরা আর বাড়ি ফিরতে চায় না। গ্রাম্য জমিদার সেজে বসে থাকার চেয়ে শহরে উচ্চ সরকারি চাকুরে কিংবা উকিল-ব্যারিস্টার হওয়া অনেক সম্মানজনক। শিক্ষিত যুবকদের সঙ্গে কন্যার বিবাহ দিলে তারাও ইদানীং ঘর-জামাই হতে চায় না। নীপময়ীর এই সংসার সেইজন্য এখন শূন্য।

দোতলায় দাঁড়ালে নদী দেখা যায়। সন্ধে হয়ে গেছে, নদীর বুকে দেখা যায় বিন্দু বিন্দু আলো। দুই বন্ধু কিছুক্ষণ চুপ করে দাঁড়িয়ে রইল সেইদিকে চেয়ে।

একটু পরে যাদুগোপাল বলল, যদি আমি কবি হতাম, তা হলে এই দৃশ্যটি দেখলে মনের কথাটা এইভাবে বলতাম:

এই অপরূপ ছায়া ঘিরিতেছে কী যে মায়া
স্বর্গ হতে ভেসে আসে কুলুকুলু ধ্বনি
তবুও দেখি না কিছু তবুও শুনি না কিছু
মনে পড়ে তার মুখ
তার সেই নিবিড় চাহনি......

ভরত চমকে উঠে জিজ্ঞেস করল, এটা কার লেখা ?

যাদুগোপাল বলল, কার আবার, এই মাত্র বানালাম।

ভরত বলল, তবে যে বললি, যদি কবি হতাম। তুই তো কবিই রে, যাদু !

যাদুগোপাল বলল, দুর ! দু লাইন পদ্য মেলালেই কি কেউ কবি হয় নাকি? অত সহজ নয়।

ভরত আপ্লুতভাবে বলল, আমার বড্ড ভাল লাগছে রে যাদু ! কদিন ধরে আমার মনটা বড্ড ভার হয়েছিল, কিছুই ভালো লাগছিল না, এখানে এসে, এমন সুন্দর জায়গা, তোর

দিদিমা আমার মুখে হাত বুলিয়ে দিলেন, আমায় কোনওদিন কেউ দেয়নি, কেউ আমার মাথায় হাত রাখেনি.....

যাদুগোপাল ভরতের পিঠে এক চাপড় মেরে বলল, আ মলো যা, তুই কি কেঁদে ফেলবি নাকি ? শোন, শোন ভরত, তোকে যে আমি এখানে নিয়ে এসেছি, তাতে আমার একটা বিশেষ স্বার্থ আছে।

ভরতের চোখ সত্যি ছলছল করে এসেছিল, এবার সে বিস্মিতভাবে তাকাল।

যাদুগোপাল বলল, নিজের পড়াশুনো ছাড়াও আমি চাই তোকে পরীক্ষা করে দেখতে। তুই কতটা পড়া তৈরি করেছিস, সেটা আমার জানা দরকার। দ্বারিকা তো খসেই গেছে বুঝতে পারছিস, পরীক্ষা দেবেই না মনে হয়, দিলেও সুবিধে করতে পারবে না। দ্বারিকা আগে যেরকম ছাত্র ছিল, তাতে অনায়াসে ফার্স্ট হতে পারত। আমাদের ক্লাসে অন্যদের মধ্যে আর আছে বিমলানন্দ আর রামকমল, আগাগোড়া ভাল রেজাল্ট করে এসেছে। কিন্তু রামকমল গত মাসে হঠাৎ বিয়ে করে ফেলেছে শুনেছিস তো, শ্বশুর মৃত্যুশয্যায় ছিল, তাই দেরি করতে পারল না—

ভরত বলল, রামকমলের শ্বশুরবাড়ি বর্ধমান। রামকমল আমাকে একদিন বলছিল, পরীক্ষা শেষ হওয়ার আগে, বউকে বর্ধমান থেকে আনা যাবে না, ওর বাবা এই কঠোর নির্দেশ দিয়েছেন।

যাদুগোপাল বলল, আরে দুর ! রামকমল লুকিয়ে লুকিয়ে প্রায়ই শ্বশুরবাড়ি যায়। বর্ধমানে কিভাবে একদিনেই যাতায়াত করা যায়, সে পন্থা তো আমিই ওকে বাৎলে দিয়েছি। এখন পড়ার বইয়ের পাতায় ওর বউয়ের মুখ ভেসে ওঠে। রামকমল আউট! ওকে আর আমার ভয় নেই। বিমলানন্দর শুধু মুখস্থ বিদ্যে। মুখস্থ করতে পারে বটে এক একখানা গোটা বই, হিস্ট্রিতে স্ট্রং, ইংলিশেও ভাল, কিন্তু ফিলোসফি ইন্টারপ্রেট করতে পারে না, নিজস্ব চিন্তা নেই, ওর পেপার পড়ে দেখেছি, বিমলানন্দকে আমি সমকক্ষ মনে করি না। বাকি রইলি তুই। তুই তো গরিব! গরিবরা খুব জেদি হয়। জেদের বশে তুই যদি ফট করে ফার্স্ট হয়ে যাস, তা হলে আমি মহা মুশকিলে পড়ে যাব !

ভরত হাসতে হাসতে বলল, এতজনকে ডিঙিয়ে আমার ফার্স্ট হওয়ার কোনও সম্ভাবনাই নেই। যদি বা অন্য কেউ হয়, তাতে তুই মহা মুশকিলে পড়বি কেন ?

যাদুগোপাল বলল, আমাকে ফার্স্ট হতেই হবে। আমি ব্যারিস্টারি পড়তে বিলেত যাব ঠিক করে ফেলেছি।

ভরত বলল, তার সঙ্গে ফার্স্ট হওয়ার কি সম্পর্ক? টাকা থাকলেই ব্যারিস্টারি পড়া যায়। অনেক ফেল করা ছেলেও তো বিলেত যায়।

যাদুগোপাল মাথা ঝাঁকিয়ে বলল, আমি যাব নিজের জোরে, সসম্মানে। লন্ডন পোর্টে জাহাজ থেকে যেই নামব, অমনি সবাই আমার দিকে আঙুল দেখিয়ে বলবে, এই যে এসেছে, কলকাতার প্রেসিডেন্সি কলেজের এ বছরের ফার্স্ট ক্লাস ফার্স্ট !

ভরত বলল, বিলেতের সব-কাগজে আগে থেকেই তোর ছবি ছাপা হয়ে যাবে আশা করি। হ্যাঁ রে, যাদু, তোর দিদিমা যে তোর বিয়ের কথা বললেন, তোর বিয়ে নাকি শিগগির?

যাদুগোপাল বলল, হ্যাঁ, আমার বিয়ে ঠিক হয়ে গেছে, কিন্তু আমি বিয়ে করছি না।

—তার মানে ?

—পরীক্ষার আগে রামকমলের মতন গাড়ল ছাড়া কেউ বিয়ে করে না। আগে ব্যারিস্টারি পাশ করে এসে প্র্যাকটিস শুরু করব, তারপর।

—কোথায় বিয়ে ঠিক হল ?

—শুধু তোকেই জানাচ্ছি। আর কারুকে বলবি না বল ! দেখ ভরত, আমাদের এই বয়েসে সকলেরই বিয়ে সম্পর্কে একটা স্বপ্ন থাকে। অনেকেরই মেলে না। কিন্তু আমি ঠিক যেমনটি চেয়েছিলাম, তেমন জায়গাতেই আমার বিয়ে হচ্ছে। পিরিলির বামুন কাদের বলে জানিস ?

—কার মুখে যেন শুনেছিলাম, জোড়াসাঁকোর ঠাকুরবাড়ি ?

—জানিস দেখছি ! এটা কি জানিস, ব্রাহ্মসমাজ আজ তিন টুকরো হয়ে গেছে। কিন্তু আমার বাবা কিংবা আমি কখনও আদি ব্রাহ্মসমাজ ছাড়িনি। আমার আচার্যদেব হলেন দেবেন্দ্রনাথ ঠাকুর। যতবার ওঁকে দেখেছি, মনে হয়েছে ঈশ্বরকোটির মানুষ। ওঁর কাছাকাছি থাকতে খুব ইচ্ছে করে। বাবার সঙ্গে জোড়াসাঁকোর বাড়ির নাটক দেখতে গেছি। জ্যোতিবাবু, রবিবাবুমশাইদের সঙ্গে ওঁদের বাড়ির মেয়েরাও নাটকে অভিনয় করে, গান গায়। ও বাড়ির সব মেয়ে লেখাপড়া শেখে। অত বড় পরিবার, মেয়ের সংখ্যাও অনেক। তাই মনে মনে ভাবতাম, যদি ওই ঠাকুরবাড়ির কোনও মেয়েকে জীবনসঙ্গিনী হিসেবে পাই....কী আশ্চর্যের কথা, ওই বাড়ি থেকেই বাবার কাছে প্রস্তাব এসেছে—

—এবার বুঝেছি ! বিলেত ফেরত ব্যারিস্টার কিংবা আই সি এস না হলে ঠাকুরবাড়ির মেয়েদের সঙ্গে বিয়ে হয় না । তাই তোর বিলেত যাওয়ার এত গরজ !

—সেরকম কোনও শর্ত নেই। ওরা এখনই বিয়ে দিতে রাজি। ঠাকুরবাড়ির ছেলেদের জন্য গরিবঘর থেকে সুন্দরী পাত্রী খুঁজে আনা হয়। আর মেয়েদের বিয়ে দেওয়ার বেলায় অভিজাত কিংবা উচ্চশিক্ষিত পাত্র চায়। আমার বাবার তেমন কিছু নেই বটে কিন্তু আমার দাদু কিছু সম্পত্তি দিয়ে গেছেন আমার নামে লিখে, তা ওরা জানে। এরপর আমি গ্র্যাজুয়েট হলেই ওরা খুশি। কিন্তু আমার অন্যান্য ভায়রাভাইরা সবাই বড় বড় চাকুরে বা ব্যবসাদার কিংবা ব্যারিস্টার, আমাকেও তাদের সমান হতে হবে।

—মেয়েটিকে তুই দেখেছিস ?

—স্বর্ণকুমারী দেবীর মেয়ের বিয়ের সময় অভিনয় করতে দেখেছি, দূর থেকে । তার একটা ছবিও আছে আমার কাছে।

—ব্যারিস্টারি পাশ করতে তো দু তিন বছর লাগবে। এতদিন তুই অপেক্ষা করবি আর ওর ধ্যান করবি ?

—কবিতা লিখব। বিরহ থেকেই তো কবিতা জন্মায়। দেখা যাক, এই দু তিন বছরে আমার কবিত্ব শক্তি জাগে কি না।

—হবে, তোর হবে। ওই লাইন কটা বেড়ে লিখেছিস। 'তবুও দেখি না কিছু, তবুও শুনি না কিছু, মনে পড়ে তার মুখ, তার সেই নিবিড় চাহনি...', দেখ, আমার মুখস্থ হয়ে গেছে।

এরকম গল্পে গল্পে অনেক রাত হয়ে গেল। পরদিন ব্রাহ্মমুহূর্তেও জাগা হল না, ছোলা আর এখোগুড় খেয়েও দিন শুরু করতে হল না। এক ভৃত্য এসে প্রথমে বেলের পানার সরবত এনে ওদের ঘুম ভাঙাল, তারপর এল চা, একটু পরে থালাভর্তি ফুলকো লুচি, বেগুন ভাজা ও রসগোল্লা।

আঠারো ঘন্টা একটানা অধ্যয়নের সঙ্কল্পও রাখা গেল না, বেলা এগারোটার পর বই মুড়ে রেখে যাদুগোপাল বলল, চল, একটু বেরিয়ে আসি। বেশি পড়ে কেউ রাজা হয় না।

একতলায় এসে ওরা দিদিমার সঙ্গে দেখা করতে গেল। আজও নীপময়ী সেই ঘরের মাঝখানে সিংহাসনের মতন চেয়ারটিতে বসে আছেন, সামনেই একটি জলচৌকিতে বসে মাথায় মস্ত টিকিওয়ালা একজন বামুন তাঁকে মহাভারত পাঠ করে শোনাচ্ছে।

যাদুগোপাল ও ভরত একটুক্ষণ দরজার আড়ালে দাঁড়িয়ে রইল। নীপময়ী যে খুব মন দিয়ে শুনছেন, তা বোঝা যায় তাঁর দু একটি মন্তব্যে। ব্রাহ্মণকে এক জায়গায় থামিয়ে দিয়ে তিনি বললেন, ভটচার্যিমশাই, আপনি মুদিতা কার ভার্যা বললেন?

ব্রাহ্মণ বললেন, 'আপস্য মুদিতা ভার্যা সহস্য পরম প্রিয়', অর্থাৎ সহ নামে যে অগ্নি ছিলেন, তাঁর পরম প্রিয়তম ভার্যার নাম মুদিতা। এই দুজনের মিলনে এক মহাতেজা পুত্র জন্মেছিল। সমস্ত যজ্ঞে পুজিত সেই পুত্রের নাম গৃহপতি....

নীপময়ী বললেন, তাহলে গৃহপতি নামে অগ্নির সামনেই সব যজ্ঞ হয়। হ্যাঁ, বুঝলাম, দরজার কাছে কে দাঁড়িয়ে ?

যাদুগোপাল বলল, দিম্মা, তুমি মহাভারত শোনো, আমরা একটু বাইরে যাচ্ছি।

নীপময়ী বললেন, তোর সেই ভরত নামের মানুষ বন্ধুটি কোথায় ?

ভরত বলল, দিদিমা, আমিও এখানেই আছি।

নীপময়ী বললেন, নদীতে বেড়াতে যাচ্ছ, সাঁতার জানো?

ভরত বলল, আজ্ঞে হ্যাঁ, জানি।

নীপময়ী বললেন, যাদু, নবদ্বীপের ঘাটে নামিসনি যেন। ওখানে শাক্ত-বৈষ্ণবে লাঠালাঠি হচ্ছে শুনেছি। দুপুরের মধ্যে ফিরবি, তোদের জন্য খাসির মাংস রান্না হচ্ছে।

বাড়ি থেকে বেরিয়ে নদীর দিকে গিয়ে যাদুগোপাল বলল, তোকে নৌকোয় চড়াব, মাঝি লাগবে না। আমি নিজেই চালাতে পারি।

ভরত জিজ্ঞেস করল, আমরা যে নদীতে বেড়াতে যাব, তা কি তুই আগেই ঠিক করে রেখেছিলি ? তোর দিদিমা জানলেন কী করে ?

যাদুগোপাল বলল, ওইসব প্রশ্ন করিস না, অনেক কিছুরই উত্তর পাওয়া যায় না। নারীজাতির ষষ্ঠ ইন্দ্রিয় খুব প্রবল, ওরা অনেক কিছুই টের পেয়ে যায়। আমি একটি মেয়েকে চিনতাম, সে আপনমনে কথা বলত। তার জন্মের আগের অতীত, দূর ভবিষ্যতের কথা বলত। এমন ছিল তার কথা বলার ধরন, ঠিক যেন সে চোখের সামনে অনেক অদৃশ্য কিছু দেখতে পায়।

—তোর দিদিমা বুঝি লেখাপড়া জানেন?

—বেশ ভালই জানেন। অন্ধ হওয়ার আগে পর্যন্ত নিজেই মহাভারত পড়তেন। উনি বন্দুক চালাতে পারেন, তা জানিস ? আজ থেকে চল্লিশ-পঞ্চাশ বছর আগে আমার দিদিমা দাদামশাইয়ের সঙ্গে ঘোড়ায় চেপে শিকারে যেতেন। নিজে হরিণ মেরেছেন। লোকে বলে, ঠাকুরবাড়ির ছেলে জ্যোতিরিন্দ্রনাথ তাঁর স্ত্রী কাদম্বরীকে নিয়ে ঘোড়ায় চেপে ময়দানে হাওয়া খেতে গিয়েছিলেন। তাতেই হুলুস্থুলু পড়ে গিয়েছিল। কিন্তু সে মোটে একবার না দুবার। সবাইকে চমকে দেওয়াই ছিল উদ্দেশ্য। আমার দিদিমা কত আগে ঘোড়ায় চড়ে বেরিয়েছেন। কলকাতার বড় বড় পরিবারের এই সব ঘটনা নিয়ে কত ধুমধাড়াক্কা হয়, এখানকার মতন ছোট জায়গায় কত কী ঘটে, কেউ খবরও রাখে না।

—উনি ঘোড়ায় চাপতেন, সেজন্য ওঁর নিন্দে হয়নি?

—দু চারজন আড়ালে কিছু টিপ্পনি কেটে থাকতে পারে। কিন্তু সামনে বলার সাহস ছিল না। আমাদের কৃষ্ণনগরের মেয়েরা অত পর্দানশীন নয়। বিদ্যাসাগর মশাইয়েরও আগে এই কৃষ্ণনগরের মহারাজ বিধবা বিবাহের প্রস্তাব তুলেছিলেন তা জানিস ?

—হ্যাঁ রে যাদু, নবদ্বীপে মহাপ্রভু শ্রীচৈতন্য জন্মেছিলেন না ? গিরিশবাবুর নাটকে সেরকমই তো দেখিয়েছে। সেখানেও মারামারি হয় ? তোর দিদিমা বললেন—

—শ্রীচৈতন্য অত করে মানুষে মানুষে ভালবাসার কথা বলে গেলেন, তাতে ফল হল কী? নবদ্বীপে বরাবরই শাক্তদের প্রাধান্য। ওই শাক্তদের উৎপাতেই মহাপ্রভু নীলাচলে চলে গেছিলেন। এখন নবদ্বীপের শাক্তরা সুযোগ পেলেই বোষ্টমদের ধরে ধরে পেটায়। আমরা অবশ্য ওদিককার ঘাটে নেমে দেখব কেমন মারামারি চলছে। আমাদের কে কী করবে ?

ওদের বাড়ি থেকে নদী বেশ দূর। সে পর্যন্ত ওরা গল্প করতে করতে হেঁটেই চলে গেল। এখানকার ঘাটে যাদুগোপালের মামাবাড়ির একটা নিজস্ব নৌকো বাঁধা থাকে। মাঝিটি যাদুগোপালকে চেনে। যাদুগোপাল অবশ্য মাঝিটিকে সঙ্গে নিল না, সে নিজেই নৌকো চালাতে চায়।

আষাঢ় মাসের মেঘলা আকাশ, রোদ্দুরের তাপ নেই। এখনও পুরোপুরি বর্ষা নামেনি বলে নদী এখানে কিছুটা শীর্ণ। যাদুগোপাল বেশ ভালই বইঠা চালাতে জানে। ছোট একটা নৌকো নিয়ে সে নদী পার হচ্ছে কোণাকুনি। একসময় সে গান ধরল :

দিল দরিয়ার মাঝে দেখলাম আজব কারখানা
দেহের মাঝে বাড়ি আছে
সেই বাড়িতে চোর লেগেছে
ছয়জনাতে সিঁদ কাটিছে
চুরি করে একজনা.....

ভরত জিজ্ঞেস করল, এটাও তুই বানালি নাকি ?

যাদুগোপাল র্ভৎসনা করে বলল, তুই কিছুই জানিস না। এ লালন ফকিরের গান। চল, একদিন তোকে লালনের আখড়ায় নিয়ে যাব। হিন্দু-মুসলমান দু'জাতেরই অনেক ভক্ত আছে ওঁর । লালন শুকনো উপদেশ দেয় না, নতুন নতুন গান বেঁধে শোনায়। লিখতে পড়তে পারে না, মুখে মুখে গান বাঁধে, এলেম আছে মানুষটির।

ভরত অন্যমনস্ক হয়ে একটু কাত হয়ে জলে হাত রেখেছে। দু'পাশ দিয়ে অনবরত যাচ্ছে খেয়ার নৌকো। কলকাতার তুলনায় এখানকার গঙ্গার জল অনেক নির্মল, মুখ দেখা যায়। সেদিকে তাকিয়ে ভরত বলল, আমি কথা দিচ্ছি যাদু, পরীক্ষায় আমি কিছুতেই ফার্স্ট হব না, তুই-ই হবি, তুই বিলেত যাবি।

যাদুগোপাল হেসে বলল, আমাকে দয়া করছিস নাকি ? চৈতন্যদেবের জীবনীতে এইরকম কী একটা গল্প আছে না ? ফরগেট ইট, ব্রাদার। তোর একটুখানি পড়াশুনো দেখেই বুঝে গেছি, আমাকে ছাড়াবার ক্ষমতা নেই। তবে সেকেন্ড হবার চেষ্টা কর। সেকেন্ড হলেও ভালো চাকরি পাবি।

নবদ্বীপের ঘাটে কোন্দল-কাজিয়ার কোনও চিহ্ন নেই। লোকজন আসছে যাচ্ছে, বুক-জলে দাঁড়িয়ে কেউ কেউ স্তব পাঠ করছে, দুরন্ত কিশোরেরা মেতে আছে হুটোপাটির খেলায়। মনে হয় যেন চৈতন্যদেবের আমল থেকে বিশেষ কিছুরই পরিবর্তন হয়নি। এই যে কিশোররা দুরন্তপনা করছে, হয়তো ওদেরই একজনের নাম নিমাই। নৌকো বেঁধে ওরা নবদ্বীপ শহরটা খানিকটা ঘুরে এল। তেমন দর্শনীয় কিছুই নেই।

ফেরার পথে, নবদ্বীপের দিকেই গঙ্গার ধারে একটা বিশাল বটগাছের ধারে নৌকো থামাল যাদুগোপাল। গাছটির অনেকখানি শিকড় ও ঝুড়ি নেমে এসেছে জলে। খানিকটা উঁচুতে একটি খড়ের চালের বাড়ি, খুঁটোর সঙ্গে গরু বাঁধা, একজন দীর্ঘকায় ব্যক্তি রোদ্দুরে বসে তেল মাখছে। যাদুগোপাল হাঁক দিয়ে বলল, হরুজ্যাঠা, ভালো আছেন ?

লোকটি চোখ সঙ্কুচিত করে দেখল, চিনতে পারল না, একটু এগিয়ে এসে বলল, কে ? ওঃ হো, যাদু, কবে এলে ? মা ঠাকরুন কেমন আছেন ?

সাধারণ কিছু কুশল সংবাদ বিনিময়ের পর আবার নৌকো ছেড়ে দিল যাদুগোপাল । এখন তার ঠোঁটে বিরক্তির রেখা, দু' চোখে ঘৃণা। একটুক্ষণ চুপ চাপ থাকার পর সে বলল, খুনীদের শাস্তি হয়, অথচ এই সব মানুষদের শাস্তি হয় না।

ভরত বলল, সে কি ? গলায় পৈতে দেখলাম, এই লোকটি খুনী নাকি ?

যাদুগোপাল বলল, তার চেয়েও অধম। এই হরমোহন এককালে আমার মামার বাড়ির পুরুত ছিল। তোকে খানিক আগে একটি মেয়ের কথা বললাম না, যে মেয়েটির মাঝে মাঝে

ঘোর হতো, অতীত কিংবা ভবিষ্যৎ সম্পর্কে নানান অদ্ভুত কথা বলত। সে এই হরমোহনের মেয়ে। বাবার সঙ্গে আমাদের বাড়িতে আসত প্রায়ই। সাত-আট বছর বয়েস থেকে ওকে দেখছি, ফুটফুটে সুন্দর চেহারা, মিষ্টি গলার স্বর, মাঝে মাঝে কোনও ফুলগাছের দিকে কিংবা জলের দিকে এক দৃষ্টিতে তাকিয়ে থাকত। তারপর আপন মনে কথা বলত। অনেকে বলত, ওর মাথার একটু দোষ আছে। আসলে তা নয়, মেয়েটি ছিল অতিরিক্ত কল্পনা প্রবণ, মোটেই সাধারণ মেয়ের মতন নয়। উচিত ছিল ওকে একটু বেশি যত্ন করা, ওকে একটু লেখাপড়া শেখানো। আমার দিদিমা মেয়েটিকে খুব পছন্দ করতেন, চেয়েছিলেন নিজের কাছে রেখে ওকে মানুষ করবেন। হরমোহন রাজি হয়নি। পাগল মেয়ের তাড়াতাড়ি বিয়ে দেবার জন্য ব্যস্ত হয়ে উঠেছিল। তোকে যেমন এবারে নিয়ে এসেছি, সেই রকম দ্বারিকাও আমার সঙ্গে বেশ কয়েকবার এখানে বেড়াতে এসেছে। দ্বারিকা দেখেছিল মেয়েটিকে, দ্বারিকাও রোমান্টিক স্বভাবের তুই জানিস, মেয়েটির কথাবার্তা শুনে সে মুগ্ধ হয়েছিল। মেয়েটার বয়েস তখন এগারো, হরমোহন এক দোজবরের সঙ্গে ওর বিয়ে ঠিক করে ফেলেছে, শুনে দ্বারিকা দুম করে বলে বসল, সে ওই মেয়েটিকে বিয়ে করতে চায়। সেই বিয়ে হলে মেয়েটা বেঁচে যেত, কিন্তু হরমোহন রাজি হল না।

ভরত বলল, দ্বারিকা এখানে এসে একটি মেয়েকে বিয়ে করতে চেয়েছিল? আমাকে কখনও এসব বলেনি। লোকটা রাজি হল না কেন ?

যাদুগোপাল বলল, যে বুড়োর সঙ্গে বিয়ে ঠিক করেছিল, তার কাছে ওর কিছুটা জমি বন্ধক ছিল। মেয়ের থেকে জমির দাম বেশি। দ্বারিকা তখনও মামাদের সম্পত্তি পায় নি, বাবার সঙ্গে সম্পর্কে ভালো নয়, সাধারণ অবস্থা, কিন্তু তাতে কী, লেখাপড়া শিখে সে নিজের পায়ে দাঁড়াতই । হরমোহন খুঁত ধরল যে দ্বারিকারা ভঙ্গ কুলীন, ওদের সঙ্গে বিবাহ সম্পর্ক হয় না।

ভরত বলল, তোদের এখানে এত জাতপাতের ব্যাপার আমি এখনও বুঝিই না। ভঙ্গ কুলীন আবার কী ?

যাদুগোপাল বলল, মেয়েটির নাম ছিল বাসন্তী। ওর বিয়ের কয়েক দিন আগে আমি জিজ্ঞেস করেছিলাম, হ্যারে বাসি, তুই তো অনেক কিছু বলতে পারিস। বল তো তোর এই বিয়ে কেমন হবে ? তোর স্বামী কেমন মানুষ হবে ? বাসন্তী একটা গাঁদা ফুলের গাছের দিকে এক দৃষ্টিতে তাকিয়ে বলেছিল, আমি ভাসতে ভাসতে , ভাসতে ভাসতে চলে যাব, এই গঙ্গা ছেড়ে আরও বড় এক গঙ্গায়....। ঠিক মিলে গিয়েছিল ওর কথা । ওর বুড়ো বরটা দু' বছরের বেশি বাঁচেনি। দেখতে শুনতে ভালো কোনও মেয়ে যদি বালবিধবা হয়, তা হলে এই সব মফঃস্বলে, গ্রামে গঞ্জে তার কি দশা হয় তা তো তুই জানিস না। হয় তাকে কাশীতে পাঠিয়ে দেওয়া হয়, না হলে লোভী পুরুষরা তাকে নষ্ট করে। বাসন্তীকে নিয়ে প্রথমে পালাল এক সুপুরির ব্যবসায়ী, তারপর হাত বদল হতে হতে কয়েক বছর পর তার স্থান হল কলকাতার বেশ্যা পাড়ায়। এই গঙ্গা ছেড়ে আর এক বড় গঙ্গার ধারে কলকাতা শহরে।

ভরত বলল, বিয়ের সময় তুই বাধা দিতে পারিসনি ?

যাদুগোপাল বলল, আমি বাধা দেব কী করে ? মেয়ের বাপ যদি অন্যায় করে। তাকে বাধা দেবার মতন কোনও আইন আছে ? আমার প্রায়ই ইচ্ছে করে, ওই হরমোহন ভট্চাজকে মুখের ওপর শুনিয়ে দিই, তোমার মেয়ে এখন হাড়কাটার গলির বেশ্যা। তোমার জাত এখন রইল কোথায় ? প্রত্যেকবারে আসি, কিন্তু মুখ ফুটে বলতে পারি না !

একটু থেমে, যাদুগোপাল আবার বলল, হাড়কাটার সেই বাসন্তীর নাম এখন বসন্তমঞ্জরী!

ভরতের মুখ রক্তশূন্য হয়ে গেল। এতক্ষণ এই কাহিনীর মেয়েটির অবয়ব সে দেখতে পাচ্ছিল না, এবার তার চোখের সামনে ভেসে উঠল এক আলো জ্বালা ঘরে পালঙ্কের ওপর চোখ বুজে শুয়ে থাকা এক যুবতীর মুখ। সেই বসন্তমঞ্জরী, যার ডাক নাম বাসি।

ভরত বলল, যাদু, তুই জানিস কি, হাড়কাটার গলিতে, এখন দ্বারিকা......ওই বসন্তমঞ্জরীকে আলাদা করে রেখেছে।

যাদুগোপাল বলল, জানি। তুই একদিন দ্বারিকার সঙ্গে গিয়েছিলি, তাও শুনেছি। দ্বারিকা কিছুই বলতে বাকি রাখে না আমার কাছে। সেই দু'জনের মিলন হল, মাঝখান থেকে মেয়েটাকে কিছু পোকায় খেয়ে গেল। দ্বারিকা কি আর ওকে সামাজিক ভাবে গ্রহণ করতে পারবে?

এরপর কিছুক্ষণ কেউ কোনও কথা বলল না। জলে বইঠা ফেলার ছপ ছপ শব্দ হতে লাগল। দু'জনের চিন্তার কোনও মিল নেই।

অন্য পারে পৌঁছে নৌকো বাঁধতে যাদুগোপাল জিজ্ঞেস করল, ভরত, তুই তোর ভবিষ্যৎ সম্পর্কে কী ঠিক করেছিস?

ভরত শূন্য চোখে কয়েক মুহূর্ত তাকিয়ে রইল। তারপর আস্তে আস্তে মাথা নেড়ে বলল, কিছু না!

এখানে এসে প্রথম দিনটায় যে-রকম ভালোলাগায় আচ্ছন্ন হয়ে ছিল ভরত, তা হঠাৎ মুছে গেল। এখানে এসেও যে বসন্তমঞ্জরীর নাম উত্থাপিত হবে, তা তার সুদূর কল্পনাতেও ছিল না। বসন্তমঞ্জরী আর ভূমিসূতা একই। ভূমিসূতাকে সে কিছুতেই নষ্ট হতে দেবে না। এর মধ্যেই ভূমিসূতা যদি কোনও বিপদে পড়ে, ভরতের কাছে ডাক পাঠায়? সে স্বার্থপরের মতন কৃষ্ণনগরে বসে থেকে মামাবাড়ির আদর খাচ্ছে?

ভরতের মুস্কিল এই, সে যে অন্য কারুর কাছে নিজের মনের কথা প্রকাশ করতে পারে না! দ্বারিকা কিংবা যাদুগোপাল কত অনায়াসে নিজেদের সব কথা বলে দেয়। ভরত এ পর্যন্ত ভূমিসূতার কথা কারুকে জানায় নি। এক একবার খুব ইচ্ছে করে, যাদুগোপালের কাছে সব কিছু খুলে বলে পরামর্শ নিতে। কিন্তু কিছুতেই তার মুখ ফোটে না।

সে রাত এবং পরদিন সকালেও দু'জনে কোমর বেঁধে পড়াশুনো করতে বসল বটে, কিন্তু ভরত টের পেল, তার কিছু সুবিধে হচ্ছে না। যাদুগোপালের পদ্ধতিটা তার নিজস্ব। সে প্রায় ঘন্টা খানেক গভীর মন দিয়ে পড়ে, একটা কথাও উচ্চারণ করে না, তারপর কিছুক্ষণ চিত হয়ে চোখ বুজে থাকে, যেন অধীত পৃষ্ঠাগুলি সে মনে গেঁথে নিচ্ছে। খানিকবাদে একটু রঙ্গ-রসিকতা করে সে আবার বইয়ের পাতায় ডুব দেয়।

ভরত যে কিছুই পারছে না। তার মনে পড়ছে বারবার যাদুগোপালেরই কবিতার লাইন, 'তবুও দেখি না কিছু, তবুও শুনি না কিছু, মনে পড়ে তার মুখ, তার সেই নিবিড় চাহনি'!

নাঃ, ভরতকে অবিলম্বেই কলকাতায় ফিরে যেতে হবে।

॥ ৫৩ ॥

স্বর্ণকুমারী 'ভারতী' পত্রিকার ভার নিয়ে পত্রিকার চরিত্রটাই বদলে দিলেন অনেকখানি। তিনি ব্যক্তিত্বময়ী রমণী, অপরের কথা শুনে চলার পাত্রী নন। আগে দ্বিজেন্দ্রনাথ, জ্যোতিরিন্দ্রনাথের প্রশ্রয়ে রবি নিজেই নানারকম রচনায় এই পত্রিকার অনেকগুলি পৃষ্ঠা ভরিয়ে দিত। অন্তরালবাসিনী হয়েও কাদম্বরীই ছিলেন এই পত্রিকার প্রধান চালিকাশক্তি, আর তাঁর

প্রিয়তম লেখক রবি। এখন ভারতীর পৃষ্ঠায় রবির লেখা ক্রমশই কমে আসছে। স্বর্ণকুমারীর বাড়িতেও সাহিত্যের আড্ডা বসে, রবি সেখানে যায় মাঝে মধ্যে। সে সুক্ষ্মভাবে অনুভব করে, তার সাহিত্যপ্রতিভা সম্পর্কে তার দিদির যেন খুব একটা আস্থা নেই। দিদিই সব আলোচনার মধ্যমণি হয়ে থাকতে চান।

সে বাড়িতে সাহিত্যিক পরিমণ্ডল ছাড়াও খানিকটা রাজনৈতিক আবহাওয়া টের পাওয়া যায়। জানকীনাথ ঘোষাল স্ত্রীর সব রকম উদ্যোগে সাহায্য করে যান, এ ছাড়া তিনি কিছু কিছু রাজনৈতিক ক্রিয়াকাণ্ডে জড়িয়ে পড়েছেন। তিনি ইন্ডিয়ান ন্যাশনাল কংগ্রেসের ব্যাপারে খুব উৎসাহী। বোম্বাইতে কংগ্রেসের প্রথম অধিবেশনে যোগদান করতে গিয়েছিলেন।

কংগ্রেস নামটা এখন কারুর কারুর মুখে শোনা যাচ্ছে বটে, কিন্তু সেটা যে ঠিক কী বস্তু সে সম্পর্কে অনেকেরই স্পষ্ট ধারণা নেই।

সুরেন্দ্রনাথ বন্দ্যোপাধ্যায়কে কারারুদ্ধ করার পর ছাত্র বিক্ষোভ যেভাবে ফেটে পড়েছিল তার জের এখনও থামেনি। পত্র-পত্রিকায় ও বিভিন্ন জনসভায় সরকারি নীতি এবং ইংরেজ রাজপুরুষদের ক্ষমতার অপব্যবহারের সমালোচনা হয় প্রায়ই। সুরেন্দ্রনাথ এবং আনন্দমোহন বসু ছাত্রদের মধ্যে দারুণ জনপ্রিয়, ছাত্ররা এঁদের নেতৃত্বে আরও বৃহত্তর আন্দোলনে যাওয়ার জন্য ফুঁসছে। সুরেন্দ্রনাথ সারা ভারতে ঘুরে ঘুরে অন্যান্য প্রদেশের নেতাদের সঙ্গে আলোচনা করতে লাগলেন, ছোট ছোট সভায় জনমত সংগঠনেরও চেষ্টা চলতে লাগল। কলকাতায় মধ্যবিত্ত ও বুদ্ধিজীবী শ্রেণীর ইন্ডিয়ান অ্যাসোসিয়েশন নামে একটি সংস্থা আছে, সেটাকে তিনি কাজে লাগাতে চান। ব্রিটিশ ইন্ডিয়ান অ্যাসোসিয়েশন নামে একটি জমিদার ও ব্যবসায়ী শ্রেণীরও একটি সংগঠন আছে, মুসলমানদের আছে সেন্ট্রাল মহামেডান অ্যাসোসিয়েশন। সুরেন্দ্রনাথ বুঝতে পেরেছিলেন, এই সব দলকে একসঙ্গে মেলাতে না পারলে জাতীয়তাবাদ দৃঢ় হতে পারে না। সব দলগুলি একত্র সঙ্ঘবদ্ধ হলেই ব্রিটিশ সরকারের টনক নড়বে।

এই উদ্দেশ্য সুরেন্দ্রনাথ বছর তিনেক আগে কলকাতায় একটি জাতীয় মহাসভা বা ন্যাশনাল কনফারেন্সের আয়োজন করেছিলেন। গত বছর আরও বড় আকারে তিনি সেই ন্যাশনাল কনফারেন্স বসাবার আয়োজন করছিলেন এখানে, এর মধ্যে একটি কাণ্ড ঘটে গেল।

মাদ্রাজে থিয়োসফিস্টদের একটা বড় আখড়া আছে। এই থিয়োসফিস্টদের মধ্যে ভারত-প্রেমিক এবং ভারতের আধ্যাত্মিক ঐতিহ্য সম্পর্কে শ্রদ্ধাশীল শ্বেতাঙ্গদের সংখ্যা অনেক। এঁদের মধ্যে একজন হলেন, সম্প্রতি অবসরপ্রাপ্ত ভারত সরকারের সচিব অ্যালান অক্টাভিয়ান হিউম। তিনি অনেকদিন ধরেই এ দেশে আছেন, তিনি ভারতীয়দের প্রতি সহানুভূতিশীল বটেন, তবে প্রায়ই সিপাহি বিদ্রোহের দুঃস্বপ্ন দেখেন। তাঁর ধারণা, হঠাৎ যে কোনওদিন ভারতে আবার একটা গণ-বিদ্রোহ ফেটে পড়বে। এ দেশে এখন শিক্ষিতের সংখ্যা বাড়ছে, এবারে বিদ্রোহের নেতৃত্ব দেবে শিক্ষিতরাই। সুতরাং শিক্ষিত যুব-সম্প্রদায়ের মন অন্য দিকে ফেরানো দরকার। হিউম ভাবলেন, যদি সর্বভারতীয় একটা সংগঠন করা যায়, যেখানে ভারতীয় সমাজের নেতারা তাঁদের অভাব-অভিযোগের কথা ব্যক্ত করবেন, সরকারের কাছে আবেদন-নিবেদন করবেন, সরকারও সহৃদয়ভাবে বিবেচনা করে কিছু কিছু ব্যাপারে অন্তত শাসনের মুঠি শিথিল করেন, তা হলে উভয় পক্ষেরই মঙ্গল।

হিউম তাঁর এই প্রস্তাবটি থিয়োসফিক্যাল সোসাইটির এক বার্ষিক সম্মেলনে উত্থাপন করলেন। অধিকাংশের সম্মতিতে ঠিক হল যে সে বছরই পুনায় একটা সর্বভারতীয় সম্মেলন হবে। হিউম অবশ্য গোপনে গোপনে এই প্রস্তাবটি নিয়ে সর্বোচ্চ ইংরেজ শাসক মহলের সঙ্গেও আলোচনা করেছেন। কেউ খুব একটা গুরুত্ব দেয়নি। কেউ কেউ সন্দেহের চোখে দেখেছে, কেউ বলেছে চেষ্টা করে দেখতে পার, আবার কেউ বলেছে, ওই হিউম লোকটার মাথায় ছিট আছে!

যাই হোক, পুনায় সম্মেলনের প্রস্তুতি চলতে লাগল, হিউম কলকাতায় এলেন বাংলার নেতাদের সঙ্গে আলোচনা করার জন্য। কিন্তু আশ্চর্যের ব্যাপার, বাংলায় যিনি সবচেয়ে পরিচিত রাজনৈতিক নেতা, যিনি একই উদ্দেশ্য ন্যাশলান কনফারেন্সের আহ্বান করেছেন, সেই সুরেন্দ্রনাথের সঙ্গে হিউম দেখাই করলেন না। তিনি পরামর্শ করে গেলেন উমেশচন্দ্র বন্দ্যোপাধ্যায়, নরেন সেন, মনোমোহন ঘোষের সঙ্গে। জানকীনাথ ঘোষাল থিয়োসফিস্টদের সঙ্গে জড়িত ছিলেন, সেই সূত্রে তিনিও সব জানলেন।

কংগ্রেসের জন্মলগ্নেই দলাদলির ইঙ্গিত আছে। সুরেন্দ্রনাথ একদিন দক্ষিণ ভারতের 'হিন্দু' পত্রিকা পড়ে জানলেন যে পুনায় ইন্ডিয়ান ন্যাশনাল ইউনিয়ন নামে একটি সর্বভারতীয় সম্মেলন হচ্ছে। তিনি বা আনন্দমোহন নিমন্ত্রিত তো ননই, সময়টাও এমন যে রবাহূত হয়েও তাঁরা সেখানে যোগ দিতে পারবেন না। কারণ সুরেন্দ্রনাথ কলকাতায় ওই একই সময়ে ন্যাশনাল কনফারেন্সের ব্যবস্থা করে ফেলেছেন আগে থেকেই । সেটা পরিত্যাগ করে তাঁরা যাবেন কী করে ? বিভেদের রেখা স্পষ্ট। যেন মনে হয়, সুরেন্দ্রনাথের মতন যে সব নেতা আগে থেকেই ইংরেজ সরকারের রোষভাজন, পুনার সম্মেলন তাঁদের এড়িয়ে যেতে চায়।

সম্মেলনটা অবশ্য শেষ পর্যন্ত পুনায় হল না, হঠাৎ সেখানে কলেরা শুরু হয়ে গেল। তাড়াহুড়ো করে সম্মেলনের স্থান বদলানো হল বোম্বাইতে। গোকুলদাস তেজপাল সংস্কৃত কলেজের এই সমাবেশে প্রতিনিধির সংখ্যা ৭২, এঁদের মধ্যে দু'জন মাত্র মুসলমান। হিউম এই সম্মেলনের নাম দিয়েছিলেন ইন্ডিয়ান ন্যাশনাল ইউনিয়ন, প্রতিনিধিরা তা বদলে দিয়ে নাম রাখলেন ইন্ডিয়ান ন্যাশনাল কংগ্রেস, হিউমের প্রস্তাবে সভাপতি করা হল ব্যারিস্টার উমেশচন্দ্র বন্দ্যোপাধ্যায়কে। ঠিক হল, বছরে একবার এই কংগ্রেসের অধিবেশন বসবে ভারতের কোনও শহরে।

এ বছর দ্বিতীয় কংগ্রেসের অধিবেশন হচ্ছে কলকাতায়। দূরদর্শী সুরেন্দ্রনাথ বুঝলেন যে এখন উপদলীয় কোন্দল কিংবা নেতৃত্বের লড়াইয়ের সময় নয়। বোম্বাই কংগ্রেসে যে-সব প্রস্তাব নেওয়া হয়েছে তা তাঁর ন্যাশনাল কনফারেন্সেরই অনুরূপ। বোম্বাইতে যে-সব প্রতিনিধি যোগ দিয়েছিলেন, তাঁরা অধিকাংশই মাদ্রাজ ও বোম্বাইয়ের। উদ্দেশ্যের যখন মিল আছে, তখন ভাগাভাগি করা মূর্খতা। বরং বোম্বাই-মাদ্রাজের নেতাদের সঙ্গে বাঙালিরাও মিলিত হলে সংগঠন অনেক শক্তিশালী হবে। বোম্বাইতে যে তাঁকে আমন্ত্রণ জানানো হয়নি, তা নিয়ে তিনি কোনও উচ্চবাচ্য করলেন না। সদলবলে কলকাতার কংগ্রেসে যোগ দিতে রাজি হয়ে গেলেন।

জামাইবাবুর কাছ থেকে রবি এসব শোনে কিন্তু নিজে এই সব সভায় যোগ দেওয়ার ব্যাপারে তেমন আগ্রহ বোধ করে না। তার মনে হয়, সবটাই যেন কথার ফুলঝুরি, উচ্চ ইংরেজি শিক্ষিতদের বাকচাতুর্যই প্রধান হয়ে ওঠে। সাধারণ মানুষের সঙ্গে এর যোগ কোথায়? সিভিল সার্ভিস পরীক্ষা শুধু ইংল্যান্ডে নয়, একযোগে ভারতেও অনুষ্ঠিত হওয়া উচিত এবং পরীক্ষার্থীদের বয়েস বাড়াতে হবে, কংগ্রেসের এই অন্যতম দাবিতে দেশের অবস্থার কী হেরফের হবে ? ইংরেজি শিক্ষিতের সংখ্যা যত বাড়ছে তত চাকরি কমে যাচ্ছে, আরও চাকরি আদায়কে কেন্দ্র করেই যেন এখনকার রাজনীতি। সরকারের কাছে সব আবেদন বা দাবির মধ্যেই যেন ভিক্ষের সুর।

রবি অবশ্য কলকাতায় আসন্ন কংগ্রেস অধিবেশনে গান গাইতে রাজি হয়েছে।

কংগ্রেস প্রতিষ্ঠার পর তাতে যোগ দেওয়ার জন্য কয়েকজন নেতাগোছের লোক গিয়েছিলেন বিদ্যাসাগর মশাইয়ের কাছে। সব শুনে সেই বৃদ্ধ সোজাসুজি একটা প্রশ্ন করলেন, বাপু হে, দেশের স্বাধীনতা পেতে গেলে শেষ পর্যন্ত যদি তলোয়ার ধরতে হয়, তোমরা রাজি আছ ?

নেতারা তো-তো করতে লাগলেন। স্বাধীনতা, তলোয়ার....এসব কী ? এ যে রাজদ্রোহমূলক কথাবার্তা।

বিদ্যাসাগর নেতাদের ওই অবস্থা দেখে বললেন, তা হলে আমাকে বাদ দিয়েই তোমরা এই কাজে এগোও !

তাঁরা চলে যাওয়ার পর বিদ্যাসাগর অন্যদের দিকে তাকিয়ে বলেছিলেন, বাবুরা কংগ্রেস করছেন, আস্ফালন করছেন, বক্তৃতা করছেন, ভারত উদ্ধার করছেন। দেশের হাজার হাজার লোক অনাহারে প্রতিদিন মরছে, সেদিকে কারও চোখ নেই। রাজনীতি নিয়ে কী হবে ? যে দেশের লোক দলে দলে না-খেয়ে প্রত্যহ মরে যাচ্ছে, সে দেশে আবার রাজনীতি কী ?

রবিও ইংরেজদের বিরুদ্ধে তলোয়ার ধরার পক্ষপাতী নয়। আয়ার্ল্যান্ডে ইংরেজরা যে অত্যাচার করছে তার প্রতিরোধ করার জন্য আইরিশরা বোমা-বন্দুক ব্যবহার করে, ইংরেজের ঘরে ডায়নামাইট পাঠায়। খ্রিস্টান সভ্যতার ভান করে যারা পশুবলের উপাসক, যারা অসহায়ের ওপর অকাতরে অত্যাচার চালায়, তাদের কড়া ধরনের মুষ্টিযোগ দেওয়াই দরকার। কিন্তু আইরিশরা যা পারে, ভারত তা পারে না। কারণ মুষ্টিযোগ চিকিৎসায় ভারতের ব্যুৎপত্তি নেই। এ দেশের সব মানুষের মধ্যে আত্মমর্যাদা জ্ঞান জাগিয়ে তোলাই জাতির উন্নতির প্রকৃষ্ট উপায়। যার আত্মমর্যাদা জ্ঞান আছে, সে কখনও অন্যায় মেনে নেয় না।

এ দেশের মানুষের সেই আত্মমর্যাদাজ্ঞান জাগাবার জন্য যার যার নিজস্ব ক্ষেত্রে কাজ করে যেতে হবে। রবির মনে হয়, একজন লেখকের কাজ তার ভাষা ও সাহিত্যের উন্নতির জন্য এমনভাবে আত্মনিয়োগ করা, যাতে সাধারণ মানুষের কাছে সেই ভাষা ও সাহিত্য শ্রদ্ধা ও গর্বের বিষয় হয়ে উঠতে পারে।

রবি ইদানীং শুধু লেখা নিয়েই ব্যাপৃত থাকতে পারে না। ইচ্ছেমতন কবিতা, গদ্য ও নাটক রচনা এবং বন্ধুদের সঙ্গে সাহিত্য-বিষয়ক আড্ডাই তার সবচেয়ে প্রিয়, কিন্তু ব্রাহ্মসমাজের সম্পাদক হিসেবে তাকে ব্যস্ত থাকতে হয়, চুঁচড়োয় বাবার কাছে নির্দেশ নিতে যেতে হয় প্রায়ই। এই সব ঘোরাঘুরির সময় সাধারণ, দরিদ্র মানুষদের দিকেও তার চোখ পড়ে। দারিদ্র্য, অশিক্ষা, কুসংস্কারের ভারে জর্জরিত মানুষদের মুখগুলি দেখে সে পীড়িত হয়। এ দেশে দুর্ভিক্ষ লেগেই আছে, কিছুদিন আগে বীরভূমি-বাঁকুড়ায় ভয়াবহ দুর্ভিক্ষ হয়ে গেল, তখন রবি অনুভব করেছিল দুর্ভিক্ষক্লিষ্ট ওই সব মানুষদের জন্য সমবেদনামূলক কবিতা রচনাই যথেষ্ঠ নয়। আগে মানুষগুলোকে বাঁচানো দরকার। রবি চাঁদা তোলার জন্য তৎপর হয়েছিল, ব্রাহ্মসমাজের পক্ষ থেকে সাহায্য পাঠানো, ওদের সমস্যার স্থায়ী সমাধানের জন্য রবি আরও খানিকটা এগিয়েছিল। ঠাকুর পরিবারের নতুন একটা জমিদারি হয়েছে সুন্দরবন অঞ্চলে। রবি প্রস্তাব করল, খরা অঞ্চলের চাষীদের সুন্দরবনের আবাদি জমিতে বিনা পয়সায় সে বসাতে চায়। এমনকি তাদের বাড়ি ঘর নির্মাণ ও কৃষির সরঞ্জামেরও ব্যবস্থা করে দেওয়া হবে। কিন্তু তাতে বিশেষ সাড়া পাওয়া গেল না। বাঙালিদের এমনই অদ্ভুত স্বভাব, তারা নিজের বাড়িতে থেকে না-খেয়ে মরবে, তবু দূরে কোথাও যাওয়ার ঝুঁকি নিতে চায় না। বিপদ দমন করার প্রচেষ্টার বদলে নিশ্চেষ্ট মৃত্যুতেও তারা রাজি।

কাশিমবাজারে রানী স্বর্ণময়ী প্রতিদিন দু হাজার লোককে আহার দিতে প্রস্তুত ছিলেন। কিন্তু বাঁকুড়া-বীরভূম থেকে তেমন কেউ গেল না। তাদের পথ-খরচ দেওয়া হবে, তবু তারা ঘর ছেড়ে যাবে না।

দুর্ভিক্ষ পীড়িতদের মধ্যে কাজ করতে গিয়ে রবির এই প্রথম উপলব্ধি হল, ক্ষুধা কি সাঙ্ঘাতিক বস্তু। অন্যান্য অনেক বিপদ মানুষের মনুষ্যত্ব জাগিয়ে তোলে, কিন্তু খিদেয় মনুষ্যত্বও দূর হয়ে যায়। খিদের সময় মানুষ যেন অত্যন্ত একটা ক্ষুদ্র প্রাণী, প্রায় পিঁপড়ের মতন। এক মুষ্টি অন্নের জন্য মানুষ হন্যে হয়ে থাকে,সমস্ত মহৎ আশা, আদর্শ ধরাশায়ী হয়ে যায়, মানুষ তখন এমন দীন !

আরও একটা ব্যাপার রবির চোখে পড়ল। শহরের কত মানুষের বাড়িতে অন্ন উদ্বৃত্ত হয়। বিয়ে, অন্নপ্রাশন ইত্যাদি অনুষ্ঠানে কত খাদ্যের অপচয় যে হয় তার ঠিক নেই, রাস্তায় ফেলে দেওয়া হয় বাসি ভাত, লুচি, মাংস, তখন ক্ষুধিত মানুষদের কথা এই সব শহরবাসীর মনে পড়ে না। আবার এই সব লোকেরাই রাজনীতি করতে গিয়ে জ্বালাময়ী বক্তৃতা দেয়, দেশের মানুষের দুঃখে কেঁদে বুক ভাসায়। রাজনীতির মধ্যে এত ভণ্ডামি থাকলে তাতে দেশের উপকার হবে কী করে? বিদ্যাসাগরমশাই তো ঠিকই বলেছেন!

জ্ঞানদানন্দিনী 'বালক' নামে পত্রিকা বার করেছেন, এখন রবি সেই কাগজেই বেশি লেখে। বস্তুত আগে 'ভারতী'র জন্য যে-সব কর্তব্য পালন করতে হত, এখন রবিকে 'বালক'-এর জন্য সে সবই করতে হয়। জ্ঞানদানন্দিনীর বাড়িতেই সে সবচেয়ে স্বস্তি বোধ করে। তেরো বছর বয়স্কা বিবিও তাকে একদিনের জন্যও চোখের আড়াল করতে চায় না। বিবি নানারকম দৌরাত্ম্য করে তার এই রবিকার ওপর। যখন তখন সে রবির নাক টিপে দেয়, চিমটি কাটে, রবি অন্যদের সঙ্গে বেশিক্ষণ কথা বললে বিবি পেছন থেকে এসে রবির গলা জড়িয়ে ধরে ঝুলে পড়ে। সুন্দর ডাগর চেহারা হয়েছে বিবির। কখনও সে মেমসাহেবদের মতন স্কার্ট পরে, কখনও শাড়ি। পড়াশুনোয় যেমন সে মেধাবিনী, তেমনি গানের গলা। রবিকে সে নানান আদরের নাম ধরে ডাকে। তার সবচেয়ে প্রিয় নাম বুজি। রবি কোনওদিন দেরি করে এলে বিবি দৌড়ে গিয়ে তার গলা জড়িয়ে বলতে থাকে, বুজি, বুজি, বুজি, এতক্ষণ কোথায় ছিলে?

সাহিত্য বিষয়ক সভা-সমিতিতে গেলে রবি প্রায়ই বিবিকে সঙ্গে নিয়ে যায়। অপরাপর পুরুষরা মুগ্ধ বিস্ময়ে এই রূপসী কুমারীটিকে দেখে। ঠাকুরবাড়ির মেয়েদের এখন আর কম বয়েসে বিয়ে হয় না। স্বর্ণকুমারীর মেয়ে সরলা এনট্রান্স পাস করল, তার বিয়ের কথা চিন্তাই করা হয় না। আর এক দাদার মেয়ে প্রতিভা, রূপে-গুণে সর্বগুণান্বিতা, তার বয়েস কুড়ি পার হয়ে গেল। রবি অবশ্য তার বন্ধু, ব্যারিস্টার আশু চৌধুরীর সঙ্গে প্রতিভার ঘটকালির চেষ্টায় আছে।

বিবি আর রবির স্ত্রী মৃণালিনী প্রায় একই বয়েসী । কিন্তু মৃণালিনী তার সর্বক্ষণের সঙ্গিনী হতে পারে না। বাইরে বেরুবার ব্যাপারে কিছুতেই লাজুকতা কাটিয়ে উঠতে পারে না মৃণালিনী। বাইরের কেউ মৃণালিনীকে চেনেই না। ঠাকুরবাড়ির অন্য সব কন্যা কিংবা বধূ বাইরে বেরিয়ে আসছে, অথচ রবির স্ত্রী অন্তঃপুরিকা।

কলকাতার বাইরে কোথাও গেলে রবি সবচেয়ে বেশি চিঠি লেখে বিবিকে। মাঝে মাঝে কবিতা লিখেও বিবিকে উপহার দেয়। রাত্রে মৃণালিনী এবং দিনের বেলা বিবি, এই দুই কিশোরী যেন রবিকে ভুলিয়ে রাখে কাদম্বরীর কথা। তবু একেবারে কি ভোলা যায়? মাঝে মাঝে মুচড়ে ওঠে বুক, জ্বালা করে ওঠে চক্ষু। কবিতায় ঝিলিক দিয়ে যায় নতুন বউঠানের স্মৃতি। জোড়াসাঁকোর বাড়ির জ্যোতিদাদার সেই তিনতলার মহলের বন্ধ দ্বারের দিকে কখনও চোখ পড়লে দীর্ঘশ্বাস বেরিয়ে আসে। তবু রবি যেন ভুলতেই চায়। এক এক সময় তার মনে হয়, তিনতলার মহলের ওই দ্বার কেন চিরকাল বন্ধ থাকবে? জানলা দরজা সব খুলে দেওয়া হোক, ওখানে নতুন বাতাস আসুক!

রাজনায়ারণ বসু অসুস্থ শুনে রবি দেওঘরে তাঁকে দেখতে গেল। বৃদ্ধ রাজনারায়ণ রবির পিতার সবচেয়ে বিশ্বস্ত বন্ধু। এই বয়েসেও তিনি রসের সাগর, সবসময় হাস্য-কৌতুকে মেতে থাকেন। সাদা ধপধপে দাড়ি নেড়ে নেড়ে যখন মজার গল্প বলেন, তখন সবাই হেসে গড়াগড়ি যায়।

রাজনারায়ণের কাছে তাঁর এককালের বন্ধু মাইকেল মধুসূদনের অনেক দুরন্তপনার গল্পও শুনেছে রবি। মাইকেলের কবিতা রবি তেমন পছন্দ করে না বটে, তবে এই সব গল্প শুনতে

ভাল লাগে। রাজনারায়ণের কাছেই রবি শুনেছে যে, শেষদিকে মাইকেলের সাহেবিপনা একেবারে ঘুচে গিয়েছিল, তিনি ঘোরতর বাঙালি হয়েছিলেন। কেউ তাঁকে সাহেব বললে তিনি বলতেন, ওহে ভায়া, নিজের শয়নকক্ষে বড় একটা আয়না রেখেছি, সেদিকে প্রতিদিন তাকাই আর গাত্রবর্ণটি দেখে বুঝতে পারি হাজার চেষ্টা করলেও ইহজন্মে আমি সাহেব হতে পারব না । আর একটি গল্পও বেশ মজার। মাইকেলের গায়ের রঙ বেশ কালো ছিল আর গলার আওয়াজ ছিল ভাঙা ভাঙা। তাই নিয়ে কেউ একদিন বিদ্রুপের খোঁচা মারতেই মাইকেল বলেছিলেন, তবু তো আমি গলা ভাঙা কোকিল, ফ্যাটফেটে সাদা হাঁসের মতন প্যাঁক প্যাঁক করি না !

রাজনারায়ণ রবিকে দেখে দারুণ খুশি হলেন। বয়েসের কত তফাত, তবু রবি যেন তাঁর বন্ধু। এর মধ্যেই তিনি সুস্থ হয়ে উঠেছেন, তবু রবিকে ছাড়তে চান না। রবির অবশ্য বেশিদিন থাকার উপায় নেই, 'বালক' পত্রিকার আগামী সংখ্যার জন্য সব লেখা দেখে, কপি সংশোধন করে প্রেসে দিতে হবে। দিন চারেক বাদে সে ফেরার ট্রেন ধরল।

রাত্রের গাড়িতে বেশ ভিড়। রবি একটা সেকেন্ড ক্লাস কামরায় ওপরের বাঙ্কে জায়গা পেয়েছে। কামরায় রয়েছে কয়েকটি অ্যাংলা-ইন্ডিয়ান যাত্রী। তারা মদ্যপানের সঙ্গে হল্লা জুড়েছে। রবি ওপরে উঠে গায়ে একটা চাদর পেতে শুয়ে পড়ল। ঠিক তার মাথার কাছেই একটা আলো, এই আলো চোখে পড়লে ঘুম আসবে না, তাই রবি নিবিয়ে দিল আলোটা।

সঙ্গে সঙ্গে একজন অ্যাংলো ইন্ডিয়ান উঠে দাঁড়িয়ে আলোটা জ্বেলে দিল। কামরায় আরও আলো রয়েছে। এই একটি আলো নিবিয়ে দিলে অন্যদের কোনও অসুবিধে হওয়ার কথা নয়। রবি সেই কথাটাই বিনীতভাবে জানাল, ওরা গ্রাহ্যই করল না, যেন শুনতেই পায়নি।

রবি আবার আলোটা নিবিয়ে দিতেই আবার সেই অ্যাংলো ইন্ডিয়ানটি দুপদাপ করে উঠে বাতির ঢাকনা খুলে দিল। রবির দিকে তাকাল হিংস্র দৃষ্টিতে। এরা সামান্য ছুতোয় হাতাহাতি শুরু করে।

সূর্যের চেয়ে বালির তাপ বেশি হয়। কিছু কিছু অ্যাংলো ইন্ডিয়ানদের স্পর্ধা খাঁটি ইংরেজদেরও ছাড়িয়ে যায়। আর কিছু বলতে গেলে ওরা পেশীর শক্তি দেখাবে। রবি কয়েক মুহূর্ত লোকটির দিকে নীরবে চেয়ে রইল। যেন লোকটিকে সে মুছে দিতে চাইছে। যেন তার কোনও অস্তিত্বই নেই রবির কাছে।

আবার শুয়ে পড়ে রবি ঠিক করল, ঘুম যখন আসবেই না, তখন 'বালক' পত্রিকার জন্য একটা গল্পের প্লট ভাবা যাক। খানিকক্ষণ চিন্তা করেও কোনও গল্প মাথায় এল না, ঘুম এসে গেল। ট্রেনের ঘুম অবশ্য তেমন গাঢ় হয় না। আধ ঘুমন্ত অবস্থায় একটা স্বপ্ন দেখল রবি।

একটি মন্দিরের সামনে এক বাপ তার ছোট্ট মেয়েটিকে নিয়ে দাঁড়িয়ে আছে। মন্দিরের ভেতর থেকে জলের ধারার মতন কী যেন গড়িয়ে এসেছে সিঁড়িতে। ছোট মেয়েটি কাছে গিয়ে দেখে ভীত, ব্যথিত, করুণ গলায় বলল, বাবা, এ কী! এ যে রক্ত !

বাবা পশুবলির সেই রক্তের কাছ থেকে মেয়েকে সরিয়ে নিয়ে অন্য কথা বলার চেষ্টা করছে, মেয়েটি তবু বারবার বলছে, এ যে রক্ত, এ যে রক্ত !

ঘুম ভেঙে গেল রবির। স্বপ্নটা নিয়ে অনেকক্ষণ ভাবল। কী অর্থ হয় এই স্বপ্নের ?

একটু পরে রবির আর একটা ঘটনা মনে পড়ল। অনেকদিন আগে রবি একদিন ঠনঠনের কালিবাড়ির সামনে দিয়ে যাচ্ছিল। সেখানে কত যে পাঁঠাবলি হয় তার ঠিক নেই। রক্তের স্রোত চৌকাঠ উপচে পথে চলে এসেছে। একটি নিম্নশ্রেণীর রমণী সেই রক্তে আঙুল ডুবিয়ে তার কোলের শিশুর কপালে এঁকে দিচ্ছে তিলক। সেদিন রবির সবাঙ্গ কেঁপে উঠেছিল ঘৃণায়।

কলকাতায় পৌঁছে রবি সেই স্বপ্নলব্ধ দৃশ্যটির সঙ্গে ত্রিপুরার রাজবংশের প্রাচীন ইতিহাস মিলিয়ে একটা কাহিনী তৈরি করে ফেলল। তাদের সমাজের সহকারি সম্পাদক কৈলাস

সিংহের রচনায় সে মহারাজ গোবিন্দমাণিক্যের কাহিনী পড়েছিল। 'বালক' পত্রিকায় সেই গল্পটি ধারাবাহিক ভাবে বেরুতে লাগল রাজর্ষি নামে।

একদিন জ্ঞানদানন্দিনী বললেন, রবি, তোমার বউকে আর ইস্কুলে পাঠাচ্ছি না। শুধু শুধু মাইনে দিয়ে কী হবে?

রবি একটু ক্ষুণ্ন। মৃণালিনীর স্কুলে পড়ার দিকে তেমন মন নেই তা ঠিক। তবু একেবারে বন্ধ করে দিতে হবে? চেষ্টা চালিয়ে যাওয়া উচিত না?

রবি বলল, কেন?

জ্ঞানদানন্দিনী চোখ মুখ ঘুরিয়ে হেসে বললেন, এই অবস্থায় ইস্কুলে না যাওয়াই তো ভাল। যদি কোনওদিন শরীর-টরির খারাপ হয়!

রবি এবার উদ্বিগ্ন হয়ে বলল, সে কি! ওর কোনও অসুখ করেছে বুঝি?

জ্ঞানদানন্দিনী বললেন, আহা-হা, তুমি জানো না বুঝি ওর কী হয়েছে?

রবি খাঁটি বিস্ময়ের সঙ্গে বলল, না, সত্যি জানি না, কী হয়েছে?

জ্ঞানদানন্দিনী ঝুঁকে এসে রবির গাল টিপে বললেন, ইস, ছেলে একেবারে যেন ভাজা মাছটি উলটে খেতে জানে না। তুই যে বাবা হতে যাচ্ছিস রে!

রবি যেন আকাশ থেকে পড়ল। বাবা! সত্যি সে বাবা হতে চলেছে ! একটি মানবক তাকে বাবা বলে ডাকবে? তার রক্তের উত্তরাধিকার।

রবির বিস্ময় ও লজ্জাকর মুখ দেখে জ্ঞানদানন্দিনী আবার বললেন, তুমি এক কাজ করো, রবি। বউকে নিয়ে কিছুদিন বাইরে কোথাও ঘুরে এসো। এই সময় হাওয়া বদল করলে উপকার হয়, স্বাস্থ্য সারে!

রবি এতদিন পর্যন্ত কারুর না কারুর সঙ্গে বেড়াতে গেছে। একা একা সব দায়িত্ব নিয়ে ব্যবস্থা করা তার ধাতে নেই। একবারই শুধু সস্ত্রীক সে প্রবাসে গিয়েছিল, তাও মেজদাদা সত্যেন্দ্রনাথের কর্মস্থল সোলাপুরে। মেজদাদাই যাওয়া-আসার সব ব্যবস্থা করে দিয়েছিলেন। এবারেও নতুন কোনও স্থানে বাড়ি ভাড়া করে থাকার মতন অর্থ সংস্থান নেই রবির, মেজদাদার নতুন কর্মস্থল নাসিকে যাওয়া যেতে পারে।

কিন্তু মৃণালিনীকে হাওয়া বদল করতে নিয়ে যাওয়া গেল না। দেবেন্দ্রনাথ বোম্বাইয়ে বান্দ্রা অঞ্চলে কিছুদিনের জন্য বাসা বেঁধেছিলেন। কখনও পাহাড়, কখনও সমুদ্র তাঁকে টানে। হঠাৎ কলকাতায় খবর এল দেবেন্দ্রনাথ গুরুতর অসুস্থ, রবি অবিলম্বে ছুটল বোম্বাই।

দেবেন্দ্রনাথ ভেবেছিলেন, বান্দ্রায় থাকতে থাকতেই একদিন সমুদ্রের দিকে তাকিয়ে তিনি শেষনিশ্বাস ফেলবেন, মিলিয়ে যাবেন মহা অসীমে। কিন্তু তাঁর সে সাধ পূর্ণ হল না। অচিরেই তিনি আবার দিব্যি সুস্থ হয়ে উঠলেন এবং কলকাতার দিকে যাত্রা করলেন।

রবি এ যাত্রায় পিতার সঙ্গী হল না। সে মেজদাদার আহ্বানে কিছুদিনের জন্য থাকতে গেল নাসিকে। কিন্তু সেখানে এসেই তার বিষম আফসোস হল। কেন সে মৃণালিনীকে সঙ্গে নিয়ে এল না? মৃণালিনী তার সন্তানের জননী হতে চলেছে, এটা জানবার পর থেকেই পত্নীর প্রতি তীব্র টান অনুভব করছে রবি। আহা, মৃণালিনীর সঙ্গে ভাল করে দুটো কথাও কওয়া হয়নি আসবার আগে।

মনে পড়ে যায় সোলাপুরের দিনগুলি কথা। সেখানে দুপুরবেলা বাড়িতে আর কেউ থাকত না। সেই নির্জন দুপুরগুলিতে তাদের দুজনের সত্যিকারের মিল হয়েছিল। উদ্দাম হয়েছিল শরীর। রবি এখন বিরহ যন্ত্রণায় কাতর হয়ে পড়ল।

ফেলো গো বসন ফেলো, ঘুচাও অঞ্চল
পরো শুধু সৌন্দর্যের নগ্ন আবরণ

সুরবালিকার বেশ কিরণ বসন।
পরিপূর্ণ তনুখানি বিকচ কমল
জীবনের যৌবনের লাবন্যের মেলা......

যে সব কথা রবির কলমের ডগায় কখনও আসেনি আগে. এখন রবি তা নিঃসঙ্কোচে লিখে ফেলতে পারে। প্রথম চুম্বনের স্মৃতিতে সে লেখে:

অধরের কানে যেন অধরের ভাষা
দোঁহার হৃদয় যেন দোঁহে পান করে।
গৃহ ছেড়ে নিরুদ্দেশে দুটি ভালোবাসা
তীর্থযাত্রা করিয়াছে অধর সংগমে....

বিরহের রতি বিলাপ ফুঠে ওঠে আর একটি কবিতায় :

প্রতি অঙ্গ কাঁদে তব প্রতি অঙ্গ তরে।
প্রাণের মিলন মাগে দেহের মিলন।
হৃদয়ে আচ্ছন্ন দেহ হৃদয়ের ভরে
মুরছি মরিতে চায় তব দেহ'পরে।
তোমার নয়ন-পানে ধাইছে নয়ন
অধর মরিতে চায় তোমার অধরে.....

এরকম লিখতে লিখতে হঠাৎ একদিন অন্য সুর এসে যায়। রবি নিজেই লেখার দিকে বিস্মিত হয়ে চেয়ে থাকে। এ যেন অন্য কেউ লেখাচ্ছে তাকে :

আমি নিশি নিশি কত রচিব শয়ন
আকুল নয়নে রে।
কত নিতি নিতি বনে করিব যতনে
কুসুম চয়ন রে !
কত শারদ যামিনী হইবে বিফল
বসন্ত যাবে চলিয়া !
কত উদিবে তপন আশার স্বপন !
প্রভাতে যাইবে ছলিয়া!
এই যৌবন কত রাখিব বাঁধিয়া
মরিব কাঁদিয়া রে !
সেই চরণ পাইলে মরণ মাগিব
সাধিয়া সাধিয়া রে.....

এই কবিতায় তো স্পষ্ট নতুন বউঠানের ছায়া। সেই চন্দননগরের দিনগুলি, সেই ফুলের বাগান, সেই যৌবনের ক্রন্দন !

॥ ৫৪ ॥

চোখে আলো পড়ায় শশিভূষণের ঘুম ভেঙে গেল। প্রথমে তিনি বুঝতে পারলেন না এখন সকাল না বিকেল। তাঁর জাগরণ যেন আকস্মিক, আরও একটু ঘুমের প্রয়োজন ছিল। তিনি দেখলেন, একটি মেয়ে এই ঘরের জানলাগুলি একটার পর একটা খুলে দিচ্ছে। আলোয় ভরে গেল সারা ঘর। এক একটি জানলার আলোর পটভূমিকায় ভূমিসূতাকে মনে হচ্ছে একটি রেখামূর্তি।

শশিভূষণের সারা শরীরে আলস্য। তিনি শয্যা ছেড়ে উঠলেন না। পাশের দেরাজের ওপর রাখা ঘড়ি দেখলেন, সকাল দশটা বেজে গেছে। শশিভূষণ সাধারণত ঊষালগ্নেই গাত্রোত্থান করেন, সাতটার মধ্যেই তাঁর প্রাতঃকৃত্য সারা হয়ে যায়। কিন্তু গত রাত্রে মহারাজ গান-বাজনার আসর বসিয়েছিলেন, তা শেষ হয়েছে তৃতীয় প্রহরে। রাত্রি জাগরণে মহারাজের ক্লান্তি নেই, তিনি সত্যিকারের সঙ্গীতপিপাসু, কিন্তু শশিভূষণ মাঝে মাঝে ঘুমে ঢুলে পড়ছিলেন। যদুভট্ট দেহত্যাগ করেছেন, কলকাতা থেকে আর দু-একজন গায়ককে মহারাজ ত্রিপুরায় নিয়ে যেতে চান।

জানলাগুলো সব খুলে ভূমিসূতা নত নেত্রে ঘর থেকে বেরিয়ে গেল।

সদ্য ঘুম ভাঙার পর যুক্তিবোধ ঠিকমতন কাজ করে না। কিসে যেন শশিভূষণের একটা খটকা লাগছে। অন্য দিন তো তিনি ভূমিসূতার একটার পর একটা জানলা খোলার দৃশ্য দেখতে পান না ! এবার মনে পড়ল, অন্য দিন তাঁর ঘরের জানলা বন্ধই থাকে না, জানলা খুলে ঘুমোনোই তাঁর অভ্যেস। কাল রাতে জানলা বন্ধ ছিল কেন ?

পালঙ্ক থেকে নেমে তিনি একটি জানলার কাছে দাঁড়ালেন। তাঁর পরণে ধুতি ও ফতুয়া, চুলগুলি সব এলোমেলো, চোখের নীচে ঈষৎ ক্লান্তি। জানলার কাছে একটু একটু জল জমে আছে, বাইরে তাকিয়ে বোঝা গেল, শেষ রাতে বেশ জোর বৃষ্টি হয়ে গেছে। তা হলে বৃষ্টির সময় কেউ এসে তাঁর ঘরের জানলা বন্ধ করে দিয়ে গিয়েছিল। কে আবার, ভূমিসূতাই নিশ্চয়।

শশিভূষণের ইচ্ছে হল আরও কিছুক্ষণ শুয়ে থাকতে। মহারাজও এখন ঘুমোবেন, এমন কিছু রাজকার্য নেই আজ সকালে।

একটু পরে ভূমিসূতা একটা ট্রে-তে করে এক কাপ চা, দু'খানি বিস্কুট ও আধ গেলাস চুনের জল নিয়ে এল। চুনের জল খেলে পেট ভাল থাকে, প্রতিদিন চায়ের আগে শশিভূষন আধ গেলাস করে খান।

ট্রে-টি একটি টুলের ওপর নামিয়ে রেখে ভূমিসূতা মৃদু কণ্ঠে জিজ্ঞেস করল, আপনার স্নানের জল দিতে বলব ?

শশিভূষণ বললেন, বেলায় স্নান করব। তারা নেই আজ।

ভূমিসূতা মাটির দিকে চেয়ে বলল, এগারোটার সময় আপনি উকিলবাবুর কাছে যাবেন বলেছিলেন?

সঙ্গে সঙ্গে শশিভূষণের সমস্ত শরীর সজাগ হয়ে উঠল। তাই তো, আজ এগারোটার সময় হাইকোর্টে যাওয়া নির্দিষ্ট হয়ে আছে, তিনি ভুলেই গিয়েছিলেন একেবারে। ত্রিপুরা থেকে রাধারমণ জরুরি তার পাঠিয়েছেন এই মামলার ব্যাপারে।

ভূমিসূতা সব মনে রাখে। শশিভূষণের যাবতীয় প্রয়োজনের প্রতি তীক্ষ্ণ নজর রাখে সে। যে মেয়ে এত ভাল গান গায়, ঘরের কাজেও তার কোনও ভুল হয় না। বৃষ্টির জন্য সে জানলা বন্ধ করে গিয়েছিল, দশটার সময় শশিভূষণকে জাগাবার জন্যই সে জানলা খুলে দিয়েছে।

খালি একটাই ওর দোষ, ও কোনও কথাই বলতে চায় না। কিছু জিজ্ঞেস করলেও শুধু হ্যাঁ বা না বলে। ওর সঙ্গে গল্প-গাছা করার কোনও উপায় নেই। মেয়েটি অদ্ভুত রকমের জেদি। মহারাজকে গান শোনাতে কিছুতেই রাজি হল না। অসুখের কথা বলে এতদিন এড়িয়ে গেলেও আর উপায় নেই। এবার ও আর মহারাজের হাত থেকে নিষ্কৃতি পাবে না।

মনোমোহিনী আর এখানে থাকতে চায় না, ত্রিপুরার জন্য তার মন কেমন করছে। মহারাজ তাই ফেরার বন্দোবস্ত করতে নির্দেশ দিয়েছেন। ভূমিসূতাকে তিনি ভুলে যাননি, তাকে তিনি সঙ্গে নিয়ে যাবেন। শিয়রের কাছে বসে একটি নারী বৈষ্ণবপদাবলি গান শুনিয়ে তাঁকে ঘুম পাড়াবে। এই সাধটি দিন দিনই প্রবল হচ্ছে মহারাজের। তিনি শশিভূষণকে বলেছেন, ও মেয়েটি খুব অসুখে ভুগছে, ত্রিপুরায় গেলেই ঠিক হয়ে যাবে দেখো। ওকে আমি কয়েকদিনের জন্য জম্পুই পাঠিয়ে দেব। সেখানকার বাতাসে সব অসুখ সেরে যায়।

দ্রুত স্নান সেরে এসে শশিভূষণ দেখলেন, ভূমিসূতা তাঁর জন্য লুচি-মোহনভোগ সাজিয়ে রেখেছে।

সব কাজই এর নিখুঁত, কিন্তু এ মেয়ে কখনও কাছে দাঁড়িয়ে পরিবেশন করে না। যদি আর কিছু প্রয়োজন হয় তা দেখার জন্য অপেক্ষা করে দরজার আড়ালে। শশিভূষণ যদি আর দুখানা লুচি খেতে চান, তা হলে সে কথা উচ্চারণ করার আগেই ভূমিসূতা কী করে যেন টের পেয়ে নিঃশব্দে এসে আরও কিছু লুচি রেখে যাবে। এই নীরবতার জন্যই তার প্রতি কৌতূহল দিন দিন বাড়তেই থাকে।

দরজার দিকে তাকিয়ে শশিভূষণ বললেন, তোমাকে দু-একদিনের মধ্যেই ত্রিপুরা যেতে হবে। তুমি তৈরি হও।

তারপর কাগজপত্র গুছিয়ে নিয়ে শশিভূষণ বাইরে এসে ঘোড়ার গাড়িতে চাপলেন। কিছুদূর যাওয়ার পর তাঁর বুক দুরদুর করতে লাগল। হাইকোর্টে দেখা করতে হবে প্রখ্যাত ব্যারিস্টার উমেশচন্দ্র বন্দোপাধ্যায়ের সঙ্গে, লোকের মুখে মুখে তাঁর নাম ডবলু সি বোনার্জি। তিনি নাকি পাক্কা সাহেব, তার সঙ্গে কথা বলতে গিয়ে আদব-কায়দায় কিছু ভুল হয়ে যাবে কি না কে জানে!

অবশ্য এই ব্যারিস্টারটি সম্পর্কে আরও কিছু কিছু খবর সংগ্রহ করেছে শশিভূষণ। তা যেন অনেকটা পরস্পরবিরোধী । ইনি খুব বেশি সাহেবমনস্ক, ইংরিজি বুলি ছাড়া কথা বলেন না, ওঁর স্ত্রী খ্রিস্টান হয়েছেন, কিন্তু নিজে ধর্মান্তরিত হননি। সব সময় ইংরেজদের সঙ্গে ঘেঁষাঘেঁষি করলেও ইনি ভারতীয় সমাজের পক্ষ নিয়ে ব্রিটিশ সরকারের কাছে অনেক দাবি পেশ করেন। গত বছর বোম্বাইতে ইণ্ডিয়ান ন্যাশনাল কংগ্রেস নামে কী একটা সভা হয়েছিল, সেখানে ইনিই ছিলেন সভাপতি।

হাইকোর্ট সংলগ্ন উমেশচন্দ্রের চেম্বারে জনা পাঁচেক লোক বসে আছে। কোনও বিষয় নিয়ে তুমুল তর্ক করছে, বড় একটা টেবিলের ওপাশে বসে উমেশচন্দ্র মিটিমিটি হাসছেন। তাঁর চল্লিশ-বেয়াল্লিশ বছর বয়েস, থ্রি পিস সুট পরা, মাঝখানে সিঁথি করে মাথার চুল আঁচড়ানো, চোখে রিমলেস চশমা। শশিভূষণ পৌঁছলেন ঠিক কাঁটায় কাঁটায় এগারোটার সময়, উমেশচন্দ্র তাঁকে দেখে চোখের ইঙ্গিতে একটা চেয়ারে বসতে বললেন। অন্য যাঁরা

উপস্থিত তাঁরা কেউই মক্কেল নয়, ব্যারিস্টার সাহেবের বন্ধুস্থানীয়। আজ আদালতের ছুটির দিন, উমেশচন্দ্রও যেন ছুটির মেজাজে আছেন, তিনি তর্কটা থামাতে চাইলেন না।

তর্কটা প্রধানত চলছে জানকীনাথ ঘোষাল ও অতুল সেনের মধ্যে, অন্যরা টিপ্পনি কাটছেন। একটুক্ষণ শুনে শশিভূষণ বুঝলেন, বিষয়টা মোটেই রাজনৈতিক নয়, বিবাহ ব্যবস্থা সম্পর্কে। তেজেশচন্দ্র গাঙ্গুলি নামে একজন বিলাত ফেরত ডাক্তার সম্প্রতি একটি নার্সকে বিয়ে করেছেন, তাই নিয়ে সোরগোল পড়ে গেছে। সেই নার্সটি জাতিতে শূদ্র। কুলীন ব্রাহ্মণের সঙ্গে শূদ্রের বিবাহ সম্পর্ক হলে সমাজ রসাতলে যাবে, এই অনেকের ধারণা। জানকীনাথ প্রবলভাবে এ বিবাহকে সমর্থন করছেন। তাঁর নিজের বিয়ের সময় গণ্ডগোল হয়েছিল, তিনি ঠাকুরবাড়ির মেয়ে বিয়ে করেছিলেন, ঠাকুররা একে পিরিলি তায় ব্রাহ্ম, নারায়ণ শিলা মানে না, তাই জানকীনাথের বাবা তাঁকে ত্যাজ্যপুত্র করেছিলেন। ইন্ডিয়ান মিররের সম্পাদক নরেন সেন তাঁর পক্ষ নিয়ে বললেন, এই বর্ণভেদ প্রথাই ভারতের সর্বনাশ ডেকে এনেছে। এখন বিভিন্ন বর্ণের মধ্যে বিবাহ চালু হওয়া অবশ্যই উচিত।

অন্য একজন বিদ্রুপ করে বললেন, ওই যে গাঙ্গুলি ডাক্তারটা একটা শূদ্দুর মেয়েকে বিয়ে করেছে, তা কি সমাজ সংস্কারের জন্য ? মোটেই না। এর মধ্যে একটা নির্লজ্জতা প্রকাশ পেয়েছে, তা বুঝতে পারছ না ? আগে থেকেই ডাক্তারের সঙ্গে ওই নার্সের আশনাই হয়েছিল, তারপর নিজেরাই বিয়ে ঠিক করেছে।

জানকীনাথ বললেন, এর মধ্যে দোষের কী আছে ? বিলেতেও তো বিবাহের পূর্বে কোর্টশিপ হয়।

অন্যজন বললেন, রাখো, রাখো। এ দেশটা বিলাত নয়। আমাদের দেশে যদি বিয়ের আগে নারী-পুরুষে মেলামেশা শুরু হয়ে যায়, তাহলে নীতি-ধর্ম বলে আর কিছু থাকবে না।

সবাই হেসে উঠলেন। জানকীনাথ বললেন, মেয়েদের এখন আমরা লেখাপড়া শেখাতে স্কুলে পাঠাচ্ছি, তারা আর অন্তঃপুরে আবদ্ধ নয়, এখনও কি নারী-পুরুষে মেলামেশা আটকানো যাবে ? যে কালের যে নিয়ম !

নরেন সেন দীর্ঘশ্বাস ফেলে বললেন,না, আটকানো যাবে না। তবে কি জানো ভায়া, আমাদের বয়েস হয়ে গেছে, আমরা আর ওই সুযোগটা পেলাম না !

শশিভূষণকে অবাক করে দিয়ে উমেশচন্দ্র খাঁটি বাংলায় বললেন, অনেক কথা তো শুনলাম, এবার আমি একটা কথা জিজ্ঞেস করি। ইংরেজ তনয়ারা কি শূদ্র না বামুন ? এখন তো কেউ কেউ মেম বিয়ে করে আনছে, সে বেলায় তো কোনও প্রতিবাদ শুনি না। কবি মধুসূদন দত্ত যে এক শ্বেতাঙ্গিনীকে নিয়ে এতদিন ঘর করে গেলেন, তাঁর তো জল অচল হয়নি। অনেক মাথা মাথা লোক তাঁর বাড়িতে গিয়ে খানা খেয়েছে ! সংস্কৃতে একটা কথা আছে, স্ত্রী রত্নং দুষ্কুলাদপি। তা দুষ্কুল থেকে যদি স্ত্রী রত্ন আনা যায়, শূদ্ররা কী দোষ করল ?

জানকীনাথ বললেন, হিয়ার হিয়ার ! উমেশচন্দ্র ঠিক রায় দিয়ে দিয়েছেন। প্রণয়ের ব্যাপারে জাতপাতের প্রশ্ন তোলা অবান্তর।

বিরুদ্ধপক্ষীয় ব্যক্তিটি বললেন, উহুঁ, উমেশ বললেই মানব কেন ? সে তো হাকিম নয়, সে শুধু সওয়াল করতে পারে।

উমেশচন্দ্র এবার শশিভূষণের দিকে চেয়ে বললেন, আমাদের এখানে ত্রিপুরার রাজপরিবারের এক প্রতিনিধি উপস্থিত আছেন। তাঁর কাছ থেকেই শোনা যাক, ত্রিপুরায় বিবাহের ব্যাপারে এরকম শুচিবাই আছে কি না।

ত্রিপুরার রাবংশের নাম শুনে সবাই কথা থামিয়ে সসম্ভ্রমে শশিভূষণের দিকে তাকালেন। শশিভূষণ বেশ সঙ্কুচিত বোধ করলেন, এঁরা নিশ্চয়ই তাঁকে রাজপুত্র-টুত্র ভেবে বসেছেন।

তিনি বিনীতভাবে বললেন, আজ্ঞে আমি কলকাতারই এক কায়স্থবাড়ির সন্তান। চাকরি সূত্রে ত্রিপুরার রাজপরিবারের সঙ্গে যুক্ত। তবে ত্রিপুরায় কয়েক বছর থেকে দেখেছি। ওখানে সাধারণভাবে বিয়ের ব্যাপারে জাতপাতের চুলচেরা বিচার হয় না। তবে অনেক উপজাতীয় বিভাগ আছে বটে।

এর পর অল্পক্ষণের মধ্যেই আড্ডা ভেঙে গেল। অন্যরা বিদায় নিলে উমেশচন্দ্র মামলার ব্রিফ বুঝে নিতে লাগলেন। ত্রিপুরার একটি চা-বাগানের ইজারা নিয়ে একটি ইংরেজ কোম্পানির সঙ্গে জটিল মামলা, অনেকখানি সময় লাগল।

সেখান থেকে বেরিয়ে শশিভূষণ কিছু কেনাকাটি করলেন। মহারাজ বীরচন্দ্র সদলবলে ফিরবেন, ছবি আঁকার রঙ-তুলি থেকে শুরু করে পিস্তলের গুলি পর্যন্ত অনেক কিছুই তাঁর সঙ্গে যাবে। বাইরের লোকদের ধারণা, পয়সা থাকলে কলকাতা শহরে সব কিছুই মেলে, এমন কি বাঘের দুধ পর্যন্ত। মহারাজ বায়না ধরেছেন, তিনি গোটাকতক চাতক পাখি চান, বেশ কয়েকটি পশু-পাখির বাজার ঢুঁড়েও সে পাখি পাওয়া গেল না।

একবার ভবানীপুরে নিজের বাড়ি ঘুরে শশিভূষণ ফিরে এলেন সন্ধের সময়। আজ কবিতার আসর বসবে, কয়েকজন কবিকে আমন্ত্রণ জানান হয়েছে, তারা এখনও এসে পৌঁছননি। শশিভূষণ মহারাজের সঙ্গে দেখা করে সারা দিনের ঘটনাবলি নিবেদন করলেন। মহারাজ জানালেন যে তিনি এক পুরোহিতকে ডেকে আলোচনা করেছেন, আর পাঁচদিন পর, আগামী মঙ্গলবার যাত্রা শুভ, সুতরাং আরও কয়েকটি দিন থাকতে হবে। মঙ্গলবারই তিনি ত্রিপুরার উদ্দেশ্যে রওনা হতে চান।

নিজের কক্ষে এসে শশিভূষণ পোশাক পরিবর্তন করলেন। আজ আবার বৃষ্টি হবে মনে হয়, গুমোট গরম, এক আঁজলা বাতাসও নেই। শশিভূষণ জানলার কাছে এসে দাঁড়ালেন। মহারাজ চলে গেলে এ বাড়ি নিরিবিলি হয়ে যাবে, তখন শশিভূষণ মন দিয়ে কিছু কাজ করতে পারবেন। মহারাজ বীরচন্দ্র বকাবকি করেন না বটে, তবু রাজ সন্নিধানে কিছুটা তটস্থ হয়ে থাকতেই হয়।

মঙ্গলবারের পর ভূমিসূতাও আর এখানে থাকবে না। মহারাজ তাকে সঙ্গে নিয়ে যেতে বদ্ধপরিকর। একবার ত্রিপুরায় গেলে ভূমিসূতা রাজবাড়ির অন্তঃপুরে হারিয়ে যাবে, আর তাকে কোনওদিন দেখা যাবে না।

শশিভূষণ ক্ষুধা বোধ করছেন, এই সময় তাঁকে কিবছু জলখার দেওয়া হয়। তিনি যে ফিরে এসেছেন, তা কি ভূমিসূতা টের পায়নি ?

ভেতরের সিঁড়ির কাছে দাঁড়িয়ে তিনি দুবার ভূমি, ভূমি বলে ডাকলেন। কোনও সাড়া পাওয়া গেল না। তিনি নিচে নেমে এলেন।

ভূমিসূতার ঘরের দরজার একটি পাল্লা খোলা। ভেতর থেকে ভেসে আসছে চাপা গলার গান। শশিভূষণ বেশ কয়েকবার ভূমিসূতার কাছে গান শুনতে চেয়েছেন। সে চুপ করে থেকেছে শুধু। মহারাজকে সে গান শোনাবে না, শশিভূষণকেও শোনাতে তার আপত্তি কিসের?

শশিভূষণ দরজার পাশ দিয়ে উঁকি মারলেন। ভেতরের দৃশ্যটি দেখেই তাঁর বুক কেঁপে উঠল। ঘরের মধ্যে রয়েছে দুটি নারী। দেওয়ালে পিঠ দিয়ে বসে আছে রানী মনোমোহিনী, কোনও আসন পর্যন্ত পাতা নেই, স্রেফ মেঝেতে, পা দুটি ছড়ানো, এক হাতে রয়েছে তেঁতুলের আচার জাতীয় কিছু, সেটা জিভ দিয়ে চাটছে মাঝে মাঝে, কিন্তু দু চোখে গভীর মনোযোগ। তার একটু দূরেই হাঁটু মুড়ে বসেছে ভূমিসূতা। সে গান গাইছে দুলে দুলে, অনেকটা যেন শেখানোর ভঙ্গিতে, একটি লাইনই গাইছে বারবার।

এই দৃশ্যটি শশিভূষণকে চুম্বকের মতন টানলেও তিনি সেখানে দাঁড়াতে পারলেন না। সরে গেলেন দূরে। রানী মনোমোহিনীকে এভাবে দেখা তাঁর পক্ষে বেয়াদপি।

কিশোরী রানীটিরও কোনও কাণ্ডজ্ঞান নেই। তার পর্দানশীনা থাকার কথা, সে চলে এসেছে দাস-দাসীদের মহলে ? ভূমিসূতার ক্রমাগত অসুখের কথা শুনে সে আর কৌতূহল দমন করতে পারেনি, দেখতে এসেছে নিজের চক্ষে।

ভূমিসূতাই বা কোন আক্কেলে তাকে গান শোনাতে গেল ! অসুস্থতার ভান করে শুয়ে থাকতে পারত না ? এখন যে সর্বনাশ হয়ে যাবে। মনোমোহিনী গিয়ে মহারাজকে বলে দেবে যে ভূমিসূতার কোনও অসুখ নেই। শশিভূষণই মিথ্যেবাদী বলে প্রমাণিত হবেন। তা হলে কি ভূমিসূতা ত্রিপুরায় যাওয়ার জন্য ব্যগ্র ? স্বেচ্ছায় সে রাজার রক্ষিতা হতে চায়! কিছুটা সূক্ষ্ম অভিমানে শশিভূষণের বুক ভরে গেল ।

ওপরে গিয়ে বিছানায় শুয়ে পড়লেন শশিভূষণ।

খানিক বাদে একটা পিরিচে কয়েকখানি তিলকুটো ও চন্দ্রপুলি আর এক গেলাস জল নিয়ে এল ভূমিসূতা। শশিভূষণ ওর দিকে তাকিয়ে রইলেন। ভূমিসূতা নিজের থেকে কোনও কথাই বলবে না। জিনিসগুলো রেখে ভূমিসূতা যখন বেরিয়ে যাচ্ছে, তখন শশিভূষণ ঈষৎ গম্ভীর গলায় বললেন, ত্রিপুরায় রওনা দিতে হবে মঙ্গলবার। মহারাজ বলেছেন, তোমার যদি শাড়ি-টাড়ি কিছু লাগে, তা কিনে দেওয়া যাবে।

ভূমিসূতা এবার ঘুরে দাঁড়িয়ে শশিভূষণের দিকে চেয়ে রইল।

ভূমিসূতা যেভাবে শাড়ি পরে, তাতে পায়ের পাতা ঢাকা পড়ে না, হাঁটুর খানিকটা নীচে পর্যন্ত নেমে আসে। বুকে অন্তর্বাস নেই, কিন্তু আঁচলটি যেন দু-তিনটি পাক দেওয়া, তাতেই ঊর্ধ্বাঙ্গের সম্পূর্ণ আবরণ হয়ে যায়। চুলে আলগা খোঁপা, চোখের পাতায় যেন কিসের মায়া লেগে আছে।

শশিভূষণ ফটোগ্রাফার, তাঁর চোখে ভূমিসূতার এক-একটা ভঙ্গি যেন ছবির মতন মনে হয়। সে নির্বাক বলেই যেন তার ভঙ্গিগুলিতে আরও বেশি ছবি-ছবি ভাব আসে।

শশিভূষণ আবার বললেন, তোমার কখানা শাড়ি লাগবে ? মহারাজের কাছাকাছি থাকতে হলে সবসময় সেজেগুজে থাকতে হয়। মুর্শিদাবাদি সিল্ক মহারাজের পছন্দ, কয়েকখানা নিয়ে আসব, তুমি পছন্দ করে নিও।

ভূমিসূতা এবার আস্তে আস্তে মাথা দুলিয়ে বলল, আমার শাড়ির দরকার নেই। আমি ত্রিপুরা যাব না।

শশিভূষণ ভ্রূকুঞ্চিত করে বললেন, যাবে না মানে ? রানী জেনে গেলেন, তুমি সুস্থ। আর কি ছুতো দেখাবে ? তোমার জেদের জন্য আমিই মাঝখান থেকে মিথ্যেবাদী হলাম। যাও, সেখানে তুমি সুখে থাকবে।

ভূমিসূতা আবার বলল, আমি যাব না। মহারানীকে আমি দু-তিনটি গান শিখিয়ে দিচ্ছি, তিনি মহারাজকে শোনাবেন।

শশিভূষণ হাসবেন না কাঁদবেন বুঝতে পারলেন না। এ কী পাগলের মতন কথা ! মহারাজ তো অন্য কারুর গলায় ও গান শুনতে চাননি, তিনি ভূমিসূতাকেই চেয়েছেন। ভূমিসূতাকে নিজের শয্যাসঙ্গিনী করে রাত্রিবেলা গান শুনবেন। তা ছাড়া, মনোমোহিনীর কণ্ঠে গান ? যে মেয়ে গান শুনতে শুনতে আচার খায়, তার দ্বারা কেমন গান হবে? বৈষ্ণবপদাবলি গান কি দু চার দিনে শেখা যায় ?

এত কথা না বলে শশিভূষণ শুধু বললেন, মহারাজের ইচ্ছে হলে তার ওপর না বলা যায় না। মহারাজ তোমাকেই চান।

ভূমিসূতা বলল, আমি চাই না।

শশিভূষণ বললেন, মহারাজকে কী বলে বোঝাব ? তিনি যদি জোর-জবরদস্তি নাও করেন, তা হলেও তো এর পর আর তোমার এ বাড়িতে স্থান হবে না। মহারাজের চাকরি

করে আমিও তোমাকে ভবানীপুরের বাড়িতে আশ্রয় দিতে পারব না। তা হলে তুমি কোথায় যাবে ?

ভূমিসূতা উদাসীন সুরে বলল, জানি না।

হঠাৎ শশিভূষণের স্মৃতি থেকে একটা দৃশ্য উঠে এল। সেই যে বারে তাঁর কঠিন অসুখ হয়েছিল, সিঁড়ি দিয়ে তিনি পড়ে গেলেন, কেউ তাঁকে দেখতে পায়নি, সেখানে তিনি কতক্ষণ পড়ে থাকতেন কে জানে,তাঁর কণ্ঠরোধ হয়ে গিয়েছিল, একেবারে অজ্ঞান হবার শেষ মুহূর্তে তিনি একটি নারীর মুখ দেখতে পেয়েছিলেন, তাঁর চোখের সামনে ঝুঁকে আছে, এই সেই মুখ। তারপর আর একদিন শেষ রাতে, রোগযন্ত্রণায় তিনি ছটফট করছিলেন, ফিসফিসিয়ে বলছিলেন, জল, জল, সে ডাক কারুর শুনতে পাওয়ার কথা নয়, তবু তিনি দেখতে পেলেন একটি মুখ, সেই নারী তাঁকে জল পান করাল। এই সেই মুখ।

শশিভূষণের জীবনের দুটি মুহূর্তে ভূমিসূতা এসে দেখা দিয়েছিল। সেই ভূমিসূতাকে তিনি মহারাজ বীরচন্দ্রের হাতে তুলে দিতে যাচ্ছিলেন ? ছি ছি ছি ছি, এমন একটা ভুলের জন্য সারা জীবন তাঁকে আফসোস করতে হত। বরং এই ভুলটা সংশোধন করে শশিভূষণ নিজের জীবনটাকেই বদলে ফেলতে পারেন এবার !

তিনি মিথ্যেই সন্দেহ করেছিলেন যে ভূমিসূতা বুঝি ত্রিপুরায় যাওয়ার জন্য নিজেই আগ্রহী । কী সরল দৃঢ়তার সঙ্গে সে বলছে, যাব না। এর পর আর কোনও কথাই চলে না।

বিদ্যুৎ চমকের মতন শশিভূষণ সহসা এ সমস্যা সমাধানের একটা উপায়ও পেয়ে গেলেন। তিনি চাকরি ছেড়ে দেবেন। লোকে পরের দাসত্ব করে অর্থের জন্য, শশিভূষণের তো অর্থাভাব নেই। তিনি ত্রিপুরায় চাকরি করতে গিয়েছিলেন অনেকটাই শখে। চাকরি ছেড়ে দিলে মহারাজ আর তাঁর ওপর জোর করতে পারবেন না। তিনি ভূমিসূতাকে নিয়ে চলে যাবেন। কোথায় যাবেন ? না, ভবানীপুরের বাড়িতে নয়, শশিভূষণ ওকে বিয়ে করে স্ত্রীর সম্মান দেবেন, সংসার পাতবেন পৃথকভাবে। ও মেয়ে দাসীর কাজ করুক বা যা-ই করুক, মুখখানি দেখলেই বোঝা যায়, ও পবিত্র। ওর কী জাত তা তিনি জানতে চাইবেন না। আজ সকালবেলা ব্যারিস্টার উমেশচন্দ্র বন্দ্যোপাধ্যায়ের চেম্বারে যে সব কথাবার্তা শুনেছেন, তা মনে পড়ে গেল। শশিভূষণ এ ভাবে বিবাহ করলে অনেকে আপত্তি জানাবে, তাঁর পরিবারের লোকেরা যে ঘোর প্রতিবাদ করবে তাতে কোনও সন্দেহ নেই, কিন্তু তিনি কলকাতার বিদ্বজ্জন-সমাজের সমর্থন পাবেন।

ভূমিসূতার মুখের দিকে তাকিয়ে থাকতে থাকতে কয়েক মিনিটের মধ্যে শশিভূষণের নতুন উপলব্ধি হল, তিনি সিদ্ধান্ত নিয়ে ফেললেন। ভূমিসূতাকে তিনি দাসত্ব থেকে মুক্তি দেবেন, সে উপহার পাবে একটি নিজস্ব সংসার। ভূমিসূতাকে ছেড়ে তিনি থাকতে পারবেন না।

বিছানা থেকে নেমে এসে তিনি আবেগভরা কণ্ঠে বললেন, ভূমি, তোমার কোনও ভয় নেই। আমি তোমার মনের প্রকৃত ইচ্ছেটা জানতে চাইছিলাম শুধু। তোমাকে ত্রিপুরায় কেউ জোর করে নিয়ে যেতে পারবে না। তুমি আমার সঙ্গে থাকবে। তোমার জন্য আমি চাকরি ছেড়ে দিচ্ছি, ভূমি ! কাল-পরশুই একটা বাসা খুঁজে নিয়ে আমরা চলে যাব, আমরা দুজনে সংসার পাতব ?

ভূমিসূতা চমকে উঠে বিস্ফারিতভাবে তাকাল। শশিভূষণের এই আকস্মিক পরিবর্তন যেন সে ঠিক বুঝে উঠতে পারছে না।

শশিভূষণ বললেন, এর মধ্যে পাপের কিছু নেই। আমি তোমাকে যোগ্য সম্মান দেব। ইংরেজ সরকার আইন পাস করেছে, রেজিস্ট্রি বিবাহে কোনও বাধা নেই। আমরা ইচ্ছে করলে

চন্দননগরে ফরাসি রাজত্বে গিয়ে কিছুদিন থাকতে পারি। কিংবা তুমি যদি চাও তো উড়িষ্যা......কটকে কিংবা জগন্নাথধ্যামে আমরা ঘর বাঁধব।

ভূমিসূতা এবারেও কোনও কথা বলতে পারল না।

শশিভূষণ বললেন, আঃ মুক্তি, মুক্তি ! কেনই বা আমি এতদিন চাকরি করছিলাম ? আমার জীবনটা শুষ্ক হয়ে ছিল, ভূমি ! নারী জাতির প্রতিই আমার কোনও টান ছিল না। কিন্তু তুমি আমার জীবনে একেশ্বরী হয়ে থাকবে। তুমি আমায় গান শোনাবে, তোমার হাতের সেবায় আমার শরীর জুড়োবে। আমি তোমাকে লেখাপড়া শেখাব। আমার ইচ্ছে আছে, একটা বিদ্যায়তন খুলব। অপদার্থ রাজকুমারদের নয়, গরিবঘরের ছেলেদের সেখানে নতুন রকমের শিক্ষা দেব, তুমি আমাকে সাহায্য করবে অন্তরাল থেকে । ছুটির সময় আমরা দেশবিদেশে বেড়াতে যাব। যেখানে তুমি চাও.....তুমি এখনও কোনও কথা বলছ না কেন , ভূমি ?

ভূমিসূতা এবারে দু হাতে মুখ চাপা দিল। আঙুলের ফাঁক দিয়ে টপটপ করে ঝরে পড়ল অশ্রু। কান্নায় কম্পিত হতে লাগল তার তনু।

॥ ৫৫ ॥

শ্রীরামকৃষ্ণের শারীরিক অবস্থায় অবনতি হচ্ছে দিন দিন। শয্যা ছেড়ে প্রায় উঠতেই পারেন না, তবু জোর করে যখন স্নান করতে যান অমনি গলায় প্রচণ্ড ব্যথা শুরু হয়, সেইসঙ্গে একনাগাড়ে কাশি ও রক্তপাত। এর মধ্যে জিভে ঘা হয়েছে, কোনও শক্ত খাদ্যই গলা দিয়ে নামতে চায় না।

ডাক্তার মহেন্দ্রলাল সরকার পরামর্শ দিলেন যে কলকাতার ধুলো-ধোঁয়া মেশানো বাতাসে শ্রীরামকৃষ্ণের রোগের প্রকোপ ক্রমশ বৃদ্ধি পাবে। ইনি সারাজীবন ফাঁকা জায়গাতেই থেকেছেন, কলকাতার মতন জনাকীর্ণ, ধুলো-ময়লা-জঞ্জালময় শহরে কখনও বাস করেননি, এঁকে খোলামেলা, স্বাস্থ্যকর কোনও স্থানে বায়ু পরিবর্তনের জন্য নিয়ে যাওয়া দরকার।

দার্জিলিং-সিমলা -পুরীর মতন বিখ্যাত স্বাস্থ্যকর স্থানগুলিতে গুরুকে নিয়ে যাবার মতন সঙ্গতি নেই শিষ্যদের। তা ছাড়া অচেনা জায়গায় দীর্ঘদিন ধরে চিকিৎসার ব্যবস্থাই বা হবে কী ভাবে ? দু-একজন বলল, আবার দক্ষিণেশ্বরে ফিরে গেলেই তো হয়। শ্রীরামকৃষ্ণের তা পছন্দ নয়। দক্ষিণেশ্বরে ফিরে যাবার যুক্তি হিসেবে একজন বলল, সেখানে কালী আছেন। শ্রীরামকৃষ্ণ তার উত্তরে শুধু বললেন, এখানে বুঝি কালী নেই ?

দক্ষিণেশ্বরের সেই ঘরখানির প্রতি শ্রীরামকৃষ্ণের যেন একেবারেই আর কোনও মায়া নেই। যে-কালীমূর্তির সঙ্গে ছিল তাঁর এতকালের হাসি-কান্নার সম্পর্ক, এর মধ্যে আর একদিনও সেই মূর্তি দর্শনের কথা বলেননি। তাঁর মনের কোনও একটা জায়গায় আঘাত লেগেছে, অভিমান জমে উঠছে অনেক দিন ধরে। মথুরবাবুর ছেলে ত্রৈলোক্য এখন দক্ষিণেশ্বরের মন্দিরের মালিক, সে তো একবারও তাঁকে দক্ষিণেশ্বরে ফিরিয়ে নিয়ে যেতে চাইল না, কোনও খোঁজ-খবরই নেয় না !

ভক্তরা ঠিক করল, কলকাতার বাইরে কোথাও একটা বাড়ি ভাড়া নিতে হবে। বেশি দূর হলে চলবে না, ভক্তদের যাতায়াতের অসুবিধা হবে, ডাক্তারদেরও তো নিয়ে যাওয়া চাই।

এক-একজন এক-একটি বাড়ির সন্ধান আনে, শ্রীরামকৃষ্ণ সব শোনেন। পৌষ মাস পড়ে গেলে শ্রীরামকৃষ্ণ আর স্থান ত্যাগ করতে চাইবেন না, তাই সবাই ব্যস্ত হয়ে উঠেছে। শ্যামপুকুরের বাড়িওয়ালাও তাড়া দিচ্ছে, এ ভাড়াটেরা এ মাসের মধ্যে উঠে না গেলে সামনের মাসে বাড়ি ভাড়া হবে না।

সৌভাগ্যবশত কাছাকাছির মধ্যেই একটা পছন্দসই বাড়ি পাওয়া গেল। বাগবাজারের খাল পেরিয়ে বরানগরের পথে কাশীপুর, সেখানে রানী কাত্যায়নীর জামাতা গোপালচন্দ্র ঘোষের উদ্যানবাটি খালি পড়ে আছে। এগারো বিঘা চার কাঠা জমির মাঝখানে দোতলা বাড়ি, চারদিক উঁচু পাঁচিল দিয়ে ঘেরা, ভেতরে দুটি পুকুর ও নানারকম ফুল ও ফলের বাগান। ভাড়া মাসিক আশি টাকা। জমিদারদের বাগান-বিলাসের দিন আর নেই, রেস্তোয় টান পড়েছে, এইসব বাড়িতে এখন আর ঝাড়লণ্ঠন জ্বলে না। নর্তকীদের নূপুরের রিনিঝিনি শোনা যায় না, অযত্নে পড়ে থাকা এইসব পেল্লায় পেল্লায় বাগানবাড়ি এখন অনেকেই ভাড়া দিতে পারলে বাঁচে ।

অত বড় বাড়িতে তো শ্রীরামকৃষ্ণ একা থাকতে পারবেন না, কয়েকজন ভক্তকে সর্বক্ষণ থাকতে হবে সেবার জন্য। তাদের খাওয়ার খরচ, বাড়ি ভাড়া, ওষুধপত্র, যাওয়া-আসার ব্যয় এসব আসবে কোথা থেকে ? কতদিন এই খরচ চালাতে হবে, তাও তো কেউ জানে না । যে পনেরো-ষোলজন ভক্ত অতি ঘনিষ্ঠ, তারা ঠিক করল যে বাড়ি ভাড়া নেওয়া হবে আপাতত ছ মাসের জন্য, আর সব খরচ নিজেদের মধ্যে চাঁদা তুলে চালানো হবে।

শ্রীরামকৃষ্ণ সবই শুনতে পান। তিনি প্রত্যেক ভক্তের বাড়ির হাঁড়ির খবর পর্যন্ত রাখেন। তিনি টাকাপয়সা স্পর্শ করেন না, কিন্তু কোন জিনিসের কী দাম, সে সম্পর্কে তাঁর টনটনে জ্ঞান আছে। একখানা ঘটি বা কম্বল বা থিয়েটারের টিকিট কিনতে কত খরচ পড়ে তাও তিনি জেনে নেন। ভক্তদের মধ্যে সুরেন্দ্রনাথ মিত্রের অবস্থা বেশ সচ্ছল, তাঁর স্বভাবটাও ব্যয়-কুণ্ঠ নয়, শ্রীরামকৃষ্ণ তাঁকে নিভৃতে ডেকে বললেন, দেখ সুরেন্দ্রর, এরা সব কেরানি-মেরানি ছাপোষা লোক, এরা এত টাকা চাঁদা তুলতে পারবে কেন ? বাড়ি ভাড়াই আশি টাকা.......সে যে অনেক গো ! বাড়ি ভাড়ার টাকাটা সব তুমিই দিও !

সুরেন্দ্র তৎক্ষণাৎ রাজি হয়ে গেলেন। কাশীপুরের বাড়িতে যেতে যে শ্রীরামকৃষ্ণ সম্মত হয়েছেন, তাতেই তিনি ধন্য।

অঘ্রাণ মাসের ২৭ তারিখ শুক্রবার, শুক্লাপঞ্চমী, বেশ ভালো দিন। সেই দিনই দু'খানা ঘোড়ার গাড়ি ডেকে যাত্রা শুরু হল। একটি গাড়িতে শ্রীরামকৃষ্ণ ও সারদামণি ও নরেন, অন্য গাড়িতে আর কয়েকজন ভক্তের সঙ্গে রয়েছে লাটু। বাসা বদলের উত্তেজনায় শ্রীরামকৃষ্ণ হঠাৎ যেন আজ বেশ চাঙ্গা হয়ে উঠেছেন। শ্যামপুকুরের বাড়িতে তিনি কাটালেন সত্তর দিন। এর মধ্যে একদিনও বাইরে যাননি, আজ এতদিন পরে পথে নেমে তিনি যেন শিশুর মতন খুশি ও বিস্ময়ে সব কিছু নতুন করে দেখছেন।

বাগবাজারের পুল পেরিয়ে গাড়ি চলল কাশীপুর চৌরাস্তার দিকে। আসন্ন শীতে নরম হয়ে এসেছে রোদ, আকাশ প্রসন্ন নীল। শ্রীরামকৃষ্ণের রোগজীর্ণ মুখখানিতে আজ হাসি ফুটেছে, মাঝে মাঝে তিনি মুখ বাড়িয়ে অন্য গাড়ির ছেলেদের সঙ্গে কথা বলছেন। তাঁর অবস্থা দেখে দু'দিন আগেও কয়েকজন ভক্ত কান্নাকাটি শুরু করেছিল, আজ গুরুকে সুস্থ দেখে উদ্বেল হয়ে উঠেছে তাদের বুক। একগলা ঘোমটায় মুখ ঢেকে বসে আছেন সারদামণি !

এবড়ো-খেবড়ো পাথরে বাঁধানো রাস্তা। দু'পাশে মুটে-মজুরদের চালাঘর। গঙ্গার ধারে ধারে পাটকল ও কল-কারখানা স্থাপনের সঙ্গে সঙ্গে অবাঙালি শ্রমিকরা এসে জুটছে এখানে।

গাড়ি ছাড়িয়ে যেতে লাগল পাটগুদাম, দাস কোম্পানির লোহার কারখানা, রেলি ব্রাদার্সের কারখানা, মদের দোকান, চালের আড়ত, ঘোড়ার আস্তাবল। মাঝে মাঝেই চোখে পড়ে এক-একখানা বাগানবাড়ির ভগ্নদশা, এরই মধ্যে মতি শীলের বাগানবাড়িটি এখনও রয়েছে অক্ষুণ্ন মনোরম। পথে পড়ল সর্বমঙ্গলার মন্দির, শ্রীরামকৃষ্ণ অন্যদের ডেকে বললেন, ওরে ওই সর্বমঙ্গলা বড় জাগ্রত, প্রণাম কর, প্রণাম কর।

মতি শীলের বাগানবাড়ির সামনে দিয়ে একটা ঝিল চলে গেছে বলে এই অঞ্চলটাকে বলা হয় মতি ঝিল। এই মতি ঝিলের উত্তরে বরানগর বাজার যাবার রাস্তার মোড়ের বাড়িটিই এদের উদ্দিষ্ট।

লোহার ফটক পেরিয়ে গাড়ি দুটি ঢুকে এল ভেতরে। এককালে খুবই সমৃদ্ধ বাগান ছিল, এখন অযত্নের ছাপ স্পষ্ট। তবু গাড়ি থেকে নেমে শ্রীরামকৃষ্ণ চারদিকে তাকিয়ে বাঃ বাঃ বলতে লাগলেন। শহরের ঘিঞ্জি এলাকায় ছোট বাড়ির তুলনায় এখানে কতখানি উন্মুক্ত স্থান, কত গাছপালা । শ্রী রামকৃষ্ণ টলটলে পায়ে ঘুরে ঘুরে দেখতে লাগলেন, লাটু রয়ে গেল পাশে পাশে, একটু হোঁচট খেলেই ওঁকে ধরে ফেলবে।

নরেন্দ্র এ বাড়ি আগে দেখেনি, সে বাগান পরিদর্শনে না গিয়ে সোজা ঢুকে গেল বাড়ির মধ্যে। জিনিসপত্র কোথায় রাখা হবে, কে কোন ঘরে থাকবে, এইসব বিলিব্যবস্থায় লেগে গেল। তাকে কেউ নেতৃত্বের ভার দেয়নি, তবু সে যেন সহজাতভাবে নেতা। কারা কারা দিনের বেলা গুরুর সেবায় নিযুক্ত থাকবে, কে কে রাত্রি জাগবে, ওষুধ ও ডাক্তারের ভার থাকবে কার ওপর, কে বাজার করবে প্রতিদিন, এই সব কিছুই সে আগে ঠিক করে ফেলেছে। সুরেন মিত্তির, রাম দত্ত, মহেন্দ্র মাস্টারের মতন বয়স্ক ও দায়িত্বপূর্ণ ব্যক্তিরা থাকতেও নরেন্দ্রর ব্যবস্থাপনা সবাই মেনে নেয়।

একতলায় চারখানি ঘর, ওপরতলায় দুটি। দোতলার একটি বড় ঘর অতি চমৎকার, উত্তর, পশ্চিম আর দক্ষিণ দিক খোলা, পশ্চিমের দেয়ালটি আবার অর্ধগোলাকার, বাড়ির মালিক নিশ্চয়ই এ ঘরে এসে থাকতেন। এই ঘরখানিই শ্রীরামকৃষ্ণের জন্য নির্দিষ্ট হল। পাশের ছোট ঘরটিতে থাকবে লাটু ও রাত্রের সেবকরা। নীচের বড় হলঘরটি সকলের বসবার জায়গা, তার পাশের একটি ঘরে অন্য ভক্তরা শোবে। উত্তর দিকে কোণের ঘরটিতে থাকবেন সারদামণি, তার পাশের ঘরটি দিয়ে দোতলায় যাবার জন্য আছে আর একটি কাঠের সিঁড়ি। বাড়ির পেছন দিকে ঠাকুর-চাকর-দারোয়ানদের জন্য রয়েছে অনেকগুলি ঘর।

শ্রীরামকৃষ্ণ ওপরে এসে তাঁর ঘর সংলগ্ন ছাদে দাঁড়ালেন। দেখে মনে হয়, তাঁর শরীরে যেন আর কোনও ব্যাধির জ্বালা নেই, দু-এক বছর আগেকার সেই চঞ্চল, স্নিগ্ধ, রসে-বশে থাকা মানুষটি হয়ে গেছেন।

নরেন্দ্র আজ বেশিক্ষণ থাকতে পারবে না। তাকে বাড়ি ফিরে গিয়ে নিজস্ব ব্যবহার্য কিছু কিছু জিনিস ও বইপত্র নিয়ে আসতে হবে। তার চেয়েও বড় কথা, নিতে হবে মায়ের অনুমতি। শ্যামপুকুরের বাড়িতে সে রাত্রিবাস করত না, কিন্তু এখানে নিজের বাড়ি ছেড়ে চলে আসতে হচ্ছে। মা ও অন্যান্য আত্মীয়স্বজনদের তাতে ঘোর আপত্তি। নরেনের ওপর যে একটা সংসারের দায়িত্ব, শিগগিরই বি এল পাস করে তার উকিল হবার কথা।

কিন্তু নরেন্দ্র এখন কাশীপুর থেকে দূরে থাকতে পারবে না কিছুতেই। সে মাকে বোঝাবার জন্য দৌড়ে চলে গেল।

গিরিশের নতুন পালার জন্য রিহার্সাল ছিল, তিনি দুপুরে আসতে পারেননি। কিন্তু রিহার্সাল দিতে দিতেও মন সর্বক্ষণ ছটফট করেছে। অমৃতলালের সঙ্গে বসে সন্ধের পর মদ্যপানও হয়ে গেল খানিকটা। একসময় আর কিছুই ভালো লাগল না। আজ গুরুর পায়ের ধুলো নেওয়া হয়নি, তাঁকে যেতেই হবে।

কাশীপুরের বাগানবাড়ি চেনেন না গিরিশ। নিজের ঘোড়ার গাড়ি চেপে মহেন্দ্র মাস্টারের বাড়ির সামনে গিয়ে ডাকাডাকি করতে লাগলেন। মহেন্দ্র মাস্টার বেরিয়ে এসে বিস্মিতভাবে জিজ্ঞেস করলেন, কী ব্যাপার ? গিরিশ তাঁর হাত ধরে টেনে বললেন, উঠুন, উঠুন, শিগগির গাড়িতে উঠুন, কাশীপুরে যাব !

মহেন্দ্র মাস্টার বললেন, এত রাতে ? পরমহংসদেব নিশ্চয় ঘুমিয়ে পড়েছেন।

গিরিশ তাঁকে হ্যাঁচকা টান দিয়ে বললেন, দুর মশাই ! ভক্ত যদি ব্যাকুল হয়ে ছুটে যায়, তা হলে ভগবান কি নিশ্চিন্তে ঘুমোতে পারেন ?

গাড়িতে উঠতে বাধ্য হলেন মাস্টার। চলতে শুরু করার পর জিজ্ঞেস করলেন, আপনি ওঁকে ভগবান বলে ধরে নিয়েছেন ?

গিরিশ বললেন, আলবাত ভগবান, তা ছাড়া আর কী ! সাক্ষাৎ অবতার।

মাস্টার বললেন, তবে রোগে এত কষ্ট পাচ্ছেন কেন ? রাম কিংবা শ্রীকৃষ্ণ, যাঁদের আমরা অবতার বলে জানি, তাঁদের অসুখের কোনও বর্ণনা পেয়েছেন কোথাও ? ওঁদের রোগ-ভোগ হবার কথা নয়, অবতারদের ইচ্ছামৃত্যু।

গিরিশ বললেন, আরে মশাই, এসব হল লীলা, সব আমরা কী করে বুঝব ? 'কৃষ্ণের যতেক লীলা, সর্বোত্তম নরলীলা । নর বপু তাঁহার স্বরূপ।' আমাদের যত দুঃখ-কষ্ট-পাপ সব উনি কণ্ঠে ধারণ করেছেন,যখন ইচ্ছে হবে, তখনই আবার ঝেড়ে ফেলে দেবেন, আবার সুস্থ হয়ে উঠবেন।

মাস্টার বললেন, আমরা সকলেই তাই চাই।

গিরিশ বললেন, চাই মানে কী, হবেনই ! উনি অনেক দিন থাকবেন আমাদের মধ্যে।

নেশা পূর্ণ হয়নি বলে গিরিশ একটি বোতল সঙ্গে এনেছেন। সেটা তুলে একটা চুমুক দিলেন।

গিরিশকে মত্ত অবস্থায় দু-একবার দেখেছেন মাস্টার। তখন গিরিশ যেন একটা অসুরের মতন দাপাদাপি শুরু করে দেন।

মাস্টার শঙ্কিত হয়ে ভাবলেন, সেই অবস্থায় কি একজন অসুস্থ মানুষের কাছে যাওয়া ঠিক হবে ?

তিনি ইতস্তত করে বললেন, গিরিশবাবু, আমি বলছিলাম কী, আজ এত রাতে না গিয়ে কাল সকালে গেলে হত না ? আজ প্রথম দিন, গাড়িতে যাওয়ার ধকল গেছে, উনি বিশ্রাম নেবেন.....

গিরিশ শান্তভাবে বললেন, আমি মদ খেয়েছি বলে ভয় পাচ্ছেন তো ? মদ্যপান করেছি বটে, কিন্তু মাতাল হয়েছি কি ? আজ মাতাল হব না। পরমহংসদেব আমাকে মদ ছাড়তে তো কখনও বলেননি। তিনি জানেন, আমার বীর ভাব। তিনি আমার বকলমা নিয়েছেন।

একটু থেমে গিরিশ আবার বললেন, আমি জানি, পরমহংসদেব আমার ভার নিয়েছেন। তিনি আমার সঙ্গে সঙ্গে আছেন। আমি দুনিয়ার কাউকে ভয় করি না, গ্রাহ্য করি না। আমি যমকেও ভয় করি না।

মাস্টার চুপ করে গেলেন।

মদ্যপায়ীদের নেশার একটি স্তরে আপন মনে কথা বলার প্রবৃত্তি হয়। গিরিশ বলতে লাগলেন, একদিন রাত্তিরে দক্ষিণেশ্বরে গেসলাম, উনি নিজের হাতে আমাকে পায়েস খাইয়ে দিলেন। আমি বাগবাজারের মস্তান, কত বাঘা বাঘা লোক চড়িয়ে খেয়েছি, নেশা-ভাঙ কিছু বাকি রাখিনি, রাতের বেলা আমায় দেখলে অনেকে ভয় পায়, সেই আমাকে কেউ মুখে তুলে কিছু খাইয়ে দেবে ? মা যেমন একটা শিশুকে...আমিও শান্ত হয়ে খেলুম! অ্যাঁ ? ওগো, আমার চোখ দিয়ে জল গড়াচ্ছিল...

অন্য দিকে কথা ঘোরাবার জন্য মাস্টার জিজ্ঞেস করলেন, আচ্ছা, অবতাররা তো বিশেষ একটা উদ্দেশ্য নিয়ে ধরাধামে আসেন। আমাদের গুরু কিসের জন্য.....

গিরিশ হুঙ্কার দিয়ে বললেন,.....'ধর্ম সংস্থাপনার্থ সম্ভবামি যুগে যুগে। ' নতুন ধর্ম সংস্থাপন করে গেলেন পরমহংস। যত মত তত পথ। ওগো, সব ধর্মের পথগুলিই যে ঈশ্বরের দিকে যায়, সব ধর্মের মতই যে এক, এমন কথা কেউ আগে বলেছে ? আজ অবধি কোনও ধর্মের গুরুঠাকুররা ভাবতে পেরেছে এত বড় একটা সহজ সত্য কথা ? সেই যে উনি উপমা দিয়ে বলেন না, বাঙালি হিন্দু বলে জল, উর্দুওয়ালা মুসলমানরা বলে পানি আর ইংরেজিওয়ালা খ্রিস্টানরা বলে ওয়াটার। যে-নামেই ডাকো, সকলেই চায় একই জিনিস !

মাস্টার বললেন, আমি যতটুকু পড়াশুনো করেছি, তাতে এমন পরমতসহিষ্ণুতার কথা কোথাও দেখিনি।

গিরিশ নিজের বুকে টোকা মারতে মারতে বললেন, আর একটা কথা কী জান মাস্টার, উনি অবতার হয়ে এসেছেন আমার জন্য। হ্যাঁ হ্যাঁ আমার জন্য। এ রকম একটা পাপীকে উদ্ধার করে তাকে দিয়ে লোকশিক্ষার কাজে লাগাবেন। আমি কী ছিলাম আর কী হয়েছি ! সব পাপ ধুয়ে মুছে গেছে।

ডিসেম্বর মাসের রাত, পথঘাট একেবারে নিখাদ নিস্তব্ধ অন্ধকার। তার মধ্য দিয়ে ঘোড়ার গাড়িটি চলেছে ঝুম ঝুম শব্দ করে। মাঝে মাঝে দু-চারটে পেঁচি মাতালের হল্লা ছাড়া আর কোনও মানুষের অস্তিত্ব টের পাওয়া যায় না।

উদ্যানবাটি ঘুমন্ত, অন্ধকারে ঢাকা। তবে গিরিশের আশা ব্যর্থ হয়নি, শুধু দোতলার ঘরে এখনও বাতি জ্বলছে। মশারি টাঙিয়ে খাটে শুয়ে আছেন শ্রীরামকৃষ্ণ, এখনও ঘুমোননি। খাটের পায়ের কাছে বসে আছে অতি বিশ্বস্ত লাটু। ঘরে ভনভন করছে মশা, লাটুকে একেবারে ছেঁকে ধরেছে, কিন্তু পাছে মশা মারার শব্দে প্রভুর ব্যাঘাত হয়, তাই সে অত মশার কামড় সহ্য করেও বসে আছে স্থির হয়ে। একটা লণ্ঠন জ্বলছে এক কোণে।

এক রাতে দুই ভক্তকে দেখে শ্রীরামকৃষ্ণ উঠে বসলেন। বিকেলের দিকের সেই উৎফুল্ল ভাবটা আর নেই, কালব্যাধি তাঁর কণ্ঠ আঁকড়ে ধরেছে আবার।

গিরিশ উচ্ছ্বাসের সঙ্গে নানা কথা বলতে লাগলেন। বারবার বললেন, আপনি অবতার, আপনি ইচ্ছে করলেই তো সুস্থ হতে পারেন। আপনাকে শুয়ে থাকতে দেখলে ভালো লাগে না।

শ্রীরামকৃষ্ণ ঈষৎ বিরক্তভাবে বললেন, এই আমার আর আপনি পূর্ণ অবতার—ইচ্ছা করেই ব্যাধিধারণ কচ্ছেন—এসব কথা আর ভালো লাগে না।

মাস্টারের দিকে তাকিয়ে বললেন, কাশি কফ বুকের টান এসব নেই, তবে পেট গরম। ঘুম আসে না। ঘরেই পায়খানার ব্যবস্থা করতে হবে। বাইরে যেতে পারব বলে মনে হয় না।

লাটু হাতজোড় করে বলল, যে আজ্ঞে মোশাই, হামি তো আপনার মেস্তর হাজির আছি!

গিরিশ তার কথা শুনে হা-হা করে হেসে উঠলেন।

শ্রীরামকৃষ্ণ আবার মাস্টারকে উদ্বেগের সঙ্গে বললেন, দুর হয়ে গেল, ডাক্তার-কোবরেজরা কি এতটা পথ আসতে চাইবে ?

মাস্টার তাঁকে সান্ত্বনা দিয়ে বললেন, আসবেন বৈকি ! গাড়ি করে আসবেন....সময় বেশি লাগবে না।

গিরিশ বললেন, আপনি ওষুধ খান শুধু কবিরাজের অহঙ্কার বাড়ানোর জন্য।

শ্রীরামকৃষ্ণ চুপ করে গলায় হাত বুলোতে লাগলেন।

গিরিশ আবার চেপে ধরার সুরে বললেন, বলুন, আপনি কেন ওষুধ খান?

শ্রীরামকৃষ্ণ বললেন, ঠাণ্ডা হাওয়া ঢুকছে। পুবের জানলাটা বন্ধ করে দাও না গো !

মাস্টার এবার জোর করে গিরিশকে নিয়ে নীচে চলে গেলেন।

এক-একদিন খুবই কাতর হয়ে থাকেন শ্রীরামকৃষ্ণ, আবার মাঝে মাঝে চাঙ্গা হয়ে ওঠেন। সেই সাময়িক সুস্থতার সময় ভক্তদের সঙ্গে হাসি-ঠাট্টা রসালোপে মেতে ওঠেন, তারই মধ্যে ভাবের ঘোর হয়। পাঁচ-ছ'দিন পর অনেকটা সুস্থ বোধ করে তিনি নীচের বাগানে বেড়াতে যেতে চাইলেন। সে কথা শুনে সকলেরই খুব আনন্দ হল।

গরম বনাতের কালো কোট, মাথাবন্ধ টুপি, মোজা ও চটি জুতো পরে, হাতে একটা ছড়ি নিয়ে সিঁড়ি দিয়ে তিনি নেমে এলেন। আর তাঁর পা টলটল করছে না, নিজে নিজে দিব্যি হাঁটতে পারছেন। পেছনে ও দু'পাশে ভক্তদের দল, তিনি বাগানে এসে ছড়ি তুলে তুলে এক-একটা গাছ দেখাতে লাগলেন। অন্য সকলের চেয়ে তিনিই গাছপালা বেশি চেনেন। শীতের মরসুমি ফুলে বাগান ভরে আছে। অন্যদের ছেড়ে একটু এগিয়ে তিনি সেই ফুলের ঝাড়ের মধ্যে গিয়ে দাঁড়ালেন, ভক্তদের দিকে সামনাসামনি ফিরে মধুর হাস্য করতে লাগলেন।

সকলেই ভাবল, ইনি যদি প্রতিদিন একবার এমনভাবে বাগানে বেড়াতে পারেন, তা হলে পুরো সুস্থ হয়ে উঠবেন।

কিন্তু সেই দিনই ঠাণ্ডা লেগে তিনি এমন দুর্বল হয়ে পড়লেন যে বিছানা ছেড়ে আর উঠতেই পারেন না, কাশিও বেড়ে গেল খুব।

মাংসের সুরুয়া খাওয়া কিছুদিন বন্ধ ছিল, ডাক্তারের নির্দেশে আবার সেটা শুরু করতে হল। প্রতিদিন এক ভক্ত আইনসম্মত দোকান থেকে মাংস কিনে আনে। সারদামণি সেই মাংস রান্না করেন। কাঁচা জলে অনেকক্ষণ ফোটে, তাতে কয়েকটা তেজপাতা ও সামান্য মশলা মিশিয়ে একেবারে তুলতুলে সেদ্ধ হলে নামিয়ে ছেঁকে নেওয়া হয়। তারপর সেই জুসটুকু শুধু খেতে দেওয়া হয় রোগীকে।

এই অসুখের সময়েই বলতে গেলে প্রথম সারদামণি তাঁর স্বামীর সেবা করার সুযোগ পেয়েছেন। অন্য ভক্তরা উপস্থিত থাকলে তিনি দোতলার ঘরে আসেন না। শ্রীরামকৃষ্ণকে খাওয়াবার সময় কোণের দিকে কাঠের সিঁড়ি দিয়ে উঠে আসেন সারদামণি, তখন ঘর খালি করে দেওয়া হয়, শুধু পাশে দাঁড়িয়ে থাকে লাটু।

শ্রীরামকৃষ্ণের খুব ভাত আর ঝোল খেতে ইচ্ছে করে। কিন্তু এখন আর তা গলা দিয়ে নামে না। সারদামণি ঝিনুকে করে সেই জুস খাইয়ে দেন। নারীহস্তের এই সেবাটুকু বেশ উপভোগ করেন শ্রীরামকৃষ্ণ। মাঝে মাঝে ইয়ার্কি করেন স্ত্রীর সঙ্গে। একদিন বললেন, হ্যাঁ গা, তুমি কখনও অস্টা-কষ্টা খেলেছ?

সে এক রকম গ্রামের কড়ি খেলা। সারদামণি দু'দিকে মাথা নাড়লেন।

শ্রীরামকৃষ্ণ বললেন, তাতে যুগ বাঁধলে আর সে গুটিদের কাটা যায় না। সেইরূপ ইষ্টের সঙ্গে যুগ বাঁধতে হয়। তা হলে আর ভয় থাকে না। নইলে পাকাগুটি আবার ক্যাঁচ করে কেটে দেয়।

ক্রমশ সারদামণির জড়তা কাটছে। আগে পরপুরুষদের সঙ্গে কথাই বলতেন না। এখন নরেন্দ্র, বাবুরাম, রাখাল এইসব তরুণ ভক্তদের সঙ্গে তাঁর স্বামীর অসুখ ও পথ্য নিয়ে আলোচনা করেন। তাঁর সঙ্গে কথা কয়ে এইসব তরুণরাও বিস্মিত। এতদিন তাদের মনে হত, নহবতখানায় ঘোমটা টানা নারীটি যেন নেহাতই একটা কাপড়ের পুঁটুলি। এখন বোঝা যায়, এঁর বেশ ব্যক্তিত্ব আছে, জাগতিক বিষয়ে জ্ঞান ও নিজস্ব মতামত রয়েছে।

একদিন একটা দুর্ঘটনা ঘটে গেল।

একটা বড় বাটিতে প্রায় আড়াই সের গরম দুধ নিয়ে কাঠের সিঁড়ি দিয়ে উঠছেন সারদামণি, হঠাৎ মাথা ঘুরে পড়ে গেলেন। ছিটকে পড়ল বাটিটা, তাঁর এক পায়ের গোড়ালির হাড় ঘুরে গেল, নরেন-বাবুরাম দৌড়ে এসে ধরল তাঁকে। দারুণ যন্ত্রণা নিয়ে একতলার ঘরে নিজের বিছানায় শুয়ে রইলেন তিনি, স্বামীকে আর খাওয়াতে যেতে পারেন না।

শ্রীরামকৃষ্ণ স্ত্রীর খোঁজ-খবর নেন আর চিন্তিতভাবে বলেন, তাই তো, এখন কী হবে, কে আমাকে খাওয়াবে ? একজন রাঁধুনি নিযুক্ত হয়েছে, নরেন-বাবুরামরা খাইয়ে দেয়, শ্রীরামকৃষ্ণের তা ঠিক পছন্দ হয় না। সারদামণি নাকে নথ পরেন, শ্রীরামকৃষ্ণ নিজের নাকের সেই জায়গাটায় হাত দিয়ে রঙ্গ করে বলেন, ওরে, সে আর আসবে না ? ও বাবুরাম, ওই যে ওকে তুই ঝুড়ি করে মাথায় তুলে এখানে নিয়ে আসতে পারিস ?

বাবুরাম-নরেন হেসে খুন হয়। কয়েকদিন পর সারদামণির পায়ের ফোলা খানিকটা কমলে নরেনরা তাঁকে ধরে ধরে ওপরে নিয়ে আসে, নরেন বলে, এই যে দেখুন এনেছি, এবার ভালো করে খান তো !

শ্রীরামকৃষ্ণ যখন রস-তামাসা করেন তখন অনেকেই হাসে বটে, কিন্তু ঘর থেকে বেরিয়েই তাদের মুখ থমথমে হয়ে যায়। নরেন অবতারতত্ত্ব মানে না। অন্য অনেকে বিশ্বাস না করলেও নরেন বিশ্বাস করে যে পরমহংসদেবের এ রোগের নাম ক্যানসার, ডাক্তার মহেন্দ্রলাল সরকারের মতন অভিজ্ঞ চিকিৎসকের মতামত মিথ্যে হতে পারে না। এবং ক্যানসার রোগের পরিণাম সে জানে। শ্রীরামকৃষ্ণের আয়ু ফুরিয়ে এসেছে।

আইন পরীক্ষার জন্য বই পত্র এনেছে বটে নরেন, কিন্তু কিছুতেই তার মন বসে না। দোতলার ঘরের ওই প্রিয় মানুষটির রোগযন্ত্রণার কথা মনে পড়লেই বুকের মধ্যে তোলপাড় শুরু হয়ে যায়। উনি আর থাকবেন না? এ যে বিশ্বাসই করা যায় না। এই চিন্তা ভোলার জন্য বইয়ের পৃষ্ঠা কোনও সাহায্য করে না, বরং গান-বাজনা, আড্ডা-গল্প নিয়ে মাতামাতি ভালো লাগে। একখানা ঘরের মেঝেতে সতরঞ্চি পেতে আট-দশজন শোয়, নিজেদের মধ্যে খুনসুটি করে, এক-এক সময় খুব দাপাদাপি শুরু হয়ে যায়। তাই ঘরটার নাম দেওয়া হয়েছে, দানাদের ঘর !

মাঝে মাঝে নিজের বাড়ি ঘুরে আসে নরেন। ধার-ধোর করে সংসার খরচ দেয়, মাকে খুশি রাখার চেষ্টা করে, কিন্তু ক্রমশই সংসার থেকে তার মন বিযুক্ত হয়ে যাচ্ছে। এখানে শ্রীরামকৃষ্ণের সাহচর্যে, অন্য ভক্তদের সঙ্গে থেকেই সে বেশি তৃপ্তি পায়। মাঝে মাঝে সে চিন্তা করে, এরকম দু'নৌকোয় পা দিয়ে কতদিন চলবে? আগে সে ঠিক করেছিল, ওকালতি পাস করে কিছুদিন প্র্যাকটিস জমিয়ে বেশ কিছু টাকা উপার্জন করবে। ছোট ভাই দুটিকে দাঁড় করিয়ে দিয়ে, তাদের হাতে সংসারের হাল তুলে দিয়ে সে বেরিয়ে চলে আসবে। কিন্তু এইভাবে কি ত্যাগ হয় ? এমন অঙ্ক কষে কি বৈরাগ্যের দীক্ষা নেওয়া যায় ? আবার সঙ্গে সঙ্গে মনে পড়ে মায়ের মুখ।

কখনও কখনও জোর করে, প্রায় কানে তুলো গোঁজার মতন অন্য কিছু না শুনে সে জেদ নিয়ে পড়াশুনো শুরু করে দেয়। দু-তিন দিন আর ওপরের তলায় যায় না। শ্রীরামকৃষ্ণ উতলা হয়ে ওঠেন। বারবার জিজ্ঞেস করেন, নরেন কোথায় ? নরেন কোথায় ? বাবুরাম-রাখালরা জোর করে নরেনের পড়া ছাড়িয়ে তাকে টেনে নিয়ে আসে ওপরে।

শ্রীরামকৃষ্ণ জিজ্ঞেস করেন, কী রে, তুই আমাকে দেখতে আসিস না কেন ?

নরেন মুখ গোঁজ করে উত্তর দেয়, সামনে আমার বি এল পরীক্ষা। প্রস্তুত হতে হবে না? এমনি এমনি পাস করা যায় ?

শ্রীরামকৃষ্ণ বললেন, তুই উকিল হবি ? তা হলে আর কোনও দিন আমি তোর হাতের ছোঁওয়া খাব না।

নরেন মুখ তুলে কিছুক্ষণ তাকিয়ে থাকে। তারপর হাসে। যাঃ, মুক্তি, মুক্তি! আর দ্বিধার প্রশ্ন নেই।

নরেন দৌড়ে নীচে চলে আসে। বইখাতা সব ছুঁড়ে ছুঁড়ে ফেলে দেয়। নাচতে থাকে মনের আনন্দে। এ দেশ থেকে একজন উকিল কমে গেলে কারুর কোনও ক্ষতি হবে না।

রাত্রিবেলা সবাই যখন ঘুমিয়ে পড়েছে, নরেন হঠাৎ উঠে বসল। ঘরের মধ্যে তার ভালো লাগছে না। আরও দু-চারজনকে ডেকে তুলে বলল, চল, বাইরে হাঁটতে যাবি ? বেড়াতে বেড়াতে তামাক খাব।

শরৎ, গোপাল এই রকম আরও কয়েকজন রাজি হয়ে যায়। থেলো হুঁকোতে তামাক ধরানো হল। হাতে হাতে ঘুরতে লাগল সেই হুঁকো। শীতের নিশুতি রাত, ওদের সঙ্গে কোনও উষ্ণ বস্ত্র নেই, তাতেও গ্রাহ্য নেই। হুঁকো টানতে টানতে বাগানের মধ্যে এসে নরেন গম্ভীর গলায় বলল, দেখ, পরমহংসদেবের যা শরীরের অবস্থা, তাতে আর কতদিন থাকবেন ঠিক নেই। সময় থাকতে থাকতে ওঁর কাছ থেকে আধ্যাত্মিক উন্নতি করার জন্য যতখানি শেখার শিখে নে। উনি চলে গেলে আর অনুতাপের শেষ থাকবে না। দিন দিন আমরা বাসনাজালে জড়িয়ে পড়ছি। এই বাসনাতেই সর্বনাশ। বাসনা ত্যাগ কর, বাসনা ত্যাগ কর !

একটা গাছতলায় এসে বসল নরেন। কাছাকাছি অনেক শুকনো ডাল ও পাতা পড়ে আছে, কেউ যেন একটা স্তূপ বানিয়ে রেখেছে। নরেন সেই দিকে চেয়ে থেকে বলল, এটাতে আগুন ধরিয়ে দে ! সাধুরা যেমন ধুনি জ্বালায়, আমরাও ধুনি জ্বালিয়ে অন্তরের সুপ্ত বাসনাগুলি পোড়াব।

দপ করে জ্বলে উঠল আগুন। গোল হয়ে ঘিরে বসল ক'জন তরুণ। আগুনের আঁচে শীতের আরাম হয়, হাত সেঁকে নিতে ইচ্ছে করে। ওরা আরও কাঠকুটো টেনে টেনে আনে। "অগ্নয়ে স্বাহা' বলে ছুঁড়ে ছুঁড়ে দেয়। নরেন এক-একটা ডাল ছোঁড়ে আর বলে, এই আমাদের বাসনা। এই আমাদের বাসনা। যাক, পুড়ে যাক। অন্তরটা শুদ্ধ হোক।

॥ ৫৬ ॥

শশিভূষণের এখন প্রায় উন্মাদের মতন দশা। সর্বক্ষণ একটাই চিন্তা, ভূমিসূতা, ভূমিসূতা! সকালবেলা ঘুম ভেঙেই মনে হয়, কই, আজ কেন ভূমিসূতা তাঁর ঘরের জানলা খুলে দিচ্ছে না। কোথায় ভূমিসূতা ?

এখন শশিভূষণের একটাই স্বপ্ন, তিনি চাকরি ছেড়ে দেবেন, কলকাতাতেও আর থাকবে না, দাদাদের কাছে নিজের সম্পত্তির ভাগ বেচে দিয়ে ফরাসডাঙায় একটা বাড়ি কিনবেন। গঙ্গার ধারে একটি সুন্দর বাড়ি, সঙ্গে থাকবে বাগান, সেই বাড়িতে শুরু হবে নতুন সংসার। সেখানে ভূমিসূতাকে চাই।

কিন্তু মেয়েটি কি পাথর ? সে কিছুতেই সাড়া দিতে চায় না, শত প্রশ্নেরও উত্তর দেয় না।

তিনি তাকে দাসিত্ব থেকে মুক্তি দিতে চেয়েছেন। কোনও অসম্মানজনক প্রস্তাব দেননি, বিয়ে করার সঙ্কল্প জানিয়েছেন, একটি মেয়ে এর চেয়ে আর বেশি কি আশা করতে পারে ? শশিভূষণ ওর জাতি-গোত্র-পিতৃপরিচয় নিয়েও মাথা ঘামাননি, এতখানি উদারতারও কি মূল্য বোঝে না ভূমিসূতা ? অথচ সে বুদ্ধিহীনা নয় !

দুটি মাত্র পথ খোলা আছে। মহারাজের ইচ্ছে অনুসারে ভূমিসূতাকে ত্রিপুরা গিয়ে রাজপ্রাসাদে বন্দিনী হতে হবে, অথবা শশিভূষণের সঙ্গে চলে যেতে হবে কলকাতা ছেড়ে।

যদি মহারাজের শয্যাসঙ্গিনী হবার লোভ থাকত তার, তা হলেও না হয় তার এই অসাড়তার অর্থ বোঝা যেত। কিন্তু ত্রিপুরায় যাবার প্রসঙ্গ উঠলেই ভূমিসূতা প্রবলভাবে মাথা নাড়ে। অথচ শশিভূষণের প্রস্তাবে সে চুপ করে থাকে। একেবারে নিথর, মুখে যেন কুলুপ আঁটা।

এদিকে সময় যে পার হয়ে যাচ্ছে দ্রুত। ত্রিপুরায় ফিরে যাবার প্রস্তুতি প্রায় সম্পূর্ণ হয়ে এসেছে। বাঁধা-ছাঁদা হচ্ছে লটবহর। মহারাজ ভূমিসূতার কথা প্রায়ই উল্লেখ করেন। রানী মনোমোহিনীর কাছ থেকে নিশ্চয়ই শুনেছেন যে ভূমিসূতা আর অসুস্থ নয়। কিন্তু এখনই তার গান শোনার জন্য পীড়াপীড়ি করেননি। তিনি ব্যস্ত রয়েছেন, প্রত্যেক দিনই দেখা করতে আসছে বহু মানুষ। দু-একটি থিয়েটার দেখে যাওয়ার জন্য মহারাজ যাত্রার দিন আবার পিছিয়ে দিয়েছেন। কিন্তু তাও বা আর ক'দিন! শশিভূষণ এখনও পর্যন্ত মহারাজের সামনে ঘুণাক্ষরেও উচ্চারণ করেননি যে ভূমিসূতা তাঁর সঙ্গে যেতে রাজি নয়। শশিভূষণ মহারাজের মেজাজ জানেন, এমনিতে দরাজ হৃদয়ের মানুষ, তবে কেউ তাঁর ইচ্ছার বিরোধিতা করলে সহ্য করতে পারেন না। তুলকালাম বাধাবেন। অথচ এ কথাও ঠিক, শশিভূষণ যদি মুখ ফুটে বলতে পারেন, মহারাজ, আমি ওই কন্যাটিকে বিবাহ করতে চাই, তৎক্ষণাৎ মহারাজ জল হয়ে যাবেন। বিবাহপ্রথাকে তিনি সম্মান করেন, অন্যের স্ত্রী কেড়ে নেবার অভ্যেস তাঁর নেই।

শশিভূষণ যে সব দিক দিয়ে ভূমিসূতাকে উদ্ধার করতে চাইছেন, তা কেন ও বুঝতে পারছে না?

আজ বেশ আগে ঘুম ভেঙেছে শশিভূষণের। এখনও চা আসার সময় হয়নি। শশিভূষণের তর সইল না। তিনি সিঁড়ির কাছে গিয়ে ডাকলেন, ভূমি, ভূমি!

ভূমিসূতা সিঁড়ির নীচে এসে দাঁড়াল।

ভূমিসূতাকে কখনও অসংবৃতা বা অপ্রস্তুত দেখা যায় না। সে দিনে দু-তিনবার স্নান করে। তার পরনের শাড়ি দু-তিন জায়গায় সেলাই করা হলেও মলিন নয়, শাড়ি পরারও একটা বিশেষ ঢঙ আছে। চুল থাকে বিন্যস্ত, পায়ে আলতা, কপালে একটা চন্দনের ফোঁটা।

আজই প্রথম মনে হল, সে স্নান করেনি এখনও, চুলে চিরুনি পড়েনি একটুও, শাড়ির আঁচল কাঁধে জড়ানো, সে মুখ তুলে ওপরের দিকে চাইল।

শশিভূষণ কয়েক পলক তার মুখের দিকে তাকিয়ে রইলেন। ওই মুখখানি দেখলেই তাঁর বুকের মধ্যে তোলপাড় হয়। কেন আগে ভালো করে দেখেননি, কেন প্রথম থেকেই মিষ্ট বাক্য বলেননি, আফসোস হয় সেজন্য।

তিনি শুধু বললেন, চা নিয়ে এসো। কথা আছে।

খানিক বাদে ট্রে-তে সাজিয়ে চুনের জল, চা ও বিস্কুট নিয়ে এল অন্য একজন। মাঝবয়েসী এক দাসী, এর নাম সুশীলা। দাঁতে মিশি দেয়, তাই মুখখানা সব সময় ঝোল মাখা মতন হয়ে থাকে, মোটাসোটা গড়ন, চুলে নিশ্চয়ই উকুন আছে, যখন-তখন ঘ্যাস ঘ্যাস করে মাথা চুলকোয়।

তাকে দেখেই শশিভূষণের মেজাজ সপ্তমে চড়ে গেল। এ কী ব্যাপার, এ রকম তো কোনও দিন হয়নি। ভূমিসূতা তাঁর নিজস্ব পরিচারিকা, রাজবাড়ির কোনও কাজ সে করে না। শুধু শশিভূষণের সেবা-যত্নের জন্যই তাকে রাখা হয়েছে। আজ ভূমিসূতার কী হল?

শশিভূষণের একবার ইচ্ছে হল এক টান মেরে তিনি ট্রে-টা ফেলে দেবেন মেঝেতে। ভূমিসূতাকে তিনি নিজে বললেন, কথা আছে, তবু সে এল না?

দাস-দাসীদের সামনে অসংযত ব্যবহার শোভা পায় না। শশিভূষণ অতি কষ্টে মেজাজ দমন করে বললেন, ভূমি কোথায়?

সুশীলা বলল, সে তো এই মাত্তর নাইতে গেল।

ভূমিসূতা সাত চড়ে রা কাড়ে না, কিন্তু অন্য সব দাস-দাসীরাই প্রয়োজনের অতিরিক্ত বেশি কথা বলে। সুশীলা আরও বলল, তার কী জানি কী হয়েছে বাবু। কাল সারা রাত ঘুমোয়নি, ফ্যাঁচোর ফ্যাঁচোর করে কেন্দেছে। আমি ভাবলুম বুঝি পেটে যাতনা হচ্ছে। তা কোনও কথাই বলে না।

শশিভূষণ গুম হয়ে রইলেন। ভূমিসূতা অসুস্থ ? তা যদি না হয়, তা হলে ভূমিসূতার কান্নার আর কী কারণ থাকতে পারে ? তিনি কি তার প্রতি কোনও অন্যায় ব্যবহার করেছেন। বিবাহ ! একজন নারীর কাছে এর চেয়ে ন্যায্য প্রস্তাব আর কী হতে পারে ? দাসী থেকে গৃহিণী হবে ভূমিসূতা, তার সন্তানেরা সিংহ বংশের পদবী পাবে!

শশিভূষণ একবার জানলার কাছে দাঁড়ালেন, একবার নেমে গেলেন বাগানে। তাঁর শরীরের মধ্যে এক দারুণ অস্থিরতা। এই সকালে ভৃত্যমহলে গিয়ে ভূমিসূতার খোঁজখবর নেওয়া কি ভালো দেখাবে ? বেলা বাড়লে ভূমিসূতা সত্যি অসুস্থ কিনা ঠিক জানা যাবে। অসুস্থ হলে সে স্নান করবে কেন ?

যেদিন থেকে শশিভূষণ ভূমিসূতাকে আর দাসী মনে করেন না, সেদিন থেকে তিনি নীচের মহলে যেতে সঙ্কোচ বোধ করেন। অন্ধকার স্যাঁতসেঁতে ঘর। ছেঁড়া ঝুলি-ঝুলি মাদুর-কাঁথার বিছানা, ওই পরিবেশে তিনি ভূমিসূতাকে দেখতে চান না আর। ফরাসডাঙার বাড়িতে তিনি ভূমিসূতার জন্য মেহগনি কাঠের পালঙ্ক আনবেন।

শশিভূষণ বড় আয়নার সামনে দাঁড়ালেন। হাত বুলোতে লাগলেন নিজের চিবুকে ও বক্ষে। বহুদিন ও এ শরীরে কোনও নরম হাতের স্পর্শ লাগেনি। লোকে তাঁকে সুপুরুষই বলে। তাঁদের বংশের সব পুরুষরাই দীর্ঘকায়, গৌরবর্ণ। শশিভূষণ এক সময় ঘোড়ায় চেপে বন্দুক হাতে শিকার করতেন, তাঁর স্বাস্থ্য মজবুত। ভূমিসূতার পক্ষে তাঁকে অপছন্দ করার কোনও কারণ থাকতে পারে কি ? তাঁর চেয়ে অনেক বেশি বয়েসের লোকেরা দ্বিতীয় বিবাহ করে।

শশিভূষণ আশা করেছিলেন, ভূমিসূতা নিশ্চিত তাঁর জলখাবার দিতে আসবে। কিন্তু তার আগেই মহারাজের কাছ থেকে তাঁর ডাক এল।

এর মধ্যেই মহারাজ বীরচন্দ্র মাণিক্য সেজেগুজে তৈরি হয়ে বসে তৃতীয় পেয়ালা চা খাচ্ছেন। মুখ দেখেই বোঝা যায়, মন বেশ প্রফুল্ল। আজ তিনি হ্যামিল্টনের দোকানে বন্দুক দেখতে যাবেন। ব্রিটিশ ভারতের প্রজাদের অস্ত্র রাখার অধিকার নেই । শশিভূষণের নিজের বন্দুক বাজেয়াপ্ত হয়ে গেছে। কিন্তু ত্রিপুরার রাজপরিবার, এমনকি সাধারণ মানুষদের সম্পর্কেও এ নিষেধ খাটে না। মহারাজ দু'খানা বন্দুক কিনবেন ।

মহারাজ বললেন, বসো হে মাস্টার। আমার সঙ্গে চা খাও। কলকাতার চা অতি সরেশ। জলের গুনেই হয় বোধ হয়। আমাদের ত্রিপুরায় এমন কলের জলের ব্যবস্থা করা যায় না ?

শশিভূষণ বললেন, অবশ্যই করা যায়। দু-একটি সাহেবকে নিয়ে গিয়ে আগে সমীক্ষা করাতে হবে।

মহারাজ বললেন, সংসাদপত্রে দেখলাম, এ শহরের আরও অনেক অঞ্চলে নল টানা হচ্ছে। দু-একটি ইংরেজ কারিগরকে কি ত্রিপুরায় যেতে বললে যাবে ?

শশিভূষণ বললেন, পয়সা পেলে ইংরেজরা যে কোনও জায়গায় যেতে রাজি হয়।

মহারাজ বললেন, হুঁ, পয়সা ! প্রশ্ন হচ্ছে, কত পয়সা ? ঘোষমশাইয়ের সঙ্গে আলোচনা করে দেখতে হবে। তোমাদের এই বাঙালিবাবুটির বড় কৃপণ স্বভাব। আমার খরচের জন্যও বেশি পয়সা দিতে চায় না। আমারই রাজকোষের পয়সা, তবু আমাকে দেয় না !

নিজের রসিকতায় মহারাজ নিজেই হা-হা করে হেসে উঠলেন।

তারপর বললেন, চল মাস্টার, আগে বন্দুকের দোকানে যাই। তারপর নগর দর্শন করব সারা দিন। আগরতলায় নতুন রাজধানী গড়ার ইচ্ছে আছে আমার। এখানকার রাস্তা-ঘাটের নকশা জোগাড় করে নিও তো !

শশিভূষণ ভাবলেন, এই মুহূর্তে তিনি যদি বলেন যে তিনি চাকরি ছেড়ে দিচ্ছেন, তা হলে মহারাজের মুখের অবস্থা কী রকম হবে ?

মহারাজ অবশ্য আগাগোড়াই তাঁর সঙ্গে সহৃদয় ব্যবহার করে এসেছেন। খুব বেশি আনুষ্ঠানিকতা পছন্দ করেন না তিনি। প্রত্যেকবার সাড়ম্বরে তাঁর জয় ঘোষণা করে প্রণাম জানাতে গেলে তিনি হাত তুলে বাধা দিয়ে বলেন, আরে থাক, অত দরকার নেই !

শশিভূষণ একেবারে বিনা কারণে পদত্যাগ করতে চাইলে তিনি হতভম্ব হয়ে যাবেন নিশ্চয়ই । তবু বলতেই হবে, দু-এক দিনের মধ্যেই।

বন্দুকের দোকান, হোয়াইট ওয়ে লেড ল, হগ সাহেবের বাজার ঘুরে ক্লান্ত হয়ে মহারাজ উইলসন হোটেলে খেতে এলেন। সেখানে গুরু ভোজন হয়ে গেল। এখন তিনি গঙ্গার ধারে কিছুক্ষণ বায়ুসেবন করতে চান। জুড়িগাড়ি এসে থামল আরমানি ঘাটে। ছড়ি হাতে নিয়ে পায়চারি করতে লাগলেন মহারাজ। এখন গঙ্গার বুকে অনেক কলের জাহাজ দেখা যায়। সাধারণ জল ফুটিয়ে বাষ্প, সেই বাষ্পের কী তেজ, বড় বড় জাহাজ টেনে নিয়ে যাচ্ছে। বাষ্পই যেন এ যুগে সেই আলাদিনের কলসির দৈত্য।

মেঘলা দিন, গঙ্গার ধারে অনেকেই বেড়াতে এসেছে। অনেক উচ্চপদস্থ ইংরেজদের নিজস্ব বজরা বাঁধা আছে বিভিন্ন ঘাটে। কোনও কোনও চলন্ত বজরার ছাদে তরুণী মেমসাহেবরা দাঁড়িয়ে আছে। হাতে তাদের রঙিন ছাতা। এমন সাবলীলভাবে লোকচক্ষুর সামনে ভারতীয় মেয়েরা দাঁড়াতে পারে না। শশিভূষণ যা দেখছেন, তাতেই তাঁর মনে পড়ছে ভূমিসূতার কথা। চন্দননগরে তাঁর বাড়ির সামনেও বজরা বাঁধা থাকবে। বিকেলবেলা তিনি ভূমিসূতাকে নিয়ে ভেসে পড়বেন।

এক সময় মহারাজ বললেন, আঃ, কী অপূর্ব নদী। পতিত-উদ্ধারিনী জাহ্নবী ! দেখ মাস্টার, কত নদীই তো দেখলাম, কিন্তু গঙ্গার মতন এমন স্নিগ্ধ বাতাস আর কোনও নদী দিতে পারে না। আচ্ছা, এই গঙ্গার একটা ধারা আমাদের ত্রিপুরায় টেনে নিয়ে যাওয়া যায় না ?

এরকম কথা শুনে শশিভূষণ হাস্য সংবরণ করতে পারলেন না। তিনি বললেন, মহারাজ, আমার মনে হয়, তার চেয়ে ত্রিপুরার একটি পাহাড় এই সমতলে টেনে আনা অনেক সোজা!

মহারাজাও হেসে বললেন, বাংলায় অনেক পাহাড় আছে, ওদিকে চট্টগ্রাম এদিকে দার্জিলিং, তোমাদের পাহাড় দরকার কী ? কিন্তু গঙ্গার মতন একটি নদী আমাদের বড় প্রয়োজন ! যা কিছু সুন্দর, যা কিছু পবিত্র তা সব দিয়ে আমার ত্রিপুরাকে সাজাতে ইচ্ছে করে!

আর একটুখানি যাবার পর মহারাজ হঠাৎ থেমে গিয়ে বললেন, আমার সাধ হয় কী জান, মৃত্যুর পরেও যেন এই গঙ্গা তীরেই থাকি। মাস্টার, আমি মরলে এই গঙ্গার ধারে আমাকে দাহ করো।

এরকম কথার উত্তরে যা বলতে হয়, শশিভূষণ সেটা জোর দিয়ে বললেন, মহারাজ, মৃত্যুর কথা এখনই মনে আনছেন কেন ? আপনি যুবকের মতন স্বাস্থ্যবান !

মহারাজ বললেন, এখনও ভোগ-বিলাস অনেক বাকি আছে, অনেক কিছু আঁকড়ে ধরতে চাই, নিজের অধিকার এক বিন্দু ছাড়তে চাই না, এ সবই ঠিক, তবু মাঝে মাঝে মৃত্যুর ছায়া দেখতে পাব না, এমন নির্বোধ আমি নই। কার কখন সময় ফুরিয়ে যায়, কে বলতে পারে ?

এবার শশিভূষণ মনে মনে বললেন, আপনার যবেই মৃত্যু হোক, আমি তখন ধারে-কাছে থাকব না। আপনার সঙ্গে আমার সব সম্পর্ক শেষ হতে চলেছে। আমি ভূমিসূতাকে নিয়ে অন্য জায়গায় ঘর বাঁধব।

ফিরতে ফিরতে সন্ধে হয়ে গেল। একটু পরে রানী মনোমোহিনীকে নিয়ে মহারাজ গিরিশ ঘোষের 'প্রভাস যজ্ঞ' নাটক দেখতে যাবেন, শশিভূষণ তাতে সঙ্গী হবেন না। নিজের ঘরে এসেই শশিভূষণ ভূমিসূতার নাম ধরে ডাকতে লাগলেন।

এবারে ভূমিসূতা নিজেই রেকাবিতে জলখাবার নিয়ে এল। একটা ধপধপে সাদা শাড়ি পরা, চুল খোলা। শশিভূষণ লক্ষ করলেন, আজ সে পায়ে আলতা দেয়নি, কপালে চন্দনের ফোঁটা নেই, চক্ষু দুটি থমথমে। হঠাৎ দেখলে তাকে বিধবাবালা বলে মনে হয়।

শশিভূষণ গম্ভীরভাবে জিজ্ঞেস করলেন, তুমি নাকি কাল সারা রাত কেঁদেছ ? কী হয়েছে তোমার ? কোনও অসুখ ?

ভূমিসূতা আস্তে আস্তে মাথা নেড়ে নত দৃষ্টিতে বলল, কিছু হয়নি !

শশিভূষণ আবার জিজ্ঞেস করলেন, তবে কেঁদেছ কেন? কেউ তোমাকে কোনও কটু কথা বলেছে?

ভূমি বলল, না। আমি আপনার জন্য জল নিয়ে আসি?

শশিভূষণ বললেন, কিচ্ছু আনতে হবে না। তুমি বসো। তোমার সঙ্গে অনেক কথা আছে। আজ সব কথা শেষ করে দিতে হবে। বসো।

ভূমি অনেকখানি দুরত্বে মেঝের ওপর বসে পড়ল।

শশিভূষণ প্রায় ধমকের সুরে বললেন, ওখানে নয়, ওই চেয়ারে বসো। এসো, উঠে এসো !

ভূমিসূতা উঠল বটে, কিন্তু চেয়ারে বসল না, দাঁড়াল চেয়ারটির পিছনে।

শশিভূষণ বললেন, তোমাকে আমি সমমর্যাদা দিতে চাই, তুমি কেন তা নেবে না ? কেন তা বুঝতে চাও না ? চুপ করে থাকলে চলবে না, আজ তোমায় উত্তর দিতেই হবে।

ভূমিসূতা বলল, আমি এর যোগ্য নই।

শশিভূষণ বললেন, কে বলেছে, তুমি এর যোগ্য নও ! তুমি অসাধারণ। একটা কথা সত্যি করে বল তো ? আমাকে কি তোমার মন্দ লোক মনে হয় ! তুমি কি ভাব, আমার কিছু কু অভিসন্ধি আছে ? বলো, বলো !

ভূমি বলল, না। আপনি মহৎ।

শশিভূষণ একজন আহত মানুষের আর্তনাদের সুরে বললেন, তবে ? তবে কেন তুমি আমার ডাকে সাড়া দিচ্ছ না ? তুমি বুঝতে পার না, আমি তোমাকে চাই। কতখানি চাই ! আর কোনও নারীকে আমি এমন ভাবে চাইনি। এই দাসিত্ব তোমাকে মানায় না, ভূমি। তুমি আমার জীবনসঙ্গিনী হবে। তুমি তা চাও না ? কেন ?

ভূমিসূতা চুপ করে রইল।

শশিভূষণ আর নিজেকে সামলাতে পারলেন না। আবেগের বশে ছুটে এসে ভূমিসূতার একটা হাত ধরলেন।

বিদ্যুৎপৃষ্টের মতন কেঁপে উঠে ভূমিসূতা হাত ছাড়িয়ে নিল। পিছিয়ে গিয়ে দাঁড়ল দেয়াল সেঁটে। অসহায় কান্না জড়ানো গলায় বলতে লাগল, আপনি আমাকে ক্ষমা করুন, আপনি আমাকে ক্ষমা করুন !

শশিভূষণ গভীর বিস্ময়ের সঙ্গে কয়েক মুহূর্ত চেয়ে রইলেন ওর মুখের দিকে। তারপর বললেন, ক্ষমা ? কিসের জন্য ক্ষমা ? তুমি তো কোনও দোষ করোনি ! আমি তোমাকে বিবাহ করার প্রস্তাব দিলুম, তুমি সারা রাত কাঁদলে। আমি তো এর কোনও অর্থই বুঝতে পারছি না। তুমিও কি বুঝতে পার না যে এ ছাড়া আর কোনও উপায় নেই? তুমি যদি ত্রিপুরায় যেতে না চাও, তাহলে আমি তোমাকে কোথায় লুকিয়ে রাখব ? মহারাজের কাছে আমি মিথ্যে কথা বলতে পারব না।

ভূমিসূতা চুপ করে রইল।

শশিভূষণ বললেন, তোমার কি ইচ্ছে করে না, ভূমি, নিজস্ব একটা বাড়ি পেতে? নিজের সংসার, স্বামী, আমি সব ব্যবস্থা করে ফেলেছি।

ভূমিসূতা ফুঁপিয়ে কেঁদে উঠল।

শশিভুষণ অস্থিরভাবে বললেন, এখন কান্নার সময় নয়। দ্রুত সিদ্ধান্ত নিতে হবে। তালতলায় একটা ভাড়া বাড়ি দেখে রেখেছি। সেখানে গিয়ে কয়েক দিনের মধ্যে বিবাহটা সেরে নিতে হবে। তারপর আমরা চলে যাব চন্দননগর, আমি বলছি, সে জায়গাটা তোমার খুব পছন্দ হবে, দেখো!

ভূমিসূতা কান্নার মধ্যে আত্মগোপন করে রইল, আর উত্তর দেয় না। শশিভূষণ একই কথা বলে যেতে লাগলেন বারবার।

এক সময় দরজার কাছে এসে দাঁড়ালেন সুশীলা নাম্নী দাসীটি।

শশিভূষণ তার দিকে ফিরে ক্রুদ্ধভাবে বললেন, কী চাই?

সুশীলা বলল, একটা চিঠি। পুরুতমশাই বললেন, তোমাদের এখানে ভূমিসূতা নামে কে আছে, তাকে এই চিঠিখানা দিও। আজই। আমি সেই তখন থেকে ভূমিকে খুঁজে মরছি।

শশিভূষণ ভ্রূকুঞ্চিত করে বললেন, চিঠি? ওকে কে চিঠি লিখবে? পুরুতমশাই-ই বা ওকে চিঠি দেবেন কেন?

সুশীলা বলল, আমিও তো তাই ভাবছি। আমরা দাসী মাগী, মুখ্যু, নেকাপড়া জানি না, আমাদের কে পত্তর দেবে? তারপর মালুম হল, বোদ হয় ভূমির হাত দিয়ে আপনার কাছেই এটা পাঠাতে চায়। তাই নিয়ে এলুম।

সুশীলার হাতে একখানা সাদা লেফাফা। শশিভূষণ হাত বাড়িতে সেটা নিয়ে বললেন, ঠিক আছে, তুমি যাও।

লেফাফার ওপর কোনও নাম লেখা নেই। মুখটা গঁদ দিয়ে সাঁটা। সেটা ছিঁড়তে ছিঁড়তে শশিভূষণ বললেন, এই পুরুতটা মহা পেটুক। প্রায়ই এটা-সেটা ছুতো করে টাকা চায়। আবার বোধ হয় কিছু চাইছে।

চিঠির সম্বোধন ও লেখকের নাম আগে দেখলেন তিনি। যেন বজ্রপাত হল! শশিভূষণের চিন্তা একমুখী ছিল, তিনি ভূমিসূতাকে বিবাহের প্রস্তাব দিয়েছেন সেই তো যথেষ্ট, ভূমিসূতার আপত্তির কোনও কারণ তিনি খুঁজে পাননি। অন্য কোনও দিকের কথা তাঁর মাথাতেই আসেনি একবারও।

তিনি হতবুদ্ধির মতন ধপ করে পালঙ্কে বসে পড়ে, অস্ফুট স্বরে বললেন, ভরত!

হে ভূমিসূতা :

তোমাকে আমি প্রতিশ্রুতি দিয়াছিলাম, তোমার সহিত সংযোগ রক্ষা করিব। তোমাকে অপমানের জীবন হইতে মুক্তির ব্যবস্থা অবশ্যই করিব। কিন্তু এতদিন তাহা পারি নাই। তুমি নিশ্চয় স্থির করিয়াছ যে আমি কাপুরুষের ন্যায় পলায়ন করিয়াছি, তোমাকে বিস্মৃত হইয়াছি। ইহা তুমি অবশ্যই মনে করিতে পারো, দোষ আমারই। তবে সত্য এই যে, আমি তোমাকে একদিনের জন্যও বিস্মৃত হই নাই। সর্বক্ষণ তোমার কথা মনে পড়ে। রাত্রে আমার ঘুম আসে না। আমার ঘরের শূন্য দেওয়ালে আমি তোমার মুখচ্ছবি দেখিতে পাই।

ভবানীপুরের বাটি হইতে অকস্মাৎ বিতাড়িত হওয়ার সময় আমি তোমার সহিত কথা বলার সুযোগ পাই নাই। পূজনীয় মাস্টারমহাশয়কে আমি সঙ্কোচবশে জানাইতে পারি নাই কিছু। কিন্তু তুমি এখন যে রাজবাড়িতে আছ, তাহা আমি বিলক্ষণ জানি। কিন্তু কোনও বিশেষ কারণবশত ওই বাড়ির ত্রিসীমানায় আমার, যাইবার উপায় নাই। কারণটি তোমাকে এখন বলিতে পারিব না, কিন্তু তুমি বিশ্বাস করিও, তোমার প্রতীক্ষাতেই আমার প্রতিটি দিন কাটে।

খবর পাইয়াছি, মহারাজ শীঘ্রই ত্রিপুরায় ফিরিবেন। তুমি কোনওক্রমেই ত্রিপুরায় যাইতে সম্মত হইয়ো না। তা হইলে তোমার সহিত আমার চিরবিচ্ছেদ ঘটিবে, আমি কোনওক্রমেই তাহা সহিতে পারিব না। মহারাজ চলিয়া গেলে আমি তোমার সহিত সাক্ষাৎ করিতে পারিব। পুরোহিত মহাশয় আমার বিশেষ বন্ধু, তাঁহার মারফত পত্র পাঠাইলাম। তুমি তাঁহার হস্তে উত্তর দিতে পারো। অবশ্য দিও। তোমার কুশল সংবাদ দিও।

ইতি
নিত্য প্রীত্যর্থী
ভরতকুমার

চিঠিখানা পাঠ শেষ করার পর দাঁতে দাঁত চেপে শশিভূষণ আবার শুধু বললেন, ভরত !

তাঁর সমস্ত শরীরে আগুনের মত ছড়িয়ে পড়েছে ক্রোধ। তাঁর এমন প্রিয় একটা স্বপ্ন তছনছ করে দিতে চায় ভরত ? কে ভরত ? সেই গঞ্জের নদীর ঘাটে, ভিখারিদের সারিতে বসে ছিল ন্যাড়া মাথা একটা ক্যাংলা ছেলে, প্রায় উন্মাদ। শশিভূষণ যদি সেখান থেকে তাকে তুলে নিয়ে না আসতেন, তা হলে কোথায় থাকত ভরত ? কলকাতায় কে তাকে আশ্রয় দিত! এখনও শশিভূষণের দেওয়া মাসোহারায় সে টিকে আছে। সামান্য একটা পরগাচা হয়ে সে ভূমিসূতার মতন একটি রমণীরত্নকে পেতে চায়। বাঁদরের গলায় মুক্তোর মালা !

জ্বলন্ত চোখে চেয়ে শশিভূষণ বললেন, ভরত! এর জন্য তুমি আমার কথায় রাজি হওনি? এর জন্য তুমি কেঁদে ভাসাচ্ছিলে?

ভূমিসূতা উত্তর না দিয়ে লুব্ধ দৃষ্টিতে শশিভূষণের হাতের চিঠিখানির দিকে চেয়ে রইল।

নারীর প্রতি আকর্ষণ এমনই তীব্র যে ভরতের প্রতি শশিভূষণের সব স্নেহ-মমতা যেন মুছে গেছে। তিনি মহারাজ বীরচন্দ্রকে নিজের প্রতিদ্বন্দ্বী ভেবেছিলেন, মহারাজের লালসার গ্রাস থেকে ভূমিসূতাকে ছিনিয়ে নেবার জন্য সবরকমভাবে প্রস্তুত ছিলেন। হঠাৎ ভরতের মতন একটা নগণ্য প্রাণীর মাঝখানে এসে পড়াটা তিনি মাছি তাড়ানোর মতন উড়িয়ে দিতে চান। ভরত তাঁর কথায় ওঠে বসে। ভরতকে তিনি পুনর্জীবন দিয়েছেন, তাকে এক ধমক দিলে যে আর জীবনে ভূমিসূতার দিকে ফিরে চাইবে না। তাঁর চন্দননগরের বাড়ির স্বপ্ন কিছুতেই নষ্ট হতে পারে না। ভূমিসূতাকে তাঁর চাই।

তিনি বললেন, তুমি কি পাগল হয়েছে, ভূমি? ভরতের ওপর তুমি নির্ভর করেছিলে? ওর কী ক্ষমতা আছে? নিজেরই চাল-চুলোর ঠিক নেই, ও তোমাকে কোথায় আশ্রয় দেবে? আমি সাহায্য না করলে ও কালই আবার পথের ভিখিরি হয়ে যাবে!

চিঠিখানা এখনও পড়েনি ভূমিসূতা, কিন্তু ভরত তাকে চিঠি লিখেছে, এটা জানার পরই তার মুখ-চোখ অনেক বদলে গেছে। অসহায়, কান্না কান্না ভাবটা আর নেই। এখন সে স্পষ্ট চোখে শশিভূষণের দিকে তাকিয়ে আছে। এখন তার নীরবতার মধ্যেও রয়েছে দৃঢ় প্রতিবাদ।

শশিভূষণ বললেন, ভরত কোনও দিন আমার অবাধ্য হবে না। আমি আদেশ করলে সে তোমার পা ধোওয়ার জল ঢেলে দেবে। মাটিতে মাথা ঠেকিয়ে তোমাকে প্রণাম করবে!

চিঠিখানা দুমড়ে মুচড়ে মাটিতে ছুঁড়ে দিয়ে তিনি আবার বললেন, ভরত কেউ না। ওসব ভুলে যাও! তুমি আর আমি যে নতুন জীবন শুরু করব, সেখানে ভরতের কোনও স্থান নেই।

ভূমিসূতা প্রায় ঝাঁপিয়ে পড়ে তুলে নিল চিঠিখানা। দুহাতের মুঠিতে ধরে নিজের বুকে ঠেকিয়ে রাখল।

॥ ৫৭ ॥

ডাক্তার মহেন্দ্রলাল সরকারের মেজাজ আজ সকাল থেকেই দুর্যোগপূর্ণ আকাশের মতন। মাঝে মাঝেই ঝলসে উঠছে ক্রোধের অশনি। বাড়ির লোকজনদের বকাবকি করছেন অহেতুক। এই সব দিনে সবাই ভয়ে তটস্থ হয়ে থাকে, শিশুরা পর্যন্ত শব্দ করে কাঁদে না।

বাড়িতে তিনি রুগী দেখেন না, ভবানীপুরে আলাদা চেম্বার আছে। সেখানে বেরুবার আগে, প্রাতরাশের টেবিলে কোনও খাবারই তাঁর পছন্দ হল না। টোস্টের রং কালো হয়ে গেছে বলে তিনি ছুঁড়ে ফেলে দিলেন, ওমলেট বেশি ঝাল তাই বাবুর্চির দিকে এমনভাবে তাকালেন যে তাকে ভস্ম করে ফেলবেন, মেটুলির তরকারি মুখে দিয়েই থু থু করতে লাগলেন অনেকক্ষণ ধরে। তাঁর স্ত্রী দরজার কাছে এসে জিজ্ঞেস করলেন, ওসবের বদলে তাঁকে লুচি-মোহনভোগ করে দেওয়া হবে কি না।

মহেন্দ্রলাল স্ত্রীর দিকে ফিরে বললেন, ওসব তোমরা খাও, যত ইচ্ছে গাণ্ডেপিণ্ডে খাও, আমার জন্য ভাবতে হবে না।

দপদপিয়ে উঠে গিয়ে তিনি তাঁর সহকারীকে ডেকে বললেন, আজ আর চেম্বারে যাব না, তুই গিয়ে রুগীদের ফিরিয়ে দে। বলবি কাল আসতে। যার বেশি গরজ, সে যেন অন্য ডাক্তারের কাছে যায়।

তারপর নীচে নেমে এসে ঘোড়ার গাড়িতে চেপে সহিসকে বললেন, সুকিয়া স্ট্রিটে চল!

শ্রাবণ মাস, প্রায় প্রতিদিনই বৃষ্টি হচ্ছে, কাল রাতে প্রবল বর্ষণ হয়েছিল, রাস্তাঘাট জলকাদায় মাখামাখি। বিশাল বপু মহেন্দ্রলাল থ্রি পিস সুট পরে পা ছড়িয়ে বসে আছেন গাড়িতে, পথের দিকে তাকিয়ে আছেন বটে, কিন্তু কিছুই দেখছেন না, তাঁর মুখমণ্ডল অসন্তোষের রেখায় কুঞ্চিত।

একসময় তাঁর গাড়ি এসে থামল প্রসিদ্ধ আইনজীবী দুর্গামোহন দাসের বাড়ির সামনে।

দুর্গামোহনকে শুধুমাত্র একজন সার্থক উকিল বলা ঠিক নয়, তাঁর অন্যান্য কীর্তির জন্যই তিনি বেশি বিখ্যাত। একসময় প্রেসিডেন্সি কলেজের বৃত্তি পাওয়া মেধাবী ছাত্র ছিলেন, এখন ওকালতিতে অর্থ উপার্জন করেন প্রচুর, কিন্তু তাঁর মতন অর্থের এমন সৎ-ব্যবহার করতে পারে কজন? বছর পনেরো আগে বরিশালে দুটি কায়স্থ বিধবার বিবাহের সব ব্যবস্থা করেছিলেন দুর্গামোহন, তা নিয়ে যে প্রবল আন্দোলন হয়েছিল, তা আজও অনেকের মনে আছে। পূর্ববঙ্গে তার আগে কোনও বিধবার বিয়ে হয়নি। সে জন্য বরিশালে কত উৎপীড়ন সহ্য করতে হয়েছে দুর্গামোহনকে, রাস্তায় লোকে তাঁকে তাড়া করেছে। অসীম সাহসী দুর্গামোহন তাতে একটুও নিরস্ত না হয়ে আর একটি চমকপ্রদ দৃষ্টান্ত স্থাপন করলেন সেখানে। পিতার মৃত্যুর পর দুর্গামোহন তাঁর বিধবা বিমাতারও বিয়ে দিলেন এক পরিচিত ব্যক্তির সঙ্গে।

তারপর কলকাতায় এসে তিনি যে কত অনাথা, অসহায় নারীকে সাহায্য করেছেন তার ইয়ত্তা নেই। তাঁর বাড়িতে এসে কেউ আশ্রয় চাইলে তিনি নিরাশ করেন না। মেয়েদের শিক্ষা

ও স্বাবলম্বী করার জন্য তিনি অর্থব্যয় করেন জলের মতন। নিজের মেয়েকে তিনি মাদ্রাজে পাঠিয়েছেন ডাক্তারি পড়াবার জন্য।

মহেন্দ্রলাল গাড়ি থেকে নেমেই ডাকতে লাগলেন, দুর্গা, দুর্গা?

দুর্গামোহন বাইরের ঘরে মক্কেল পরিবৃত হয়ে বসে আছেন। উঠে দাঁড়িয়ে বললেন, কী ব্যাপার মহেন্দ্রদা, হঠাৎ এ সময়ে —

মহেন্দ্রলাল চোখ পাকিয়ে বললেন, এই লোকগুলিকে এখন বিদায় করে দাও। তোমার সঙ্গে আমার গুরুতর কথা আছে।

মক্কেলদের মধ্যে অনেক গণ্যমান্য ব্যক্তি রয়েছেন, তাঁদের কি আর হুট করে চলে যেতে বলা যায়? দুর্গামোহন মৃদু হেসে তাদের অপেক্ষা করতে বলে মহেন্দ্রলালকে নিয়ে এলেন অন্য একটি বৈঠকখানায়। তারপর জিজ্ঞেস করলেন, কোনও খবর না দিয়ে ধন্বন্তরির অকস্মাৎ আগমন....এ বাড়িতে কারুর তো অসুখ-বিসুখ করেনি ?

কোমরে দু হাত দিয়ে দাঁড়িয়ে চোখ পাকিয়ে মহেন্দ্রলাল বললেন, কে বললে কারুর অসুখ করেনি ? তুই-ই তো অসুস্থ ! তোর চোখ-মুখ দেখেই বুঝতে পারছি তোর মস্তিষ্কবিকৃতি ঘটেছে !

দুর্গামোহন হা-হা করে হেসে উঠলেন।

প্রচণ্ড এক হুঙ্কার দিয়ে মহেন্দ্রলাল বললেন, শালা, হাসছিস যে বড় ! নির্লজ্জের মতন হাসছিস! তোর মেয়ে মাদ্রাজ থেকে ছুটিতে এসেছে, তুই নাকি তাকে আর ফেরত পাঠাবি না ? আজ সকালবেলা আনন্দমোহন খবরটা দিল, তা কি সত্যি ?

দুর্গামোহন হাসি থামিয়ে বললেন, বসো, দাদা বসো। হ্যাঁ, যা শুনেছ তা সত্যি। মেয়ে আর ফিরবে না। ওর আমি বিয়ে ঠিক করেছি।

মহেন্দ্রলাল এবারে যেন আরও ফেটে পড়লেন। বিস্ফারিত চোখে বললেন, বিয়ে ! তুই তোর মেয়ের বিয়ে দিবি এখন ? পাগল না হলে কেউ এমন কথা ভাবে!

মহেন্দ্রলালের কথা শুনলে সত্যিই হাসি সামলানো শক্ত। কিন্তু তাঁর মেজাজ এখন সপ্তমে চড়ে আছে। এখন তাঁর সামনে হাসা উচিত নয়। দুর্গামোহন মহেন্দ্রলালের হাত ছুঁয়ে বললেন, দাদা, তুমি এমন রেগে আছ কেন বলো তো ? লোকে কি মেয়ের বিয়ে দেয় না ? এতে পাগলামির কী আছে ?

মহেন্দ্রলাল বললেন, লোকে যত ইচ্ছে মেয়ের বিয়ে দিক। যা খুশি করুক ! তা বলে তুই তোর মেয়ের বিয়ে দিবি ? ছি ছি ছি ছি

দুর্গামোহন বললেন, মেয়ের ষোল বছর বয়েস হয়ে গেছে কবে। তোমার ম্যারেজ অ্যাক্ট ভায়োলেট করছে না। এতে অন্যায়টা কী হল ?

মহেন্দ্রলাল আবার ধমক দিয়ে বললেন, অন্যায় না? ঘোর অন্যায় ! খবরটা শোনার পর থেকেই আমি আর সুস্থির থাকতে পারছি না। মাথায় যেন আকাশ ভেঙে পড়েছে। তোর মেয়ে কি পাঁচপেঁচি কোনও সাধারণ মেয়ে? কত চেষ্টা করে তাকে ডাক্তারি পড়ার জন্য ভর্তি করা হয়েছে। কলকাতায় নিল না, অবলাকে পাঠানো হল মাদ্রাজে। আমাদের কথা শুনে অবলা যেদিন মাদ্রাজে যেতে রাজি হল, সেদিন গর্বে আমার বুক ভরে গিয়েছিল। তোর মেয়ে যেন আমারও মেয়ে। মাদ্রাজে সে পড়াশুনো ভালই করছিল, আমি নিয়মিত খবর নিয়েছি। সাড়ে তিন বছর কাটিয়ে দিল, আর দুটো বছর কোনওক্রমে কাটালেই সে পুরোপুরি ডাক্তার হবে, তোমাদের সে ধৈর্যটুকু রইল না ? এর মধ্যে তার বিয়ে দিতে হবে ?

দুর্গামোহন বললেন, দেখ দাদা, তোমার আর শিবনাথ শাস্ত্রী মশাইয়ের আগ্রহেই আমি অবলাকে মাদ্রাজে একা একা পাঠিয়েছিলাম। আর কোন বাঙালির মেয়ে একা অত দূর পড়তে গেছে বলো ? কিন্তু ওখানে আমার মেয়ের মন টিকছে না। শরীরও ভালো যাচ্ছিল না।

ওখানে খাওয়া দাওয়ার সুবিধে নেই। এখানকার মতন তরি-তরকারি পাওয়া যায় না। মাছ রাঁধতে জানে না। দু বেলা দুটি ডাল-ভাত-মাছের ঝোল না পেলে কি বাঙালির শরীর টেঁকে!

মহেন্দ্রলাল মুষ্টি উঁচিয়ে বললেন, তোর আমি মাথা ভাঙব ! হাড় গুঁড়ো করে দেব ! না, না, এ বিয়ে আমি কিছুতেই হতে দেব না। ডাল-ভাত মাছের ঝোল ? তোদের মুখে আগুন! সামান্য খাওয়া দাওয়ার চিন্তা করে এত বড় একটা সুযোগ নষ্ট করবে অবলা ? আর দু বছর পর ফিরে এসে যত ইচ্ছে মাছের ঝোল খাক না ! ওসব বাজে কথা, তোরা জোর করে মেয়েটার হাত-পা বেঁধে জলে ফেলে দিচ্ছিস !

দুর্গামোহন বললেন, অবলা নিজেই তো আর পড়তে চায় না।

মহেন্দ্রলাল বললেন, মিথ্যে কথা ! মেয়ে একটু ঢ্যাঙা হতে না হতেই তার বিয়ের চিন্তায় বাঙালি বাপ-মায়ের ঘুম আসে না। বিয়েটাই যেন পরমার্থ! কোনওরকমে শ্বশুরবাড়ির হেঁশেলে তাকে ঢুকিয়ে দিতে পারলেই হল। আর দুটো বছর সবুর করতে পারলি না ?

দুর্গামোহন বললেন, আমরা ব্রাহ্মসমাজে কন্যার মতামত না নিয়ে বিবাহের ব্যবস্থা করি না। অবলার এ বিবাহে স্পষ্ট সম্মতি আছে। পাত্র আর পাত্রী পরস্পরের আলাপ পরিচয়ও করেছে। বিশ্বাস না হয়, অবলাকে ডাকছি, তুমি তার সঙ্গে কথা বলো—

ভেতরের উঠোনে গিয়ে অবলার নাম ধরে ডাকতেই সে নেমে এল। মহেন্দ্রলাল একটা কৌচে বসে আছেন, অবলা গিয়ে প্রণাম করল পায়ে হাত দিয়ে। নম্র কণ্ঠে জিজ্ঞেস করলেন, কেমন আছেন জ্যাঠামণি !

মহেন্দ্রলাল অতি কষ্টে ক্রোধ সংবরণ করেছেন। এখন তাঁর মুখে বেদনার ছায়া। অবলা যেন তাঁর নিজেরই হাতে গড়া এক আদর্শ। আত্মীয়-বন্ধুদের যাদের বাড়িতেই মেয়েদের লেখাপড়ার চর্চা আছে, স্কুলের ওপরের ক্লাসে যে সব কিশোরীরা পড়ে, মহেন্দ্রলাল তাদের কানের কাছে মন্ত্র দেন, ওরে পাশ করার পর তোরা ডাক্তারিতে ভর্তি হবে। এ দেশে যে একটিও মেয়ে ডাক্তার নেই ! মেয়ে ডাক্তারের যে কত দরকার, তা কি তোরা নিজের চোখে দেখছিস না ? কত মা, কত ভগিনী বিনা চিকিৎসায় কিংবা কু-চিকিৎসায় মারা যায়। অন্দরমহলে পুরুষ ডাক্তারদের প্রবেশ নিষেধ। আঁতুরঘরে জননীরা যে কী কষ্ট পায় তা অবর্ণনীয়। কত বাচ্চা যে মরে, কত জননীও যে প্রসবের পর অক্কা পায় তার ঠিক নেই। একমাত্র মেয়েরাই পারে মেয়েদের বাঁচাতে। তুই ডাক্তারি পড়বি তো ?

অধিকাংশ মেয়েই এসব কথা শুনে ভয় পায়। মেয়েরা ডাক্তার হবে, এ কি সম্ভব নাকি? বাবা-মায়েরাও মনে করে, মহেন্দ্রলালের এসব কথা বাতুলতার সমান ! মেয়েরা ডাক্তারি পড়বে পুরুষদের সঙ্গে গিয়ে ? ক্লাসরুমে অধ্যাপক মানুষের শরীরের সমস্ত অঙ্গপ্রত্যঙ্গের ছবি দেখাবে মেয়েদের সামনে ? মেয়েরা ছুরি-কাঁচি ধরে মড়া কাটবে ? উদ্ভট যত কথা !

অবলা রাজি হয়েছিল। কলকাতায় ভর্তি হতে পারেনি। সুদূর মাদ্রাজে একা একা যেতেও ভয় পায়নি। সেই অবলা!

মহেন্দ্রলাল দেখলেন, মাদ্রাজ যাওয়ার সময় যে অবলা ছিল প্রায় একটি কিশোরী, এই ক বছরে সে বেশ ডাগর হয়েছে, সে এখন এক সলজ্জা যুবতী। খাওয়ায় দাওয়ায় কষ্টের কোনও ছাপ নেই তার শরীরে।

মহেন্দ্রলাল অভিমান ভরা স্বরে বললেন, আমি ভালো আছি মা। তুমি নাকি মাদ্রাজে ফিরবে না ? ডাক্তারি পড়া শেষ করবে না ?

অবলা বলল, হ্যাঁ, জ্যাঠামণি, ওখানে আর আমার ভালো লাগছে না।

মহেন্দ্রলাল বললেন, তোমার রেজাল্ট তো ভালোই হচ্ছিল। অ্যাপোথিকারিতে ভালো করছিলে বেশ—

অবলা বলল, ওখানে থাকার বড় অসুবিধে। মেলামেশার মতন লোক পাই না। অন্য মেয়েরা সব খ্রিস্টান, ওরা নিজেদের নিয়ে থাকে।

মহেন্দ্রলাল বললেন, এসব কি কোনও কথা হল মা ! বিদ্যা শিক্ষার জন্য কত কষ্ট করতে হয়। আর দুটো বছর কাটিয়ে পারলে তুমি হতে বাঙালি মেয়েদের মধ্যে প্রথম পাস করা ডাক্তার। ইতিহাসে তোমার নাম থাকবে। আমাদের কাছে তুমি হবে গর্বের ধন। কত নারীর উপকার করবে তুমি।

অবলা বলল, আমি তো করেছিলুম; জ্যাঠামণি। আমার দ্বারা ওসব হবে না। অপারেশন থিয়েটারে ঢুকলে আমার বমি বমি ভাব হয়।

মহেন্দ্রলাল বললেন, সার্জারির ক্লাস তো সবে শুরু হয়েছে। প্রথম প্রথম ওরকম হয়, আমাদেরও হয়েছে, তারপর কেটে যায়। যা না মা, কোনওরকমে আরও দুটো বছর কাটিয়ে পাস করে আয়। কলকাতা শহরে সভা ডেকে তোর সুখ্যাতি করব। যাবি ? তোর বাবাকে বলে দে। বিয়ের জন্য এখনই ব্যস্ত না হলেও চলবে!

মহেন্দ্রলালের এ মিনতিপূর্ণ কথায় কোনও ফল হল না। অবলা চুপ করে রইল। তার নীরবতাই অস্বীকার বুঝিয়ে দেয়।

মহেন্দ্রলাল জিজ্ঞেস করলেন, তুই বুঝি এখনই বিয়ে করতে রাজি হয়েছিস? ডাক্তারি পড়ার চেয়ে বিয়ে করাটাই বড় হল ? ·

অবলা নত নেত্রে লজ্জাশীলা নারীদের মতন বাঁ পায়ের নখ দিয়ে মাটিতে দাগ কাটতে লাগল।

মুহূর্তে বদলে গেলেন মহেন্দ্রলাল। তিনি আবার রুদ্র মূর্তি ধারণ করে বিকট কণ্ঠে বললেন, তুই যদি আমার নিজের মেয়ে হতিস, তা হলে তোর দু গালে আমি থাবড়া মারতাম। যাঃ দূর হয়ে যা আমার চোখের সামনে থেকে। তোকে আর আমি দেখতে চাই না ! আমাদের এত আশা সব বিফলে গেল !

দুর্গামোহন বললেন, দাদা, তুমি এত বকাবকি করছ কেন ? মেয়ের যখন বিয়ে ঠিক হয়েই গেছে, তুমি ওকে আশীর্বাদ করো।

মহেন্দ্রলাল বললেন, মোটেই আমি মিথ্যে আশীর্বাদ করতে পারব না। তোদের বাড়িতে জীবনে আর আমি পা দেব না। অসুখ বিসুখ হলে কেউ যদি আমায় ডাকতে যায়, তাকে আমি ঠ্যাঙাব।

দুর্গামোহন বললেন, অবলা, তুই ভেতরে যা তো মা। দাদাকে আমি ঠাণ্ডা করছি। তুই ভালো দেখে সরবত পাঠিয়ে দে। দাদা, তুমি সরবত খাবে তো ?

মহেন্দ্রলাল বললেন, সরবত তোর বাপকে খাওয়াগে যা শালা ! সর, সরে দাঁড়া। আমি এখন যাব !

মহেন্দ্রলালকে যারা চেনে, তারা ওঁর এ ধরনের কথা গায়ে মাখে না। দুর্গামোহন হাসতে হাসতে দু হাত ছাড়িয়ে বললেন, ইস, তোমাকে এখন আমি যেতে দিচ্ছি আর কি এত সহজে! তুমি আমাকে এত কথা শোনালে, এবার আমি কিছু শোনাব না ? বসো !

মহেন্দ্রলাল রক্তচক্ষে তাকিয়ে রইলেন।

দুর্গামোহন বললেন, দেখলেই তো, অবলা আর মাদ্রাজে ফিরে যেতে রাজি নয়। যদি সে ডাক্তার হওয়ার জন্য আরও দু বছর পড়াশুনো করতে চাইত, আমার আপত্তি ছিল না। মেয়ের ডাক্তার হওয়ায় যদি আমার আপত্তি থাকত, তাহলে কি তাকে মাদ্রাজে পাঠাতাম ? এখন সে আর চাইছে না.....বিয়ের যুগ্যি মেয়ে, তার বিয়ের ব্যবস্থা করা কি দোষের ? অবশ্য এক্ষুনি বিয়ে হচ্ছে না। কথাবার্তা চলছে, হলে হবে সেই জানুয়ারি মাসে। দেরি আছে।

মহেন্দ্রলাল জিজ্ঞেস করলেন, পাত্রটি কে ? নিশ্চয়ই বড়লোকের বাড়ির কোনও একখানা মর্কট !

দুর্গামোহন বললেন, তুমি আনন্দমোহনের শ্বশুরকে চেনো ? স্বর্ণপ্রভার বাবা। উনি একসময় বর্ধমানের ডেপুটি ছিলেন। তারপর আসামে চায়ের ব্যবসা করতে গিয়ে অনেক কিছু খুইয়েছেন। আমাদের ঢাকার লোক, ভারী তেজস্বী পুরুষ। পুববাংলায় ভগবান বোসকে অনেকে এক ডাকে চেনে। আমার অনেকদিনের সাধ, তাঁর সঙ্গে আমাদের পরিবারের একটা সম্পর্ক হোক। তিনি এখন ছেলের বিয়ে দিচ্ছেন, এ সুযোগ ছাড়ি কেন ? ছেলেটিরও অবলাকে বেশ পছন্দ হয়েছে।

মহেন্দ্রলাল বললেন, ছেলে কী করে? বাপের টাকায় শখের পায়রা ওড়ায়?

দুর্গামোহন বললেন, ভগবানবাবুর তেমন কিছু টাকাপয়সা নেই। বরং বাজারে অনেক ঋণ আছে বলেই জানি। তুমি শুনলে আবার চটে যাবে, এ ছেলেটিও ডাক্তারি পড়তে পড়তে ছেড়ে দিয়েছে। পড়া শেষ করেনি।

মহেন্দ্রলাল বললেন, বা বা বা বা ! এ যে দেখছি সোনায় সোহাগা ! এও হাফ ডাক্তার, সেও হাফ ডাক্তার। দেবা-দেবীকে মানাবে ভালো । দুর দুর, এসব কথা শোনাও পাপ ! যে-কোনও কাজ যারা মাঝপথে ছেড়ে দেয়, তাদের মুখে এই আমি লাথি মারি!

দুর্গামোহন বললেন, দাদা, শোনো, পুরোটা শোনো ! ছেলেটির নাম জগদীশ। সে ডাক্তারি পড়ার জন্য বিলেতে গিয়েছিল। কিন্তু তার কিছুদিন আগে আসামে বাঘ শিকার করতে গিয়ে কালাজ্বর বাধিয়ে বসে। সেই জ্বর নিয়েই তো জাহাজে চাপে। তারপর এমন ধুম জ্বর, যে বাঁচে কি মরে সন্দেহ। সেই অবস্থাতেও লন্ডনে পৌঁছে ডাক্তারি পড়ার জন্য ভর্তি হল। কিন্তু প্রায়ই জ্বরে ভোগে, ক্লাস করতে পারে না। তখন তার অধ্যাপকরাই বললেন, এই স্বাস্থ্য নিয়ে তুমি বাপু ডাক্তারিপাশ করতে পারবে না। তুমি অন্য কিছু পড়ো! তখন সে—

মহেন্দ্রলাল বললেন, বুঝেছি! সে ছোঁড়াকে দেখে অবলা মজেছে। সে হতভাগা ডাক্তারি পাশ করতে পারেনি, তাই অবলাও ডাক্তার হল না। পতির চেয়ে তার যোগ্যতা বেশি হয়ে গেলে শ্বশুরবাড়িতে হ্যাটা করবে, দেমাকি বলে গঞ্জনা দেবে, সেই ভয়ে—

দুর্গামোহন বললেন, এখনও শেষ হয়নি। জগদীশ ডাক্তার হতে পারেনি বটে, কিন্তু সে বিজ্ঞানের ডিগ্রি নিয়েছে। কেমব্রিজে বিজ্ঞান পড়তে গিয়ে সেখানকার জল হাওয়ায় তার কালাজ্বরও সেরে যায়। এখন ফিরে এসে সে প্রেসিডেন্সি কলেজে বিজ্ঞানের অধ্যাপক হয়েছে।

মহেন্দ্রলাল এবার নড়েচড়ে বসে বললেন, অ্যাঁ? কী বললি? বাঙালির ছেলে প্রেসিডেন্সি কলেজে বিজ্ঞান পড়াচ্ছে ? সে তো সাহেবদের আখড়া ! সাহেবরা ওকে ঢুকতে দিল ?

দুর্গামোহন দুঁদে উকিল, বিরুদ্ধ পক্ষকে অগাধ জলে খেলিয়ে খেলিয়ে কী করে হঠাৎ ডাঙায় তুলতে হয়, তা তিনি জানেন। তুরুপের তাসটি আস্তিনে লুকিয়ে রাখতে পারেন অনেকক্ষণ।

মুচকি হেসে বললেন, তা হলেই বুঝে দেখ কী দরের ছেলে ! কোনও বাঙালির ছেলে আগে বিজ্ঞান, তাও ফিজিক্স পড়িয়েছে ? সাহেবরা কি সহজে জায়গা ছাড়তে চায় ? সাহেবরা ভাবে বাঙালিদের একেবারেই বিজ্ঞান-বুদ্ধি নেই। তুমি যে বিজ্ঞান চর্চার জন্য এত চেষ্টা করছ, তারও কি ওরা মূল্য দেয় ? এ ছেলেটির জন্য সুপারিশ কে করেছে জান, স্বয়ং বড়লাট লর্ড রিপন!

মহেন্দ্রলাল আবার চমকে উঠে বললেন, অ্যাঁ ! বলিস কি !

দুর্গামোহন বললেন, তুমি তো ফাদার লাফোঁ-কে চেন। জগদীশ সেন্ট জেভিয়ার্স কলেজে ফাদার লাফোঁর কাছে বিজ্ঞান পড়েছে। ফাদারের সে প্রিয় ছাত্র। বিলেত যাওয়ার

সময় ফাদার তাকে কয়েকটি চিঠিপত্র দিয়ে দেন। আনন্দমোহনের সে শ্যালক, আনন্দমোহন বিলেতে দুর্দান্ত রেজাল্ট করেছিল, এখনও অনেক অধ্যাপক তাকে চেনে। আনন্দমোহন জগদীশের হাতে একটা চিঠি দিয়েছিলেন অর্থনীতির বিখ্যাত পণ্ডিত ফসেট সাহেবের কাছে। ফসেট সাহেব এখন ওখানকার পোস্টমাস্টার জেনারেল, তাঁর অনেক ক্ষমতা। তিনি জগদীশকে অনেক সাহায্য করেছেন, নিয়মিত ওর খোঁজ খবর নিতেন। এই ফসেটের বন্ধু আমাদের বড়লাট লর্ড রিপন। জগদীশ দেশে ফেরার সময় তার রেজাল্ট দেখে খুশি হয়ে ফসেট সাহেব তাকে একটা সার্টিফিকেট লিখে দিয়ে বললেন, তুমি রিপনের সঙ্গে দেখা করো গিয়ে। তোমার চাকরি -বাকরির কোনও অসুবিধে হবে না। লর্ড রিপনও জগদীশের কাগজপত্র দেখে, কথাবার্তা কয়ে মুগ্ধ হয়ে গেলেন। তিনি বাংলার শিক্ষা দফতরের কর্তাকে নির্দেশ দিলেন, অবিলম্বে যেন জগদীশকে উপযুক্ত কোনও চাকরি দেওয়া হয় !

মহেন্দ্রলাল বললেন, বড়লাট কোনও নেটিভের চাকরির জন্য সুপারিশ করেছেন এমন কথাও আগে শুনিনি।

দুর্গামোহন বললেন, এখনও শেষ হয়নি। তুমি তো জানোই, সিভিলিয়ান ইংরেজগুলো সব বাস্তু ঘুঘু ! আমাদের তারা যেন মানুষ বলেই গণ্য করে না। শিক্ষা দফতরের বড় সাহেব হলেন স্যার অ্যালফ্রেড ক্রফট। সে ব্যাটা বলে কী, বাঙালিরা সংস্কৃত কিংবা দর্শন পড়াতে পারে বড় জোর, তারা আবার বিজ্ঞান পড়াবে কী ? প্রেসিডেন্সি কলেজের প্রিন্সিপাল চার্লস টনিও অরাজি। বড়লাটের নির্দেশ একেবারে অগ্রাহ্যও করতে পারে না। তখন যেন দয়া করে বলল, ইম্পিরিয়াল সার্ভিসে চাকরি খালি নেই, প্রভিন্সিয়াল সার্ভিসে হতে পারে। তুমি তো জান প্রভিন্সিয়াল সার্ভিসে বেতন আর পদমর্যাদা দুটোই কম। বিলেত থেকে যারা পাস করে আসে, তারা সবাই ইম্পিরিয়াল সার্ভিস পায়। জগদীশ ওই ছোটি চাকরি নেবে কেন ? সে প্রত্যাখ্যান করে চলে আসে।

মহেন্দ্রলাল বললেন, বেশ করেছে! বাপের ব্যাটার মতন কাজ করেছে!

দুর্গামোহন বললেন, লর্ড রিপন কিন্তু ঠিক খেয়াল রেখেছিলেন। গেজেটে জগদীশের নাম ওঠেনি দেখে তিনি ক্রফটকে হুড়কো দিলেন! ক্রফট তখন তাড়াতাড়ি জগদীশকে ডেকে বললেন, ইম্পিরিয়াল সার্ভিসেই তোমাকে চাকরি দিচ্ছি, কিন্তু আপাতত টেম্পোরারি। আরও একটা কী দুষ্টুমি করল জানেন ? একই অধ্যাপনার চাকরি। কিন্তু সাহেবদের তুলনায় জগদীশের মাইনে হবে কম। এক ইংরেজ যদি পায় তিনশো টাকা, জগদীশ পাবে দুশো। এখন অস্থায়ী বলে আরও কম, মোটে একশো ! জগদীশ চাকরিতে জয়েন করল, পড়াতে শুরু করল, কিন্তু শিক্ষা দফতরকে জানিয়ে দিল, অন্য ইংরেজ অধ্যাপকদের সমান মাইনে না দিলে সে এক পয়সাও নেবে না। কয়েক মাস ধরে তো পড়াচ্ছে, কোনও বেতন নিচ্ছে না।

মহেন্দ্রলাল এবার উদ্ভাসিত মুখে বললেন, বাঃ বাঃ, এ যে হীরের টুকরো ছেলে ? এমন পাত্র পাগল ছাড়া কেউ হাতছাড়া করে ? দুর্গা, এক্ষুনি ওই জগদীশের সঙ্গে অবলার বিয়ে দাও! খুব ভালো, খুব ভালো ! বাঃ বড় আনন্দ হল !

দুর্গামোহন বললেন, দাদা, আমি জানতাম, সব কথা শুনলে তুমি খুশি হবেই। তুমি তো ডাক্তার নও শুধু, তুমি বিজ্ঞানের পূজারী। জগদীশের সঙ্গে তোমার আগে যোগাযোগ হয়নি, ওর সব কথা জানলে তুমি অবশ্যই আশীবার্দ করবে ওকে !

মহেন্দ্রলাল বললেন, আশীর্বাদ কী রে, তাকে আমি মাথায় নিয়ে নাচব। এ ছেলে যে আমাদের গর্ব। ওকে আমি আমার ইনস্টিটিউটে এনে বক্তৃতা দেওয়াব।

দুর্গামোহন বললেন , তাহলে অবলা কিংবা আমার ওপর তোমার আর রাগ নেই তো ?

মহেন্দ্রলাল বললেন, রাগ নয় রে দুর্গা, সকালবেলা যখন খবরটা শুনি, তখন মনে বড় আঘাত পেয়েছিলাম। যেন আমার একটা স্বপ্ন ভেঙে গেল ! অবলার ওপর বড় আশা করে ছিলাম, আমাদের দেশের প্রথম মহিলা ডাক্তার। এ দেশে জন্মের সময়ই কত শিশু মরে। যে কটা বেঁচে থাকে, সে নেহাত ভাগ্যের জোরে। মেয়েদের কোনও অসুখেরই তো ঠিকমতন চিকিৎসা হয় না। আমরা কি সব ব্যাপারে সাহেব মেমদের ওপর নির্ভর করে থাকব। ইওরোপ-আমেরিকায় অনেক মেয়ে ডাক্তারি পড়ছে, নার্সিং শিখছে। ফ্লোরেন্স নাইটিঙ্গেল নামে এক বিবি ক্রিমিয়ার যুদ্ধে সেবার কী আদর্শই না দেখালে। কিছু মেম ডাক্তার-নার্স এদেশে আসছে এখন। ডাক্তারিতে মেয়েদের পড়াবার ব্যবস্থা অনেক লড়াই করে আদায় করা হয়েছে। শুধু ফিরিঙ্গি মেয়েরা পড়বে, আমাদের ঘরের লেখাপড়া জানা মেয়েরা কেন যাবে না?

দুর্গামোহন বললেন, সকলের তো রুচি সমান হয় না। অবলা পারল না, অন্য মেয়েরা পারবে। তোমার কাদম্বিনী তো পড়ছে। সে নিশ্চয়ই পাস করে বেরুবে।

মহেন্দ্রলাল বললেন, হ্যাঁ, কাদম্বিনী পড়ছে। তার ওপর আমাদের অনেক ভরসা। কিন্তু দেখ, কাদম্বিনীরও বিয়ে হয়ে গেছে, তার স্বামী দ্বারকানাথ গাঙ্গুলি তো বউকে এখনও পড়াচ্ছে? অবলারও না হয় বিয়ে হল, তারপর জগদীশ ওকে আরও দু বছর পড়াতে পারে না?

দুর্গামোহন বললেন, সে তো আমি বলতে পারি না। জামাই যা ভাল বুঝবে, তার ওপর আমার জোর খাটানো সাজে না। দেখ দাদা, তুমি প্রথমে ভেবেছিলে আমি বুঝি কোনও ধনবানের সন্তানকে পাকড়াও করেছি। ওদের বংশ বেশ ভাল, কিন্তু ভগবানবাবুর টাকাপয়সা নেই, সাহেবদের সঙ্গে পাল্লা দিয়ে ব্যবসা করতে গিয়ে ঋণের জালে জড়িয়ে আছেন। জগদীশ তাঁর একমাত্র ছেলে, সে চাকরি করছে বটে, কিন্তু মাইনে পায় না। তার আত্মসম্মান জ্ঞান টনটনে, আমার কাছ থেকেও কোনও সাহায্য নেবে না। বিয়ের পর ওদের সংসার কী ভাবে চলবে কে জানে ! এ সব জেনেশুনেও আমি মেয়ের বিয়ে দিচ্ছি।

মহেন্দ্রলাল উঠে দাঁড়ালেন। দুর্গামোহনের পিঠ চাপড়ে বললেন, আমি কি তোকে চিনি না ? তোর মতন মানুষ কটা আছে ? আমি আজই যাচ্ছি, জগদীশকে একবার দেখব। তাকে বোঝাব, যাতে বিয়ের পরেও সে অবলাকে আরও দু বছর পড়ায়। বউ ডাক্তার হলে তাকে অনেক সাহায্য করতে পারবে !

॥ ৫৮ ॥

জগদীশের শ্যামলা রঙের দোহারা চেহারা। সাতাশ বছর বয়েস, মাথার চুল কোঁকড়ানো, বড় গোঁফ রেখেছে। আপাতদৃষ্টিতে তাকে শান্ত স্বভাবের মনে হলেও ছেলেবেলায় সে বেশ ডানপিটে ছিল। পাঁচ বছর বয়েসেই ঘোড়া চালানো শিখেছে। একা একা ছুটে গেছে বনে-জঙ্গলে। সেন্ট জেভিয়ার্স কলেজে পড়ার সময় মারামারিতেও বেশ নাম ছিল তার।

প্রায় বছর খানেক ধরে প্রেসিডেন্সি কলেজে পড়াচ্ছে সে, তার সহকর্মী ইংরেজ অধ্যাপকরা যেন তাকে একঘরে করে রেখেছে। দু একজন ছাড়া অন্যরা তার সঙ্গে ভালো করে কথাই বলতে চায় না। অধ্যাপকদের জন্য নির্দিষ্ট বিশ্রামকক্ষে জগদীশ প্রবেশ করলেই

অন্যরা চুপ করে যায়। জগদীশ অবাক হয়ে ভাবে, যারা বিজ্ঞানের শিক্ষক, তাদের মধ্যেও এত কুসংস্কার থাকে কী করে ? গায়ের চামড়ার রঙের তফাতের জন্য মানুষে মানুষে যে প্রকৃত কোনও প্রভেদ থাকে না, তা কি এরা বিজ্ঞান পড়েও বোঝে না ? ইংল্যান্ডের রাস্তায় ঘাটে জগদীশকে কয়েকবার ব্ল্যাকি ব্ল্যাকি বলে কিছু সাধারণ লোক টিটকিরি দিয়েছে বটে, কিন্তু শিক্ষিত মহলে বর্ণবৈষম্যের জন্য ব্যবহারের কোনও বিকৃতি দেখেনি সে।

প্রেসিডেন্সির ছাত্ররা অবশ্য জগদীশকে পছন্দ করতে শুরু করেছে। জগদীশ কাঁটায় কাঁটায় ঠিক সময়ে ক্লাসে যায়, প্রত্যেকটি ছাত্রের নাম জানে, সরাসরি তাদের চোখের দিকে তাকিয়ে পড়ায়।

প্রেসিডেন্সির ছাত্রদের বশ করা সহজ কর্ম নয়। অনেক অধ্যাপকেরই ক্লাসে ঢোকার আগে বুক কাঁপে। অধ্যাপকদের কোনও দুর্বলতা দেখলেই হই হই করে ছাত্ররা, এক একজন অধ্যাপকের পড়ানোর ভুলও ধরে দেয় কোনও কোনও ছাত্র। কিছুদিন আগে একজন অধ্যাপক ছাত্রদের বিদ্রুপে অতিষ্ঠ হয়ে পদত্যাগ করতে বাধ্য হয়েছেন।

জগদীশ জানে, সে যখন ক্লাসে পড়ায় তখন প্রিন্সিপাল টনি সাহেব আড়াল থেকে তাকে লক্ষ করেন। জগদীশের কোনও একটা দুর্বলতা খুঁজছেন তিনি, যাতে সেই ছুতোয় তাকে বরখাস্ত করা যায়। সেইজন্যই তো তাকে অস্থায়ী ভাবে নিয়োগ করা হয়েছে।

জগদীশ ভাবে, সে পড়ানোতে ফাঁকি দিতে যাবে কেন ? সে তো বিদেশে চাকরি করতে যায়নি, এটা তার নিজের দেশ, এখানকার ছাত্রদের বিজ্ঞানের প্রতি আগ্রহী করে তোলাই তো তার উদ্দেশ্য।

সেন্ট জেভিয়ার্স কলেজ থেকে পাস করার পর জগদীশ প্রথমে ঠিক করেছিল তার অন্যান্য কয়েকজন সহপাঠীর মতন সেও বিলেতে গিয়ে আই সি এস হয়ে আসবে। তাতে তার বাবার আপত্তি ছিল খুব। ভগবানচন্দ্র নিজে ডেপুটি ম্যাজিস্ট্রেট হয়ে জেলায় জেলায় ঘুরে এদেশের আপামর জনসাধারণের দুরবস্থা প্রত্যক্ষ করেছেন। একসময় যাকে বলা হত সোনার বাংলা, সেই বাংলার কোথাও এখন সামান্য সোনালি রঙও অবশিষ্ট নেই। পরাধীন দেশ অনবরত ঝাঁঝরা হয়ে যায়। ইংরেজরা এ দেশটাকে শাসনের নামে শোষণই করে চলেছে, সরকারি কর্মচারিরা সেই শোষণের যন্ত্র। ভগবানচন্দ্র প্রথম জীবনে ছিলেন এক স্কুলের হেডমাস্টার, পরে ডেপুটি ম্যাজিস্ট্রেটের চাকরি নিয়েছিলেন ক্ষমতা ও উচ্চ বেতনের আকর্ষণে, এখন সেজন্য অনুতাপ করেন তিনি। জগদীশকে বলেছিলেন, আমার ছেলে ম্যাজিস্ট্রেট হোক, তা আমি চাই না। এমন কিছু করো, যাতে দেশের মানুষের সেবা হয়।

জগদীশ সে কারণেই বিলেতে গিয়ে ডাক্তারি পড়ার জন্য ভর্তি হয়েছিল। ডাক্তার হয়ে ফিরতে পারলে জীবিকার সংস্থান হয়ে যেত, দেশের কিছুটা সেবাও হত। কিন্তু কালাজ্বরের ধকলে আর ডাক্তার হওয়া হল না। যে নিজেই সর্বক্ষণ অসুস্থ, সে আবার চিকিৎসক হবে কী করে ! অধ্যাপকরাই তাকে পড়তে দিলেন না। কেমব্রিজে গিয়ে শরীর যদি সুস্থ না হত, তা হলে কিছু পাস না করেই ফিরে আসতে বাধ্য হত জগদীশ।

নিজের দেশের ছাত্রদের বিজ্ঞানমুখী করে তোলাটাও কি দেশসেবা নয় ? এই যুগটাই বিজ্ঞানের, ভারতীয়রা সে বিষয়ে সজাগ না হলে পড়ে থাকবে অন্ধকারে।

বিজ্ঞান পাঠ যাতে ছাত্রদের কাছে নীরস মনে না হয়, সেই জন্য জগদীশ নিজের হাতে ছোট ছোট মডেল বানায়। পড়াবার সময় কিছু কিছু তত্ত্ব হাতে-কলমে পরীক্ষা করে দেখায়।

কলকাতায় জগদীশের নিজস্ব কোনও আস্তানা নেই। কলেজ থেকে বেতন নেয় না বলে কোনও উপার্জনও নেই। সে এখন থাকে এক পরিচিত ব্যক্তির কাছে। কিন্তু শিগগিরিই তো তাকে আলাদা বাসা ভাড়া নিতে হবে, তখন চলবে কী করে ? বিলেতে তার স্কলারশিপের টাকা কিছুটা জমিয়ে নিয়ে এসেছে, কিন্তু তাতেই বা চলবে কতদিন ?

জগদীশের এক দিদি স্বর্ণপ্রভা বারবার অনুরোধ করেছিলেন তাঁর বাড়িতে থাকবার জন্য। ওঁদের বিশাল বাড়ি, অনেক টাকা। জামাইবাবু আনন্দমোহন বসু দেশবরণ্যে মানুষ। তাঁর বাড়িতে সর্বক্ষণ বহু মানুষের যাতায়াত। ওখানে থাকা যায় না। বিশেষত জগদীশের এখনও নিজস্ব কোনও উপার্জন নেই বলেই অন্যের আশ্রিত হয়ে পড়ে থাকতে তার আত্মভিমানে আঘাত লাগবে।

দিদির বাড়িতে একদিন সে জামাইবাবুর বিশেষ বন্ধু দুর্গামোহন দাসের কন্যাকে দেখেছিল। আনন্দমোহন সর্ব বিষয়ে সংস্কারমুক্ত, তাঁর বাড়ির প্রার্থনাসভায় নারী ও পুরুষেরা পাশাপাশি বসে। অন্য সময়েও একসঙ্গে গল্পগুজবে কোনও বাধা নেই। সেখানে দুর্গামোহনের মেয়ে অবলার সঙ্গে তার আলাপ হয়েছিল, বেশ সপ্রতিভ মেয়েটি, ডাক্তারি পড়ে। একা একা এক বঙ্গীয় যুবতী সুদূর মাদ্রাজ শহরে থেকে ডাক্তারি পড়ে শুনে বেশ বিস্মিত হয়েছিল জগদীশ। এরকম আগে কখনও সে শোনেনি। বিলেতে চার বছর ছিল, তার মধ্যেই এতখানি পরিবর্তন এসে গেছে দেশে? জগদীশ অবলাকে নিজের স্বল্পকালীন ডাক্তারি পড়ার অভিজ্ঞতা শুনিয়েছিল।

সেই আলাপের কিছুদিন পরেই জগদীশ একদিন বাবার কাছে শুনল যে দুর্গামোহন তার সঙ্গে অবলার বিবাহের প্রস্তাব দিয়েছেন। শুনেই জগদীশের সর্বাঙ্গে রোমাঞ্চ হয়েছিল। নিজেই সে এর কারণটা বুঝতে পারেনি। এদেশে বাবা-মায়েরা অনেক দেখেশুনে পাত্রী নির্বাচন করেন, তারপর বিবাহ ঘটে। ছেলে বা মেয়েরা কেউ নিজে থেকে বিয়ে করে না। তাদের বিবাহ ঘটে। বিলেত থেকে ফেরার পরই মা তার বিয়ের জন্য পেড়াপিড়ি করছেন, সুতরাং জগদীশ ধরেই নিয়েছিল, যে-কোনও একটি পাত্রীর সঙ্গে তার একদিন বিয়ে হবে। তা হলে অবলার নাম শুনেই তার রোমাঞ্চ হল কেন? বারবার চোখের সামনে ভাসছে সেই মুখ। কেন এমন হয়? হঠাৎ মনে পড়ল এক নবীন কবির কবিতা:

তুমি কোন কাননের ফুল
তুমি কোন গগনের তারা!
তোমায় কোথায় দেখেছি
যেন কোন স্বপনের পারা?

এই কবিতা মাত্র একবার পড়েছিল জগদীশ, তবু মুখস্থ হয়ে গেল কী করে?

জগদীশ অবশ্য বলেছে, মাস ছয়েকের আগে সে বিয়ে করতে পারবে না। তাকে একটু গুছিয়ে নিতে হবে। তার বাবারও খুব টাকার টানাটানি চলছে, পিতৃঋণ তারই শোধ দেওয়া উচিত, একটা কিছু উপার্জনের ব্যবস্থা করা খুব দরকার। ইংরেজ অধ্যাপকদের সমান বেতন না দিলে সে এক পয়সাও নেবে না প্রতিজ্ঞা করেছে, এই ব্যাপারটা লর্ড রিপনকে চিঠি লিখে জানাতে হবে।

জগদীশ নিজেই বিয়েটা পিছিয়ে দিয়েছে, অথচ এই প্রতীক্ষা তার কাছেই অসহ্য বোধ হচ্ছে কেন? বিজ্ঞানের বই ছেড়ে সে মাঝে মাঝে কাব্যগ্রন্থের পাতা ওলটায়। মনে পড়ে যায়, ছেলেবেলায় শোনা বোষ্টুমির গান:

পিরিতি বলিয়া একটি কমল
রসের সায়র মাঝে
প্রেম-পরিমল লুব্ধ ভ্রমর
ধায়ল আপন কাজে।
ভ্রমর জানয়ে কমল-মাধুরী
তেঞি সে তাহারি বশ
রসিক জানয়ে রসের চাতুরি
আনে কহে অপযশ।

জগদীশ বিলেতে দেখেছে, বিয়ের আগে যুবক-যুবতীদের মধ্যে কোর্টশিপ হয়। এ দেশের ব্রাহ্ম সমাজ কিছু কিছু প্রাচীন প্রথা ভাঙলেও এ সবের এখনও চল হয়নি। দিদির বাড়িতে অবলা হরদম আসে, সেখানে গেলে অবলার সঙ্গে দেখা হয়ে যেতে পারে বলে জগদীশ দিদির বাড়িতে যাওয়াই ছেড়ে দিয়েছে। ইচ্ছে করলেই অবলার সঙ্গে দেখা করা যায়, দুটো কথা বলা যায়, তবু সে যায় না। তা হলে মনে মনে তাকে এতবার দেখে কেন ? মনে মনে অনেক কথা হয় কেন ? এই কি সেই বোষ্টুমির গানের 'পিরিতি বলিয়া কমল'? ইস, অন্য কেউ জানতে পারলে কী ভাববে !

কলেজে জগদীশের একটা নিজস্ব ছোট ঘর আছে। ক্লাসের সময় ছাড়া সে এখানে একা বসে থাকে। পিছনের জানলা দিয়ে একটা বড় চাঁপা গাছ ও কিছু ঝোপঝাড় দেখা যায়। ছেলেবেলা থেকেই গাছপালা তাকে টানে। এখনও ফাঁক পেলেই কলকাতা ছেড়ে কোনও গ্রামে চলে যায়, নদীর ধারে গাছতলায় বসে থাকে। জগদীশ কবি নয়, কবিতা লেখার সে চেষ্টাও করে না। তবে, বিজ্ঞানের নানা কচকচির মধ্যেও মাঝে মাঝে বাংলা পড়তে সে ভালোবাসে। বাল্যকালে মুসলমান চাপরাশির ছেলের সঙ্গে, তাঁতি-কুমোরদের ছেলেদের সঙ্গে সে বাংলা পাঠশালায় পড়েছে। তার বাবা ডেপুটি হয়েও ছেলেকে ইংরেজি ইস্কুলে দেননি, তিনি চেয়েছিলেন ইংরেজি শেখার আগে জগদীশ বাংলা ভাষাটা ভাল করে শিখুক। তাই বাংলার সঙ্গে তার নাড়ির যোগ রয়ে গেছে। এখনও, ফিজিক্সের অধ্যাপক হয়েও সে কোনও গ্রামের নদীর ধারে গাছতলায় অনেকক্ষণ চুপ করে বসে থাকে। নদীও তাকে টানে খুব। বসে থাকতে থাকতে তার মনে কোনও কবিতার লাইন আসে না, কিন্তু বুকের মধ্যে কেমন যেন উতলা ভাব হয়।

ইদানীং জগদীশের ঝোঁক হয়েছে ফটোগ্রাফির দিকে। গাছপালার ছবিই সে বেশি তোলে।

মহেন্দ্রলাল যখন জগদীশের কক্ষে প্রবেশ করলেন, তখন জগদীশ টেবিলের ওপর তার ক্যামেরাটা খুলে ফেলেছে। ঠিকমতন ফোকাসিং হচ্ছিল না বলে সে ক্যামেরাটার সব কিছু খুলে ফেলে সারাচ্ছে নিজেই।

মহেন্দ্রলালের দিকে সে চোখ তুলে তাকাল কিন্তু চিনতে পারল না।

কোনওরকম ভূমিকা না করে মহেন্দ্রলাল জিজ্ঞেস করলেন, তুমিই তো ভগবানের ব্যাটা জগদীশ ? তুমি বন্দুক চালাতে জান ?

জগদীশ অবাক হয়ে চেয়ে রইল।

মহেন্দ্রলাল বললেন, ও হ্যাঁ, তুমি তো বাঘ শিকারে গিয়েছিলে, তা হলে বন্দুক চালানোও শিখেছিলে। এখনও অভ্যেস আছে ? আমার সঙ্গে ডুয়েল লড়বে ? আলিপুরের ফাঁকা মাঠে এক সকালে, কবে তোমার সময় হবে বল ?

জগদীশ বলল, আজ্ঞে, আপনি কী বলছেন বুঝতে পারছি না।

মহেন্দ্রলাল বললেন, দুর্গার মেয়ে অবলাকে আমি বিয়ে করব ঠিক করে রেখেছিলাম। সে ডাক্তারিটি পাশ করলেই বিয়ের সানাই বাজাব। ও মা, এর মধ্যে কোথা থেকে উড়ে এসে জুড়ে বসে তুমি নাকি বিয়ে করতে চাইছ ? আমার সঙ্গে ডুয়েল লড়ে না জিতলে তো তুমি বিয়ে করতে পারবে না ব্রাদার। ধরো হাতিয়ার !

নিজের রসিকতায় নিজেই হো হো করে হেসে উঠলেন মহেন্দ্রলাল। কাছে এসে জগদীশের কাঁধ চাপড়ে বললেন, মস্করা করছিলাম। তুমি দেশের মুখ উজ্জ্বল করবে। অবলা হবে তোমার যোগ্য সহধর্মিনী। আমাকে চেনো না বোধ হয়, অধমের নাম মহেন্দ্রলাল সরকার, ডাক্তারি করি। অবলা আমার কন্যাসমা, তাই তোমাকে একবার দেখতে এলাম !

জগদীশ এবার শশব্যস্ত হয়ে বলল, আপনাকে কে না চেনে ? আপনি স্বনামধন্য । যখন ছাত্র ছিলাম, আপনার ইনস্টিটিউট ফর দা কালটিভেশন অব সায়েন্সে আমি অনেকবার বক্তৃতা শুনতে গেছি।

জগদীশ নিচু হয়ে মহেন্দ্রলালের পা ছুঁয়ে প্রণাম করল।

মহেন্দ্রলাল বললেন, ছাত্র অবস্থায় তুমি বক্তৃতা শুনতে গিয়েছিলে। এখন তুমি অধ্যাপক, এখন তুমি মাঝে মাঝে ওখানে বক্তৃতা দেবে। তার জন্য আমি কিছু ফি দেব। বিনা পয়সায় ওসব হয় না। না, না, তোমাকে নিতেই হবে, ঘাড় নাড়লে চলবে না।

তারপর টেবিলের দিকে তাকিয়ে বললেন, এ যে দেখছি একটা ক্যামেরার হাড়গোড় সব আলাদা হয়ে গেছে। তুমি এটা আবার জোড়া লাগাতে পারবে ?

জগদীশ বলল, সেটা এমন কিছু শক্ত নয়।

মহেন্দ্রলাল বললেন, আমায় একটু শিখিয়ে দাও তো। আমি ক্যামেরার ব্যাপারটা ঠিক বুঝি না। তারপর মহেন্দ্রলাল জগদীশের সঙ্গে ক্যামেরার খুঁটিনাটি আলোচনায় এমন মগ্ন হয়ে গেলেন যে অবলার প্রসঙ্গ আর তাঁর মনে এল না। জগদীশের সঙ্গে তাঁর বেশ বন্ধুত্ব হয়ে গেল।

এর দুদিন পর মহেন্দ্রলালকে যেতে হল কাসিয়াবাগানে জানকীনাথ ঘোষালের বাড়িতে। জানকীনাথের কিছুদিন ধরে ঘুষঘুষে জ্বর চলছে।

বসবার ঘরে জানকীনাথের মেয়ে সরলা পিয়ানো বাজিয়ে একটা গান গাইছে। বন্দে মাতরম, সুজলাং সুফলাং শস্য শ্যামলাং......। বঙ্কিমবাবুর লেখা এই পদ্যটির প্রথম দু স্তবকের সুর দিয়েছে সরলার ছোট মামা রবি। তারপর ছোটমামা সরলাকে বলেছে, বাকি অংশটায় তুই সুর বসিয়ে দে না।

সরলা সেই চেষ্টাই করছে বসে বসে। এক একটা পঙক্তি গাইছে বারে বারে। মহেন্দ্রলাল একটুক্ষণ দাঁড়িয়ে দাঁড়িয়ে গানটা শুনলেন। তাঁর নিজের কণ্ঠে সুর নেই, কিন্তু গানের প্রতি বিশেষ দুর্বলতা আছে।

সরলা একবার থামতেই তিনি বললেন, বাঃ, গানের কথাগুলি তো বেশ, তুই রচনা করেছিস নাকি রে ?

সরলা জিভ কেটে বলল, ওমা, কী যে বলেন ! এ গান লিখব আমি ! আপনি কিচ্ছু জানেন না। এ তো বঙ্কিমচন্দ্রের লেখা !

মহেন্দ্রলাল বললেন, বঙ্কিমবাবু গান লেখেন, নিজে সুর দিতে পারেন না বুঝি ?

সরলা বলল, উনি তো গান হিসেবে লেখেননি। পদ্য লিখেছিলেন, রবিমামা এটা সুর দিয়ে গায়। রবিমামা অনেকের গানে সুর দেয়।

মহেন্দ্রলালের হঠাৎ অন্য কথা মনে পড়ল। অবলা গেছে, সরলা তো আছে। বিয়ের সঙ্গে সঙ্গেই অবলাকে আর কিছুতেই মাদ্রাজে পাঠানো যাবে না। দুটি বছর অন্তত নব বিবাহিত দম্পতি পরস্পর মগ্ন হয়ে থাকবেই। সেটাই স্বাস্থ্যকর। সরলাও মেধাবিনী ছাত্রী।

তিনি চুপি চুপি ষড়যন্ত্রের সুরে বললেন, হ্যাঁ রে, সরলা, তুই পাস করার পর কী করবি ? ডাক্তারি পড়বি ?

সরলা ভুরু কুঁচকে বলল, ডাক্তারি ! কেন ?

মহেন্দ্রলাল বললেন, কেন কী রে ? সাহেবদের দেশে কত মেয়ে এখন ডাক্তার হচ্ছে। এটা মেয়েদের পক্ষে একটা নোব্‌ল প্রফেশন !

সরলা বলল, আগে তো বি এ পাস করি। তারপর ভেবে দেখা যাবে !

সরলা সবেমাত্র এন্ট্রান্স পরীক্ষা দিতে যাচ্ছে, তার বি এ পাশ করার দেরি আছে। মহেন্দ্রলাল ঠিক করলেন, লেগে থাকতে হবে, মাঝে মাঝেই ফুসমন্তর দিতে হবে এই মেয়েটার কানে।

এই সময় জানকীনাথ এলেন এই ঘরে। গায়ে জ্বর আছে, চক্ষু দুটি ছলছলে, কিন্তু তিনি বিছানায় শুয়ে থাকতে পারেন না।

মহেন্দ্রলাল বললেন, তুমি তো দিব্যি আছ দেখছি। তবে আবার আমায় ডাক পাঠালে কেন?

জানকীনাথ বললেন, না হে, মহেন্দ্র, জ্বরটা কিছুতেই ছাড়ছে না। তোমার ওষুধ দিয়ে ভাল করে দাও, আমার এখন অনেক কাজ।

মহেন্দ্রলাল বললেন, জ্বর গায়ে অমন চক্কর মেরে ঘুরে বেড়ালে কোনও ওষুধের বাপের সাধ্য নেই রোগ সারায়। অমন অনাচার করলে আমায় ডাকবে না।

জানকীনাথ বললেন, এসেই বকাবকি করছ কেন? ভেতরে এসো, ভাল করে নাড়ি দেখে দাও।

সরলা আবার পিয়ানো টুং টাং শুরু করতেই মহেন্দ্রলাল জিজ্ঞেস করলেন, জানকী, তোমার মেয়ের বিয়ে দিচ্ছ কবে? ওর দিদির তো এই বয়সেই বিয়ে হয়ে গিয়েছিল!

জানকীনাথ বললেন, আর বলো না, সম্বন্ধ তো কতই আসছে, কিন্তু এ মেয়ে ধনুর্ভঙ্গ পণ করেছে, বিয়ে করবে না। সারা জীবনই নাকি বিয়ে না করে দেশের কাজে লেগে থাকবে। ওর মায়েরও দেখছি তাতে আপত্তি নেই।

মহেন্দ্রলাল সপ্রশংস দৃষ্টিতে সরলার দিকে ফিরে তাকালেন। রূপ আছে, গুণ আছে, বাপের অগাধ টাকা আছে। তবু মেয়ে বিয়ে করতে চায় না, এমন কথা কে কবে শুনেছে? তা হলে আশা আছে। যে মেয়ে ডাক্তার হবে, তার বিয়ে না করাই ভাল।

নিজে থেকে জেদ ধরেছে বিয়ে করবে না, এ মেয়ে তো একটি দুলর্ভ রত্ন!

কিন্তু মহেন্দ্রলালের সবচেয়ে বেশি আশা ভরসা যার ওপর, সেই কাদম্বিনী তো বিয়ে করে ফেলেছে। তাও এক বিচিত্র বিবাহ। অসাধারণ সুন্দরী এই কাদম্বিনী, বছর চারেক আগে সে চন্দ্রমুখী বসু নামে আর একটি মেয়ের সঙ্গে বি এ পাশ করে শুধু বাংলা দেশ নয়, সমগ্র ভারতের ললনাদের গৌরবের কারণ হয়েছে। সেই কাদম্বিনী বিয়ে করেছে এক দোজবরে পাত্রকে, যার সঙ্গে কাদম্বিনীর বয়েসের তফাত প্রায় সতেরো বছর! দ্বারকানাথ গাঙ্গুলি ছিল কাদম্বিনীর ইস্কুলের মাস্টার। এ বিয়ের সময় ঘোর প্রতিবাদ উঠেছিল, দ্বারকানাথ সাধারণ ব্রাহ্মসমাজের অক্লান্ত কর্মী, তবু ব্রাহ্মরাও অনেকে এ বিয়ে সমর্থন করেনি। কাদম্বিনীর উপযুক্ত পাত্র তো সে নয় বটেই, বয়েসের ব্যবধান ছাড়াও দ্বারকার লম্বা ধ্যাড়েঙ্গা চেহারার কোনও ছিরি ছাঁদ নেই, সবচেয়ে বড় কথা মাস্টারের সঙ্গে ছাত্রীর বিবাহ কুদৃষ্টান্ত স্থাপন করে। যারা নারী শিক্ষার বিরোধী, তারা এই উপলক্ষে আবার ছোটাবে নিন্দের ফোয়ারা। পুরুষ শিক্ষকদের কাছে অনেকেই মেয়েদের পড়াতে চাইবে না।

সেই সময় দুর্গামোহন, মহেন্দ্রলালের মতন কয়েকজন গিয়ে দাঁড়িয়েছিলেন দ্বারকা গাঙ্গুলির পাশে। তাঁদের প্রধান বিবেচ্য ছিল, পাত্রীর সম্মতি আছে কি না । কাদম্বিনী দ্বারকাকে বিয়ে করতে দৃঢ় প্রতিজ্ঞ, যত বাধাই আসুক সে মানবে না। মহেন্দ্রলালরা বুঝেছিলেন, এ শুধু সাময়িক মোহ বা তথাকথিত প্রেম নয়। কাদম্বিনী স্বামী হিসেবে পেতে চাইছে একটি আদর্শকে । দ্বারকা গাঙ্গুলি এ দেশের নারী জাতির উন্নতির জন্য প্রাণপাতও করতে পারে। 'অবলা বান্ধব' পত্রিকা সে চালিয়েছে নিজের খরচে, যে-কোনও মেয়ে লেখাপড়া শিখতে চাইলে দ্বারকা তাকে সব রকম সাহায্য দিতে প্রস্তুত। কাদম্বিনীরও উচ্চকাঙ্ক্ষা আছে, সে ডাক্তার হতে চায় কিশোরী বয়েস থেকে। তার বাড়ি থেকে এ ইচ্ছের প্রতি প্রশ্রয় ছিল না, অভিভাবকরা তাড়াহুড়ো করে তার বিয়ের ব্যবস্থা করতে চেয়েছিল। কাদম্বিনী বুঝেছিল, কোনও ধনীর ঘরে বিয়ে হলে তাকে অন্তঃপুরে আবদ্ধ করে রাখা হবেই। বাড়ির বউকে

কলেজে পড়তে পাঠানো সকলেরই কল্পনার অতীত। আর কারোকেই বিশ্বাস করা যাক বা না যাক, দ্বারকানাথ গাঙ্গুলিকে বিশ্বাস করা যায়। সে তার স্ত্রীর পড়াশুনোর ইচ্ছেতে কিছুতেই বাধা দেবে না।

আমন্ত্রণ করলেও অনেকে আসবে না জেনে বিয়েটা হয়েছিল খুব সংক্ষিপ্তভাবে, রেজিস্ট্রি করে। এই স্বামী-স্ত্রী যুগলের সংসারে কোনও অশান্তি নেই।

মহেন্দ্রলাল মাঝে মাঝে ওদের দেখতে যান। সময় নেই, অসময় নেই, তাঁর জন্য অবারিত দ্বার। হয়তো কোনও দুপুরবেলা রুগী দেখে ফেরার পথে মহেন্দ্রলাল চলে এলেন এ বাড়িতে। এখানে এলেই দ্বারকার লেখা একটা গান তাঁর মনে পড়ে। সিঁড়ি দিয়ে উঠতে উঠতে তিনি বেসুরো গলায় চেঁচিয়ে গান :

না জাগিলে সব ভারত ললনা
এ ভারত আর জাগে না জাগে না......

দ্বারকার প্রথম পক্ষের মৃত স্ত্রীর দুটি সন্তান। বড় মেয়ে বিধুমুখী কাদম্বিনীর চেয়ে সামান্য ছোট। ছেলে সতীশ অস্বাভাবিক, জড় ধরনের। এর মধ্যে কাদম্বিনীরও একটি পুত্র জন্মেছে। সংসারটি যেন হট্টমেলা। বাড়িতে দাস-দাসী রাখার ক্ষমতা নেই দ্বারকার। মেয়ে বিধুমুখীর সঙ্গে উপেন্দ্রকিশোর রায়চৌধুরী নামে একটি ভাল ছেলের বিয়ের কথা বার্তা পাকা হয়ে গেছে, কিন্তু টাকা-পয়সা কী করে জোগাড় হবে। সেই চিন্তায় দ্বারকা ব্যাকুল।

মহেন্দ্রলাল এসে দেখেন, কাদম্বিনীর শিশু সন্তানটি বিধুমুখীর কোলে শুয়ে ট্যাঁ ট্যাঁ করে কাঁদছে, সতীশ হামাগুড়ি দিচ্ছে ঘরময়, এটা সেটা ছুঁড়ে ছুঁড়ে ভাঙছে। রান্নাঘরে উনুনে ভাত চাপিয়ে, তরকারি কুটতে বসেছে দ্বারকা, তার খালি গা, পিঠ ভিজে গেছে ঘামে। কাদম্বিনীকে সে কিছুতেই রান্নাঘরে ঢুকতে দেয় না। কেউ কেউ তাকে প্রকাশ্যেই মাগ ভেড় য়া বলে গালাগালি দেয়,. দ্বারকা তা শুনে হাসে। স্বীকার করে নিয়ে বলে সত্যিই তো আমি তাই। মেয়েরা চিরকাল অন্ধকারে হেঁশেল ঠেলেছে, এখন দু' একজন পুরুষ অন্তত মেয়েদের ধার শোধ করুক !

এই সব বিশৃঙ্খলার মধ্যেও ঘরের এক কোণে একটা ছোট টেবিলের সামনে বসে আছে কাদম্বিনী। এমন গম্ভীর মনোনিবেশের সঙ্গে সে বই পড়ছে যে ছেলের কান্না বা অন্য কোনও শব্দই যেন তার কানে যাচ্ছে না। তার হাত দুটি চলছে অবশ্য, সেই হাতে সে ছেলে-মেয়েদের জন্য লেস বুনছে।

মহেন্দ্রলাল এক দৃষ্টিতে চেয়ে রইলেন সেই ধ্যানী যুবতীর দিকে। তাঁর চোখে জল এসে গেল। তপস্যা আর কাকে বলে। এত প্রতিকুল পরিবেশের মধ্যেও কাদম্বিনী পাঠ চালিয়ে যাচ্ছে, সে ডাক্তার হবেই !

মহেন্দ্রলাল কাছে এসে কাদম্বিনীর মাথায় হাত রেখে ধরা গলায় বললেন, পারবি তো মা? শেষ পর্যন্ত পারবি ? দেখিস, যেন কিছুতেই হেরে যাস না !

॥ ৫৯ ॥

সিটি কলেজের কাছে স্কট লেনে একটি ছোট ভাড়াবাড়িতে থাকে নবীন ব্যারিস্টার আশুতোষ চৌধুরী। এ বছরই বিলেত থেকে ব্যারিস্টারি পাস করে ফিরেছে, এখনও পশার জমেনি, দেশের খুব বেশি লোক এই যুবকটির গুণপনার কথা জানে না। এমন মেধাবী ছাত্র কদাচিৎ দেখা যায়। সে একই বছরে বি এ ও এম এ পাস করে কলকাতা বিশ্ববিদ্যালয়ে একটি দুর্লভ নজির স্থাপন করেছিল। তারপর কেমব্রিজে পড়তে গিয়ে সে অঙ্কে ট্রাইপস পায় এবং পরের বছরই ব্যারিস্টার হয়।

কলকাতায় বাসাবাড়িতে তার ছোট ছোট ভাইবোনেরা থেকে পড়াশুনো করে, তাদের নিজস্ব বাড়ি কৃষ্ণনগরে। আদালত থেকে এখনও তেমন উপার্জন হয় না বলে সংসার চালাবার জন্য আশুকে সিটি কলেজে আংশিক সময়ের জন্য আইন পড়াবার কাজ নিতে হয়েছে। এ ছাড়া স্কুল-পাঠ্য দু-একখানা অঙ্কের বইও লিখে ফেলেছে এর মধ্যে।

অঙ্ক ও আইনে যার এত মাথা, তার কিন্তু সবচেয়ে প্রিয় বিষয় হচ্ছে সাহিত্য। বাংলা, সংস্কৃত, ইংরেজি, ফরাসি ভাষার শ্রেষ্ঠ সাহিত্যকীর্তির নির্যাস সে উপভোগ করে এবং বন্ধুদের জানাতে চায়। সেই জন্যই আশুর কাছে একটা তৃষিত পাখির মতন যখন তখন ছুটে আসে রবি।

আশু প্রায় রবিরই সমবয়েসী, এক-আধ বছরের বড় হতে পারে । এর সঙ্গে রবির পরিচয় জাহাজে, সেই দ্বিতীয়বার ইংলন্ড যাত্রার সময়। সেবারে ভাগ্নে সত্যপ্রসাদের অসুখের ছুতোয় রবিকে মাদ্রাজ থেকেই ফিরে আসতে হয়েছিল, আশুর সঙ্গে সময় কাটিয়েছিল মাত্র কয়েকটি দিন। কিন্তু এক-একজনের সঙ্গে অল্প পরিচয়েই বেশি ভাব হয়ে যায়, কোথাও একটা তরঙ্গে তরঙ্গে মেলে, পারস্পরিক একটা আস্থা জন্মায়। সেই থেকেই আশুর সঙ্গে রবির গভীর বন্ধুত্ব। আশু বিলেত থেকে ফেরবার পরই রবি কৃষ্ণনগরে চলে গিয়েছিল বন্ধুর সঙ্গে দেখা করবার জন্য।

আশুর সান্নিধ্যে এলে রবি এমন একটা ভরসা পায়, যেমনটি তাকে আর কেউ দিতে পারে না। নিজের কবিতাগুলি সম্পর্কে রবির মনে এখনও বেশ দ্বিধার ভাব রয়ে গেছে। কবিতার প্রকৃত রস উপলব্ধি করতে পারে ক'জন ! ছাপাখানার এত চল হবার ফলে কবিতার রূপ ও ভূমিকা বদল হয়েছে অনেকখানি। আগে, মুখস্থ রাখার তাগিদে অনেক কাজের কথা, প্রয়োজনের কথাও রচিত হতো ছন্দ আর মিল দিয়ে। ছন্দ আর মিল থাকলেই যে-কোনও বিষয় কবিতা হয়ে ওঠে না, তবু অক্ষয় সরকারের মতন সমালোচকরা নিছক স্বচ্ছ, সুবোধ্য ছন্দ-মিল দেওয়া পঙক্তিকেই কবিতা মনে করে। এর আগে আলঙ্কারিকরা কাব্য-রস ও কাব্য-তত্ত্ব নিয়ে কত সূক্ষ্ম আলোচনা করে গেছেন, কিন্তু সাধারণ লোক তো আর সেসব জানে না, তারা শুভঙ্করের আর্যা আর খনার বচনকেও কবিতা বলে ধরে নেয়। মুশকিল হচ্ছে, এই সব লোকদের মধ্যে কেউ কেউ আবার সমালোচক সেজে বসে।

মুকুন্দরামের যুগে যদি ছাপাখানা থাকত, তা হলে তিনি চণ্ডীমঙ্গল রচনার সময় ছন্দ-মিল যোজনার কষ্ট স্বীকার না করে সেখানা সোজাসুজি উপন্যাস হিসেবেই লিখতেন। রামায়ণ-

মহাভারত সম্পর্কেও সে কথা প্রযোজ্য। আগেকার যুগের অধিকাংশ আখ্যানকাব্যই এ যুগের গদ্য উপন্যাসের সমধর্মী। অবশ্য কিছু কিছু কবি ও মহাকবি আখ্যান অবলম্বন করেও বিশুদ্ধ কাব্য-রসের সৃষ্টি করেছেন। মহাভারতের শকুন্তলার কাহিনী এবং কালিদাসের শকুন্তলার তুলনা করলেই উপন্যাস ও কাব্যের তফাত বোঝা যায়।

ছাপাখানা আসার পর গদ্য ভাষা অনেক দায়-দায়িত্ব নিয়ে নিয়েছে, কবিতা আর ব্যবহারিক প্রয়োজনের ভাষা নয়, কাহিনীর ওপরেও তাকে নির্ভর করতে হয় না। সুদীর্ঘ কবিতার বদলে ছোট্ট একটি লিরিকে জীবনরহস্যের এক ঝিলিক অনেক মর্মস্পর্শী হতে পারে। এখন আর সব কিছু বুঝিয়ে দেবার দায় নেই কবির, শব্দের জাদু থেকে অনেক রকম অর্থ বেরিয়ে আসতে পারে।

মাইকেল কিংবা হেমবাবু বা নবীন সেনের মতন রবির ইচ্ছে করে না মহাকাব্য রচনায় হাত দিতে। তার কবিতাগুলির আকারও ক্রমশ ছোট হয়ে আসছে। মহাকাব্যের বদলে সে তো গদ্যে উপন্যাস লিখছেই, বউ ঠাকুরানির হাট লিখেছে, রাজর্ষি অনেকটা অসমাপ্ত হয়ে পড়ে আছে। ইচ্ছে করলে রবি কি বউ ঠাকুরানির হাট কিংবা রাজর্ষি ছন্দ-মিল দিয়ে লিখতে পারত না ! লিরিক বা গান রচনার সময়ই রবি সত্যিকারের কবিত্বের আস্বাদ পায়।

কিন্তু এই ছোট ছোট কবিতাগুলি সত্যিকারের রসোত্তীর্ণ হয়ে উঠছে কি না, তার বিচার কে করবে ! নতুন বউঠান যতদিন বেঁচে ছিলেন, তাঁর বিচারবোধের ওপর রবির খুব আস্থা ছিল। নতুন বউঠান রবির অযথা প্রশস্তি করতেন না, অনেক সমালোচনা করতেন, এমন কি রবির খাতায় কাটাকুটি করে দিতেন পর্যন্ত। কী করে যে নতুন বউঠানের এমন সূক্ষ্ম কাব্যবোধ জন্মেছিল কে জানে ! নতুন বউঠানের অভাব কোনও দিন পূরণ হবে না। এখন রবির কবিতার প্রধান পাঠক তার বিশাল পরিবারের লোকজনরা, তারা সবাই উচ্ছ্বসিত ভাবে প্রশংসা করে। বন্ধুরা পত্র-পত্রিকায় তাকে খুব উচ্চ স্থান দেয়। কিন্তু নিছক প্রশংসায় রবির মন ভরে না। মনে হয়, কোথায় যেন একটা ফাঁকি থেকে যাচ্ছে। আবার অরসিকের সমালোচনাও সহ্য করতে পারে না সে। অক্ষয় সরকারের মতন সমালোচকরা যখন বলে যে রবির কবিতা দুর্বোধ্য, অস্পষ্ট, ভাবালুতায় ভরা, তখন রবির গা জ্বলে যায়। এরা মনে করে, প্রেম, বিরহ, প্রকৃতি নিয়ে লেখা অকিঞ্চিৎকর, সব কবিতাই দেশাত্মবোধ বা মহৎ আদর্শের হতে হবে। মহৎ আদর্শ প্রচারের নামে অধিকাংশ কবিতাই যে কবিতা পদবাচ্য নয়, তা এদের মগজে ঢুকবে না। এই সব সমালোচকদের উত্তর না দিয়ে ছাড়ে না রবি।

অক্ষয় সরকার একবার তির্যক ভাবে লিখলেন, আজকাল কবিতার নামে এক-একজন যা লিখছে, তা ন-পুং-ন-স্ত্রী জাতীয় একপ্রকার জীব। ওগুলো ন-কাব্য ন-কবিতা, ওগুলোকে বলা যায় কাব্যি। না মরদ, না মহিলা। কেবল কাব্যি। রবি এর উত্তরে লিখল, তবে তো 'তুমি খাও ভাঁড়ে জল আমি খাই ঘাটে', এই তো মহৎ কবিতা ! ব্যাখ্যা করার কিছু নেই।

শুধু এইটুকুতেই ছাড়ল না রবি। অন্য একটি রচনায় অক্ষয়চন্দ্রকে খোঁচা মেরে সে আবার লিখল,'আর সকলে ভগ্নী বলে, রসিকবাবু বলেন ভেগ্নী, হা-হা-হা!'

আশু চৌধুরীর সান্নিধ্যে এসে রবি বুঝতে পারল, বাংলার অধিকাংশ সমালোচক কত ক্ষুদ্র গণ্ডীর মধ্যে আবদ্ধ। নিছক নিন্দা বা প্রশংসায় কবিতার বিচার হয় না। একালের কবিতার রস উপলব্ধি করার জন্য পাঠককেও প্রস্তুত হতে হয়, কাব্য-সাহিত্যের ইতিহাসের ধারাবাহিকতাও তার মাথায় রাখা প্রয়োজন। বৈষ্ণব পদকর্তাদের রচনাগুলির স্বাদ যে পায়নি, সে কী করে একালে লিরিক কবিতা উপভোগ করবে ? রবির কবিতার এক-একটি লাইন তুলে তুলে আশু দেখিয়ে দেয়, বিশ্বের বিখ্যাত কবিদের রচনার ভাব ও শব্দ ব্যবহারের সঙ্গে রবির কতখানি মিল আছে।

এরকম একজন বিদগ্ধ ও রসিক পাঠকের সমর্থন পেয়ে রবি বিশেষ শ্লাঘা বোধ করে। আশু রবির কবিতাগুলি এমনই পছন্দ করে ফেলেছে যে রবির সাম্প্রতিক কবিতাগুলি থেকে নির্বাচন করে সে নিজেই একটি কাব্যগ্রন্থ প্রকাশের পরিকল্পনা গ্রহণ করেছে।

আশুদের স্কট লেনের বাড়িতে রবি প্রায়ই এসে বসে থাকে। রবির মাথার চুল এখন ঘাড় পর্যন্ত নেমে এসেছে, মুখে অল্প অল্প কুচকুচে কালো দাড়ি, গৌরবর্ণ মসৃণ চামড়ায় রয়েছে চিক্কণতা, চোখ ও নাক গ্রিক দেবতার মূর্তির মতন, দীর্ঘকাল সুগঠিত শরীর। গ্রীষ্মকালে রবি গায়ে কোনও জামা দেয় না, ধুতির ওপর শুধু একটা পাতলা চাদর জড়ানো ঊর্ধ্বাঙ্গে।

আশু চৌধুরীর ভাইদের মধ্যে একজনের নাম প্রমথ। সতেরো-আঠেরো বছর বয়েস, সেও ভবিষ্যতে ব্যারিস্টার হবার জন্য প্রস্তুত হচ্ছে, যদিও মনে মনে গুপ্তভাবে সে সাহিত্যসৃষ্টির সাধ পোষণ করে। কিশোর প্রমথ দাদার এই বন্ধুটির দিকে মুগ্ধ ভাবে তাকিয়ে থাকে। এই কবির মতন সুপুরুষ সে আগে কখনও দেখেনি। আশুর সঙ্গে রবি যখন কাব্য-আলোচনা করে, আড়াল থেকে দাঁড়িয়ে দাঁড়িয়ে শোনে প্রমথ, কাছে আসতে সাহস করে না।

আশু কলকাতায় ফেরার পর রবির মনে একটি বিশেষ ইচ্ছে দানা বেঁধেছিল। এমন গুণবান ছেলে আশু, তার সঙ্গে একটা পারিবারিক সম্পর্ক স্থাপন করা যায় না! ঠাকুর পরিবারে বেশ কয়েকটি বিবাহযোগ্যা কন্যা রয়েছে। তাদের মধ্যে হেমেন্দ্রনাথের কন্যা প্রতিভার বিয়ের ব্যবস্থা করা খুব জরুরি। 'বাল্মীকি প্রতিভা'র সেই প্রতিভা এখন অনেক বড় হয়েছে, বয়েস প্রায় একুশ। লেখাপড়ায় সে যেমন ভালো, তেমনই তার গানের গলা। রূপে লক্ষ্মী, গুণে সরস্বতী এই বিশেষণ এমন মেয়েকেই মানায়। হেমেন্দ্রনাথ এই মেয়ের বিয়ে দেবার কোনও চেষ্টাই করেননি, প্রতিভাকে অনবরত লেখাপড়া শিখিয়ে যাওয়াতেই যেন শুধু ছিল তাঁর উৎসাহ। এমন কি প্রতিভা একটু বড় হবার পর বাড়ির অন্য ছেলেদের সঙ্গেও তাকে মিশতে দিতেন না হেমেন্দ্রনাথ।

হেমেন্দ্রনাথ আর নেই, এখন তাঁর ছেলেমেয়েদের দায়িত্ব নিতে হবে অন্য ভাইদেরই। রবির ধারণা আশুর সঙ্গে প্রতিভাকে খুবই মানাবে। কিন্তু দুটি বাধা আছে। প্রতিভা সাবালিকা হয়েছে, এখন তার পছন্দ-অপছন্দের গুরুত্ব আছে। তা ছাড়া উভয় পক্ষই ব্রাহ্মণ হলেও ঠাকুররা রাঢ়ী শ্রেণীর আর চৌধুরীরা বারেন্দ্র। রাঢ়ী-বারেন্দ্রের মধ্যে বিবাহের চল নেই। রবির মতে অবশ্য জাত-পাতের এই সব সূক্ষ্ম বিভেদ অর্থহীন। কিন্তু বাবামশাইয়ের কী মত পাওয়া যাবে ! আশুর বাবারও মত নেবার প্রয়োজন আছে। আরও একটা বাধা আছে। আশুর বাবা এমন সুপাত্রের জন্য নিশ্চয়ই অনেক যৌতুকও পণ চাইবেন। দেবেন্দ্রনাথ অনেক হিন্দু রীতিনীতি মানলেও পণপ্রথার ঘোর বিরোধী। নাতনীর বিবাহে তিনি অবশ্যই দু হাত ভরে যৌতুক দেবেন, কিন্তু পাত্র-পক্ষের কোনও দাবি থাকলে বেঁকে বসবেন।

রবি একদিন আশুকে জোড়াসাঁকোর বাড়িতে চায়ের নিমন্ত্রণ করে ডেকে আনল। বসাল তিনতলায় নিজের মহলে। মৃণালিনী এমনিতেই বাইরের লোকের সামনে বিশেষ আসতে চায় না, এখন তার শরীরে গর্ভলক্ষণ স্পষ্ট, এখন পরপুরুষের নজরে আসার প্রশ্নই ওঠে না। প্রতিভাকে ডেকে আনা হয়েছে কেক-পেস্ট্রি-চা পরিবেশনে সাহায্য করার জন্য। লোরেটো স্কুলে পড়া মেয়ে প্রতিভা কথাবার্তায় অত্যন্ত সপ্রতিভ, অন্য মেয়েদের মতন সে অপরিচিতদের সামনে লজ্জায় বাক্যহারা হয়ে যায় না। রবি গান-বাজনার প্রসঙ্গে তুলে প্রতিভাকেও যোগ দেওয়ালো সেই আলোচনায়। বাংলা গান তো বটেই, বিলিতি সঙ্গীতও বেশ ভালো জানে প্রতিভা।

একবার আশুদের কৃষ্ণনগরের বাড়িতে বেড়াতে গিয়ে বেশ নাকাল হয়েছিল রবি। কৃষ্ণনগরে গান-বাজনার খুব চর্চা আছে, শিক্ষিত ভদ্র ব্যক্তিরা প্রায় সবাই মার্গ সঙ্গীত বোঝে। সব জায়গাতেই রবিকে গান গাইতে অনুরোধ করা হয়, সেখানেও গান শুরু করেছিল রবি।

রামকেলি রাগে 'জিন ছুঁয়া মোরি বেঁয়া নগরওয়া' এই হিন্দি গান ভেঙে সে গাইছিল 'বাঁশরী বাজাতে চাহি বাঁশরী বাজিল কই'। রামতনু লাহিড়ির ছেলে সত্য লাহিড়ির বাড়িতে বসেছিল সেই আসর। রবির গানটি শেষ হবার পর একজন হঠাৎ মন্তব্য করেছিল, হ্যাঁ, বাঁশরী তো অনেকেই বাজাতে চায়, কিন্তু বাজাতে চাইলেই কি বাঁশরী বাজে ? বাঁশরী বাজাতে গেলে ভালো করে তালিম নিতে হয় ! সে মন্তব্য শুনে হেসে উঠেছিল অনেকে।

ওইসব শ্রোতারা রাগ সঙ্গীতে তান কর্তব শুনতে অভ্যস্ত। মিড় নেই, গমক নেই, হলক তান নেই, সাদামাটা সুরের গান আবার গান নাকি ! ওদের ধারণা হয়েছিল, রবি উচ্চাঙ্গ সঙ্গীত কিছু না শিখেই গাইতে বসেছে।

সেই প্রসঙ্গ তুলে রবি বলেছিল, ভাই আশু, কলকাতার তুলনায় তোমাদের কৃষনগরের মানুষ অনেক পিছিয়ে আছে। বিশুদ্ধ রাগ সঙ্গীত ছাড়া কি গান হয় না! নানা ধরনের সুর মিশিয়েও তো কাব্য সঙ্গীত হতে পারে। কীর্তন কিংবা রামপ্রসাদী গানেও তো তানের বাড়াবাড়ি নেই, কথাগুলিই আসল। রামপ্রসাদ তো তোমাদের ওদিককার লোক।

আশু বলেছিল, গোঁড়ারা মানতে চায় না। রামপ্রসাদী বা কীর্তন কি বড় আসরে মর্যাদা পায়!

অনেকে ভাবে ওসব মাঠ-ঘাটের গান।

রবি বলল, খোলা মাঠের গানেরও কি মর্যাদা কম ! বাংলার মাঝিরা যে ভাটিয়ালি গায়, রাখালরা বাঁশিতে যে সুর ধরে, তা কি আমাদের মন টানে না ! রাগের বিশুদ্ধতা ধরে বসে থাকলে নতুন নতুন সুরের সৃষ্টি হবে কী করে ?

কথায় কথায় এদেশি সুরের সঙ্গে বিলিতি সুরের সংমিশ্রণের কথাও উঠল। উদাহরণ হিসেবে রবি কয়েকখানা গান শোনাতে বলল প্রতিভাকে। প্রতিভা গিয়ে পিয়ানোতে বসল। তারপর প্রতিভা একটার পর একটা গেয়ে যাচ্ছে, আর আশু যেভাবে মুগ্ধ দৃষ্টিতে তাকিয়ে আছে তার দিকে, তাতে রবি যেন একটা ভবিষ্যতের ছবি দেখতে পেল। কয়েক বছরের মধ্যেই খ্যাতিমান ব্যারিস্টার হয়ে উঠেছে আশু, যেমন তার প্রতিপত্তি তেমনিই অর্থাগম হচ্ছে প্রচুর, আর প্রতিভা সেই ব্যারিস্টারের উপযুক্ত গৃহিনী। সান্ধ্য পার্টিতে সে আমন্ত্রিত বিশিষ্ঠ ব্যক্তিদের এইরকম ভাবে পিয়ানো বাজিয়ে গান গেয়ে শোনাবে।

প্রতিভা ও আশু যে পরস্পরকে পছন্দ করেছে তা জানতে দেরি হল না রবির। এরপর সে চুঁচুড়ায় গিয়ে বাবামশাইয়ের কাছে কথাটা পাড়ল।

দেবেন্দ্রনাথ প্রথমে বেশ কিছুক্ষণ বিস্মিত হয়ে তাকিয়ে রইলেন কনিষ্ঠ পুত্রের দিকে। রবি ঘটকালি করছে !

তাঁর পুত্রদের কার কী যোগ্যতা তা সঠিক বোঝেন দেবেন্দ্রনাথ । রবির ব্রহ্মসঙ্গীত রচনার প্রতিভায় দিন দিন মুগ্ধ হচ্ছেন তিনি। কাব্য ও সঙ্গীত রচনায় এ ছেলে যে তার অন্য সব ভাইদের ছাড়িয়ে যাবে, তাতে এখন আর সন্দেহ নেই। জমিদারির কাজও কিছু কিছু শিখছে রবি। কিন্তু ঘটকালি করাও যে রবির পক্ষে সম্ভব, তা তিনি চিন্তা করেননি। কবিরা তো শব্দের সঙ্গে শব্দের বিয়ে দেয়, অন্য কোনও বিয়ে নিয়ে কি তারা মাথা ঘামায় !

প্রতিভাকে যে এতদিন বিয়ে না দিয়ে অরক্ষণীয়া করে রাখা হয়েছে, তার জন্য বেশ বিরক্ত ছিলেন দেবেন্দ্রনাথ। তিনি নানান প্রশ্ন করে, খুঁটিয়ে খুঁটিয়ে পাত্রটির নিজের যোগ্যতা ও বংশপরিচয়ের কথা জানতে লাগলেন। তারপর অপ্রত্যাশিত ভাবে তিনি হঠাৎ বললেন, এ তো খুবই উপযুক্ত প্রস্তাব। তিনি রাঢ়ী-বারেন্দ্রর প্রশ্ন তুললেন না, পাত্রের পিতার বৈষয়িক অবস্থা জানতে চাইলেন না,এ ছেলেটি যে পরম বিদ্বান, এটাই যেন তাঁকে আকৃষ্ট করল সবচেয়ে বেশি। তিনি রবিকে বললেন, যত শীঘ্র পার ব্যবস্থা করো। আমার আশীবার্দ পাবে।

আশুর বাবাকে রাজি করানো অবশ্য এত সহজ হল না। সে বাড়ির লোকজনরা যৌতুক ও পণ নিয়ে দরাদরি শুরু করে দিল। রবি আকারে-ইঙ্গিতে বোঝাবার চেষ্টা করল যে দেবেন্দ্রনাথ স্বেচ্ছায় যৌতুক হিসেবে যা দেবেন তা পাত্র-পক্ষের কাছে আশাতীত হবে কিন্তু প্রথা অনুযায়ী চৌধুরীরা আগে থেকে শর্ত করে নিতে চায়।

সম্বন্ধ যখন প্রায় ভেঙে পড়ার উপক্রম, সেই সময় আশু নিজে থেকেই আর একদিন জোড়াসাঁকোয় এসে চা খেতে চাইল। আবার প্রতিভার গান শুনল সে। এতদিন সে বাড়ির লোকের কথার ওপর কোনও কথা বলেনি, এবার সে রবিকে জানাল, আমার ভাই-বোনেরা ব্যস্ত হয়ে উঠেছে, তারা একটা তারিখ ঠিক করে ফেলতে চায়। ভাই রবি, আমার শুধু একটিই শর্ত আছে, বিয়ের ব্যাপারে বেশি আড়ম্বর পছন্দ করি না, এ বিয়েতে কোনও যৌতুক দেওয়া চলবে না।

ঠাকুর পরিবারের রীতি অনুযায়ী বিয়ের সমস্ত অনুষ্ঠান হল জোড়াসাঁকোর বাড়িতেই। আশুর বাবা এলেন না, আশুর ভাই-বোনেরা বাসরঘরে আসর জমিয়ে রাখলেন। সার্থক হল রবির জীবনের এই প্রথম ঘটকালি।

আশুর পক্ষে ঘরজামাই হবার প্রশ্নই ওঠে না। নববধূকে সে নিয়ে গেল স্কট লেনের ছোট বাড়িতে। কয়েকদিনের মধ্যেই দিব্যি সংসার গুছিয়ে নিল প্রতিভা। এত ধনী পরিবারের কন্যা হয়েও এরা তেমন বেশি বিলাসিতায় অভ্যস্ত নয়। প্রতিভা বেশ মানিয়ে নিতে পারল অল্প জায়গার মধ্যেই। রবি এখন প্রায় প্রতিদিনই আসে। 'বালক' পত্রিকা দেখাশুনোর ভার সে ছেড়ে দেবার পর এখন সে পত্রিকা মিশে গেছে ভারতী-র সঙ্গে। রবির ওপর এখন বিশেষ কোনও দায়দায়িত্ব নেই। আশুর সঙ্গে বসে বসে সে তার নতুন বইটির জন্য কবিতাগুলি সাজায়।

একদিন এ বাড়িতেই প্রেসিডেন্সি কলেজের দুটি ছাত্রের সঙ্গে পরিচয় হল রবির। কৃষ্ণনগর অঞ্চলে মামাবাড়ির সূত্রে যাদুগোপালের সঙ্গে আশু চৌধুরীদের একটা আত্মীয়তা আছে। যাদুগোপাল তার বন্ধু ভরতকেও সঙ্গে নিয়ে এসেছে। ভরত স্বভাবলাজুক, অচেনা পরিবেশে সে বিশেষ কথা বলতে পারে না। যাদুগোপাল আবার তেমনই বাকপটু, তার মুখে খই ফোটে। তার কৌতূহলেরও শেষ নেই। রবির কবিতার সে ভক্ত, রবিকে নানান প্রশ্ন করতে লাগল সে। রবি বেশ উপভোগ করছে তার কৌতূহল। প্রেসিডেন্সি কলেজের ছাত্ররা এখন রাজনীতিতে মেতেছে, তারা তা হলে কবিতাও পড়ে!

ভরত এক সময় শুধু জিজ্ঞেস করল, রবিবাবু, বালক পত্রিকায় আপনার যে ধারাবাহিক কাহিনীটা বেরুচ্ছিল, সেটা আমি পড়েছি। আপনি কখনও ত্রিপুরায় গেছেন?

রবি বলল, না, যাইনি। যাবার ইচ্ছে আছে।

যাদুগোপাল বলল, কোনও জায়গায় না গিয়েও এমন নিখুঁত বর্ণনা, সত্যি বিস্ময়কর!

আশু হাসতে হাসতে বলল, কবিরা স্বর্গ এবং নরকের বর্ণনাও লেখে, যেমন ধরো দান্তের ডিভাইন কমেডি, উনি কিন্তু ওই দুটো জায়গায় না গিয়েই লিখেছেন!

যাদুগোপাল বলল, আমার বন্ধু ভরতের বাড়ি ত্রিপুরায়!

রবি বলল, তাই বুঝি? ত্রিপুরায় বেড়াতে গেলে তোমাদের বাড়িতে থাকতে দেবে?

ভরত দু দিকে মাথা নেড়ে আস্তে আস্তে বলল, ওখানে আমাদের কোনও বাড়ি নেই।

কথা ঘুরিয়ে প্রসঙ্গান্তরে চলে গিয়ে যাদুগোপাল নানা প্রশ্নের মধ্যে একবার জিজ্ঞেস করল, আচ্ছা রবিবাবু, আপনি তো অনেক রকম কাজ করেন, আদি ব্রাহ্মসমাজের কাজ, জমিদারির কাজ দেখা, এত রকম লেখা, এর মধ্যে কোনটা আপনার সবচেয়ে ভালো লাগে?

রবি বলল, কী জানি, তা তো ভেবে দেখিনি।

মুখে না বললেও রবি জানে, কী তার সবচেয়ে বেশি ভালো লাগে। কোনও কাজ নয়, ছুটোছুটি নয়, বক্তৃতা নয়, এগুলো করতে সে বাধ্য হয়। কিন্তু তার সবচেয়ে বেশি ভালো লাগে একা একা শুয়ে থাকতে। আর লিখতে। কবিতা, গদ্য, গান, হেঁয়ালি, চিঠি, শুধু লেখা, যে-কোনও লেখা। একটার পর একটা শব্দ খুঁজে খুঁজে নির্বাচন করে গেঁথে কোনও কিছু নির্মাণ করাই তার মনে হয় শ্রেষ্ঠ নির্মাণ !

॥ ৬০ ॥

'চৈতন্যলীলা' নাটকের জন্য স্টার থিয়েটারের জয়-জয়কারের ফলে গিরিশচন্দ্র পর পর আরও কয়েকটা ভক্তির সাত্মক নাটক নামিয়েছিলেন। 'প্রহ্লাদ চরিত্র', 'নিমাই সন্ন্যাস', 'প্রভাস যজ্ঞ', 'বুদ্ধদেব চরিত'। এই সব নাটকগুলিতে ভক্তিবাদের জোর প্রচার হতে লাগল বটে, কিন্তু গিরিশচন্দ্র টের পেয়েছিলেন দর্শকের সংখ্যা ক্রমশ কমে আসছে। রঙ্গমঞ্চ পুরোপুরি প্রচারকের ভূমিকা নিলে দর্শকরা বিমুখ হবেই। অধিকাংশ দর্শকই থিয়েটারে আসে প্রমোদ উপভোগের জন্য। রস সৃষ্টিই বড় কথা। মহৎ বিষয়বস্তু কিংবা যত বড় আদর্শের কথাই থাক না কেন, রসোত্তীর্ণ না হলে তা দাগ কাটে না মানুষের মনে।

দর্শক সংখ্যা কমতে শুরু করায় নট-নটী -নাট্যকার-ম্যানেজার সবাই উদ্বিগ্ন। 'চৈতন্যলীলা'র ব্যবসায়িক সাফল্যেই সবাই খুশি হয়েছিল, তারপর আর বেশি বেশি লীলা জমছে না। রামকৃষ্ণ ঠাকুরের পরম ভক্ত হবার পর থেকে গিরিশচন্দ্র এই ধরনের নাটক ছাড়া অন্য কিছু লিখতে চান না। গিরিশের ব্যক্তিগত জীবন দেখলে অবশ্য তাঁর ভক্তিবাদ বোঝা অন্যদের পক্ষে দুষ্কর। সব কিছুই চলছে আগেকার মতন। একদিন 'চৈতন্যলীলা' অভিনয়ের পর নবদ্বীপের কয়েকজন বিশিষ্ট, মাননীয় বৈষ্ণব পণ্ডিত এসেছিলেন গিরিশচন্দ্রের সঙ্গে দেখা করতে। ভক্তিতে গদগদ হয়ে তাঁদের চোখ দিয়ে তখনও প্রেমাশ্রু ঝরছে, মঞ্চের পেছনে এসে দেখেন, গিরিশের হাতে মদের গেলাস, সামনে বোতল ও মাংসের চাট। তা দেখে পণ্ডিতপ্রবরদের অশ্রু শুকিয়ে গেল, দৃশ্যটিকে যেন বিশ্বাসই করতে পারলেন না। আবেগের কথা কিছু মনে এল না, একজন আমতা আমতা করে জিজ্ঞেস করলেন, আপনার কি শরীর খারাপ ? ওষুধ খাচ্ছেন বুঝি ? গিরিশচন্দ্র অট্টহাস্য করে বলে উঠেছিলেন, না মশাই, ওষুধ নয়, মদ, মদ খাচ্ছি, মদ চেনেন না ?

বৈষ্ণব পণ্ডিতরা প্রায় দৌড়ে পালিয়ে গিয়েছিলেন। তারপর গিরিশের হাসি আর থামে না। সেই হাসিতে আরও অনেকে যোগদান করেছিল বটে, দু-একজন আপত্তিও জানিয়েছিল। উপেন মিত্তির নামে একজন বলেছিল, কেন ওনাদের এমন ভয় দেখালেন ? ওনারা বাইরে গিয়ে এইসব রটাবেন। মিথ্যেমিথ্যি বলে দিলেই পারতেন যে ওটা ওষুধ।

গিরিশ হুঙ্কার দিয়ে বলেছিলেন, কেন মিথ্যে কথা বলব ? আমার কী দায় পড়েছে ? মদ খাওয়া খারাপ, না মিথ্যে কথা বলা বেশি খারাপ ?

উপেন মিত্তির বলেছিল, ওনারা ভেবেছিলেন, আপনি চৈতন্যদেব সম্পর্কে এমন ভক্তি-কাব্য লিখেছেন, তাই আপনি নিজেও বুঝি চৈতন্যদেবের ভাবশিষ্য হয়েছেন।

গিরিশ কয়েক মুহূর্ত উপেনের দিকে তাকিয়ে বলেছিলেন, দেখ বাপু, তোমাকে একটা সার কথা বলি। রাইটার বা আর্টিস্টদের কাছ থেকে এ রকম আশা করা যায় না। নাটকে আমি অনাহারী, অনাথ, মুমূর্ষু, ঘাতক এ রকম কতই না চরিত্র রচি। তা বলে কি আমাকেও অনাহারী, অনাথ মুমূর্ষু, ঘাতক হতে হবে ? আমাকে আমার মতন থাকতে দাও। মদ খেলে আমার ফুর্তি হয়, তাই খাই। ওদের জন্য ছাড়তে যাব কেন ? একমাত্র একজনের কথায় ছাড়তে পারতাম। আমার গুরু যদি বলতেন, তা হলে সেই দণ্ডেই মদ্যপান চুকিয়ে দিতাম। গুরু তো আমায় কিছুই ছাড়তে বলেননি। তিনি বলেছেন, আমি কলঙ্কসাগরে সাঁতার দিলেও আমার গায়ে কলঙ্ক লাগবে না।

আর একদিন একদল লোক গিরিশের বাড়ি হানা দিয়েছিল । 'চৈতন্যলীলা'র স্রষ্টাকে একবার শুধু দর্শন করে তারা চক্ষু সার্থক করতে চায়। বাড়িতে যখন তখন উটকো লোকের আগমন একেবারেই পছন্দ করেন না গিরিশ। লোকগুলিও নাছোড়বান্দা। এক সময় গিরিশ সম্পূর্ণ উলঙ্গ হয়ে বৈঠকখানায় এসে বললেন, কী দেখতে এসেছ, দেখ, দেখে নাও ! আমি হচ্ছি ভৈরব !

এইসব কাহিনী ছড়ায়, তাতেও ভক্তিরসের নাটকগুলির জনপ্রিয়তার হানি হয়। 'চৈতন্যলীলা'র পর 'নিমাই সন্ন্যাস' নাটকটি তো একেবারেই দশর্ক টানতে পারল না। মনে হল যেন আগেরটিরই পুনরুক্তি। 'প্রহ্লাদ চরিত্র'-ও জমল না। স্টারে 'প্রহ্লাদ চরিত্র' শুরু হবার পর প্রতিযোগী বেঙ্গল থিয়েটারে ওই 'প্রহ্লাদ চরিত্র' নামেই আর একটি নাটক চলতে লাগল, সেটি রাজকৃষ্ণ রায়ের লেখা। দুই থিয়েটারে একই নাটক মঞ্চস্থ হতে লাগল পাল্লা দিয়ে, কয়েক দিনের মধ্যেই বোঝা গেল, বেঙ্গল থিয়েটারের নাটকই দর্শকদের পছন্দ হচ্ছে বেশি। স্টারে প্রহ্লাদ সাজে বিনোদিনী, বেঙ্গল থিয়েটারে সেই ভূমিকায় কুসুমকুমারী নামে এক অভিনেত্রী। অবিশ্বাস্য হলেও সত্য এই যে কুসুমকুমারীর কাছে যেন হেরে যাচ্ছে বিনোদিনী, তার অভিনয় পানসে লাগে। দর্শকরা বিনোদিনীর শুধু ভক্তিরসাপ্লুতে ভূমিকা আর পছন্দ করছে না, তারা অন্য বিনোদিনীকে চায়। বিনোদিনীর গানের গলাও তেমন ভালো নয়, কুসুমকুমারী পাকা গায়িকা।

শেষ পর্যন্ত স্টারে 'প্রহ্লাদ চরিত্র' চালাবার জন্য অমতৃলালের 'বিবাহ বিভ্রাট' নামে প্রহসনটি জুড়ে দিয়ে দর্শকদের ঘুষ দিতে হল।

সহকর্মীরা অনবরত চাপ দিচ্ছে গিরিশকে জীবনী-নাটক বাদ দিয়ে অন্য কিছু লেখার জন্য। স্টারের কোনও ধনী পৃষ্ঠপোষক নেই, নিজেদের মধ্যে কয়েকজনই আয়-ব্যয়ের হিসেব রাখে, টিকিট বিক্রি কমে গেলে কলাকুশলীদের মাইনে দেওয়া দুঃসাধ্য হয়ে পড়ে। এমনিতেই এক নাটক টানা বেশি দিন চালানো যায় না, দু-তিন মাস অন্তর নতুন নাটক নামাতে হয়। তার সঙ্গে সঙ্গে পুরনো দু-একটির পুনরভিনয় হয়। সেই জন্য গিরিশকে প্রতিনিয়ত ভাবতে হয় নতুন নাটকের বিষয়বস্তু।

'বুদ্ধদেব চরিত' নাটকটিও জনপ্রিয় হল না দেখে গিরিশ বেশ হতাশ হয়েছিলেন। স্যার এডুইন আর্নল্ড-এর 'লাইট অব এশিয়া' কাব্য অবলম্বনে গিরিশ এই নাটকটি রচনা করেছিলেন বিশেষ যত্ন নিয়ে। এতে যে শুধু উচ্চাঙ্গের দর্শনের কথা আছে তাই নয়, এর কয়েকটি গান লোকের মুখে মুখে ফিরতে লাগল। 'জুড়াইতে চাই কোথায় জুড়াই, কোথা হতে আসি কোথা ভেসে যাই' গানখানি শ্রীরামকৃষ্ণ নরেনের মুখে বারবার শুনতে চান, নরেন গায়ও একেবারে তন্ময় হয়ে। শ্রীরামকৃষ্ণ হাততালি দিতে দিতে মাতোয়ারা হয়ে যখন বলেন, আর একবার গাও না গো, আর একবার গাও, তখন গিরিশের জীবনটা ধন্য মনে হয়।

শিক্ষিত সমাজ 'বুদ্ধদেব চরিত' নাটকটির তারিফ করেছিল, এমনকি স্বয়ং আর্নল্ড সাহেব দৈবাৎ সে সময় কলকাতা এসে এর অভিনয় দর্শন করে প্রশংসা করে গেছেন। কিন্তু সাধারণ দর্শকরা তেমন আগ্রহ বোধ করে না, বহু আসন খালি পড়ে থাকে।

গিরিশ শ্রীরামকৃষ্ণের কাছ থেকে একদিন একটা গল্প শুনেছিলেন। মুখে মুখে গল্প বলায় রামকৃষ্ণ ঠাকুরের জুড়ি নেই, অনেক চরিত্র তিনি অভিনয় করেও দেখান। একদিন এক ভণ্ড সাধুর ভাব-ভঙ্গি তিনি এমন চমৎকারভাবে নকল করে দেখাচ্ছিলেন যে ভক্তরা হেসে গড়াগড়ি যাচ্ছিল। গিরিশ ঠিক করলেন, সেই কাহিনীটি নিয়েই নতুন নাটক রচনা করবেন। 'ভক্তমাল' গ্রন্থ আছে বিল্বমঙ্গল, চিন্তামণির উপাখ্যান, তার অনেক শাখা-প্রশাখা জুড়ে সম্পূর্ণ নিজস্ব রূপ দিলেন গিরিশ। শেষের দিকে বৈরাগ্যের কথা থাকলেও এ নাটকের মূল রস প্রেম। এক বারবনিতা ও এক লম্পট, যাদের জীবনে প্রেমের কোনও স্থান থাকার কথা নয়, তাদের মধ্যেও আকস্মিক বন্যার মতন প্রেমের আবির্ভাব। অধিকাংশ দর্শক তো প্রেমের কাহিনীই পছন্দ করে। অমৃতলাল মিত্র বিল্বমঙ্গল সাজলেন, আর চিন্তামণির ভূমিকায় বিনোদিনী। নাটক একেবারে জমজমাট। স্টার থিয়েটারের আবার ভাগ্য ফিরে গেল, প্রতিদিন টিকিটঘর খোলা মাত্র হাউস ফুল।

পত্র-পত্রিকাতেও উচ্চ প্রশংসা বেরুল এই নাটকের । কিন্তু দারুণ আঘাত পেল বিনোদিনী। কোনও সমালোচকই চিন্তামণির অভিনয়ের গুরুত্ব দিল না। বরং সবাই মুক্ত কণ্ঠে বাহবা দিল পাগলিনীর ভূমিকায় গঙ্গামণিকে। প্রতিটি শো-তে গঙ্গামণিকে দেখলেই দর্শকরা হাততালি দিয়ে ওঠে, তখন বিনোদিনীকে খুব ম্লান মনে হয়। পাগলিনী বেশে গঙ্গামণির অনেক দৃশ্যেই হঠাৎ হঠাৎ প্রবেশ, তার সংলাপগুলি প্রায় সবই গানে গানে। বঙ্গ রঙ্গমঞ্চের সম্রাজ্ঞী এই নাটকে ক্ল্যাপ পায় মাত্র দু বার আর গঙ্গামণি পায় এগারো বার ! কে এই গঙ্গামণি ? তার যথেষ্ট বয়েস হয়েছে, দেখতেও এমন কিছু নয়, অন্যান্য নাটকে সে মা-মাসি-পিসির পার্ট করে, এই নাটকে সে যে দর্শকদের নয়নের মণি হয়ে গেল, সে কৃতিত্বও গিরিশের।

একদিন নাটক শুরুর আগে ফার্স্ট বেল বেজেছে, কেউ একজন অমৃতলালকে খবর দিল, বিনোদিনী এখনও মেকআপ নেয়নি। অমৃতলাল গ্রিনরুমে উঁকি মেরে দেখলেন, আয়নার সামনের টুলে বিনোদিনী থুম হয়ে বসে আছে। মুখে রং মাখেনি, পোশাক পাল্টায়নি। বিনোদিনী নিজেই নিজের সাজসজ্জা করে, কোনও মেকআপ ম্যানের সাহায্য নেয় না। গ্রিনরুমে সে একা।

অমৃতলাল উদ্বিগ্ন হয়ে কাছে এসে বললেন, কী রে, বিনোদ, তুই এখনও তৈরি হসনি। শরীর খারাপ লাগছে নাকি ?

বিনোদিনী মুখ তুলে চেয়ে কয়েক মুহূর্ত নীরব রইল। তারপর শান্তভাবে বলল, আজ আমি নামব না। শো বন্ধ করে দাও।

অমৃতলাল এ কথা শুনে বিশেষ অবাক হলেন না। বিনোদিনী যে অসুস্থ না, তাতেই তিনি স্বস্তি পেলেন। ইদানীং বিনোদিনী প্রায়ই নানারকম বায়নাক্কা শুরু করেছে। এখন নরম-গরম কথায় তার মান ভাঙাতে হবে।

অমৃতলাল বিনোদিনীর পিঠে হাত দিয়ে বললেন, কী বলছিস রে পাগলী ! হঠাৎ আজ শো বন্ধ হবে কেন ? উইংসের ফাঁক দিয়ে একবার দেখে আয়, ভেতরে তিল ধারনের জায়গা নেই ।

অমৃতলালের হাত টেনে সরিয়ে দিয়ে বিনোদিনী বলল, সবাইকে টিকিটের পয়সা ফেরত দিয়ে দাও। আজ আমি এক্ষুনি বাড়ি চলে যাব।

অমৃতলাল বললেন, কেন শো হবে না, সেটা বলবি তো ! দর্শকদের একটা কারণ দেখাতে হবে না ?

বিনোদিনী দৃপ্ত ভঙ্গিতে উঠে দাঁড়িয়ে তেজের সঙ্গে বলল, আমার ইচ্ছে তাই শো বন্ধ থাকবে। আমার ইচ্ছে-অনিচ্ছের দাম নেই ? স্টার থিয়েটারটা হয়েছে কার জন্য ? এই বিনোদিনী দাসী তার শরীর বেচে সব পয়সা জুগিয়েছে। সেসব কথা ভুলে গেছ তোমরা ?

অমৃতলাল বললেন, না রে, ভুলব কেন ? তোর জন্যই তো সব। তোকে কি কেউ কিছু বলেছে ? ঝট করে তৈরি হয়ে নে। হুট করে শো বন্ধ করলে কি চলে ? দর্শকরাই হচ্ছে আমাদের ভগবান। দর্শকদের নিরাশ করলে আমাদের পাপ হয়। নে, নে, আর দেরি করিসনি! শো শেষ হয়ে গেলে তোকে কে কী বলেছে শুনব।

—কে আবার কী বলবে ! আমি এ নাটকে আর নামব না। 'বিল্বমঙ্গল' বন্ধ করে দাও।

—তুই কী বলছিস রে, বিনোদ ! অনেকদিন বাদে এই পালাটা হিট হয়েছে, ঘরে পয়সা আসছে। এমন সময় নাটক কেউ বন্ধ করে ?

— 'চৈতন্যলীলা'ও হিট হয়েছিল। সেটা আবার নামাও। কিংবা 'দক্ষযজ্ঞ'।

—লোকে পুরনো নাটক ক'বার দেখবে ? 'বিল্বমঙ্গল' সবে সাড়া জাগিয়েছে, গ্রাম-গঞ্জ থেকে কাতারে কাতারে লোক এ নাটক দেখার জন্য ছুটে আসছে। তোকে দেখবার জন্যই আসছে।

—শোনো, ভুনিদাদা, বারবার এক কথা বলো না। 'বিল্বমঙ্গল' আমার পছন্দ নয়, আমি এতে পার্ট করব না। নামতে পারি এক শর্তে, এ নাটক থেকে ওই গঙ্গা হারামজাদিটাকে বাদ দিতে হবে। আজ থেকেই যদি পাগলিনীর পার্টটা একেবারে বাদ দিতে পার, তা হলে আমি মেকআপ নিতে পারি। বল, রাজি আছ।

অমৃতলাল একটা দীর্ঘশ্বাস ফেললেন। গিরিশবাবু আজ উপস্থিত নেই, তিনি অসুস্থ রামকৃষ্ণকে দেখতে গেছেন। এখন বিনোদিনীর গোঁ কে সামলাবে ! এ দিকে সেকেন্ড বেলও বাজল, এ বার দর্শকরা অধৈর্য হয়ে উঠবে।

তিনি ধীর স্বরে বললেন, নাটকের কোনও রোল যখন তখন বাদ দেবার মালিক কি আমি ? নাট্যকার কে, পরিচালকই বা কে, তা কি তুই ভুলে গেলি ? গিরিশবাবু থাকলে তার মুখের ওপর তুই এমন কথা বলতে পারতি ? শোন বিনোদ, আমাদের গুরুদেবও এত ভালো নাটক খুব কম লিখেছেন। পাগলী সেজে গঙ্গামণি বিলকি-ছিলকি বকছে আর মজার গান গাইছে বলে অত হাততালি দিচ্ছে লোকে। কিন্তু তোর চরিত্রটা কত গভীর। তোর চিন্তামণির জন্য মানুষ তোকে চিরকাল মনে রাখবে।

বিনোদিনী বলল, ওসব কথা ছাড়ো। তোমার-আমার গুরু ইচ্ছে করেই গঙ্গার পার্টটা অতখানি তোল্লাই দিয়েছেন। যাতে আমি ডাউন খেয়ে যাই। এইভাবে তোমরা আমাকে স্টার থেকে তাড়াতে চাও, তা আমি বুঝি না?

অমৃতলাল বললেন, কেন যে তোর মাথায় এই কথাটা ঢুকেছে। কে তোকে তাড়াতে চায়। তুই স্টার থিয়েটারের প্রধান অ্যাসেট। তোর নামে টিকিট বিক্রি হয়। আর একটা কথা শোন, নাট্যকার কোন চরিত্রটা কী জন্য কেমন ভাবে গড়েছেন, তা নিয়ে কোনও কথা বলা আমাদের সাজে না। আমাকে ছোটখাটো চোর-ছ্যাঁচোড় বা নফরের পার্ট দিলেও আমি কখনও আপত্তি করি? আমরা সবাই মিলে নাটকটাকে সার্থক করে তুলব, এইটাই হচ্ছে প্রধান কথা।

বিনোদিনী বলল, আমার টাকায় এই থিয়েটার হল, অথচ তোমরা আমার নামটা রাখলে না। আমার ইচ্ছেরও তোমরা মূল্য দাও না।

অমৃতলাল বললেন, ওসব তো পুরনো কথা। এখন কি ওসব আলোচনার সময় ! তুই মুখে রং মাখবি কি না বল !

বিনোদিনী বলল, আমার শর্ত তো তোমায় জানিয়ে দিয়েছি। গঙ্গার রোল পুরো বাদ দিতে হবে, আজ থেকেই।

অমৃতলাল এ বার দৃঢ়ভাবে বললেন, গঙ্গার ডায়ালগের একটা অক্ষরও আমি বাদ দিতে দেব না। ওর রোল যেমন আছে, তেমনি থাকবে। তাতে তুই রাজি না হলে প্লে হবে না ! আমি দর্শকদের জানিয়ে দিচ্ছি, নায়িকা বিনোদিনী বেঁকে বসেছে বলে বিল্বমঙ্গল বন্ধ !

অমৃতলাল গ্রিনরুম থেকে বেরিয়ে যেতে উদ্যত হলে বকুনি খাওয়া বাচ্চা মেয়ের মতন মুখ ভার করে বিনোদিনী বলল, দাঁড়াও, ভূনিদাদা, আমার এন্ট্রেন্স একটু পরে আছে। আমি আজকের মতন করে দিচ্ছি, তুমি ড্রপসিন তুলে দাও। কিন্তু পরে এর একটা হেস্তনেস্ত করতে হবে, তা বলে রাখছি কিন্তু।

যথাসময়ে এই পুরো ঘটনাটাই গিরিশের কানে গেল। তিনি জিভ দিয়ে চুক চুক শব্দ করতে করতে বললেন, হিংসে, হিংসে ! এই থিয়েটারের মাগীগুলো হিংসেতেই মলো। বিনোদিনীর কত নামডাক, তবু এই বিল্বমঙ্গলে কয়েকখানা ক্ল্যাপ কম পেয়েছে বলে গঙ্গামণির মতন এক হেঁজিপেঁজিকেও হিংসে করে। স্ত্রীয়াশ্চরিত্রম !

পরদিন তিনি বিনোদিনীকে নিরিবিলিতে ডেকে বললেন, শুধু হাততালিতেই যশ হয় না রে, বিনি। হাততালির মোহ একটা ব্যাধির মতন। নট-নটীদের তিরস্কার বা পুরস্কার, দুটোকেই কণ্ঠের হার করে নিতে হয়। তোকে তো বিলেতের অভিনেত্রী অ্যালেন টেরির কথা কতবার বলেছি। সেই অ্যালেন টেরি যখন লেডি ম্যাকবেথের মতন এক ভয়ঙ্করীর ভূমিকায় নেমেছিল, তখন দর্শকরা তাকে একবারও হাততালি দেয়নি। তার অভিনয় দেখে ভয়ে শিউরে উঠেছে, কিন্তু সেই অভিনয়ই তাদের মনে দাগ কেটে গেছে। সেই জন্যই সবাই তাকে এত বড় অভিনেত্রী বলে মানে। বঙ্কিমবাবু তোকে দেখে কী বলেছিলেন মনে নেই ? বঙ্কিমবাবু নিজের লেখা গল্পের নাটক দেখতে এসেছিলেন একদিন। কী বইখানা যেন? হ্যাঁ, হ্যাঁ, 'মৃণালিনী', তাই না ? তুই তো তখন জানিসও না যে বঙ্কিমবাবু কে কিংবা কত বড় একখানা মানুষ। বঙ্কিমবাবু তোর অভিনয় দেখে বললেন, বাঃ, আমি তো মনোরমা চরিত্রটি শুধু বইয়ের পাতাতেই রচনা করেছিলুম, কিন্তু এ যে দেখছি জীবন্ত মনোরমা ! বিনি, বঙ্কিমবাবুর মুখ থেকে প্রশংসা আদায় করা সহজ নয়। আমিও তোকে বলছি, চিন্তামণি চরিত্রটা লেখবার সময় তোর মুখখানাই আমার মনে ছিল ঠিকই, কিন্তু তুই যেন সেই চিন্তামণিকেও অনেকখানি ছাড়িয়ে গেছিস। তোকে এ ভূমিকায় দেখে আমি নিজেই অবাক হয়ে যাই।

গিরিশচন্দ্র বুঝিয়ে-সুঝিয়ে অনেকটা শান্ত করলেন বটে, তবু বিনোদিনীর ওপরে সহঅভিনেতা-অভিনেত্রীরা অনেকেই বিরক্ত হয়ে উঠতে লাগল দিন দিন। গিরিশচন্দ্র যখন থাকেন না, সে সকলের ওপর খবরদারি করে। অভিনয় চলাকালীন ইচ্ছে করে দু-একটা সংলাপ বাদ দিয়ে অন্যদের বিপদে ফেলে দেয়। শো শুরু হবার একেবারে শেষ মুহূর্তে এসে উপস্থিত হয়, একদিন তো অভিনয় বন্ধ করার কথা প্রায় ঘোষিত হতে যাচ্ছিল। 'আমার জন্যই তো স্টার থিয়েটার তৈরি হয়েছে', এই কথাটা শতবার শুনতে শুনতে সবার কান ঝালাপালা হয়ে গেছে। মহোত্তম পরোপকারও পরোপকারীর মুখ থেকে বারবার শুনলে তা তিক্ততায় পর্যবসিত হয়।

গিরিশচন্দ্র সব শুনেও বিনোদিনীর ওপর রাগ করতে পারেন না। সত্যিই তো মেয়েটি এক সময় অনেক স্বার্থত্যাগ করেছে ! তিনি নানান ভাবে বোঝাবার চেষ্টা করেন ওকে।

একদিন তিনি বললেন, বিনি, এর পর যে নাটকটি লিখছি, তাতে দেখবি তুই কত ক্ল্যাপ পাস। দর্শকরা তোর নাচ পছন্দ করে, নাচ দিয়েছি অনেকগুলো। এ বার আর ভক্তি-বৈরাগ্য ফৈরাগ্য নয়, স্রেফ নাচ-গান-হল্লা। নাম দিয়েছি 'বেল্লিক বাজার'। ভাঁড়ামি, খ্যামটা কিছুই বাদ রাখিনি। তুই সাজবি রঙ্গিনী।

একজন বলল, সে কি মশাই, সবাই জানে, আপনি আদর্শ শিক্ষা দিচ্ছেন। কী দারুণ উদ্দীপনার সৃষ্টি হয়েছে, হিন্দু ধর্ম আবার জাগছে। এখন হঠাৎ বাজারে একখানা পঞ্চ রং ছাড়বেন ?

গিরিশ ধমক দিয়ে বললেন, আগে তো থিয়েটারটাকে বাঁচাতে হবে নাকি ? অ্যাকটর-অ্যাকট্রেসরা না খেয়ে থাকলে আদর্শ মাথায় উঠবে ! বেঙ্গল থিয়েটার বেশি দর্শক টানছে।

স্টারকে আবার জাগাতে হবে। লোকে লাস্যময়ী বিনোদিনীকে দেখতে চায়, সন্ন্যাসিনী দেখে দেখে টায়ার্ড হয়ে গেছে। চৈতন্যলীলায় চৈতন্যদেবের পার্ট করতে করতেই বিবাহ বিভ্রাটে বিলাসিনী কারফর্মার রোলে বিনি কেমন ফাটিয়েছিল মনে নেই ? বিনি আমাদের মস্ত বড় অ্যাকট্রেস। এখন কিছু দিন আবার বিলাসিনী, রঙ্গিনী সাজুক, তারপর ওকে আমি আবার কোনও সিরিয়াস রোলে নামাব ।

তারপর কৌতুকছলে বিনোদিনীর দিকে ফিরে চক্ষু নাচিয়ে বললেন, 'বেল্লিক বাজার' এই নতুন নাটকটায় গঙ্গামণিকে দিয়েছি মুদ্দোফরাসনির রোল, তাও দু-এক সিন, একটাও ক্ল্যাপ পাবে না।

সপ্তাহে তিন দিন 'বিল্বমঙ্গল' মঞ্চস্থ হতে লাগল, অন্য দিন বেল্লিক বাজারের রিহার্সাল। নাটকখানি রঙ্গ-তামাশায় ভরা হলেও প্রকৃতপক্ষে বর্তমান সমাজচিত্র। সমাজের দুষ্ট ফোঁড়াগুলি এতে প্রকট করে তোলা হয়েছে। গিরিশ সব রিহার্সালে হাজির থাকতে পারেন না, প্রায়ই তিনি কাশীপুর বাগানবাটিতে তাঁর অসুস্থ গুরুর চরণসেবা করতে চলে যান। অমৃতলাল বসুই পরিচালনা করছেন অনেকটা । প্রথম দিন থেকেই রঙ্গিনীর ভূমিকায় দুর্দান্ত অভিনয় করছে বিনোদিনী। নাচের দৃশ্যে তাকে মনে হয় মঞ্চের ওপর এক বিদ্যুৎ তরঙ্গ । এই সময় তাকে দেখে কল্পনাই করা যায় না, এই মেয়েই কিছু দিন আগে দিব্যোন্মাদ শ্রীচৈতন্য সেজে হাজার হাজার মানুষকে কাঁদিয়েছে।

কিন্তু অমৃতলাল লক্ষ করলেন, রিহার্সালের সময় একদিনও বিনোদিনী সাদাসিধে পোশাকে আসে না, সব সময় সে খুব সাজগোজ আর মুখে রং মেখে থাকে। আগে সে আটপৌরে পোশাকে চলে আসত, রির্হাসালের সময় তো দূরের কথা, আসল অভিনয়ের সময় মুখে বেশি রং মাখা পছন্দ করত না। অমৃতলাল কানাঘুষোয় শুনেছেন যে বিনোদিনীর থুতনিতে একটুখানি শ্বেতির দাগ হয়েছে। রং মাখলে তা বোঝা যায় না, অমৃতলাল মুখ ফুটে কোনও দিন জিজ্ঞেসও করেননি।

আরও একটা ব্যাপার এই যে, গঙ্গামণি, ক্ষেত্রমণি, ভূষণকুমারীর মতন অন্য সহঅভিনেত্রীরা যে সব দৃশ্যে আছে, সেই সব দৃশ্যে বিনোদিনী রিহার্সালে ফাঁকি মারে। ইচ্ছে করে বাথরুমে অনেকটা সময় কাটায় কিংবা বাড়ি ফেরায় তাড়া দেখিয়ে বলে, প্রক্সি দিয়ে চালিয়ে দাও। বিনোদিনীর প্রতিভা আছে, বেশি রিহার্সাল না দিয়েও সে আসল অভিনয়ের সময় এইসব দৃশ্যগুলি ঠিক চালিয়ে দেবে, কিন্তু অসুবিধেয় পড়বে অন্য অভিনেত্রীরা।

গিরিশচন্দ্র একদিন রিহার্সাল দেখতে এলেন, বিনোদিনী তখন বাড়ি চলে গেছে। থিয়েটারের নিয়ম হচ্ছে, যে ক'টা দৃশ্যেরই মহড়া হোক, সমস্ত অভিনেতা-অভিনেত্রীদের প্রতিদিন সর্বক্ষণ হাজির থাকতে হবে। শুধু নিজের ভূমিকাটুকুই নয়, প্রত্যেকে গোটা নাটকের মহড়া দেখবে। এই নিয়ম পালনের জন্য গিরিশের কড়া নির্দেশ আছে।

আজ গিরিশ কয়েক পাত্র চড়িয়ে এসেছেন, মেজাজও সেই জন্য বেশ চড়া। কয়েকবার বিনোদিনীর খোঁজ করে সাড়া না পেয়ে তিনি জানলেন, প্রায়ই বিনোদিনী আগে আগে বাড়ি চলে যায়। এই নাটকের ওপর গিরিশ অনেকখানি ভরসা করে আছেন, বিনোদিনীর অবাধ্য মনোভাব তাঁর সহ্য হল না।

চেঁচিয়ে বললেন, সে বেটি ভেবেছে কী ? লাটসাহেবের বউ, যা খুশি তাই করবে ? আমি কে, তা ভুলে গেছে ? চল তো ভূনি, ওর বাড়ি যাই। আজ রাত্তিরটা ওর বাড়িতেই কাটাব।

অমৃতলাল গিরিশকে এক পাশে টেনে নিয়ে গিয়ে বললেন, গুরু, অনেক দিন তো তুমি যাওনি। বিনির বাড়ির ধরন-ধারণ সব পাল্টে গেছে। যখন তখন ওর বাড়িতে আর মাল খেতে যাওয়া যায় না।

গিরিশ বললেন, কেন ? সে বোষ্টুমি হয়েছে ? বাড়িতে পুজো-আচ্ছা করে ? তা করুক না। আমরা থিয়েটারের লোক, আমরা মালও খাব, পুজো-আচ্ছাও করব। আমাদের সবই মানায়। চ, চ।

অমৃতলাল বললেন, না গো, তা নয়। বিনি যে আবার বাবু ধরেছে। যে-সে বাবু নয়, এ বারে তো এক রাজা !

গিরিশ অবাক হয়ে থমকে গেলেন। এ রকম একটা সংবাদের জন্য তিনি একেবারেই প্রস্তুত ছিলেন না। 'চৈতন্যলীলা'র পর বিনোদিনীর ব্যবহারে বেশ একটা পরিবর্তন এসেছিল, শ্রীরামকৃষ্ণের জন্য ব্যাকুলতাও ছিল আন্তরিক। আবার কোনও বাবুর রক্ষিতা হওয়ার দরকার কি ছিল তার ? বিনোদিনীর অর্থের অভাব নেই। গুমুর্খ তাকে অনেক টাকা দিয়ে গেছে। থিয়েটার থেকেও সে সকলের চেয়ে বেশি বেতন পায়, তার এখন নিজস্ব বাড়ি আছে।

গিরিশ কড়া গলায় জিজ্ঞেস করলেন, বাবুটি কে ? এ দেশে তো রাজা-গজার অভাব নেই,ইনি কোনটি ?

অমৃতলাল বললেন, নাম বলে আমার মুণ্ডুটা খোয়াই আর কি ! ওঁর নাম বলা নিষেধ। শুনেছি উনি মেঘনাদের মতন আড়ালে থাকতে চান। এ পোড়া বাংলাদেশে প্রচুর বাঘ-সিংগি, ধরে নাও, ইনিও এক সিংগি।

গিরিশ উত্তরের দিকে ইঙ্গিত করে বললেন, ওখানকার সিংহ ?

অমৃতলাল চুপ করে মুচকি হাসতে লাগলেন।

গিরিশ দীর্ঘশ্বাস ফেলে বলতে লাগলেন, বিনি, বিনি !

একটু থেমে আবার বললেন, ছোট্ট একটা পুতুল হয়ে এসেছিল, হাত-পা নাড়ত ঠিক পুতুলের মতন.....

অমৃতলাল বললেন, 'নাচায় পুতুল যথা দক্ষ বাজিকরে....'। আর এখন 'চল লো বেলা গেল গো, দেখব রাধা শ্যামের বামে।' তুমিই তো তাকে এই অবস্থায় এনেছ !

গিরিশ বলল, বিনি এখন আমাকে মানে না। আবার এক বাবুর রক্ষিতা হয়েছে, আমাকে জানায়নি !

অমৃতলাল বিনোদিনীর পক্ষ সমর্থন করে বললেন, গুরু, ওকে খুব দোষ দেওয়া যায় না। তুমি এখন রামকৃষ্ণ ঠাকুরকে নিয়ে ব্যস্ত থাক। বিনি একাকিনী, তুমি তো জান, এই কলকাতা শহরে একা কোনও স্ত্রীলোকের বাস করা কত কঠিন কাজ। তাও বিনির মতন এক রূপসী, গুণবতী নারী। কত বাঁদর-ভোঁদড়ে সব সময় উৎপাত করে। স্ত্রীলোকের পতি ছাড়া গতি নেই। থিয়েটারের অভিনেত্রী এক বারবনিতাকে কে বিয়ে করবে ? নিরাপত্তার জন্যই বিনির একজন রক্ষক দরকার। শুনেছি, এই রাজাবাবুটি খুব সহৃদয়, বিনির সঙ্গে খুব ভালো ব্যবহার করেন।

গিরিশ বললেন, আমি যাব। আজই ওর সঙ্গে কথা বলতে চাই। তুই যাবি ?

অমৃতলাল অনেকভাবে নিরস্ত করার চেষ্টা করলেন, মানলেন না গিরিশ। গিরিশের ঘোড়ার গাড়ি ছুটে গেল গোয়াবাগানের দিকে।

বিনির বাড়ির সামনে এখন দুজন শান্ত্রী বসে থাকে। তারা গিরিশচন্দ্রকে চেনে না। তাদের মাথায় পাগড়ি, কোমরে ঝুলছে তলোয়ার, রাজকীয় রক্ষী যাকে বলে। তারা দরজা আগলে দাঁড়াল।

গিরিশের জন্য বিনোদিনীর বাড়ি চিরকালই অবারিত দ্বার। অমৃতলালকে সঙ্গে নিয়ে যখন তখন এসেছেন কতবার, নাটকের আলোচনা ও বিয়ার পান করতে করতে রাত কাবার হয়ে গেছে। একবার সেই যখন গিরিশের বুকে সর্দি বসে গিয়েছিল, বিয়ার পানে রুচি ছিল না, অমৃতলাল মাঝরাতে বেরিয়ে গিয়ে সারা শহর খুঁজে খুঁজে জুটিয়ে এনেছিল বী হাইভ ব্র্যান্ডির বোতল।

সে বাড়িতে এসে গিরিশ বাধা মানবেন কেন ? রক্তচক্ষে রক্ষীদের দিকে তাকিয়ে বললেন, হঠ, হঠে যা আমার সামনে থেকে।

অমৃতলাল প্রমাদ গুনলেন। একটা না সাঙ্ঘাতিক অপ্রীতিকর কিছু ঘটে যায় ! রক্ষীরা কিছু বুঝবে না, রাজাবাবু যদি এখন এখানে এসে থাকেন, তা হলে বিনোদিনী বিব্রত বোধ করে দেখা করতে চাইবে না। দৈবাৎ রাজাবাবুর মুখোমুখি পড়ে গেলে গিরিশ যে কী বলবেন, তার ঠিক নেই। নেশা চড়ে গেলে তাঁর মুখের কোনও লাগাম থাকে না, পরোয়া করেন না কারুকেই, একদিন রামকৃষ্ণ ঠাকুরকে পর্যন্ত বাপ-মা তুলে গালাগাল দিয়েছিলেন।

অমৃতলাল গিরিশের হাত ধরে টেনে বললেন, গুরু, চলো আজ ফিরে যাই। এই সেপাইব্যাটারা তো কোনও কথাই বোঝে না। কাল বিনিকে খবর পাঠালে সে নিশ্চয়ই তোমার সঙ্গে দেখা করবে।

হাত ছাড়িয়ে নিয়ে গিরিশ ওপরের দিকে মুখ করে চ্যাঁচাতে লাগলেন, বিনি, বিনোদ ! নেমে আয় !

একটু পরেই খুট করে শব্দ হয়ে সদর দরজা খুলে গেল । সাদা শাড়ি পরা একজন কৃশকায়া দাসী বেরিয়ে এসে মৃদুগলায় বলল, ওগো বাবু, আজ বাড়ি যাও। দিদিমণির অসুখ করেছে, আজ দেখা হবে না।

দাসীটি পুরনো এবং চেনা। গিরিশ তাকে দেখে বললেন, হ্যাঁরে পদী, তোর দিদিমণি জানে আমি এসেছি ? আমার ডাক শুনতে পেয়েছে ?

দাসী বলল, হ্যাঁ গো, বারোন্ডা থেকে দেখেছে তোমাকে। দিদিমণির অসুখ গো !

গিরিশ বললেন, আগে তার অসুখ হলে সবচেয়ে প্রথমে আমাকে ডেকে পাঠাত। এখন সে আমাকে ওপরেই ডাকল না ?

অমৃতলাল এ বার প্রায় ঠেলতে ঠেলতেই গিরিশকে নিয়ে গেল ঘোড়ার গাড়ির দিকে।

গাড়ির পাদানিতে পা দিয়েও থেমে গেলেন গিরিশ। ঘাড় ঘুরিয়ে একবার দেখলেন বিনোদিনীর বাড়ির তিনতলার এক আলো-জ্বালা ঘরের দিকে। তারপর আগুনের হলকার মতন বড় বড় নিঃশ্বাস ফেলতে ফেলতে বললেন, ধরাকে সরা জ্ঞান করছে। অতি দর্পে হতা লঙ্কা ! একটা মাটির পুতুলকে আমি গড়েপিটে মানুষ করেছি। তার চলন-বলন-হাসি -কান্না আমি শেখাইনি? ওকে যাতে মানায় সেই রকম ক্যারেকটার আমি তৈরি করেছি আমার নাটকে, সেই সব রোলে পার্ট করে ওর নাম হয়েছে। যত রাজা-মহারাজা বাবুই ধরুক না কেন, তা বলে ঠিক সময় রির্হাসালে আসবে না? এত দেমাক ! থিয়েটারের একটা ডিসিপ্লিন নেই ? ও এমন মাথায় চড়ে বসলে অন্য নট-নটীরা আমাকেই দুষবে না ? থিয়েটারের জন্য আমরা অন্য সব কিছু ছাড়িনি ? ভুনি, যাকে আমি নিজের হাতে গড়েছি, তাকে আমি আবার ভেঙে ফেলতেও পারি ! আমি যদি চাই, তা হলে শুধু স্টার কেন, আর অন্য কোনও থিয়েটারেও ওর স্থান হবে না। পাদপ্রদীপের আলো ওর মুখে আর পড়বে না, ও হয়ে যাবে অন্ধকারের জীব।

অমৃতলাল বলল, ওসব কথা আজ থাক। গলা শুকিয়ে গেছে, চলো অন্য কোথাও গিয়ে মাল খাই।

গিরিশ বললেন, ভুনি, আমাকে একতাল মাটি দে। আমি আবার একটা পুতুল গড়ব। সেই পুতুলে প্রাণ প্রতিষ্ঠা করব, আমার অঙ্গুলি হেলনে সে নাচবে গাইবে। আমার শেখানো কথায় সে দর্শকদের হাসাবে কাঁদাবে। আর একটা আনকোরা মেয়ে জোগাড় করে আন, আমি তাকে বিনোদিনীর চেয়েও অনেক বড় অ্যাকট্রেস করে তুলব।

॥ ৬১ ॥

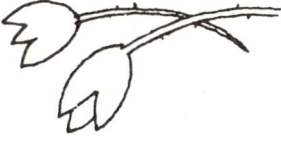

এতগুলি স্বাস্থ্যবান, কলেজে-পড়া শিক্ষিত যুবক এক মুমূর্ষু বৃদ্ধকে ঘিরে কাশীপুরের বাগানবাড়িতে মাসের পর মাস পড়ে থাকছে কেন ? অনেকেরই বাবা-মায়ের প্রবল আপত্তি, তবু এদের বাড়িতে মন টেকে না, এখানে ছুটে আসে কিসের টানে ? এদের কয়েকজন প্রেসিডেন্সি, সেন্ট জেভিয়ার্স কলেজে পড়েছে, সংস্কারমুক্ত মন নিয়ে মুক্ত চিন্তার অধিকারী হয়েছে। এই যুবা বয়েস পৃথিবীর দিকে পূর্ণ দৃষ্টিতে অবলোকনের বয়েস, বাসনা-পুষ্প বিকশিত হয় সহস্র পাপড়িতে, রূপ ও সৌন্দর্য উপভোগেরও এই তো বয়েস। যৌবনে মানায় বিদ্রোহ, যৌবনে মানায় নিজস্ব পথ খোঁজার তেজ। আর এই যুবাবৃন্দ ব্যাকুল হয়েছে ঈশ্বর উপলব্ধির জন্য। ধর্মীয় সাধনায় সম্পূর্ণ আত্মনিয়োগের জন্য এরা উদ্যত। বয়সোচিত সমস্ত প্রবৃত্তি নিবৃত্তির এই চেষ্টা কি স্বাভাবিক ? ঈশ্বর তো বহু হাজার বছরের প্রাচীন, তাঁর স্বরূপ বোঝার চেষ্টাও তো চলে আসছে বহু যুগ ধরে। নরেন-রাখাল-নিরঞ্জন-শশী-যোগীনের মতন তরুণেরা সে পথে যাবার জন্য ঘর ছাড়া হল কেন ?

রাম দত্ত, সুরেন মিত্তির, বুড়ো গোপাল ঘোষ, বলরাম বোস, মহেন্দ্র গুপ্ত, গিরিশ ঘোষের মতন বয়স্ক, সংসারী ভক্তরা কোন টানে আসে তা বোঝা যায়। এঁরা বিষয়ী লোক, অনেক অভিজ্ঞতার মধ্য দিয়ে এসে পৌঁছেছেন জীবনের মধ্যাহ্নে, কেউ ভোগ-বিলাসে মত্ত থেকেও মাঝে মাঝে বিবেকদংশন অনুভব করেন, কেউ বা নিছক সাংসারিক পরিপূর্ণতাতে সন্তুষ্ট না হয়ে এখন পরমার্থ খুঁজছেন, কেউ বা কিছু কিছু পাপ থেকে মুক্ত হবার জন্য একজন গুরুকে অবলম্বন করতে চান। রাম দত্ত ডাক্তার, সুরেন মিত্তির সাহেব কোম্পানির বড় চাকুরে, বলরাম বোস জমিদার। গিরিশ ঘোষের মতন সুরেন মিত্তিরও প্রবল মদ্যপ এবং প্রায়ই রাত অতিবাহিত করেন বেশ্যালয়ে। এই উদ্ধত স্বভাবের মানুষটি বন্ধু রাম দত্তের সঙ্গে প্রথমবার দক্ষিণেশ্বরে রামকৃষ্ণ সন্দর্শনে যাবার আগে বলেছিলেন, গিয়ে যদি দেখি মানুষটা ভণ্ড, তা হলে কান ধরে হিড়হিড় করে টেনে আনব।

রামকৃষ্ণের বিচিত্র ব্যক্তিত্ব এবং মধুর স্বভাবে এঁরা একে একে মুগ্ধ ও পরম ভক্ত হয়েছেন। এঁরা গুরু খোঁজার জন্য ব্যাকুল ছিলেন, পেয়েছেন এক আদর্শ গুরু। রামকৃষ্ণ এঁদের যার যার পেশা, বৈষয়িক কাজকর্ম কিংবা সংসার কিছুই ত্যাগ করতে বলেননি। এমনকি সুরেন এবং গিরিশকে মদ্যপান কিংবা পরদার গমনেও নিষেধ করেননি, শুধু বলেছেন, মদ্যপানের সময় কিংবা বারাঙ্গনার কক্ষে গিয়ে মায়ের কথা স্মরণ করতে। তিনি ওদের আশ্বস্ত করার জন্য বলেছেন, এরা আরও কিছুদিন ভোগ করুক, ভোগ কেটে গেলে একেবারে খাঁটি হয়ে যাবে। এঁরা রামকৃষ্ণের সেবক, রামকৃষ্ণ এবং তাঁর অন্যান্য শিষ্যদের জন্য এঁরা অর্থ সাহায্য করেন, তার চেয়ে বেশি কিছু এঁদের ত্যাগ করতে হয়নি !

কিন্তু নরেন-রাখাল-নিরঞ্জনদের মনোভাব অনেকেই বুঝতে পারে না। আত্মীয়-স্বজন, পাড়া-প্রতিবেশীরা ভাবে এই ছোঁড়াগুলো এমন হা-হা করে ঘুরে বেড়াচ্ছে কেন ? এদের জীবন কত সম্ভাবনাপূর্ণ, অথচ এরা যে এরই মধ্যে সব কিছু ত্যাগ করে বসে আছে! এরা ঈশ্বর

উপলব্ধির জন্য ব্যাকুল, কিন্তু ঈশ্বর কি কখনও আভাসে-ইঙ্গিতেও জানিয়েছেন যে বাইশ-তেইশ বছরের যুবকেরা দেশের চিন্তা, সমাজের চিন্তা, নিজের প্রিয়জনদের চিন্তা ছেড়ে শুধু তাঁর চিন্তাতেই মগ্ন হয়ে থাকুক ? ওটা কি ঈশ্বরেরই সৃষ্ট এই প্রকৃতির নিয়মবিরুদ্ধ নয়? তাহলে কি প্রকৃতপক্ষে ঠিক ঈশ্বরের টানে নয়, এরা ঘর-ছাড়া হয়েছে শুধু একজন মানুষের টানে ? ঈশ্বরকে চোখে দেখা যায় না, কিন্তু যে-মানুষকে চোখে দেখা যায় অথচ কিছুতেই যাঁকে বোঝা যায় না, অন্য হাজার মানুষের সঙ্গে কিছুতেই যাঁকে মেলানো যায় না, যাঁর জীবন জলের মতন স্বচ্ছ অথচ রহস্যময়, যাঁর ব্যবহারে মিশে আছে নিঃস্বার্থ ভালোবাসা আর মায়া, তাঁর টান বড় মর্মভেদী। রামকৃষ্ণ পুরোপুরি গৃহী নন অথচ গার্হস্থ্যজীবনের অনেক খবর রাখেন, কোন জিনিসের কী বাজারদর তা পর্যন্ত তাঁর জানা, একটা কম্বলের দাম পাঁচ সিকে না দেড় টাকা হতে পারে, তাও বলে দেন ভক্তদের। কার পেটের ব্যামো, কার বাড়িতে অশান্তি তা নিয়েও তিনি উদ্বিগ্ন। তিনি পুরোপুরি সন্ন্যাসীও নন, পরমহংস সাধুর মতন তিনি নির্জন গুহাবাসী হতে চাননি, তাঁর ছোটখাটো লোভ আছে, জিলিপি খেতে বড় ভালোবাসেন, থিয়েটার দেখতে যান, সরল মাধুর্যমাখা কিশোরদের কোলে বসিয়ে আদর করেন, একবার রুপো বাঁধানো গড়গড়ায় তামাক খাবার সাধ হয়েছিল তাঁর।

পরমহংস সাধু হয়েও সংসারে রইলেন রামকৃষ্ণ, অথচ নিজের প্রতিষ্ঠা-প্রতিপত্তি কিংবা বিশাল এক শিষ্য সম্প্রদায় গড়ে তোলার দিকেও যে তার ঝোঁক নেই, সে কথাও ঠিক। নিজের জন্য তিনি কিছুই চান না, এখানেই তাঁর পরম বৈরাগ্য। অথচ যে-কয়েকজন ভক্ত তাঁর ব্যক্তিত্বের টানে ছুটে এসেছে, যারা তাঁকে ঘিরে তাকে, তাদের সকলেরই প্রতি রামকৃষ্ণের অসম্ভব স্নেহ-মায়া। এই মায়ার টান কিছুতেই ছিন্ন করা যায় না। বাইশ-চব্বিশ বছরের এই কয়েকজন যুবক বাবা-মাকেও ছেড়ে রামকৃষ্ণকে ঘিরে রয়ে গেল। একটা একটা করে ছিঁড়ে ফেলতে লাগলো সাংসারিক বন্ধন। ভোগ, বিলাসিতা, আরাম, নারী-সান্নিধ্য ইত্যাদি সাংসারিক আসক্তি থেকে মুক্ত হয়ে তারা আসক্ত হয়ে পড়ল ত্যাগ ও বৈরাগ্যে। এও একটা তীব্র নেশা।

দোতলার ঘরটিতে রয়েছেন রামকৃষ্ণ, রোগের যন্ত্রণায় অধিকাংশ সময় তাঁকে শুয়েই থাকতে হয়। শরীরটা শুকিয়ে ছোট্ট হয়ে গেছে, গুনতে পারা যায় বুকের পাঁজরা, জিরজির করছে হাত দুখানি। এক একদিন এত দুর্বল হয়ে পড়েন যে দুদিক থেকে দুজন ধরে না থাকলে তিনি পেচ্ছাপ-বাহ্যে করতে যেতে পারেন না। আবার এক একদিন নিজেই তুরতুর করে ঘরের মধ্যে ঘুরে বেড়ান। গলা দিয়ে মাঝে মাঝেই বমি আর পুঁজ বেরিয়ে আসে, অসহ্য ব্যথা, তারই মধ্যে গুনগুনিয়ে গান গেয়ে ওঠেন মাঝে মাঝে।

নীচের তলায় বারো-চোদ্দ জন যুবক শিষ্য অনেক সময় হুড়োহুড়ি দাপাদাপি করে। গুরুর অসুস্থতার জন্য তারা কাতর, কিন্তু সব সময় বিষণ্ণ ও মুখ ভার করে থাকা যৌবনের ধর্ম নয়, তারা চেঁচিয়ে গান গায়, কোনও একজনের রসিকতায় অট্টহাসিতে ফেটে পড়ে সবাই। কখনও ওদের সমবেত গান শুনে ওপর থেকে রামকৃষ্ণ বলে ওঠেন, ওরে ওদের থামতে বল না। আমি এদিকে মরতে বসেছি, আর ছোঁড়াগুলো আমোদ করছে। তার পরেই আবার ওদের ওপরে ডেকে আনতে বলেন, বকুনি দেবার বদলে ফিক করে হেসে বলেন, এক জায়গায় সুর ভুল হচ্ছিল কেন, আমার সামনে গান কর।

মহেন্দ্রলাল সরকার মূল ডাক্তার হলেও আরও বহু ডাক্তার, কবিরাজ, হেকিমের আনাগোনার বিরাম নেই। কেউ বলে গলা দিয়ে ঘি ঢালতে, কেউ দেয় হরিতাল ভস্ম, কেউ বলে হরীতকী চিবিয়ে খেতে। যে যা বলে রামকৃষ্ণ মেনে নেন। তাঁর বেঁচে থাকার বড় সাধ। ব্যাধির চরম কষ্টের সময় বোঝা যায়, মানুষের জীবনে শরীরের ভূমিকা কতখানি। ঈশ্বরচিন্তা পর্যন্ত তখন দূর হয়ে যায়। যন্ত্রণায় যখন শরীর কুঁকড়ে যায়, তখন মনে হয়, মুক্তি, মোক্ষ এ

সবই তুচ্ছ, নিছক কথার কথা। হে প্রাণ, তুমি এই শরীর ছেড়ে যেও না, দোহাই তোমার, আর একটু থাকো, আর একটু থাকো!

এইরকম সময় কেউ যদি বলে, আপনি ঈশ্বরের অবতার, আপনি ইচ্ছে করলেই...... তখন রামকৃষ্ণ ধমকে বলে ওঠেন, চুপ কর, ওসব শুনলে ঘেন্না করে। যেন তিনি আরও বলতে চান, আমি এত কষ্ট পাচ্ছি, আর তোমরা আমাকে অবতার সাজিয়ে মজা পাচ্ছ। কেউ শাস্ত্রের উদ্ধৃতি দিলেও তাঁর পছন্দ হয় না। তিনি বলে ওঠেন, শাস্ত্রের মধ্যেও অনেক চিনি বালি মেশানো আছে !

এক একদিন মনে হয়, আজই বুঝি ঘনিয়ে আসবে শেষ মুহূর্ত, উদ্বেগ উৎকণ্ঠায় সবাই বাকশূন্য। আবার পরদিনই রামকৃষ্ণ সমস্ত জ্বালা-যন্ত্রণা দমন করে সহাস্য সুন্দর। ঘনিষ্ঠ শিষ্যদের পরিমণ্ডলে তিনি কখনও ঐহিক কখনও পারত্রিক বিষয়ে আলোচনায় মেতে ওঠেন। তারপর গানের পর গান। গানের মধ্যেই যেন রয়েছে সমস্ত তত্ত্বের নির্যাস। বয়স্ক সংসারী ভক্তদের প্রতি তেমন আগ্রহ নেই রামকৃষ্ণের । এই তরুণ ভক্তদের পবিত্র ঝলমলে মুখগুলি দেখে তিনি যেন নবজীবন ফিরে পান। গান গাইতে গাইতে নরেনের চোখ জ্বালা করে ওঠে, সে বাইরে ছুটে চলে যায়। রামকৃষ্ণ যখন একটু ভালো থাকেন, তখনই নরেনের বুক বেশি করে মোচড়ায়, তখন মনে হয়, এমন মানুষটি তাদের ছেড়ে চলে যাবেন ? ইনি কোনও অনাচার করলেন না, পাপ করলেন না, তবু কেন এমন কালব্যাধি ধরল এঁকে ? সৃষ্টিকর্তার এ কী অবিচার !

নরেন সহজে নরম হয় না। লোকের সামনে অশ্রু বিসর্জন করার প্রশ্নই ওঠে না। রাখাল বা অন্য কেউ কান্নাকাটি করলে নরেন তাদের সান্ত্বনা দেয়। কিন্তু একদিন সে আর নিজেকে সামলাতে পারল না। একদিন রাত্তিরবেলা নরেন বাড়ির বাইরে গিয়ে রাম রাম বলে চিৎকার করতে থাকে। ঠিক চিৎকার নয়, বুক ফাটা আর্তনাদ। সেই আর্তনাদ শুনে বেরিয়ে আসে অনেকে, নরেন বাগানের চারধারে দৌড়োতে শুরু করে। কয়েকজন গিয়ে নরেনকে ধরার চেষ্টা করে, কিন্তু বলশালী সেই যুবাকে আটকানো সহজ নয়। নরেন রাম রাম করতে করতে দৌড়াতে লাগল ঘন্টার পর ঘন্টা, যেন সে সেই ডাকে আকাশ ভেদ করে দিতে চায়। রামরূপী নারায়ণ তার প্রভুকে নিরাময় করে দিতে পারে না ?

রাত গভীর হয়, নরেনের সেই উন্মাত্ততা জানলা দিয়ে দেখতে পান রামকৃষ্ণ, তিনি ব্যাকুল হয়ে ডেকে পাঠান নরেনকে। কিন্তু কে শোনে কার কথা। নরেনের যেন বাহ্যজ্ঞান নেই, তার ক্লান্তি নেই, সে দৌড়োচ্ছে অনবরত। মধ্যরাত পেরিয়ে যাবার পর কয়েকজন ভক্ত চারদিক থেকে নরেনকে ঘিরে ধরে থামাল, তাকে টানতে টানতে নিয়ে এল দোতলায়। নরেনের দু চক্ষু লাল, বুক-জ্বালানো উষ্ণ নিঃশ্বাস বেরুচ্ছে। তাকে দেখে রামকৃষ্ণেরও চোখে জল এল। তিনি স্নেহ বিগলিত কণ্ঠে বললেন, হ্যাঁরে, তুই ওরকম করছিস কেন ? ওতে কী হবে ?

নরেন বলল, রাম রাম রাম কেন আপনার রোগের কষ্ট দূর করে দেবেন না ?

রামকৃষ্ণ বললেন, দেখ, তুই এখন যেমন কচ্চিস, অমনি বারোটা বছর আমার মাথার ওপর দিয়ে ঝড়ের মতন বয়ে গেছে। তুই আর এক রাত্তিরে কী করবি ?

নরেনকে কাছে এনে তিনি তার মাথায় হাত বুলিয়ে দিতে লাগলেন।

আর একজন অন্তরঙ্গ ভক্ত কালীপ্রসাদ অনেক বেদ-বেদান্ত পাঠ করেছে, এখানে এসে সে প্রায়ই একান্তে ধ্যান করে, ধ্যানের সময় তন্ময় হয়ে যায় । সেই কালীপ্রসাদ হঠাৎ একদিন নাস্তিক হয়ে গেল। এত মানুষ থাকতে তার গুরু কেন এমন কঠিন রোগে আক্রান্ত হলেন, কেন তিনি এত কষ্ট পাচ্ছেন, এই প্রশ্নের সে কোনও উত্তর খুঁজে পায় না। তখন তার মনে হয়, ধর্ম, ঈশ্বর, জীবাত্মা, পরমাত্মা এসব মিথ্যে। অলীক কল্পনা। হাজার ধ্যান করলেও কিছু

হয় না, জীবন চলে প্রকৃতির নিয়মে। সে নিজে তো ধ্যান বন্ধ করে দিলই, অন্যদের দেখলেও বিদ্রুপ করে।

এ কথাটা ক্রমে তার গুরুর কানে পৌঁছে গেল। কালী প্রসাদও রামকৃষ্ণের বিশেষ প্রিয়, সে দিব্য তনুর অধিকারী। তিনি কালীপ্রসাদকে ডেকে পাঠিয়ে, অন্যদের সরিয়ে দিয়ে নিভৃতে জিজ্ঞেস করলেন, হ্যাঁরে, তুই নাকি কী সব বলে বেড়াচ্ছিস ? তুই ঈশ্বর মানিস না?

কালীপ্রসাদ অভিমানভরে উত্তর দিল, নাঃ, এখন আর মানি না ! ঈশ্বর আমাদের কী দেয় ? ঈশ্বরকে পাওয়া না-পাওয়ায় কী আসে যায় ?

রামকৃষ্ণ আবার জিজ্ঞেস করলেন, তুই শাস্ত্র মানিস না ? লোকাচার মানিস না ?

কালীপ্রসাদ দু দিকে প্রবলভাবে ঘাড় নাড়ল।

রামকৃষ্ণ বললেন, অন্য কোনও সাধুর কাছে তুই এরকম বললে সে তোর গালে চড় মারত !

কালীপ্রসাদ বলল, আমাকে বুঝিয়ে দিন, আমার জ্ঞানচক্ষু খুলে দিন !

যাকে চড় মারার কথা বললেন, তার দিকেই আবার কোমল মায়াবী দৃষ্টিতে চেয়ে রইলেন রামকৃষ্ণ। কালীপ্রসাদের অভিমানের কারণ বুঝতে তাঁর দেরি হল না, তিনি কালীপ্রসাদের পাশে এসে দাঁড়িয়ে বললেন, বিশ্বাস কি এত সহজে হারাতে হয় রে ! সময়ে তুই সব বুঝবি, সব জানবি !

গিরিশের মনে অবশ্য এরকম কোনও দ্বিধা অভিমান নেই। তিনি দৃঢ়ভাবে ধরে বসে আছেন, তাঁর গুরু রামকৃষ্ণ ঠাকুর ঈশ্বরের পূর্ণ অবতার। এই ব্যাধি তাঁর লীলা, অন্যদের পাপ তিনি অঙ্গে ধারণ করেছেন, যে-কোনও দিন তিনি ইচ্ছে করলেই আবার সুস্থ হয়ে উঠবেন । এখন গুরু সন্দর্শনে এসেই তিনি মাটিতে শুয়ে পড়ে সাষ্টাঙ্গে প্রণাম করেন।

রামকৃষ্ণ বলে ওঠেন, ওরে, তুই অমন করিস না, আমার লজ্জা করে।

অন্যদের সঙ্গে গিরিশের তর্ক হয়। নরেন কিংবা সুরেন মিত্তির অবতারত্ব এখনও মানে না, গিরিশ বজ্র গর্জনে নিজের মত জাহির করেন তাদের কাছে। নরেন আর গিরিশের বুদ্ধির লড়াই উপভোগ করেন রামকৃষ্ণ, মাঝে মাঝে উসকে দেন, তোরা ইংলিশে বল!

কিন্তু একা একা গিরিশের সান্নিধ্যে যেন অস্বস্তি বোধ করেন রামকৃষ্ণ। এক একদিন গিরিশ মাতাল হয়ে এসে বড় বাড়াবাড়ি শুরু করে দেন, তখন আর ব্যাপারটা কৌতুকের থাকে না। একদিন ঘর ভর্তি লোকের সামনে গিরিশ বর্ণনা করতে লাগলেন তাঁর ছোট ভাই অতুলের এক অলৌকিক অভিজ্ঞতার কথা। এই কাশীপুরেই একদিন রামকৃষ্ণের অসুখের বেশ বাড়াবাড়ি হয়েছিল। অতুল সেদিন সারা রাত জেগে পাহারা দেয় গুরুকে। পরপর কয়েকদিন রাত্রি জাগরণের ক্লান্তিতে শশী বিশ্রাম নিতে গেছে, লাটুও ঘুমিয়ে পড়েছে। শ্রীরামকৃষ্ণের কৃশ তনু একটা বালাপোশে ঢাকা, তিনি আচ্ছন্ন হয়ে আছেন। হঠাৎ গভীর রাতে শ্রীরামকৃষ্ণের দেহ থেকে উজ্জ্বল জ্যোতি বেরুতে লাগল,ওপরের আবরণটি হয়ে গেল স্বচ্ছ। বিস্ফারিত চোখে অতুল দেখল, শ্রীরামকৃষ্ণ অর্ধনারীশ্বর, তাঁর এক দিক কৃষ্ণের মতন, অন্য দিকটি রাধা। দক্ষিণ অঙ্গের রং নীল আর বাম অঙ্গের ঢল ঢল সোনার বরণ........

কেউ কেউ এ কাহিনী শুনছে মুগ্ধ বিস্ময়ে, দু-একজন অবিশ্বাসে ফিক ফিক করে হাসছে।

রামকৃষ্ণ অধৈর্যভাবে বললেন, ঘরে অনেক লোক। বড় গরম !

তাঁর ইঙ্গিত পেয়ে অনেকেই ঘর ছেড়ে চলে গেল, রয়ে গেলেন গিরিশ। গাঢ় আবেগের সঙ্গে বলতে লাগলেন, আপনি ঈশ্বর, ঈশ্বর, নিশ্চিত ঈশ্বর !

রামকৃষ্ণ বললেন, এক একবার মনে হয়, তুমি যা বলছ গো, তা বোধ হয় সত্যি ! অসুখ ভালো হয়ে যাবে। আবার এও মনে হয় ঠিক যে এত কষ্ট এই শরীর সইতে পারবে না !

গিরিশ বললেন, আজ্ঞে নরলীলায় এই রকমই হয় !

এই সময় মহেন্দ্রমাস্টার ঘরে এসে দেখলেন, রামকৃষ্ণ যন্ত্রণায় ছটফট করছেন। মাস্টারকে দেখে অর্ধ নিমীলিত চোখে, শুষ্ক অন্তর্ভেদী স্বরে বললেন, কষ্ট, বড় কষ্ট !

ডাক্তারদের কোনও ওষুধই কাজে লাগছে না। কী করে গুরুর এই কষ্ট কমানো যায়, তা বুঝতে পারেন না মাস্টার। গিরিশের একটা কথা মনে পড়ে। তাঁরও পেটে খুব ব্যথা হয় মাঝে মাঝে, কোনও ওষুধে কিছু কাজ হয় না, কিন্তু খানিকটা মদ্য পান করলে ব্যথা বোধ কমে যায়।

গিরিশ ব্যগ্রভাবে বললেন, খাবেন একটু একটু।

রামকৃষ্ণ বললেন, তুমি যা বল।

গিরিশ আবার বললেন, মাইরি। কালীর দিব্যি বলছি, আপনি একটু খান!

মাস্টার শঙ্কিতভাবে তাকান গিরিশের দিকে। গিরিশ কী খাওয়ার ইঙ্গিত করছেন তিনি বুঝতে পারেন না। রামকৃষ্ণ প্রস্রাব করতে চলে যান। ফিরে এসে খানিক বাদে গিরিশকে বললেন, বড় গরম লাগছে ঘরে, তোমরা তবে এসো !

শীতের পর গ্রীষ্ম, তারপর বর্ষাকাল চলে এসেছে। অসুখের উত্থান-পতন চলছে পালা করে। শরীর এত দুর্বল, কোনও পথ্যই রামকৃষ্ণের গলা দিয়ে নামে না। মাংসের জুসেও তাঁর অরুচি ধরে গেছে। একজন বলল, গুগলির ঝাল খেলে শরীরের বল বৃদ্ধি হয়। রামকৃষ্ণ তাও খেয়ে দেখতে রাজি হলেন, কিন্তু কথাটা শুনে শিউরে উঠলেন সারদামণি। পথ্য রান্নার ভার তাঁর ওপর। তিনি স্বামীর কাছে এসে বিহ্বলভাবে বললেন, ওগুলো তো জ্যান্ত প্রাণী, ঘাটে দেখি চলে বেড়ায়। আমি এদের মাথা ইট দিয়ে ছেঁচতে পারব না।

রামকৃষ্ণ মৃদু হেসে বললেন, আমি খাব, আমার জন্য রাঁধবে, তাতে কোনও দোষ নেই!

এই বাগানবাড়িতেই রয়েছে দুটো পুকুর, তাতে গেঁড়িগুগলির অভাব নেই। সারদামণিকে সাহায্য করার জন্য কালীপ্রসাদ ঘাটের পাশ থেকে গুগলি তুলে এনে খোলা ভেঙে পরিষ্কার করে দেয়। সারদামণি সেগুলি সেদ্ধ করে ভাতের মণ্ডের সঙ্গে মিশিয়ে খাওয়াতে আসেন স্বামীকে। মশলাহীন বিস্বাদ ওই খাদ্য সুস্থ মানুষই গলাধঃকরণ করতে পারে না, রামকৃষ্ণ মুখে দিয়ে থু থু করে ফেলে দেন। তবু অসীম ধৈর্য নিয়ে সারদামণি একটু একটু করে খাওয়াতে চান। রামকৃষ্ণ খেতে খেতে ঘুমিয়ে পড়েন, কিংবা আচ্ছন্নের মতন হয়ে যান। চুপ করে বসে থাকেন সারদামণি। বেশি দেরি হলে তিনি স্বামীর শরীরে আলতো ভাবে ঠেলা দিয়ে ডেকে বলেন, ওঠো, ওঠো, আর একটু খাবে না ?

রামকৃষ্ণ চোখ মেলে একটু ম্লান স্থির দৃষ্টিতে তাকিয়ে থাকেন। তারপর আস্তে আস্তে বলেন, কী দেখলাম জান ? কলকাতার লোকগুলো যেন অন্ধকারের পোকার মতন কিলবিল করছে। তুমি ওদের দেখো !

সারদামণি কেঁপে উঠে বললেন, আমি মেয়েমানুষ। তা কী করে হবে ?

রামকৃষ্ণ নিজের শরীরের দিকে দেখিয়ে বলেন, এ আর কী করেছে ? তোমাকে আরও অনেক বেশি করতে হবে।

এর আগেও রামকৃষ্ণ একদিন সারদামণিকে তাঁর ভক্তদের দেখাশোনার ইঙ্গিত দিয়েছিলেন। নিজের শরীরে এত ব্যথাবেদনা, তবু তরুণ শিষ্যদের জন্য তাঁর সর্বক্ষণ চিন্তা।

সব শিষ্যই যে বিশুদ্ধ নির্লোভ তা নয় অবশ্য। এমন একটি নির্মল, পবিত্র মানুষের সংস্পর্শে এসে সব মানুষই যে স্বভাব বদলাবে তা নয়। কেউ কেউ আসে চটজলদি কিছু সিদ্ধাই পেয়ে যাবার বাসনায়। কেউ কেউ ভাবে, পরমহংস একবার ছুঁয়ে দিলেই পাপ থেকে মুক্ত হয়ে যাবে। কেউ কেউ এসে এঁড়ে তর্ক করে। এরা আসে, আবার চলেও যায়। রামকৃষ্ণের সেবক হিসেবে গ্রাম থেকে এসেছিল হৃদয়। তার তো চরিত্র শোধন হলই না। দিন দিন সে দুর্জন হয়ে উঠল। অনেক বদ দোষ ছিল তার. দক্ষিণেশ্বরে সে ভক্তদের কাছ থেকে

ঘুষ নিত, একটু শাঁসালো আগন্তুক দেখলে তার কাছ থেকে টাকা না নিয়ে রামকৃষ্ণের সঙ্গে দেখাই করতে দিত না। কেউ কিছু উপহার আনলে নিজে হাতিয়ে নিত। একবার সারদামণিকেও দক্ষিণেশ্বর থেকে ফিরিয়ে দিয়েছিল সে। রামকৃষ্ণকে ভালো করে খেতেও দেয়নি। এমনই উদ্ধত হয়ে উঠেছিল সে যে একবার মথুরবাবুর আট বছরের নাতনীকে কারুর বিনা অনুমতিতে মন্দিরের মধ্যে নিয়ে গিয়েছিল কুমারী পূজার জন্য। রামকৃষ্ণের সে সম্পর্কে ভাগ্নে, সে-ই বা মামার সমান হবে না কেন ? দক্ষিণেশ্বর মন্দিরের বর্তমান মালিক ত্রৈলোক্যনাথ যখন হৃদয়কে তাড়িয়ে দিলেন, তখনও সে তেজের সঙ্গে রামকৃষ্ণকে বলেছিল, মামা, তুমি আমার সঙ্গে চলে এসো, তোমাকে অন্য কালীমন্দিরে নিয়ে গিয়ে বসাব, আবার তোমার অনেক ভক্ত হবে। অনেক পসার হবে, আমি সব ব্যবস্থা করব। তুমি তো একটা বোকা, আমি না থাকলে তোমার সাধুগিরি বেরিয়ে যেত ! বলাই বাহুল্য, রামকৃষ্ণ রাজি হননি, হৃদয় এখন দেশে ফিরে গিয়ে চাষবাস করে।

প্রতাপচন্দ্র হাজরাও রামকৃষ্ণের জন্মস্থানের কাছাকাছি এক গ্রাম থেকে এসেছে। এই হাজরা কম জ্বালিয়েছে রামকৃষ্ণকে ! ওর ধারণা, কামারপুকুরের গরিব চাটুজ্যেদের বাড়ির ছেলে গদাধর, এক সময় পটুয়ার মতো মূর্তি গড়ত আর রাখাল ছেলেদের সঙ্গে খেলে বেড়াত, সে কলকাতায় গিয়ে হঠাৎ মস্ত বড় সাধু পরমহংস হয়েছে। এ গাঁয়ের মেধো, ভিন্ গাঁয়ে মধুসূদন ! তা গদাধর যা পারে, প্রতাপ হাজরাই বা তা পারবে না কেন ? সেও দক্ষিণেশ্বরে এসে সাধুর ভেক ধরল, মুখে বড় বড় কথা বলে কিন্তু সব সময় তার স্বার্থচিন্তা। বগলে ইট, মুখে রাম নাম। প্রকৃত ভক্তরা হাজরার ভণ্ডামি দেখে মনে করে, রামকৃষ্ণ একে সহ্য করছেন কী করে ? এরকম একজন স্বার্থবুদ্ধিসম্পন্ন মানুষকে তাড়িয়ে দেওয়াই উচিত। রামকৃষ্ণ তবু তাকে তাড়িয়ে দেননি। মস্করা করে প্রায়ই বলেছেন, থাক থাক, জটিলা-কুটিলা না থাকলে লীলা পোস্টাই হয় না ! অন্য সময় বলেছেন, হাজরাকে আমি কী রকম জানি, জানিস ? যেমন সাধুরূপী নারায়ণ, তেমনি ছলরূপী নারায়ণ, আবার লুচ্চারূপী নারায়ণ !

নরেনের অবশ্য হাজরা সম্পর্কে দুর্বলতা আছে। নরেন অনেক বাসনা পরিত্যাগ করেছে, কিন্তু তামাক-চুরুট-পান খাওয়ায় অভ্যেস ছাড়তে পারেনি। হাজরা ভালো তামাক সাজে, নরেন হাজরার এক হুঁকো-তামাকের ইয়ার। হাজরা বেশ চটপট চতুর কথা বলে হাসাতেও জানে। নরেনের প্রশ্রয়ে হাজরা রয়ে গেছে কাশীপুরের এই বাড়িতে। রামকৃষ্ণের কাছে নরেনের সাতখুন মাপ। সে যে খাপ খোলা তলোয়ার। হাজরা আছে তো থাক, সে যে নরেনের 'ফেরেন্ড' !

যারা সংসারী ভক্ত, তারা টাকাপয়সার হিসেব কিছুতেই ভুলতে পারে না। কাশীপুরের বাগানবাড়ির সব খরচ চালাচ্ছে দু-তিনজন ভাগাভাগি করে। ভক্তদের সংখ্যা বেড়ে গেলে খাবারের খরচ ও বাড়ে, তাতে খরচদাতারা বিরক্ত হয়। রাম দত্ত, বলরাম বসু যত বড় ভক্ত, তেমনই কৃপণ। খরচ কমাবার উপদেশ দিতে এসে তারা এমন অপমানজনক কথা বলে যে নরেন ক্ষেপে যায় একেবারে। সে বলে উঠল, দূর শালা, ওদের পয়সায় আর খাব না। বরং ভিক্ষে করে খাব তাও ভালো, তবু ওদের পয়সা চাই না !

তরুণদের মধ্যে কয়েকজন অবস্থাপন্ন ঘরের ছেলে। তারাও ভিক্ষের নামে হইহই করে ওঠে। সবাই ভিক্ষেয় বেরুবার জন্য ব্যস্ত। গেরুয়া কাপড় পরে নিল তাড়াতাড়ি।

প্রকৃত সন্ন্যাসী না হয়েও এরা যে গেরুয়া পেয়েছে এক বিচিত্র কার্যকারণে।

বুড়ো গোপাল এর মধ্যে একবার তীর্থদর্শনে গিয়েছিল। ফেরার পর সে আরও পুণ্য সঞ্চয়ের জন্য বারোখানি কাপড়, রুদ্রাক্ষের মালা ও চন্দন কিনে আনে গঙ্গাসাগর যাত্রী সাধুদের দান করবার জন্য। নিজের হাতে সে কাপড়গুলি গেরুয়া রঙে ছুপিয়েছে। তার সঙ্কল্পের কথা জানতে পেরে রামকৃষ্ণ বুড়ো গোপালকে ডেকে বলেছিলেন, তুই জগন্নাথ

ঘাটের সাধুদের এইসব দান করবি ? তাতে যে ফল পাবি ভাবছিস, তার হাজার গুণ ফল হবে যদি তুই আমার এই ছেলেদের দিস। এদের মতন ত্যাগী সাধু তুই আর কোথায় পাবি ? এদের এক একজন হাজার সাধুর সমান। এরা হাজারী সাধু, বুঝলি ? কাপড় আর মালাগুলো আন, আমি ছুঁয়ে মন্ত্র পড়ে দিচ্ছি !

গুরুর হাত থেকে গেরুয়া পাবে শুনে সবাই আহ্লাদে ডগমগ। সকালবেলা স্নান করে এসে তরুণরা দাঁড়াল রামকৃষ্ণের সামনে। সেদিন তিনি দোতলার ঘর ছেড়ে নেমে এসেছেন বাগানে। ধুতির ওপর কালো বনাতের কোটটা ঢল ঢল করছে রোগা শরীরে। তিনি এক এক করে বস্ত্র ও মালা তুলে দিলেন নরেন, রাখাল, বাবুরাম, নিরঞ্জন, শশী, শরৎ, কালী, যোগীন, লাটু ও তারক—এই দশজনকে। বুড়ো গোপাল নিজেই দান করছে, তবু সে লুব্ধের মতন হাত বাড়িয়ে বলল, গুরু, আমায় একটা দেবে না ? রামকৃষ্ণ তাকেও গেরুয়া বস্ত্র দিলেন, আর বাকি রইল একখানা, সেখানা কারুকে দিলেন না। হাজরা ও আরও কয়েকজন পেল না কিছুই। নরেন আনন্দে গান গেয়ে উঠল :

আমি গেরুয়া বসন অঙ্গেতে পরিব
শঙ্খের কুণ্ডল পরি
আমি যোগিনীর বেশে যাব সেই দেশে
যেখানে নিঠুর হরি.......

সেই গেরুয়া বসন পরে তরুণ সন্ন্যাসীরা বেরুল ভিক্ষে করতে। প্রথমেই তারা গেল সারদামণির কাছে। একতলায় ছোট ঘরখানির সামনে ভিড় জমিয়ে তারা নানা রকম সুরে বলতে লাগল, ভিক্ষাং দেহি মে পার্বতী, ভিক্ষা দাও মা, ভিক্ষা দাও !

সোনার টুকরো ছেলেগুলির এই কাঙাল রূপ দেখে সারদামণি প্রথমে হতভম্ব। তারপর এক সময় হেসে ফেলে ওদের একটি টাকা দিলেন। দারুণ খুশি হয়ে ওরা নাচতে নাচতে বেরিয়ে গেল। দ্বারে দ্বারে ভিক্ষে করে সারা দিন পর যা পেল তা এনে নিবেদন করল গুরুর চরণে। কারুর মুখে কোনও ক্লান্তির ছাপ নেই, ভিক্ষে করা যেন একটা দারুণ আনন্দের ব্যাপার।

রামকৃষ্ণ সারদামণিকে বললেন, তোমার ছেলেরা চাল জোগাড় করে এনেছে, আর না খেয়ে থাকতে হবে না। রেঁধে দাও গো।

সেই নানারকম মিশ্রিত তণ্ডুলে তৈরি হল এক রকম মণ্ডের মতন পদার্থ। রামকৃষ্ণ স্বয়ং প্রথমে তার একটুখানি মুখে দিয়ে বললেন, বাঃ, অমৃত, ! ভিক্ষান্ন খুব পবিত্র, এতে কারুর কোনও কামনা মিশে নেই। খেয়ে বড় আনন্দ হল।

তার পরেই অন্যরা ঝাঁপিয়ে পড়ে সেই মণ্ড চেটেপুটে শেষ করে দিল কয়েক মুহূর্তের মধ্যে। যেন সত্যিকারের বুভুক্ষরা বহুকাল পর অমৃতের স্বাদ পেয়েছে। খাওয়া শেষ করার পর নরেনরা হুঁকো টানতে টানতে হেসে গড়াগড়ি যেতে লাগল।

রামকৃষ্ণের গলার ক্ষত এতগুলি ছেলেকে এক বাঁধনে বেঁধে ফেলেছে। কাশীপুরের বাড়িতে সবাই এক সংসারের মানুষ। আগে এরা পরস্পরের সঙ্গে আপনি আজ্ঞে, অমুকবাবু তমুকবাবু এরকম সম্বোধন করত। এখন সবাই নাম ধরে তুই-তুকারি করে। সবচেয়ে বিস্ময়কর পরিবর্তন হয়েছে লাটুর। বিহারের এক প্রত্যন্ত গ্রামের এই ছেলেটি এসেছিল কলকাতা শহরে ভৃত্যের কাজ করতে। প্রথম সে ছিল রাম দত্তের বাড়ির নোকর। তারপর সে রামকৃষ্ণের সেবার কাজে লেগে যায় এবং দ্রুত রূপান্তর হয় তার। ভালো করে বাংলাই শেখেনি সে, তবু সে উচ্চাঙ্গের ভাবের কথা মন দিয়ে শোনে এবং হৃদয়ঙ্গম করে। শ্রীরামচন্দ্রের যেমন হনুমান, শ্রীরামকৃষ্ণের সেই রকম লাটু। এতদিন পর্যন্ত সে নরেন, শশী, শরৎদের সম্ভ্রমের সঙ্গে বাবু সম্বোধন করত। কিন্তু অন্যদের সঙ্গে রামকৃষ্ণ তাকেও গেরুয়া

কাপড় দেওয়ায় সে হঠাৎই একদিন এ লোরেন, এ শোরোত, এ শোশী বলে অন্তরঙ্গভাবে ডাকতে শুরু করেছে। সবাই লাটুকে এখন সমান বন্ধুর মতন দেখে।

ছেলেরা গেরুয়া পরে ভিক্ষে করতে বেরিয়েছিল, এ সংবাদ ক্রমে তাদের বাড়িতে পৌঁছে যায়। জননীদের বুক কেঁপে ওঠে। কোন মা তার সন্তানকে সংসার ছেড়ে যেতে দিতে চায়? রামকৃষ্ণ সাধুর সেবা করার জন্য ছেলেরা কিছুদিনের জন্য বাড়ি ছেড়ে কাশীপুরে এসে আছে, এটুকু তবু মেনে নেওয়া যায়, কিন্তু তারা গেরুয়া পরবে কেন? স্বয়ং রামকৃষ্ণ পরমহংসই তো গেরুয়া পরেন না!

নরেন অনেকদিন বাড়িতে যায় না। তাঁর মা আর থাকতে না পেরে একদিন ছ' বছরের ছেলে ভুপেনের হাত ধরে ছুটে এলেন কাশীপুরের বাগানে। রামকৃষ্ণ সকাশে বাইরের রমণীদের যাওয়া নিষেধ, কিছুদিন আগে এক পাগলী এসে উৎপাত করেছিল, রামকৃষ্ণের প্রতি মধুর ভাবে নিজেকে নিবেদন করতে চেয়েছিল বলে তাঁর আদেশে কারুকেই আর দোতলায় উঠতে দেওয়া হয় না, কিন্তু নরেনের জননীকে আটকায় কার সাধ্য!

নরেন মাকে দেখে তখুনি সামনে আসতে না চেয়ে আড়ালে লুকোল। তবু তাকে এক ঝলক দেখতে পেয়েছেন ভুবনেশ্বরী। ছেলের অঙ্গে সত্যিই গেরুয়া বসন।

বিছানার ওপর একটা বড় বালিশে হেলান দিয়ে বসে আছেন রামকৃষ্ণ। মুখে ভিতু ভিতু ভাব। তামাক খেতে ইচ্ছে করছে খুব, কিন্তু গলার ব্যথার জন্য এখন হুঁকো টানা বন্ধ।

ভুবনেশ্বরী ভেতরে এসে হাত জোড় করে প্রণাম জানালেন। তারপর সরাসরি অভিযোগ করলেন, আপনি আমার ছেলেকে কেড়ে নিচ্ছেন কেন?

রামকৃষ্ণ বললেন, ডাক্তার আমাকে কথা বলতে মানা করেছে......তবু মা তুমি এসেছ, ভালো করেছ, বসো, বসো।

ভুবনেশ্বরী অভিমান ও ক্ষোভের সঙ্গে বললেন, আপনি অসুস্থ, বেশিক্ষণ থাকব না। শুধু একটা কথা জানতে চাই। নরেন আপনাকে ভক্তি করে, মানে, সে আপনার সেবা করার জন্য এখানে রয়ে গেছে, তাতে তো আমি আপত্তি করিনি। বাড়িতে যাওয়া ইদানীং সে ছেড়েই দিয়েছে। ছোট ছোট ভাইবোনরা কেমন আছে, দু বেলা খেতে পায় কিনা সে খবরও রাখে না। তবু সেসব আমি সামলাচ্ছি। কিন্তু তা বলে সে গেরুয়া ধারণ করবে? সংসারের সে বড় ছেলে, তাকে লেখাপড়া শেখানো হয়েছে, তবু সে কোনও দায়িত্বই নেবে না?

রামকৃষ্ণ বললেন, না গো, না, না, সে কি কথা! এই দেখ না, আমি কি গেরুয়া পরেছি? ও একখানা করে কাপড় বুড়ো গোপাল দিয়েছিল, আগে থেকে ছোপানো ছিল, ও কিছু না। গিরিশ টিরিশ বোধ হয় নরেনকে জোর করে গেরুয়া পরায়। ওসব ওদের খেলা।

শুধু স্তোক বাক্য শুনে আশ্বস্ত হওয়ার পাত্রী নন ভুবনেশ্বরী। আরও দু-চার কথার পর সরাসরি দাবি করলেন, আমি নরেনকে আজ বাড়ি নিয়ে যেতে চাই।

রামকৃষ্ণ ব্যস্ত ভাব দেখিয়ে বললেন, হ্যাঁ, হ্যাঁ, নিয়ে যাও না। আমি তো কারুকে সন্ন্যাসী হয়ে বনে-জঙ্গলে যেতে বলি না। বরং নরেনকে বলেছি, বাড়িতে তোর বিধবা মা আর ছোট ছোট ভাইয়েরা রয়েছে, তাদের দেখাশুনো করতে হবে। তোর কি সন্ন্যাসী হওয়া উচিত? নিয়ে যাও না, আজই ওকে নিয়ে যাও।

নরেনকে ডেকে পাঠানো হল। গুরুকে প্রণাম জানিয়ে বাধ্য ছেলের মতন সে মা আর ছোট ভাইয়ের সঙ্গে ভাড়ার গাড়িতে উঠল। মাথার চুল ছোট করে ছাঁটা, চোখের নীচে রাত্রি জাগরণের কালি, সারা গায়ে ময়লা, বহুদিন সাবানের ছোঁওয়া লাগেনি, গেরুয়ার বদলে কার যেন একখান ছেঁড়া ধুতি পরে এসেছে। এখন দেখে কে বলবে, এ সেই সিমলে পাড়ার ব্যায়াম-বলিষ্ঠ নরেন!

প্রথম সন্তান বড় আদরের সন্তান। তার গায়ে হাত বুলোতে বুলোতে চোখের জল ফেলতে লাগলেন ভুবনেশ্বরী। ধরা গলায় বললেন, বাড়িতে খুদ-কুঁড়ো যা হোক আমি রেঁধে খাওয়াতে পারি, তা বলে তোকে ভিক্ষের অন্ন খেতে হবে ? তোর বাবা কতবড় মানী লোক ছিলেন !

নরেন বলল, আরে না না, ভিক্ষের অন্ন খাব কেন ? ও দু' একদিন শখ করে..... কাশীপুরের বাড়িতে দু বেলা রান্না হয়, খিচুড়ি, এক একদিন লুচি....ভালো খাই। যারা খরচ দেয় তাদের সঙ্গে মাঝে বচসা হয়েছিল, মহেন্দ্র মাস্টার আবার মিটিয়ে দিয়েছেন।

ভুবনেশ্বরী বললেন, তোর গুরুদেব কী বলেছেন জানিস? এই ভূপেন তো সঙ্গে ছিল, সব শুনেছে। উনি বললেন, নরেনকে তো সন্ন্যাসী হতে বলিনি আমি। ও বাড়িতে গিয়ে থাক না।

নরেন হা-হা করে হেসে উঠে বলল, উনি এই বলেছেন বুঝি ? জান মা, উনি চোরকে বলবেন চুরি করতে, আর গেরস্তকে বলবেন সজাগ থাকতে ! এই সব মহাপুরুষদের কথার মর্ম বোঝা সহজ নয় !

শেষ পর্যন্ত বাড়িতে গেল না নরেন, বাগবাজারের কাছে এসে একটা বিশেষ কাজের ছুতো দেখিয়ে নেমে পড়ল।

নেমে দাঁড়িয়ে বলল, মা, তোমাকে আমি কখনও ভুলতে পারি, তুমি বিশ্বাস করো ? ভুপেন, মহিন ওদেরই বা ভুলব কী করে ? আমি যেখানেই থাকি, তোমাদের যাতে কষ্ট না হয়, তা আমি নিশ্চিত দেখব। তুমি কষ্ট পেলে পৃথিবীর কোনও সুখই আমার কাছে সুখ নয়!

রামকৃষ্ণ নানাজনের কাছে খোঁজ নেন, নরেন ফিরেছে ? নরেন ফিরেছে ?

এক সময় যখন নরেনের প্রত্যাবর্তনের সংবাদ জানলেন, তখন প্রশান্ত হাসিতে তাঁর মুখ ভরে গেল। নরেন যে নিক্ষিপ্ত তীর, সে আর পিছু ফিরতে পারে না। নরেন তর্ক করে, নরেন অবতারত্ব মানে না, এমনকি মাঝে মাঝে ঈশ্বরের অস্তিত্বেও অবিশ্বাস করে, তবু নরেনই তো এখানকার সবাইকে মাতিয়ে রেখেছে।

খাগের কলম কালিতে ডুবিয়ে রামকৃষ্ণ একটা কাগজে ছবি আঁকতে লাগলেন। এখন শরীর একটু ভাল থাকলে নির্জন দুপুরবেলা তিনি মাঝে মাঝেই ছবি আঁকেন। আঁকায় বেশ হাত আছে তাঁর। ছেলেবেলায় মূর্তি গড়ে বিক্রি করতেন। এখন ছেলেবেলার কথা মনে পড়ে খুব। আঁকতে আঁকতে থেমে গিয়ে চুপ করে চেয়ে থাকেন, যেন দেখতে পান তাঁর বাল্যকালের গ্রাম্য জীবন সেই দিগন্ত বিস্তারী মাঠ, আকাশে উড়ন্ত বকের সারি।

রামকৃষ্ণর প্রিয় ছবি, একটি পাখি। বারবার পাখি আঁকেন। আর আঁকলেন শিব ঠাকুর ও বাবা তারকনাথ। একটা হাতির মুখ। যা মনে আসে, তাই-ই আস্তে আস্তে ফুটে ওঠে ছবিতে। একবার আঁকা হল, হুঁকো হাতে এক বেশ্যা রমণী । অনেকদিন আগে একদিন মেছোবাজারের রাস্তা দিয়ে যেতে যেতে মুখে রং মাখা রঙ্গিনী মোহিনী কয়েকটি বারবনিতাকে দেখে তিনি অবাক হয়ে প্রণাম জানিয়ে বলেছিলেন, মা, তুই এইখানে এইভাবে রয়েছিস !

নরেন যখন দেখা করতে এল, তখন তিনি ছবি আঁকার বদলে কী যেন লিখছেন আপন মনে। নরেনকে দেখে সামান্য চমকে উঠে তিনি লিখে চললেন কাঁপা কাঁপা হাতে। তারপর নীচে দু-একটি রেখায় ছবি আঁকলেন, একটি আবক্ষ মূর্তি, তার পেছনে একটি ধাবমান ময়ুর।

কাগজটি তিনি এগিয়ে দিলেন নরেনের দিকে। এতই আঁকাবাঁকা হস্তাক্ষর যে নরেন লেখাটি পড়ে ঠিক বুঝতে পারল না :

জয় রাধে পৃমমোহী—নরেন সিক্ষে দেবে
জখন ঘুরে বাহিরে
হাঁক দিবে
জয় রাধে

রামকৃষ্ণের সর্বক্ষণের পাহারাদার নিরঞ্জন দেখি দেখি বলে কাগজটা হাত থেকে নিয়ে বলল, বুঝেছি ! উনি প্রায়ই বলেন এ কথা। লিখেছেন, জয় রাধে প্রেমময়ী ! নরেন শিক্ষে দেবে, যখন ঘরে-বাইরে হাঁক দিবে, জয় রাধে!

রামকৃষ্ণ মৃদু মৃদু হাসতে হাসতে বললেন, নরেন শিক্ষে দেবে।

নরেন সঙ্গে সঙ্গে বলে উঠল, না, না, আমি ওসব পারব না।

রামকৃষ্ণ বললেন, তোর ঘাড় করবে!

নরেন আবার কিছু বলতে যেতেই তিনি বললেন, আমার পশ্চাতে তোকে ফিরতেই হবে, তুই যাবি কোথায় ?

তার পরই রামকৃষ্ণর কাশি শুরু হয়ে গেল।

এর পর দু দিন অবস্থার বেশ অবনতি হল রামকৃষ্ণের। খালি কাশি, কিছুতেই থামানো যায় না। ঘুম নেই একটুও। শিষ্যদেরও ঘুম নেই, তারা দোতলার ঘরের ভেতরে-বাইরে দাঁড়িয়ে থাকে, মহেন্দ্র মাস্টারও বাড়ি ফেরেননি। সকলেরই আশঙ্কা আজই বুঝি শেষ রাত্রি।

বিছানায় শুয়ে থাকতেও পারছেন না,· কখনও উঠে বসছেন, কখনও খাট থেকে নেমে দাঁড়াচ্ছেন রামকৃষ্ণ। নিরঞ্জন খুব সাবধানে ধরে থাকছে তার গুরুর দেহখানি।

এক সময় কাশির সঙ্গে রক্ত পড়তে শুরু করল। গলগলিয়ে রক্ত, ডাবর ভরে গেল।

রামকৃষ্ণ বললেন, গামলা দে।

নরেন এসে একটা গামলা পেতে ধরল। রক্তের ধারায় সেই গামলাও ভরে যাবার উপক্রম। ওই ক্ষীণ শরীরে আর কত রক্তই বা থাকতে পারে ! বেঁকে যাচ্ছে তাঁর পিঠ। কয়েকজন ভক্ত মুখ ফিরিয়ে ফুঁপিয়ে ফুঁপিয়ে কাঁদছে।

একসময় রামকৃষ্ণ কঁকিয়ে বলে ওঠেন, মা, এত যন্ত্রণা সহ্য হয় না।

জ্ঞান হারিয়ে তিনি পড়ে যাচ্ছিলেন, নিরঞ্জন দু বাহু দিয়ে তাঁকে ধরে রইল।

সকলেই কয়েক মুহূর্তের জন্য চিত্রার্পিত।

নিরঞ্জনের বাহুডোরে সংজ্ঞাহীন রামকৃষ্ণ কাত হয়ে আছেন, নরেন গামলাটা নামিয়ে রেখে আস্তে আস্তে মুখ তুলল। নরেনের ঠোঁটের ঠিক ওপরেই এক দলা রক্ত আর পুঁজ লেগে আছে।

অনেকের ধারণা, এই মারাত্মক ব্যাধি অতি ছোঁয়াচে । কেউ কেউ খুব ভক্তিমান হয়েও এখন গুরুর খুব কাছে আসে না।

লাটু নরেনের মুখ থেকে সেই রক্ত-পুঁজ মোছার জন্য এগিয়ে দিতে গেল তার ধুতির খুঁট। নরেন হাত তুলে আটকাল তাকে, তারপর জিভ দিয়ে সেই রক্ত চেটে নিতে লাগল।

মাস্টার অস্ফুট স্বরে বললেন, Lord's supper-Fresh blood!

॥ ৬২ ॥

ডাক্তার মহেন্দ্রলাল সরকার জানেন যে রামকৃষ্ণ পরমহংসের শিষ্যরা তাঁর ওষুধের ওপরে পুরোপুরি ভরসা রাখতে না পেরে অ্যালোপ্যাথিক, বায়োকেমিক, কবিরাজি, হেকিমি, ঝাড়ফুঁক ইত্যাদি কোনও কিছুই বাকি রাখেনি। পরমহংসের স্ত্রী সারদামণি তারকেশ্বরে হত্যে দিয়েও এসেছেন। মহেন্দ্রলাল আপত্তি করেননি। তাঁর মতন বড় ডাক্তাররা সাধারণত এরকম হলে আর কোনও দায়িত্ব নিতে চান না, কিন্তু মহেন্দ্রলালের অহংবোধ এক্ষেত্রে বাধার সৃষ্টি করেনি। কেউ কিছু জিজ্ঞেস করলে তিনি বলেন, দেখুক না চেষ্টা করে, যদি কিছু ফল হয় তো ভালো কথা !

না ডাকলেও তিনি নিজে থেকেই মাঝে মাঝে চলে আসেন কাশীপুরে। অন্যের ওষুধ চলতে থাকলে তিনি আর কোনও ওষুধ দেন না, পরমহংসের রোগের অবস্থাটা দেখে নেন, গল্প করেন তাঁর সঙ্গে, তরুণ শিষ্যদের সঙ্গে তর্কে মেতে ওঠেন। নরেন, রাখাল, শশী, কালীর মতন কয়েকজনের সঙ্গে তাঁর বেশ ভাব হয়ে গেছে, এদের পড়াশুনো ও বুদ্ধির প্রাখর্যে তিনি মুগ্ধ। গিরিশকে তিনি আগে থেকেই চেনেন।

বউবাজারে এক মস্ত ধনীর বাড়িতে রুগী দেখে বাইরে বেরিয়ে এলেন মহেন্দ্রলাল। সে বাড়ির লোকদের ব্যবহারে তিনি এতই বিরক্ত যে কর্তার ছেলে তাঁকে ফি দিতে এলে সে টাকা তিনি ছুঁড়ে ফেলে দিলেন মাটিতে।

মহেন্দ্রলালের নিজস্ব জুড়িগাড়িতে অপেক্ষা করছিল তাঁর সহকারী জয়কৃষ্ণ। সে এই দৃশ্য দেখে সচকিত হয়ে বলল, কী হল, স্যার, পেশেন্ট এক্সপায়ার্ড ?

গাড়িতে উঠে মহেন্দ্রলাল মুখ ভেরকুট্টি করে বললেন, না, সে মাগী সহজে মরবে না, বাড়ির লোকদের আরও কিছুদিন দগ্ধে দগ্ধে মারবে !

—তা হলে স্যার আপনি ফি নিলেন না কেন ?

—চিকিৎসা কি করেছি যে ফি নেব ! জমিদার গিন্নির বুকে ব্যথা। তা কেমনতরো ব্যথা, কোথায় ব্যথা, তা বুঝতে হবে না ? আমাকে সে বুক দেখাবে না, মুখ দেখাবে না। স্টেথোস্কোপও বসাতে দেবে না। ষাটের ওপর বয়েস, ইয়া থলথলে মোটা চেহারা, ওর বুক তো এখন কাশীর বেগুন, মরে যাই মরে যাই, তাও কী নজ্জা ! পর্দার আড়ালে শুয়ে রইল, এক ঝি বেটী আমার স্টেথোস্কোপ নিয়ে বুকে লাগাচ্ছে না পোঁদে লাগাচ্ছে বোঝার উপায় নেই! কায়স্থ বাড়ির বুড়ি মাগী, আমিও তো কায়স্থ, আমার কাছে অত লজ্জা কিসের ? বাড়ির কত্তাটিও তেমনি !

জয়কৃষ্ণ ফ্যাক ফ্যাক করে হাসতে লাগল। মহেন্দ্রলাল ধমক দিয়ে বললেন, হাসছিস কেন রে হারামজাদা? এই তো দেশের অবস্থা। সাধে কি আমি বলি, মেয়েরা ডাক্তারি না শিখলে এ দেশের মা জননীরাই চিরকাল কষ্ট পাবে।

গাড়ি চলতে শুরু করেছে। জয়কৃষ্ণ একটা নোট-বুক দেখে বলল, এর পর মেডিক্যাল কলেজে আপনার একটা মিটিং আছে।

মহেন্দ্রলাল বললেন, নাঃ, আজ আর মিটিঙে যাব না। কাশীপুরের বুড়োটাকে অনেকদিন দেখতে যাইনি। মন টানছে, এখন একবার দেখে আসি।

জয়কৃষ্ণ বলল, সেই পরমহংস ? শুনেছি মেডিক্যাল কলেজের প্রিন্সিপ্যাল ডক্তর জে এম কোট্‌সকে দেখাতে নিয়ে গিয়েছিল। বত্রিশ টাকা ভিজিট। তিনি দেখে টেখে জবাব দিয়ে দিয়েছেন। আর কিছু করার নেই।

মহেন্দ্রলাল অন্যমনস্ক ভাবে বললেন, হুঁ।

—গিরিশবাবু কী বলেছেন, জানেন স্যার ? এই পরমহংস নাকি সাক্ষাৎ ভগবান, এখন কেউ চিনতে পারছে না। একদিন উনি নাকি তড়াক করে বিছানা থেকে নেমে সম্পূর্ণ সুস্থ হয়ে হেঁটে বেড়াবেন। হে-হে-হে ! গিরিশবাবুরও মাথাটা উনি চিবিয়ে খেলেন কী করে ? দেশটা যত রাজ্যের ভণ্ড-বুজরুগ সাধু-সন্ন্যাসীতে ছেয়ে গেছে !

—চোপ ! যা বুঝিস না তা নিয়ে কথা বলতে যাস কেন ? অনেক বুজরুগ সাধু আছে বলে কি ভালো মানুষ কেউ নেই ? এ মানুষটা খাঁটি !

—স্যার, আপনিও কি মনে করেন, মানুষ কখনও ভগবান হতে পারে ?

—ভগবান টগবান বুঝি না। মানুষ তো খাঁটি হতে পারে, কেউ যদি তার সরল বিশ্বাস নিয়ে থাকে.....

জয়কৃষ্ণকে শ্যামবাজারে নামিয়ে দিয়ে মহেন্দ্রলাল চলে এলেন কাশীপুরের বাগানবাড়িতে।

বিস্ময়ের ব্যাপার এই, আজ রামকৃষ্ণ পরমহংস যেন সম্পূর্ণ সুস্থ। শিষ্যদের নিয়ে মজলিশে বসেছেন, হাস্যময় মুখখানিতে রোগভোগের কোনও চিহ্নই নেই। তিনি মাস্টারকে বলছেন, এখানকার ছেলেরা রোজ খিচুড়ি-মিচুড়ি খেয়ে থাকে, বল নষ্ট হয়ে যাবে যে, আজ একটু মাংস খাওয়াও, পাঁচ আনা না ছ' আনা লাগবে, তুমি দিবে ? দেখ যদি সরকারি মাংস পাও—

ডাক্তারকে দেখে সবাই সচকিত হল, রামকৃষ্ণ বললেন, বসো— ।

দক্ষিণের জানলা থেকে তিন চার হাত দূরে খাটটা সরানো হয়েছে। সতরঞ্চির ওপর মাদুর, তার ওপর তোশক পাতা। রামকৃষ্ণের কোমরে ধুতির কষি আলগা করে জড়ানো, ঊর্ধ্বাঙ্গ একটা চাদর, গলায় কি সব যেন ঘাসপাতার পেট্টি লাগানো আছে। চোখ দুটি আবেশ মাখা।

মহেন্দ্রলাল জিজ্ঞেস করলেন, ডক্তর কোট্‌স তোমাকে দেখতে এসেছিলেন নাকি ? জবরদস্ত সাহেব, খুব রাগী।

সবাই শশীর দিকে তাকাল। সে সাহেব শশীকে বিশ্রী গালাগাল দিয়েছিল। সে এসে হাতের ডাক্তারি ব্যাগটা শশীর দিকে এগিয়ে দিলেও শশী ধরেনি। সে নিষ্ঠাবান ব্রাহ্মণ, খ্রিস্টানদের ব্যাগ ছুঁতে চায়নি। ব্যাপারটা বুঝতে পেরে ক্রুদ্ধ সাহেব শশীর দিকে চেঁচিয়ে ওঠেন, ইউ গো ফ্রম হিয়ার, ইউ উল্লু !

মহেন্দ্রলাল হাসতে হাসতে রামকৃষ্ণকে বললেন, সে ম্লেচ্ছ ডাক্তার তোমাকে ছুঁয়ে দিল? তোমার বিছানায় বসেছিল ?

রামকৃষ্ণ বলেন, কী জানি, আমার তো তখন ওই হয়ে গেল। সব দেখিনি। তবে সে চলে যাবার পর বিছানায় গঙ্গাজল ছিটিয়ে, ওঁ তৎ সৎ জপ করে শুদ্ধ করে নিয়েছি !

মহেন্দ্রলাল দু দিকে মাথা ঝাঁকিয়ে বললেন, মশাই, এটা তো ঠিক মিলল না। কিছুদিন আগে তুমিই একটা গল্প বলেছিলে। বায়ুতে সুগন্ধ দুর্গন্ধ দুইই পাওয়া যায়, কিন্তু বায়ু নির্লিপ্ত। আত্মাও সে রকম। কাশীতে শঙ্করাচার্য একদিন পথ দিয়ে হেঁটে যাচ্ছিলেন। এক চণ্ডালও পাশ দিয়ে যাচ্ছিল মাংসের ভার নিয়ে, হঠাৎ ছোঁয়া লেগে গেল। শঙ্করাচার্য বললেন, তুই ছুঁয়ে

ফেললি? তখন চণ্ডাল বলল, ঠাকুর, তুমিও আমায় ছোঁও নাই, আমিও তোমায় ছুঁই নাই ! আত্মা নির্লিপ্ত, তুমি আমি দুজনেই সেই শুদ্ধ আত্মা ! কি, বলনি এই গল্প ? শুদ্ধ আত্মা যদি মানো, তবে আবার ছোঁয়াছানির বিচার কেন ?

রামকৃষ্ণ চোখ মুখে একটা কৌতুকের ভঙ্গি করলেন। যেন বোঝাতে চান, ডাক্তার খুব প্যাঁচে ফেলেছে। তিনি হাসতে হাসতে বললেন, সংস্কার আর লোকাচার ! একদিন আমায় পথ্যি খাওয়াবার সময় লাটু আর কে যেন খাট ধরে দাঁড়িয়েছিল। ওদের ছোঁওয়া থাকলে তো খেতে পারি না। যেই ওদের সরে যেতে বলেছি, অমনি নরেন আমায় ধমকাল। বলল, আপনি তো এসব মানেন না! আমি মানি না ও বটে, মানিও বটে। এই ব্রাহ্মণ শরীর, সংস্কার সহজে যায় না।

প্যান্ট-কোট পরা মহেন্দ্রলাল মেঝেতে বসতে পারেন না, তাঁর জন্য একটা চেয়ার এনে দেওয়া হল।

মহেন্দ্রলালকে দেখলে এখানে অনেকেই সন্ত্রস্ত হয়ে ওঠে। এই হামবড়া, দুমুর্খ ডাক্তারটি কখন কী যে বলবেন তার ঠিক নেই। এক একটা কথা শুনলে পিলে চমকে যায়। রামকৃষ্ণ পরমহংসের সঙ্গে যখন মুখে তর্ক করেন, কথার পিঠে কথার খোঁচা মারেন, তখন ভক্তদের বড় প্রাণে লাগে। গভীর তত্ত্বের কথা এমন সরল, সুন্দর করে বলেন রামকৃষ্ণ, তার ওপরে কোনও কথা চলে ? ডাক্তার কিছুতেই ভক্তির ব্যাপারটা বুঝবেন না, তিনি জ্ঞান ও যুক্তি আঁকড়ে ধরে বসে আছেন।

ডাক্তারের প্রতি রামকৃষ্ণের নিশ্চয়ই প্রশ্রয় আছে, তা না হলে উনি অমন সব কঠিন কঠিন কথা সহ্য করেন কী করে ? ভক্তরা দেখেছে, এর আগে কেউ কেউ এসে কুযুক্তির কথা শুরু করলে রামকৃষ্ণ হয় রসিকতায় তাদের নাস্তানাবুদ করেছেন, অথবা তাদের অগ্রাহ্য করে প্রসঙ্গান্তরে চলে গেছেন। কিন্তু ডাক্তারের কথা শুনে রামকৃষ্ণ হাসেন।

এই ডাক্তার বাইরে ঠাকুর-দেবতা কিংবা বিভিন্ন ধর্মের মহাপুরুষদের সম্পর্কে কটুক্তি করেন তা অনেকেই জানে। কিন্তু রামকৃষ্ণ পরমহংসের সামনেও মা কালী সম্পর্কে ওই সব বলতে সাহস করেন। একদিন তিনি বিজ্ঞান আর ইতিহাস নিয়ে আলোচনা করতে করতে বলে ফেলেছিলেন, কমপারেটিভ হিস্ট্রি সব জানা ভালো। সাঁওতালদের হিস্ট্রি পড়ে জানা গেছে যে, কালী একজন সাঁওতাল মাগী ছিল—খুব লড়াই করেছিল।

এমন হাত-পা নেড়ে তিনি লড়াইয়ের ভঙ্গি দেখিয়েছিলেন যে অন্যদের সঙ্গে হেসে ফেলেছিলেন স্বয়ং রামকৃষ্ণও । ডাক্তার তখন ধমক দিয়ে বলেছিলেন, হাসছ কেন ? তোমরা হেসো না। সব কিছু জানতে হয়।

আর একদিন রামকৃষ্ণ জ্ঞান ও ভক্তির তফাত কী চমৎকার করে বোঝাচ্ছিলেন। তিনি বলেছিলেন, ভক্তি হচ্ছে মেয়েমানুষ, তাই অন্তঃপুর পর্যন্ত যেতে পারে। জ্ঞান বারবাড়ি পর্যন্ত যায়।

ডাক্তার অমনি টপ করে বললেন, কিন্তু অন্তঃপুরে যাকে-তাকে ঢুকতে দেওয়া হয় না। বেশ্যারা ঢুকতে পারে না। জ্ঞান অবশ্যই চাই।

রামকৃষ্ণ বলেছিলেন, খই কেমনভাবে ভাজা হয় জান ? খোলায় যখন চাপানো হয়, ভাজার সময় দু'চারটে খই খোলা থেকে টপ টপ করে লাফিয়ে বাইরে পড়ে। সেগুলি যেন মল্লিকা ফুলের মতন গায়ে, একটুও দাগ থাকে না। খোলার ওপর যে-সব খই থাকে, সেও বেশ খই, তবে অত ফুলের মতন হয় না, একটু গায়ে দাগ থাকে। সংসারত্যাগী সন্ন্যাসী যদি জ্ঞান লাভ করে, তবে ঠিক ও মল্লিকা ফুলের মতন দাগশূন্য হয়। আর জ্ঞানের পর সংসার-খোলায় থাকলে একটু গায়ে লালচে দাগ হতে পারে।

অন্য সকলে হেসে উঠলেও ডাক্তার বলেছিলেন, উপমা দিয়ে কি সব যুক্তি খণ্ডন করা যায়? উপমা শুনতে বেশ লাগে, কিন্তু সেগুলি যুক্তি নয়। তা হলে আমিও একটা উপমা দিই শোনো। আমার বাড়ির বারান্দায় কিছু চড় ই পাখি বসে থাকে, আমি তাদের দিকে ময়দার গুলি ছুঁড়ে ছুঁড়ে দিই, তারা ভয়ে পালায়। জ্ঞানের অভাব । জ্ঞান থাকলে বুঝত, ওগুলো তাদের খাবার জিনিস, ভয় পাবার কিছু নয়। যেদিন সেই জ্ঞানোদয় হবে, সেদিন আর পালাবে না, খুঁটে খুঁটে খাবে।

রামকৃষ্ণ বলেছিলেন, এ অতি তুচ্ছ সাংসারিক ছেঁদো জ্ঞান।

ডাক্তার বলেছিলেন, বেঁচে থাকার জন্যই এই জ্ঞানের দরকার। মানুষ তো বাঁচার জন্যই জন্মায় না কি ? ভক্তি দিয়ে বাঁচা যায় না। জন্মাবার পর এই পৃথিবীটাকে ভালো করে চেনা জানার জন্যও যুক্তি আর জ্ঞানের দরকার। আর তোমরা কেবল ভক্তি নিয়ে চোখ বুজে বসে থাকতে বল !

রামকৃষ্ণ তখন তাঁকে সচ্চিদানন্দ সমুদ্রের কথা বোঝালেন। ভক্তি হিমে সমুদ্রের স্থানে স্থানে জল বরফ হয়ে যায়, আবার জ্ঞান সূর্যে সেই বরফ গলে। তবু সেই সাগর সাগরই রইল।

সবাই যে রামকৃষ্ণকে প্রণাম করে তাতেও ডাক্তারের ঘোর আপত্তি। সব মানুষের মধ্যেই যদি নারায়ণ থাকে, তা হলে বিশেষ একজনকে অত টিপ টিপ করে প্রণামের কী দরকার ? যদি প্রণাম করতে হয়, সবাইকে করো। গিরিশকে তিনি অনেকবার ধমক দিয়ে বলেছেন, এমন ভালো লোকটার মাথা খাচ্ছ কেন ? আর সব করো, কিন্তু ডু নট ওয়ারশিপ হিম অ্যাজ আ গড ! কেশব সেনের চ্যালারা এইভাবে তাকে নষ্ট করেছে।

রামকৃষ্ণকে তিনি ধমক দিয়ে বলেছিলেন, ভাব হলে তুমি লোকের গায়ের ওপর পা তুলে দাও কেন ? সেটা মোটেই ভালো নয়। মানুষ না নারায়ণ ?

রামকৃষ্ণ কিন্তু কিন্তু করে বলেছিলেন, আমি কি জানতে পারি গা, কারুর গায়ে পা দিচ্ছি কি না ?

ডাক্তার বলেছিলেন, ওটা যে ভালো নয়, এটুকু তো অন্তত বোধ হয় ?

রামকৃষ্ণ বলেছিলেন, আমার ভাবাবস্থায় আমার কী হয় তা তোমায় কী বলব ? সে অবস্থার পর এমন ভাবি, বুঝি রোগ হচ্ছে ওই জন্য। ঈশ্বরের ভাবে আমার উন্মাদ দশা হয়। উন্মাদে এরূপ হয়, কী করব ?

নরেন বলেছিল, সায়েন্টিফিক ডিসকভারি করবার জন্য আপনি লাইফ ডিভোট করতে পারেন, শরীর অসুখ ইত্যাদি কিছুই মানেন না। আর ঈশ্বরকে জানা, গ্রান্ডেস্ট অফ অল সায়েন্সেস-এর জন্য ইনি হেল্‌থ রিস্‌ক করবেন না ?

ডাক্তার গজ গজ করতে করতে বলেন, ঈশ্বরকে জানা এমন কি জরুরি দরকার ? যার যার কর্তব্য কর্ম করে যাওয়াই কি উচিত না ? যত রিলিজিয়াস রিফর্মার হয়েছেন, যিশু, চৈতন্য, বুদ্ধ, মহম্মদ শেষে সব অহঙ্কারে পরিপূর্ণ—বলে, 'আমি যা বললুম, তাই ঠিক !' এ কী কথা ?

আজ আবার মহেন্দ্রলাল এ রকম কী প্রসঙ্গ শুরু করেন, তার জন্য সবাই উদ্বেগের সঙ্গে তাকিয়ে রইল।

কিন্তু সকলকে অবাক করে দিয়ে মহেন্দ্রলাল নরম গলায় বললেন, কাল শেষ রাতে ঘুম ভেঙে গেল। ঝড় বৃষ্টি হচ্ছিল। তোমার কথা মনে পড়ে গেল। ভাবলুম, জানলা-টানলাগুলো ঠিক মতন বন্ধ করেছে কি না, তোমার যদি ঠাণ্ডা লেগে যায়—তাই একবার দেখতে এলুম।

রামকৃষ্ণ সহাস্যে বললেন, ওমা, এ যে ভালোবাসার কথা গো ! তোমার মনে রং লেগেছে। তবে কি মেনেছ ?

ডাক্তার বললেন, না, সব মানিনি। তবে ভালোবাসা সব যুক্তিতর্কের বাইরে। তোমার টানে বারবার ছুটে আসি।

তারপর ভক্তদের দিকে চক্ষু ঘুরিয়ে ঘুরিয়ে বললেন, এরা অনেকেই আমাকে পছন্দ করে না, বুঝি। এক একদিন মনে হয়েছে, আমার কথা শুনে এরা আমায় জুতো মেরে তাড়াবে।

রামকৃষ্ণ বললেন, সে কি ! এরা তোমায় কত ভালোবাসে। তুমি আসবে বলে বাসক-সজ্জা করে জেগে থাকে।

ডাক্তার বললেন, আমার ছেলে—আমার স্ত্রী পর্যন্ত—আমায় মনে করে হার্ড হার্টেড। স্নেহ-মমতা শূন্য, কেন না আমার দোষ এই যে আমি ভাব কারুর কাছে প্রকাশ করি না।

গিরিশ বলল, মাঝে মাঝে মনের কপাট খোলা তো ভালো।

ডাক্তার বললেন, ওসব কথা থাক। একটু গান শুনি। নরেন গাইবে নাকি ?

রামকৃষ্ণও নরেনকে গান গাইবার জন্য ইঙ্গিত করলেন। আজ গুরু বেশ সুস্থ আছেন, তাই শিষ্যরা সকলেই উৎফুল্ল। নরেন গান ধরল :

প্রভু ম্যয় গোলাম, ম্যয় গোলাম তেরা
তু দেওয়ান, তু দেওয়ান, তু দেওয়ান মেরা।
দো রোটি এক লেঙ্গোটি, তেরে পাস ম্রয় পায়া
ভগতি ভাব আউর দে নাম তেরা গাঁবা......

এরপর সে গাইল :

নিবিড় আঁধারে মা তোর চমকে ও রূপরাশি
তাই যোগী ধ্যান ধরে হয়ে গিরিগুহাবাসী.....

গান শুনতে শুনতে মহেন্দ্রলাল এক দৃষ্টিতে রামকৃষ্ণের দিকে চেয়ে রইলেন। এক সময় রামকৃষ্ণ বিছানা ছেড়ে নামলেন মেঝেতে, হাত তুললেন নাচের ভঙ্গিতে। অন্য দিন হলে মহেন্দ্রলাল প্রবল আপত্তি জানাতেন, সামান্য পরিশ্রমেই রোগ বেড়ে যাবার সম্ভাবনা। আজ কিন্তু কিছুই বললেন না। একটু নাচতে গিয়েই রামকৃষ্ণের ভাব সমাধি হল সামান্য সময়ের জন্য।

ডাক্তারের চক্ষু দিয়ে জল গড়াচ্ছে। গলার কাছে যেন আটকে রয়েছে কিছু। তিনি রুমাল বার করে মুখ মুছলেন।

স্বাভাবিক হয়ে রামকৃষ্ণ বললেন, ও কি গো, তুমি কাঁদছ নাকি ?

মহেন্দ্রলাল বললেন, ভালো গান শুনলে আমার বুকের ভেতরটা মোচড়ায়।

রামকৃষ্ণ কাছে এসে বললেন, তবে তো তোমার হয়ে এসেছে গো, তুমি মজেছ ! আমায় থ্যাঙ্ক ইউ দাও !

মহেন্দ্রলাল ধরা গলায় বললেন, সে কথা কি তোমাকে মুখে বলতে হবে ? আমি সামান্য ডাক্তার, তোমার কাছে এসে কত কী শিখলাম !

সকলের কাছে বিদায় নিয়ে বাইরে বেরিয়ে এলেন মহেন্দ্রলাল। গিরিশও এলেন সঙ্গে সঙ্গে । উৎফুল্ল গলায় জিজ্ঞেস করলেন, আজ পরমহংসদেবকে কেমন দেখলেন ? সেভেন্টি ফাইভ পারসেন্ট বেটার, তাই না ? মহেন্দ্রলাল গিরিশের কাঁধে হাত দিয়ে কয়েক মুহূর্ত চেয়ে রইলেন অপলক। তারপর আস্তে আস্তে বললেন, ভালো নয়, ভালো নয়, অবস্থা একেবারেই ভালো নয় !

গিরিশ চমকে উঠে বললেন, সে কি ! আপনার সব সময় উল্টো কথা। এখন তো অন্য সব ওষুধ বাদ দিয়ে আপনার ওষুধই খাচ্ছেন উনি। কত চাঙ্গা হয়ে উঠেছেন। দু'চার দিনের মধ্যে রাস্তায় বেরুতে পারবেন, এই আমি বলে দিচ্ছি।

মহেন্দ্রলাল বললেন, তা যদি হয়, আমিই সবচেয়ে খুশি হব। কোন টানে বারবার ছুটে আসি, তা বোঝো না ? উইল পাওয়ার অ্যাপ্লাই করে দেখো, যদি পার—

অন্য দিন মহেন্দ্রলাল সিঁড়ি দিয়ে সদর্পে দুপদাপ করে নেমে যান, আজ এক পা এক পা করে নামলেন, চলে যেতে যেন পা সরছে না। একেবারে নীচে গিয়ে মুখ ফেরালেন। অদ্ভুত বিষাদ মাখা সেই মুখ!

দু'দিন পরেই রামকৃষ্ণের মুখ দিয়ে আবার রক্ত উঠল, রোগ যন্ত্রণা অসম্ভব বেড়ে গেল। ছট ফট করতে লাগলেন বিছানায়।

এ রকম শুরু হবার ঠিক আগে তিনি মাস্টারকে বলেছিলেন, এত অবতার অবতার করেই অসুখটা বাড়িয়ে দিল। এ যেন নতুন বউয়ের ঘোমটা খুলে দেখানো। মাঝে বেশ সেরে এসেছিল, আবার রোগটা বেড়ে গেল। এখন গিরিশ হুজুগি করে ভালো হবার জন্য। এত বাড়িয়ে এখন আর কী হয় ?

একটু ভালো বোধ করলে তিনি শুধু নরেনকে ডেকে পাঠান। নরেনের সঙ্গে তাঁর গুহ্য কথা হয়। নরেনের হাত ছুঁয়ে তিনি একবার বললেন, আজ যথাসর্বস্ব তোকে দিয়ে আমি ফকির হলুম। দেখ নরেন, তোর হাতে এদের সকলকে দিয়ে যাচ্ছি।

নরেন নিস্তব্ধ হয়ে দাঁড়িয়ে তখনও ভাবছে, ইনি সত্যিকারের কে !

রামকৃষ্ণ বারবার নিজের অবতারত্ব অস্বীকার করলেও এই সময় বললেন, এখনও তোর জ্ঞান হল না ! সত্যি সত্যি বলছি, যে রাম, যে কৃষ্ণ, সেই ইদানীং এই শরীরে রামকৃষ্ণ— তবে তোর বেদান্তের দিক দিয়ে নয় !

রবিবার সকালবেলা বাগবাজারের রাখাল মুখার্জি নামে একজন দেখা করতে এল। পাক্কা সাহেবি কেতার মানুষ, সে কার কাছ থেকে শুনে এসেছে যে, পাঠার মাংস বা গুগলির ঝোলটোলে কিছু হবে না, মুর্গির জুস খেলে শরীরে বল আসবে। সে বারবার পিড়াপিড়ি করার পর রামকৃষ্ণ বললেন, খেতে আপত্তি নেই, তবে লোকাচার। আচ্ছা কাল দেখা যাবে।

দুপুরবেলা ঘর যখন ফাঁকা, তখন সারদামণি সে ঘরে এলেন লক্ষ্মীমণিকে সঙ্গে নিয়ে। ওদের দেখেও রামকৃষ্ণ অনেকক্ষণ কথা বললেন না, চোখ খোলা, তবু যেন ঘুমঘোরে রয়েছেন। তারপর আস্তে আস্তে বললেন, এসেছ ? দেখ, আমি যেন কোথায় যাচ্ছি। জলের ভেতর দিয়ে। অনেক দূর।

সারদামণি হঠাৎ কাঁদতে শুরু করতেই তিনি বললেন, তোমার ভাবনা কী ? যেমন ছিলে, তেমনি থাকবে। আর এরা, নরেন, রাখালরা সব আমায় যেমন করেছে, তোমায়ও তেমন করবে।

আবার বললেন, জান তো, আমি গোমড়া মুখ সহ্য করতে পারি না !

বিকেলবেলা আবার প্রফুল্ল মুখে গল্প করতে লাগলেন কয়েকজনের সঙ্গে। দিব্যি হাসছেন, গল্প করছেন, তারই মধ্যে একবার আঁ আঁ শব্দ করে বলে উঠলেন, জ্বালা, জ্বালা আমার দুটো পাশ একেবারে জ্বলে যাচ্ছে গো ! এই বুঝি শেষ ?

শশী ছুটে গিয়ে একজন স্থানীয় ডাক্তারকে ধরে নিয়ে এল। রামকৃষ্ণকে পরীক্ষা করতে করতে ডাক্তার আর কোনও কথা বলে না।

রামকৃষ্ণের বেশ জ্ঞান আছে। তিনি বলছেন, তাঁর প্রত্যেক শিরায় যেন গরম জলের পিচকিরি ছুটছে। ডাক্তারকে জিজ্ঞেস করলেন, সারবে ?

ডাক্তার কোনও উত্তর দিতে পারে না। রামকৃষ্ণ পাশের এক ভক্তের দিকে তুড়ি দিয়ে বললেন, বলে কি গো ! এরা এতদিন পরে বলে সারবে না ? মরি তাতে ভয় নাই, কিসে প্রাণবায়ু যায় বলতে পার ?

কেউ কিছুই বলতে পারে না। ডাক্তার চলে যাবার পর রামকৃষ্ণের ব্যথা যেন অনেক কমে গেল। তিনি বললেন, আমার খিদে পেয়েছে খুব, পায়েস খাব !

দুধ তাঁর একেবারেই সহ্য হয় না, তাই ভাতের মণ্ড নিয়ে আসা হল তাঁর জন্য। খেতে পারলেন না, সব মুখের পাশ দিয়ে গড়িয়ে পড়ে যায়। অথচ উদরে খিদে রয়ে গেল। তিনি বললেন, দেখ, আমার হাঁড়ি হাঁড়ি ডাল-ভাত খেতে ইচ্ছে করে। কিন্তু মহামায়া কিছুই খেতে দিচ্ছেন না। দু'জন ভক্ত বড় তালপাতার পাখা নিয়ে বাতাস করতে থাকে, এক সময় রামকৃষ্ণ অন্যদিনের মতনই হরি ওঁ তৎসৎ বলে ঘুমিয়ে পড়েন। অনেকে নিশ্চিন্ত হয়ে নীচে নেমে যায়।

বেশ কিছুক্ষণ পরে লাটুর মনে হল, ঘুমের মধ্যেই গুরু কেমন যেন অস্বাভাবিক শব্দ করছেন। আবার সবাইকে ডাকা হল। রামকৃষ্ণ কিন্তু জেগে উঠলেন, ভক্তদের দেখে বললেন, খুব খিদে পেয়েছে যে ! খাওয়াবি না ?

তিনি জল পানও করতে পারছিলেন না, তুলো ভিজিয়ে তাঁর মুখে দেওয়া হচ্ছিল। এ অবস্থায় তিনি আর অন্য কী খাবেন ? তবু আবার আনা হল ভাতের মণ্ড। এবারে কিন্তু তিনি দিব্যি খেতে লাগলেন, এক বাটি শেষ করে আর এক বাটি। যেন তাঁর কোনও দিন গলার ব্যাধি হয়নি। খাওয়া শেষ করে বেশ তৃপ্তির সঙ্গে বললেন, আঃ শান্তি হল ! এখন আর কোনও রোগ নাই !

আবার তিনি ঘুমিয়ে পড়লেন। লাটু আর শশী তাঁর বিছানার দু'পাশে বসে রইল অতন্দ্র প্রহরীর মতন। রাত বাড়ছে, চারিদিক নিঝুম। দু'একটা শেয়ালের ডাক ছাড়া আর কোনও শব্দ শোনা যায় না। নীচতলার দানাদের ঘরেও আজ আর কোনও আওয়াজ নেই।

রাত একটা বাজার কয়েক মিনিট পরেই রামকৃষ্ণ বিছানার একদিকে ঢলে পড়লেন, গলা দিয়ে একটা সরু শব্দ বেরুল। সারা গায়ের রোম খাড়া। ভাবসমাধির সময় এরকম হয়। অথচ শরীর যেন বেশি আড়ষ্ট। ভক্তরা এসে কেউ তাঁর নাড়ি দেখতে লাগল, কেউ তাঁর নাকের সামনে হাত পাতল। প্রায় সকলেরই ধারণা হল, ঘুমের মধ্যে তাঁর ভাবের ঘোর এসেছে, কিছুক্ষণ পরেই আবার জ্ঞান ফিরবে। শুধু নরেন কিছুক্ষণ তাঁর পা দু'খানি বুকে জড়িয়ে বসে থেকে, এক সময় পা দু'খানি আবার বিছানায় রাখল। তারপর দৌড়ে সে নীচে নেমে গেল। আর সে ওই ঘরে থাকতে চায় না।

রাত শেষ হয়ে সকাল হল, খবর গেল চতুর্দিকে। অনেকেরই এখনও ধারণা, রামকৃষ্ণ সমাধিতে আচ্ছন্ন হয়ে আছেন। তারা কীর্তন গান করতে লাগল তাঁর শরীর ঘিরে। গিরিশের দৃঢ় বিশ্বাস ছিল, তাঁর গুরু ঈশ্বরের পূর্ণ অবতার, তিনি আবার সুস্থ হয়ে উঠবেনই। ইদানীং রামকৃষ্ণের বেশি অসুস্থতা তিনি সহ্য করতে পারছিলেন না, অতিরিক্ত মদ্যপান করে একেবারে মাতাল হয়ে থাকতেন। আজও গিরিশের সেই রকমই বেসামাল অবস্থা, সেই অবস্থায় ধরে ধরে আনা হল তাঁকে।

কেউ কেউ বলছে, মেরুদণ্ড এখনও উষ্ণ আছে, এখানে গাওয়া ঘি মালিশ করা দরকার। কেউ বলছে, চোখের পাতা একবার কাঁপল যেন। স্থানীয় চিকিৎসরাও ঠিক কিছু বলতে পারে না।

মহেন্দ্রলাল সরকারের কাছে লোক গেছে সকালেই । সব বৃত্তান্ত শুনেও তাঁর মুখে কিছু ভাবান্তর দেখা গেল না। তিনি তখুনি ছুটে যেতে পারবেন না, ডাফ স্ট্রিটে অতি সঙ্কটাপন্ন এক রোগিণী রয়েছে, তাকে আগে দেখে যেতেই হবে।

তিনি কাশীপুরে পৌঁছলেন বেলা একটায়। হাত দিয়ে ছোঁবারও দরকার হল না, রামকৃষ্ণের শরীরের দিকে তিনি কয়েক পলক চেয়ে রইলেন মাত্র। যেন তিনি আগে থেকেই জানতেন। প্রদীপ নিবে যাবার আগে যে একবার দপ করে জ্বলে ওঠে, তা ওঁর শিষ্যরা সেদিন

বোঝেনি। রামকৃষ্ণের শরীর বাঁ পাশ ফেরা, পা দুটো গোটানো, চক্ষু খোলা, মুখটাও একটু খোলা। উনি বাঁচতে চেয়েছিলেন খুব, যেন এখনও সেই কথা বলতে চাইছেন।

অবতার হোন বা যাই-ই হোন, স্বর্গ কিংবা পরলোকের প্রতি ওঁর কোনও টান ছিল না, এই ধুলোমাখা পৃথিবীটাকেই উনি ভালোবাসতেন। আরও কিছুদিন বেঁচে থাকার জন্য বড় ব্যাকুলতা ছিল ওই বুকে।

মৃদু স্বরে মহেন্দ্রলাল বললেন, অন্তত বারো ঘন্টা আগে মৃত্যু হয়েছে। ক্যানসার রোগ আমাদের চিকিৎসার অতীত। চেষ্টার কোনও ত্রুটি হয়নি। তোমরা শবদাহের সব ব্যবস্থা করো।

পকেট থেকে একটা দশ টাকার নোট বার করে বললেন, তোমরা ওঁর শেষ যাত্রার একটা ছবি তুলে রেখো। এই নাও আমার পক্ষ থেকে কিছু।

বেলা পাঁচটার সময় দোতলা থেকে রামকৃষ্ণের দেহ নামিয়ে রাখা হল একটি পালঙ্কে। ধপধপে সাদা চাদর পাতা, অজস্র সাদা ফুলে সাজানো হল সেই পালঙ্ক, ভক্তরা গুরুর শরীরে মাখিয়ে দিল শ্বেত চন্দন। সারা দিন অসহ্য গুমোট গরম ছিল, এই সময় বৃষ্টি নামল বড় বড় ফোঁটায়। স্বস্তি বোধ হল তো বটেই, কেউ কেউ ভাবল, এক মহাপুরুষের তিরোধানে স্বর্গ থেকে দেবতারা পুষ্প বৃষ্টি করছে।

রামকৃষ্ণ পরমহংসের কথা তো খুব বেশি লোক জানে না। সারা দিন ধরে খবর ছড়ালেও তাঁর শবানুগমনকারীর সংখ্যা বড় জোর দেড়শো, এঁদের মধ্যে কেশবচন্দ্রের ব্রাহ্ম দলের কয়েকজনও রয়েছেন। অন্য দুটি ব্রাহ্ম দল তাঁকে গুরুত্ব দেয়নি কখনও। অনেক হিন্দু সাধুর মৃত্যুতে এর চেয়ে অনেক বেশি সমারোহ হয়, হাজার হাজার মানুষ সমবেত হয়, সেই তুলনায় রামকৃষ্ণের শবযাত্রা অতি সাধারণ ব্যাপার। কিন্তু এই শবযাত্রার দলে রয়েছে এগারোজন যুবা, তাঁদের মধ্য থেকে অন্তত একজনকে পেলেও অন্য সাধুরা ধন্য হতো।

মিছিলের এক একজনের হাতে রয়েছে হিন্দু ধর্মের ত্রিশুল ও ওঁকার, বৌদ্ধধর্মের খুন্তি, মোহম্মদীয় ধর্মের অর্ধচন্দ্র এবং খ্রিস্টধর্মের ক্রুশবাহিত পতাকা। রামকৃষ্ণ বলেছিলেন, যত মত তত পথ, এই শোকের সময়ও ভক্তরা তা ভোলেনি।

যারা সাক্ষাৎ শিষ্য নয়, এমনও এসেছিল কিছু মানুষ। স্টার থিয়েটারের সমস্ত নট-নটী ও কলাকুশলী। বাংলা থিয়েটার রামকৃষ্ণের আশীবার্দধন্য হয়ে জাতে উঠেছিল। স্টার থিয়েটারের এই দলটির একেবারে পেছনে, কিছুটা দূরত্ব রেখে হাঁটছিল সর্বাঙ্গ শ্বেত বসনে মোড়া এক নারী মূর্তি। তার দুই চক্ষু দিয়ে অশ্রু গড়িয়ে পড়ছিল অনবরত, তার কান্নার শব্দ কেউ শুনতে পায়নি।

॥ ৬৩ ॥

মানিকতলায় দ্বারিকার বাড়ির দোতলার বারান্দায় বসে আছে ইরফান আর ভরত। পরীক্ষা শেষ হয়ে গেছে, দু'জনেরই শরীর বেশ লঘু, নিঃশ্বাস সাবলীল। সন্ধে থেকেই বৃষ্টি পড়ছে অঝোরে, এখন রাত প্রায় আটটা, ভরতের বাড়ি ফেরার ব্যস্ততা নেই, তাকে আজ রান্নাও করতে হবে না, সে আজ এখানেই খেয়ে যাবে। দ্বারিকা এই বাড়িতে প্রেসিডেন্সি কলেজের পাঁচটি ছাত্রকে আশ্রয় দিয়েছে, তা ছাড়াও অনেকে আসে, সুবিধাজনক জায়গায় এই বাড়িটি একটি প্রকৃষ্ট আড্ডাখানা।

আজ অবশ্য ওরা দু'জন ছাড়া আর কেউ নেই, কয়েকজন পরীক্ষার পর দেশের বাড়িতে ফিরে গেছে, দ্বারিকা বেরিয়েছে নৈশ অভিযানে। অন্যদিনের মতন আজও দ্বারিকা ভরতকে ধরে খুব টানাটানি করেছিল, ভরত অতিকষ্টে ছাড়িয়ে নিয়েছে নিজেকে। সে কিছুতেই বসন্তমঞ্জরীর কাছে যেতে চায় না, এমন কি বসন্তমঞ্জরীর নাম শুনলেই সে আড়ষ্ট বোধ করে। বসন্তমঞ্জরী নাকি ভরতের সঙ্গে দেখা করার জন্য ব্যাকুল, দ্বারিকা প্রায়ই বলে এ কথা, কে জানে সে সত্যি কথা বলে কি না ! বসন্তমঞ্জরী কেন ব্যাকুল হবে ভরতের জন্য, ভরত তো তার কেউ নয়, একদিন মাত্র কয়েক মিনিটের জন্য দেখা হয়েছিল। বসন্তমঞ্জরী নাকি এ কথাও বলেছে, এর মধ্যে সে আবার স্বপ্নে দেখেছে ভরতকে। একটা প্রকাণ্ড জলাশয়, এপার ওপার দেখতে পাওয়া যায় না, নিকষ কালো জল, সেখানে ভরত আঁকুপাকু করতে করতে ডুবে যাচ্ছে, কাছাকাছি কেউ নেই। হুঁ, স্বপ্ন ! স্বপ্নের আবার মাথামুণ্ডু আছে নাকি ? আর যাই হোক, ভরত কখনও জলে ডুবে মরবে না, সে সাঁতার ভালোই জানে, এখনও মাঝে মাঝে আহিরীটোলার ঘাটে গঙ্গায় সাঁতার কাটতে যায়। দ্বারিকার ধারণা ভবিষ্যৎ দেখতে পায় বসন্তমঞ্জরী !

দ্বারিকা অবশ্য ইরফানকে কখনও বউবাজারে এ বাড়িতে নিয়ে যাবার জন্য জোর করে না।

বৃষ্টির তোড়ে নিবে গেছে রাস্তার গ্যাসের বাতি, চারদিক ঘুটঘুট্টি অন্ধকার। এদিকে বড় বাড়ি বিশেষ নেই, সবই বস্তি। বেশ খানিকটা দূরে শুধু একটি বাড়ি ঝলমল করছে অত্যুজ্জ্বল আলোয়। বোধহয় ওটা বিয়েবাড়ি, ইদানীং ডায়নামো নামে কী একটা বস্তুর সাহায্যে বিজলি বাতি জ্বালানোর চল হয়েছে, ওতে বড় বেশি আলো।

মদ্যপান একেবারেই ছেড়ে দিয়েছে ভরত, ইরফান কোনওদিনই স্পর্শ করেনি, তবে দু'জনেরই চুরুট সম্পর্কে দুর্বলতা আছে। দু'জনের মুখে চুরুটের আঁচ। রাস্তায় কিছুই দেখা যায় না, শুধু মাঝে মাঝে শোনা যায় মানুষের কলকলানি, ঘোড়ার গাড়ির কপাকপ শব্দ আর সহিসের চিৎকার।

পরীক্ষার পরের ছুটির সময় ভবিষ্যতের চিন্তা সব সময় মাথা জুড়ে থাকে। ভরত এম এ ক্লাসে ভর্তি হবে ঠিক করে ফেলেছে, সেই সঙ্গে আইনটাও পড়ে রাখবে। কোনও চাকরির কথা এখন সে ভাবতেও পারে না। যতদূর সম্ভব সে পড়াশুনোই করে যাবে। ইরফানকে ফিরে যেতে হবে বহরমপুরে। সে এর মধ্যে বিয়ে করে ফেলেছে, তার স্ত্রী সন্তানসম্ভবা, এখন একটা

সাংসারিক দায়িত্ব এসে পড়েছে তার ঘাড়ে। ইরফানের শ্বশুর বহরমপুর আদালতের পেশকার, তিনি ইরফানের জন্য সেখানে একটা কাজ ঠিক করে রেখেছেন। কিন্তু ইরফান ফেরার জন্য উদ্‌গ্রীব নয়, ছাত্রজীবন ছেড়ে যেতে কার মন চায়? দ্বারিকা তাকে এ বাড়িতে আশ্রয় দেওয়ায় তার ব্যক্তিগত খরচ-পত্রের সমস্যা দূর হয়ে গেছে, তা ছাড়া অধ্যাপক ব্রাউন সাহেব ইরফানকে বিশেষ স্নেহ করেন, তিন ইরফানের এম এ পরীক্ষার ব্যবস্থা করে দেবার আশ্বাস দিয়েছিলেন। কিন্তু শুধু নিজের ব্যবস্থা হয়ে যাওয়াটাই তো যথেষ্ট নয়, বাড়িতে সে টাকা পাঠাবে কী করে?

ইরফান একটা দো-টানার মধ্যে আছে। তার বহুকালের বিশ্বাস ও সংস্কারে একটা প্রবল ধাক্কা লেগেছে। তার মূলেও রয়েছেন অধ্যাপক এডগার বি ব্রাউন সাহেব। অধ্যাপক ব্রাউন দর্শন পড়ান, খুব নম্র ও মৃদুভাষী ছোটখাটো মানুষ, ভারতীয় ছাত্রদের সঙ্গে ভালো ব্যবহার করেন। ভদ্রলোক বিয়ে-থা করেননি, পড়া ও পড়ানোই তাঁর নেশা। এই ধরনের শান্ত স্বভাবের মানুষরাই হঠাৎ এক একদিন সাঙ্ঘাতিক ক্রুদ্ধ হয়ে পড়েন, তখন আর তাঁদের হিতাহিত জ্ঞান থাকে না। এই দর্শন বিভাগেরই আর একজন অধ্যাপক জর্জ ও কন্নোর ব্রাউন সাহেবের চেয়ে অনেক বেশি জনপ্রিয়। তাঁর লম্বা চওড়া চেহারা, সুবক্তা, পড়াবার সময় তাঁর গলার আওয়াজ এমনভাবে ওঠা-নামা করে, যে তাঁকে একজন পাকা অভিনেতা মনে হয়। গোটা বাইবেলটাই তাঁর মুখস্থ, যখন তখন যে-কোনও জায়গা থেকে উদ্ধৃতি দিতে পারেন। এই দুই অধ্যাপকের মধ্যে একদিন প্রবল ঝগড়া হয়েছিল, ঝগড়া করতে করতে দু'জনে অধ্যাপকদের ঘর থেকে বেরিয়ে এসেছিলেন বারান্দায়, তাঁদের চোখের দৃষ্টি এমনই যে, হাতে অস্ত্র থাকলে দু'জনে তখুনি ডুয়েল লড়ে যেতেন। দূর থেকে ছাত্ররা স্পষ্ট শুনেছে, ঝগড়ার মধ্যে ও' কন্নোর সাহেব দু'তিনবার স্কাউন্ড্রেল শব্দটি উচ্চারণ করেছেন এবং মৃদুভাষী ব্রাউন সাহেব দাঁত কিড়মিড় করে বসেছেন, স্টুপিড, ব্লকহেড!

প্রেসিডেন্সি কলেজের অধ্যাপকদের এরকম ব্যবহার কল্পনাই করা যায় না। এই ঝগড়ার সময় অন্য কোনও অধ্যাপক ওঁদের ছাড়িয়ে দেবার চেষ্টা করেননি, চুপ করে ছিলেন সবাই। ব্যাপারটা অনেক দূর গড়িয়েছিল।

শিক্ষা দফতরের অধিকর্তা জন রীড এসেছিলেন তদন্ত করতে। দু'জনেই যদিও গালাগালি উচ্চারণ করেছিলেন, কিন্তু বিচারে দোষী সাব্যস্ত হলেন অধ্যাপক ব্রাউন। কারণ,ও'কন্নোর নাকি স্কাউন্ড্রেল বলেছিলেন ডারউইন নামে একজন অনুপস্থিত সাহেবের উদ্দেশে, আর ব্রাউন গালাগালি দিয়েছেন সরাসরি তাঁর সহকর্মীকে। ব্রাউনকে পনেরো দিনের জন্য সাপপেন্ড করা হয়, তারপর তিনি লিখিতভাবে ক্ষমা প্রার্থনা করেন।

আসল ঝগড়াটা কী কারণে হয়েছিল, তা ছাত্রদের মধ্যে জানে শুধু ইরফান। একমাত্র সে-ই ব্রাউন সাহেবের বেন্টিঙ্ক স্ট্রিটের বাড়িতে যাওয়া-আসা করে। ব্রাউন সাহেব প্রকৃত দার্শনিক, রাস্তা দিয়ে চলার সময়েও থাকেন অন্যমনস্ক, একদিন তিনি চুরুট টানতে টানতে হাঁটছেন, একটা রাস্তা পার হবার সময় মাঝ রাস্তায় তাঁর চুরুট নিবে গেল, তিনি সেখানেই দাঁড়িয়ে চুরুট ধরাতে গেলেন, সঙ্গে সঙ্গে তাঁর গায়ের ওপর হুড়মুড় করে এসে পড়ল একটা জুড়ি গাড়ি। বড় বড় আরবি ঘোড়ার পায়ের চাঁটে এই অবস্থায় মানুষ মরেও যায়, অধ্যাপক ব্রাউনেরও মারাত্মক কিছু ঘটতে পারত, কিন্তু দৈবাৎ সেই সময় ইরফানও পার হচ্ছিল সেই রাস্তা। সে বিদ্যুৎ গতিতে ব্রাউন সাহেবের দু'কাঁধ চেপে ধরে এনে, পাঁজা কোলা করে ছুটে চলে এসেছিল এক পাশে।

প্রাণে বেঁচে গিয়ে একটু ধাতস্থ হবার পর ব্রাউন সাহেব ইরফানের আপাদমস্তক দেখলেন, ইরফান তাঁর ছাত্র নয়, তিনি তাঁকে চেনেন না। তিনি একটা অদ্ভুত প্রশ্ন করলেন। ইরফানের চোখে চোখ রেখে তিনি খানিকটা কঠোর ভাবে বললেন, ইয়াংম্যান, নিজের প্রাণ

বিপন্ন করেও তুমি আমাকে উদ্ধার করতে গেলে কেন ? আমি একজন ইংরেজ বলে ? অন্য কোনও দিশি লোক হলে তুমি এতটা ঝুঁকি নিতে ?

ইরফান বলল, আমি দেখলাম ঘোড়া দুটোর একেবারে পায়ের কাছে একজন মানুষ, আমি কিছু চিন্তাই করিনি, সঙ্গে সঙ্গে ঝাঁপিয়ে পড়েছি। আপনাকে আমি তখন চিনতেও পারিনি, স্যার।

ব্রাউন সাহেব মাথা ঝাঁকিয়ে বললেন, উঁহু, ঠিক বিশ্বাসযোগ্য নয়। আমি আগে অনেকবার দেখেছি। এ দেশের কোনও লোক যখন বিপদে পড়ে, তখন অন্য কেউ তাকে সাহায্য করার জন্য এগিয়ে আসে না। রাস্তার পাশে দাঁড়িয়ে দাঁড়িয়ে দেখে। আমি ইংরেজ, তুমি কি আমার কাছ থেকে কোনও পুরস্কার আশা করেছিলে ?

এ ধরনের কথায় আহত বোধ করে ইরফান আর কোনও কথা না বাড়িয়ে উল্টো দিকে হাঁটা শুরু করেছিল। তখন ব্রাউন সাহেব দ্রুত এসে তার একটা হাত চেপে ধরে বলেছিলেন, তুমি যখন আমায় এতটাই সাহায্য করলে, এরপর আমাকে মেডিক্যাল কলেজ হাসপাতালে পৌঁছে দেবে না ? দেখছ না, আমার ঘাড়ে ও পিঠে গভীর ক্ষত হয়েছে, সেখান থেকে রক্তপাত হচ্ছে।

তারপর থেকেই ব্রাউন সাহেবের সঙ্গে ইরফানের বন্ধুত্ব। ইরফান প্রায়ই ব্রাউন সাহেবের বাড়িতে যায়, তিনি নিজের হাতে নানারকম রান্না করে ওকে খাওয়ান। এক আকস্মিক দুর্ঘটনার সূত্রে এই বন্ধুত্ব, তার ফলে ইরফানের মনোজগতে এক বিপর্যয় শুরু হয়ে গেছে, সে কথা সে অন্য কারুকে বলতে পারেনি এতদিন, আজ সে একা পেয়েছে ভরতকে।

বারান্দার রেলিংয়ে পা তুলে দিয়ে, চুরুট টানতে টানতে চুপচাপ বৃষ্টির কনসার্ট শুনছে ভরত। ইরফান এক সময় তাকে জিজ্ঞেস করল, ভরত তুই চার্লস ডারউইনের নাম শুনেছিস?

ভরত ভুরু কুঁচকে একটু চিন্তা করে বলল, ছাপার অক্ষরে কোথাও নামটা দেখেছি। বোধহয় ইংলিশম্যান পত্রিকায়। উনি কি আমাদের কলেজে পড়াতে আসছেন?

ইরফান বলল, না, না, উনি কখনও এ দেশে আসেননি, মারা গেছেন বছর চারেক আগে। তিনি ছিলেন একজন বিজ্ঞানী।

—হঠাৎ সেই লোকটার কথা কেন ?

—গত এক মাস ধরে ক্রমাগত এই নামটা আমার মাথায় ঘুরছে। ডারউইন যা বলেছেন, তা যদি সত্যি হয়, তা হলে এতকাল ধরে আমরা যা সত্যি বলে জেনে এসেছি, তা সব মিথ্যে।

—কী বলেছেন তিনি ?

—ডারউইন বলেছেন, এই যে জীবজগৎ এই যে সব গাছপালা, পশু-পাখি, মানুষ, এর কিছুই আল্লা সৃষ্টি করেননি। আমরা মনে করি আল্লা, তোরা মনে করিস ভগবান আর খ্রিস্টানরা মনে করে গড। তিনিই সৃষ্টিকর্তা। কিন্তু ডারউইন বলেছেন, কোনও পরমেশ্বরই এসব সৃষ্টি করেননি, প্রকৃতির সব কিছুই নিজস্ব সৃষ্টি। বিবর্তনবাদ নামে উনি একটা তত্ত্বের কথা বলেছেন, মানুষ ও প্রাণিজগৎ সেই বিবর্তনবাদের মধ্য দিয়েই চলেছে, সেখানে পরমেশ্বরের কোনও ভূমিকাই নেই।

—একটা কোন ছোটখাটো বৈজ্ঞানিক কিছু একটা তত্ত্ব দিলেই তা মানতে যাব কেন ?

—শুধু তত্ত্ব নয়, উনি প্রমাণ দিয়েছেন। এমন ভাবে প্রমাণ দিয়েছেন যে কিছুতেই উড়িয়ে দেওয়া যায় না। দেখ ভরত, এখন সাদা লোকদের রাজত্ব। তোর-আমার মতন হিন্দু-

মুসলমানদের কোনও গুরুত্ব নেই, আমরা শক্তিহীন, খ্রিস্টানরাই ছড়ি ঘোরাচ্ছে সারা পৃথিবীতে, আমাদেরও খ্রিস্টানি বিশ্বাসকে ধ্রুব সত্য বলে মেনে নিতে হয়। সেই খ্রিস্টানদের মধ্যেও ডারউইন তত্ত্ব নিয়ে দারুণ গণ্ডগোল শুরু হয়ে গেছে। ডারউইনের কথা মানতে গেলে বলতে হয়, বাইবেল মিথ্যে !

—অ্যাঁ !

—বাইবেলে কী আছে ? ঈশ্বর প্রথমে এই পৃথিবীর সৃষ্টি করলেন। তারপর ছ' দিন ধরে এই পৃথিবীর যাবতীয় তরু-লতা, প্রাণী ও পোকামাকড় বানালেন, মানুষকে সৃষ্টি করলেন নিজের আদলে। তাই তো ? মহা শক্তিমান এবং মহান শিল্পী এই ঈশ্বর এত কিছু তৈরি করে ফেললেন মাত্র ছ' দিনে। আমাকে ব্রাউন স্যার বলেছেন, দু'জন পাদ্রি নাকি বাইবেল অনুযায়ী হিসেব করে দেখিয়ে দিয়েছে যে খ্রিস্টানদের ঈশ্বর নাকি প্রাণ সৃষ্টি সম্পূর্ণ করেছিলেন ২৩ অকটোবর, খ্রিস্টপূর্ব চার হাজার চার সালে। তার মানে কত হল, চার হাজার চার আর এখন খ্রিস্টাব্দ আঠেরো শো ছিয়াশি, যোগ করলে হয় পাঁচ হাজার আট শো নব্বই। তা হলে কি পাঁচ হাজার আট শো নব্বই বছর আগে মানুষটানুষ কিচ্ছু ছিল না ? পৃথিবীরই অস্তিত্ব ছিল না ?

—যত্ত সব গাঁজাখুরি কথা। অবশ্য ওই পাদ্রিদের হিসেবেও ভুল হতে পারে।

—তাহলেই তো বাইবেলকে ভুল বলতে হয়। স্যার আমাকে বললেন, তোমাদের ইসলাম ধর্মের বয়েস তেরো শো বছর । হজরত মহম্মদ আল্লার বাণী প্রচার করলেন। সেই আল্লাও সর্ব শক্তিমান। মানুষের পাপ-পুণ্যের নিয়ামক। তা হলে তের শো বছর আগেকার মানুষগুলোকে সৃষ্টি করল কে, কিংবা এতদিন আল্লা কোথায় ছিলেন ?

—মানুষের বয়েস যদি বাইবেলের মতে পাঁচ হাজার আটশো নব্বই বছর হয়, তা হলে তো প্রথম চার হাজার বছর কোনও খ্রিস্টান ছিল না, খ্রিস্টানদের গডও ছিলেন না। কোথায় লুকিয়ে ছিলেন তিনি? বৌদ্ধ ধর্ম আরও পুরনো। গৌতম বুদ্ধ জন্মেছিলেন প্রায় আড়াই হাজার বছর আগে, তার প্রমাণ আছে, হিন্দু ধর্ম তারও আগে, কারণ হিন্দু ধর্ম থেকে বেরিয়ে এসেই বুদ্ধ তাঁর ধর্ম প্রচার করেছিলেন।

—হিন্দু ধর্মও বা কত আগে ? বড় জোর ছ'সাত হাজার। খ্রিস্টানদের মতে যখন পৃথিবীর সৃষ্টিই হয়নি, মানুষও জন্মায়নি, তখনও পৃথিবী দিব্যি আছে, হিন্দুরা এখানে গিসগিস করছে। চিনেম্যানরা আছে। আরব-পারস্যেও মানুষ আছে, সবাই পুতুল পুজো করছে। তারও হাজার হাজার বছর আগে মানুষ ছিল, তাদের কোনও ধর্মও ছিল না, ঈশ্বরও ছিল না।

—পাহাড়ের গুহায়, বনে জঙ্গলে মানুষ বাস করত। পাথরের অস্ত্র দিয়ে পশু শিকার করে আগুনে ঝলসে খেত। তাদের কোনও ভগবান ছিল না বোধ হয়! আমারও তাই ধারণা ।

—এই চালর্স ডারউইন ইংল্যান্ডের এক ডাক্তারের ছেলে। প্রথমে তিনিও ডাক্তারি পড়তে গিয়েছিলেন, মন বসেনি। তারপর তাঁর বাবার ইচ্ছে হল, ছেলে পাদ্রি হোক, চার্লসকে তিনি ধর্মতত্ত্ব পড়তে পাঠালেন। এই সময়ে, ডারউইনের যখন বাইশ বছর বয়েস, তখন তিনি একটি জাহাজে ঘোরার আমন্ত্রণ পেলেন। ব্রিটিশ সরকার এই সময় বিগ্‌ল নামে একটা জাহাজ পাঠাচ্ছিলেন দক্ষিণ আমেরিকার উপকূল আর প্রশান্ত মহাসাগরের কিছু কিছু দ্বীপ সার্ভে করার জন্য। সেই জাহাজে নানা রকম লোকজন ছিল, ডারউইনকে নির্বাচন করা হল প্রকৃতি-বিজ্ঞানী হিসেবে। ডারউইনের গাছ-পালা, কীট-পতঙ্গ সম্পর্কে বরাবরই ঝোঁক ছিল, তার বন্ধুবান্ধবরা জানত। অবশ্য তুই ভাবতে পারিস, এই কাজে ডারউইনের মতন এক অল্পবয়েসী ছোকরা আর নিতান্ত শখের বিজ্ঞানীকে বাছা হল কেন ? তার কারণ, জাহাজটা

সমুদ্রে ভাসবে পাঁচ বছর ধরে, কোনও বিজ্ঞানীকেই মাইনে দেওয়া হবে না। বিনা মাইনেতে কে যেতে চায় ! ডারউইন বড়লোক ডাক্তারের ছেলে......পাঁচ বছর ধরে, বহু দ্বীপ ঘুরে ঘুরে ডারউইন অনেক জন্তু-জানোয়ার, পোকা-মাকড়, লতা-পাতা সংগ্রহ করে আনেন। তারপর সেগুলো নিয়ে গবেষণা করতে করতে অনেক বছর পরে একটা বই লেখেন। বইটার নামটা খুব লম্বা, সংক্ষেপে বলা যায় 'দা অরিজিন অফ স্পিসিজ'। ব্রাউন স্যারের কাছে এই বইটা আছে। আমাকে পড়তে দিয়েছিলেন। তুই পড়ে দেখবি ?

—কী আছে সেই বইতে ?

—সহজে বোঝা যায় না। মোট কথা, তার মধ্যেই রয়েছে বিবর্তনবাদের তত্ত্ব। জন্তু-জানোয়ার, আর মানুষের চেহারা চিরকাল এক রকম ছিল না। পরিবেশ অনুযায়ী বদলেছে। অনেক প্রাণী হারিয়ে গেছে চিরতরে। তোদের ভগবান, আমাদের আল্লা, খ্রিস্টানদের গড কিংবা কোনও ধর্মেরই সর্বশক্তিমান স্রষ্টার ইচ্ছেতে মানুষের সৃষ্টি হয়নি। বিবর্তনের ধাক্কায় মানুষ এসেছে বাঁদরের মতন এক প্রাণী থেকে। এই কথা বলাতেই তো ও'কন্নোর সাহেব আমাদের ব্রাউন সাহেবকে প্রায় মারতে গিয়েছিলেন।

—হ্যাঁ রে, ইরফান, ব্রাউন সাহেব তো দর্শন পড়ান, তিনি বিজ্ঞান নিয়ে এত মাথা ঘামান কেন!

—স্যার বলেন, এ যুগে বিজ্ঞান না পড়লে দর্শন, কাব্য-সাহিত্য কিছুই ঠিক মতন উপলব্ধি করা যাবে না। তাছাড়া ডারউইনের তত্ত্বে দর্শন নেই ? এই আমাদের জগৎ থেকে ঈশ্বরের ভূমিকা তিনি উড়িয়ে দিলেন একেবারে !

—বাইবেল-বিরোধী কথা বলার জন্য গ্যালিলিওকে কারাদণ্ড ভোগ করতে হয়েছিল। জিয়র্দানো ব্রুনো নামে আর একজনকে পুড়িয়ে মারা হয়েছিল। ডারউইন সাহেব ঈশ্বরকে উড়িয়ে দিয়েও পার পেলেন কী করে ? কেউ তাকে খুন করতে যায়নি !

—দেখ, চার্চের সেই ইনকুইজিশানের যুগ তো আর নেই। এটা আধুনিক যুগ। বিজ্ঞানের যুগ। এখন কেউ কারুকে পুড়িয়ে মারে না। বিজ্ঞানে নিছক বিশ্বাস কিংবা ভয়-ভক্তির কোনও স্থান নেই, স্বয়ং ঈশ্বরের আদেশ হলেও তা মানা হবে না, চাই যুক্তি এবং প্রমাণ। ডারউইনের ওপর প্রচুর লোক খড়গহস্ত হয়েছে, গির্জার পাদ্রিরা তাকে দু'চক্ষে দেখতে পারে না। তর্কাতর্কি, গালমন্দ হয়েছে প্রচুর, অধ্যাপক ও'কন্নোর যেমন এখনও গালাগালি দিচ্ছেন, কিন্তু পৃথিবীর আশি ভাগ বৈজ্ঞানিক ডারউইনের যুক্তি-প্রমাণ মেনে নিয়েছেন। বিজ্ঞানের জগতে একটা বিপ্লব এসে গেছে বলতে পারিস ! ডারউইনের বই হাজার হাজার সাধারণ মানুষও পড়ে, বাইবেল সম্পর্কে এতকালের বিশ্বাস অনেকেরই ভেঙে যাচ্ছে।

—ইরফান, তোদের কোরান সম্পর্কে যদি কেউ বলত, তার মধ্যে ভুল আছে, তা হলে সেই লোকের অবস্থা কী হতো ?

—সে খুন হয়ে যেত ! আমাদের মুসলমানদের মধ্যে আধুনিক বিজ্ঞানী কোথায় ? তোদের হিন্দুদের মধ্যেও বিজ্ঞানী কতজন আছে ? আধুনিক বিজ্ঞানের কাছে তো আমরা শিশু। এখনও কতকগুলো অন্ধ বিশ্বাস আঁকড়ে ধরে বসে আছি। দেড় হাজার দু' হাজার বছরের পুরনো ধর্মগ্রন্থের বাণীগুলোকে আমরা অমোঘ সত্য বলে মনে করি, সেই অনুযায়ী সমাজ চলে !

—এসব কথা তুই ব্রাউন সাহেবের কাছে শিখেছিস ? সে যাই হোক, এগুলো পশ্চিমি জগতের ব্যাপার, এসব কথা নিয়ে তুই এত উত্তেজিত হচ্ছিস কেন, ইরফান ?

—কয়েকটা ব্যাপার আমার মাথায় এমন ভাবে গেঁথে গেছে যে ভুলতে পারছি না কিছুতেই । ডারউইন সাহেবের আর একটা তত্ত্ব হচ্ছে স্ট্রাগল ফর একজিসটেন্স! পৃথিবীতে

যত মানুষ জন্মায়, পঁচিশ বছরে তার সংখ্যা দ্বিগুণ হয়ে যায়। কোনও কোনও প্রাণীর বংশবৃদ্ধি এর চেয়েও অনেক বেশি। এইভাবে বাড়তে থাকলে সকলের খাদ্য জোটানো অসম্ভব, পৃথিবীতে পা ফেলারও জায়গা থাকত না। বন্যা, দুর্ভিক্ষ, মহামারি, ভূমিকম্প, যুদ্ধে বহু মানুষ ও প্রাণী মারা যায়। এর মধ্যে যারা বাঁচে, তারাই টিকে থাকে। সারভাইভাল অফ দা ফিটেস্ট ! সমস্ত প্রাণীর মধ্যে অবিরাম জীবনযুদ্ধ চলছে, যারা জয়ী হয়, শুধু তাদেরই অধিকার আছে এই পৃথিবীতে বেঁচে থাকার। এটা ঠিক নয় ?

—মনে তো হয় ঠিকই।

—এর তাৎপর্য বুঝতে পারলি না ! তা হলে ঈশ্বর বা আল্লা যে পিতার মতন আমাদের রক্ষণাবেক্ষণ করছেন বলে এতকাল জেনে এসেছি, তাও ঠিক নয় ? মানুষের সৃষ্টির সঙ্গেও আল্লার কোনও সম্পর্ক নেই, মানুষের বাঁচা মরার সঙ্গেও আল্লার কোনও সম্পর্ক নেই।

—নাই বা থাকল, তা নিয়ে এত উতলা হবার কী আছে ?

—তুই আমার বিপদ বুঝতে পারছিস না ভরত ! আমি ফিরে যাব মুর্শিদাবাদে, আমার নিজের সমাজে। সেখানে সবাই কোরান হাদিসের প্রতিটি বাক্য ধ্রুব সত্য বলে মনে করে। ভক্তি ভরে পাঁচ ওকত নামাজ পড়ে, রোজার মাসে সারাদিন মুখে এক ফোঁটা জল পর্যন্ত নেয় না। মৌলভি সাহেবের নির্দেশ সেখানে ইংরেজ সরকারের আইনের চেয়েও বড়। তার মধ্যে আমি থাকব কী করে ? আমার যে বিশ্বাস টলে গেছে। অবিশ্বাসের কথা আমি মুখ ফুটে বলতেও পারব না। তোদের হিন্দুদের মধ্যে তবু নাস্তিকের স্থান আছে, আমাদের সমাজ নাস্তিককে একেবারে সহ্য করে না। তোকে আমি যা বললাম, এসব কথা অন্য কারুর সামনে বলার সাহসও আমার নেই ! আমি এখন কী করি বল তো ? নিজের আত্মীয় স্বজনের মধ্যে গিয়ে সর্বক্ষণ মুখ বুঁজে থাকব !

—তোকে এবার আমার কথা বলি, ইরফান। হিন্দুর বাড়িতে জন্মেছি, চার পাশের মানুষজনকে দেখে দেখে আমার মধ্যেও সব রকম হিন্দু সংস্কার দানা বেঁধেছিল। ঠাকুর দেবতার মূর্তি দেখলে টিপ টিপ করে প্রণাম করতাম। তারপর আমার জীবনে একজন এলেন, আমার প্রথম শিক্ষক, আমার শ্রেষ্ঠ গুরু, পৃথিবীতে আমি তাঁকে সবচেয়ে বেশি শ্রদ্ধা করি, তাঁর নাম শশিভূষণ সিংহ। তিনি আমাকে একটু একটু করে বোঝালেন যে, এই যে সব দুর্গাঠাকুর, শিব, বিষ্ণু, গণেশ, কালী এই সব ঠাকুরের মূর্তি, এর কোনও কিছুর মধ্যেই ঈশ্বরের প্রকাশ নেই। সবই মানুষের কল্পনা, সেই কল্পনা দিয়ে মানুষ কতকগুলো পুতুল বানিয়ে পুজো করে। প্রথম যেদিন তিনি বলেছিলেন যে, মা কালীর মন্দিরের মা কালী জাগ্রত নন, শুধুই একটা পাথরের মূর্তি, সেদিন সেই অবিশ্বাস আমি সহ্য করতে পারিনি, মনে হয়েছিল যেন আমার মাথাটাই ভেঙে চুরমার হয়ে যাবে। তারপর আস্তে আস্তে বুঝেছি, আস্তে আস্তে ভয় ভেঙেছে। বহু যুগের সংস্কার এক পুরুষে ভাঙা সহজ কথা নয়।

—তোদের হিন্দুদের এই সব বিশ্বাসের থেকে কিন্তু ইসলাম অনেকখানি এগিয়ে। আমাদের পয়গম্বর এসে বুঝিয়ে দিয়েছিলেন, পুতুল টুতুল পুজো করা অর্থহীন । আল্লা নিরাকার, বর্ণনার অতীত। তুই কিছু মনে করিস না ভরত, ছোটবেলা থেকেই হিন্দুদের এই মাটি-খড় দিয়ে মূর্তি বানিয়ে পুজো করা দেখলে আমার হাসি পেত। যেন বাচ্চাদের পুতুল খেলা। অথচ বয়স্ক মানুষরাও পুজো করতে গিয়ে কেঁদে ভাসায়।

—সব হিন্দুই পুতুল পুজো করে না। নিরাকার পরম ব্রহ্মের তপস্যাও বহু যুগ ধরে চলে আসছে। এখনকার ব্রাহ্মরা যে পরম ব্রহ্মের কথা বলেন, তাঁর সঙ্গে তোদের আল্লা কিংবা খ্রিস্টানদের গডের তেমন তফাত নেই। তিনজন তিনটে আলাদা ভগবান, অথচ প্রত্যেকেই একম্ অদ্বিতীয়ম্ বলে দাবি করা হয়, এটা একটা মজার ব্যাপার না ? ইরফান, আমি তোর ওই ডারউইন সাহেবের লেখা পড়িনি, কিন্তু আমারও ধারণা, আমার নিজের জীবনের একটা

অভিজ্ঞতা থেকেই বুঝেছি, নিরাকার, রূপ-গুণের অতীত কোনও শক্তি যদি থেকেও থাকে, তার সঙ্গে মানুষের জীবনের কোনও সম্পর্ক নেই। তার জন্য মানুষের এত পুজো-আচ্চা, প্রার্থনা, কান্নাকাটির দরকার কী ? আমি কোনওদিন বাইরের কারুকে বলতে যাব না, শুধু তোকেই বলছি, এই যে নিরাকার কোনও শক্তিকে বহু মানুষ ঈশ্বর বলে বিশ্বাস করে, তার মধ্যে কিছুটা ভণ্ডামি থাকতে বাধ্য। সত্যিকারের নিরাকার কোনও কিছু কি মানুষের পক্ষে কল্পনা করা সম্ভব ? নিরাকারের কাছে প্রার্থনা ! আসলে এই নিরাকারেরও চোখ-মুখ-নাক আছে। সব ধর্মের এই নিরাকারই মাঝে মাঝে কথা বলেন, তিনি মানুষের পাপপুণ্য দেখতে পান। ব্রাহ্মরা তারস্বরে গান গায়, হিন্দুরা জোরে জোরে মন্ত্র পড়ে, তোরা আল্লা হো আকবার বলে চ্যাঁচাস কেন ? যাঁর কান নেই, তাঁকে কিছু শোনাবার জন্য কি মুখে কিছু উচ্চারণের দরকার হয় ? আসলে কি জানিস , বিশ্বাসের কাছে সব মানুষই শিশু, আর শিশুদের পুতুল ছাড়া চলে না। সব ধর্মেই পুতুল আছে। খ্রিস্টানদের পুতুল নেই ? যিশু, মা মেরি, দেবদূত, কত রকম সন্ত.....তোদেরও পুতুল আছে......অত চমকে উঠছিস কেন, তোরা মূর্তি বানাসনি বটে, কিন্তু মসজিদগুলো কী ? এতরকম সব কারুকার্য করা মসজিদ, নিরাকারের প্রার্থনার জন্য দরকার ? এগুলি কি নিরাকারের বাসস্থান, না পুতুলের খেলাঘর ?

—সর্বনাশ ! ভরত, তোর মুখে তো আমি এরকম কথা কখনও শুনিনি !

—হঠাৎ বলে ফেললাম। বলা উচিত না বোধ হয়। বৃষ্টির দিনে কাছাকাছি কেউ নেই, আর কেউ শুনবে না, তাই মুখে এসে গেল। তবে কি জানিস, লক্ষ লক্ষ কোটি কোটি মানুষ ঈশ্বর বিশ্বাস নিয়ে মেতে আছে, তাদের এক কথায় উড়িয়ে দেবার অধিকার তোর-আমার নেই ! বিশ্বাসে-শ্রদ্ধায়-ভক্তিতে কেউ যখন নিমগ্ন থাকে তখন তাকে দেখতে বড় ভালো লাগে। চোখ বুজে কেউ ধ্যান করছে, এই দৃশ্যটা দেখলে আমার এখনও শ্রদ্ধা হয়, সে যারই ধ্যান করুক না কেন ! নাস্তিকদের কোনও রূপ নেই, নাস্তিকরাও এক ধরনের নিরাকার।

বৃষ্টি থেমে এসেছে, এখন আর শব্দ নেই, বাতাসে উড়ছে জলকণা। রাস্তায় জল দাঁড়িয়ে গেছে। ভরতকে হেঁটে ফিরতে হবে, সে উঠে দাঁড়িয়ে বলল, খিদে পেয়ে গেছে রে, ইরফান!

ইরফান বলল, সব কিছু রান্না করাই আছে, গরম করে নিতে হবে। চল পাকের ঘরে, দু'জনে হাত লাগালে তাড়াতাড়ি হয়ে যাবে।

এ বাড়িতে একজন রান্নার ঠাকুর নিযুক্ত আছে, কিন্তু ছুটিতে প্রায় সবাই বাড়ি চলে গেছে বলে সেও ছুটি নিয়েছে। ইরফানই এখন কাজ চালিয়ে দেয়। ছাত্রদের হস্টেলগুলিতে জাতপাতের কত রকম বিচার, কিন্তু এ বাড়িতে সেসব নিয়ম কেউ মানে না। দ্বারিকা এমনিতে গোঁড়া হিন্দু হলেও যেহেতু ইরফান তার বন্ধু, সেইজন্য ইরফান সম্পর্কে তার কোনও শুচিবাই নেই। অবশ্য আগে থেকেই দ্বারিকা নিষিদ্ধ মাংস ভক্ষণ করে।

কয়লার উনুন জ্বালিয়ে তাতে কড়াই চাপাতে ইরফান বলল, আমাকে ফিরে যেতে হবে, অথচ একেবারেই ইচ্ছে করছে না রে !

ভরত হাসতে হাসতে বলল, কী কুক্ষণেই তুই ব্রাউন সাহেবকে দুর্ঘটনা থেকে বাঁচাতে গেলি, তারপর ডারউইন সাহেবের খপ্পরে পড়লি ! বাড়িতে তোর নতুন বউ, সেখানে গেলে বিবর্তনবাদটাদের কথা তোর মাথা থেকে ঘুচে যাবে। নামাজ পড়বি, রোজা রাখবি, মিশে যাবি সকলের সঙ্গে। নাস্তিক হয়ে একা থাকতে যাবি কেন ! গ্রামের জীবনে নিঃসঙ্গতা বড় ভয়ংকর।

ইরফান হঠাৎ ঘুরে দাঁড়িয়ে ভরতের একটা হাত চেপে ধরে বিহ্বল গলায় বলল, ভরত, ভরত, আমি যদি হঠাৎ পাগল হয়ে যাই ? মাথার মধ্যে যেন আমার ঝড় বইছে সর্বক্ষণ, এক এক সময় চক্ষে অন্ধকার দেখছি !

ভরত বলল, ডারউইন সাহেবের বইখানা এনে তুই উনুনে গুঁজে দে। ব্রাউন সাহেবের কাছে আর কক্ষনও যাবি না। পাগল হয়ে যাওয়ার চেয়ে বিশ্বাসী, ভক্ত হয়ে থাকা অনেক ভালো। বাঁচতে হবে তো, বেঁচে থাকাটাই বড় কথা!

॥ ৬৪ ॥

এক হাঁটু জল ঠেলে বাড়িতে ফিরতে লাগল ভরত। ইরফান তার সঙ্গে আসতে চেয়েছিল, ভরত রাজি হয়নি। ইরফান এমন প্রস্তাবও দিয়েছিল যে, ভরতের আর রাত্রে ফেরার দরকার কী, সে তো মানিকতলার বাড়িতে থেকে গেলেই পারে। ইরফান খুবই বিভ্রান্ত অবস্থার মধ্যে আছে, সে একা থাকতে চাইছিল না। কিন্তু নিজের বাড়ির বালিশটির ওপর ভরতের খুব মায়া, সেখানে মাথা না দিলে তার ঘুম আসে না। কেউ যখন বলে, ভরত, তোর জন্যে তো বাড়িতে কেউ অপেক্ষা করে নেই, তখন তার উত্তরে ভরতের বলতে ইচ্ছে করে, কেন, আমার বালিশটা যে অপেক্ষা করে আছে !

অন্ধকারেও ভরতের কোনও অসুবিধে হয় না। রাস্তা তার চেনা । হেদোর পাশ দিয়ে চলে যাবে। এই সময়টায় মাতালের খুব উপদ্রব হয়। মানিকতলা বাজারের কাছে মাতাল থাকে অনেক, এক একটি মাতালের.আবার বিচিত্র সব বাতিক। কেউ কেউ পয়সা কেড়ে নেয়, কেউ কেউ পয়সা দিতে চায়। একদিন এই রাস্তায় একটি মাতাল ভরতকে জোর করে মদ্যপান করাতে চেয়েছিল নিজের পয়সায়, ভরত রাজি হয়নি বলে সে দমাদ্দম ঘুঁসি মারতে মারতে বলেছিল, কেন শালা খাবি না, আমি মাতাল হব, আর তুই শালা কেন সাধুপুরুষ হয়ে থাকবি !

বৃষ্টির পর ঠাণ্ডা হয়ে গেছে বাতাস। এখনও তারা ফোটেনি অবশ্য, আকাশ যেন একটা পাতলা চাদরে ঢাকা। কোনও বাড়িতেই আলো নেই, নগরীর অস্তিত্বই যেন মুছে গেছে। ভরত গুনগুন করে গান গাইতে লাগল। তার গানের গলা নেই, কিন্তু একলা গাইতে ক্ষতি কী ! একলা থাকলে আর একজনের কথাও খুব মনে পড়ে। সে যেন এখন ভরতের পাশে পাশে হাঁটছে। ভরতের চিঠির এখনও উত্তর আসেনি, এদিকে বাণীবিনোদ গেছে চন্দননগরে।

বাড়ি ফিরে হারিকেনটা জ্বালল ভরত। আজ আর রান্নাবান্নার পাট নেই। তবু এখনও শুয়ে পড়তেও ইচ্ছে করছে না। ইরফানের সঙ্গে নিরিবিলিতে সে আজ যে-সব কথা আলোচনা করেছে, সেসব কথা সে আগে কোনও দিন মুখ ফুটে বলেনি। এরকম চিন্তার কোনও ভাষাই ছিল না তার। আজ যেন হঠাৎ বেরিয়ে এল।

রাস্তায় ভরতের বাড়ির সামনেই শোনা গেল দু'জন মাতালের জড়ানো গলার হল্লা। ভরত বারান্দা দিয়ে একটু উঁকি মেরে দেখল, দু'জনেরই বেশ ষণ্ডামার্কা চেহারা, স্খলিত পায়ে হাঁটছে। ভরত আর একটু দেরি করলেই ওদের পাল্লায় পড়ে যেত। রাত্তিরবেলা মাতালরা যখন নিরীহ মানুষদের ধরে টানাটানি করে, তখন সাহায্যের জন্য কেউ এগিয়ে আসে না। কোতোয়ালির পাহারাওয়ালারা পথে পথে টহল দেয় বটে, মাতাল দেখলে তারা বেদম পেটায়, কিন্তু তারা এরকম গলিতে ঢোকে না।

ছাদের কার্নিস দিয়ে একটা বেড়াল ম্যাও ম্যাও করে ঘুরছে। পাশের বাড়ির মাচার ওপর পায়রারা ঝটপটিয়ে উঠছে সেই ডাক শুনে। বেড়ালটা প্রায়ই বাঁশ বেয়ে ওপরে ওঠার চেষ্টা করে, কিন্তু কোনও লাভ নেই, পায়রাগুলো হুস করে উড়ে যায়। রাত্রির আকাশে ঘুরপাক খায় তারা। বেড়ালটা ব্যর্থ আক্রোশে গজরাতে থাকে, যেন সে বলতে চায়, কেন তার ডানা নেই ? বেড়ালটার এই ধরনের ধৃষ্টতা পছন্দই করে ভরত, কারণ তাতে পায়রাগুলো ওড়ার দৃশ্য সে উপভোগ করতে পারে। রাত্তিরবেলা তারা ডাকে না, শুধু নিঃশব্দে উড়তে থাকে। আজকের রাত অন্ধকার, কিন্তু জ্যোৎস্না রাতে এক গুচ্ছ পায়রা যখন ঘুরে ঘুরে ওড়ে, তখন যেন এক অলৌকিক মায়ার সৃষ্টি হয়।

বিছানা একেবারেই টানছে না ভরতকে। একটুক্ষণ সে চুপ করে বসে চুরুট টানল, তারপর তার ইচ্ছে হল চা বানিয়ে খেতে। এর আগেও কয়েকবার মাঝরাতে ঘুম ভেঙে গেলে সে চা বানিয়ে খেয়েছে, অপূর্ব স্বাদ পাওয়া যায় তখন।

উনুন ধরাবার আগেই ভরত একটা বেশ বড় ধরনের ঘোড়ার গাড়ির শব্দ পেল রাস্তায় এবং গাড়িটা যেন এ বাড়ির দরজার সামনেই থামল। তারপরই একজন কেউ গর্জন করার মতন ডাকল, ভরত ! ভরত ! দরজা খোল !

সেই ডাক শুনে ভরত কেঁপে উঠল। এত রাতে তাকে কে ডাকতে আসবে ? এ কণ্ঠস্বর তো দ্বারিকার নয় ! বারান্দা দিয়ে ঝুঁকে সে জিজ্ঞেস করল; কে ?

ঘোড়ার গাড়ি থেকে নেমে একজন দীর্ঘকায় মানুষ দাঁড়িয়ে আছে, ওপর থেকে চেনা যাচ্ছে না। সেই ব্যক্তি ওপরের দিকে মুখ তুলে বলল, দরজা খুলে দে !

ভরত এবার ছুটে নেমে এল সিঁড়ি দিয়ে। একতলার কোলাপসিব্‌ল গেটের চাবিটা পাশের দেওয়ালেই ঝোলে। গেট খুলে বাইরে এসে দেখল, পুরোদস্তুর সাহেবি পোশাক পরা শশিভূষণ, হাতে একটা ছড়ি, অসহিষ্ণু এক সৈনিকের মতন ছটফট করছেন। ভরতের মুখের দিকে তিনি চেয়ে রইলেন কয়েক পলক, তারপর গাড়ির দিকে মুখ ঘুরিয়ে বললেন, নেমে এসো !

বুকের কাছে হাত দুটি জড়ো করে গাড়ি থেকে নামল এক রমণী, রাস্তায় আলো নেই, সে রমণীও মুখ নিচু করে আছে, তবু শুধু শরীরের রেখা দেখেই ভূমিসূতাকে চিনতে তার এক মুহূর্তও দেরি হল না।

তলোয়ারের ভঙ্গিতে হাতের ছড়িটা তুলে শশিভূষণ বললেন, ওপরে চল !

সিঁড়ি দিয়ে উঠতে গিয়ে দু'বার হোঁচট খেলেন শশিভূষণ, বিরক্তিতে গজগজ করতে লাগলেন এবং ওপরে এসে যদিও দেখলেন যে একটা হারিকেন জ্বলছে, তবু বললেন, আলো জ্বালিসনি কেন ?

ওই হারিকেন ছাড়া ভরতের ঘরে আর কোনও বাতি নেই। সে শিখাটা উস্কে দিল অনেকখানি, তারপর হারিকেনটা ছাড়া ভরতের ঘরে আর কোনও বাতি নেই। সে শিখাটা উস্কে দিল অনেকখানি, তারপর হারিকেনটা উঁচু করে তুলে ধরল। প্রথমেই তার নজরে পড়ল, ভূমিসূতার কপালে একটা ব্যান্ডেজ বাঁধা, তার এক পাশ এখনও রক্তে ভেজা।

সাঙ্ঘাতিক কিছু একটা ঘটেছে, এই আশঙ্কায় ভরতের মুখ দিয়ে একটা শব্দও বেরুল না।

শশিভূষণ মেঝেতে পাতা মাদুরের একটা ধার ছড়ির ডগা দিয়ে সরিয়ে দিলেন, সেটা যেন অতি নোংরা পদার্থ এই ভাবে জুতোপরা পা দিয়ে ঠেলে দিলেন আরও খানিকটা । তারপর শান্ত গম্ভীর গলায় বললেন, রেখে গেলাম তোর কাছে। এখন তোরা যা খুশি কর। আমি আর কোনওদিন দেখতে আসব না। আমার সঙ্গে তোদের আর কোনও সম্পর্ক থাকবে না। তোরা যদি সুখে থাকতে পারিস, হ্যাঁ, আমি খুশিই হব। আগে আমি ভাগ্যে বিশ্বাস করতাম না, এখন দেখছি নিয়তি যাকে যেদিকে টানে, তা আর এড়াবার উপায় নেই—

হঠাৎ কথা থামিয়ে দিয়ে শশিভূষণ বললেন, চলি—

তিনি পিছন ফিরতেই ভরত ব্যাকুল ভাবে বলল, স্যার—

সঙ্গে সঙ্গে শশিভূষণ ফেটে পড়লেন। নিজেকে তিনি প্রাণপণে সংযত করার চেষ্টা করছিলেন, এবার বাঁধ ভেঙে গেল। ঘুরে দাঁড়িয়ে তিনি প্রচণ্ড জোরে বললেন, চুপ ! অকৃতজ্ঞ ! তোর একটা কথাও শুনতে চাই না। আমাকে কিছু না জানিয়ে.....গোপনে গোপনে চিঠি লেখা! তুই পড়াশুনো করে বড় হবি বলেছিলি, সব ব্যবস্থা করে দিয়েছিলুম, তুই আসলে আমার চোখে ধুলো দিয়েছিস.....জন্মের দোষ......সততা বলে কিছু নেই ! আমি এই মেয়েটিকে সিংহের মুখ থেকে বাঁচাতে চেয়েছিলাম, মহারাজ ওকে খেয়ে ফেলতেন.....আমি ওর জন্য চাকরি ছাড়তে রাজি ছিলাম, ওকে সব কিছু দিতে চেয়েছি.....স্বাধীনতা, নিজস্ব বাড়ি, সংসার, গঙ্গার ধারে সুন্দর একটা বাড়ি দেখে রেখেছিলাম, সেখানেও সম্মানের জীবন পেত.....রক্ষিতা নয়...অন্য কারুর আপত্তি আমি গ্রাহ্য করতুমনা, মন ঠিক করে ফেলেছিলুম আমি আবার সংসারী হব......অকৃতজ্ঞ, এত অকৃতজ্ঞ তুই, তলে তলে ষড়যন্ত্র করেছিস।

ভরত বলল, স্যার, আমি....

ভূমিসূতা মুখ তুলে আস্তে আস্তে বলল, ওঁর দোষ নেই, সব দায় আমার।

শশিভূষণ বললেন, তোমার কোনও কথা আর আমি শুনতে চাই না—

তিনি এমন ভাবে মুখটা বাঁকিয়ে রইলেন, যেন তিনি ভূমিসূতাকে দেখতেও চান না। তাঁর সমস্ত মুখে যন্ত্রণার রেখা। তিনি ভরতকে বললেন, তোর চালচুলো নেই, তুই ওকে খাওয়াতে পারবি ?

মহারাজ ওর খোঁজ করবেনই, তোর কথা যদি জানতে পারেন, সারাজীবন তোকে পালিয়ে পালিয়ে বেড়াতে হবে। অনেক ঝুঁকি নিয়ে তোকে কলকাতায় এনেছিলুম, আশা করেছিলুম তুই নিজের পায়ে দাঁড়াবি, মানুষের মতন মানুষ হবি, সব আমার ভুল, রক্তের দোষ যাবে কোথায়....যাক, তোদের নিয়তি তোরা বুঝবি, আমি তো দেখতে আসব না, এই শেষ!

ভরত বলল, স্যার, আপনি বসুন, দয়া করে বসুন।

শশিভূষণ কয়েক পলক স্থির চোখে চেয়ে রইলেন ভরতের দিকে। তারপর দু'দিকে মাথা নাড়তে নাড়তে বললেন, না, বসব না, তোর এখানে নিশ্বাস নিতেও আমার কষ্ট হচ্ছে। আর কোনওদিন.....না না, আমি আর তোদের মুখ দেখতে চাই না, সব শেষ, তোরা বাঁচিস বা মরিস, তাতে আমার কিছু আসে যায় না !

ভরত এবার শশিভূষণের পায়ের ওপর ঝাঁপিয়ে পড়ে বলল, স্যার, আপনাকে একটু বসতেই হবে, আমি কিছুই জানি না।

দ্রুত সরে গিয়ে শশিভূষণ রুদ্র কণ্ঠে বললেন, আমাকে ছুঁবি না ! হারামজাদা ! আমার সঙ্গে ভণ্ডামি, মাথা গুঁড়ো করে দেব !

ভরতকে সত্যি সত্যি মারার জন্য তিনি ছড়িটা একবার তুললেন। তাঁর সারা শরীর কাঁপছে।

তারপর আস্তে আস্তে ছড়িটা নামিয়ে নিয়ে ক্লান্ত ভাবে একটা দীর্ঘশ্বাস ফেললেন। আস্তে আস্তে বললেন, নাঃ, আর কী হবে, আমি এবার যাই !.....ওর যে মাথা ফেটে গেছে, আমি কিন্তু ওকে মারিনি.......ও বারান্দা দিয়ে লাফিয়ে পালাতে গিয়েছিল......আমি কি ওকে জোর করে বন্দী করে রেখেছিলুম ? শশিভূষণ সিংহ জীবনে কারুর ওপর জোর করেনি, আমি শুধু চেয়েছিলুম.....থাক, আর থাক, সব কথা শেষ হয়ে গেছে.....

শশিভূষণ ঝট করে ঘর থেকে বেরিয়ে গেলেন, সিঁড়িতে ধুপধাপ শব্দ শোনা গেল। তারপর জুড়িগাড়ির ঝমঝম শব্দ একটু একটু করে মিলিয়ে গেল দূরে।

ভরত কান পেতে শুনতে লাগল সেই শব্দ। যেন সেই শব্দের সঙ্গে তার হৃৎস্পন্দনের যোগ আছে।

দুটো ঘরের মাঝখানের একটা মোড়ার ওপর বসেছে ভূমিসূতা। থুতনিতে দুই হাতের তালু, সোজা চেয়ে আছে ভরতের দিকে, এ ঘরের একটিমাত্র চেয়ারে না বসে, পেছনটা ধরে নিঃশব্দে দাঁড়িয়ে রইল ভরত। এটা যেন তার বাড়ি নয়, অচেনা কোনও গৃহে হঠাৎ ঢুকে পড়েছে, কোনও কথা খুঁজে পাচ্ছে না।

দু'জনে তাকিয়েই রইল শুধু। ওরা সামনাসামনি কথা বলার সুযোগ পেয়েছে খুব কমই, মনে মনেই দু'জনে দু'জনের কাছাকাছি এসেছে ।

এক একটা মিনিট কাটছে, না এক একটা যুগ ?

একটা ফরফর শব্দ শুনতে পেল ভরত। বেড়ালটা সক্ষম হয়েছে পায়রাগুলোকে উড়িয়ে দিতে। অন্য দিন ভরত বারান্দায় দৌড়ে দেখতে যায়। এখন যাওয়া চলে না। ভূমিসূতাকে অন্য কিছু বলার আগে প্রথমেই বলা যায় না, চলো, আমরা রাত্রির আকাশে পায়রার ওড়াওড়ি দেখি।

সে চেয়ে রইল ভূমিসূতার দিকে। দু'জনের চোখে চোখ, কিন্তু ভরত ভূমিসূতার চোখের ভাষা পড়তে পারছে না, তার এখনও বুক কাঁপছে। শশিভূষণের গাড়িটার চলে যাবার শব্দ সে শুনতে পাচ্ছে এখনও ।

একটা কিছু বলা উচিত, তাই ভরত অপ্রাসঙ্গিকভাবে বলে উঠল, তুমি চা খাবে ?

একটু আগে সে নিজে চা বানাবে ভেবেছিল, তাই এ কথাটা তার মনে এল।

ভূমিসূতা খুব মৃদু গলায় বলল, না।

ভরতের মতন সকলেরই যে মাঝরাত্তিরে চা খেতে ভালো লাগবে তার কোনও মানে নেই। ভরত সেটা বুঝে মাথা নাড়ল। তারপরই তার মনে পড়ল, আর একটা কথা অনায়াসেই জিজ্ঞেস করা যেতে পারে।

সে বলল, তোমার মাথায় চোট......খুব বেশি লেগেছে ?

ভূমিসূতা এবারও বলল, না।

তারপর সে উঠে দাঁড়াল। হারিকেনটা তুলে নিয়ে ভেতরের ঘরটা দেখল। রান্নাঘরের কাছে এসে উঁকি মারল, সেখান থেকে কল-পায়খানা ঘরে, কিন্তু ব্যবহার করার জন্য নয়, ভরতের ক্ষুদ্র বাসাবাড়িটা সে দেখে নিচ্ছে। ফিরে এসে হাট করে খোলা দরজার পাল্লা দুটো ভেজিয়ে দিতে দিতে বলল, মহারাজ আমাকে তাঁর সঙ্গে করে নিয়ে যেতে চেয়েছিলেন।

ভরত বলল, ত্রিপুরায় ?

ভূমিসূতা বলল, হ্যাঁ। আমি যেতে চাইনি। ওখানে সবাই বলল, ত্রিপুরায় একবার গেলে আমার আর ফেরার আশা ছিল না।

ভরত বলল, রাজবাড়িতে একবার ঢুকলে কোনও মেয়ে আর বেরুতে পারে না।

ভরত কোনও কথা খুঁজে পাচ্ছিল না বুঝেই ভূমিসূতা তাকে কথা বলানোর দায়িত্ব নিয়েছে। ভরতের সারা শরীর এখনও আড়ষ্ট, ভূমিসূতা অনেক স্বাভাবিক হয়ে গেছে। আঁচল দিয়ে সে মুখ মুছল। তারপর বলল, রাজবাড়িতে থাকতাম কিনা জানি না। মহারাজ আমাকে রোজ গান শোনাবার জন্য নিয়ে যেতে চেয়েছিলেন ।

ভরত বলল, গান? মেয়েরা সবাই রাজবাড়ির মধ্যেই থাকে। তুমি যেতে চাওনি, মহারাজ তা শুনে রাগ করেননি ? আমার মাস্টারমশাই কী বলেছিলেন ?

হারিকেনের শিখাটা দপদপ করছে, হাঁটু গেড়ে বসে সেটা বসিয়ে দিতে দিতে ভূমিসূতা বলল, উনি আমাকে বিয়ে করতে চেয়েছিলেন। আমাকে উনি বিয়ে করে অন্য জায়গায় নিয়ে গেলে মহারাজ আর রাগ করবেন না বলেছিলেন। আমি সে কথা শোনার সময় কান বন্ধ করে

ছিলাম। খুব মন দিয়ে অন্য কথা ভাবতে থাকলে আমি সামনে কেউ কথা বললেও শুনতে পাই না।

ভরত এবার চেয়ারটায় বসে দু'হাতে মুখ চাপা দিল।

আবার বৃষ্টি নেমেছে। ঝড়ো হাওয়াও বইতে শুরু করেছে নতুন করে। বারান্দার দরজা দিয়ে বৃষ্টির ঝাপটা এসে লাগছে ভরতের গায়ে, ভরত তা টের পেল না।

ভূমিসূতা বলল, বৃষ্টিতে সব ভিজে যাবে। দরজা বন্ধ করে দেব?

মুখ থেকে হাত সরিয়ে ভরত এক সদ্য সর্বস্বান্ত মানুষের মতন গলায় বলল, ভূমি—

ভূমিসূতা ঘুরে দাঁড়াল।

ভরত বলল, কী হয়ে গেল বল তো?

ভূমিসূতা বলল, আমি আপনার চিঠির উত্তর লিখে রেখেছিলাম। কী করে পাঠাব.... পুরুতমশাইয়ের কাছে যেতে পারিনি। তাই আজ ঠিক করেছিলাম, যেভাবেই হোক, আমি নিজেই চলে আসব। আমার ওখানে আর থাকতে একটুও ইচ্ছে করছিল না।

ভরত বলল, ভুমি...আমি মাসের পর মাস ভেবেছি তোমাকে ওই বাড়ি থেকে উদ্ধার করে আনব, আমি তোমাকে কথা দিয়েছিলাম, কিন্তু হঠাৎ এ কী হয়ে গেল? আমার মাথা ছিঁড়ে যাচ্ছে, আমি কিছু ভাবতে পারছি না।

ভূমিসূতা নিজের মাথার ব্যান্ডেজটা খুলে ফেলতে লাগল।

ভরত প্রবলভাবে মাথা ঝাঁকাতে ঝাঁকাতে বলল, না, না, এ হয় না, হয় না! ভূমি, মাস্টারমশাইয়ের কাছে আমি কতখানি ঋণী, তা তোমাকে বোঝাতে পারব না। উনি দয়া না করলে আমি বেঁচে থাকতাম না। আমার ওপর এমন রেগে গেছেন দেখে কত কষ্ট হচ্ছিল, আমি কি সত্যি অকৃতজ্ঞ? আমি ওঁকে মনে মনে পুজো করি। মাস্টারমশাই তোমাকে পছন্দ করেছেন, বিয়ে করতেও চেয়েছিলেন, তারপর আমি, না না, হয় না, কিছুতেই হয় না। তুমি কেন এখানে এলে?

ভূমিসূতা বলল, আপনি যদি চিঠি না লিখতেন,.....তাহলেও আমি ওঁকে বিয়ে করতাম না। আমি কারুর দয়া চাই না। আমি......

ভরত বলল, দয়া নয়, ভূমি, তুমি মাস্টারমশাইয়ের কথা শুনে বুঝতে পারলে না? উনি তোমাকে ভালোবেসেছেন। ওঁর মুখে আমি কখনও কোনও স্ত্রীলোক সম্পর্কে কথা শুনিনি, উনি বিয়ে করবেন না ঠিক করেছিলেন—

ভরত বলল, আজ তুমি এলে, আজ আমার জীবনের সবচেয়ে আনন্দের দিন হতে পারত, কিন্তু মাস্টারমশাই তোমাকে চেয়েছেন, উনি খুব আঘাত পেয়েছেন, তারপরেও আমি কী করে....

ভূমিসূতা বলল, আমি দিনের পর দিন অপেক্ষা করেছি। জানতাম, আপনার কাছ থেকে ডাক আসবেই....

দু'জনে চুপ করে রইল একটুক্ষণ। যাদের আলিঙ্গনাবদ্ধ হবার কথা ছিল, তারা এক পাও কাছে এগোয়নি। দু'জনের চোখ মাটির দিকে।

একটু পরে ভরত অসহায় ভাবে বলল, এখন আমি কী করি?

ভূমিসূতা আঁচল দিয়ে চোখ মুছল, তার কান্নায় কোনও শব্দ নেই।

ভরত বলল, তোমার কপালে লেগেছে, আমার কাছে কোনও ওষুধ নেই।

ভূমিসূতা বলল, লাগবে না।

সব দুর্বলতা ঝেড়ে ফেলে ভরত চেয়ার ছেড়ে উঠে গিয়ে দরজার কাছে তার চটি জোড়া পায়ে গলিয়ে নিল, দৃঢ় গলায় বলল, আমাদের এভাবে থাকা চলে না। তুমি কি পাগল, মাস্টারমশাই তোমাকে বিয়ে করতে চাইলেন, তবু তুমি তাঁর মনে দুঃখ দিয়ে চলে এলে!

মাস্টারমশাইয়ের অভিশাপ নিয়ে আমি সারা জীবন তোমার সঙ্গে.....তা কখনও হয় ? আমার চালচুলো নেই, পৃথিবীতে কেউ নেই, উনি আমার মাসোহারা বন্ধ করে দিলে আমাকে হন্যে হয়ে চাকরি খুঁজতে হবে .... উনি তোমাকে কত আদর যত্নে রাখবেন, তুমি সুখী হয়েছ দেখলেই আমার আনন্দ হবে। আমি কালই তোমাকে মাস্টারমশাইয়ের কাছে ফেরত দিয়ে আসব।

ভূমিসূতা আর কোনও কথা না বলে দেয়ালের এক কোণে জড়সড় হয়ে দাঁড়াল।

ভরত বলল, ও ঘরে বিছানা পাতা আছে। তুমি শুয়ে থাকো। আমি আমার এক বন্ধুর বাড়িতে চলে যাচ্ছি। আমরা দু'জনে এখানে রাত কাটাইনি, একথা বললে মাস্টারমশাই নিশ্চয়ই বিশ্বাস করবেন। উনি কত বড় একজন মানুষ, আমার ওপর রাগ করে থাকতে পারবেন না।

দরজার কাছেই দেয়ালের এক আংটায় ঝোলানো জামাটা পরতে পরতে ভরত আবার বলল, কুঁজোয় জল তোলা আছে, তেষ্টা পেলে খেও। আমি কাল সকাল-সকাল চলে আসব। তার আগে যদি ইচ্ছে হয়, চা বানিয়ে নিতে পারো। উনুন ধরাবার জন্য ঘুঁটে আছে, দেশলাই রাখা আছে তাকে। দুধ অবশ্য পাবে না, দুধ নিয়ে আসব আমি। ছাদে ঘটর ঘটর শব্দ হতে পারে, তাতে ভয় পেও না, বড় বড় ইঁদুর দৌড়োয়.....

দরজা খুলে বেরুতে গিয়েও আবার ফিরে এল ভরত। ভূমিসূতা একই রকম ভঙ্গিতে দাঁড়িয়ে আছে। দৃষ্টি মাটির দিকে।

একটুক্ষণ চুপ করে রইল ভারত। তার বুকের ভেতরটা যে কঠিনভাবে মুচড়ে মুচড়ে রক্তপাত হচ্ছে, তা কেউ বুঝবে না। তার দু'চোখের নীচে ঝাপটা মারছে সমুদ্রের ঢেউ। সে কাতর গলায় ফিসফিসিয়ে বলল, আমাকে ভুল বুঝো না, ভূমি। আমি অতি নগণ্য মানুষ। আমি তোমায় কিছুই দিতে পারব না, মাস্টারমশাই তোমাকে সম্মানের আসনে বসাবেন, তুমি এতদিন যত কষ্ট সয়েছ, সব দূর হয়ে যাবে।

রাস্তায় বেরিয়ে ছুটতে লাগল ভরত। বৃষ্টি পড়ছে জোরে জোরে, কিন্তু এ পথে জল জমেনি। এখন আর মানুষ তো দূরের কথা একটা কুকুর পর্যন্ত নেই। ভরত পাগলের মতন ছুটছে। হাউহাউ করে কাঁদতে কাঁদতে সে আপন মনে কী যে বলছে তা কেউ শুনবে না।

হেদো পেরুবার পর হাঁটু পর্যন্ত জল, তা লক্ষই করল না ভরত, সে লাফিয়ে লাফিয়ে ছুটতে লাগল। মানিকতলার বাড়িটিতে এক বিন্দু আলো নেই। দরজা খটখটিয়ে সে ডাকতে লাগল, ইরফান, ইরফান।

দ্বারিকা ফেরেনি, বাড়িতে ইরফান একা। বেশ কিছুক্ষণ পর গভীর ঘুম থেকে জেগে উঠে সে একটা মোমবাতি হাতে নিয়ে এসে দরজা খুলল। জল কাদায় মাখামাখি হয়ে ভরতের চেহারা ভূতের মতন, তার যেন খুব শীত লেগেছে, সে ঠকঠকিয়ে কাঁপছে।

ইরফান দারুণ অবাক হয়ে বলল, কী ব্যাপার, কী ব্যাপার, কী হয়েছে, ভরত?

ভরত তার একটা হাত জড়িয়ে ধরে বলল, ইরফান তোর এখানে আমাকে একটু থাকতে দিবি ?

ইরফান বলল, তখন তোকে কত বললাম রাতটা থেকে যেতে, তুই বৃষ্টি মাথায় করে চলে গেলি... ভূতের ভয় পেয়েছিস নাকি ? ভগবানের বিশ্বাস করিস না, ভূতের বিশ্বাস করিস!

ভরত প্রাণপণে কান্না চাপার চেষ্টা করছে, অন্য কারুর সামনে সে কখনও কাঁদে না।

ইরফান আবার জিজ্ঞেস করল, কী হয়েছে বল তো ? কোনও খারাপ খবর পেয়েছিস ? নিকটজন কেউ মারা গেছে ?

ভরত কোনও উত্তর দিতে পারছে না।

ইরফান সদর বন্ধ করে দিয়ে বলল, ইস, একেবারে পাঁঠা ভেজা ভিজেছিস। সান্নিপাতিক হয়ে যাবে যে ! ধুতি আর পিরান এক্ষুনি ছেড়ে ফেল্। আমার একটা লুঙ্গি পরে নে—

গামছা এনে ইরফান নিজেই বন্ধুর মাথা মুছে দিল। জামাটা খুলে দিতে দিতে বলল, আসলে দুঃস্বপ্ন দেখেছিস, তাই না ? তাতে ভয় পেয়েছিস। আমারও এরকম হয় মাঝে মাঝে।

ভরত এবার সম্মতি সূচক মাথা নেড়ে বলল, আমার একটু চা খেতে ইচ্ছে করছে।

ইরফান বলল, এত রাতে চা ! অবশ্য একটা গরম কিছু খেলে বুকে ঠাণ্ডা বসবে না। দ্বারিকার ঘরে ব্র্যান্ডি থাকতে পারে, গরম জল মিশিয়ে তাই খাবি ?

ভরত বলল, না । চা নেই ?

উনুন জ্বালিয়ে চা বানানো হল। ইরফান নিজে অবশ্য খেল না। বেশি চা খেলে তার ঘুম আসে না। অনেকখানি চা খেয়ে কাঁপুনি কমল ভরতের। ইরফানের কাছ থেকে একটা চুরুট নিয়ে টানতে লাগল সে।

ইরফান বলল, অনেক ঘরই তো খালি পড়ে আছে। তুই যেখানে ইচ্ছে শুয়ে পড়তে পারিস। দ্বারিকার বিছানায় তুই শুলেও সে আপত্তি করবে না। তবে তুই আজ ভয় পেয়েছিস তো, আজ আর একা থাকা ঠিক নয়। আমার ঘরে দুটো তক্তাপোশ আছে, সেখানেই শুবি আয়—

ভরত বলল, তুই ঘুমো, আমি একটু পরে যাচ্ছি। ইরফান, সন্ধেবেলা আমরা কত রকম যুক্তির কথা বলছিলাম। কিন্তু মানুষের জীবন কি যুক্তি মেনে চলে ?

ইরফান বলল, ওসব কথা কাল সকালে হবে। আমার চোখ টেনে আসছে।

ভরত শুতে গেল না। বসে রইল বারান্দার মেঝেতে। ঘুমের কোনও প্রশ্নই নেই, চোখের পলকই যেন পড়ছে না। আজ সন্ধেবেলাতেই সে হালকা মেজাজে ছিল, কয়েক ঘন্টার মধ্যে সব ওলোটপালোট হয়ে গেল ! ভূমিসূতার কথা সে মুখ ফুটে বন্ধুদের কাছেও কখনও বলেনি। কিন্তু কত স্বপ্ন ছিল ভূমিসূতাকে ঘিরে। একদিন ভূমিসূতা চলে আসবে তার কাছে, সে তখন সরকারি খাতায় নাম লিখিয়ে বিয়ে করবে ভূমিসূতাকে। সেই সময় অবশ্য বন্ধু-বান্ধবদের সাহায্য নিতে হতোই। দ্বারিকা আর যদুপতি তাকে নিশ্চয়ই সাহায্য করত। তারপর তার ওই হরি ঘোষ স্ট্রিটের ছোট বাড়িতেই পাতা হতো সংসার। সে নিজে পড়তে যেত বিশ্ববিদ্যালয়ে, রাত্তিরে সে ভূমিসূতাকে বাড়িতে বসে পড়াত। লেখাপড়ায় খুব আগ্রহ ভূমিসূতার, তাকে সে ইংরেজি পড়তেও শিখিয়ে দিত। বিশ্ববিদ্যালয় থেকে বেরিয়ে আর কোথাও যেত না ভরত, সোজা ছুটে আসত বাড়িতে।

ভূমিসূতা সেই এল, কিন্তু এই কি আসা !

এখন, এই মুহূর্তে, ভূমিসূতা রয়েছে তারই ঘরে, তারই বিছানায় শুয়ে আছে। কিন্তু সেখানে ভরতের থাকার কোনও অধিকার নেই। কাল সকালে তাকে যে শুধু ফিরিয়ে দিয়ে আসতে হবে তাই-ই নয়, মন থেকেও মুছে ফেলতে হবে। তার স্বপ্নে আর ভূমিসূতার স্থান নেই।

নিজের ঘরখানির কথা ভাবতে গেলেই তার চোখে ভেসে উঠছে শশিভূষণের ক্রুদ্ধ বেদনার্ত মুখ। মায়ের কথা মনে নেই ভরতের, রক্তের সম্পর্কে যিনি পিতা, তিনি ভরতকে সঁপে দিয়েছিলেন ঘাতকদের হাতে। একমাত্র শশিভূষণই ভরতের মতন এক অকিঞ্চিৎকর মানুষকে মূল্য দিয়েছিলেন। শশিভূষণ দয়া না করলে সে এক গঞ্জের কাঙালি হয়ে থাকত। শশিভূষণ তার কাছে বাবা-মায়ের চেয়েও বেশি। সেই শশিভূষণের মনে আঘাতের কারণ হয়েছে সে ? শশিভূষণ ভেবেছেন, ভরত তলে তলে তাঁর বিরুদ্ধে ষড়যন্ত্র করে ভূমিসূতাকে পেতে চেয়েছে ? ছি ছি ছি ছি।

শশিভূষণ যে ভূমিসূতার প্রতি আকৃষ্ট হবেন, এ কথা ঘুণাক্ষরেও তার মনে আসেনি কখনও। নারী জাতির প্রতি ফিরে তাকাতেন না শশিভূষণ, ত্রিপুরায় তাঁর কত প্রলোভন ছিল,

ইচ্ছে করলেই তিনি নিজের বাসস্থানে একাধিক সোমত্থ দাসী রাখতে পারতেন, তাতে কেউ কিছু মনে করে না। ভবানীপুরের বাড়িতেও ভূমিসূতার সঙ্গে শশিভূষণকে কখনও একটি কথাও বলতে দেখেনি ভরত।

যদি নিজের প্রাণ দিয়েও প্রমাণ করতে হয় যে ভরত অকৃতজ্ঞ নয়, তাতেও সে রাজি আছে।

যারা অনিদ্রা রোগী, যারা সাধক-যোগী, তাদেরও এক সময় ঘুম আসে, কিন্তু ভরতের চোখে ঘুম নেই। বিছানায় আরাম করে শুতেও তার ইচ্ছে করছে না, সে মেঝেতে চিত হয়ে পড়ে আছে। নিশ্ছিদ্র অন্ধকারের মধ্যে সে দেখতে পাচ্ছে তার অকিঞ্চিৎকর জীবনের সমগ্র ছবি। তার আর কোনও ভবিষ্যৎ নেই। সে শুধু এইটুকু ঠিক করে ফেলেছে, সে আর কলকাতা শহরে থাকবে না। একদিন সে মহারাজের দৃষ্টিপথ থেকে এড়িয়ে থাকার চেষ্টা করেছিল, এখন থেকে সে আর শশিভূষণ-ভূমিসূতার দৃষ্টিপথেও থাকবে না। এঁদের দু'জনের জীবনে কোনও অস্তিত্বই থাকবে না ভরতের।

রাস্তার ওপারে তাঁতিদের বস্তিতে ডেকে উঠল মোরগ। এখনও আকাশে আলো ফোটেনি, পুব দিগন্তে শুধু সামান্য লালচে আভা দেখা দিয়েছে। এর মধ্যেই ভোর হয়ে গেল? ভরত তড়াক করে উঠে দাঁড়াল। আর দেরি করা ঠিক হবে না। পাশের বাড়ির পুরুত বাণীবিনোদ এক একদিন এমন ভোরেই চা খাওয়ার জন্য ছাদ ডিঙিয়ে চলে আসে।

নিজের জামা ও ধুতি শুধু ভিজে নয়, একেবারে নোংরা। হয়তো কাল আসার পথে দু'-একবার আছাড় খেয়েছে, খেয়ালও নেই। এগুলো পরে যাওয়া যায় না। ভোর হতে না হতেই শহরের অনেক মানুষ জেগে ওঠে। ভরত দ্বারিকার ঘরের দরজা ঠেলে ঢুকল। একটা আলনায় পরিপাটি করে সাজানো আছে বেশ কয়েকটা ধুতি, বেনিয়ান ও কুর্তা। দ্বারিকার কাছ থেকে এক প্রস্থ পোশাক ধার করতে কোনও বাধা নেই।

পোশাক বদলাবার পর রান্নাঘরে এসে একটা ধারালো মাংস কাটা ছুরিও নিয়ে নিল ভরত। সেটা কোমরে গুঁজে রাখল, একটা অস্ত্র রাখা দরকার। শশিভূষণ যদি কোনওক্রমে তাকে অবিশ্বাস করেন, তাহলে তাঁর সামনেই নিজের গলায় ছুরি বসিয়ে দেবে ভরত।

এরই মধ্যে রাস্তা দিয়ে দল বেঁধে বেঁধে চলেছে গঙ্গাস্নানার্থীরা। কিছু কিছু ফেরিওয়ালা বেরিয়ে পড়েছে সওদা নিয়ে। বাড়ির কাছেই একটা মিষ্টির দোকানে মস্ত বড় একটা কড়াইতে দুধ জ্বাল দেওয়া হয়। ভরত এক পোয়া দুধ নিয়ে নিল একটা ভাঁড়ে। তার কাছে পয়সা নেই, কিন্তু এ দোকানে সে ধার রাখতে পারে। জিলিপি ভাজার মাদকতাময় গন্ধ নাকে আসছে। ভূমিসূতা কি জিলিপি খেতে ভালোবাসে ! ভূমিসূতা তার বাড়িতে এল, কিছু না খেয়ে চলে যাবে ? দু'আনার জিলিপিও কিনে নিল ভরত। একটা বড় শালপাতার ঠোঙায় সব কিছু নিয়ে এক হাতে ধরে সে অন্য হাত চাপা দিয়ে সাবধানে হেঁটে চলল। চিলে ছোঁ মারার ভয় আছে।

নীচের গেট খোলা, সিঁড়ি দিয়ে ওপরে এসে ভরত দেখল বাইরের দরজাও খোলা। তার শয্যা শূন্য। সে দু'বার ডাকল, ভূমি, ভূমি !

এরপর শালপাতার ঠোঙাটা নামিয়ে রেখে ভরত দৌড়োদৌড়ি করে রান্নাঘরে, স্নানের ঘর, বারান্দা, ছাদ, ন্যাড়া ছাদ সব খুঁজে দেখল বটে, কিন্তু আগেই সে বুঝে গেছে, ভূমিসূতা নেই। কোনও কোনও শূন্যতায় পা দিলেই টের পাওয়া যায় যে তা একেবারেই শূন্য। কোনও ঘরেই ভূমিসূতার উত্তাপ নেই। ভরতের বিছানাটি নিভাঁজ, সেখানে কেউ শোয়নি। ভূমিসূতাকে ভরত শেষ দেখেছিল দেওয়ালে এক কোণে ঠেস দিয়ে দাঁড়িয়ে থাকতে, সেখান থেকেই বোধহয় ভূমিসূতা চলে গেছে।

কোথায় চলে গেল! সে নিজেই ফিরে গেল শশিভুষণের কাছে? ভরতের প্রত্যাখ্যানে সে অপমানিত বোধ করেছে, ভূমিসূতা তেজস্বিনী মেয়ে, সে রকম অপমান বোধ তার হবেই।

ভরত তার চোখে একটা অপদার্থ, কাপুরুষ, প্রতিশ্রুতি ভঙ্গকারী, হ্যাঁ ভরত এর সবকটাই মেনে নিতে রাজি আছে। ভূমিসূতার চোখে এখন সে একটা ঘৃণ্য জীব হওয়াই ভালো। ভরতের পক্ষেও ভূমিসূতাকে স্বপ্ন থেকে মুছে ফেলা সহজ হবে।

সেই জন্যই ভূমিসূতা আর ভরতের সাহায্য চায়নি, নিজেই সে চলে গেল আগে থেকে। কিন্তু সে কি পথ চিনে যেতে পারবে ? রাজবাড়ি থেকে সে তো আগে বেরোয়নি, কালও এসেছে অনেক রাত্রে। ভূমিসূতা সঙ্গে কিছু এনেছিল কি না ভরত লক্ষ করেনি, ঘরের মধ্যে শুধু পড়ে আছে তার কপালের ব্যান্ডেজ বাঁধা ন্যাকড়ার টুকরোটা। তাতে লেগে আছে কালচে রক্ত। ভরতের কাছে আসবার জন্য ভূমিসূতা বারান্দা থেকে লাফ দিয়েছিল, সেই ভূমিসূতাকে গ্রহণ করার অধিকার নেই ভরতের।

ভূমিসূতা ঠিক মতন পৌঁছেছে কিনা তা একবার খোঁজ নিয়ে দেখতেই হবে। একটু আগে যদি বেরিয়ে থাকে তাহলে এখনও রাস্তায় তাকে পাওয়া যেতে পারে। শশিভূষণের কাছে ঠিক মতন ভূমিসূতাকে সমর্পণ করার দায়িত্ব ভরতের।

সে আবার ছুটে বেরিয়ে এল। রাস্তায় দাঁড়িয়ে নিম ডাল দিয়ে দাঁতন করছে বাণীবিনোদ। সে ভরতকে দেখে এক গাল হাসল। কিন্তু এখন কথা বলার সময় নেই।

এত সকালে গাড়ি ঘোড়া পাওয়া যায় না। ভাড়ার গাড়িগুলো বেরোয় একটু দেরিতে। সার্কুলার রোড দিয়ে ঘোড়ার টানা ট্রামগাড়িও চলে না। অগত্যা দৌড়োতেই হল ভরতকে। পথের দু'দিকে অনবরত মাথা ঘোরাতে ঘোরাতে সে মনে মনে বলতে লাগল, ভূমি, তুমি সুখী হবে। মাস্টারমশাইয়ের সঙ্গে একবার বিয়ে হলে গেলে, তোমার নিজস্ব সংসার হলে তুমি বুঝতে পারবে, এইটাই ঠিক। ভরত কেউ না, সে তোমাকে কিছুই দিতে পারত না। ক্রীতদাসী ছিলে, তুমি হবে এক সম্ভ্রান্ত বংশের ঘরণী।

রাজবাড়ির সামনে এসে ভরত থমকে দাঁড়াল। এই প্রাসাদ তার কাছে সিংহের গুহা। মহারাজ হয়তো এখনও জাগেননি, কিন্তু ত্রিপুরার অন্য কোনও কর্মচারি তাকে দেখতে পেলেই মহারাজের কাছে খবর চলে যাবে। মৃত ভরত হয়ে উঠবে জীবন্ত, নতুন করে তার মাথার ওপর ঝুলবে দণ্ডাজ্ঞা।

এখন এসব চিন্তা করার সময় নেই। গেটের দারোয়ান একজন ফেরিওয়ালাকে ঢুকতে দিচ্ছে, সেই ফাঁক দিয়ে ভরতও ছুটে গেল। বাণীবিনোদের কাছে শুনে শুনে এ বাড়ির অনেক কিছুই তার জানা। দোতলায় সে চলে এল শশিভূষণের মহলে।

শশিভূষণ জেগে উঠেছেন, একটা আরাম কেদারায় তিনি বসে আছেন জানলার দিকে চেয়ে। ভরত সোজা এসে ঝাঁপিয়ে পড়ল তাঁর পায়ের ওপর। পাগলের মতন শশিভূষণের ফর্সা পায়ে মুখ ঘষতে ঘষতে সে বলতে লাগল স্যার, আমাকে ভুল বুঝবেন না, আমি তাকে চাইনি, ফিরিয়ে দিয়েছি, সে-ও আপনাকেই চায়, আমি কেউ না, আমি কেউ না, সে আপনাকে...

শশিভূষণ কঠোর ভাবে বললেন, ফের নষ্টামি করতে এসেছিস, বলেছি না, আমি তোদের দু'জনেরই আর মুখ দেখতে চাই না !

ভরত বলল, আমি তাকে ছুঁইনি, আমি কাল রাত্তিরে বাড়িতে থাকিনি। আপনি যদি বিশ্বাস না করেন, আমি মরে যাব। এক্ষুনি মরে যাব। আমি তাকে ফিরিয়ে দিয়েছি।

শশিভূষণ বললেন, কোথায় ফিরিয়ে দিয়েছিস ?

ভরত বলল, এখানে। সে এখানে আসেনি ?

শশিভূষণ বললেন, এখানে সে আসবে কেন ? আমি তো তাকে আর চাই না। না, না, চাই না !

ভরত মুখ তুলে উদ্‌ভ্রান্তের মতন বলল, এখানে সে আসেনি? আমার বাড়িতে সে নেই। রাস্তাতেও দেখিনি। সে কোথায়, সে কোথায়?

আগের রাতে শশিভূষণ ভরতকে আঘাত করতে গিয়েও সামলে নিয়েছিলেন, আজ আর পারলেন না। ভরতের চুলের মুঠি ধরে রক্তচক্ষে বললেন, আমি তাকে নিয়ে নতুন করে ঘর বাঁধতে চেয়েছিলাম, তুই তার মন বিষিয়ে দিয়েছিস, তুই নিজে তাকে লোভ করেছিলি। বাঁদরের গলায় মুক্তোর মালা ! রাখতে পারলি না । তাকে হারালি, হারামজাদা, তুই দূর হয়ে যা চোখের সামনে থেকে!

তিনি সবেগে ভরতকে ঠেলে ফেলে দিলেন মাটিতে।

শশিভূষণ ভবানীপুরের বাড়িতে লোক পাঠিয়ে খবর আনালেন, ভূমিসূতা সেখানেও যায়নি। এই রাজবাড়িতে তার জিনিসপত্র পড়ে আছে, এখানেও সে ফিরে এল না। সে কোথাও নেই।

ভরত নিজের বাড়ি ফিরল না। শহরের সমস্ত পথ চষে বেড়াল সারা সকাল-দুপুর। গঙ্গার ধারের সবকটি ঘাট খুঁজে দেখল। ভূমিসূতা অদৃশ্য হয়ে গেছে। বিকেলবেলায় অভুক্ত, শ্রান্ত শরীরে ভরত শুয়ে পড়ল গঙ্গার তীরে এক গাছতলায়। একটু পরে তার ঘুম এসে গেল। গত রাত্রে সে এক পলকের জন্য চক্ষু বোজেনি, আজ সে এখানেই ঘুমোবে সারা রাত। আকাশে মেঘ ঘনিয়ে এসেছে বৃষ্টি নামবে খানিক বাদেই। তা নামুক। যে আকাশে ঈশ্বর থাকেন, সেদিকে ভরত আজ চোখ তুলে চায়নি একবারও। ভরত ঘুমিয়েই রইল। গঙ্গাবক্ষে ভোঁ বাজিয়ে যাতায়াত করছে কত কলের জাহাজ, দেশ বিদেশ থেকে কত যাত্রী এসে নামছে। এই রাজধানী শহর সদাব্যস্ত, রাজা কিংবা নফর, হঠাৎ ধনী কিংবা কাঙালি সবাই ছোটাছুটি করছে নানান উদ্দেশ্য নিয়ে। নদীর ধারের রাস্তা দিয়েও অনেকে মেটেবুরুজ বা খিদিরপুর যায়। গাড়ি-ঘোড়ার শব্দেও ঘুম ভাঙল না ভরতের। সন্ধের একটু আগে ইডেন বাগানে গোরাদের ব্যান্ড বেজে উঠল, তা শুনবার জন্যও ভিড় করে দাঁড়াল অনেকে। বাজনদারদের মুখগুলি গর্বমণ্ডিত। যেন তারা স্বর্গ থেকে নেমে এসে এই কালোকোলো ভারতীয়দের অভিনব বাদ্যযন্ত্রের ধ্বনি শোনাচ্ছে।

উত্তম সাজে সজ্জিত হয়ে বেশ কিছু সাহেব মেম ও অ্যাংলো ইন্ডিয়ান যুবক যুবতী সান্ধ্য ভ্রমণে এল স্ট্র্যান্ডে, কত বিচিত্র তাদের পোশাক। তারা কলহাস্যে মুখরিত করে দিল বাতাস। ঘাটে ধপধপে সাদা রং করা অনেকগুলি মাঝারি মাপের বজরা নোঙর করা আছে। এগুলি কিছু কিছু ইংরেজ রাজপুরুষের নিজস্ব। এক এক করে সেই সব বজরা ভাসল।

পথচারীরা কেউ কেউ এক পলক এই শায়িত মানুষটির প্রতি দৃষ্টিপাত করেই মুখ ফিরিয়ে নেয়। পোশাক ও মুখশ্রী ভদ্রোচিত, তবু সে এমন অসময়ে কেন গাছতলায় শুয়ে আছে, তা নিয়ে কৌতুহল দেখায় না কেউ। শহরের মানুষ বড়ই নির্দয়।

সারাদিন এক দানাও খাদ্য মুখে তোলেনি, তবু এ কী কঠিন ঘুম ভরতের । যেন মরণ ঘুম। তার ব্যর্থতা, তার অপরাধবোধ ও গ্লানি ঘুমের মধ্যে মুছে গেছে, স্বপ্নে সে আর ভূমিসূতাকে তল্লাশ করছে না। এক পাশ ফিরে সে শুয়ে আছে, তার মুখে ক্লিষ্ট রেখা নেই, প্রগাঢ় শান্তির মতন ঘুম। তারপর এক সময় ঝিরঝির করে বৃষ্টি নামল।

॥ প্রথম পর্ব সমাপ্ত ॥